診療放射線技師
国家試験対策全科

第14版

編著

京都医療科学大学名誉教授
西谷源展

京都医療科学大学学長
遠藤啓吾

京都医療科学大学講師
赤澤博之

金芳堂

執筆者一覧（執筆順）

遠藤啓吾	京都医療科学大学 学長
柴田登志也	京都医療科学大学医療科学部放射線技術学科 教授
渡邊祐司	京都医療科学大学医療科学部放射線技術学科 教授
佐藤芳文	京都医療科学大学 名誉教授
澤田　晃	京都医療科学大学医療科学部放射線技術学科 教授
屋木祐亮	京都医療科学大学医療科学部放射線技術学科 助教
齊藤睦弘	京都医療科学大学 名誉教授
佐藤敏幸	京都医療科学大学医療科学部放射線技術学科 教授
赤澤博之	京都医療科学大学医療科学部放射線技術学科 講師
笠井俊文	京都医療科学大学医療科学部放射線技術学科 教授
向井孝夫	京都医療科学大学 名誉教授
木村千里	元帝京大学医療技術学部診療放射線学科 講師
石井里枝	徳島文理大学保健福祉学部診療放射線学科 准教授
井戸靖司	中部国際医療センター放射線技術部 統括部長
小田敍弘	京都医療科学大学 名誉教授
桑原奈津美	京都医療科学大学医療科学部放射線技術学科 助教
小嶋健太郎	京都府立医科大学眼科学教室 学内講師
杜下淳次	九州大学大学院医学研究院保健学部門 教授
西谷源展	京都医療科学大学 名誉教授
田畑慶人	京都医療科学大学医療科学部放射線技術学科 准教授
石垣陸太	京都医療科学大学医療科学部放射線技術学科 准教授
山田勝彦	京都医療技術短期大学 名誉教授
松本圭一	京都医療科学大学医療科学部放射線技術学科 准教授
霜村康平	京都医療科学大学医療科学部放射線技術学科 講師
矢野慎輔	京都大学医学部附属病院放射線部 主任診療放射線技師
河村　正	京都医療科学大学 名誉教授
安井啓祐	藤田医科大学医療科学部放射線学科 講師
秋田和彦	大阪医科薬科大学関西BNCT共同医療センター 技師長
大野和子	京都医療科学大学医療科学部放射線技術学科 教授
松尾　悟	京都医療科学大学医療科学部放射線技術学科 教授

まえがき

　診療放射線技師法は診療エックス線技師法として昭和26年6月に制定され，翌年の昭和27年（1952年）4月に施行されている．昭和43年（1968年）に現在の診療放射線技師法となっている．診療放射線技師法は制定されてすでに70年という歴史を刻んできた．その間に医療における診療放射線技術は大きく進歩し，学問として学ぶ分野が広くなりこの資格を得るための勉学も大きく変化してきている．

　私は書籍の歴史を知るのに書籍の最終ページに掲載されている奥付を見る．これによっていつごろから発行され，どのように改訂されているかを知る．本書は昭和53年（1978年）に初版が発行されており，44年目となる．その間には国家試験科目の増加や内容の変化に対応できるように著者の選定など改訂のたびに検討をしている．内容については常に診療放射線技師国家試験出題基準に合致したものであることを念頭にして執筆している．

　近年の国家試験の合格率は平成30年（第71回）79.2％，令和2年（第72回）82.3％，令和3年（第73回）74.0％となっている．合格率から見れば決して高い合格率ではない．本来であれば所定の科目を履修しておればすべての受験者が合格できると思われるが，不合格者が出ることは残念でならない．

　今回改訂の本書は，診療放射線技師国家試験出題基準に準拠して執筆している．また，令和3年改正された「診療放射線技師法」に対応している．そのほかにBNCTなどの新しい技術やここ数年医療界で問題となっている新型コロナウィルスについても記述している．

　次年度の受験生については，国家試験対策として取り組むため2〜3か月間の短期間ではなく1年間を使用して，これまでの勉強のまとめとして使用していただきたい．また将来職場に入職したときの参考書としても永く使用してほしい．在学生については各科目の授業の参考やまとめとして日頃から利用していただければ幸いである．

　読者の学生諸君には診療放射線技師を目指して勉学に励み，立派な技師として成長されることを期待している．

　最後になりましたが，本書の出版並びに編集にあたり並々ならぬご尽力を賜りました金芳堂の市井輝和氏に対し，深甚なる謝意を表します．

　2022年1月27日

第14版にあたって　　編者しるす

目　次

1章　基礎医学大要

1　脳の構造と機能-1（遠藤啓吾）　2
2　脳の構造と機能-2（遠藤啓吾）　4
3　脳血管と脳血流（遠藤啓吾）　5
4　脳の病気（遠藤啓吾）　6
5　脊椎と脊髄（遠藤啓吾）　9
6　末梢神経（遠藤啓吾）　10
7　自律神経系；交感神経と副交感神経（遠藤啓吾）　11
8　骨・頭部・脊椎（遠藤啓吾）　12
9　上肢・骨盤・下肢の骨（遠藤啓吾）　15
10　骨の病気（遠藤啓吾）　17
11　関節（遠藤啓吾）　19
12　関節の病気（遠藤啓吾）　21
13　肺・呼吸器の解剖（遠藤啓吾）　22
14　肺の病気（遠藤啓吾）　25
15　心臓の解剖・機能と病気（遠藤啓吾）　27
16　大血管の解剖と病気（遠藤啓吾）　30
17　口腔・咽頭・喉頭（遠藤啓吾）　32
18　食道・胃の解剖と機能（遠藤啓吾）　33
19　胃の病気（遠藤啓吾）　34
20　小腸・大腸の解剖と機能（遠藤啓吾）　35
21　大腸の病気（遠藤啓吾）　36
22　肝臓・胆嚢の解剖と働き（遠藤啓吾）　37
23　肝臓・胆嚢の病気（遠藤啓吾）　39
24　膵臓・脾臓（遠藤啓吾）　41
25　腎臓の解剖と機能（遠藤啓吾）　43
26　腎臓・膀胱の病気（遠藤啓吾）　44
27　生殖器（遠藤啓吾）　45
28　妊娠（遠藤啓吾）　48
29　内分泌-1　脳下垂体・副腎・糖尿病（遠藤啓吾）　49
30　内分泌-2　甲状腺・副甲状腺（遠藤啓吾）　52
31　血液・造血器・リンパ系（遠藤啓吾）　54
32　血液の病気（遠藤啓吾）　56
33　免疫による生体の防御機能（遠藤啓吾）　57
34　炎症・感染症（遠藤啓吾）　58
35　「がん」とは（遠藤啓吾）　60
36　生活習慣病（遠藤啓吾）　61
37　疾病予防とがん検診（遠藤啓吾）　62
38　チーム医療（遠藤啓吾）　63
39　衛生学・公衆衛生学（柴田登志也）　64
40　覚え方（遠藤啓吾）　67

2章　放射線生物学（渡邊祐司・佐藤芳文）

1　放射線の種類と電離作用　70
2　放射線の標的としての細胞　74
3　放射線の標的としてのDNA　76
4　放射線による細胞死と細胞生存率曲線　79
5　放射線の組織および臓器に及ぼす影響　83
6　全身被ばくによる影響　86
7　確定的影響と確率的影響　87
8　胎児の放射線影響　89
9　放射線の生物効果を修飾する要因　90
10　放射線の生物効果と放射線治療　91

3章　放射線物理学（澤田　晃）

1　単位と定数　96
2　波の性質　97
3　原子の構造と性質　99
4　原子核の構造と性質　102
5　原子核の壊変　103
6　核壊変の指数法則　106
7　自然放射性元素　107
8　人工放射性元素　108
9　制動X線の発生と性質　109
10　特性X線の発生と性質　111
11　光子（X線およびγ線）と物質の相互作用　112
12　光子と物質の相互作用係数（吸収係数等）　114
13　光子線（X線およびγ線）の減弱　116
14　荷電粒子（電子（β線），重荷電粒子）と物質の相互作用　117

15	中性子と物質の相互作用	*119*
16	原子核反応	*121*

4章　放射化学（屋木祐亮・齊藤睦弘）

1	元素と周期表	*124*
2	原子核反応と放射性核種の製造	*126*
3	放射性核種の製造	*127*
4	放射平衡	*130*
5	放射性核種の分離法-1―共沈法，溶媒抽出法，イオン交換法，ミルキング―	*131*
6	放射性核種の分離法-2―クロマトグラフィー，その他の方法―	*133*
7	放射性標識化合物	*136*
8	放射性同位体の化学分析への利用	*138*
9	放射性同位元素のトレーサー利用	*140*

5章　医用工学（佐藤敏幸）

1	電磁気の単位	*142*
2	直流回路	*143*
3	直流の測定回路	*145*
4	静電気	*148*
5	電流と磁気	*150*
6	電流と磁界の相互作用	*152*
7	電磁誘導	*153*
8	正弦波交流	*155*
9	交流回路	*156*
10	三相交流	*159*
11	過渡現象	*160*
12	半導体-1	*162*
13	半導体-2	*164*
14	集積回路（IC）	*166*
15	電子回路-1	*167*
16	電子回路-2	*169*
17	電磁気現象と生体	*172*
18	電気計器	*173*
19	諸効果・法則と単位	*174*

6章　診療画像機器学（X線）

1	医用X線装置の構成（赤澤博之）	*176*
2	医用X線管（赤澤博之）	*178*
3	X線管の動作特性と故障（赤澤博之）	*181*
4	高電圧発生装置（赤澤博之）	*182*
5	整流方式（高電圧回路）（赤澤博之）	*183*
6	X線制御装置（赤澤博之）	*187*
7	X線管の定格と許容負荷（赤澤博之）	*189*
8	電源設備（赤澤博之）	*190*
9	X線発生装置に関するJIS規格（赤澤博之）	*191*
10	自動露出制御装置（赤澤博之）	*192*
11	X線 TV システム（赤澤博之）	*193*
12	コンピューテッド・ラジオグラフィ（CR）装置（赤澤博之）	*195*
13	X線平面検出器（フラットパネルディテクタ，FPD）（赤澤博之）	*196*
14	特殊撮影装置（赤澤博之）	*197*
15	CTの概要と装置構成（笠井俊文）	*199*
16	CTのデータ収集方法（笠井俊文）	*201*
17	CTの画像再構成と性能評価（笠井俊文）	*203*
18	骨密度測定装置（向井孝夫）	*206*

7章　X線撮影技術学

1	画像診断における診療放射線技師の役割と義務（木村千里）	*210*
2	X線撮影の基本（木村千里）	*211*
3	X線撮影（検査）の種類（木村千里）	*212*
4	体位と撮影方向（木村千里）	*213*
5	撮影用具と必要な条件（木村千里）	*216*
6	胸部・腹部単純撮影（木村千里）	*218*
7	頭部単純撮影（木村千里）	*222*
8	脊椎単純撮影（木村千里）	*227*
9	仙骨，尾骨，骨盤単純撮影（木村千里）	*230*
10	胸郭単純撮影（木村千里）	*232*
11	上肢単純撮影（木村千里）	*233*
12	下肢単純撮影（木村千里）	*238*
13	股関節，乳幼児股関節単純撮影（木村千里）	*242*
14	産婦人科領域の腹部単純撮影，骨盤計測撮影（木村千里）	*244*
15	マンモグラフィ（石井里枝）	*245*
16	消化管造影検査（井戸靖司）	*248*

17	その他のX線造影検査（井戸靖司）	253
18	血管造影・IVR（インターベンショナルラジオロジー）（柴田登志也）	256
19	X線CT検査（小田敍弘）	260

8章　診療画像検査学

1	MRIの原理（笠井俊文）	266
2	MRI装置の構成（笠井俊文）	269
3	MRIの撮像原理（笠井俊文）	271
4	MRIの撮像シーケンス（パルスシーケンス）（笠井俊文）	274
5	アーチファクト（笠井俊文）	280
6	MRIの造影剤と検査（笠井俊文）	282
7	MRI検査の実際（笠井俊文）	284
8	MRIの安全性（笠井俊文）	291
9	超音波画像診断装置（桑原奈津美）	293
10	画像表示モードと臨床的活用（桑原奈津美）	296
11	超音波分野における関係式（桑原奈津美）	297
12	超音波検査の実際（桑原奈津美）	298
13	眼底検査法（小嶋健太郎）	301

9章　画像工学

1	アナログX線画像（杜下淳次）	304
2	現像処理（西谷源展）	307
3	ドライイメージャ（ドライプリンタ）（西谷源展）	309
4	写真における諸効果（西谷源展）	311
5	画像のデジタル化（杜下淳次）	312
6	デジタルX線画像（杜下淳次）	314
7	入出力変換特性（杜下淳次）	316
8	鮮鋭度（解像特性）（杜下淳次）	318
9	粒状性（ノイズ特性）（杜下淳次）	321
10	画像の主観的な評価（杜下淳次）	323
11	デジタル画像処理（杜下淳次）	324

10章　医療画像情報学

1	論理代数と情報の表現（田畑慶人）	328
2	論理回路（田畑慶人）	329
3	コンピュータの基礎（田畑慶人）	331
4	医療情報（石垣陸太）	333

11章　放射線計測学（山田勝彦）

1	放射線の単位と用語	338
2	照射線量の測定	341
3	線量計の校正と補正	344
4	吸収線量の測定	345
5	固体線量計	347
6	化学線量計	349
7	GM計数管	350
8	比例計数管	351
9	シンチレーション検出器	352
10	半導体検出器	355
11	X線エネルギーの測定	356
12	γ線エネルギーの測定	357
13	α, β線エネルギーの測定	358
14	放射能の絶対測定と相対測定	359
15	中性子の測定	360
16	計数の統計処理	362
17	被ばく線量測定器	363
18	放射線環境測定器	366
19	測定に必要な計算例題	369

12章　核医学検査技術学

1	診療放射線技師の役割と義務（松本圭一）	372
2	放射性医薬品（松本圭一）	373
3	主な放射性医薬品の特性と用途（松本圭一）	375
4	核医学測定装置（ガンマカメラ）（松本圭一）	377
5	核医学測定装置（SPECT装置）（松本圭一）	380
6	核医学測定装置（PET装置）（松本圭一）	382
7	試料測定装置（松本圭一）	385
8	その他の測定装置（松本圭一）	386
9	体外計測検査法（松本圭一）	388
10	脳神経シンチグラフィ（松本圭一）	390
11	甲状腺・副甲状腺シンチグラフィ

12	肺シンチグラフィ（松本圭一）394		（霜村康平・矢野慎輔）446
13	心機能・心筋シンチグラフィ（松本圭一）395	17	放射線療法（Radiation Therapy；RT）
14	肝シンチグラフィ（松本圭一）398		（渡邊祐司・河村　正）448
15	肝胆道シンチグラフィ，その他の消化器系検査（松本圭一）399	18	陽子線治療・重粒子線治療
			（安井啓祐・河村　正）456
16	腎シンチグラフィ（松本圭一）400	19	ホウ素中性子捕捉療法（BNCT）
17	骨・関節シンチグラフィ（松本圭一）401		（秋田和彦・河村　正）460
18	副腎シンチグラフィ，RIアンギオグラフィ（松本圭一）402	20	放射線治療における有害事象
			（渡邊祐司・矢野慎輔）462
19	腫瘍シンチグラフィ（松本圭一）403		
20	PET検査（松本圭一）405		**14章　医療安全管理学**
21	放射性同位元素（RI）内用療法（遠藤啓吾）408	1	医療におけるリスクマネジメント
			（大野和子・柴田登志也）466
	13章　放射線治療技術学	2	造影剤と医療安全（大野和子・井戸靖司）468
		3	医療における健康被害患者側（〜サイド）
1	診療放射線技師の役割と義務		（大野和子・柴田登志也）470
	（霜村康平・矢野慎輔）412		
2	放射線治療学総論（渡邊祐司・矢野慎輔）413		**15章　放射線安全管理学**
3	集学的治療（渡邊祐司・矢野慎輔）419		
4	時間的線量配分（渡邊祐司・矢野慎輔）422	1	ICRPの放射線防護の基本概念
5	各種放射線とその特徴（霜村康平・矢野慎輔）424		（松尾　悟・佐藤芳文）474
		2	診療放射線技師法（西谷源展）476
6	直線加速装置（霜村康平・矢野慎輔）425	3	届出（医療法施行規則）（西谷源展）479
7	高精度放射線治療装置（IMRT，定位放射線治療装置）（霜村康平・矢野慎輔）427	4	X線装置の防護及びX線の遮へい計算（医療法施行規則）（西谷源展）481
8	治療計画装置（霜村康平・矢野慎輔）430	5	診療用高エネルギー放射線発生装置等の防護及び使用室の遮へい計算（医療法施行規則）（西谷源展）484
9	放射線治療の補助器具・装置（霜村康平・矢野慎輔）432		
10	密封小線源治療装置（霜村康平・矢野慎輔）435	6	装置，器具の使用室（医療法施行規則）（西谷源展）486
11	放射線治療の保守管理（霜村康平・矢野慎輔）437	7	診療用放射性同位元素使用施設及び遮へい計算等（医療法施行規則）（西谷源展）487
12	出力線量の測定法（霜村康平・矢野慎輔）439		
13	線量計算に必要な因子（霜村康平・矢野慎輔）441	8	管理者の義務（医療法施行規則）（西谷源展）491
14	投与線量の空間分布（霜村康平・矢野慎輔）443	9	医療法に定める放射線利用の管理体制（西谷源展）494
15	放射線治療の実際の流れ（霜村康平・矢野慎輔）444	10	放射性同位元素等の規制に関する法律（西谷源展）495
16	外部照射術式と線量分布	11	電離放射線障害防止規則（電離則）（西谷源展）498

12	防護量と実用量（西谷源展）	*500*
13	環境の管理（西谷源展）	*502*
14	個人の管理（西谷源展）	*504*
15	医療被ばく（西谷源展）	*507*
16	表面汚染の管理（汚染除去法）（西谷源展） *509*	
17	廃棄物処理法（西谷源展）	*510*
18	放射性同位元素の安全取扱い（西谷源展）	*513*
19	放射性同位元素取扱い施設（西谷源展）	*515*
20	給気・排気（換気）・排水設備（西谷源展） *516*	
21	事故対策（西谷源展）	*517*
22	医療法施行規則（抄）（西谷源展）	*519*
23	診療放射線技師法（抄）（西谷源展）	*532*

日本語索引 *537*
外国語索引 *556*

1章 基礎医学大要

● 遠藤啓吾（1-38, 40）
● 柴田登志也（39）

　診療放射線技師はチーム医療の一員として，病気で苦しむ患者に毎日接しており，医師や看護師，薬剤師など他の医療職と同じように病気のことを詳しく知っていなければならない．基礎医学では人体の解剖，臓器の生理機能，病気の成り立ち，病気の症状・治療法などを学修し，診療放射線技師国家試験では200問中30問と最多の試験問題数となっている．しかも他の科目とも密接に関係している．

　基礎医学で取り扱う知識は非常に膨大で，1冊の本では到底学ぶことはできない．そこで本書ではできる限り簡潔にわかりやすく，エッセンスのみ記載しており，その「入門編」といえよう．基礎医学は国家試験だけでなく，病院で仕事をする際にも欠かせないので，卒業後にも役立つように書いたつもりである．

　基礎医学の内容として，
1. 脳・神経
2. 骨・関節
3. 肺・呼吸器
4. 心臓・大血管
5. 消化器（食道・胃・大腸・肝臓・胆嚢・膵臓など）
6. 腎臓・泌尿器・生殖器
7. ホルモン・内分泌
8. 血液・リンパ系
9. 免疫・炎症
10. 公衆衛生
11. がん・検診・その他

　それぞれについて，①解剖，②機能と働き，③病気とその説明を簡潔に記載した．また最後には覚え方の例を紹介している．

　第14版では新しく10．公衆衛生を独立した項目として追加した．

　中学・高校で習った，コロンブスがアメリカ大陸を発見した1492年は，「イヨクニもえて，アメリカ大陸発見」，源頼朝による鎌倉幕府が成立した1192年は，「イイクニ作ろう鎌倉幕府」といった類である．

　医学の分野でも12脳神経の覚え方として「嗅いで見る，動く車の．．．．」と習う．このような覚え方には賛否あるが，実際には大変役立つ．自分で覚え方を考える，あるいはインターネットで調べたらいかがだろうか．

　インターネットで調べると，病気のあらゆる情報を入手できる時代である．まず本章を読んで基礎知識を身につけ，その後に詳しく調べるのが効率的な勉強法と思われる．

脳の構造と機能 - 1

1. 脳の構造

　脳の重さは約1.3kgと体重の2.5%程度の大きさであるが，脳の血流量は全体の15%と，脳の大きさに比し大量の血液を必要としている．脳は人にとって生命そのものである．脳の活動には血液から供給されるブドウ糖と酸素を利用してエネルギーを得ており，酸素消費量は全体の20%，ブドウ糖消費量は全体の25%に達する．他の臓器と異なり，脂肪や蛋白質・アミノ酸をエネルギーとして利用しない．脳の活動が停止すると，たとえ心臓が動いていても「脳死」とよばれ，その人の死を意味する．

　脳にはエネルギーの貯えがないため，常に血流の供給が必要である．脳全体の血流量は100gあたり1分間60mLだが，30mL以下に脳血流が低下すると失神する．もし脳血流がゼロになると6秒で失神し，100秒で脳障害を引き起こし，その後血流が回復しても後遺症が残る．

　脳は大脳，脳幹，小脳からなるが，脳と脊髄をあわせて中枢神経系といい，それより末梢を末梢神経系という（表1-1）．

2. 大脳

　大脳は前頭葉，頭頂葉，側頭葉，後頭葉の4つの葉に大きく分けられ，部位毎にそれぞれ固有の機能を有している（図1-1）．前頭葉は頭の前半分にあり，前頭前野と運動野，運動前野に分けられる．人格，理性，創造性，意欲などに関係しているのは前頭前野で，他の動物に比べてヒトの前頭葉は大きく発達している．運動野と運動前野は運動と関係し，手足を動かすなど骨格筋に指示を与える．左前頭前野にはブローカー言語中枢とよばれる言葉を話す能力の中枢が局在している．前頭葉の障害では，部位により様々な症状を示す．運動領域の障害では運動麻痺を生じる．両側の前頭葉の障害では，人格の崩壊，道徳感の低下などをきたす．

　頭頂葉は前頭葉と中心溝によって境され，側頭葉とは外側溝（シルビウス裂）で境される．頭頂葉の機能は良くわかっていないが，体の様々な部位からの情報を総合していると考えられている．

　側頭葉は脳の側面，外側溝の下に位置する．言葉，記憶，聴覚と関わっている．ウェルニッケ言語中枢と呼ばれる言語中枢があり，聴覚を処理している．このウェルニッケ言語中枢が傷害されると，言葉を聞いても意味が理解できない．また海馬（かいば）はタツノオトシゴの形をしており，記憶中枢とされている（図1-2）．認知症の多くを占めるアルツハイマー病は，海馬の異常と関係しており，海馬，側頭葉，前頭葉の連携で記憶されていると考えられている．

　後頭葉は大脳の後ろにあり，視覚をつかさどる．光刺激を与えると，後頭葉の血流が増える．

　左右の大脳半球は，形態的にも機能的にも脳梁でつながっている．脳梁は「つ」の字の形をしており，左右の大脳皮質の間で情報をやり取りしている．

　脳の横断断面図は，基底核，視床レベルの横断図で，中央部に第三脳室とその後ろに松果体がある（図1-3）．側頭葉にレンズ核があるが，レンズ核は外側の大きい被殻と内側の淡蒼球に分けられる．その内側には内包があり，内包の前内側には尾状核が，内包の後内側には視床がある．内包は運動ニューロンが通っており，また被殻と視床は脳出血の多い部位である（図1-4）．尾状核と被

表 1-1　神経の種類

中枢神経	大脳（皮質；灰白質，基底核，視床など，髄質；白質） 脳幹（中脳，橋，延髄），小脳，脊髄
末梢神経	脳神経，脊髄神経など
自律神経	交感神経，副交感神経

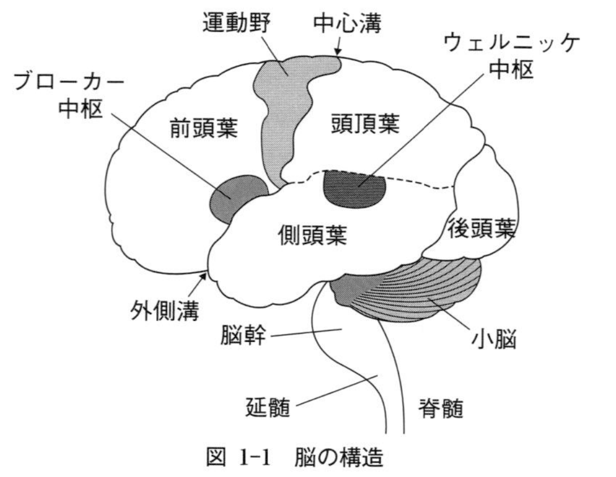

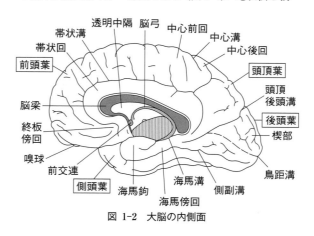

図 1-1　脳の構造

図 1-2　大脳の内側面

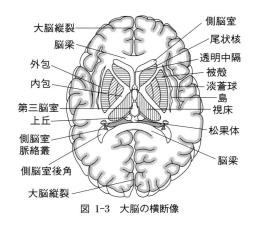

図 1-3 大脳の横断像

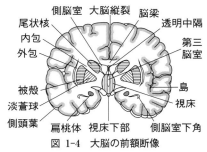

図 1-4 大脳の前額断像

殻をあわせて線条体ともよばれる．尾状核と被殻は元々ひとつだったが，内包によってふたつに分けられたと考えられている．脳核医学で使われる DAT スキャンでは，投与した薬剤が線条体に左右対称的に三日月状に集積する．パーキンソン病では病変部と反対側の線条体，特に被殻後部への集積が低下する．

線条体＝尾状核＋被殻

レンズ核＝被殻＋淡蒼球

大脳基底核 ─── 尾状核
　　　　　　　　被殻
　　　　　　　　淡蒼球
　　　　　　　　黒質（中脳）

3. 錐体路（皮質脊髄路）と大脳基底核

　大脳の表面は大脳皮質または灰白質と呼ばれ，部位毎に様々な機能を有している．大脳の深層は大脳髄質あるいは白いため大脳白質と呼ばれ，神経線維が集まって走行している．この白質神経路の走行は DTI（diffusion tensor imaging）という MRI 手法で画像化できる大脳，小脳は深層が白質だが，脊髄では白質が表層を占める．
　錐体路は随意運動の伝導路で，大脳皮質の運動野に始まり，内包を通過して，橋，延髄，脊髄を下行する神経

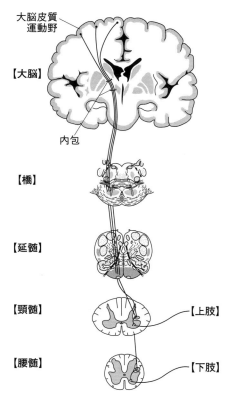

図 1-5 運動神経の下行性伝導路
大脳皮質運動野からの運動神経は，内包を通過し，橋を経て延髄で左右交差し，反対側の脊髄を下行．脊髄前角から筋肉に伝わり，指令通りに運動する．

路のことをいう（図 1-5）．錐体路の線維の大部分は延髄で交叉して反対側に至り，脊髄の側索を下行する．したがって脳内の錐体路の一側が侵されると，反対側の半身に運動麻痺が起こる．右脳に梗塞を起こすと，左側の片側麻痺を生じる．

─関連事項─
錐体外路
　随意運動で敏速巧緻な運動は錐体路によるが，そのほかは錐体外路が関与する．意識せずに円滑に歩行できるのは，錐体外路系が巧みな骨格筋の調整を行っているからである．錐体外路系の中枢が大脳基底核といわれている．大脳基底核は被殻，尾状核（あわせて線条体），淡蒼球（これらは大脳深層に存在するが，灰白質）と黒質（中脳に存在）からなる．代表的な大脳基底核変性症が「パーキンソン病」で，スムーズな動きができなくなる．

2 脳の構造と機能 - 2

1. 小脳

小脳と大脳は小脳テントによって境され，大脳の下，脳脊髄の背側，後頭蓋窩におさまっている（図1-6）．左右の小脳半球と中央の小脳虫部からなる．

小脳は運動のコントロール，体のバランスを調節している．平衡感覚を司り，大脳からの指令が出されると，体中の筋肉に指令を出してコントロールしている．また皮膚や筋肉からの情報を神経から受け取り，立つ，座る，歩く，走るなどの運動がスムーズに行われるようにしている．

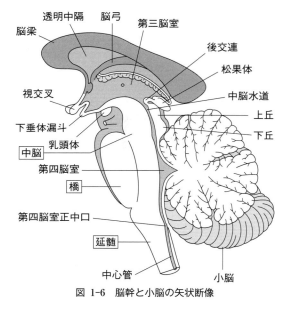

図1-6 脳幹と小脳の矢状断像

2. 脳幹

脳幹は中脳，橋（きょう），延髄に分けられ，脊髄につながる．呼吸中枢，血圧の中枢，意識の中枢も脳幹に存在しており，脳幹部の障害は即，生命の維持が困難となる．脳幹に出血，梗塞を生じると，生命の危機となる．また12ある脳神経の多くは脳幹から発生する（☞p.10 末梢神経）．

3. 脳室

脳は液体の中に浮かんでおり，脳室の中には脳脊髄液という液体が入っている．脳脊髄液は脈絡叢（みゃくらくそう；側脳室）で作られ，脳室・脳槽を循環した後，最後は静脈に流れ込む．

側脳室→モンロー孔→第三脳室→中脳水道→第四脳室
→ルシュカ孔・マジャンディー孔→脳槽→硬膜静脈洞

脳脊髄液は総量150 mLだが，1日400～500 mL産生されているので，毎日入れ替わっている．このどこかで閉塞すると，脳脊髄液の流れが止まり，脳室が拡大し，「水頭症」になる．脳脊髄液はくも膜下腔に存在し，腰椎部から採取することができるが，普通は無色透明である．くも膜下出血では血液が脳脊髄液に入るため，脳脊髄液は赤色となる．

脳の中央部の矢状断面図で，脳梁，第三脳室があり，第三脳室の側壁は，視床と視床下部となる．視床下部から脳下垂体に連絡しており，その前方には視神経が交差する視交叉がある．下方には小脳，脳幹部があり，その間が中脳水道，第四脳室で脳脊髄液が流れている．

4. 水頭症

脳脊髄液が貯留し，脳室が拡大する病気を水頭症という．脳を圧迫し，脳機能に影響する．子供に多い．原因不明の老人の正常圧水頭症（NPH）は，歩行障害，認知症，尿失禁が認められる．髄液シャント術という手術を行い，髄液の流れをよくすると軽快する．

5. 髄膜

脳は柔らかい豆腐のような臓器で，髄液の中で浮かんでいるが，脳の外からは頭蓋骨さらに髄膜によって守られている．髄膜は脳を保護する膜の総称で，外側から硬膜，くも膜，軟膜という3つの膜からなる（図1-7）．硬膜は結合組織からなる強い膜で，脳脊髄を保護している．また血管も硬膜の中と外に分布しており，外傷などで脳の血管が破れ，出血することがあるが，硬膜の外の血管からの出血を「硬膜外出血」，硬膜の中の血管からの出血を「硬膜下出血」という．くも膜と軟膜の間にあるくも膜下の血管からの出血を「くも膜下出血」という．

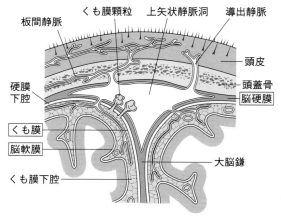

図1-7 脳の髄膜（硬膜，くも膜，軟膜）

3 脳血管と脳血流

1. 脳血流

脳全体の血流量は100gあたり1分間60mLに達し、灰白質と白質では、灰白質の方が白質よりも3倍血流が多い。脳はそれぞれの部位で固有の活動をしているが、脳組織にはエネルギーの蓄えがなく、血流を通じて常にブドウ糖と酸素を供給する必要がある。脳の活動に際しては、関連した脳の局所の血流を増加させ、エネルギー源とする（脳機能と脳血流のカップリングという）。例えば脳梗塞で脳血管が閉塞すると、その血管の支配する領域が活動しなくなり、手足の麻痺や言語障害など様々な障害をきたす。

PET、SPECTあるいはMRIを使って脳局所の血流を調べると、その部位の活動状況を知ることができる。MRIを使って脳の働きを調べる手法をファンクショナルMRI（fMRI）という（☞関連事項）。

2. 脳の血管

脳は左右の内頸動脈と左右の椎骨動脈の4本の主要血管から血液を供給されている（図1-8）。内頸動脈は前大脳動脈、中大脳動脈の2本に分かれ、それぞれの領域を支配している。鎖骨下動脈の枝である左右の椎骨動脈は、頸椎の横突起を上行し、橋（きょう）の部分で合流して1本の脳底動脈となり、小脳・脳幹などへ細い動脈を出した後、左右の後大脳動脈となる。前大脳動脈、中大脳動脈、後大脳動脈は互いに連絡し、ウィリス動脈輪（大動脈輪）を形成する（図1-9）。ウィリス動脈輪は内頸動脈、前大脳動脈、前交通動脈、後交通動脈、後大脳動脈から構成されており、中大脳動脈と脳底動脈がそれに接続する。そのため片側の内頸動脈が閉塞しても反対側の動脈から脳に血液を供給できる。ウィリス輪は分枝が豊富で、脳動脈瘤ができやすく、くも膜下出血の好発部位となる。

大脳は前大脳動脈、中大脳動脈、後大脳動脈が支配する。小脳は椎骨動脈・脳底動脈が、脳幹部は脳底動脈が支配する。

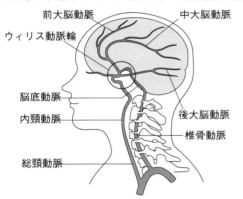

図1-8 脳の動脈
左から見た図。脳は左右内頸動脈と椎骨動脈の4本の動脈から血液を供給される。 （解剖・生理の覚え書きより）

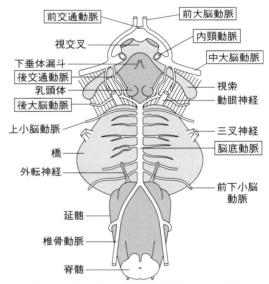

図1-9 脳底動脈とウィリス動脈輪（大動脈輪）
2本の椎骨動脈は頸椎の横突起を上行して、1本の脳底動脈となり、小脳・脳幹に血液を供給する。さらにウィリス動脈輪を形成し、左右の動脈が交流する。

関連事項

ファンクショナルMRI（fMRI）

脳の活動にはエネルギー源としてブドウ糖と酸素が必要で、何か活動すると、それに対応した大脳の限局した部位の血流が増える。ファンクショナルMRIは脳の神経活動に伴う血流変化をMRIを使って検査する手技で、脳のどの部位がどのような働きをしているか、ブレインマッピング（脳地図）を作成する研究が活発に行われている。小川誠二の開発したBOLD（blood oxygenation level dependent）という手法である。

関連事項

血液脳関門　Blood Brain Barrier；BBB

脳を守るため投与された物質が脳内に入らないように、血液と脳の間の物質移動を制限する機構。抗癌剤も血液脳関門を通過できず、脳腫瘍に効きにくい。造影CT・造影MRIが脳転移、脳腫瘍、脳膿瘍などの診断に有用なのは、病変部の血液脳関門が破綻し、造影剤が病変部に到達するため。ただ例外的に正常脳でも松果体、脳下垂体、視床下部、脈絡叢には血液脳関門がない。

4 脳の病気

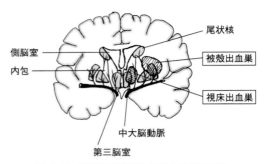

図 1-10 脳の冠状断像と脳出血の好発部位

1. 脳血管の病気

脳の血流障害は，脳の病気で最も多く，脳梗塞，脳出血，脳の外傷など様々な原因により発症する．脳の診断はCT，MRIが開発されたことにより画期的に進歩し，正確な診断・治療にはCT，MRIが不可欠となった．

A. 脳梗塞

脳の血管が閉塞する病気で，以前は脳出血が優位だったが，近年は脳梗塞のほうが多くなった．脳梗塞は脳血栓症（脳局所にできた血栓によってその部位の血管が詰まった病気）と脳塞栓症（心臓や頸動脈など他の部位にできた血栓が血流によって運ばれたものによって脳局所の血管が詰まった病気）に分けられる．

いずれも発症4時間半以内の早期であれば，詰まった血栓，塞栓を溶かす血栓溶解療法（t-PA静注療法）の適応となる．一刻を争ってできるだけ早期に診断し，治療しなければならない．治療開始にあたっては画像診断が不可欠で，救急患者に適した頭部CTが第一選択となる．しかし早期の脳梗塞のCTでは，異常所見の見つからないこともあり，CTより拡散強調画像によるMRI撮影が脳梗塞の超早期診断には適している．ただ救急患者のMRI撮影にあたっては，金属製品など細心の注意が必要で，常日頃からの訓練，チーム医療が不可欠となる（☞ p.63）．

2日以上経過した脳梗塞のCTは，梗塞部位は脳動脈支配領域に一致した低吸収域として黒く描出される．心房細動が持続すると心房内の血液の流れがよどみ，左房にできた血栓が脳にとび脳動脈が閉塞すると脳梗塞を引き起こす．心原性脳梗塞といい，脳梗塞の約30％が心房細動による．

脳梗塞では梗塞を起こした部位によって，反対側の片側の四肢麻痺，言語障害，視野欠損など様々な症状を呈する．

B. 脳内出血

高血圧が主な原因．出血部位は，被殻，視床，ついで小脳，脳幹部の順に多い（図1-10）．中大脳動脈穿通枝からの出血が最も多く70％を占める（被殻40％，視床30％）．脳梗塞と症状が似ており，出血部位，程度により反対側の片側の四肢麻痺，言語障害，視野欠損など様々な症状を呈する．診断にはCTが有用である．CT診断は早期から容易で，出血部位は白く高吸収となる．脳出血と脳梗塞では，治療法が全く違い，ふたつの鑑別診断にはCTあるいはMRIが必須である．

C. くも膜下出血

最も多い原因は脳動脈瘤（コブ）の破裂による．頭部外傷によってくも膜下出血をきたすこともある．くも膜と軟膜の間の空間「くも膜下腔」に出血した病態で，脳動脈瘤が破裂すると突然これまで経験したことがないような強い頭痛を起こす．脳動脈瘤は大きさが1～2mmの小さいものから30mmを超える大きいものまであり，分枝の豊富なウィリス動脈輪（大動脈輪）にできやすい．男性より女性が多い．

くも膜下出血はCT，MRIによる画像診断，脳脊髄液の検査などにより診断される．また破裂していない脳動脈瘤の有無を調べる「脳ドック」も任意型検診として一部の施設で行われている．脳動脈瘤の治療として，クリッピング術（開頭しての外科手術あるいはIVRによる血管内治療（金属コイル塞栓術）が行われる．

D. 頭部外傷

脳は頭蓋骨で守られ，髄膜，脳脊髄液がクッションの役割をして保護されている．交通事故，スポーツ中の事故，暴行などによる強い力によって，頭の皮膚，骨，脳の組織などに，皮下血腫（たんこぶ），頭蓋骨の骨折，脳内出血，脳挫傷などを生じることがある．

1）脳挫傷，脳内血腫

「脳挫傷」とは，頭を強打するなどして頭蓋骨内で脳が急激に動き，硬膜や頭蓋骨にぶつかって，脳内に損傷や出血が発生している病態．前頭葉，側頭葉に多く発生する．脳挫傷に伴って出血した血が塊になったものを「脳内血腫」とよぶ．

2）急性硬膜外血腫

頭蓋骨と硬膜の間にできた血腫．頭蓋骨の骨折が原因で硬膜動脈から出血し，硬膜の外に血腫ができる．硬膜外血腫は比較的限局した凸レンズ型の高吸収域となる（図1-11）．

3）急性硬膜下血腫

頭部外傷3日以内に硬膜下腔（硬膜とくも膜の間）にできた血腫．血腫は三日月型の高吸収域となる．慢性硬膜下血腫とは異なる．

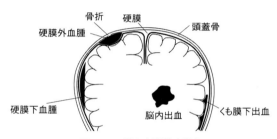

図 1-11 様々な頭蓋内出血
脳出血，硬膜外出血，硬膜下出血，くも膜下出血があり，それぞれの特徴的な形態から鑑別診断できる．

4） 慢性硬膜下血腫
軽微な頭部外傷後，3週間から2～3カ月経過してから発症する．硬膜下腔（硬膜とくも膜の間）に血腫ができる．血腫は三日月状の高吸収域となり，比較的広い範囲にわたって脳表をおおう．老人，幼児に好発する．

E． 脳動静脈奇形
脳血管の一部に生まれつき毛細血管がなく，血液が動脈から直接静脈に流れ込む．そのため静脈に圧がかかり，出血，けいれんで発症する．20～40歳代に多い．治療として，①手術，②IVR（カテーテルを用いた塞栓術），あるいは③定位放射線治療が行われる．

F． もやもや病
もやもや病は大脳の内頸動脈が細くなり血流低下をきたす原因不明の病気で日本人に多く，血管が「もやもや」しているので命名された．脳の血流不足により一時的に手足の麻痺，言語障害をきたすことがある．

2． 他の大脳・小脳の病気
A． 認知症
認知症は以前「痴呆」といわれていたが，近年は認知症という名称に統一された．アルツハイマー病，血管性認知症，レビー小体型認知症，前頭側頭葉変性症などが原因となる．人口の高齢化に伴って認知症患者は400万人に達するといわれ，大きな社会問題となっている．

認知症の原因として最も多いのは，アルツハイマー病である．進行性の記憶障害，特に初発症状は最近の出来事が思い出せない，新しい学習ができない近時の記憶障害が多い．その他，判断能力の低下，見当識障害，徘徊，物盗られ妄想などの症状がみられる．原因はよくわかっていないが，ベータアミロイド蛋白あるいはタウ蛋白の大脳への沈着ではないかと考えられ，認知症診断のための新しいPET薬剤；アミロイドイメージングの研究開発が進んでいる．MRIでは海馬の萎縮が，脳血流SPECTでは頭頂葉にある後部帯状回の血流低下が特徴とされる．

血管性認知症は脳梗塞や脳出血などの脳血管障害によっておこる認知症．他の認知症でもみられる症状に加えて，脳血管障害による神経症状（運動麻痺，言語障害，感覚障害などの局所神経症状）がみられる．レビー小体型認知症はパーキンソニズムを伴う．^{123}I-MIBGシンチグラフィで心臓へのMIBG集積低下が特徴的である．^{123}I-イオフルパン（商品名DATスキャン）では左右の線条体への集積が低下する．前頭側頭型認知症はピック病がほとんどを占める．アルツハイマー病に比べ記憶障害が少ないが，人格の変化や万引きなどの反社会的行動をとったり，同じ行動をくりかえすようになる．

B． パーキンソン病
脳幹部の中脳にある黒質の神経細胞が減少し，神経伝達物質のひとつであるドパミンが不足しておこる病気．ドパミンは運動を円滑にする作用があり，パーキンソン病では運動の調節がうまくいかなくなる．動作緩慢（動作が少なく，遅く，小さくなる．歩く速度が遅く，歩幅も小さい），安静時振戦（手足の細かな震え），筋固縮（腕を動かそうとするとカクカクするような抵抗がある），姿勢反射障害（バランスがとれず，急に止まりにくい；突進現象）などの特徴的な症状を呈し，病気はゆっくり進行する．また精神的にうつ状態になりやすい．

病理学的にはレビー小体の蓄積が特徴である．脳のMRIでは正常所見を示すが，^{123}I-MIBGの心筋への取り込み低下とDATスキャンでの線条体への集積低下が確定診断に役立つ．

C． てんかん
脳皮質の神経細胞が反復性に異常興奮する脳の慢性疾患．2回以上のてんかん発作で「てんかん」と診断する．大脳の器質病変の有無により，子供・若年者に多い原因不明の特発性てんかんと，脳外傷，脳腫瘍，血管奇形，脳血管障害などの病変による成人に多い続発性てんかんに分けられる．病歴と脳波所見で診断するが，てんかんの診断にはMRIが欠かせない．テレビゲーム，テレビの光が誘因となるてんかんなど，てんかんは多彩で，様々な種類がある．社会的，心理的な影響が大きいので，正確な診断が求められる．

薬物療法でコントロールできるが，難治性てんかんでは発作焦点（てんかん原性病変）を切除する外科治療も行われる．ベンゾジアゼピン受容体分布を反映する^{123}I-イオマゼニルSPECTと^{18}F-FDG-PETは，難治性てんかんの焦点切除の術前評価に用いられる．

D． 脳腫瘍
脳腫瘍には脳に発生した原発性脳腫瘍と他の臓器から転移した転移性脳腫瘍がある．

1） 原発性脳腫瘍
原発性脳腫瘍は病理学的に多彩で，良性のものから悪性のものまであり，また発生した部位によっても症状，

表 1-2 原発性脳腫瘍の分類，発生頻度

種類	発生頻度	好発年齢	良性・悪性
神経膠腫*	28%	30～50歳代	良性～悪性
髄膜腫	26%	40～50歳代	良性・一部悪性
下垂体腺腫	17%	30～40歳代	良性
神経鞘腫	11%	40歳代後半	良性
頭蓋咽頭腫	5%	子どもにも好発	比較的良性
胚細胞腫	13%	9～20歳の男子	良性・一部悪性

＊星細胞腫は神経膠腫のひとつである．

治療法が異なる（表1-2）．

　最も多い脳腫瘍は神経膠腫（こうしゅ）で，そのうち病理学的に未分化で，臨床的に最も悪性のものが神経膠芽腫（こうがしゅ）である．60歳以上の高齢者に多く，あらゆる治療に抵抗性で，生命予後は悪い．抗癌剤と放射線治療との併用療法あるいは中性子捕獲療法（BNCT）による治療も試みられている．

　髄膜腫は脳の表面をおおっているくも膜から発生する腫瘍で，硬膜に付着しながら成長する．頻度が多く，ほとんどが良性である．髄膜腫は血流が豊富な腫瘍なので，手術前にIVRの手技を用いて腫瘍を栄養する外頸動脈を閉塞し，手術中の出血を少なくすることがある．

　脳下垂体に発生する腫瘍は，ホルモンを分泌することが多く，特徴的な症状を呈する（☞p.49内分泌）．胚細胞腫は生殖細胞由来で，松果体からの発生が多く松果体胚腫ともよばれる．放射線感受性が高く，放射線外照射の良い適応となる．

　2）転移性脳腫瘍

　腫瘍細胞が血液に乗って脳に転移したもの．肺癌，乳癌，大腸癌からの脳転移が多い．造影MRIで，小さい脳転移も発見できる．血液脳関門（BBB）があるため，投与した抗癌剤も効き難い．主に定位放射線治療が行われる．

E．脳膿瘍

　本来は無菌のはずの脳の中に細菌感染が起こり，脳実質内に限局的に膿が貯まった状態を脳膿瘍という．中耳炎，副鼻腔炎，細菌性心内膜炎などが原因となり，直接に脳内にあるいは血液を介して細菌が脳内に達し，脳局所に膿が貯まる．ただ，脳膿瘍の原因がわからないことも多い．頭痛，発熱，痙攣，意識障害などを起こす．CT，MRIで診断されるが，膠芽腫，転移性脳腫瘍との鑑別診断が難しいことがある．

F．多発性硬化症

　多発性硬化症（MS）は中枢神経系の脱髄疾患のひとつ．脳神経は髄鞘（ずいしょう）で被われているが，この髄鞘が壊れて中の神経線維がむき出しになる病気が脱髄疾患で，この脱髄が斑状にあちこちにでき（これを脱髄斑という），病気が再発を繰り返す．病変が多発し，古くなると少し硬く感じられるので名づけられた．脱髄部位によって，症状は様々で，その原因もよくわかっていない．多発性硬化症の診断にはMRIが必須で，白質に卵型の病巣が多い．

G．ギランバレー症候群

　筋肉を動かす末梢神経が障害され，四肢の筋肉に力が入りにくくなる原因不明の病気．自己免疫疾患ではないかと言われている．数日から数週間かけて悪化し，その後ゆっくり回復することが多い．脳MRIは正常である．比較的多い病気で，芸能人がギランバレー症候群と診断され話題になる．

H．髄膜炎

　細菌やウイルスなどが髄膜に感染して起こる病気で，発熱・頭痛・意識障害などを引き起こす．細菌が原因の細菌性髄膜炎とそれ以外の無菌性髄膜炎に分けられるが，細菌性髄膜炎の方が治療は困難である．

I．脳脊髄液減少症

　脳脊髄液が減少し，頭痛・めまい・悪心・倦怠感など多彩な症状，いわゆる不定愁訴を訴える．原因不明で診断も治療も難しい．MRIの他，脳槽・脊髄腔シンチグラフィ（☞p.391）あるいはCTミエログラフィ（☞p.14）で診断する．腰椎部で脊髄腔内に注入したRI（^{111}In-DTPA）あるいは造影剤が脊髄腔からもれていないか，時間をおって撮影する．

3．小脳の病気

　小脳は平衡感覚を司るので，小脳障害では「小脳失調症」をきたし，体のバランスを保つのが困難となる．あたかも酒に酔ったような状態となり，ふらふらして歩く，物をつかもうとしても距離感がわからない．小脳の出血，梗塞，腫瘍でも生じる．また脊髄小脳変性症などの原因不明の疾患でも，小脳失調症を生じる．

関連事項

脳死と臓器移植

　脳死とは事故や脳卒中のために脳幹，全脳の機能が失われた状態．回復する可能性はなく，いずれ死に至る．ただ人工呼吸器を使って，心臓，肺が動いていることがあるが，元に戻ることはない．臓器移植に際し，脳死は死とされる．脳死判定基準として，深い昏睡，瞳孔の散大と固定，脳幹反射の消失，平坦な脳波，自発呼吸の停止の5項目を検査し，6時間以上経過した後に同じ一連の検査（2回目）を行う．

　脳死と植物状態とは異なる．植物状態では意識はないが，脳幹の機能は残っており，呼吸でき，回復することがある．脳血流検査を行うと，脳死では脳血流が全くないが，植物状態では脳血流を認める．

死の3徴候

　心拍動の停止（心臓停止により脈拍がない），呼吸停止（息をしていない），瞳孔散大・対光反射停止（瞳孔が開き，目に光を当てても瞳孔が縮まる反応を示さない）をいう．原則として死亡診断はこの3徴候により行われる．

5 脊椎と脊髄

1. 脊椎の構造

脊椎は上から頸椎（7個, C1〜C7），胸椎（12個, Th1〜Th12），腰椎（5個, L1〜L5），仙椎（5個, S1〜S5），尾骨（3〜4個）からできている．これらが縦列して1本の脊柱を構成し，脊柱の中にある椎孔が脊柱管をつくり，そこに脊髄を入れている．

頸椎は7個の椎体からなり，上から順に第1頸椎（C1），第2頸椎（C2）〜第7頸椎（C7）という．C1とC2は他の5つと比べ特徴的な形態をしている．

第1頸椎（C1）：環椎．第2頸椎（C2）：軸椎．第7頸椎（C7）：隆椎（りゅうつい）

頸椎の中で最もよく動くのは，第1頸椎（環椎）と第2頸椎（軸椎）の間で，これを環軸関節とよぶ．軸椎の椎体上面から垂直に伸びる歯突起によって形成され，頭を回す働きをもつ．第7頸椎は長く大きな棘突起を持ち，背部表面から触れることができ，隆椎（りゅうつい）ともよばれる（図1-12）．

2. 脊髄の構造

脊髄は手の指の太さで，延髄から始まり第1腰椎と第2腰椎の間に終わる．脊髄末端より下部は馬尾神経（ば

び神経；馬の尾に似ている神経の束）とよばれる神経根のみが伸びており，脊柱管の中を走行する．脊髄は脳と同じように髄膜（硬膜，くも膜，軟膜）で覆われており，くも膜下腔には脳脊髄液が存在する（☞図1-7, 1-11）．大脳では灰白質が白質を取り囲んでいるのに対し，脊髄では白質が灰白質を取り囲んでいる．

脊髄は31の分節に分かれ，それぞれの分節の左右の腹側から運動神経根が，背側から感覚神経根が末梢に出ている．31の分節は，上から8対の頸神経，12対の胸神経，5対の腰神経，5対の仙神経，1対の尾神経から構成されている．

最も太くて長いのが座骨神経である．座骨神経は腰椎4，5神経と第1〜3仙神経から始まり，尻の筋肉である梨状筋の下を通って太ももの裏を通り，膝の裏側で総腓骨神経と脛骨神経に分かれる．足の先までつながっている．

3. 脊髄の機能

脊髄神経には，神経根を経由して，脊髄から出る神経信号と脊髄に入る神経信号を伝える2つがある．運動神経根は前根といい，脊髄前方に位置し，脳からの信号を脊髄を通して筋肉に伝える（☞図1-5）．感覚神経根は後根といい，脊髄後方に位置し，触覚，痛み，温度などの感覚情報を体から脊髄，さらに脳に伝える．

4. 脊髄の病気

脊髄の診断にはMRIが最も有用である．MRIの利用により脊髄の診断は飛躍的に発展した．

1）**脊髄損傷**：主として外傷によって脊椎が骨折，脱臼した際に生じる．脊髄が損傷すると，脳からの信号はその部位から下に伝わらなくなり，また下からの信号が脳に伝わらない．その結果，損傷した部位よりも下部の運動障害，知覚障害をきたす．

手足が動かない運動麻痺，熱さや痛みを感じなくなる感覚障害，排尿・排便障害，自律神経障害などを生じる．損傷した脊髄部位により障害の程度は異なり，頸髄の完全麻痺では四肢が全く動かず，皮膚の感覚もなくなる．また排尿，排便障害を起こす．

脊髄損傷の主な原因は，交通事故，転倒，スノーボード，ラグビー，柔道などの外傷による．放射線治療の際の過照射によっても脊髄損傷が起こりうるため，脊髄への照射線量を制限しなければならない．

2）**筋萎縮性側索硬化症（ALS）**：運動神経のみが障害され，運動神経以外の感覚神経・自律神経・脳の高度な機能などは障害されない疾患の代表が，筋萎縮性側索硬化症である．50〜70歳での発症が多い．脳のMRIは正常．進行性で徐々に全身の筋肉が動かなくなり，最後は呼吸筋も麻痺する．現在，効果的な治療法は開発されていない．

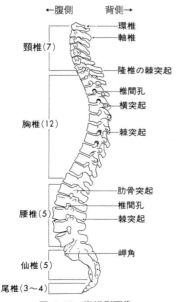

図 1-12 脊椎側面像
脊椎は上から頸椎，胸椎，腰椎，仙椎，尾骨からできている．脊柱の後ろ部分の脊柱管を脊髄が走行する．

6 末梢神経

脳から出る12対の末梢神経を脳神経といい，脊髄から出て全身に分布する末梢神経を脊髄神経という．脊髄神経については図1-5を参照する．

1. 脳神経

脳神経は，①嗅（きゅう）神経，②視神経，③動眼神経，④滑車神経，⑤三叉（さんさ）神経，⑥外転神経，⑦顔面神経，⑧聴神経（内耳神経ともよばれる），⑨舌咽（ぜついん）神経，⑩迷走神経，⑪副神経，⑫舌下（ぜっか）神経の12対で，それぞれ様々な働きをしている（表1-3）（☞ p.67 覚え方）．

三叉神経⑤は眼神経，上顎神経，下顎神経の3本に分かれるので，三叉神経と呼ばれる．頭部に分布しており，齲歯（うし）では三叉神経の痛みを生じる．咀嚼（そしゃく．食べ物をかみ砕く）は三叉神経の働きで，12脳神経のうち最も大きい神経である．顔面神経⑦は顔面に分布し，顔面の表情を司る．目の開眼・閉眼も顔面神経の働きによる．顔面神経が麻痺すると，その側の顔面の一部が動かなくなるため，以前とまったく違った顔の表情となる．原因不明のことが多く，「ベル麻痺」という．舌の味覚，唾液分泌とも関係している．

聴神経⑧は聴覚，平衡感覚と関係しており，内耳神経とも呼ばれる．聴神経は聴覚を司る蝸牛神経と平衡感覚を司る前庭神経からなる．

迷走神経⑩は心臓から咽頭，喉頭，食道，胃，腸の運動神経，分泌神経などを含む．体内で多数枝分かれして，腹腔にまで多くの臓器に分布しており，あまりに複雑なので，「迷走」神経と命名された．迷走神経の一部は，胸部の大動脈弓下で反転して上行し，喉頭に分布するので「反回神経」という．喉頭にある声帯の動きを支配するのは，迷走神経から分枝した反回神経である．肺癌，甲状腺癌などあるいは手術などで反回神経を傷つけると，声がかすれる（嗄声：させい）．強い痛み（静脈注射の際も）や精神的ショックなどが原因で迷走神経が刺激されると，迷走神経が過剰に反応し，心拍数や血圧の低下，脳貧血による失神などを引き起こす（「迷走神経反射」という）．

12脳神経のうち動眼神経③，顔面神経⑦，舌咽神経⑨，迷走神経⑩は，副交感神経として作用する（☞ p.67 覚え方）．

2. 眼球運動

人にとって目からの情報は最も大切で，眼球は繊細な動きが要求される．12脳神経のうち動眼神経③，滑車神経④，外転神経⑥の支配のもと，内直筋，外直筋，上直筋，下直筋と上斜筋，下斜筋の6本の筋肉が働き，眼球を動かす．眼を横に向けたり，内に寄せたりするときは，これらの外眼筋がバランスをとりながら微妙に作用している．眼球の内転には内直筋が，外転には外直筋が，上向きには上直筋が，下向きには下直筋が働く．

3. 聞く聴覚

耳から得られた音は，外耳，鼓膜，中耳，内耳を経て，大脳に伝えられる．大脳の働きで言葉の意味を理解することができる．外耳と中耳の間には鼓膜が，中耳では鼓膜から「ツチ骨」「キヌタ骨」「アブミ骨」の3つの小さい骨（耳小骨）が，内耳に情報を伝達する（図1-13）．

内耳は蝸牛と前庭，三半規管からできている．頭蓋骨の一部である側頭骨の錐体の内部にあり，迷路のようなので「迷路」ともよばれる．

蝸牛は聴覚を，三半規管は平衡感覚，バランスを司っている．いずれも聴神経⑧（内耳神経とも呼ばれる）が支配している．蝸牛はカタツムリ状の部分である．内耳の病気である「メニエール病」では，めまい，難聴，吐き気が特徴的である．また聴神経腫瘍（延髄の小脳橋角部に発生する）では，腫瘍側の難聴，耳鳴りを生じることから気づく．聴神経腫瘍は小さいので，その診断には造影MRIが役立つ．手術あるいは定位放射線治療が行われる．

表 1-3　12脳神経とその働き

名前	働き
1. 嗅神経	嗅覚
2. 視神経	視覚
3. 動眼神経	眼球運動，瞳孔収縮
4. 滑車神経	眼球運動
5. 三叉神経	顔面皮膚感覚，咀嚼（そしゃく）
6. 外転神経	眼球運動
7. 顔面神経	味覚，顔面の表情，唾液分泌
8. 聴神経	（内耳神経）聴覚，平衡感覚
9. 舌咽神経	味覚，嚥下，唾液分泌
10. 迷走神経	嚥下（えんげ），発声，内臓機能
11. 副神経	頸部の運動
12. 舌下神経	舌の運動

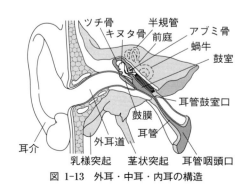

図 1-13　外耳・中耳・内耳の構造

7 自律神経系；交感神経と副交感神経

　自律神経系は正反対の作用をする交感神経と副交感神経からなり，相互にバランスよく働いている．それぞれアクセルとブレーキのような関係で，ホルモンと協調しながら体内活動を調節している．交感神経と副交感神経はシーソーのような関係で，ひとつが上がるともうひとつが下がる．心臓の働き，呼吸，消化吸収，排泄，発汗など，ほとんど全ての臓器に作用している（表1-4）．自律神経機能を調節する中枢は視床下部にある．

　自律神経系の特徴は，標的器官に届く前に一度シナプスをつくって神経細胞が交替することである．神経細胞の集まった部位を神経節といい，中枢神経から神経節までを節前線維，神経節から出る繊維を節後線維という．交感神経の神経節は，脊椎の両側，腹部大動脈周囲などに存在する．

　一般的に興奮，戦いの際には交感神経が優位だと考えるとわかりやすい．交感神経が刺激されると，心臓が興奮してどきどきし，末梢血管は収縮して血圧は上昇．瞳孔は散大し，尿意はなくなり，腸管の蠕動は低下する．副腎髄質，交感神経節から分泌されたアドレナリン，ノルアドレナリンの交感神経ホルモンの働きによる．交感神経が刺激されるとアドレナリンの分泌が促進される．気管支は交感神経の刺激で拡張するので，気管支喘息の治療にはアドレナリンは有効である．

　副交感神経としては脳神経である動眼神経③，顔面神経⑦，舌咽神経⑨，迷走神経⑩（☞ p.67覚え方）と骨盤内臓神経の末端からアセチルコリンが分泌され，細胞に作用する．アセチルコリンの分泌が増えて副交感神経が優位となると，心臓の脈拍数は減少し，末梢血管は弛緩して血圧は低下．瞳孔は縮小する．消化管の蠕動は亢進し，発汗は増加する．

　副交感神経を遮断すると，瞳孔は散大し，胃腸の蠕動は低下する．眼底の精密検査の際に，副交感神経遮断薬を点眼すると，動眼神経の作用を抑えた結果，瞳孔は散大し，眼底がより見やすくなる．胃・腸X線検査，胃内視鏡検査の際に，鎮痙剤（ちんけいざい）として副交感神経遮断薬を筋肉注射すると，胃・腸の蠕動を抑え，胃液の分泌が低下するので，病変を見つけやすくなる．しかし副交感神経遮断による副作用として，尿閉（前立腺肥大症などがあると，尿がますます出にくくなる），緑内障への注意が必要となる．

　ショックなどの際には，血圧が低下するので，交感神経刺激薬を投与し，心拍数増加，血圧上昇，気管支拡張の効果を期待する．逆に冠動脈CT撮影の際には，心拍数を減少させるために交感神経遮断薬を投与する．心臓の脈拍数を減少させると，心臓の動きが少なくなり，冠動脈が見やすくなるためである．気管支への作用として，交感神経は気管支を広げるが，副交感神経は気管支を狭める．気管支喘息の患者では，交感神経遮断薬により気管支喘息が悪化する恐れがあるので，注意が必要である．

表 1-4　交感神経と副交感神経の働き

器官	交感神経	副交感神経
瞳孔	拡大（大きくなる）	縮小（小さくなる）
涙腺	涙が出ない	涙が出る
唾液腺	量が少なく，濃くなる	量が多く，薄くなる
気管支	拡張	収縮
心臓	心拍数増加	心拍数減少
末梢血管	収縮	拡張
血圧	上昇	低下
胃腸	蠕動の減少	蠕動の増加
消化管	消化液の分泌を抑える	消化液の分泌を高める
膀胱	開く（排尿をおさえる）	収縮（排尿する）
汗腺	汗が濃くなる	汗が薄くなる
陰茎	血管が収縮する（射精）	血管が拡大する（勃起）

---関連事項---

エピネフリン注射
　アドレナリン（英名）とエピネフリン（米名）は同じ．いずれも交感神経を興奮させる．商品名はボスミン．ハチに刺されると呼吸困難や意識障害などを伴うアナフィラキシーショックになることがある．このようなハチ毒アレルギーのある患者用に，患者自身が大腿の筋肉に自己注射する注射キットが販売されており「エピペン」という．ペン型の容器にエピネフリン2mLを含む．アナフィラキシーの症状を一時的に緩和し，ショックを防ぐ．アナフィラキシーを起こす可能性の高い患者は常にエピペンを持ち歩き，アナフィラキシーの症状が出そうになったら使う．

コリンエステラーゼ阻害薬
　副交感神経を刺激するアセチルコリンはコリンエステラーゼによって分解される．このコリンエステラーゼの活性を阻害し，末梢神経のアセチルコリン濃度を増やすことで，副交感神経を興奮させる薬剤．アルツハイマー病，重症筋無力症の治療薬として使われている．また勃起不全にも効果がある．

8 骨・頭部・脊椎

骨，筋肉，靱帯を合わせて運動系といい，人体の構造と機能に重要な働きをしている．人体には約200個の骨があり，骨は人体の構造を支える，多くの臓器を保護するほか，カルシウム代謝，造血機能を有している（図1-14）．

骨は頭蓋（ずがい）骨，脊柱，肋骨・胸骨，骨盤骨，四肢骨（上肢骨・下肢骨）などから構成されている（図1-15）．骨は形によって①扁平骨，②長骨，③短骨，④不規則骨，⑤種子骨の5つのタイプに分けられる．①扁平骨は扁平な骨で，頭蓋骨・骨盤骨など脳や内臓器官を保護する．②長骨は長い骨で，大腿骨・上肢の骨・下肢の骨など体重を支える．③短骨は立方体の骨で，手根骨・足根骨などある動作を担う．④不規則骨はどの分類にも属さない複雑な形をした骨で，脊椎など脊髄を保護している．⑤種子骨は膝蓋骨など腱の中に埋め込まれている骨をいう．

1. 骨の構造と働き

長管骨では骨の部位は，骨幹部，骨幹端部，骨端部に分けられる（図1-16）．成長期の骨の両端には，骨端線という軟骨でできた細いラインがあり，ここで骨が成長して長くなっていく．骨端軟骨，成長板ともいう．成人になると骨端板は閉じ，成長しなくなる．

骨は外から順番に外骨膜，緻密質，海綿質，骨髄からなる．骨膜は骨表面をおおい，骨膜には知覚神経があり，痛みを感じる．骨髄は赤血球，白血球，血小板が作られる造骨作用を有する（表1-5）．がんの放射線治療，抗癌剤治療で骨髄機能が損なわれると，血液障害を生じ，白血球，血小板が減少する．

骨の成分の半分はカルシウムからできており，生体に必要なカルシウムの大部分を貯蔵し，血中カルシウム濃度を一定に保つようになっている．老人になると，骨のカルシウムが不足するのが，骨粗鬆症（こつそしょうしょう）という病態で，特に女性で骨折しやすくなる．X線を使って骨密度を測定している（☞ p.18）．

2. 頭蓋骨

頭蓋骨は15種23個の骨からなる．脳頭蓋は脳を包み込んで保護し，顔面頭蓋は呼吸・消化管の入口を構成する（☞ p.67 覚え方）．3つの耳小骨（ツチ骨・キヌタ骨・アブミ骨）を含むこともある．脳頭蓋は前頭骨，頭頂骨（左右），側頭骨（左右），後頭骨，蝶形（ちょうけい）骨，篩（し）骨の8個の骨から構成される．顔面頭蓋は下顎骨，上顎（じょうがく）骨（左右），口蓋（こうがい）骨（左右），頬（きょう）骨（左右），鼻骨（左右），涙骨（左右），鋤（じょ）骨，下鼻甲介（かびこうかい）（左右），舌骨の15個の骨から構成される（☞ p.67 覚え方）．

3. 眼窩を構成する骨と吹き抜け骨折

眼球の収まる頭蓋骨のくぼみを「眼窩（がんか）」という．前頭骨，頬骨（きょうこつ），篩骨（しこつ），蝶形骨（ちょうけいこつ），涙骨，上顎骨，口蓋骨の7つの骨が壁をなし眼球を保護する（☞ p.67 覚え方．☞ p.10 眼球運動）．

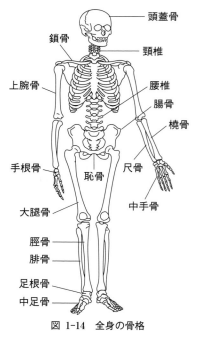

図1-14　全身の骨格

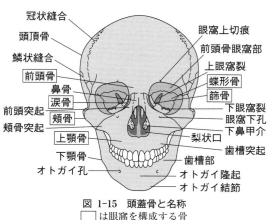

図1-15　頭蓋骨と名称
　　　□は眼窩を構成する骨

12

1章 基礎医学大要

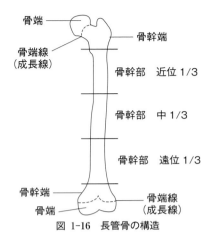

図 1-16 長管骨の構造

表 1-5 骨の働き

支持作用（支柱となり重い身体を支える）
保護作用（脳，肺，心臓，脊髄などを納め保護する）
運動作用（筋肉の収縮により，関節を支点として動く）
貯蔵作用（カルシウムなどを貯蔵している）
造骨作用（赤血球，白血球，血小板を作る）

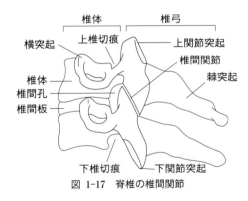

図 1-17 脊椎の椎間関節

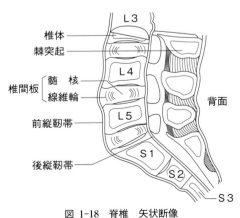

図 1-18 脊椎 矢状断像

眼窩の入り口（眼の周囲）は丈夫だが，その奥にある眼窩壁の鼻側～下壁（床）は薄い骨でできている．ボールや殴打で強い衝撃が加わると，眼の周りの骨は持ちこたえ，眼球はある程度守られても，弱い眼窩壁が骨折する．眼窩下部などが陥没したようになるので，「眼窩吹き抜け骨折」と呼ばれる．眼球に付着する筋肉，眼球後部の脂肪，神経などが骨折部から押し出され，様々な症状を示す．眼球運動障害，複視（物が二重に見える），眼球陥入，周辺の知覚異常などで，その診断にはCTが不可欠である．

バセドウ病が原因となって眼球に付着する筋肉の肥厚や眼窩腫瘍により，眼球突出を生じる．眼球突出の原因を知るにはMRIが役立つ．甲状腺眼症ともいい，良性疾患だが放射線治療を行うことがある．

4．脊椎の構造

脊柱は上から頸椎（7個，C1～C7），胸椎（12個，Th1～Th12），腰椎（5個，L1～L5），仙椎（5個，S1～S5），尾骨（3～4個）からできている．これらが縦列して1本の脊柱を構成する（☞ p.9）．

椎骨は缶詰のような形をした扁平な椎体と後方の弓のような複雑な形をした椎弓からなる．椎体と椎弓は椎弓根によって結びつけられている．椎弓は上下の椎体を結合するための上関節突起，下関節突起，筋肉，靭帯などがある．また左右横には横突起が，後方には棘突起が出ている．

椎体と椎弓との間の空間が脊柱管で，脊柱管の中を脊髄が通る（図1-17，1-18）．椎体と椎体の間には，扁平の椎間板がクッションの役割をしている．椎間板の内部にはゼリー状の髄核があり，周囲は硬い線維からなる線維輪からできている．

5．脊椎の病気
1）脊柱管狭窄症

50歳を過ぎると背骨が変形し，脊柱管が狭くなった結果，脊柱管の中を通っている神経（馬尾神経や神経根）

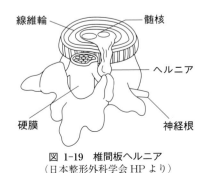

図 1-19 椎間板ヘルニア
（日本整形外科学会HPより）

が圧迫されることにより，座骨神経痛，下肢の疼痛，下肢のしびれを生じる．歩行時に症状が悪化し，休息すると軽快する神経性間歇性跛行（かんけつせいはこう）が特徴である．

2) 椎間板ヘルニア（図 1-19）

椎体と椎体の間にありクッションの役割をしている椎間板内部の髄核が，線維輪を破って外に出て，脊髄や神経根を圧迫するのが，「椎間板ヘルニア」である．

椎間板ヘルニアは腰椎に最も多く，なかでも L4/5 間，L5/S1 間のヘルニアがほとんどを占める．椎間板ヘルニアが座骨神経を圧迫し，片側の臀部から下肢に強い痛み，下肢の知覚障害・筋力低下を主徴とする．診断には MRI の所見で椎間板の突出を認めること，その部位と神経症状が一致すること，脊柱管狭窄症を否定することが重要である．椎間板ヘルニアの背景には椎間板の変性があるが，MRI で椎間板の変性を推定することができる．

3) 脊椎圧迫骨折

高齢者では骨粗鬆症が原因で，脊椎の圧迫骨折をきたすことが最も多い．胸椎と腰椎の移行部あたりの椎体の前方がつぶれ，くさび型の椎体となり，背中が丸くなったり（丸背），身長が低くなる．ひとつの椎体だけでなく複数の椎体が骨折することもある．骨粗鬆症の高齢の女性に多い．

脊椎は悪性腫瘍が転移しやすい部位で，転移部位が圧迫骨折をきたすこともある．転移した部位の背中の痛み（背部痛や腰痛）を訴える．腫瘍によって脊髄が圧迫されると，それより下方の神経麻痺を生じることがあり，緊急放射線治療の適応となる．

4) 腰椎すべり症

腰椎がずれることによって脊柱管が狭くなり，馬尾神経や神経根が圧迫されて腰痛を生じる．脊柱管狭窄症と似た症状，間欠性跛行を呈する．腰椎X線で診断される．

5) 腰椎分離症

椎弓に亀裂が入り，腰椎がふたつに分離する．スポーツで腰の回転を繰り返すと，椎弓の弱い細い箇所に起こる．腰椎X線，側面像，斜位像で，犬の首輪サイン（スコッチテリアサイン）が特徴的な所見で，分離した箇所があたかも首輪のように見える．

6) 強直性脊椎炎

関節リウマチが手足の小さい関節から発症するのに対し，強直性脊椎炎では脊椎や骨盤の仙腸関節などの関節痛から発症する．原因不明の難病で，関節リウマチと異なり，若い男性に多い．進行すると脊椎が骨のように固まって動かなくなり強直を生じる．

6. 胸郭

胸部の外郭をつくるかご状の骨格．12個の胸椎，12対の肋骨と胸骨からなり，心臓・肺などの臓器を支え保護する．横隔膜で胸腔と腹腔が区別される．胸骨は上から胸骨柄（へい），胸骨体，剣状突起（けんじょうとっき）の3部からなる．胸骨は体表から触れるため，位置設定の目安となる．胸骨柄上縁は脊椎では第2～3胸椎レベルの位置あたり，胸骨柄と胸骨体が結合するところは，前方に角張って突出しており「胸骨角」という．第2肋骨が胸骨角に連結しており，脊椎では第4～5胸椎レベルの高さにあたる．剣状突起は「みずおち」とよばれる部にあり第9～10胸椎レベルの位置に，肋骨弓下縁は第2～3腰椎の高さにあたる．

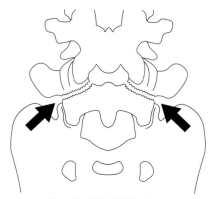

図 1-20 腰椎分離すべり症
（標準医療情報センターHP 「腰痛症」より）

関連事項
ミエログラフィ（脊髄腔造影検査）
腰椎を穿刺してヨード造影剤を脊髄腔内に注入し，X線あるいはCTで脊髄を撮影する．使用するヨード造影剤は2種類（イソビストとオムニパーク）のみに限定されており，重篤な有害事象が発生する可能性があるため，細心の注意が必要である．また検査終了後，造影剤が頭蓋内に流入するのを防ぐため，30分間は頭を高くした姿勢を続けなければならない．それでも検査後，患者は強い頭痛を訴える．

関連事項
筋肉
我々が「筋肉」と言うのは，骨格筋のことで，骨格筋だけで600以上と数多く，体重の40％を占める．骨格筋以外にも心臓・内臓にも筋肉があり，筋肉は心臓の収縮に欠かせない．筋肉は大きく2つに分けられ，骨格筋と心筋は横紋筋，内臓の筋肉は平滑筋と呼ばれる．筋肉が収縮するのは，アクチンとミオシンという2つのたんぱく質の作用による．心筋や骨格筋の病気のスクリーニング検査として，血液中のクレアチンキナーゼ濃度を測定する．

9 上肢・骨盤・下肢の骨

1. 上肢の骨（図 1-21, 1-22）

上肢の骨は、肩から肘までの上腕骨、肘から手根までの橈骨（とうこつ）と尺骨（しゃっこつ）、手根骨、手の中手骨、指骨からなる。親指側が橈骨で、小指側が尺骨である。手は微妙な動きが必要なため、多くの骨からできており、手根骨は近位列の舟状骨（しゅうじょうこつ）、月状骨（げつじょうこつ）、三角骨（さんかくこつ）、豆状骨（とうじょうこつ）の4個と、大菱形骨（だいりょうけいこつ）、遠位列の小菱形骨（しょうりょうけいこつ）、有頭骨（ゆうとうこつ）、有鈎骨（ゆうこうこつ）の4個からなる（☞ p.67 覚え方参照）。

中手骨（ちゅうしゅこつ）は5本の指に対応して5個あり、中手骨と中手指節関節（MP関節）をつくるのを基節骨（きせつこつ）、次いで中節骨（ちゅうせつこつ）、末端が末節骨（まっせつこつ）という。舟状骨は舟のような形をしているので名付けられたが、手をついた際に骨折するなど、骨折しやすく、骨折を見逃しやすい箇所である（☞ 図 1-29）。

子供の骨は年齢とともに成熟する。8つの手根骨のX線像により骨年齢を推定することができるため、左手のX線撮影が行われる。骨年齢は成長障害をおこす甲状腺ホルモン異常症、成長ホルモン異常症の治療効果を見たり、骨年齢に応じたスポーツトレーニングに利用される。

手の母指側を支配している神経は正中神経で、微妙な動きが必要な手にとって最も重要な神経である。正中神経は手根関節部では手根管とよばれる細い管を通る。手根管は舟状骨・大菱形骨・豆状骨・有鈎骨の4つの手根骨と靭帯から構成されているトンネルで、この手根管の中を通る正中神経が圧迫されると、「手根管症候群」とよばれる症状を示す。正中神経の支配する母指・示指・中指のしびれ・痛みを生じるようになる。

2. 骨盤の骨（図 1-23）

骨盤は腸や膀胱、子宮など大事な臓器を包むように保護する。腸骨、坐骨、恥骨（ちこつ）が17歳頃に一体化して1個の寛骨となる。骨盤は左右1対の寛骨、仙骨、尾骨からなる。骨盤は出産の際、胎児が通るため、男女差がある。足の大腿骨が電球のソケットのように寛骨にはまっている。骨盤の骨は外表から触れるため体表基準となる。腸骨上縁は脊椎では第4腰椎レベルに、恥骨結合上縁は尾骨レベルにあたる。左右の腸骨上縁を結ぶ線をヤコビ線といい、腰椎穿刺（ルンバールという）を行う部位の基準とされる。

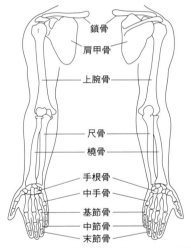

図 1-21 右上肢の骨（左：前面、右：後面）

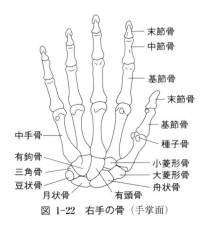

図 1-22 右手の骨（手掌面）

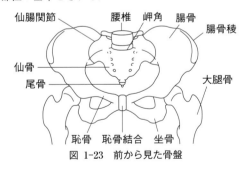

図 1-23 前から見た骨盤

3. 下肢の骨（図 1-24～1-27）

大腿骨は最も長い管状腸骨で、骨盤の寛骨と股関節を形成し、膝関節に連なる。大腿骨の上端を大腿骨頭といい、血流障害をきたしやすく、大腿骨頭壊死をきたすことがある（☞ p.21）。大腿骨頭のすぐ下の細い箇所を大腿骨頸部、その下の太い箇所を大腿骨転子（てんし）部という。

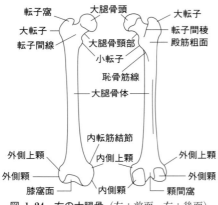

図 1-24 右の大腿骨（左：前面，右：後面）

「大腿骨頸部骨折」は，転倒後に股関節痛を訴える高齢の患者では最も多い病気で，骨折による長期間の寝たきりは，認知症の誘因となる．骨X線で診断されるが，骨折か分りにくい場合は，MRI，CTが役立つ．大腿骨頸部骨折とその下の大腿骨転子部骨折では病態が異なる．大腿骨頸部は関節包内で外骨膜がなく，大腿骨転子部は関節包外で外骨膜がある（図1-24）．外骨膜は血流があり，大腿骨転子部骨折は骨が融合しやすい．一方，大腿骨頸部骨折は血流に乏しく，骨が融合しにくく，治りにくい．手術が優先される．

膝関節は大腿骨と下腿の脛骨（けいこつ），腓骨（ひこつ）と膝蓋骨（しつがいこつ）からなる．下腿の親指側が脛骨で，小指側が腓骨である．

4. 足の骨

足の骨は7個の足根骨（そっこんこつ），5個の中足骨と14個の指節骨の合計26個の骨で構成されている．

足根骨は，距骨（きょこつ），踵骨（しょうこつ），舟状骨（しゅうじょうこつ），立方骨（りっぽうこつ）と外側・中間・内側楔状骨（けつじょうこつ）の7個の短骨

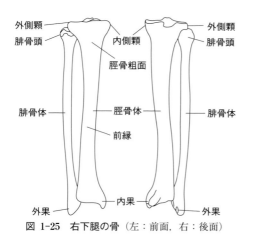

図 1-25 右下腿の骨（左：前面，右：後面）

からなる．5本の足の指に対応して，5個の中足骨があり，基節骨，中節骨，末節骨となる．なお拇指は中節骨がなく，基節骨，末節骨からなる．中足骨は骨折しやすい箇所である．

5. アキレス腱

アキレス腱は下肢のふくらはぎの筋肉（腓腹筋とヒラメ筋）とかかとの骨（踵骨）を結ぶ15cmほどの人体で最大の腱である．ギリシャ神話の英雄アキレスは足が速かったが，この腱が弱点だったとして名がついた．アキレス腱は家族性高コレステロール血症で肥厚するため，肥厚の程度をX線撮影あるいは超音波検査を行う．

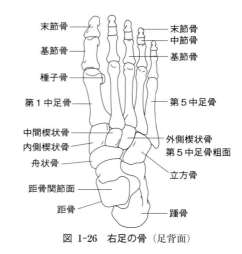

図 1-26 右足の骨（足背面）

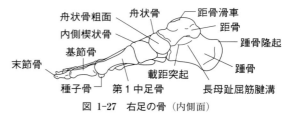

図 1-27 右足の骨（内側面）

関連事項

上肢・骨盤・下肢の血管

上肢の動脈は，鎖骨下動脈から腋窩動脈を経て上腕動脈になり，肘の部位で橈骨動脈と尺骨動脈に分かれる．肘で拍動をよく触れ，血圧測定するのは橈骨動脈である．上肢の静脈は，親指側の橈側皮静脈と小指側の尺側皮静脈，その間を走る正中皮静脈があり，採血・点滴・造影剤投与に使用する静脈は，主に正中皮静脈である．腋窩静脈・腕頭静脈を経て上大静脈に至る．

骨盤・下肢を支配する動脈は，第4腰椎下端で腹部大動脈から左右の総腸骨動脈に分かれ，さらに仙腸関節の前でそれぞれ外腸骨動脈と内腸骨動脈に分かれる．内腸骨動脈はほとんどの骨盤内臓臓器を支配し，下肢には外腸骨動脈から大腿動脈・膝窩動脈を経て前脛骨動脈・後脛骨動脈・腓骨動脈に，さらに足背動脈に至る（☞ p.30）．動脈硬化や糖尿病は下肢の動脈の閉塞をきたし，下肢の動脈の血管撮影やIVRの適応となる．

10 骨の病気

1. 骨折

骨のX線撮影で最も多いのは，骨折があるかどうかを知る骨折の診断である．骨病変の診断に，単純骨X線の果たす役割は大きい．診断・治療のポイントは以下の通りである．

1) 骨折の部位．骨の名称とその部位（骨幹部，骨幹端部，骨端部）は．
2) 閉鎖性骨折か開放性骨折か．骨が外界と交通すると，細菌感染の可能性が高くなる．骨折した骨が筋肉，皮膚を突き破って外に露出した状態を「開放性骨折」という．昔は「複雑骨折」といっていた．開放骨折では受傷部の感染に対する処置が重要である．骨が外に露出していない骨折は，「閉鎖性骨折」あるいは「単純骨折」，単に骨折という．
3) 骨折の原因は何か．骨折の原因として外傷性骨折，病的骨折，疲労骨折，圧迫性骨折などに分けられる．骨折の原因の多くは，転倒，交通事故などによる外傷性骨折で，外側から瞬時に強い力が加わり，骨が衝撃に耐えきれず骨折する．「病的骨折」とは腫瘍の存在に起因する骨折で，骨転移や骨腫瘍などの箇所は弱くなっており，ごくわずかの外力で骨折する．

2. コーレス骨折（図1-28）

手のひらをついて転んだり，自転車やバイクに乗っていて転んだりしたときに起こす橈（とう）骨遠位端の骨折．手関節付近の骨折では最も多く固有名詞がついている．特に骨粗鬆症の高齢女性に多い．

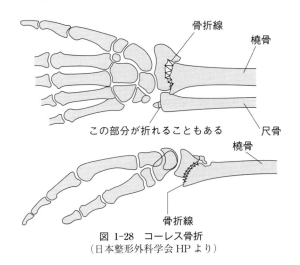

図1-28 コーレス骨折
（日本整形外科学会HPより）

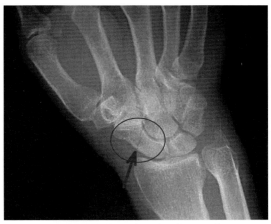

図1-29 舟状骨骨折X線写真　正面像
（古東整形外科HPより）

3. 舟状骨骨折（図1-29）

舟状骨（しゅうじょうこつ）は手と足に同じ名前の骨があるが，手の舟状骨は手首の親指側にあり，手首の動きの中心となっている．手首をついて転んだ時に舟状骨骨折するが，骨折線の入り方が見えにくく，X線検査で見落とされることもあるので，いろいろな角度からの写真を撮影する．また血流が乏しく，骨が付きにくい骨折である．国試にもよく出題される．

4. 眼窩吹き抜け骨折（☞ p.13）

5. 脊椎圧迫骨折（☞ p.14）

6. 大腿骨頸部骨折（☞ p.16）

7. 疲労骨折

疲労が蓄積した結果起こる骨折で，一度では骨折しない程度の力が，骨の同じところに繰り返し加わることによって骨折する．スポーツ，ランニング等が原因のことが多く，男性より女性に多い．疲労骨折は下肢に好発するが，特に脛骨に多い．足根骨では距骨と踵骨に，足部では中足骨に好発する．疲労骨折は単純骨X線では診断できないこともある．MRIと骨シンチグラフィの診断能が高い．

8. 小児の骨折

小児の骨折の多くは転倒が原因で，上肢の骨折が半数を占めるほど多く，鎖骨，下腿骨折がつづく．小児の骨は弾力があり，不完全骨折の割合が高い．不完全骨折として隆起骨折，若木骨折などが知られている．骨折が骨

端線（成長線）に及ぶと，小児の骨成長に影響することがある．

9. 老人の骨折

老人の4大骨折とは，大腿骨頸部骨折，脊椎圧迫骨折，橈骨遠位端骨折，上腕骨頸部骨折の4つをいう．

10. 骨粗鬆症

骨粗鬆症とは骨が弱くなって骨折しやすくなる病気．大腿骨頸部骨折は，高齢者の寝たきりの原因の第3位で，骨折予防はQOLの維持，他疾患の予防に重要である．骨強度は骨密度と骨質で決まるが，骨密度：骨質は7：3の割合で，骨密度がより重視されている．骨密度は主に放射線を使って腰椎で測定される（☞p.206）．

骨粗鬆症は加齢とともに増加し，女性の方が男性の3倍患者が多い．骨粗鬆症の危険因子としては，高齢，骨折の既往，喫煙，過度のアルコール摂取，閉経，副腎皮質ホルモン剤（ステロイド）の服用，クッシング症候群，甲状腺機能亢進症，副甲状腺機能亢進症などが挙げられる．

11. 骨髄炎

骨髄の細菌感染症で，急性骨髄炎と慢性骨髄炎がある．細菌が血行性に感染するか，あるいは外傷などに伴う直接浸潤による．治療が難しく画像診断が不可欠である．長管骨，下顎骨に多いが，全身骨どこにでもおこる．

12. 骨腫瘍

骨腫瘍には，10歳代に発症しやすい骨肉腫に代表される原発性骨腫瘍と，転移性骨腫瘍があるが，患者数では転移性骨腫瘍が大半を占める．骨腫瘍に特有な症状はない．良性骨腫瘍には良性から悪性のものまであり，特に治療を必要としないものから早期に専門的な治療が必要なものまである．

13. 原発性骨腫瘍

悪性骨腫瘍には骨肉腫，ユーイング肉腫，軟骨肉腫など様々な種類がある．骨肉腫とユーイング肉腫は子供に多いが，最近は抗癌剤がよく効くようになり，予後も悪くない．良性骨腫瘍にも多くの種類があるが，骨腫瘍が組織学的に良性か悪性かの診断には，専門的な知識が必要である．骨巨細胞腫には良性のものから悪性のものまで含まれる．

14. 多発性骨髄腫（☞p.56）

15. 転移性骨腫瘍

癌の遠隔転移では，肺転移，肝臓転移に次いで骨転移が多い．特に前立腺癌，乳癌，肺癌，腎臓癌，甲状腺癌は骨転移を起こす割合が高いのに対し，胃癌，大腸癌，肝細胞癌では骨転移をきたす割合は低い．骨転移によって疼痛を訴える場合には，麻薬（モルヒネ），放射線治療による疼痛緩和により患者のQOLを保つ．骨転移の箇所は弱くなっており，転倒などごくわずかの外力で骨折することがあり，病的骨折と呼ぶ．

骨転移の診断は，まずスクリーニングとして全身骨シンチグラフィを行い，どこかに異常があれば単純骨X線に進む．さらにCT，MRIを行って確定診断をする．

骨転移には造骨性転移と溶骨性転移とその混合型があり，腎臓癌，甲状腺癌では溶骨性転移をきたす．骨シンチグラフィで陰性像を示すことが多いため，早期診断が困難となる．造骨性骨転移の代表は前立腺癌で，骨シンチグラフィでは陽性像となり，診断は容易である．骨転移の好発部位は，赤色髄の分布に一致する．脊椎の椎体，骨盤，肋骨，大腿骨，頭蓋骨，上腕骨の順に多い．黄色髄の肘や膝から遠位部への骨転移は極めて少ない．

脊椎への転移によってそれより下部の脊髄障害を生じることがある．速やかな放射線治療が有効である．

関連事項

虐待による骨折

自然外力による骨折の85％以上は5歳以上なのに対し，虐待による骨折の90％は2歳未満といわれている．虐待による骨折として特異度の高い骨折は，骨幹端骨折，肋骨（背部の肋骨脊椎接合部），棘突起骨折（脊椎撮影では棘突起に注意），胸骨骨折，肩甲骨骨折が知られている．実際には歩けない5カ月児が大腿骨骨幹部骨折，あるいは頭蓋骨線状骨折があれば，虐待の特異性は高い．また，頭蓋骨の複雑骨折や多発骨折，反復骨折，受診までの時間が長い，などの場合は虐待を疑う．

関連事項

死亡時画像診断（Ai；Autopsy imaging）

病死・自然死でない異常死の場合には死因が分からないことも多い．犯罪が疑われる場合には司法解剖を行うが，わが国では司法解剖のハードルが高い．そこで全国に普及しているCT装置を使って異常死の死体をCT撮影し，死因を究明することを，死亡時画像診断；Aiとよぶ．Aiは和製英語である．Aiは犯罪死の見逃し防止の観点からも重要である．CTは出血・骨折の検出率が高く，虐待を疑う場合もAiの良い適応となる．診療放射線技師がCT撮影するが，遺体なので被ばく線量が高くても問題ない．ただ死因が不明で，遺体が腐乱していることもあり，感染対策には注意が必要である．

11 関節

1. 関節の構造

関節とは骨と骨とがしっかり結合した部分をいう．関節があることで，骨は様々な動きが可能となる．骨と骨は靭帯で結ばれており，適切に動くことができるようになっている．関節の周囲は関節包（かんせつほう）で囲まれており，関節包の内部には潤滑油の働きをする少量の液体「滑液（かつえき）」を認め，滑らかに動くようになっている．滑液はヒアルロン酸と蛋白質を含む．

関節表面は軟骨や滑膜（かつまく）で覆われており，滑液とともに潤滑油の働きをしている．肘，肩，手，足，脊椎，顎などの多くの関節があるが，病気の多い箇所でもあり，正確な診断には放射線診断，特に単純X線とMRIが欠かせない．

2. 単関節と複関節

2個の骨で作られる関節を単関節という．股関節は寛骨と大腿骨で，肩関節は肩甲骨と上腕骨からなる単関節である．複関節とは3個以上の骨から作られる関節をいう．肘関節は上腕骨と橈骨，尺骨からなり，膝関節は大腿骨と脛骨，腓骨からなる複関節で，手関節，足関節も多くの骨がひとつの関節を作っている．膝関節が最大の複関節である（図1-30）．

3. 肩関節（図1-31）

肩関節は肩甲（けんこう）骨と上腕骨の結合部で，棘上（きょくじょう）筋，棘下筋，小円筋，肩甲下筋の4つの筋肉によって構成されている．4つの筋が上腕骨に幅広く上腕骨の骨頭を覆ってしまうぐらいの範囲でつい

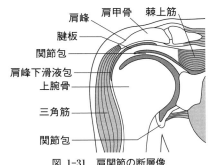

図 1-31 肩関節の断層像
（三笠製薬HP「五十肩体操」より）

ているので，腕をあらゆる方向に動かすことができる．なお三角筋は肩甲骨と上腕骨を結んでおり，投げる際に重要な筋肉で，三角筋のトレーニングにより立派な体型に見える．

4. 肘関節（図1-32）

肘関節は，上腕骨と橈骨と尺骨から構成されている．この3つの骨が肘関節をつくり，肘の屈曲・伸展や回旋運動（回内・回外）ができる．

5. 手の関節（図1-33）

手関節は，手首にある関節．橈骨，尺骨と8つの手根骨を含めた10個の骨で構成されており，複雑で繊細な手の動きを行っている（☞図1-22）．さらに中手指節（MP）関節（ちゅうしゅしせつかんせつ），近位指節間（PIP）関節，遠位指節間（DIP）関節も物をつかむ，離すなどの動作を行う．

6. 股関節（こかんせつ）

股関節は大腿骨と骨盤を連結する関節（☞図1-23）．おわん状の大腿骨頭が，骨盤の寛骨臼（かんこつきゅう）とよばれるソケットにはまり込むような形になっている．正常な股関節では，寛骨臼が大腿骨頭の約4/5を包み込み，ふたつの間を靭帯で結び，関節を安定させている．

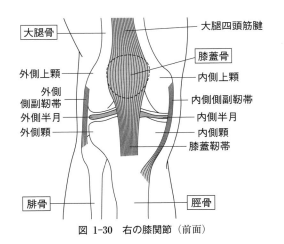

図 1-30 右の膝関節（前面）

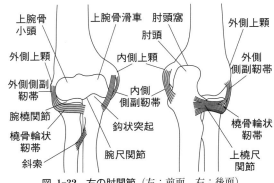

図 1-32 右の肘関節（左：前面，右：後面）

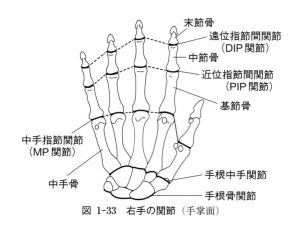

図 1-33　右手の関節（手掌面）

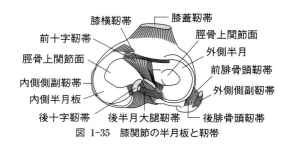

図 1-35　膝関節の半月板と靭帯

股関節は最大の大きな関節で，歩く，走る，跳ぶなどの動きに欠かせない．股関節は 22 本もの多くの筋肉からなっているが，大腿後面には大腿二頭筋，半膜様筋，半腱様筋の 3 本の筋肉があり，合わせてハムストリングと呼ばれる．

7. 膝関節（図 1-30, 1-34, 1-35）

膝には全体重がかかるため，複雑な解剖学的な構造となっている．大腿骨，膝蓋骨（しつがいこつ，いわゆるお皿），脛骨，腓骨の 4 つの骨からなるが，さらに大腿骨と脛骨の間に位置する半月板という軟骨からできた組織が，衝撃を和らげるクッションの役割をしている（☞図 1-38）．

膝は棒状の骨が上下に重なっているだけで構造上不安定なので，膝を安定化させるために重要な靭帯が 4 本ある．外側と内側にある外側側副靭帯と内側側副靭帯は膝の横の安定を保つため，また膝の中で十字にクロスしている前十字靭帯と後十字靭帯は，膝の前後の揺れを防止するために欠かせない．膝関節の診断には MRI が有用で，MRI の導入により，膝の診断が画期的に進歩した．

8. 足の関節（図 1-36）

足関節（そくかんせつ）は，足首にある関節．足関節は下腿の脛骨，腓骨と足の距骨により構成されている．最も捻挫しやすい箇所である．

リスフラン関節は 5 つの中足骨と 3 つの楔状（けつじょう）骨，立方骨の間にある．ランニングなどでリスフラン関節の捻挫を起こすと足の甲の痛みを生じる．ショパール関節は，踵骨，距骨，舟状骨，立方骨の 4 つの骨から構成される．

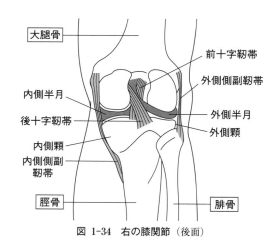

図 1-34　右の膝関節（後面）

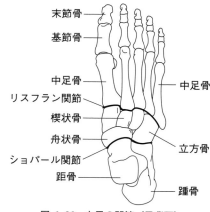

図 1-36　右足の関節（足背面）

12 関節の病気

1. 関節リウマチ

全身の関節を侵す原因不明の自己免疫疾患で，女性に多い．関節内では骨，軟骨表面は滑膜（かつまく）で覆われているが，自己を守るはずの免疫細胞が，自身の滑膜の炎症を引き起こし，滑膜が増殖．次第に骨，軟骨が破壊され，関節の痛み，腫れ，最終的に変形を生じる．左右対称性に複数の手指の関節を侵し，関節のX線，MRIにて骨にびらんを認める．最近，生物製剤（抗体医薬）が開発され，治療法が画期的に進歩した．生物製剤は免疫細胞の働きを抑えるため，副作用として結核，感染症にかかりやすくなる．

2. 変形性関節症（図1-37）

クッション役の軟骨が減少・消失し，骨と骨とが直接接触するため，疼痛，腫脹をきたす．初期には関節のすきまが狭くなり，さらに進むと関節の中や周囲に骨棘（こつきょく）という異常な骨組織が形成される．最後には荷重のかかる部分の軟骨が消失する．

脊椎にできると変形性脊椎症，股にできる変形性股関節症，膝にできる変形性膝関節症，肘にできる変形性肘関節症など，患者数も多い．原因は関節軟骨の老化によることが多く変形性膝関節症だけで50歳以上の1千万人が膝痛を経験するという．

3. 股関節

股関節は病気の多い関節で，新生児期：発育性股関節形成不全（先天性股関節脱臼）．20～40歳：特発性大腿骨頭壊死．40歳～高齢者：変形性股関節症，高齢者では大腿骨頚部骨折などが代表的な疾患である．

1) 発育性股関節形成不全（先天性股関節脱臼）

股関節脱臼は先天性でないとの考えから，発育性股関節形成不全とよばれるようになった．かつては出生数の2%前後の発生率があったが，近年はその約1/10に減少している．乳児検診で異常が疑われた場合には，骨X線，超音波検査で早期発見される．

2) 大腿骨頭壊死

大腿骨頭は血流に乏しく，壊死に陥りやすい．原因不明の場合を特発性大腿骨頭壊死という．副腎皮質ホルモン剤（ステロイド）の服用，アルコールの多飲はそのリスクが高い．単純X線よりもMRI，骨シンチグラフィの

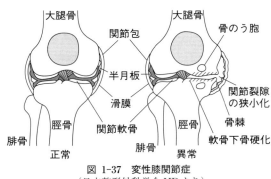

図1-37 変性膝関節症
（日本整形外科学会HPより）

方が診断に役立つ．

4. 膝関節の病気

最も患者数が多いのは，前述の変形性膝関節症である．

1) 前十字靱帯損傷

バスケットボール，器械体操，スキーなどジャンプからの着地，急停止，急な方向転換などが原因となる．女子の方が男子より多い．診断にはMRIが必須である．自然治癒は期待できず，手術する．後十字靱帯は太く，前十字靱帯より断裂は少ない．重症の場合には，側副靱帯損傷，半月板損傷を同時に伴うことがある．

2) 側副靱帯損傷

軽度の場合には内側，あるいは外側側副靱帯損傷単独のことが多いが，重症の場合には十字靱帯損傷を伴う．

3) 半月板損傷（図1-35，1-38）

C型の形をした軟骨様の内側半月板と外側半月板が，膝のクッションとして，また膝の固定の役割を担っている．靱帯と一緒に半月板損傷を起こす場合と，半月板だけの損傷のことがある．画像診断としてMRIが欠かせない．

4) 膝内障

膝の半月板損傷，靱帯損傷，その他の膝の病気を合わせて膝内障ということがある．

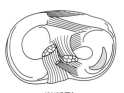
縦断裂

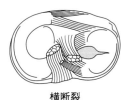
横断裂

図1-38 半月板，断裂像
（日本整形外科学会HPより）

13 肺・呼吸器の解剖

呼吸によって得られる酸素を全身に供給する肺の活動は，生命にとって不可欠で，呼吸していないことは，即「死」を意味する．また肺炎，肺結核，肺癌，慢性閉塞性肺疾患（COPD）など，肺の病気は患者数，死亡者数とも最も多い．肺の画像診断である胸部単純X線，胸部CTは診療放射線技師にとって最も重要な検査のひとつとなっている．

1. 肺の解剖と働き

1）肺の働き

肺の主な仕事は，空気中の酸素と血液中に含まれる炭酸ガス（二酸化炭素）とのガス交換である．肺の末端にある肺胞では，気道を通って吸入された空気（吸気）中の酸素を取り出し，活動の結果増加した血液中の炭酸ガスと交換させ，炭酸ガスは気道から呼気として排出させる．空気は吸気として吸入し，鼻腔から気管，気管から気管支，気管支から肺胞に達し，肺胞でガス交換の後，逆方向に呼気して鼻腔から呼気として排出される．

2）肺の区域解剖

肺のX線写真前面像では，肺をほぼ3等分し，上肺野，中肺野，下肺野とする．最も上部を肺尖部といい，鎖骨よりも上方に位置する．最も下部の横隔膜面を肺底面という．また気管支，肺動静脈の出入りする箇所を肺門部という．

解剖学的に右肺は上葉，中葉，下葉の3つに，左肺は上葉と下葉の2つに分かれる（図1-39）．心臓が左側にあるため，左肺は右肺よりも小さく，左肺には中葉がない．右中葉に相当する左S4，S5は上葉の舌区と呼ばれる．右肺の上葉はさらに3つの区域に，中葉は2つの区域に，下葉は5つの区域となる．左肺の上葉は4つの区域に，下葉は4つの区域となる（図1-40，1-41）．右上葉・中葉と右下葉，左上葉（舌区を含む）と左下葉は図1-42のように大葉間裂によって境される．胸部X線側面像で斜め直線として見えることがあり，斜裂ともよばれる．（大葉間裂＝斜裂）．右上葉と中葉を分けるのは，小葉間裂あるいは水平裂という．

下葉背面の上部にあるS6は，肺門部の上まで達しており，上肺野の一部は背面では下葉のことがある．肺結核は肺尖部と下葉上部のS6が好発部位となる．

気管は肺門部で左右の気管支に分かれ，主気管支から葉気管支，区域気管支となり20回程度分枝して最後は肺胞に達し，肺胞でガス交換が行われる．気管支は左右差があり，肺門部の気管分枝部で右気管支は25度で，左

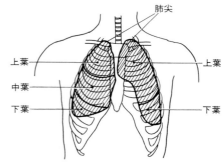

図 1-39 肺の構造

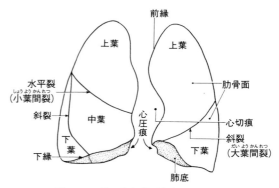

図 1-40 肺の各部位（矢印は心圧痕）

気管枝は45度で分枝する．右気管支のほうが左気管支よりも分枝角が小さいため，誤って気管内に入った異物は，右気管支のほうに入りやすい．太さは左気管支のほうが右気管支よりも細い．そのため気管支の狭窄は，左気管支に起きやすい．

気管→主気管支→葉気管支→区域気管支→亜区域気管支→小気管支→細気管支→終末細気管支→呼吸細気管支→肺胞

右主気管支から右上葉気管支が分かれるが，そこから中葉気管支までの2～3cmを中間気管支幹という．左主気管支はすぐ左上葉気管支と左下葉気管支に分かれるため，左葉には中間気管支幹がない．

3）肺の血流

全身から集められた血液は，大静脈から心臓の右心房，右心室へ行き，右心室から肺動脈を通って肺に達するが，肺動脈は気管支と並行して走行し，最後に肺胞に達する．肺静脈は並走しない．肺胞でガス交換した後，酸素分圧が高くなった血液（動脈血）は，肺胞から肺静脈を通って左心房に行き，左心房から左心室へ，左心室から大動脈を通って酸素を多く含む新鮮血液として全身に送られる．肺動脈は静脈血で，肺静脈が動脈血となる．ガス交換の行われる肺胞の大きさは50～100平方メートルに達

右肺	左肺
上葉（S1，S2，S3）	上葉（S$_{1+2}$，S3，S4，S5）
中葉（S4，S5）	
下葉（S6，S7，S8，S9，S10）	下葉（S6，S8，S9，S10）

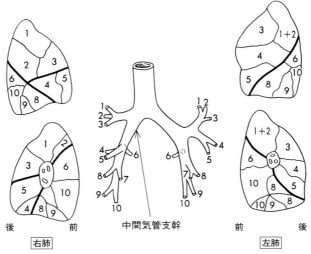

図 1-41　肺の構造と気管支

するという．

肺，気管支の栄養血管は，胸部大動脈から分かれた気管支動脈で，肺の組織は気管支動脈により酸素などを供給されている．肺は肝臓とともに，栄養血管と機能血管が異なる臓器である．気管支静脈は奇静脈あるいは半奇静脈に流入する．

気管支周囲は，空気を通して吸入された細菌などと戦うためリンパ組織が発達しており，肺癌はリンパ節転移をきたしやすい．

2. 呼吸機能

呼吸による酸素の供給は生命活動に不可欠で，呼吸機能を知るために様々な検査が行われている．肺活量は，空気を最大限吸い込んだ後，吐き出すことのできる最大量のことをいう．男性では 3,500〜4,000 mL，女性では 2,000〜3,000 mL が肺活量基準値である．最大吸気からできる限り速く一気に最大呼出を行って測定した**肺活量**を，努力性肺活量（FEV）という．そのうちの最初の 1 秒間の量を 1 秒量（FEV1.0）と呼び，努力性肺活量のうちの 1 秒量の割合を**1 秒率**と呼んでいる．

呼吸困難を簡便に知る検査法は，指先につけたパルスオキシメーターを使った血中酸素飽和度の測定である．日本で開発されたもので，新型コロナウィルス感染症患者のモニターでは欠かせないものとなっている．それまでは動脈血を採血して酸素分圧を測定していたが，パルスオキシメーターを使うと患者の負担が少なく簡便なた

め，一般家庭にまで普及した．原理は酸化ヘモグロビン（酸素を結合）と還元ヘモグロビン（酸素を失う）とでは赤外光の吸収に差があることを利用したもので，酸素飽和度の基準値は 96〜99% で，90% 未満は呼吸不全の状態．

肺血流は体位に影響され，血流・酸素分圧も肺の上部と下部では少し異なる．血中 pH 濃度が 7.35〜7.45 と一定なのは，肺換気による二酸化炭素（CO_2）排出と腎臓からの重炭酸イオン（HCO_3^-）の排泄により調節されているためである（☞ p.43）．例えば過換気症候群の患者は，過換気により血中二酸化炭素が排出され，血中 pH はアルカリに傾く．呼吸性アルカローシスという．

3. 縦隔の解剖と病気

縦隔は前縦隔，中縦隔，後縦隔に分けられる（図 1-43）．心臓の部位を中縦隔とし，それより前を前縦隔，下行大動脈，脊椎より後方を後縦隔という．前縦隔にあるのは胸腺，中縦隔には心臓，気管・気管支，後縦隔には下行大動脈，奇静脈，脊椎・脊髄が存在する．そのために縦隔腫瘍も腫瘍の部位からある程度，腫瘍の病理組織を推定できる．つまり前縦隔の腫瘍は胸腺腫，奇形腫が多く，後縦隔の腫瘍はほとんど神経原性腫瘍である．

胸腺はリンパ球 T 細胞の分化，成熟に関与しており，免疫反応と密接に関係している（☞ p.54）．子供のころは胸腺が発達しているが，思春期になると急速に萎縮し，脂肪に置き換わる．

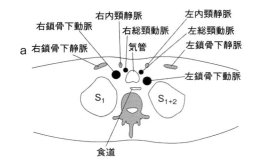
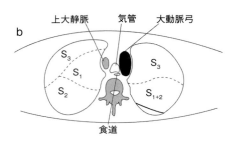
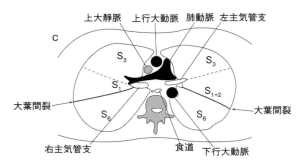
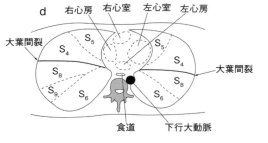
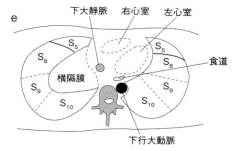

図 1-42　肺のCT断面図（横断像）

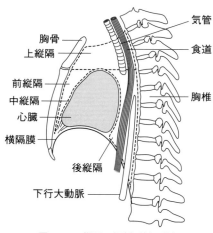

図 1-43　縦隔の解剖（側面像）

14 肺の病気

1. 気胸
肺の表面にある気腫性嚢胞（ブラ）が破れ，肺から空気がもれ，胸腔に空気が認められるようになった状態を気胸という．患者は突然，気胸になった側の痛みと呼吸困難を訴える．胸部X線立位像で胸腔に空気が認められ，肺は虚脱し，縮小している．

2. 肺気腫
喫煙が主な原因となって気管支が破壊され，肺は過膨張し，空気を含む肺の容積が大きくなった状態をいう．閉塞性肺疾患（COPD）の多くは肺気腫を呈する．肺気腫の胸部X線所見は，肺は膨張して透過性は亢進し，心臓は小さくなっている．

3. 無気肺
主として肺癌の腫瘍が気管支を閉塞し，そこより末端の肺胞に空気が届かなくなった状態をいう．肺の空気量が少なくなった結果，肺は縮小する．無気肺の部分と肺癌が重なり，胸部X線写真やCTでは肺癌自体の大きさがわかり難くなることがある．

4. 肺癌
わが国では肺癌患者数は増加しており，男女合わせて悪性腫瘍の死因第1位で，男性では癌死亡の第1位，女性でも第2位となっている（☞ p.34 表1-7）．肺癌は病理学的に，腺癌，扁平上皮癌などの非小細胞癌と小細胞癌に分けられ，治療法も異なる（☞ p.67 覚え方）．病理学的に患者数の多いのは腺癌で，次いで扁平上皮癌となる．肺癌はタバコが主な原因であるが，非喫煙者でも肺癌が珍しくない．非喫煙者では扁平上皮癌が少なく，肺腺癌が多い．またアスベスト（石綿）も中皮腫と肺癌の原因となる．

肺癌は転移しやすく，肺門部・縦隔リンパ節転移，遠隔転移（脳，骨，副腎など）の有無により治療法，予後も違ってくる．肺癌の診断，治療にあたっては，画像診断が欠かせない．肺癌の中では小細胞癌が最も放射線感受性が高い．

5. 肺炎
肺炎は死亡者数第4位だが，死亡者の多くは65歳以上の高齢者である．大きく肺胞性肺炎と間質性肺炎に分けられる．一般的に単に肺炎といえば肺胞の炎症，肺胞性肺炎のことを指す．肺炎の病原体により細菌性肺炎，ウィルス性肺炎，マイコプラズマ肺炎，クラミジア肺炎などに分類される．最も多いのは細菌性肺炎で，その原因菌としては，肺炎球菌が最多で，インフルエンザ桿菌，黄色ブドウ球菌，レジオネラ菌と続く．肺炎による死亡者を減らすために，肺炎球菌ワクチン接種が高齢者で始まった．「オウム病」という鳥の糞に含まれる細菌（クラミジア）を吸入感染して発症する特殊な肺炎も有名である．新型コロナ感染症でも主な死因は肺炎である．

高齢者では嚥下機能が低下し，唾液や食べ物が誤って入ってしまうことによる嚥下性肺炎が多い．

血液中の白血球（好中球）数の増加，CRPの上昇などの炎症反応と胸部X線により診断される．典型的な細菌性肺炎では，肺の浸潤影が特徴的である．

「間質性肺炎」とは肺胞の壁（間質）に生じる原因不明の炎症で，肺胞性肺炎とは症状も経過も異なる．経過は長く，肺が線維化して固くなり，ガス交換が十分できなくなり，息苦しくなる．「肺線維症」とも呼ばれる．

6. 放射線肺炎
胸部への放射線治療を行った後，照射後6週から3か月して，照射野に一致しておこる間質性肺炎を放射線肺炎という．放射線照射により肺胞の壁（間質）が障害されて発症するもので，細菌やウィルスが原因ではない．放射線肺炎を避けるため，できるだけ肺の照射野を縮小して治療する．

7. 肺結核
結核は結核菌による感染症で，あらゆる臓器に発生するが，単に結核といえば，肺の結核を指す．結核は戦前は死亡原因の第1位だったが，戦後開発された抗生物質のお陰で死亡者数は激減した．しかし現在もなお高齢者，免疫能の低下した患者に発見され，人口10万人に16人と欧米の4倍以上の患者数となっている．結核は空気感染（飛沫感染）するが，医療従事者は結核感染の機会が多く，注意が必要で，稀に集団発生も報告されている．

肺結核の診断は結核菌の証明と胸部X線，CTによる画像診断等で行われる．肺野の浸潤影と空洞が特徴で，結核患者と診断した場合，医師は結核予防法に基づき直ちに最寄りの保健所に届け出なければならない．

脊椎の結核を「脊椎カリエス」というが，最近はほとんど見なくなった．

8. 慢性閉塞性肺疾患（COPD）
タバコが原因となって肺胞が壊れて弾力性を失い，ガス交換がうまくできない病態で，せき，たん，労作性の呼吸困難を訴える．肺気腫状態となり，肺の容積は増加

する．世界的にもCOPDの患者は増加しており，将来は死亡原因の第3位になると予想されている．呼吸機能検査では肺活量は正常であるが，1秒率70％未満の閉塞性換気障害を呈する．酸素機器を使用することで，不足した酸素を補い，家庭生活を続けることができる．

9．気管支喘息

食べ物，花粉などを吸うと，気管支がアレルギー反応を起こし，一過性の呼吸困難を生じる．発作性の呼吸困難，喘鳴（ぜいめい），咳を繰り返す．慢性的な炎症が気道に起こり，気道の過敏性が亢進することがその原因と考えられている．喘息発作時には呼吸のたびにゼーゼー，ヒューヒューという音（喘鳴）が聞こえる．血中，痰中に好酸球が増える．治療は炎症を抑えるために低用量の副腎皮質ホルモンを含む吸入薬が基本である．気管支喘息の患者はヨード造影剤，MRI造影剤ガドリウムの投与によって，重篤な副作用を発症する可能性があり，造影剤の投与は原則禁忌あるいは禁忌となっている．

10．肺動脈血栓塞栓症（PTE．エコノミークラス症候群）（図1-44）

下肢の深部静脈にできた血栓が，静脈から心臓を経て肺動脈を閉塞し，肺動脈血栓塞栓症をきたす．胸痛，呼吸困難，血痰が特徴で，太い肺動脈が突然閉塞すると，急死することがある．胸痛を訴え突然死をきたす病気としては，心筋梗塞，大動脈破裂に次ぎ，肺動脈血栓塞栓症が多い．

同じ姿勢を続けると，下肢に血栓ができやすい．特に

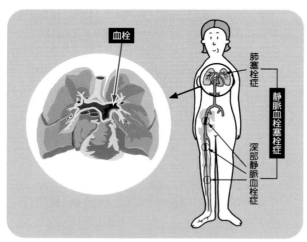

図 1-44　肺動脈血栓塞栓症（エコノミークラス症候群）
下肢の深部静脈血栓症が流れて静脈から心臓を経て，肺動脈を閉塞させ発症する．

（国立循環器病センターのHPより）

高齢者，手術後の患者，寝たきり，女性は発症リスクが高い．航空機の窮屈なエコノミークラスの座席に長時間同じ姿勢で座ることで発生するとして，エコノミークラス症候群と名付けられた．航空機だけでなく，車中での仮眠あるいは手術後にベッドで長時間同じ姿勢を続けることもリスクを高める．下肢を動かすことで予防できる．造影CTを行うと，肺動脈内の血栓塞栓を指摘できる．また肺血流シンチグラフィも有効である．予防が重要だが，治療としてIVRが行われることもある．

11．肺高血圧症

肺の中を流れる血管の圧が高まり，心臓に負荷がかかるようになった状態を肺高血圧症という．進行すると動いたときの呼吸困難，息切れ，疲れやすさなどを自覚する．原因が分からない場合や肺血栓塞栓症が続いたため，あるいは膠原病が原因で肺高血圧症となる．

12．サルコイドーシス

原因不明の肉芽腫病変を呈する疾患で，全身のあらゆる臓器に発生するが，ほとんど全てのサルコイドーシス患者に肺病変が認められる．肺のほか，心臓，眼，皮膚などに病変が多い．胸部X線で両側肺門部リンパ節腫脹（BHL）が特徴的である．多くの患者は無症状で，70％は自然に治癒する．

13．アスベストと中皮腫・肺癌

アスベストは石綿（いしわた，せきめん）と呼ばれる繊維状の天然の鉱石で，太さ0.02μmあるいは0.35μmと目で見えないくらい極めて細い．耐熱性，耐久性に優れており，1960年代から海外から輸入され，建築用などに大量に使われた．空気中に飛散した石綿を吸入すると肺胞に留まり，15年から40年経ってから中皮腫（ちゅうひしゅ），肺癌を発症することが明らかとなり，使用が禁止された．労働災害に認定されたが，アスベストによる中皮腫，肺癌患者数は毎年増え続けており年間1千数百人に達する．アスベストが原因の死亡例には，石綿健康被害救済法により国から救済給費金が支給される．

関連事項

吐血と喀血

胃潰瘍・十二指腸潰瘍あるいは胃・食道静脈瘤から出血し，口から血を吐き出す状態を吐血（とけつ）という．肺結核・気管支拡張症・肺癌などで肺・気管支から出血し，口から血を吐き出す状態を喀血（かっけつ）という．吐血した血液は胃酸によって酸化され赤黒い血液が多いのに対し，喀血は新鮮な真っ赤な血液で区別される．

15 心臓の解剖・機能と病気

1. 心臓の解剖と機能
A. 解剖と機能

　心臓が循環器の中心として，左心室から全身に，右心室から肺に血液を送り出し，また役割を終えた血液は，全身から右心房に，肺から左心房に帰ってくる．心臓は血液を送るポンプの機能を有する．正常脈拍数は70/分，1回の心拍出量は70mLで，1分間あたりの心拍出量はほぼ5Lに達する．循環血液量もほぼ5Lなので，1分間にほぼ全身の血液が身体を循環していることになる．

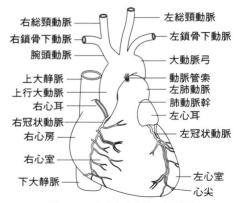

図1-45　心臓と大血管の解剖図

左心室→　　全身→　　右心房→右心室→
　　　　　　　　　　　　　肺→左心房→左心室
　　（動脈→毛細血管→静脈）　（肺動脈→肺胞→肺静脈）
　　　　　大循環　　　　　　　　　小循環

　全身の循環系を大循環，肺の循環系を小循環ともいう．肺動脈には静脈血が，肺静脈には動脈血が流れている．

　心臓の仕事は，血液を送り出すポンプ機能である．ヒトの心臓は，右心房・右心室・左心房・左心室の4つの部屋でできており，全身に血液を送り出す左心系と，肺に血液を送り出す右心系に，心房中隔，心室中隔で分かれている．右心室が体の前方（腹側）に近い位置にある．心室の壁は心房より厚い心筋に囲まれており，これが強い収縮力を生み出し，血液を送り出している．特に左心室は全身に血液を送る最も重要なポンプ機能を担っているため，左心室は右心室に比べはるかに厚く強靭にできている．血液が逆流しないよう，左心系には僧帽弁，大動脈弁，右心系には三尖弁と肺動脈弁が備わっている．

　肺におけるガス交換の結果，酸素分圧の上昇した動脈血は肺静脈から左心房へ，左心房から僧房弁を通って左心室に流入する．左心室から大動脈弁を通って，上行大動脈，大動脈弓のカーブを経て，下行大動脈に向かう．

　大動脈弓からは右から腕頭動脈，左総頸動脈，左鎖骨下動脈の3本の動脈が上向きに出ている（図1-45）．腕頭動脈は，右腕と頭部に血液を送っており，途中で右鎖骨下動脈，右総頸動脈に分岐して，それぞれ右上肢と頭側へと血流する．左総頸動脈は，腕頭動脈から分岐した右総頸動脈と並んで頭部へ向かう．左鎖骨下動脈は，左上肢へ血流を送っている．

B. 心臓の拍動と不整脈

　心臓は1分間に約70回規則正しく収縮しているが，それは右心房にある洞房結節から発生した電気刺激が房室結節に伝わり，さらに心筋を刺激し収縮する．房室結節は発見者の名前をとり，田原結節ともよばれる．

洞房結節→房室結節
　心房
　　→ヒス束→右脚・左脚→プルキンエ線維
　心室

図1-46　心臓の刺激伝導系

　心電図のP波は心房の興奮（収縮）で，QRS波は心室の興奮を表す波形である．安静時の脈拍数が1分間あたり50拍以下を徐脈といい，100拍以上を頻脈という．何らかの原因で刺激伝導系が障害をきたし，心臓の興奮リズムが不整になった状態を不整脈という．

　心臓の拍動リズムに規則性が全くなくなったのを心房細動あるいは絶対不整脈という．心房細動が持続すると心房内に血液の流れがよどみ，心房内に血栓ができやすくなる．左房にできた血栓が脳にとび脳動脈が閉塞されると脳梗塞を引き起こす（☞p.6）．心原性脳梗塞といい，脳梗塞の約30％が心房細動による．心房細動の患者は抗凝固薬を服用して，脳梗塞の発症を予防している．若年性の発作性心房細動には，IVRの手技を使ったカテーテルアブレーションが有効である．

　心室が小刻みに興奮している状態を心室細動という．心臓から十分血液を送り出すことができず，ポンプ機能を失うため，最も緊急性が高い不整脈である．患者は意識を失い，直ちに治療しないと死に至るが，心疾患による院外死亡例のほとんどは心室細動による．AED（自動体外式除細動器）は心室細動になった心臓に対して電気ショックを与え，正常なリズムに戻す．2004年7月から医師が不在の際にも一般市民がAEDを使用できるようになり，駅，学校，公共施設，企業など，人が多く集まるところに設置されるようになり，効果を上げている．

C. 冠動脈

　心臓は1日あたり10万回収縮を繰り返しており，大

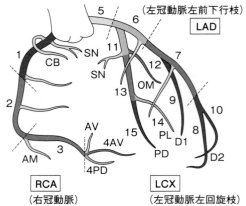

図 1-47 冠動脈の枝と番号（米心臓協会による）
右冠動脈（RCA）；1 番～4 番．左冠動脈主幹部；5 番．左冠動脈前下行枝（LAD）；6 番～10 番．左冠動脈回旋枝（LCX）；11 番～15 番．

量の栄養と酸素を必要とする．心臓への血液は，3 本の冠状動脈が担っており，心臓を取り囲むように分布している．冠動脈は大動脈起始部から分枝し，まず右冠動脈（RCA）と左冠動脈（LCA）のふたつに分かれる（図 1-47）．左冠動脈はさらに左前下行枝（LAD）と左回旋枝（LCX）という 2 つの大きな枝に分かれる．右冠動脈と左前下行枝，左回旋枝の 3 本の大きな冠動脈が心臓全体を包むように分布して，心筋に栄養と酸素を供給している．右冠動脈は右心室と左心室の下壁を，左前下行枝は左心室前壁と心室中隔を，左回旋枝は左心室側壁と後壁の一部を支配している．

冠状動脈が狭くなると，そこから先の末梢部分に血液が流れにくくなり，心筋細胞に栄養と酸素を供給できず，狭心症・心筋梗塞を発症する．

2. 心臓の病気

A. 虚血性心疾患．心筋梗塞と狭心症

代表的な心臓の病気は心筋梗塞，狭心症で，わが国では死亡原因の第 2 位，欧米では第 1 位となっている（☞ p.64）．動脈硬化症により冠状動脈の狭窄・閉塞をきたし，その結果心筋への血液供給が不足したことが原因で発症する疾患で，虚血性心疾患ともよばれる．

―関連事項―
ナトリウム・カリウムポンプ
ナトリウムは細胞内に多く，カリウムは細胞外に多い．ナトリウム・カリウムポンプというのは，ナトリウムを細胞外に，カリウムを細胞内に取り込むことをいう．ナトリウムとカリウムは同じ陽イオンなので，陽イオン総量を一定に保つようなシステムとなっている．尿細管の再吸収，神経の興奮，心臓の拍動などは，ナトリウム・カリウムポンプによって行われている．心筋血流シンチ製剤 ^{201}Tl，^{99m}Tc 製剤は，この機序で心筋細胞に取り込まれる．

3 本の冠状動脈の 1 本あるいは 2，3 本がどこかの部位で閉塞し，閉塞部位より末梢の心筋に血液が供給できなくなり，心筋が壊死に陥るのが心筋梗塞である．運動の際には，安静時より多くの血液を全身に送り出さなければならないため，心臓の拍動数が増え，心筋自身にもより多くの血液が必要となる．しかし，冠状動脈が動脈硬化などで狭窄すると，安静時には心筋への血液供給が十分だったとしても，運動時には心筋への血液供給が不足する病態が，労作性狭心症である．心筋梗塞では安静時にも強い胸痛をきたすが，典型的な労作性狭心症では安静時には胸痛がないが，運動時には胸痛を訴える．

冠動脈狭窄の有無は，冠動脈 CT，冠動脈カテーテル検査により診断される．また心筋虚血の有無は，心筋血流シンチグラフィや心臓の超音波検査などにより知ることができる．その治療法には内科治療の薬物療法と IVR の手技である冠動脈インターベンション（PCI）と外科治療の冠動脈バイパス術（CABG）の 3 つがある．

冠動脈の動脈硬化を進行させる危険因子として，高脂血症，高血圧，喫煙，糖尿病，肥満，痛風，運動不足，精神的ストレスなどが知られている．

B. 心不全

心不全とは，様々な原因により心臓のポンプ機能が損なわれた状態である．心臓の働きが弱くなり，肺や末梢の組織にむくみが生じて，息苦しく感じる．胸部 X 線像では心臓の拡大が認められる．心臓の拡大の程度は，胸部 X 線正面像で，

心胸郭比（Cardiac Thoracic Ratio；CTR）＝心臓の最大の幅の長さ cm／胸郭の幅の最大の長さ cm

で知ることができる（図 1-48）．通常 CTR は 0.5 程度で

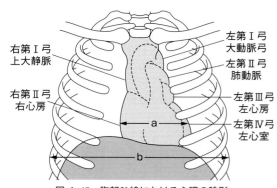

図 1-48 胸部 X 線における心臓の陰影
胸部 X 線の中央部の心陰影は，右第 1 弓が左大静脈，右第 2 弓が右心房．左第 1 弓は大動脈弓，左第 2 弓は肺動脈，左第 3 弓は左心房，左第 4 弓は左心室に相当する．心胸郭比（CTR）は a/b で求めるが，心不全では心陰影は拡大し，CTR が大きい値となる．

あるが，心不全ではCTRが大きくなり，肺気腫では肺は腫大し心臓は小さくなるため，CTRは小さくなる．

心エコー検査で左室駆出率の低下と心拡大（収縮不全）あるいは拡張機能障害（拡張不全）が認められれば確定診断ができる．

心不全の原因としては，虚血性心疾患（狭心症，心筋梗塞），心臓弁膜症，不整脈，心筋症などが考えられる．

C．拡張型心筋症

心臓の筋肉を収縮する機能が低下して，左心室が拡張する．悪化すると心不全や不整脈をおこす．

D．心臓サルコイドーシス

サルコイドーシスは全身の様々な臓器に肉芽腫（にくげしゅ）を作る原因不明の免疫応答が関与した病気で，肺・皮膚・眼の病変が多いが，心臓にもサルコイドーシスを生じることがある．不整脈・心不全を来す．FDG-PETも診断に役立つ．

E．心臓弁膜症

4つの弁（僧房弁，大動脈弁，三尖弁，肺動脈弁）が先天性あるいは後天性に異常を生じた病態．以前はリウマチ熱の感染後に発症する心臓弁膜症が多かったが，抗生物質の進歩により，リウマチ熱が原因の弁膜症は減少した．現在は高齢化による動脈硬化が原因となって，弁がうまく開かなくなる大動脈狭窄症や，弁の組織が弱くなって起きる僧房弁閉鎖不全が多くなった．これら弁膜症の治療には血管内のカテーテル治療も行われる．

F．先天性心疾患

心室中隔欠損症が最も多く，先天性心疾患の約60％を占める．心室中隔欠損症は左心室と右心室を仕切る心室中隔に穴が開いているもので，圧の関係で血液は穴を通って左室から右室に流れる．心房中隔欠損症（約6％）は左心房と右心房の間を仕切る心房中隔に穴が開いているもので，血液は穴を通って左房から右房に流れる．最近は手術せずカテーテルで塞ぐIVR治療も行われるよ

心室中隔欠損症　　心房中隔欠損症

ファロー四徴症　　動脈管（ボタロー管）開存症

図1-49　先天性心疾患，心房の模式図

うになった．

ファロー四徴症（5％）は肺動脈狭窄，心室中隔欠損，右心室肥大，大動脈騎乗位（大動脈の起始部が左右の心室にまたがっていること）の4つを合併する先天性心疾患．胸部X線正面像では木靴状の心陰影を示す．心室中隔欠損，大動脈騎乗位のため，静脈血が左心室に行くため，動脈血の酸素濃度が低くなりチアノーゼ（低酸素血症）を生じる．その他，肺動脈が狭い肺動脈狭窄症（10％），生まれてすぐに閉じるはずの動脈管が開いたままの動脈管開存症（4％）（発見者の名前をとりボタロー管開存症ともいう）などがある．

関連事項

チアノーゼ

血液中の酸素が減少し，二酸化炭素が増加したため，皮膚や粘膜が紫色になった状態をいう．血液が赤いのは，酸化ヘモグロビンの色であるが，血液中の酸素が低下し還元ヘモグロビンが多くなると，暗紫色となる．肺や心臓の重い病気では，チアノーゼとなる．ファロー四徴症では動脈内に静脈血が流入し，チアノーゼを生じる．

16 大血管の解剖と病気

1. 動脈の解剖

ヒトの活動のエネルギーは，血管を通して全身の臓器に供給され，また不要になった排泄物は血管を通して運ばれ，肺から呼気として，腎臓から尿として排泄される．血液の通る血管は生命維持に不可欠である．

最も太い血管は，心臓の左心室から上行し，弓なりに曲がる大動脈弓を経て，胸部大動脈，腹部大動脈となり，腰部で左右の総腸骨動脈に分岐して終わる大動脈で，全身の臓器に栄養素と酸素を供給している（図1-50）．胸部大動脈と腹部大動脈はいずれも下行するので，合わせて下行大動脈ともいう．

頸部の大動脈弓では腕頭動脈，左総頸動脈，左鎖骨下動脈の3本の太い動脈を分枝し，脳，上肢に枝分かれする（図1-51）．腕頭動脈からは右総頸動脈，右鎖骨下動脈を分枝し，上肢は左右鎖骨下動脈から血液が送られる．

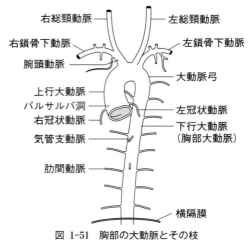

図 1-51 胸部の大動脈とその枝

脳には腕頭動脈から分かれた右総頸動脈と左総頸動脈，左右鎖骨下動脈から分かれた左右椎骨動脈の4本の血管から動脈血が送られる．

胸部では胸部大動脈は後縦隔を下行し，気管支動脈，肋間動脈を分枝する．腹部では腹腔動脈，上腸間膜動脈，左右の腎動脈，下腸間膜動脈，精巣動脈・卵巣動脈，腰動脈の枝を出し，左右2本の総腸骨動脈に至る（図1-52）（☞ p.67 覚え方）．下肢には総腸骨動脈から外腸骨動脈に分枝し大腿動脈，膝窩動脈，脛骨動脈，足背動脈に至る．

体表から触知可能な動脈は，浅側頭動脈，顔面動脈，総頸動脈，上腕動脈，橈骨動脈，大腿動脈，膝窩動脈，後脛骨動脈，足背動脈などで，拍動を触れることができる．

2. 大動脈瘤と大動脈解離

大動脈を含む動脈は内膜，中膜，外膜の3層からできている．大動脈の病気には動脈壁の弱くなった部分がふ

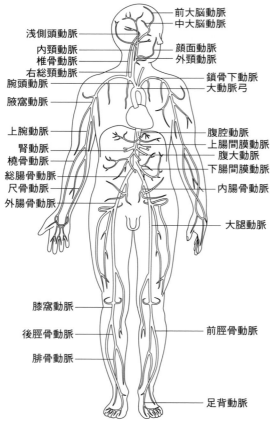

図 1-50 体循環系の全身の動脈

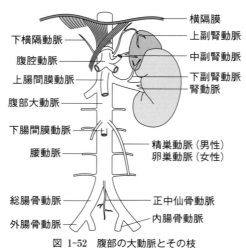

図 1-52 腹部の大動脈とその枝

くらむタイプの大動脈瘤と，動脈壁の膜がはがれる解離性大動脈瘤がある．いずれも急に破裂することがある．

腹部大動脈の異常が最も多く，胸部大動脈が次ぐ．動脈硬化に伴って内膜が剥離し，小さい穴ができると，そこに血液が入ることがある．徐々に剥離部位が大きくなると，大動脈解離といわれる状態となる．もろくなって圧に耐えられなくなると，破裂し強い胸痛を訴え即死することがあるので，破裂する前に動脈瘤の部分を人工血管に取り替える．年間1万5千人が死亡し，死亡原因の第9位となっている．

大動脈瘤，大動脈解離の診断には造影CTが役立つ．正常な胸部大動脈の径は2.5cmほどなので，胸部大動脈瘤の径が6cmを超える場合は，破裂防止のために手術する．また大動脈瘤の80％は腎動脈より下部の腹部大動脈に発生する．正常な腹部大動脈の径が1.5～2.0cmほどなので，腹部大動脈瘤の場合は径が5cmになれば手術する．

3．閉塞性動脈硬化症

閉塞性動脈硬化症（ASO; arteriosclerosis obliterans）は，下肢の血管の動脈硬化症によって下肢の動脈が慢性に閉塞し，歩くことに対処するだけの血液供給がないため，しばらく歩くと痛みが出る．しばらく休むと，痛みが改善する．このような歩行と休息を繰り返す間欠性跛行（かんけつせいはこう）を生じる．重症になると下肢の壊疽（えそ）をきたすことがある．50歳以上の男性に多く，動脈硬化症が原因なので，心筋梗塞，脳梗塞も起こしやすい．血管の画像診断，IVRが有用である．腰部脊柱管狭窄症でもよく似た間欠性跛行を起こす．

4．バージャー病

発見者の名前をとって「バージャー病」あるいは閉塞性血栓血管炎（TAO）とも呼ばれる．喫煙者・男性に多く，四肢，特に下肢の動脈に閉塞性の血管炎を来し，血流が途絶え，皮膚温の低下，手足の冷え・しびれ・痛みなどの症状があらわれる．閉塞性動脈硬化症（ASO）とは異なる．進行すると間欠性跛行，四肢の疼痛，壊死を生じるようになる．原因はよく分かっておらず，難病に指定されている．

5．高安動脈炎（動脈炎症候群）

大きな血管に炎症が生じ，血管が狭窄したり閉塞したりする原因不明の血管炎．大血管が多いが，炎症が生じた血管の部位によって様々な症状が出る．日本人に多く高安右人が初めて報告したので高安動脈炎と呼ばれている．上肢の動脈が狭窄すると，その側の脈を触れないため，「脈無し病」とも「動脈炎症候群」ともいわれる．

6．静脈系

細胞に栄養と酸素を供給した血液は，動脈→毛細血管→静脈を通って心臓に帰ってくる．動脈と異なり，静脈は圧が低いため拍動は触れないが，静脈には弁があり，逆流しないようなシステムとなっている．

上半身（頭部，上肢）の静脈血は上大静脈から右心房に入り，下半身（下肢，腹部）の静脈は下大静脈から右心房に入る．下大静脈は最大の静脈である．上大静脈と下大静脈は奇静脈を介して互いに交通している．上肢からの静脈を集めた鎖骨下静脈は，頭部からの内頸静脈と鎖骨下で合流して腕頭（わんとう）静脈となる．左右の腕頭静脈が1本の上大静脈となり右心房に至る．

小腸，大腸，膵臓，脾臓などからの静脈血は，消化管から吸収した栄養分も含んでおり，上腸間膜静脈，下腸間膜静脈，脾静脈から太い門脈を通って肝臓に至り，肝静脈を経て下大静脈から心臓に帰る（☞ p.41 膵臓・脾臓）．下肢からの静脈血を集めた外腸骨静脈と骨盤からの静脈血を集めた内腸骨静脈は合流して，総腸骨静脈となる．左右の総腸骨静脈が合流して1本の下大静脈となり，横隔膜にある大静脈孔を通って右心房に至る．途中に左右の腎静脈，肝静脈が下大静脈に入る．なお精巣・卵巣からの右性腺静脈は下大静脈に直接入るのに対し，左精巣静脈・左卵巣静脈は左腎静脈を経て下大静脈に入る．なお腹部・胸部壁の静脈血は奇静脈から上大静脈に流れ込む．

関連事項

上大静脈症候群
肺癌など悪性腫瘍が上大静脈を圧迫すると，上大静脈の流れが悪くなる．その結果，上肢，頭部からの静脈がうっ滞し，上肢，頭部の浮腫を生じる．上大静脈症候群といい，放射線照射により腫瘍が縮小すると，上大静脈の圧迫がなくなり，浮腫が軽快する．

下肢静脈瘤
下肢の静脈には表面の表在静脈と内部の深部静脈がある．人間は立つことが多いため，下肢の静脈は重力に逆らって心臓に向かう．静脈弁が逆流を防ぐが，静脈弁が壊れると，下肢の表在静脈に静脈瘤を起こす．下肢静脈瘤は中年女性に多く，下肢にコブ状に拡張した静脈が認められる．

下肢の深部静脈に血栓ができると（深部静脈血栓症），血栓が血液の流れに乗って，下大静脈，右心房，右心室から肺動脈に行き，肺動脈血栓塞栓症を引き起こす．「エコノミークラス症候群」ともいわれるが，下肢の深部静脈血栓症が原因である（☞ p.26）．

17 口腔・咽頭・喉頭

1. 頭頸部の解剖と働き

頭頸部の前の方にあるのが鼻腔，口腔，喉頭で，後の方にあるのが，上から上咽頭，中咽頭，下咽頭となる（図1-53）．上咽頭は鼻で呼吸をする通り道であり，中咽頭と下咽頭は呼吸と食べものの通り道の一部となっている．口蓋垂（こうがいすい）や口蓋扁桃は中咽頭で，その下部の下咽頭から食道となる．耳と咽頭は耳管という細長い管でつながっており，鼓室と外気の圧を同じようにする．航空機が離陸する際，耳の違和感を感じた際，つばを飲み込むと治るのは，普段閉じている耳管が開くことによる．

のどは食事の際には食べ物の通り道となり，呼吸の際には空気の通り道となる．この仕分けをしているのが，気管の入口にある喉頭で，喉頭蓋（こうとうがい＝喉頭のふた）や声帯をもっている．喉頭蓋や声帯は呼吸をしているときには開いていて，物をのみこむときにはかたく閉じて食物が喉頭や気管へ入らないように防ぐ．

声帯は，発声のときには適度な強さで閉じて，吐く息によって振動しながら声を出す．喉頭は，呼吸をする，物をのみこむ（嚥下；えんげ），声を出す（発声）という3つの働きがある．

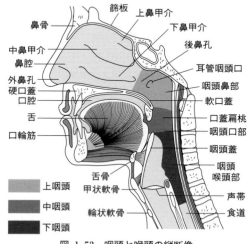

図1-53 咽頭と喉頭の縦断像

2. 口腔，咽頭

食べ物を歯で咀嚼（そしゃく）して小さくし，飲み込みやすい大きさにするとともに，唾液に含まれる消化酵素；アミラーゼはでんぷんの消化を助ける．また唾液によってスムーズに食道に運ばれる．嚥下とは食べ物を胃に運ぶ運動で，飲み込み運動ともいう．食べ物が気管に入らないように以下の動作を無意識のうちに行っている．①軟口蓋が挙上して鼻腔と咽頭の間をふさぐ．②舌骨・喉頭が挙上し，咽頭を通過する．③喉頭蓋が下方に反転し，気管の入口をふさぐ．④一時的に呼吸が停止する．④咽頭が収縮し，食道入口部が開大する．

この食べ物の飲み込みがうまくいかないことを嚥下障害という．嚥下障害によって食べ物や唾液と一緒に細菌が，本来は清潔な気管・気管支に入ると，「誤嚥（ごえん）性肺炎」を起こす．体力の弱った老人では誤嚥性肺炎が多く，高齢者の肺炎の70％以上が誤嚥に関係しているといわれている．

口腔内にある免疫系組織が，扁桃（へんとう）である．扁桃腺と呼ばれていた．口や鼻から侵入してきた病原体や細菌を防御する．成人になると扁桃は退縮する．扁桃の炎症が扁桃腺炎で，口蓋扁桃は口を開けると見ることができる．

3. 唾液腺

耳下腺，顎下腺，舌下腺からなる唾液腺から唾液が分泌される．耳下腺が最も大きく，左右にあり，耳介の前から下方にかけて広がり，その導管（耳下腺管）は前方に向かい，上顎大臼歯（だいきゅうし）のあたりに開口する．頭頸部腫瘍の放射線治療の際，耳下腺に照射されることがあるが，唾液分泌が減少し，嚥下に支障をきたす．自己免疫疾患のひとつである「シェーグレン症候群」では，唾液腺・涙腺が浸され，唾液，涙の分泌が低下するため，食べ物の食道通過に難渋する．

4. 頭頸部腫瘍

頭頸部腫瘍は発生部位により，上顎癌，喉頭癌，咽頭癌（上から順に上咽頭癌，中咽頭癌，下咽頭癌），口腔癌がある．いずれも扁平上皮癌がほとんどで，喫煙する男性が多い．口のなか全体を口腔といい，ここにできるがんを口腔癌という．口腔癌には舌癌，舌と歯ぐきの間にできる口腔底（こうくうてい）癌，歯肉癌，頬粘膜（きょうねんまく）癌，上あごにできる硬口蓋（こうこうがい）癌，口唇（こうしん）癌がある．日本では舌癌が最も多く，口腔底，歯肉癌の順で多くみられる．なお硬口蓋癌は口腔癌とし，軟口蓋癌は中咽頭癌として扱う．

5. 喉頭癌

喉頭に発生する扁平上皮癌で，頭頸部腫瘍の25％を占める．喫煙者が圧倒的に多く，男女比は10：1と男性が優位となる．声門（声帯）癌が多いが，ついで声門上癌が続き，声門下癌は少ない．声門癌では嗄声（させい；声がかすれる）で受診する．

喉頭の機能を温存できる放射線治療が第一選択となるが，進行した喉頭癌では喉頭全摘術を行う．しかし，手術すると，発声できなくなる．

18 食道・胃の解剖と機能

1. 食道

口から飲み込まれた物は，咽頭から食道を通過して蠕動（ぜんどう）運動により胃に送りこまれる．長さは25〜30 cmで，口腔粘膜とともに食道表面は重層扁平上皮で覆われており，食道癌も圧倒的に扁平上皮癌が多い．食道には消化作用はなく，単なる通り道である．食道癌は以前は代表的な予後の悪い悪性腫瘍であったが，化学放射線療法など治療法が進歩し，予後は目覚ましく改善している．

胃では胃酸を含む胃液が分泌されるが，食道には胃液が逆流しないようになっている．しかし，何らかの原因で胃液が食道に逆流すると，食道は炎症を起こし，粘膜にただれや潰瘍を生じる．「逆流性食道炎」である．

2. 胃の解剖

食道と十二指腸の間にある袋状の消化器で，口から入った食物の消化の主役である．食道から胃の入口である噴門から入り，胃で消化された後，幽門を経て十二指腸へ行く（☞ p.248 図7-131）．胃の壁は層構造をしており，内側から粘膜層，粘膜下層，固有筋層，漿膜下層，漿膜からなる（☞ p.34 図1-54）．

3. 食道・胃の血管支配

食道の動脈は，下部は左胃動脈と下横隔膜動脈から供給されており，食道下部の静脈は左胃静脈と短胃静脈から門脈に入る．

胃の動脈は，腹部大動脈から分岐した腹腔動脈から分かれた左胃動脈（主に胃小弯を支配），あるいは腹腔動脈から分かれた総肝動脈からさらに分かれた右胃動脈（主に胃大弯を支配），短胃動脈などから供給される（☞ p.35 図1-55）．胃の静脈は，左胃静脈・右胃静脈・短胃静脈などから門脈に入る．肝硬変などで門脈圧が亢進すると，食道だけでなく胃にも静脈瘤を生じることがある（☞関連事項）．

4. 胃の働き

胃の働きは，①食物をしばらく貯える，②大量の胃液を分泌する（1日 1.5 L〜2.5 L），③胃の収縮作用により，胃液とよく混ぜて，どろどろにし，十二指腸に送り出す，④タンパク質を消化する，⑤アルコールの一部を吸収する，⑤内因子を分泌する．内因子はビタミンB_{12}の吸収に必要で，不足すると「**悪性貧血**」（☞ p.56）になる．

胃液には胃酸（強い酸性で外来の細菌を殺す），胃粘液（胃壁を保護する），ペプシノーゲン（塩酸によりタンパク質消化酵素：ペプシンになる）の主成分が含まれてお

表 1-6 消化酵素とその働き

消化酵素	消化物	臓器
アミラーゼ	デンプン	唾液腺，膵臓
ペプシン	タンパク質	胃
トリプシン	タンパク質	膵臓
リパーゼ	脂肪	膵臓
胆汁酸	脂肪	**肝臓，胆嚢**
マルターゼ	糖分	小腸

り，胃底腺から分泌される（表1-6）．胃底腺の分布する領域は，胃底部から胃体部で，胃全体の2/3を占める．

迷走神経（副交感神経）はアセチルコリン（☞ p.11）を分泌し，アセチルコリンは胃の蠕動を高めるとともに，胃酸の分泌を促進する．胃X線検査，胃内視鏡検査の際に副交感神経遮断薬（鎮痙薬）を筋肉注射すると，胃の蠕動が低下し，胃液の分泌が低下するので，胃の病変を見つけやすくなる．ガストリン（幽門前庭部から分泌される消化管ホルモン）は胃酸の分泌を促進する．

5. 挿入された鼻腔カテーテルからの造影剤注入

上部消化管検査のために鼻腔にカテーテルを挿入すると，ほとんどの場合，自然に咽頭から食道・胃に入るので，カテーテルから造影剤（硫酸バリウム）を注入し，検査終了後カテーテルを抜去することができる（☞ p.32）．しかし，カテーテルがまれに喉頭から気管に入ることがありうる．挿入されたカテーテルからの造影剤注入にあたっては，カテーテル先端が目的とする胃にあるかどうか，確認しなければならない．もし造影剤が気管・肺に入ると，造影剤の排出，その後の処置に難渋する．

6. 食べ物の通過障害と吐血

食道癌の初発障害は，「食べ物がつまる」という食道が狭くなったことによる通過障害である．また胃の出口部分の幽門近くにある胃癌が進行すると幽門が狭くなり食べ物が通らなくなる（☞ p.250 図7-133）．また生後1カ月頃の乳児に発症する「幽門狭窄症」は，幽門の筋層部分が分厚くなり，胃の出口が狭くなる．飲んだミルクが幽門から十二指腸に進まず，嘔吐するようになる．

関連事項

食道静脈瘤
　肝硬変が進むと門脈圧が亢進し，肝臓に入る静脈が怒張し，食道静脈瘤を生じる．食道静脈瘤から出血すると，大量の吐血をするが，肝硬変，肝細胞癌の死亡原因のひとつとなる．食道静脈瘤と食道癌の画像所見が類似していることもある．

食道アカラシア
　食道と胃の接合部の筋肉の活動不全により，食事の通過が悪くなる病気で，原因はよくわかっていない．20〜50歳代の男性に多く，胸がつかえる，嚥下困難，悪心（おしん），嘔吐（おうと），体重減少などをきたす．下部食道が拡張して太くなり，前夜の食べ物が翌朝になっても食道に残っているなど，典型的な食道X線像を呈する．

19 胃の病気

胃の病気で多いのは，胃癌と胃潰瘍である．ふたつの鑑別は難しいことがある．

1. 胃癌

胃癌は大腸癌と並んで肺癌に次いで死亡者数が多く，年間5万人に達する．胃内視鏡検査あるいは胃X線検査によって診断される．胃液を分泌する腺細胞から発生し，病理学的に95％は腺癌である．新しく胃癌と診断される患者数は年間約13万5千人で，肺癌，大腸癌とほぼ同じ患者数である（表1-7, 1-8）．男女比は2対1と男性に多く，男女とも60代に発症のピークがある．

癌の深達度により早期癌と進行癌に分類され，早期胃癌は大きさやリンパ節への転移の有無に関係なく，深達度が粘膜内または粘膜下層までにとどまるものと定義されている．胃癌の予後は，癌の深達度，リンパ節転移，遠隔転移の有無により左右されるが，患者数と死亡者数の差の8万人は，治療により治ったと考えられ，胃癌の診断・治療の進歩は目覚ましい．胃癌の左鎖骨上窩リンパ節への転移を「ウィルヒョー転移」，ダグラス窩への転移を「シュニッツラー転移」，卵巣に転移した腫瘍を「クルッケンベルグ腫瘍」という．いずれも進行癌である．

胃部X線検査を用いる胃癌の住民健診も成果をあげているが，最近胃内視鏡検査も50歳以上の住民を対象に，対策型検診として始まった（☞ p.62 表1-23）．

進行胃癌の肉眼所見は，ボールマン分類により分類される（図1-54）．
Ⅰ型：限局隆起型．
Ⅱ型：限局潰瘍型．境界明瞭な潰瘍を作る．
Ⅲ型：浸潤潰瘍型．潰瘍を形成するが，境界が不明瞭なタイプで，患者数は最も多い．
Ⅳ型：びまん浸潤型．スキルス胃癌で，最も悪性度が高

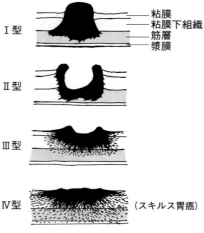

図1-54 進行胃癌の分類（ボールマン分類）

い．胃の粘膜下に浸潤して広がるので，胃粘膜表面の変化が乏しく，発見が難しい．胃が硬くなるので，硬癌ともよばれ，他の胃癌に比べ若い女性に多い．進行が早く，転移しやすい．手術の適応にならないことも多く，予後は不良である．

2. 胃潰瘍

胃粘膜が深くえぐり取られたのを潰瘍という．上腹部痛，出血さらに進むと胃の穿孔をきたすことがある．粘膜のみの浅い場合は「びらん」といい，症状は軽い．胃潰瘍の主な原因は，ピロリ菌と鎮痛薬によるといわれており，胃粘膜の防御機構が弱まり，胃粘膜に傷ができ，胃潰瘍に進む．胃癌でも潰瘍を生じることがあり，胃癌と胃潰瘍との鑑別診断は，時に困難である．潰瘍が良性か悪性か，治療法，予後も別なので，鑑別診断がポイントとなる．

神経内分泌腫瘍（☞ p.42）のひとつは，ガストリンを過剰に分泌する．ガストリンによって胃酸分泌が過剰となり，胃に難治性の多発性胃潰瘍を生じる．

表1-7 死亡数が多いがんの部位（2021年）

	1位	2位	3位	4位	5位
男性	肺	大腸	胃	膵臓	肝臓
女性	大腸	肺	膵臓	乳房	胃
男女計	肺	大腸	胃	膵臓	肝臓

表1-8 患者数（全国推計値）が多いがんの部位（2021年）

	1位	2位	3位	4位	5位
男性	前立腺	胃	大腸	肺	肝臓
女性	乳房	大腸	肺	胃	子宮
男女計	大腸	胃	肺	前立腺	乳房

関連事項

ピロリ菌（ヘリコバクター・ピロリ）

胃は胃酸のために細菌は生息できないと考えられてきたが，オーストラリアのマーシャル（2005年ノーベル賞受賞）は，胃の中にピロリ菌を発見し，胃粘膜を障害することを見出した．日本人の若い人ではピロリ菌陽性率が20％だが，成人では80％がピロリ菌陽性で，年齢とともに陽性率は上昇する．

抗生物質を1週間服用して，ピロリ菌の除菌を行うと，胃潰瘍，十二指腸潰瘍の再発を抑えることができる．胃癌とも強い関係があると考えられている．強い酸性の胃の中でもピロリ菌が生育できるのは，ピロリ菌がウレアーゼという酵素をもっており，酵素が尿素を分解してアンモニアを発生し，塩酸を中和するためと考えられている．

20 小腸・大腸の解剖と機能

1. 十二指腸

胃と空腸を結ぶ長さ 25 cm の消化管で，指の太さ 12 本分に相当するので，十二指腸と名づけられた．後腹膜に固定されており可動性は低い（☞ p.65 覚え方）．胃で消化された食べ物に膵液，胆汁などの消化液を混ぜて消化し，空腸に送る．十二指腸から分泌されるアルカリ性の分泌液により，胃酸が中和され，腸を保護している．十二指腸潰瘍の多くは十二指腸球部にできる．

胆嚢からつながる総胆管と膵臓からつながる膵管は，十二指腸下行脚の中間にあるファーター乳頭（十二指腸乳頭部ともいう）において合流して開口する．胆汁と膵液に含まれる酵素が，食べ物の消化に欠かせない．

回腸の末端に近い部位にメッケル憩室という外に飛び出した小さい袋状の突起物があることがある．メッケル憩室は先天性のもので，ほぼ半数は異所性胃粘膜からなる．まれに出血をきたすことがあり，出血部位を探すために $^{99m}TcO_4^-$ を用いる異所性胃粘膜シンチグラフィを行う（☞ p.399）．

2. 小腸

空腸と回腸からなる 6 m の細い長い消化管で，食べ物の消化，吸収を行い，大腸に送る．よく動くが，大まかに空腸は左上の腹部に，回腸は右下の腹部に存在する．小腸内部は絨毛という小突起にびっしり覆われており，表面積を多くして，栄養分を消化，吸収しやすくしている．動脈としては上腸管膜動脈により支配されている（図 1-55）．

十二指腸と空腸において，食べ物に含まれるデンプンはブドウ糖に，タンパク質はアミノ酸に，脂肪は脂肪酸とグリセリドに分解される．回腸の主な働きは栄養素の吸収で，栄養素は毛細血管を通じて血液に吸収され，上腸管膜静脈から門脈を経て肝臓に届く．

3. 小腸の病気

小腸の病気は大腸よりも少なく，小腸は長いので検査も難しい．腸閉塞（イレウス）のほかは，小腸からの出

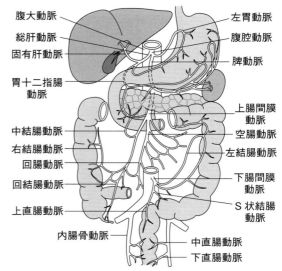

図 1-55 腹部消化管に分布する動脈
腹部消化管には腹腔動脈，上腸管膜動脈，下腸管膜動脈の分枝が分布する．

血，小腸の癌があるが，小腸用の内視鏡検査（カプセル内視鏡，バルーン内視鏡）などを使って診断・治療を行うことができる．

4. 大腸の解剖と機能

大腸は下痢，便秘をはじめ大腸癌，炎症性腸疾患など病気の多い臓器である．

画像診断として注腸X線検査，CTコロノグラフィ，大腸内視鏡検査などが行われる．盲腸，上行結腸，横行結腸，下行結腸，S状結腸，直腸から肛門に至る 1.5 m の消化管である．肛門と直腸の間の 3 cm を肛門管という．口腔・咽頭・食道と肛門管・肛門は頑丈な重層扁平上皮でおおわれており，それ以外の消化管は物質の分泌と吸収を行う単層円柱上皮でおおわれている．

大腸は小腸よりも太く，絨毛はない．大腸では水分とナトリウムなどの電解質を吸収し，残りを便として，肛門から排泄させる．

盲腸，上行結腸，横行結腸は上腸間膜動脈によって栄養され，下行結腸，S状結腸，直腸は下腸間膜動脈によって栄養されている．静脈はそれぞれ上腸管膜静脈，下腸管膜静脈を経て門脈から肝臓に入る．

関連事項

後腹膜臓器
腹膜腔から後ろ側に存在するものを後腹膜器という．後腹膜臓器には，腎臓，副腎，尿管，膵臓，十二指腸，上行結腸，下行結腸，腹部大動脈，下大静脈などがあてはまる．後腹膜臓器に炎症が起きると，痛みは背部痛を訴えることが多い（☞ p.67 覚え方）．

ヘルニア
腸の一部が腹壁の弱い部分から皮下に突出した病態．鼠径部に多いので，外鼠径ヘルニアは俗に「脱腸」といわれる．年齢とともに腹筋，筋膜が弱くなり，主に小腸の一部が皮下に出てくる．乳幼児から老人まで最も多い病気のひとつである．食道は横隔膜を越えて腹腔内に入るが，この横隔膜の穴を食道裂孔という．胃の一部がこの穴から胸腔内に飛び出してしまうことを**食道裂孔ヘルニア**という．

21 大腸の病気

1. 大腸癌

大腸癌は大腸粘膜から発生する腺癌がほとんどである．患者数が増えており，最近の統計では患者数では癌の第1位，死亡者数では肺癌に次いで第2位とされている（☞表1-7, 1-8）．生活様式の洋風化，これまでの和食から肉食になった食べ物が大きな原因ではないかと考えられる．男性の方が多く，年齢とともに増加する．便の鮮血反応によるがん検診で見つかる例が多い．大腸癌の80%近くは直腸，S状結腸に発生する．

診断には大腸内視鏡検査が必須であるが，手術範囲の決定，内視鏡挿入困難例には，大腸X線検査（注腸造影），CTコロノグラフィが行われる．注腸造影とCTコロノグラフィは類似しているが，注腸造影ではバリウムと空気を使用するのに対し，CTコロノグラフィでは空気あるいは二酸化炭素（炭酸ガス）を使用する．二酸化炭素の方が空気よりも速やかに体内に吸収される．

腫瘍マーカーとして血中CEA，CA19-9濃度の測定が有用で，血中腫瘍マーカー濃度の推移は病状をよく反映する．遠隔転移は門脈を介して肝臓への転移が多く，肝転移に対しては手術あるいはIVR，化学療法が行われる．5年生存率は大腸癌全体では70%．早期大腸癌の場合はほぼ治癒する．

2. 炎症性腸疾患（IBD）

潰瘍性大腸炎，クローン病を代表とする大腸の炎症性疾患で，原因はよくわかっていない．ともに難病に指定されており，若い男性に多く，よくなったと思っても数カ月後あるいは数年後に悪化するなど，寛解と再燃を繰り返す．ストレスと関係があるとされ，最近患者が増えている．潰瘍性大腸炎は直腸，S状結腸から連続性に病変を認める．

3. 虚血性腸炎

大腸への血液の循環が悪くなり，大腸粘膜が虚血となり炎症や潰瘍を生じる疾患で，好発部位は大腸脾弯曲部である．動脈硬化のある老人に多く，突然の腹痛，下血がみられ，速やかに治療しないと死に至る．大腸は主に上腸間膜動脈と下腸間膜動脈から血液を受けているが，大腸脾弯曲部から下行結腸は上腸間膜動脈と下腸間膜動脈の支配領域の境界部分であるため虚血に弱く，虚血性大腸炎が生じやすい（☞p.35）．

4. 憩室炎

大腸に風船状の袋の憩室（けいしつ）を認める患者は多い．普通は何の症状もないが，憩室が感染を起こすと憩室炎といい，腹痛を訴える．S状結腸に多く，小さいものから2cm程度の大きさまで様々で，憩室の多発する患者も多い．

5. 腸閉塞（イレウス）

何らかの原因で，消化途中の内容物が腸に停滞した状態を腸閉塞（イレウス）という．腸の中に飲食物，ガス，消化液などが停滞・貯留し，便として排出されない．代表的な急性腹症で，速やかな治療が必要となる．腹部手術の既往がない成人の腸閉塞では，まず大腸癌を疑い，小児ではまず腸重積を考える．腸重積は小腸の終りの回腸が大腸に入り込むために生じる．

腸閉塞（イレウス）は腸管の血流の有無，腸管蠕動の有無などにより以下に分類される（表1-9）．

6. 消化管穿孔

胃か腸に穴があき，内容物が腹腔内に漏れる状態をいう．原因は消化管に深い潰瘍ができ進行して穿孔によることが多い．強い腹痛をおこす．消化管の蠕動はなくなり，麻痺性イレウスとなる．腹腔内に遊離ガスを認めることで診断できる．画像診断が必須で，腹部単純X線写真正面像を左側臥位で撮影するのは，肝臓外縁に移動した遊離ガスを検出するためである．ただ遊離ガスを見つけるには，単純X線よりも超音波検査，CTの方が検出感度が高い．緊急手術を行って穿孔部位を閉鎖しなければ，腹膜炎を起こし死に至るため，最も緊急性が高い．

表1-9 腸閉塞（イレウス）の分類

①機械的イレウス；腸管の閉塞・狭窄による．
 a．単純性イレウス；血行障害を伴わない閉塞．開腹手術後の腸管癒着，大腸癌など
 b．複雑性（絞扼性）イレウス；腸管の血行障害を伴う．ヘルニア嵌頓（かんとん），大網など索状物による絞扼，腸重積症，軸捻転症など
②機能的イレウス；腸管の運動障害による．
 a．麻痺性イレウス；蠕動の低下による．開腹術後，消化管穿孔，腹膜炎に伴うもの．
 b．けいれん性イレウス；腸管のけいれんが反射的に起こる．中毒，打撲，損傷などの作用による

画像診断として腹部X線，超音波検査，CTが行われる．代表的な腸閉塞の腹部X線像として，多発性鏡面像（ニボー）がある．

関連事項

急性虫垂炎

虫垂は盲腸から下垂した小指ほどの大きさの小さい臓器で，右下腹部に存在する．特に働きはないが，炎症を起こしやすい．急性虫垂炎は俗に「盲腸」ともいわれ，右下腹部痛として訴えるが多い．急性虫垂炎が進展すると化膿し，穿孔すると急性腹膜炎となることもある．抗生物質による治療あるいは手術される．

22 肝臓・胆嚢の解剖と働き

1. 肝臓の解剖

肝臓は右上腹部の横隔膜のすぐ下にある重さ1.5kgほどの最大の臓器．小さい左葉と大きい右葉からなるが，中肝静脈がその間を走行している．つまり中肝静脈が左葉と右葉の境界となる（図1-56）．

肝臓はさらにS1からS8まで8つの区域に分けられる．肝右葉は前区域と後区域に分け，さらにそれぞれ上下の上区域と下区域の4つに分けられる（表1-10，図1-57）．肝左葉は内側区域と外側区域に分け，内側区域を深部側をS1（尾状葉ともいう），浅部側をS4（方形葉）とする．外側区域は上部の上区域（S2）と下部の下区域（S3）に分けられる．

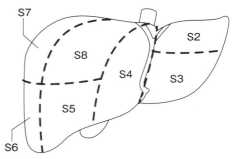

図 1-57　肝臓の解剖（クノー分類）
（日本消化器外科学会HPより）

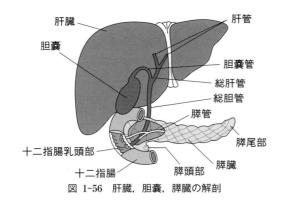

図 1-56　肝臓，胆嚢，膵臓の解剖

2. 肝臓の血管

肝臓は大きく，機能も重要なので，大量の血液が流れている．肝臓の血管は複雑で，1本の肝動脈（酸素を運ぶ）と肝静脈と門脈の2本の静脈が支配している（表1-11）．正常肝臓は門脈と肝動脈により栄養されているが，門脈が優位で，80％は門脈により，残り20％が肝動脈により支配されている．二重の血管支配のため，肝臓は虚血・梗塞を起こしにくい．

肝動脈は腹部大動脈から腹腔動脈を経て固有肝動脈か

表 1-10　肝臓の解剖（クノー分類）

左葉	尾状葉	・・・・・	S1
左葉	外側上区域	・・・・・	S2
左葉	外側下区域	・・・・・	S3
左葉	方形葉	・・・・・	S4
右葉	前下区域	・・・・・	S5
右葉	後下区域	・・・・・	S6
右葉	後上区域	・・・・・	S7
右葉	前上区域	・・・・・	S8

ら肝臓に入り，左右肝動脈に枝分かれしたものである．門脈は上腸間膜静脈，下腸間膜静脈，脾静脈の3本の大きな静脈が合流して，1本のさらに太い門脈となる（図1-60, ☞ p.67覚え方）．小腸，大腸，膵臓，脾臓の静脈から栄養分を含んだ血液で，生命に不可欠の重要な血管である．

肝臓は細かく見ると主に肝小葉からできており，その中心に中心静脈がある．肝動脈と門脈からの血流は，毛細血管を通って中心静脈に集まり，そこから3本の肝静脈（左肝静脈・中肝静脈・右肝静脈）を経て下大静脈に行き，心臓に送られる．

表 1-11　肝臓の血管

腹部大動脈→腹腔動脈→総肝動脈→固有肝動脈→左右肝動脈→毛細血管・中心静脈→肝静脈→下大静脈

脾静脈，左胃静脈，上腸管膜静脈，下腸管膜静脈 →門脈

3. 胆汁と胆嚢・胆管

肝臓の主な細胞である肝細胞は，胆汁を生成しており，胆汁は血液と逆方向に毛細胆管から胆管を経て左右肝管へ集まり，1本の総胆管に集合する．総胆管はファーター乳頭で十二指腸に開口する．胆管と門脈は平行して走行しており，画像診断のポイントとなる．黄色あるいは茶褐色の大便の色は胆汁の色である．

胆嚢は長さ7cmの洋ナシ型をした袋で，胆嚢管を介して胆管に通じている．

4. 肝臓の働き

肝臓は化学工場，貯蔵庫に例えられるほど，生命に欠かせない多くの働きをしている．主な働きは，①代謝，②解毒作用，③胆汁の生成である（☞ p.67覚え方）．

1）肝臓の代謝作用

食べ物から吸収された栄養素は，内臓から門脈を経て肝臓に集まる．肝臓では吸収された栄養素を別の成分に変えて貯えておき，必要に応じて血液を介して送り出す．

①ブドウ糖代謝；食事に含まれるでんぷんは，ブドウ糖に分解され小腸から吸収され，肝臓内でブドウ糖からグリコーゲンに変えられ，グリコーゲンとして貯えられる．必要に応じてブドウ糖に分解され，ブドウ糖として肝静脈から全身に送られる．インスリンの作用により血中ブドウ糖濃度を一定に保っている．

②タンパク質代謝；タンパク質はアミノ酸に分解され小腸から吸収され，肝臓内で様々なタンパク質，アルブミンやフィブリノーゲン（血液凝固因子）などが合成される．役目を終えた後，アミノ酸に含まれる窒素からアンモニアを経て尿素が合成され，尿として排泄される．肝臓の機能が低下するとアルブミンの合成が不十分となり，低タンパク血症とよばれる状態となる．血液の浸透圧が低くなり，浮腫（むくみ）を生じる．

③脂質代謝；脂肪は脂肪酸とグリセリドに分解され吸収されるが，小腸で再び中性脂肪に合成され，リンパ管を経て血液中に入り，肝臓に取り込まれる．肝臓では脂肪酸に合成・分解，コレステロール・リン脂質の合成などが行われる．肝臓に中性脂肪が過剰に蓄積した病態が「脂肪肝」である．

2） 解毒作用

肝臓ではいろいろな物質を毒性の少ないものに変え，尿や便として排泄する．有毒なアンモニアの処理も肝臓で行われている．アンモニアを尿素に変え，腎臓から尿として排出する．しかし肝機能が低下し，末期となると，アンモニア処理ができなくなる．

肝臓の細胞のひとつであるクッパー細胞（細網内皮系細胞，網内系細胞）は，生体に有害な異物を取り込み，クッパー細胞内に貯えることによって生体を守っている．肝シンチグラフィ製剤（コロイド），細網内皮系MRI造影剤（超磁性体酸化鉄コロイド；SPIO）はクッパー細胞に取り込まれて留まり，造影効果を示す．

役目を終え，不要になったホルモンも，肝臓で分解され，不活性化され排泄される．

3） 胆汁の生成

肝臓では1日に600mLに及ぶ大量の胆汁が生成される．胆汁は膵臓から分泌される酵素リパーゼとともに，脂肪を脂肪酸とグリセリドに分解する．胆汁の主成分はビリルビンで，赤血球，コレステロールの分解物から作られる．肝機能が低下あるいは胆管が閉塞すると，血中ビリルビン濃度が上昇し，黄疸（おうだん）を生じる．眼球結膜が黄疸による黄染を診断しやすい．

5．胆嚢の機能

胆汁は胆嚢に一時貯えられ，濃縮し，必要に応じて総胆管から十二指腸に排出される．脂肪に富む食事を食べると，胆嚢が収縮し，胆汁を排出する．胆汁とリパーゼ（膵液）が協働して脂肪の分解を助ける．

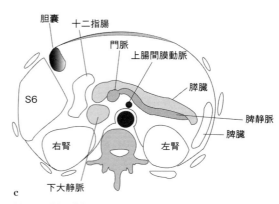

図 1-58　上腹部のCT断面図（横断像）

23 肝臓・胆嚢の病気

肝臓・胆嚢の診断にはスクリーニングとして超音波検査が，精密検査としてCT，MRIなど画像診断が不可欠である．また肝臓癌の治療にもIVRあるいは放射線治療が行われる．

1. 肝不全，肝硬変

急性肝炎，慢性肝炎から進行し，末期に肝不全，肝硬変となる．肝臓の機能が低下してくると，黄疸，腹水，吐血，昏睡など様々な症状を呈する．
①黄疸：血中ビリルビン値が高値を示し，眼球結膜，皮膚が黄色になる．②腹水：タンパク質の合成能が低下し，血中アルブミン値が3g/100mL以下になると浸透圧が低下，全身の浮腫を生じ，さらに進行すると腹水を生じる．③吐血（門脈圧亢進症）：肝機能が低下すると門脈圧が亢進し，肝臓に入る静脈が怒張した結果，食道静脈瘤を生じる．食道静脈瘤から出血すると，患者は大量に吐血する．④肝性脳症（肝性昏睡）：肝不全末期になると，アンモニア代謝能が低下し，血中アンモニア濃度が上昇．そのために意識が低下し，最終的には昏睡に陥る．

2. 急性肝炎，慢性肝炎

肝炎ウイルスにより発症し急性の肝障害を呈する．肝炎ウイルスとしてA，B，C，D，E型の5つが知られているが，日本人にはA，B，C型肝炎が多い．その中でもC型肝炎が最も多い．黄疸が特徴的だが，それ以外は全身倦怠感や発熱など感冒様の症状である．A型ウイルスは便の中に排出されるため，便に汚染された飲み水，魚介類（牡蠣）を摂取することで発生する．B型肝炎，C型肝炎は血液，体液を介して感染する．静注，抜針の際，針刺し事故による血液を介しての自分自身の感染に注意が必要である．

昭和23年から昭和63年までに幼少期に受けた集団予防接種の際，注射器が連続使用されB型肝炎に感染した患者が数十万人に上るとされる．国から給付金が支給される．B型肝炎は母児感染が多い．急性肝炎の一部は慢性肝炎から肝硬変に移行するが，わが国ではC型肝炎から慢性肝炎，肝硬変，肝細胞癌に移行する患者が多い．なおB型肝炎には予防ワクチンが有効で，0歳児からB型肝炎の予防注射が義務化された．C型肝炎ワクチンは実用化されていない．

3. 脂肪肝

肝臓に中性脂肪が30％以上沈着した状態をいう．原因は栄養，飲酒，糖尿病，脂質異常症などである．肥満男性に多く，患者は1千万人を超えると推定されるが，症状はほとんどない．アルコール飲酒による脂肪肝では，禁酒により数週間後に消失する．最近，非アルコール性脂肪性肝炎（NASH; ナッシュ）では，肝硬変から肝臓癌に移行する例があることがわかり，注目されている．肝臓に脂肪がびまん性に沈着しているため，CTでは低信号，超音波検査では高信号を呈する．高エコーの肝臓と低エコーの腎臓のコントラストから，「肝腎コントラスト」という．MRI T1強調像で高信号を示す．

4. 肝臓の腫瘍

1) 肝細胞癌：肝臓の悪性腫瘍で最も多いのは肝細胞癌で，肝臓癌といえば肝細胞癌のことを指す．肝臓癌は癌による死因の第5位とわが国に多い癌である．肝臓癌の70〜80％は肝硬変を伴っており，60歳代の男性に多い．腫瘍マーカーとしてAFPとPIVKA-2（ピブカツー）が役立つ．結節型肝細胞癌（3cm以上）では腫瘍結節の周囲に線維性被膜を有し，超音波所見では「ハロー」とよばれる低エコーを示す．また結節内部は性状の異なる成分よりなり，「モザイクパターン」というエコー像となる．

正常，良性疾患では門脈優位であった血管支配が，肝臓癌では肝動脈支配となり，小さい病変が癌かどうかの診断に役立つ（☞ p.40 関連事項）．肝臓癌の診断，治療に放射線医療が欠かせない．肝臓癌末期は肝不全となり，肝不全あるいは吐血で死亡する．

2) 胆管細胞癌：肝臓の悪性腫瘍では肝細胞癌に次いで多い．肝臓内の胆管から発生する．胆管が閉塞すると，閉塞部位より末梢の胆管が拡張し，閉塞黄疸を生じることがある．腫瘍マーカーとしてCA19-9が役立つ．

3) 肝血管腫：肝臓の腫瘍では最も多い．肝臓の血管にできた良性腫瘍で，原則として治療の必要はない．40歳代の女性に多く，自覚症状はない．画像診断によって悪性腫瘍との鑑別が重要である．超音波所見として「カメレオンサイン」が有名で，MRIではT2で高信号を呈する．

5. 胆嚢・胆道の病気

1) 急性胆嚢炎，胆石症

代表的な胆嚢の病気は急性胆嚢炎，胆石症である（図1-59）．ともに強い腹痛をきたすことがある．胆石の成分は，80％がコレステロールが主成分のコレステロール結石で，20％がビリルビンが主成分のビリルビン結石である．胆石症，急性胆嚢炎の診断には，CTより超音波検査が優れており，胆嚢にある胆石は，ほぼ100％発見す

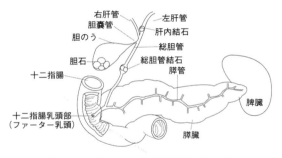

図 1-59 胆嚢結石，総胆管結石，肝内結石

ることができる．また超音波検査中に患者が体位変換すると，胆石は動くのに対し，他の病変は動かないのも，鑑別診断に役立つ．急性胆嚢炎の90%は胆石症を伴う．胆石症は女性の方が男性よりも多い．特にふくよかな中年女性に好発する（☞ p.67 覚え方）．

超音波検査にて胆嚢結石よりもっと小さい胆泥（たんでい）・胆砂とよばれるものが見つかることもある．砂状の胆石が胆汁と混じりあって泥のようになったもの．

黄色肉芽腫性胆嚢炎は胆嚢炎を繰り返した結果，胆嚢壁が腫大したもので，胆嚢癌との鑑別が難しい稀な疾患である．

胆嚢の結石が総胆管に流れ出ることがある．総胆管結石では結石が総胆管を閉塞し，閉塞部位より末梢の左右の肝臓の胆管が拡張し，閉塞性黄疸を生じる．

2) 胆嚢・胆管癌

肝臓から分泌された胆汁の通り道を胆道ともよび，胆嚢・胆管に発生した癌をまとめて胆道癌ともいう．初期にはほとんど症状がないため，早期発見が難しく，診断されても一般的に予後6カ月と，治療に難渋する．最も生命予後の悪い癌のひとつで，死亡者数は肝臓癌に次いで第6位と多い癌のひとつである．総胆管結石と同じように胆嚢癌でも胆管を閉塞し，閉塞性黄疸を生じることがある．その治療として胆管にステントを留置し，黄疸の軽減を図る．患者のQRLを考えたもので，根本的な治療ではない．

3) 胆嚢ポリープ

胆嚢の隆起性病変を胆嚢ポリープという．90%は良性のコレステロールポリープであるが，稀に胆嚢癌のことがあり，注意が必要である．

4) 胆嚢腺筋腫症

胆嚢の壁の一部あるいは全部が肥厚した病態．多くは無症状で経過し，予後がよく，特に治療はしない．胆嚢の超音波で，胆嚢癌との鑑別が重要となる．超音波検査でコメットサインという特徴的な所見を呈する．

5) 閉塞性黄疸

胆道が閉塞されて，胆汁が流れなくなることがある．胆汁が消化管に排出されない病態で，閉塞性黄疸と呼ばれる黄疸を生じ，大便の色は白色になる．後天性の場合は，胆管癌，膵頭部の膵臓癌あるいは図1-59のような良性の総胆管結石による総胆管の閉塞により，肝内胆管の拡張，閉塞性黄疸を生じる．

新生児にも生まれつき総胆管，胆道が閉塞していることがある．「新生児胆道閉鎖症」という病態で，閉塞性黄疸を生じる．治療法としては肝臓移植以外に有効な治療法はない．ただ新生児肝炎でも黄疸を生じることがあるが，新生児肝炎は手術しない．新生児胆道閉鎖症と新生児肝炎との鑑別診断には，胆汁の流れをみる ^{99m}Tc-PMTシンチグラフィが役立つ．

関連事項

CTAP（CT during arterioportography）とCTHA（CT during hepatic arteriography）

CTと血管撮影を組み合わせた診断方法で，CTAPでは門脈血流の血行動態を画像化できる．上腸間膜動脈に入れたカテーテルから注入された造影剤により，小腸・上腸間膜静脈を経て門脈に至る様子を視覚的に知ることができる（図1-55，図1-60）．CTHAでは，肝動脈に入れたカテーテルから造影剤を注入．肝臓の動脈の血流状態を知ることができる（☞ p.37 表1-11）．CTAPとCTHAを行うと，肝臓腫瘍が肝動脈からの血流により栄養されている肝臓癌か，門脈から栄養されている良性腫瘍か，鑑別診断できる．

急性腹症

消化器等の病気が原因の腹部救急疾患を急性腹症という．救急患者のうち最も多い．急性虫垂炎，胆石症，急性胆嚢炎，急性膵炎，腸閉塞（イレウス），消化管穿孔，虚血性腸炎，尿管結石，婦人科疾患などが原因で，いずれも速やかな診断，治療が必要である．

24 膵臓・脾臓

1. 膵臓の解剖と血管支配

胃の後ろの後腹膜に存在する長さ20cmの臓器で，胃の背側を横に走行し，膵頭部，膵体部，膵尾部の3つに分けられる．膵頭部は十二指腸に囲まれている（図1-60）．膵臓は膵液を分泌する外分泌臓器とインスリン，グルカゴンなどのホルモンを分泌する内分泌臓器ふたつの働きを有する．

消化液を含む膵液は，膵管から排出されるが，膵管は総胆管と合流した後，十二指腸ファーター乳頭部にて十二指腸下行脚に開く（☞p.37図1-56）．多くの人は膵管のみだが，人によっては副膵管を有することもある．

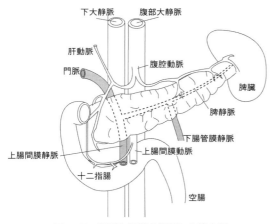

図 1-60 膵臓と脾臓の解剖と血管支配

膵臓の血管は複雑である（図1-61）．横隔膜直下の腹部大動脈から出た腹腔動脈は，左胃動脈，脾動脈，総肝動脈の3本に分枝する．総肝動脈はさらに固有肝動脈，胃十二指腸動脈を分枝する．胃十二指腸動脈から膵臓に動脈血を供給しているが，上腸間膜動脈からも膵臓に分枝しており，胃十二指腸動脈と上腸間膜動脈が膵臓を上からと下からアーケード状に血管支配している．また膵臓の体部・尾部は脾動脈からも血液が供給されている．静脈系は上腸間膜静脈，脾静脈から門脈を経て肝臓に入る．図1-60のように，脾静脈は膵臓の背側を膵臓に沿って横行するので，超音波検査ではよい目印となる．

図 1-61 膵臓の血管支配

2. 膵臓の働き

1) 膵液の合成（外分泌）

1日あたり500mLから1,000mLの膵液が膵管を通って十二指腸から消化管に分泌している．膵液には糖を分解するアミラーゼ，タンパク質を分解するトリプシン，脂質を分解するリパーゼなど，消化に欠かせない酵素が大量に含まれている（☞p.33表1-6）．血中アミラーゼの高値は，膵臓，唾液腺の疾患を考える．

2) ホルモン分泌（内分泌）

内分泌として最も有名なのは，ランゲルハンス島から分泌されるインスリンとグルカゴンである（☞p.50）．インスリンには血糖降下作用があり，インスリンが不足すると，血中ブドウ糖濃度が上昇し，高血糖，糖尿病とよばれる状態となる．低血糖となると，膵臓からグルカゴンが分泌され，肝臓にブドウ糖を作らせ，血糖値を上昇させる．インスリンとグルカゴンによって血糖値は一定に調節されている．その他，膵臓からソマトスタチンも分泌される．

3. 脾臓

脾臓は左上腹部にあり，上は横隔膜と，内側は左腎臓と接している．ソラマメに似た100～200gの臓器である．肋骨の下にあり，正常では脾臓を触れない．腹腔動脈から分枝した脾動脈によって支配され，静脈血は脾静脈から門脈に入る．

脾臓の働きとして，①不要になった赤血球を破壊し取り除く，②血小板を蓄える，③リンパ球を蓄え，免疫細胞として人体を守る．脾臓自体の病気は多くないが，他の病気で脾臓が腫大することがあり，「脾腫」という．肝硬変による門脈圧亢進症では脾腫を生じ，マラリアでは脾臓が腹部のほとんどを占めるほど巨大になることがある．

4. 膵臓の病気

1) 急性膵炎

膵臓が炎症を起こすと，膵臓から消化酵素が漏れ，膵臓自体が消化され，膵臓および周囲の組織に炎症と障害を引き起こす．重症例では死に至る難病である．中年男性に多く，大量の飲酒後あるいは胆石を伴うことが多い．強烈な上腹部痛のため，身体を曲げた方が痛みが和らぐ．血中アミラーゼが高値となり，超音波検査，腹部CTで膵臓周囲の液体貯留が認められる．治療として，薬物療法，IVR（経動脈カテーテル）による薬物投与，手術も行われる．

2) 慢性膵炎

膵臓が慢性の炎症を繰り返した結果，膵臓が破壊され，機能が低下した状態．反復する背部痛・腹痛を伴う．ア

ルコール摂取が原因として多い．慢性膵炎が進行すると，膵臓の外分泌機能が低下し，脂肪の分解が出来なくなり，脂肪便を呈することがある．消化されない脂肪が便と一緒にドロドロした状態で排出されたものを脂肪便という．

血中・尿中のアミラーゼ値など膵酵素が上昇する．腹部単純X線やCTで膵臓の石灰化が認められれば慢性膵炎と診断される．

3）膵臓癌

膵臓の癌の90％は，膵管の細胞にできる．膵臓癌の特徴的な症状はなく，早期発見が難しい．あらゆる治療に抵抗性で，予後が最も悪い悪性腫瘍である（表1-12）．年齢を調整すると，多くの癌が減少しているにもかかわらず，膵臓癌による死亡者数は増え続けている．死亡者数は年間4万人に達し，肝臓癌よりも死亡者数は多く，第4位となっている（☞ p.34 表1-7）．膵臓癌の5年生存率は7％と極めて低く，膵臓癌の患者数と死亡者数がほとんど同数なのは，膵臓癌の生命予後が著しく悪いことを意味する．

膵臓癌の腫瘍マーカーとして血中CA19-9濃度の測定が役立つ（表1-13）．画像診断として超音波検査，CT，MRIが行われる．一般的に悪性腫瘍の多くは血流が豊富だが，膵臓癌は血流に乏しく，造影CTでは低吸収域となる．膵管から発生するため，強いT2強調画像であるMRCP（MR胆管膵管造影）による膵管の描出が有用である．膵臓癌によって閉塞した膵管の上流の拡張を認める．以前は内視鏡による逆行性膵胆管造影（ERCP）が行われていたが，診断目的にはMRCPが行われるようになり，膵管（胆嚢・胆管を含む）の状態を苦痛が少なく，非侵襲的に知ることができるようになった．MRCPでは造影剤としてガドリニウム製剤は不要であるが，消化管の信号を消すために，撮影前にMRI用経口消化管造影剤（塩化マンガン四水和物；商品名ボースデルあるいはクエン酸鉄アンモニウム；商品名フェリセルツ）を服用し，陰性造影剤として使用することにより，膵管を明瞭に描出させる．

4）神経内分泌腫瘍

膵臓の悪性腫瘍のほとんどは膵管から発生する膵臓癌だが，稀に神経内分泌腫瘍とよばれる腫瘍がある．アップル社のスティーブ・ジョブズが罹患したという．膵臓のランゲルハンス島の腫瘍は，インスリノーマとよばれ，インスリンを過剰分泌する．その結果，低血糖を生じる．その他ガストリンを過剰分泌する腫瘍（ガストリノーマ）なども神経内分泌腫瘍という．

原発腫瘍は小さく診断が難しいことが多いが，^{111}In標識ソマトスタチン誘導体（オクトレオスキャン）が局在診断に役立つ（☞ p.409）．膵臓癌は血流が乏しいのに対し，神経内分泌腫瘍は血流が豊富である．

表 1-12　がんの部位別5年相対生存率（2009～2011）

	男性	女性
全部位	62.0	66.9
口腔・咽頭	60.7	69.4
食道	40.6	45.9
胃	67.5	64.6
大腸	71.7	71.9
肝臓	36.2	35.1
胆嚢・胆管	26.8	22.1
膵臓	8.9	8.1
喉頭	81.8	81.7
肺	29.5	46.8
皮膚	94.4	94.6
甲状腺	91.3	95.8
悪性リンパ腫	66.4	68.6
白血病	43.4	44.9
前立腺	99.1	—
乳房	—	92.3
子宮頸部	—	76.5
子宮体部	—	81.3

関連事項

表 1-13　代表的な腫瘍マーカー

大腸癌	CEA，CA19-9	卵巣癌	CA125
肝細胞癌	AFP，PIVKA-2	食道癌	SCC
膵臓癌	CA19-9		
胆管細胞癌	CA19-9	子宮頸癌	SCC
肺腺癌	CEA	絨毛癌	hCG
肺小細胞癌	NSE	前立腺癌	PSA
精巣腫瘍	AFP，hCG	甲状腺癌	サイログロブリン（Tg）

25 腎臓の解剖と機能

1. 腎臓, 膀胱, 尿道の解剖

腎臓は腰の左右に1対ある. ソラマメ状の形をした拳大の大きさの150gの臓器である. 上腹部右側には大きな肝臓があり, 右腎臓は左腎臓よりも低位にある (図1-62). 腎臓は外側から皮質, 髄質, 腎杯, 腎盂 (じんう) に分けられる (図1-63). 腎盂は腎盤ともいう. 腎臓では循環する血液を濾過し, 尿が生成される. 尿は腎臓の腎杯, 腎盂から尿管を経て, 膀胱に一時的に蓄えられるが, 尿道を通って排泄される. 腎臓では血液から老廃物を処理し, 尿中に排泄しており, 腎臓の血流量は100gあたりで比較すると, 最も血流量の多い臓器で, 1分間にほぼ1Lの血流が流れこんでおり, 心拍出量の1/5にあたる.

腎臓の糸球体 (腎小体) から尿細管に至るひとつの単位をネフロンという. 糸球体と尿細管はそれぞれ異なった働きをしている. 糸球体では血液から物質が濾過され, 一部は尿中に排泄されるが, 体に大切な物質は尿細管において再吸収されて, 再び血液中に戻される. 例えば, 分子量の小さいブドウ糖は糸球体で濾過されるが, 尿細管で再吸収されて, 再び利用される. そのため正常では尿中にブドウ糖は検出されない. アルブミンやグロブリン (抗体) のような分子量の大きい物質は, 糸球体で濾過されず, そのまま血液中を循環している. 不要な物質のみ尿として体外に排泄され, 体に大切な物質は排泄されないようなシステムとなっている.

2. 腎臓の機能

腎臓の働きとして,

① 血液中の老廃物の排泄

タンパク質に含まれている窒素は, 肝臓で尿素窒素とされた後, 血液によって腎臓に運ばれ, 尿として体外に排泄する.

② 体液量, 電解質, 酸塩基平衡の調節

1日およそ150Lの原尿から体に必要な電解質を99%再吸収し, 残り1%の1.5L (1,500 mL) を尿として体外に排出している. 水分とナトリウム, カリウムなど電解質濃度を調節することにより, 体内の浸透圧を一定に保つ. また腎臓での重炭酸イオン (HCO^{3-}) の排泄と, 肺での呼吸による二酸化炭素 (CO_2) の排泄とふたつのバランスで, 血中のpHが7.35〜7.45に一定に保つように調節している (☞ p.23).

③ 血圧の調節, 赤血球を作る物質などの分泌

レニンというホルモンを分泌し血圧を調節する. エリスロポエチンという赤血球を増やすホルモンを分泌する. ビタミンDを活性化し, カルシウムを吸収させる.

3. 腎臓の検査

腎臓の機能は, 尿の検査, 血液中のクレアチニン (Cr)・尿素窒素 (BUN) 濃度によって知ることができる. 腎臓機能が低下すると, 糸球体の濾過機能が低下し, タンパク質が尿にもれてくる. タンパク尿と呼ばれる. 尿潜血とは尿中に血液 (赤血球) が混じっているかどうかを調べる検査である. 出血量が多く, 目で見て尿が赤ワイン色になっているのを肉眼的血尿 (Macrohematuria) といい, 少量の出血で, 外観からはわからず, 顕微鏡で見て初めて診断される場合を顕微鏡的血尿 (Microhematuria) という. 尿路系の腫瘍, 結石, 糸球体腎炎でも血尿を呈することがある.

腎機能が低下すると, 血中クレアチニン濃度, BUN濃度が上昇する. 血中クレアニチン濃度から糸球体濾過量 (eGFR) を求め, 腎機能を推定する. 血中クレアチニン濃度, BUN濃度の上昇, 糸球体濾過量の低下は, 腎臓の障害を意味する. CT検査や血管撮影の際のヨード造影剤, MRI造影剤ガドリニウム製剤の投与前には, 血中クレアチニン濃度を測定し, eGFRを求める. eGFRの低下は造影剤副作用の危険因子である.

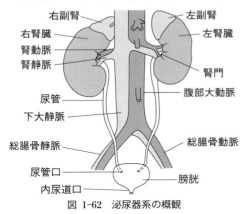

図1-62 泌尿器系の概観

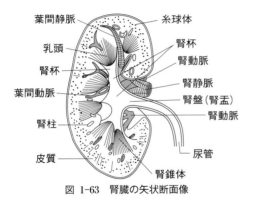

図1-63 腎臓の矢状断面像

26 腎臓・膀胱の病気

1. 水腎症
何らかの原因によって尿管から下部の通過障害のため，腎盂，腎杯が拡張した病態．尿管の狭窄部位，その原因を見つけるために，超音波検査，静脈性腎盂造影（IVP），CT検査が有用である．原因が何であれ，水腎症が続くと腎機能が低下してくるので，IVRなどを含めた治療が必要となる．

2. 腎機能低下，腎不全
腎臓の機能が著しく低下した状態を腎不全という．尿量の減少，むくみ（浮腫），高血圧，貧血などの症状を呈する．慢性腎不全では重度化すると，自然に治ることはない．腎不全が進行した末期（尿毒症ともいう）には，腎臓移植か人工透析によって治療しなければ死に至る．近年は糖尿病腎症が原因として最も多い．

3. 結石
尿路系の結石は，腎臓，尿管，膀胱にできやすい．腎臓結石と尿管結石を「上部尿路結石」，膀胱結石を「下部尿路結石」というが，上部尿路結石，特に尿管結石が大半を占める．20歳から50歳代で，男性の方が女性よりも多い．腰からわき腹，背部にかけて強烈な痛みを訴えることが多く，代表的な急性腹症のひとつである．痛みと肉眼的血尿あるいは顕微鏡的な血尿を認める．80％の結石は成分としてカルシウム（シュウ酸カルシウム，リン酸カルシウム）を含んでおり，X線透過性が低く，発見しやすい．しかしカルシウムを含まない尿酸結石，キサンチン結石，シスチン結石のようなX線透過性が高い結石や微小結石の診断は単純X線では難しく，腹部単純CTが用いられる．単純X線での診断能は約60％だが，単純CTでの診断能は95〜100％と高い．なお腎結石の終末状態として腎盂・腎杯全体に形成されたものは，さんご状の形態となるので，さんご状腎結石とよぶ．

結石は自然に尿に排泄されることもあるが，体外衝撃波結石破砕術（ESWL）を使って結石を小さく破砕し，尿に排泄させる治療も行われている．

関連事項
上皮の細胞像

細胞	代表的な部位
単層扁平上皮	血管内皮，肺胞
重層扁平上皮	皮膚（表皮），口腔，食道
円柱上皮	消化管粘膜上皮（胃，小腸，大腸）
線毛上皮	気管，鼻腔，卵管
移行上皮	腎盂，尿管，膀胱

4. 急性腎炎
扁桃炎・咽頭炎などに感染後，2〜4週間後に発症する．タンパク尿，血尿が認められるが，浮腫，高血圧を伴うこともある．β溶血性連鎖球菌感染後に発症するものが大部分で，この菌が抗原となって抗原抗体複合体を形成し，腎糸球体に付着，糸球体腎炎を引き起こす（アレルギーⅢ型反応）．子ども，若い人に多く，予後は良い．

5. 膀胱炎，腎盂腎炎
膀胱炎は細菌（多くは大腸菌）感染による膀胱・尿路の急性炎症で，膀胱刺激症状つまり頻尿，排尿痛，微熱を認める．膀胱炎が男性よりも女性に多いのは，尿道が短いこと，外尿道口と肛門の距離が近く，細菌が外から侵入しやすいためである．

膀胱→尿管→腎盂と逆行性に感染が進むと腎盂腎炎を発症し，高熱，背部痛をきたす．

6. ネフローゼ症候群
高度のタンパク尿とそのために低タンパク血症を生じる．浮腫および高脂血症を伴うことが多い．糸球体腎炎による一次性（原発性または特発性）ネフローゼ症候群と，膠原病，糖尿病などが原因になって起こる二次性（続発性）ネフローゼ症候群に大別される．腎機能の程度，原発疾患によって予後が異なる．ネフローゼ症候群は3歳から5歳の小児にも発症するが，副腎皮質ステロイド剤による治療で軽快することが多い．

7. 腎臓の腫瘍
腎臓で圧倒的に多いのは腎嚢胞で，ほとんど良性である．腎臓の悪性腫瘍は，成人では腎細胞癌が90％で，残り10％が腎盂癌などに対し，小児では腎芽腫（Wilmus ウィルムス腫瘍）がほとんどで腎細胞癌はない．血管と筋肉と脂肪からなる胃血管筋脂肪腫という腫瘍も稀に発生する．その成分から特徴的な画像所見を示す．

8. 腎血管性高血圧
片側の腎動脈が狭窄すると，高血圧を呈することが知られている．2次性高血圧のひとつである．50歳以上の男性では動脈硬化症が原因となって，腎動脈の狭窄をきたすことが多い．造影CTあるいはMRアンギオグラフィで診断され，手術あるいはIVRによって治療する．

9. 膀胱癌
膀胱は腎盂・尿管と同じように移行上皮におおわれており，膀胱癌は移行上皮から発生し，組織学的に移行上皮癌がほとんどである．染料や化学薬品を扱う職業では，膀胱癌が多いことが知られている．初発症状は無痛性の血尿で，結石の場合の痛みを伴った血尿とは，症状が異なる．また膀胱炎，尿道炎では排尿時に痛みを伴うことから鑑別される．膀胱鏡による内視鏡検査で診断される．

27 生殖器

1. 生殖器と血管支配

　男性生殖器とは陰茎，精巣，前立腺などを，女性生殖器とは卵巣，子宮，膣などをいう．男性生殖器と女性生殖器は，発生学的にはよく似ているが，その働きは全く異なる．男性の精子は精巣で作られ，女性の卵子は卵巣で作られる．性交により膣内に射精された精子は，卵管膨大部において卵子と出会って受精し，子宮において胎児として成長し，出産に至る．

　発生学的に男女の生殖器が似ていることを反映し，生殖器の血管支配は，男性と女性でよく似ている．骨盤内臓器は内腸骨動脈が栄養するが，精巣動脈と卵巣動脈は例外である．男性の精巣動脈，女性の卵巣動脈は腹部大動脈から直接分岐する（☞ p.30 図1-53, ☞ p.67）．下大静脈は腹部右側にあり，右精巣静脈は直接下大静脈に流入するのに対し，左精巣静脈は左腎静脈に流入する．女性も同じように，右卵巣静脈は下大静脈に直接流入するのに対し，左卵巣静脈は左腎静脈に流入する．

2. 男性の生殖器

A. 男性生殖器の働き

　男性か女性かは精巣か卵巣かによって定まる．精巣から男性ホルモン（テストステロン）が，卵巣からは女性ホルモン（エストロゲン）が分泌され，それぞれ男性らしさ，女性らしさが現れる．男性ホルモンを作るのは，主に精巣である．精巣は男性股間の陰嚢内にある2個の卵状の臓器で，睾丸（こうがん）とも呼ばれる（図1-64）．別々の細胞が男性ホルモンと精子を作る．精巣が陰嚢内

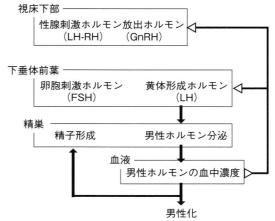

図 1-65　男性ホルモンの分泌と働き

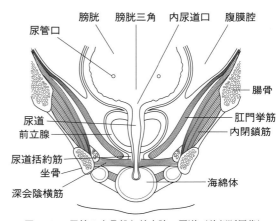

図 1-66　男性の小骨盤と前立腺，尿道（前額断層像）

でなく，腹腔内に存在するものを「停留（ていりゅう）精巣（停留睾丸）」という．不妊症の原因となるので，手術により陰嚢内に固定する．

　精巣で作られた精子は，精巣上体，精管を移動し，精嚢上皮，前立腺の分泌液を混じて，精液として，尿道から体外に排出される．精管（または輸精管）は精巣上体に貯えられた精子を尿道まで運ぶ直系3mm，長さ40cmの細長い管である．陰茎は尿道海綿体（内側）と陰茎海綿体（外側）から成る．

　生まれてすぐわかる男女の性器にみられる特徴（第一次性徴；男性では陰茎，精巣など．女性では卵巣，子宮，外性器など）の発現は，遺伝子であるY染色体の有無で決まる．男性はXY，女性はXX染色体である．

　思春期になって現れる性器以外の体の各部分にみられる男女の特徴を第二次性徴というが，第二次性徴の発現は視床下部からの性腺刺激ホルモン放出ホルモン（LH-RH）に依存する（図1-65）．LH-RHの刺激により下垂体前葉から黄体形成ホルモン（LH）が分泌され，精巣か

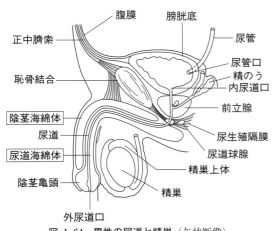

図 1-64　男性の尿道と精巣（矢状断像）

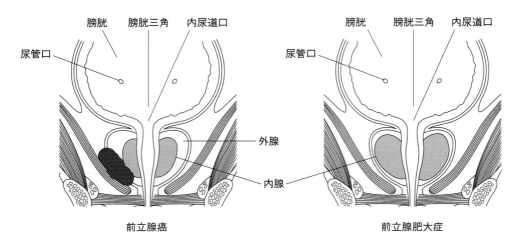

図 1-67 前立腺の構造と発生部位

ら分泌される男性ホルモンの作用により，男性では小学校高学年から女性では小学校中学年から，第二次性徴が始まる．男性では筋肉・骨格が発達する，声変わりする，陰茎・睾丸が大きくなる．

B．前立腺と前立腺癌

前立腺は直腸腹側の膀胱真下に尿道を囲んで存在する（図1-66）．尿道周りの内側の内腺と皮膜側の外側の外腺からなる．前立腺肥大症は内側の内腺が肥大し，前立腺癌は外側の外腺から発生する（図1-67）．前立腺肥大症では尿道を圧迫し，尿が出にくくなる排尿障害を起こすのはこのためである．一方，前立腺癌は尿道から離れた外腺にできやすい癌なので，自覚症状に乏しい．前立腺の働きは前立腺液を作ることで，精液に混じって性交時に排出される．

前立腺癌は男性ホルモンが癌の進展を促しており，前立腺癌の治療にも内分泌療法が併用される．男性ホルモンの作用を弱めるには，視床下部から分泌されるLH-RHの作用を阻害する薬剤，男性ホルモンの作用を阻害する薬剤などが有効で，癌の増殖を抑え，両側の精巣を摘出する去勢術と同じ効果がある．ただ副作用として筋力が低下し，性欲がなくなる．

血中PSA値が，腫瘍マーカーとして前立腺癌の診断，治療経過の観察に有用である．また前立腺のMRIは腫瘍部位の同定に役立つ．

前立腺癌の治療には，ホルモン療法（内分泌療法），手術，放射線治療（放射線外照射と^{125}Iシードによる組織内照射，^{223}Ra内用療法，^{89}Sr内用療法），抗癌剤治療など様々な選択がある．

前立腺癌の予後は，TNM病期分類，血中PSA値，Gleason（グリソン）スコア（病理組織像）と関係が深い．

C．精巣癌

精巣腫瘍は20歳代から40歳代の男性では最も多い腫瘍で，若い患者が多いため社会的に重要である．精上皮腫（セミノーマ）とほぼ同義語である．精巣の無痛性腫大で見つかることが多い．精巣摘出後の放射線治療，抗癌剤がよく効く．腫瘍マーカーとして血中AFP，hCG濃度が測定される．

3．女性の生殖器

A．子宮

女性の生殖器は，外陰部と膣，その奥の子宮，子宮から左右に伸びた卵管と卵巣からなる（図1-68）．子宮の大きさは長さが7〜8cm，幅が4cm，厚さ3cm．洋梨の形をしており，中が空洞となっている．子宮の壁は，内側から粘膜，筋層，漿膜の3層からなる．粘膜を子宮内膜といい，月経周期に従って増殖し，子宮を受精卵の着床に適した状態に整える．子宮の壁は厚い平滑筋でできており，子宮体部に胎児が宿る．漿膜の外は腹腔である．妊娠準備のために肥大していた子宮内膜は，排卵から14日目に経血として体外へ排出される．月経あるいは生理という．50歳前後となり月経，生理が止まった閉経後には，子宮は徐々に縮小する．子宮の下端は細くなって頸部とよばれ，膣の上部に突き出ている．子宮頸癌の発生する部位である．重層扁平上皮でできており，子宮頸癌の多くは扁平上皮癌である．

B．子宮の病気

1）子宮筋腫

婦人科では最も多い病気で，30歳代の女性の20〜30％に認められる．子宮筋層の平滑筋細胞から発生する良性腫瘍で，症状としては月経痛，月経量が多くなることがある（図1-69）．画像診断として超音波検査，MRIが役立つ．子宮筋腫だけでは生命の危険はないが，大きい子宮筋腫の0.5％に悪性の子宮肉腫が含まれ，両者の鑑別診断は難しい．女性ホルモンによって子宮筋腫は成

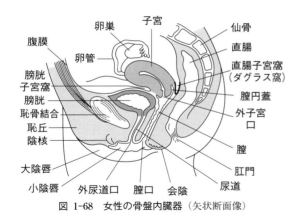

図 1-68 女性の骨盤内臓器（矢状断面像）

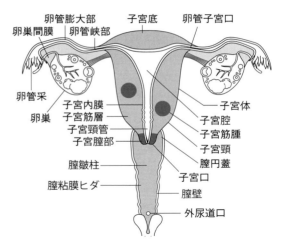

図 1-69 子宮，腟と卵巣，卵管（前額断面像）

長し，閉経後には子宮筋腫は縮小する．

治療として手術，内分泌治療のほか，IVRの手法を用いて，子宮へ行く栄養動脈（内腸骨動脈から分かれた子宮動脈）を閉塞する子宮動脈閉塞術も行われる．

2）子宮癌

子宮癌には子宮頸癌と子宮体癌があるが，発生する部位，原因も違う．子宮頸癌は外子宮口あたりの子宮頸部に発生するのに対し，子宮体癌は胎児を育てる子宮体部の内膜から発生する．子宮癌は20歳代から30歳代女性の癌としては最も多く，年間約6千人が死亡している．子宮癌は住民検診として20歳以上の女性では2年に1回，子宮頸部の細胞診が行われている．子宮頸癌の発生しやすい子宮頸部や腟部の表面粘膜を専用のへら，ブラシなどでこすって細胞を採取し，顕微鏡で癌細胞の有無をみる．90％が扁平上皮癌である．

子宮頸癌はパピローマウイルスが原因と考えられており，予防ワクチン接種が始まったが，副作用があるとして，接種すべきか否か社会問題となっている．画像診断としては超音波検査とMRIが，治療としては手術と放射線治療（外照射，腔内照射，組織内照射）が行われる．

子宮体癌は90％以上が腺癌で，婦人科腫瘍では子宮頸癌に次いで多い．子宮頸癌より高齢者に多く，3/4は閉経後である．手術される．

3）子宮内膜症

子宮の内部をおおっている子宮内膜様の組織が，本来あるべき部位でなく子宮内面以外の部位にあるため，月経の際に出血し痛み月経痛を生じる．月経困難症，不妊の原因ともなる．卵巣にあると卵巣子宮内膜性嚢胞となるが，嚢胞内部には排出されない古い血液がチョコレートの様な状態でたまり，チョコレート嚢胞ともよばれる．診断には超音波検査，MRIが役立つ．

C．卵巣

卵巣では卵子，女性ホルモンが作られ，卵巣と子宮とは卵管でつながっている．卵巣は子宮の左右の両側，卵管の後下方に位置する．母指頭大，楕円球状形（アーモンド状）の臓器で，ソラマメ大の長さ2.5〜4.0cm，幅1.0〜2.0cmの大きさである．卵巣では卵子の生成，成熟，排卵を行う生殖器官であるとともに，女性ホルモン；エストロゲンとプロゲストロンを分泌する内分泌器官でもある．思春期になると，女性ホルモンによって乳房が発達し，丸みをおびた体つきになる．初経（初めての月経）が起こるなど，第二次性徴を生じる．

D．卵巣腫瘍

卵巣には様々な病理組織像を示す腫瘍が発生するが，その約90％は良性で，約10％が悪性．小さい腫瘍では無症状だが，20cmまで大きくなることもあり，外から触れるし，圧迫症状がみられるようになる．卵巣腫瘍の付け根部分がねじれると（卵巣腫瘍茎捻転），激しい下腹痛が出現することがあり，急性腹症として受診する．卵巣腫瘍のひとつ奇形腫（皮様嚢腫 dermoid cyst）では，脂肪・毛髪・歯などが含まれることがある．

卵巣癌の治療は手術が基本だが，抗癌剤もよく効く．卵巣癌は腹膜に転移しやすく，種をばらまいたようになるので，腹膜播種（はしゅ）という．腹膜の機能が低下し，腹水が貯まる．また胃癌の卵巣転移を「クルッケンベルグ腫瘍」ともいう．卵巣癌の腫瘍マーカーとしてCA125が役立つ．

関連事項

ダグラス窩（直腸子宮窩）

腹膜腔の一部で，子宮の後ろ，直腸の前なので，直腸子宮窩ともいう（図1-68）．腹膜窩の最下部に位置するため，水分，血液，細胞などが貯まりやすい．癌の転移しやすい部位で，「シュニッツラー転移」ともいう．ここを穿刺して（ダグラス窩穿刺）して検査，治療も行われる．

28 妊娠

1. 妊娠とは

卵巣から排卵された卵子は卵管に取り込まれ、卵管膨大部で精子と出会い「受精」が起こる。受精した卵を「受精卵」という。受精卵はゆっくりと細胞分裂を繰り返しながら卵管を下り、およそ48時間かけて子宮にたどり着く。子宮内膜の一箇所に取り付いて排卵から7～11日後に着床状態が完成する。この着床をもって妊娠成立とみなす（表1-14）。

なお排卵日は、次回月経の14日前で、月経14日後ではない。排卵日は妊娠しやすい。28日周期の規則正しい月経の場合は、排卵日は最終月経から14日目となる。「10 day rule」（10日規則）という、月経開始後10日以内に放射線検査を行うという規則（現在は廃止されている）は、その期間が最も妊娠の可能性が少ないためである（☞ p.89）。

子宮卵管造影（HSG；hysterosalpingography）は、卵管の通過性および子宮の形態を確認するための検査である。ヨード造影剤1回6～10 mLを導管より子宮腔内に注入する。

2. 妊娠期間

妊娠期間は3カ月単位で、妊娠初期、妊娠中期、妊娠後期の3つの期間に分けられる。「妊娠初期」は妊娠4～15週（妊娠2～4カ月）、「妊娠中期」は妊娠16～27週（妊娠5～7カ月）、「妊娠後期」は妊娠28～39週（妊娠8～10カ月）という。

妊娠22週より37週未満の分娩を早〔期〕産、37週以後42週未満を正期産、妊娠42週以後を過期産とよぶ。

3. 放射線・薬剤の胎児への影響

放射線、薬剤が胎児に与える影響は、時期によって異なる。胎児の各器官が形成される時期（器官形成期）が最も奇形を生じる可能性が高い。受精前から妊娠3週間までは、胎児への影響は少ない。卵子は、受精能を失うか、受精してもその卵子は着床しなかったり、流産しても消失するかあるいは修復されて健康な赤ちゃんとして出産する。

妊娠4週から7週まで（妊娠2カ月）が、最も敏感に現れやすい時期で、胎児の器官、例えば脳、心臓、目、耳、四肢ができ、「器官形成期」という。薬剤・放射線による催奇形作用を最も受けやすい。妊娠8週から胎児の重要な器官が終わっており、胎児への影響は少なくなってくる。妊娠16週以降はさらに影響は少ない。

関連事項

子宮外妊娠（異所性妊娠）
受精卵が何らかの理由で子宮体部内膜以外の場所に着床し成長した場合を子宮外妊娠（あるいは異所性妊娠）という。ほとんどは卵管での妊娠である。妊娠を継続できず、性器出血あるいは高度な腹痛を訴え、急性腹症として受診することがあり緊急な処置が必要となる。急性腹症の患者で、無月経、妊娠反応陽性で子宮に胎児が見つからなければ、子宮外妊娠の可能性が高くなる。

風疹と胎児への影響
免疫のない女性が妊娠初期に風疹に感染すると、胎児に先天性風疹症候群という障害を引き起こすことがある。先天性心疾患、難聴、白内障を特徴とする。ワクチンで免疫を獲得することが最善の予防となる。

染色体異常症
染色体異常に起因する疾患がある。代表的なのは「ダウン症候群」で21番染色体が3個ある21番染色体トリソミーが原因となる。出生700例に1例の割合で見られる。高齢出産ではリスクが高く、母親が20歳以下の場合には出生1,550例中1例の頻度なのに対し、45歳以上では25例中1例となる。発達障害や心臓異常を伴うことがあるが、医学が進み、平均寿命は60歳前後と予後は改善している。その他、染色体異常症としてターナー症候群、クラインフェルター症候群が知られている。

表 1-14 妊娠とその時期

	極初期			初期											中期	後期
月数	1カ月			2カ月				3カ月				4カ月			5～7カ月	8～10カ月
週数	0	1	2	3	4	5	6	7	8	9	10	11	12	13	14	15	16～27	28～39
日数	0	7	14	27	28～55				56～83				84～111				112～195	196～279
薬の影響度	無影響期			絶対過敏期				相対過敏期				比較過敏期				潜在過敏期	
胎児の発育	細胞の増殖			器官の形成												体の成長、機能的発達	

最終月経の始まった日を0週0日、14日；受精成立、28日：本来なら次の月経予定日
妊娠4週～7週：体の重要器官が分化する時期で、奇形に関し、一番危険な時期。「絶対過敏期」という。妊娠16週、5カ月から安定期に入る。

29 内分泌-1 脳下垂体・副腎・糖尿病

　内分泌はホルモンともいわれる．臓器から分泌されたごく微量のホルモンが，遠く離れた組織の受容体に結合し，ホルモン作用を発揮する．内分泌に対する用語は外分泌で，汗，唾液，消化液などのように導管から液体が分泌される．甲状腺は甲状腺ホルモンを分泌する内分泌臓器であるが，膵臓では合成された膵液を膵管から十二指腸に分泌する外分泌臓器であるとともに，インスリン，グルカゴンというホルモンを血液中に分泌する内分泌臓器でもある．

　研究が進むとともに，多くの臓器から様々なホルモンが分泌されていることが明らかとなった（表1-15）．例えば心臓からもヒト心房性利尿ペプチド（hANP；ハンプという）が分泌されており，心臓も内分泌臓器のひとつである．表には主なホルモンとその作用が書かれているが，これ以外にも多くのホルモンが生体の機能を調節している．

　血液中のホルモン濃度は極めて微量なので，その測定はヨウ素125（^{125}I）を用いるラジオイムノアッセイ（RIA，インビトロアッセイともいう）で行われていた．しかし，^{125}Iの代わりに酵素などを用いる手法が開発され，現在ほとんどのホルモンの測定には^{125}Iは使われなくなった．

1. 脳下垂体

　脳下垂体は頭蓋底中央のトルコ鞍の中にあり，前葉と後葉に分かれた母指頭大の小さい臓器である．腫瘍は小さく，診断にはMRIが必須である．脳下垂体腫瘍が大きくなって進展すると，視神経を圧迫する．視神経交叉の部位なので，両側半盲という特殊な視野欠損を示す．

1）脳下垂体前葉

　脳下垂体前葉からは，成長ホルモン（GH），副腎皮質刺激ホルモン（ACTH），甲状腺刺激ホルモン（TSH），プロラクチン，黄体形成ホルモン（LH），卵胞刺激ホルモン（FSH）など多くのホルモンが分泌される．脳下垂体疾患ではこれらホルモンの過剰分泌あるいは分泌低下により，様々な特徴的な臨床症状を呈する．

　成長ホルモンが不足すると低身長症（小人症）に，逆に成長ホルモンが過剰に分泌されると，骨端線が閉鎖していない若い人では，2メートル以上の高身長となり巨人症という病態を呈する．成人では骨端線が閉鎖し骨の成長は止まっており，先端巨大症となる．先端巨大症では，下顎の突出，口唇・舌の肥大，手指の関節が太くなるなど特徴的な顔貌となる．

　プロラクチンは乳汁分泌を促進する作用がある．脳下垂体の腫瘍で最も多い（30％を占める）のは，プロラクチン分泌腫瘍で，乳汁分泌と無月経から見つかることが多い．ACTH分泌腫瘍では，ACTHの過剰分泌により副腎皮質が刺激され，血中コルチゾールが高値となる．発見者の名前をとってクッシング病とよばれる．副腎皮質の腫瘍によるクッシング症候群と同じ臨床症状を示し，満月様顔貌（ムーンフェイス），中心性肥満，皮膚線条，にきび，骨粗鬆症，高血圧，糖尿病などを生じる．

2）脳下垂体後葉

　脳下垂体後葉からは抗利尿ホルモン（ADH）（バソプレッシン）とオキシトシンが分泌される．抗利尿ホルモンの分泌低下は，**尿崩症**という病態となる．多尿・口渇・多飲が特徴で，尿量は1日10Lに達する．MRIにおける脳下垂体後葉の高信号消失は，抗利尿ホルモンの分泌低下を示す．

2. 副腎

　左右腎臓の上にあるソラマメ状の小さい臓器で，副腎皮質と副腎髄質からなる（☞図1-62）．

1）副腎皮質

　脳下垂体から分泌される副腎皮質刺激ホルモン（ACTH）の刺激により，副腎皮質からアルドステロン，コルチゾール，アンドロゲン（男性ホルモン）が分泌される．

　アルドステロンは電解質をコントロールしており，「アルドステロン症」ではアルドステロンが過剰に分泌され，高血圧を生じる．2次性高血圧では最も多いとされている．アルドステロンを分泌する副腎皮質腫瘍は小さいため，CT，MRIでも腫瘍の局在診断が困難なことがある．IVRの手法を使って，副腎近くの静脈にカテーテルを進め，そこから静脈血を採血してホルモン濃度を測定する副腎静脈血サンプリングという検査も行われる．

　副腎皮質ホルモンとは多くの場合コルチゾールのことをいい，生体に不可欠の多くの作用をしている．副腎皮質ホルモンが不足すると生存できない．ショックの際には副腎皮質ホルモン剤を静脈内に投与する．また副腎皮質ホルモンを含む軟膏は湿疹，アトピー性皮膚炎の特効薬で，気管支喘息では吸入薬として使われている．副腎皮質ホルモン剤は良く効くが，副作用も多く，長期間服用すると，クッシング症候群と似た状態となる．高血圧，糖尿病，胃潰瘍，骨粗鬆症さらに細菌感染に弱くなる．副腎皮質の腫瘍のうち，コルチゾールを過剰に分泌する腫瘍を「クッシング症候群」という．患者は肥満し，満月様顔貌を呈し，高血圧，高血糖となる．

　副腎皮質から発生する腫瘍の核医学診断には^{131}I-アド

ステロールが用いられる.
　なお副腎皮質ホルモンの分泌が一定量以下になった副腎皮質機能不全を「アジソン病」という．Negative feedback により血中 ACTH 濃度は高値となる．

2）副腎髄質
　副腎髄質からは交感神経を刺激するアドレナリン，ノルアドレナリン，ドパミンが分泌される．副腎髄質の腫瘍を「褐色細胞腫」といい，血中アドレナリン，ノルアドレナリンが高値のため，患者は高血圧，代謝亢進，発汗過多，便秘などの症状を呈する．褐色細胞腫は「10% disease（病気）」といわれ，副腎外褐色細胞腫，悪性褐色細胞腫，左右両側副腎褐色細胞腫，子供の褐色細胞腫などいずれも割合は 10% 程度とされている．
　副腎外褐色細胞腫がどこに存在するか，悪性褐色細胞腫がどこに転移しているのか，褐色細胞腫の腫瘍部位の診断に ^{123}I-MIBG が，悪性褐色細胞腫の治療には ^{131}I-

表 1-15　主なホルモンとその働き

		ホルモン	ホルモンの働き
視床下部		甲状腺刺激ホルモン放出ホルモン（TRH）	脳下垂体から TSH の分泌を刺激
		性腺刺激ホルモン放出ホルモン（LH-RH, GnRH）	LH，FSH の分泌を刺激
		副腎皮質刺激ホルモン放出ホルモン（CRH）	ACTH の分泌を刺激
脳下垂体	前葉	成長ホルモン（GH）	からだの成長を促す
		甲状腺刺激ホルモン（TSH）	甲状腺に作用し，甲状腺ホルモンの分泌を促す
		副腎皮質刺激ホルモン（ACTH）	副腎皮質に作用し，副腎皮質ホルモンの分泌を刺激する
		卵胞刺激ホルモン（FSH）	女性の卵巣から女性ホルモンを，男性の精巣から男性ホルモンの分泌を刺激する
		黄体形成ホルモン（LH）	
		プロラクチン（PRL）	乳汁を分泌させる
	後葉	抗利尿ホルモン；バソプレシン（ADH）	腎臓で水を再吸収して尿量を減らす
		オキシトシン	出産時に子宮を収縮させる
甲状腺		甲状腺ホルモン；T4，T3	代謝を亢進させる．全身のエネルギー利用を促す
		カルシトニン	カルシウム代謝に関係する
副甲状腺		副甲状腺ホルモン；パラソルモン（PTH）	血中カルシウム濃度を上昇させる
心臓	心房	心房性利尿ペプチド（hANP；ハンプ）	血管拡張，腎臓からの利尿促進
副腎	皮質	コルチゾール	ブドウ糖，脂肪，蛋白質代謝を調節する．炎症を鎮める
		アルドステロン	ナトリウムの再吸収を促し，血圧を上昇させる
		副腎アンドロゲン（男性ホルモン）	性器を発育させる．精巣から分泌される男性ホルモンより弱い
	髄質	カテコールアミン（ドパミン，アドレナリン，ノルアドレナリン）	血圧を上昇させる
膵臓	ランゲルハンス島 β 細胞	インスリン	血糖値を下げる．
	ランゲルハンス島 α 細胞	グルカゴン	血糖値を上げる．
胃	幽門前庭部	ガストリン	胃酸の分泌を促す
腎臓		エリスロポエチン	赤血球の産生を促す
		レニン	アンギオテンシンと協力し，血圧を上昇させる．
精巣		テストステロン（男性ホルモン）	男性器の発育，二次性徴の発来，精子の形成，筋肉の増強
卵巣		エストロゲン（女性ホルモン），プロゲストロン	子宮内膜の増殖，乳腺の増殖，二次性徴の発来，骨や脂質の代謝，性周期の調節
胎盤		絨毛性ゴナドトロピン（hCG）	排卵をおこさせる．妊娠検査薬は分泌の増えた尿中の hCG を検出する
膵臓		ソマトスタチン*	多くのホルモンの分泌を抑制する．

*膵臓だけでなく脳・胃・十二指腸などからも分泌される

MIBGによる核医学治療が有用である（☞ p.409，関連事項セラノスティクス）．

3．男性ホルモン，女性ホルモン

性ホルモンは男性では精巣から，女性では卵巣から主に分泌される．男性ホルモンはテストステロンといい，女性ホルモンは卵胞ホルモン（エストロゲン），黄体ホルモン（プロゲステロン）をいう．視床下部から分泌されるホルモンLH-RH（GnRH）の刺激によって，脳下垂体から黄体形成ホルモン（LH），卵胞刺激ホルモン（FSH）の分泌を促し，男性の精巣では精子形成と男性ホルモンを分泌する（☞図1-65）．女性では卵巣を刺激し卵胞成熟，女性ホルモンを分泌させる．思春期になると男性は男性らしく，女性は女性らしくなるのは性ホルモンの働きによる（第二次性徴という）（表1-15）．

4．糖尿病

1）糖尿病の分類と診断・治療

膵臓のランゲルハンス島に存在するβ（ベータ）細胞から分泌されるホルモンであるインスリンが不足したことにより，慢性的に血中のブドウ糖濃度（血糖値）が上昇した状態を糖尿病という．インスリンの作用でブドウ糖をグリコーゲンとして肝臓や筋肉に貯蔵し，血糖値を下げる．しかし，インスリンが不足した場合には，肝臓や筋肉に貯蔵されないため，血液中のブドウ糖濃度が高くなる．高血糖が続くと，ブドウ糖とともに大量の水分が尿として排泄されるため，尿量の増加，脱水のための口渇，多飲，体重減少を来す．

血液中の血糖値とHbA1c（ヘモグロビンエーワンシー）の値により診断される．

糖尿病は1型糖尿病と2型糖尿病に分類される．1型糖尿病は何らかの原因で膵臓のβ細胞が破壊されたためインスリンの分泌が枯渇した状態となる．小児に発症した糖尿病に多く，生涯インスリン注射が必要である．

2型糖尿病は過食，肥満，運動不足が原因となり，相対的にインスリンが不足する．食事療法，運動療法で血糖値が低下し，改善することが多い．食事療法，運動療法による治療が不十分な場合には，薬物療法が必要とな

る．糖尿病治療の際，注意しなければならないのは，薬が効きすぎる低血糖で，診療にあたって常に低血糖の可能性を考慮しておかなければならない．

2）糖尿病の合併症

糖尿病の管理が不十分だと，多くの合併症の原因となる．糖尿病が怖いのは，重篤な合併症のためでもある．糖尿病の合併症として以下のものがある．①狭心症，心筋梗塞，②下肢の閉塞性動脈硬化症（足の太い血管の血流が悪くなり，歩行困難となる．下肢の潰瘍，壊疽を生じる），③糖尿病性網膜症（成人の最も多い失明の原因），④糖尿病性腎症（腎不全，人工透析の最も多い原因），⑤糖尿病神経障害（手足のしびれなどの末梢神経障害をきたす．勃起障害，痛みを感じ難くなり，足の負傷に気づかず，壊疽を起こしやすくなる）．糖尿病患者は脳梗塞，認知症のリスクも高い（☞ p.67 覚え方）．

5．神経内分泌腫瘍
（☞ p.42，p.409）

関連事項

ビタミンとその欠乏症

微量に必要な栄養素のうち，炭水化物・蛋白質・脂質以外の有機化合物の総称で，無機物はミネラルという．ビタミンを初めて発見したのは，鈴木梅太郎である．現代では普通に食事しているとビタミン欠乏をきたすことはないが，日露戦争においては白米を主食にしていた陸軍軍人が，ビタミンB₁不足によって何万人も脚気に悩んだ．ビタミンDが欠乏するとカルシウムが不足し，小児では骨の成長障害，くる病をきたす．高齢者では骨粗鬆症になりやすくなる．ビタミンK欠乏症は血液凝固異常症を生じる．

化学的性質から脂溶性ビタミンと水溶性ビタミンに分類される．

表 1-16　ビタミンとビタミン欠乏症

	種類	代表的な欠乏症
脂溶性	ビタミンA	夜盲症，子供の成長障害（歯，骨）
	ビタミンD	くる病（子供），骨粗鬆症（大人）
	ビタミンE	筋力低下，視覚障害など
	ビタミンK	血液の凝固異常，新生児の出血性疾患
水溶性	ビタミンB₁	脚気（心不全，多発性神経障害など）
	ビタミンB₂	口角炎，舌炎，皮膚炎
	ビタミンB₆	多発性神経症，口角炎，舌炎
	ビタミンB₁₂	悪性貧血
	ビタミンC	壊血病（皮下や歯茎からの出血）

関連事項

ホルモンと癌

前立腺癌は男性ホルモンによって，乳癌・子宮体癌は女性ホルモンによって増殖することが知られている．前立腺癌治療のひとつとしてホルモン（内分泌）療法が古くから行われており，副作用が少なく有効な治療法である．ホルモン療法では前立腺癌増殖に必要な男性ホルモン（テストステロン）を除去する（去勢する）方法として，外科的に両側の精巣（睾丸）を除去する，あるいは種々の抗男性ホルモン薬剤を服用する薬物療法がよく効く．

30 内分泌-2 甲状腺・副甲状腺

1. 甲状腺の解剖と機能

甲状腺は頸部前面にある蝶の形をした臓器で，大きさは20gである．脳下垂体から分泌される甲状腺刺激ホルモン（TSH）の刺激により甲状腺ホルモン（トリヨードサイロニンT3, サイロキシンT4）を分泌する（図1-70, 1-71）．甲状腺機能低下症で血中の甲状腺ホルモン濃度が低いと，脳下垂体からTSHが分泌され，甲状腺から甲状腺ホルモンの分泌を促進する．逆に甲状腺機能亢進症で血中の甲状腺ホルモン濃度が高いと，TSHの分泌が抑制され血中TSH値は低くなる．このnegative feedbackというシステムで生体の状態を一定に保っている．生体恒常性あるいはホメオスターシスという．

甲状腺ホルモンの働きとして，①代謝の亢進，②成長に関与している．先天性に生後すぐから甲状腺ホルモンが不足する先天性甲状腺機能低下症（クレチン症）では，身長も知能も発育が遅れる．しかし，早期から甲状腺ホルモン剤を服用し治療すると，普通に発育し，身長・知能とも健常な成人に成長する．日本を含む先進国ではすべての新生児の血中TSH濃度を測定して，クレチン症の早期発見に努めている．

2. 甲状腺とヨウ素

甲状腺ホルモンの原料は昆布，ワカメ，のりなどに含まれるヨウ素で，甲状腺には大量のヨウ素が存在している．ヨード造影剤の成分と同一で，甲状腺組織は高いCT値となる．また ^{123}I, ^{131}I も甲状腺に特異的に集積する．

ヨウ素不足だと，^{131}I の甲状腺への集積が増える．一方，ヨウ素が過剰だと，甲状腺はヨウ素で飽和しており，外から取り込まれた ^{131}I の甲状腺集積は抑制される．原子力発電所事故の際，原子炉から放出された ^{131}I の甲状腺への取り込みを阻害するための安定ヨウ素剤服用の原理である．ただし安定ヨウ素剤の服用も，すでに ^{131}I を取り込んだ後では効果が少ないし，^{131}I には有効だが，放射性セシウムには効果がない．^{123}I, ^{131}I を使う検査・治療では1週間程度のヨウ素制限が欠かせない．

3. 甲状腺の病気

甲状腺機能が正常か異常か，甲状腺に結節を認めるか，びまん性に腫大しているか否かで診断される（表1-17）．びまん性に腫大する最も有名な甲状腺の病気は，甲状腺機能亢進症をきたすバセドウ病（甲状腺中毒症）である．甲状腺に結節を認めると，甲状腺癌あるいは良性甲状腺結節が多い．甲状腺の画像診断には超音波検査が有用で多用されている．

1）バセドウ病

びまん性に甲状腺が腫大し，血中甲状腺ホルモン（T3, T4）濃度は高く，血中TSH濃度は低くなる．脈拍数の増加（頻脈），発汗過多，体重減少，手指のふるえや「甲状腺眼症」といわれる眼球突出をきたす．自己免疫疾患のひとつで男性よりも圧倒的に女性に多い．バセドウ病の治療には薬物治療，甲状腺摘出術とともに ^{131}I を投与するRI内用療法の3つの治療が行われる．またバセドウ病の眼球突出は，眼球を動かす筋肉が腫大したためで，甲状腺眼症ともいう．治療のひとつとして眼窩後部への放射線外照射が行われることがある．

甲状腺機能亢進症状を呈するのは，バセドウ病以外に

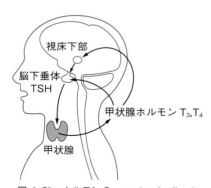

図1-70 ホルモンのnegative feedback

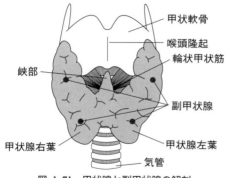

図1-71 甲状腺と副甲状腺の解剖

表1-17 甲状腺機能と病気

甲状腺機能亢進症
バセドウ病，プランマー病*，亜急性甲状腺炎
甲状腺機能正常
慢性甲状腺炎（橋本病），良性甲状腺腫瘍*，甲状腺癌*
甲状腺機能低下症
クレチン症（子ども，先天性），慢性甲状腺炎（橋本病），甲状腺手術後あるいは ^{131}I 治療後

＊甲状腺結節を認める

プランマー病（結節性甲状腺中毒症）あるいは**亜急性甲状腺炎**（無痛性甲状腺炎）のこともある．核医学検査によってバセドウ病では腫大した甲状腺へのびまん性の^{123}I集積亢進を示すのに対し，亜急性甲状腺炎（無痛性甲状腺炎）では^{123}Iの集積は低下する．あるいはプランマー病では結節のみに^{123}Iの集積を認めるため，甲状腺^{123}Iシンチグラムを行うと鑑別診断できる．

2）甲状腺機能低下症

甲状腺機能低下症では逆に代謝が低下し，脈拍数低下（徐脈），皮ふ乾燥，体重増加などを呈する．血中甲状腺ホルモン（T3，T4）濃度は低値となり，negative feedbackにより血中TSH濃度は高値を示す．甲状腺機能低下症は自己免疫疾患のひとつ慢性甲状腺炎（発見者の名前をとって**橋本病**とも呼ばれる）が原因のことが多い．稀ではあるが，甲状腺有機化障害というヨウ素から甲状腺ホルモン合成が障害される病態もあり，甲状腺への^{123}Iの取り込みが亢進する．

先天性の甲状腺機能低下症を「**クレチン症**」という．わが国をはじめ先進国では，生下時に採血して甲状腺機能を検査するクレチン症のスクリーニング（血中TSH濃度の測定）が行われている．甲状腺ホルモン剤による治療を行うと，普通の社会生活を送ることができる．

3）甲状腺結節

甲状腺に結節，腫瘍を呈するのは，甲状腺癌あるいは良性甲状腺腫瘍である．超音波検査，CT，PETなどの画像診断が進歩し，多くの甲状腺結節が発見されるようになった．

甲状腺結節の患者の甲状腺機能は正常で，甲状腺シンチグラムでは結節は欠損像を呈する．プランマー病においてのみ甲状腺結節は陽性像を示し，甲状腺機能は亢進する．甲状腺癌では血中サイログロブリン（Tg）が良い腫瘍マーカーで，血中サイログロブリン濃度が高値となる（☞ p.42 表1-13）．

甲状腺と前立腺は潜在癌が多いことが知られており，死後に丁寧に調べると癌細胞が約10％に見つかるという．

良性甲状腺結節はもちろん甲状腺癌も手術により軽快し，多くの甲状腺癌の予後は良い．しかし，稀に肺，骨などに遠隔転移する甲状腺癌があり（☞ p.409 図12-32），放射性ヨウ素を取り込む甲状腺癌では，^{131}Iを投与するRI内用療法を行う．また遠隔転移のない分化型甲状腺癌で甲状腺全摘出術後の残存甲状腺癌破壊治療（アブレーションという）として，^{131}I 1,110 MBq（30mCi）投与すると生命予後が良い（☞ p.408, 393 関連事項）．

例外的に甲状腺未分化癌はあらゆる治療に抵抗性で，予後不良である．

4．副甲状腺

甲状腺周囲に4個の豆粒ほどの大きさの臓器で，副甲状腺ホルモン（PTH）を分泌する（☞ 図1-71）．副甲状腺ホルモンはカルシウム代謝と関係している．**副甲状腺の腫瘍**による副甲状腺機能亢進症では，副甲状腺ホルモンの分泌が亢進し，血中カルシウム濃度は高値に，血中リン濃度は低値となる．血中カルシウム濃度の高値から，副甲状腺腫が発見されることが多い．病気が進むと，骨粗鬆症，骨折，尿管結石を生じる．ただ副甲状腺腺腫は小さい腫瘍なので，手術前に前もって腫瘍の位置を確認するために，CT，MRI，核医学検査（^{99m}Tc-MIBI，あるいは^{99m}Tc-MIBIと^{123}Iの2核種同時収集．以前は^{210}Tlと^{123}Iの2核種同時収集）が行われる．

副甲状腺機能低下症では逆に血中カルシウム濃度は低くなる．テタニーとよばれる手の筋肉の硬直性けいれんを起こす．

甲状腺から分泌されるカルシトニンもカルシウム代謝と関係している（表1-15）．

関連事項

潜在癌

高齢者の死後，病理解剖すると初めて発見される自覚症状のなかった癌のこと．甲状腺癌，前立腺癌が代表で，約10％の高率に癌細胞が見つかる．甲状腺癌，前立腺癌を早期発見する意義があるかどうか，ふたつの癌の検診が有効かどうか議論の原因ともなっている．

31 血液・造血器・リンパ系

1. 血液の成分と役割

成人では体重の8％、およそ4.8Lの血液が全身を流れている。血液を通して全身の臓器に栄養と酸素を与え、エネルギー活動によって生じた排泄物の二酸化炭素を肺から呼気として、窒素化合物（尿素）を腎臓、膀胱から尿として排出している。

血液は血球と血漿からなる。血漿中にはアルブミン、ガンマグロブリンを主な成分とするタンパク質が、100mLあたり7gと大量に含まれており、そのうちでもアルブミンが最も多い。肝硬変や腎臓のネフローゼ症候群などで、血漿中のアルブミンが100mLあたり3g以下に減少すると、血漿の浸透圧が低下し、その結果浮腫（むくみ）を生じる。

ブドウ糖、アミノ酸、脂肪などの栄養素も血漿中に含まれており、血液によって全身の臓器に運ばれ、生命活動のエネルギーとして利用される。ナトリウム、カリウム、カルシウム、リンなどの電解質、ホルモンなどは、その濃度は微量であるが、生命維持に欠かせない重要なものである。血球は赤血球、白血球、血小板からなる。

血液が赤いのは、赤血球に含まれるヘモグロビンのためで、ヘモグロビンによって酸素が全身に運ばれる。酸素はヘモグロビン中の鉄の部分と結合して酸化ヘモグロビンとなり、全身に運ばれる。赤血球には核がない。

赤血球は1mLあたりおよそ450万個程度と最も大量に含まれている（表1-18）。赤血球は骨髄で合成され、肝臓、脾臓で分解される。寿命は120日である。血液中の赤血球が減少することを「貧血」といい、鉄分不足による鉄欠乏性貧血が最も多い。赤血球は脾臓と肝臓で分解される。

白血球は好中球（顆粒球、多核白血球）、リンパ球、好酸球、単球、形質細胞、好塩基球などからなるが、いずれも核を有する。白血球は炎症に抵抗する作用があり、1mLあたりおよそ4,000～9,000個含まれているが、好中球が60％を占める。寿命は数日までと短い。細菌感染などの炎症の際には、血液に含まれる白血球、特に好中球数が増加するので、白血球数は炎症の目安となる。抗癌剤、放射線治療などが原因となって、白血球が減少すると、細菌への抵抗性が弱くなり、肺炎などの感染症にかかりやすくなる。白血球のがん化した病気が白血病である。

好酸球はアレルギー反応と関係している。アレルギー患者で好酸球が増加する。

血小板は血液の凝固と関連している。骨髄の巨核球から血小板となり、その半減期は約10日である。血小板は核を有するが小さく、1mLあたり30万個程度あり、血小板が減少すると、血液の凝固機能が低下、出血しやすくなり、皮膚に紫斑を生じる。

放射線治療による副作用の程度を知るために、血液検査は欠かせない。放射線の影響が最も早期から検出されるのは、リンパ球数、白血球数の減少で、ついで血小板数が減少する。一定数以上減少すると、放射線治療を一時中止しなければならない。赤血球は血中半減期・寿命が長く、放射線照射した際に最も遅れて減少する。

2. 骨髄

骨髄は骨の中に存在する軟らかい組織で、血液に富み、造血幹細胞が存在する。造骨幹細胞から赤血球、白血球、リンパ球、血小板に分化し、血液中に送り出す。骨髄穿刺を行って骨髄の状態を検査する。

3. リンパ球と免疫反応

リンパ球は免疫反応と関係している。Bリンパ球細胞とTリンパ球細胞に分けられるが、Bリンパ球は抗体免疫（体液性免疫）、Tリンパ球は細胞性免疫の主役となっている。Bリンパ球が分化して形質細胞となり、形質細胞が抗体を産生する。抗体は抗原と特異的に結合して、抗原・抗体複合体をつくり、病原体などを処理する。

Tリンパ球細胞は胸腺（thymus）で成熟するのでTリンパ球とよばれ、細胞性免疫に関与する。細胞性免疫は例えば移植された他人の組織を排除する移植免疫の際に働く。体内に自分のものでない異物が入ったと体が感知したら、マクロファージがこれを捕まえ、その情報をヘルパーT細胞に伝える。情報を受け取ったヘルパーT細胞は、キラーT細胞とリンパ球に増えるように指示を出す。キラーT細胞は、自分の細胞とは違うと認識した異物に拒否反応を示し排除する。AIDS（エイズ）の原因であるHIVウイルスは、このヘルパーT細胞を死滅させてしまうウイルスで、ヘルパーT細胞が働かなくなると、免疫機能が働かなくなり、簡単にウイルスや感染症

表 1-18 血球の成分と役割

	基準値（/mL）	役割
赤血球	400～500万	酸素の運搬
白血球	4,000～9,000	
好中球（顆粒）		抗炎症作用・貪食能
単球		マクロファージに
リンパ球		免疫反応
好酸球		アレルギー反応
好塩基球		アレルギー抗原認識
形質細胞（リンパ球B細胞が分化）		抗体産生
血小板	30万	血液凝固

にかかってしまう．

4．リンパ管

体の中には，動脈と静脈のほかに「リンパ管」と呼ばれる管（くだ）があり，全身の皮膚のすぐ下に網目状に張り巡らされていて，このリンパ管の中には「リンパ液」という液体が，ゆっくり流れている．リンパ管には数多くの弁があり，リンパ管の壁は薄い．

リンパ系の役割は，①免疫反応の中核を担う，②吸収した脂肪分を運ぶ，③老廃物を運び，きれいな状態にして静脈にもどす．もし外科手術などが原因でリンパ液の流れが悪くなると，それより末梢にむくみ（リンパ浮腫という）を生じる．治療が難しい．

1970年代までは「リンパ管造影」という画像診断があり，足背のリンパ管から造影剤を注入，一定時間後に骨盤部・下腹部を撮影し，鼠径部から腹部リンパ節の異常の有無を調べた．リンパ節腫脹の有無は，CTで代用できるため，現在は行われていない．

下肢，腹部，左上半身のリンパ液は「胸管」に集まり，大動脈と並んで横隔膜の大動脈孔を通って上行し，左鎖骨裏側の静脈角で左鎖骨下静脈に入る（図1-72）．左鎖骨上窩のリンパ節は癌転移をきたしやすい．なお右腕など右半身のリンパは，右リンパ本幹から右静脈角に入る，左側に偏った走行である．

5．リンパ節

リンパ節は体全体に400個ほどある小さい豆状の組織で，頸部，腋窩部，鼠径部などに多い．リンパ節にはリンパ球が多数存在し，感染症の拡大を防いで体を守っている．リンパ液を濾過する働きがあり，リンパ液を通ってくる不要な病原体を処理する．細菌やウイルスに反応し，感染症に近い部位のリンパ節が腫れる．

リンパ節は癌がまず転移する組織で，リンパ節転移の有無は生命予後に大きく影響する．進行癌では手術によりリンパ節を摘出するのが一般的で，リンパ節郭清と呼ばれる．手術によるリンパ節郭清，放射線治療などによってリンパの流れが停滞すると，長期間にわたって腕や脚がむくむことがある．このむくみを「リンパ浮腫」という．乳癌，子宮癌，卵巣癌などの治療による後遺症で，治療に伴った副作用のひとつである．

乳癌手術の際，「センチネルリンパ節」とよばれる最初に転移するリンパ節を見つけ摘出し，病理学的に転移の有無を検査．センチネルリンパ節への乳癌転移がない場合には腋窩リンパ節郭清を省略し，リンパ浮腫を起こさないようにするのが，センチネルリンパ節検査である（☞ p.404）．^{99m}Tc-フチン酸を乳癌のそばに注射，1時間後に撮影する．悪性黒色腫でも有用で，リンパ節郭清範囲を決定するのに役立つ．

6．血液の凝固と線溶

出血した際に止血するのを血液凝固といい，固まった血液を溶かす作用を線溶という．血液凝固には，1段階目として傷口に血小板が集まってくることによって血小板が活性化される．その後，2段階目としてより強固な血栓を作るために，血液中のフィブリノーゲンがフィブリンに変換され，フィブリンが先ほど形成された血小板と絡み合うことによってさらに強固な血栓となり止血される．血栓が不要になった後は，プラスミンが働いて血栓を溶かす．線溶系が働く．血管が傷つくことによって「血栓の生成」が起こり，その後に傷が修復されると「血栓を溶かす」という過程を経て，傷が修復される．

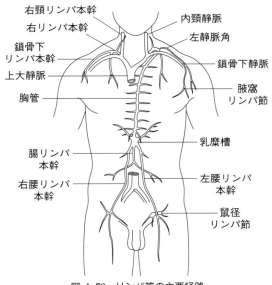

図 1-72 リンパ管の主要経路
左上半身，腹部，下半身のリンパ液は胸管に集まり，左鎖骨裏側の静脈角で左鎖骨下静脈に入り，上大静脈を経て心臓に入る．静脈角は内頸静脈と鎖骨下静脈の合流部である．

32 血液の病気

1. 貧血

赤血球数，ヘモグロビン値が正常値以下になった状態で，血液の病気では最も多い．酸素を有効に運ぶことができないため，疲れやすくなり，労作性の息切れなど様々な症状を呈する．原因によって鉄欠乏性貧血，出血性貧血（消化管等からの出血による）や悪性貧血などに分けられる．鉄欠乏性貧血体内の鉄不足によっておきる貧血で，若い女性に多く，赤血球は小さくなる．「**悪性貧血**」は悪性腫瘍に伴った貧血ではない．赤血球を作るのに必要なビタミンB12 あるいは葉酸が不足し，赤血球数が減少した貧血で，通常の赤血球より大きい巨赤芽球性貧血となる．胃から分泌される内因子が不足しても，腸管からのビタミンB12 の吸収が十分に出来ないため，**悪性貧血**となる（☞ p.33）．

2. 白血病

白血球ががん化したのが白血病である．がん化した細胞の種類から骨髄性白血病とリンパ球性白血病に，また急性白血病と慢性白血病に大きく分けられるが，さらに細分化されている．最も多いのは，急性骨髄性白血病（AML）で白血病の半数以上を占める．ついで慢性骨髄性白血病（CML），急性リンパ球性白血病（ALL），慢性リンパ球性白血病（CLL）である．慢性骨髄性白血病では，患者の95％以上にフィラデルフィア（Ph）染色体という異常な染色体がみつかる．

白血病かどうかの最終診断は，胸骨あるいは腸骨から骨髄液を採取する骨髄穿刺によって行われる．白血病によく効く抗がん剤が次々と開発されており，白血病の予後は急速に改善されるようになった．また治療のひとつとして骨髄移植あるいは全身照射（TBI）が行われることもある．

3. 悪性リンパ腫

リンパ組織由来の悪性腫瘍で，血液がんのひとつで，日本では最も頻度の高い血液腫瘍．多彩な組織型からなるが，大きくホジキンリンパ腫と非ホジキンリンパ腫（NHL）に分けられる．日本では非ホジキンリンパ腫が多い．非ホジキンリンパ腫はさらにリンパ球B細胞に由来するB細胞悪性リンパ腫とリンパ球T細胞に由来するT細胞悪性リンパ腫に分けられるが，70％はB細胞悪性リンパ腫である．成人T細胞白血病・リンパ腫（ATL）はわが国で初めて発見されたが，HTLV-1 ウィルスの感染により起こる．南九州に多い．献血時のスクリーニングとキャリア妊婦へ母乳遮断をすすめることによりHTLV-1 ウイルスの感染予防は可能となった．

悪性リンパ腫は全身のリンパ節から発症し，無痛性のリンパ節腫大を初発症状とすることが多いが，40％は胃，回腸末端，皮膚，脳などのリンパ節外の臓器から発症する．抗癌剤が治療の主役で高い治療効果をあげている．また，放射線感受性が高く，放射線外照射，^{90}Y 標識抗体を用いる核医学治療が行われることもある．ブドウ糖の誘導体 ^{18}F-FDG が悪性リンパ腫細胞に強く集積することが知られており，FDG-PET 検査が悪性リンパ腫の診断，病期分類，治療経過の観察に役立つ．

4. 多発性骨髄腫

形質細胞の悪性腫瘍が多発性骨髄腫で，血中の抗体（ガンマグロブリン）濃度が増加する．多発性骨髄腫では全身の骨の痛みを訴え，骨のX線写真ではパンチアウトといわれる特徴的な所見を呈する．放射線感受性が高く，腫瘍縮小や疼痛緩和のために放射線治療も行われる．

5. 凝固系異常

先天的に血液を固める血液凝固因子が不足することにより血液凝固が不十分となるのが，「血友病」である．出血が止まりにくいために，健康人なら自然に止まるわずかな出血が，血友病では大きな血腫となる．血小板数の減少，フィブリノーゲン濃度の低下は，出血しやすくなる．

血栓ができると，時に重篤な病気を引き起こす．エコノミークラス症候群は術後や航空機内で下肢にできた血栓が原因となる．また心筋梗塞，脳梗塞は血管壁にできたプラークが原因のことが多い．

関連事項

マクロファージ
単球（単核白血球）から分化する．炎症の初期には多核白血球（顆粒球）が働くが，後期にはマクロファージが死んだ細胞や細菌を食作用により処理する．

樹状（じゅじょう）細胞
皮膚，鼻腔，肺，胃，腸など外界と接する場所で，抗原を認識し，他の免疫細胞に伝える役割（抗原提示細胞）を担っている．樹木のような形をしており，樹状細胞と名づけられた．

33 免疫による生体の防御機能

1. 免疫とは

免疫とは一度伝染病にかかったら，二度とはかからない現象のことで，予防注射の概念から発展した．外からの病原体に反応し，身体を守るための生体反応のひとつ．免疫は，①予防注射，②エイズなどの免疫不全，③臓器移植の拒絶反応，④自己免疫疾患，⑤アレルギー疾患に関係している重要な生体反応である．また自己と非自己を識別し，身体を守る生体システムであるともいえる．

有毒な化学物質などに対しては，肝臓の解毒作用が働き防御するが，細菌などに対しては白血球が反応し，炎症を引き起こし，身体を守る．遺伝子異常により発生した癌細胞も免疫系によって排除される．他人の臓器を移植すると，生体は自分のものでないことを認識し，拒絶反応を示す．しかし，このような免疫反応が働かなくなった免疫不全症では，感染などに対する抵抗力が弱くなる．エイズウイルスに感染した免疫不全症が「エイズAIDS」である．

2. 体液性免疫と細胞性免疫

免疫は大きく体液性免疫（リンパ球B細胞が関与）と細胞性免疫（リンパ球T細胞が関与）に分類される．体液性免疫は抗体が関与しており，抗原と結合する抗原抗体反応により，病原物質を排除するシステムである．抗体はリンパ球B細胞と形質細胞によって産生される．細胞性免疫にはリンパ球T細胞，ナチュラルキラー（NK）細胞が関与している．移植された他人の臓器を拒絶する移植免疫（拒絶反応）は細胞性免疫が働く．なお，角膜は血流がないため，角膜移植による拒絶反応が最も弱く，移植成功率が高い．

さらに最近，癌細胞が免疫の働きをブレーキし免疫反応が低下して癌になるのではないかとの考えで，このブレーキを阻害する抗体薬剤が開発され注目されている．免疫チェックポイント阻害薬と呼ばれ，悪性黒色腫，肺癌などで有効性が明らかとなった．本庶佑（ほんじょたすく）氏は，その業績により2018年ノーベル医学生理学賞を授与された．

3. アレルギー

アレルギーとは免疫反応が花粉・食べ物・ダニなどに対し過剰に反応することにより発症する病気で，先進国では患者が増加している．アトピー性皮膚炎，アレルギー性鼻炎（花粉症），アレルギー性結膜炎，気管支喘息，食物アレルギー，薬物アレルギー，じんま疹などを指す（表1-19）．アレルギーの原因はよくわかっていないが，白血球のうち好酸球が増えることが多い．血中IgE抗体濃度が増加する．

アレルギーが短時間に急激に全身性に起こるのをアナフィラキシー（急性アレルギー反応）という．造影剤によるショックはアナフィラキシーショックである．稀に死に至ることがあり，診療放射線技師にとっても極めて重要となる．

表 1-19 アレルギー反応の分類

Ⅰ型アレルギー（即時型）：
　IgE抗体と関連．速やかにヒスタミンが遊離し，血管拡張，かゆみなどを生じる．じんま疹，花粉症，気管支喘息，アレルギー性鼻炎，アナフィラキシーなど．
Ⅱ型アレルギー（細胞障害型）：
　IgG，IgM抗体と関連．自分の細胞表面抗原と抗体が反応し，自分の細胞が攻撃される．自己免疫性溶血性貧血，重症筋無力症，橋本病，バセドウ病，糸球体腎炎など．
Ⅲ型アレルギー（免疫複合体型）：
　抗原・抗体・補体が免疫複合体を作り，組織に沈着し細胞障害を起こす．血清病，関節リウマチ，全身性エリテマトーデス（SLE），糸球体腎炎，膜性腎症など．
Ⅳ型アレルギー（遅延型）：
　リンパ球T細胞，細胞性免疫が関与する．アトピー性皮膚炎，ツベルクリン反応，移植拒絶反応，接触性皮膚炎など．

4. 自己免疫疾患（膠原病）

免疫系が正常に働いている場合には，免疫系を総動員して，有害な非自己の物質を排除する．しかし，時に免疫系が正常に働かず，自己の細胞・組織を誤って有害物質と認識し，自己の細胞・組織を攻撃することがある．自己免疫疾患と呼ばれるもので，関節リウマチ，全身性エリテマトーデス（SLE），多発性筋炎，シェーグレン症候群，バセドウ病，橋本病，重症筋無力症などが知られており，女性に多い特徴を有する（表1-20）．

膠原病というのは，関節リウマチ，全身性エリテマトーデス（SLE），全身性強皮症，皮膚筋炎，多発性筋炎，結節性多発動脈炎，シェーグレン症候群など，いずれも膠原線維を侵す一群の自己免疫疾患を指す（☞ p.67 覚え方）．

表 1-20 代表的な自己免疫疾患と抗原

病名	抗原	特徴
関節リウマチ	不明	多発性，慢性滑膜炎
全身性エリテマトーデス（SLE）	核	代表的な自己免疫疾患
シェーグレン症候群	不明	唾液，涙分泌低下
橋本病	甲状腺サイログロブリンなど	慢性甲状腺炎
バセドウ病	甲状腺TSH受容体	甲状腺機能亢進症
重症筋無力症	アセチルコリン受容体	筋力低下

34 炎症・感染症

1. 炎症

感染や外傷などによって引き起こされ，発赤，発熱，腫脹，疼痛を特徴とする症候である．これらの特徴を炎症の4徴候という．炎症部位は充血して赤くなり，やや熱感を持ち，腫れて痛みを感じる．比較的早期（7日）以内に治まる炎症を急性炎症，1週間以上続き，なかなか終息しない炎症を慢性炎症という．炎症の状態は，炎症の起こった組織，臓器によって異なる．

急性炎症では白血球，特に好中球が主役で，アレルギー性の炎症では好酸球が多く出現する．炎症反応として，血中のC反応性タンパク（CRP）は，身体が防御反応として反応させるタンパク質で，血液中の白血球数，特に好中球数とCRP値は，炎症の程度を反映する．炎症の程度が強いほど，白血球数（好中球）とCRP値が高くなる．慢性炎症では単球，マクロファージ，形質細胞およびリンパ球が主体となる．治療には解熱・鎮痛薬としてアスピリン，アセトアミノフェンなどの非ステロイド抗炎症薬が使用される．一般に「痛みどめ」とよばれることが多い．

2. 病原微生物

肉眼では見えず，顕微鏡で初めて見える小さい病原物質を，病原微生物いう（表1-21）．細菌，ウイルス，真菌などで，感染症の原因となり，抗生物質が開発されるまで，人にとって最大の生命への脅威であった．英国の

表 1-21 病原微生物

病原微生物	大きさの順	代表的な感染症
原虫	10～50（単位はum）	マラリア
真菌	3～5	白癬菌，アスペルギルス，クリプトコッカス，カンジダ，ニューモシツシス・イロベチィ
細菌	0.5～10	肺炎球菌，黄色ブドウ球菌，結核菌，病原性大腸菌（O-157），溶血性連鎖球菌，レジオネラ菌，赤痢菌，梅毒，淋病，コレラ，ジフテリア，マイコプラズマ
ウイルス	0.02～0.45	インフルエンザ，RSウイルス，ノロ，肝炎，帯状疱疹（ヘルペス），風疹，麻疹，日本脳炎，流行性耳下腺炎（ムンプス・おたふくかぜ），新型コロナウイルス（COVID-19），パピローマウイルス（子宮頸癌）
プリオン	タンパク質	クロイツフェルト・ヤコブ病（狂牛病）

フレミングが発見したペニシリンが1942年に感染症治療に使われるようになると，画期的な治療効果を発揮し，感染症による死亡者は激減した．ペニシリンが「20世紀最大の発見」といわれる所以である．しかし，現在もなお肺炎や肺結核など感染症が原因の患者数，死亡者数は多く，ウイルス，プリオンなど治療法の発見されていない感染症も多い．

3. 感染の成立と予防

感染には，一定の条件が整い，①病原菌の存在，②感染経路の存在，③宿主の感受性が条件である．そのひとつが欠けても，感染は発生しない．感染の予防，治療には，このうちどれかを遮断する．

1）病原菌への対策

上記の病原微生物のことで，病気を起こす細菌やウイルスがいるから感染を起こすという考え．患者を隔離する．あるいは病原菌が含まれる血液，喀痰，大便・嘔吐物には病原菌が含まれている可能性があり，患者・保菌者の排泄物・汚染物の消毒が重要となる．

2）感染経路とその対策

垂直感染と水平感染がある．垂直感染とは母親から子に感染する母子感染のことで，出産時の産道や母乳などを介して母から胎児に感染する．B型肝炎，AIDS（エイズ），成人T細胞白血病（ATL）などがある．水平感染とは人から人，動物から人への感染をいう．水平感染には，①接触感染（性病，狂犬病，破傷風，目の病気など），②飛沫感染（インフルエンザ，風疹，肺炎など），③空気感染（結核，麻疹，水痘など），④経口感染（サルモネラ菌，O-157，ノロウイルス，血液感染など）がある．手洗いの実践，手袋やマスクの使用が対策となる．

3）宿主の感受性への対策

免疫能が備わっているが，小児，老人は免疫能が弱い．そこでワクチンによる予防接種を行って，免疫能を高めることによって感染症を予防する．麻疹，百日咳，破傷風，日本脳炎など多い．また老人には肺炎球菌ワクチンも実施されている．インフルエンザワクチンは任意接種として，希望する人に接種される．

4. 膿瘍

化膿性の炎症により，局所に膿が貯まった状態．皮下，脳，肺，肝臓，腎臓などに発生しやすい．皮下膿瘍，脳膿瘍，肺膿瘍，肝膿瘍などという．炎症症状を呈するため，発熱，疼痛をきたすことが多いが，時に炎症症状がなく，腫瘍との鑑別が困難なことがある．化膿性細菌（ブドウ球菌，連鎖球菌，緑膿菌など）によって生じる．

5. 院内感染（病院内感染）と市中感染

医療機関で細菌やウイルスと接触した結果生じた感染を院内感染という．医療機関外の一般環境（市中環境）で起こった感染を市中感染と呼ぶ．老人，手術後や抗癌

剤治療後など体力の衰えた人たちの間で容易に感染が連鎖する．院内感染を起こす原因菌には，抗生物質の効かない MRSA（メチシリン耐性ぶどう球菌）などがあるため，手洗いなど清潔を保つことが大切である．診療放射線技師は針刺し事故によるB型肝炎ウイルス，C型肝炎ウイルス等の血液感染，結核，麻疹などの感染にも注意が必要である．

6. 新型コロナウイルス感染症

新型コロナウイルス（COVID-19）による感染症で，2020年初めから世界的なパンデミック（大流行）を引き起こした．飛沫感染が主で，感染力が非常に強い．予防にはマスクの着用と手洗いが有効．発熱・咳・だるさなど普通の風邪に似た症状で発症し，味覚障害など特異的な所見もある．呼吸困難は COVID-19 ウイルス肺炎によるもので，治療には胸部 X 線と CT が欠かせない．

7. 日和見（ひよりみ）感染症

健康な時には問題ないが，宿主側の免疫能が低下している時に，病原性の弱い微生物に感染すること．老人，白血病・悪性リンパ腫など化学療法を受けているがん患者，後天性免疫不全症候群（エイズ）の患者などで免疫能が低下し，緑膿菌，レジオネラ菌，セラチア菌などの細菌，クリプトコッカス，カンジダなどの真菌，サイトメガロウイルス，ニューモシスチス・カリニなどにより感染する．

8. 後天性免疫不全症候群（AIDS エイズ）

ヒト免疫不全ウイルス（HIV）の感染により引き起こされる疾患で，感染者の精液，血液，膣分泌液が感染源となり，男女間あるいは男性間の性行為により感染することが多い．母親が AIDS に感染していると，垂直感染により赤ちゃんが感染する可能性もある．また覚せい剤の静脈注射の回し打ちでも血液を介して感染することがある．有効な治療薬が開発されている．

9. クロイツフェルト・ヤコブ病

クロイツフェルト・ヤコブ病（CJD という）に代表されるプリオン病は，細菌やウイルスと異なり，核酸を持たない異常プリオン蛋白が原因の伝染性疾患である．脳に異常プリオン蛋白が蓄積することによって発症し，死に至る．

牛に発生する牛海綿状脳症（BSE：狂牛病ともよばれる）とよく似ており，狂牛病が牛の特定の臓器を食べたことにより発生したのではないかとの考えから，米国産牛肉の輸入が禁止されていた時期がある．

10. 川崎病

川崎富作が発見したため「川崎病」と呼ばれる原因不明の乳幼児の病気で，ほとんどが4歳までに発症．患者数は増加しており年間1万人に及ぶ．発熱・発疹・いちご状舌・手足の浮腫など特徴的な症状を示す．心臓の冠動脈拡張・動脈瘤を生じることがあり，予後を左右する．

11. 敗血症

重症の感染症．細菌・ウイルス・真菌などによる感染が重症化した結果，臓器に障害を及ぼし，ショック・播種性血管内凝固症候群（DIC）・多臓器不全等を生じることがある．感染症の原因，治療経過を知るために，血液培養と一般X線撮影，超音波検査，CT検査などの画像診断が必須である．

12. 播種性血管内凝固症候群（DIC）

感染症・悪性腫瘍・手術後・出産など生体に大きな侵襲を受けたことで，凝固系に異常を来す重篤な疾患．全身の出血，微細な血栓を生じやすくなり，DIC を合併することで，全身症状はさらに悪化する．一般的に簡略化して「DIC」と呼ぶ．

関連事項

アナフィラキシーショック

特定の物質と IgE 抗体が反応した I 型アレルギー反応（即時型）で生じる病態（☞ p.57）．造影剤による重篤な副作用もアナフィラキシーのひとつで，造影剤以外に抗生物質，非ステロイド性抗炎症薬，ハチ，エビやカニなどの食物，ラテックス（天然ゴム）などが原因となる．症状は口内異常感，喉頭部狭窄感，悪心，尿意，便意などに続き全身性じんま疹，循環不全，気道狭窄，呼吸困難が起こる．さらに血圧低下（脈拍触知不能），チアノーゼ，意識障害をきたしたショック状態になればアナフィラキシーショックという．

細胞内小器官

細胞表面にはリン脂質が主成分の細胞膜があり，細胞内には以下のような細胞内小器官が生命に欠かせない働きをしている．

- 核：内部に染色体を持ち，細胞の遺伝情報の保存と伝達を行う．ほぼすべての細胞に核が存在する．
- ミトコンドリア：活動に必要なエネルギー ATP を産生しており，体重の10%を占めるほど重要である．
- リボソーム：m-RNA（メッセンジャー，伝令 RNA）の情報をもとに，アミノ酸を結合させてタンパク質を合成する．粗面小胞体にはリボゾームが大量に結合している．
- リソソーム：分解酵素などを含み，細胞内消化に関わる．2016年ノーベル賞を受賞した大隅良典氏は，不要物質を分解処理するリソソームの働きで，タンパク質を処理・再利用するオートファジー（自食）という仕組みを発見した．
- Golgi〈ゴルジ〉装置：ゴルジ体ともいい，タンパク質の修飾，細胞内の分泌などに関わる．

35 「がん」とは

1. 癌とは

遺伝子異常によって制御できなくなった細胞集団が，周囲に浸潤，転移する悪性腫瘍を指す．ヒトは約60兆個の細胞からできており，正常細胞は分裂・増殖せず，一定の細胞数を保つように制御されている．これに対し，がん遺伝子の活性化あるいはがん抑制遺伝子の機能低下によって，細胞が無秩序に増殖するようになり，周囲に浸潤する，あるいは遠くに転移し，治療しなければ多くの場合，死に至る．

腫瘍には子宮筋腫，良性卵巣腫瘍，脂肪腫，線維腫などを代表に，良性の腫瘍もあるが，悪性腫瘍とは異なり，良性腫瘍では浸潤・転移することはない（表1-22）．また手術によって再発することもなく軽快し，死に至ることもない．

表 1-22 腫瘍の種類

良性腫瘍	子宮筋腫，脂肪腫，線維腫，良性卵巣腫瘍，良性甲状腺結節など
悪性腫瘍	
癌；上皮細胞由来．	肺癌，胃癌，大腸癌，子宮癌，卵巣癌，甲状腺癌など
がん；血液系細胞由来．	白血病，悪性リンパ腫，悪性骨髄腫
肉腫；非上皮細胞由来：	骨肉腫，脂肪肉腫，子宮肉腫

上皮細胞から発生する悪性細胞を癌という．肉腫（サルコーマ）も悪性腫瘍であるが，骨，軟骨，脂肪，筋肉などの非上皮性細胞から発生するもので，狭い意味では「癌」と区別する．骨肉腫，軟骨肉腫，脂肪肉腫，子宮肉腫などで，患者数は少ないが，治療に抵抗性で，治療に難渋することが多い．

2. がん遺伝子とがん抑制遺伝子

ある遺伝子に傷がついたときに，細胞増殖のアクセルが踏まれたままの状態になることがある．がん遺伝子によってつくられるタンパク質は，正常細胞も増殖をコントロールしているが，その働きが異常に強くなることにより，細胞増殖のアクセルが踏まれたままの状態になり，際限のない細胞増殖を引き起こす．代表的ながん遺伝子としては「ras」，「myc」，「her2」，「abl」などが知られている．

がん遺伝子を車のアクセルとすると，そのブレーキにあたる遺伝子が，がん抑制遺伝子である．がん抑制遺伝子は細胞の増殖を抑制したり，細胞のDNAに生じた傷を修復したり，細胞にアポトーシス（細胞死）を誘導したりする．代表的ながん抑制遺伝子は「$p53$遺伝子」，「RB遺伝子」，「$MLH1$遺伝子」などが知られている．がん抑制遺伝子の働きが弱くなることは，車のブレーキの故障を意味し，発がんの方向に働く．

がん細胞に生じた遺伝子異常によってできる異常タンパク質を標的とした治療が注目されている．この異常タンパク質を，極めて特異的に認識したり抑制したりすることで，正常細胞に影響を及ぼさず，がん細胞だけを特異的に攻撃できる薬で，「分子標的治療薬」とよばれる．「グリベック」という白血病の治療薬は，白血病細胞に生じた異常タンパク質を特異的に抑制することで，慢性骨髄性白血病を治すことができるようになった．新しい分子標的治療薬の開発研究が世界中で行われている．

3. がんの原因

がんの原因として最も大きいのは，タバコである（図1-73）．肺癌，口腔癌，喉頭癌，食道癌など喫煙者の方がはるかに癌が多い．タバコに食生活，運動不足を合わせると65％は生活習慣によると考えられる．ウイルス，微生物によるものとして，肝細胞癌，子宮頸癌，成人T細胞白血病・リンパ腫（ATL），上咽頭癌などが知られている．肝炎ウイルス特にC型肝炎ウイルスにより慢性肝炎，肝硬変から肝細胞癌へと発展する．

アスベスト（石綿）による中皮腫，肺癌は社会的な問題となっており，アスベストの使用は禁止された．放射線による発がん増加が有名であるが，がんの原因としての寄与は少ない．

関連事項

小児がん

小児のがんは成人のがんと種類も性質も大きく異なる．小児の悪性腫瘍で多いのは白血病，脳腫瘍，神経芽細胞腫，悪性リンパ腫などで，成人に多い胃癌，肺癌，大腸癌などはほとんどない．脳腫瘍では星細胞腫，髄芽腫，胚細胞腫，頭蓋咽頭腫が多い．固形腫瘍では神経芽細胞腫，ウィルムス腫瘍（腎芽腫），骨肉腫，ユーイング肉腫，肝芽腫が多い．抗癌剤が発達し，小児腫瘍の70～89％は治療がよく効く．

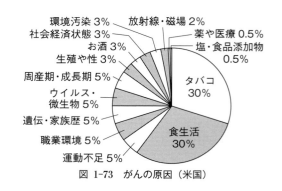

図 1-73 がんの原因（米国）

36 生活習慣病

生活習慣病とは，糖尿病，高血圧，脂質異常症，肥満のことを指す．「死の4重奏」と呼ばれ，いずれも重篤な疾患に至る確率が高いこと，生活習慣を改善することによって予防あるいは軽症化できることから，予防医学の観点からも重要で，生活習慣病の検診も行われている（図1-74）．

過食，運動不足，喫煙，ストレスなど日常生活が発症や進行に関係している．単独でもよくないが，重複するとさらに発症の危険性が増す．自覚症状がないまま，いつの間にか病気が進行して発見される，あるいは病気と診断されても自覚症状がないため，きちんとした治療を受けないことも多い．

1. 高血圧

高血圧とは常に最高血圧が140 mmHg以上，あるいは最低血圧が90 mmHg以上の状態をいう．脈圧とは最高血圧-最低血圧で，その差が大きい時，脈圧が大きいという．

高血圧の90％以上は，本態性高血圧と呼ばれる原因不明の高血圧である．2次性高血圧は原因が明らかなものをいい，手術や治療によりその原因を取り除くと高血圧が改善する．①腎血管性高血圧（腎動脈狭窄），②アルドステロン症，③褐色細胞腫，④クッシング病，クッシング症候群などである（☞ p.67覚え方）．

高血圧自体は自覚症状がないが，高血圧は脳出血，くも膜下出血，虚血性心疾患，腎不全などのリスクが高くなる．

2. 脂質異常症

脂質異常症は高脂血症ともいい，コレステロールなどの脂質が高値の病態で，脳梗塞，心筋梗塞，動脈硬化などの原因となる．血液中のLDLコレステロールやトリグリセライド（中性脂肪）が高過ぎたり，HDLコレステロールが少なくなる．LDLコレステロールが高過ぎると，血管壁に取り込まれ動脈硬化が進みやすくなるので，「悪玉コレステロール」ともいわれる．HDLコレステロールは血管壁に貯まっていたコレステロールを引き抜いて肝臓に運ぶ途中のもので，「善玉コレステロール」といわれる．LDLコレステロールの基準値は，140 mg/dLとされている．

動脈硬化は脳梗塞（☞ p.6），心筋梗塞（☞ p.28），下肢の閉塞性動脈硬化症（ASO ☞ p.31），腎血管性高血圧（☞ p.44）など多くの病気の原因となる．

3. 肥満

肥満により糖尿病，高血圧，高脂血症を生じやすくなる．また癌の発症も増加する．膝，腰の痛みにも悪影響を及ぼす．BMI（Body mass index）は，身長の二乗に対する体重の比で体格を表す指数で，**BMI＝体重 kg／(身長 m)^2**で求める．

BMIが男女とも22の時に高血圧，高脂血症，虚血性心疾患，脳梗塞，脂肪肝，痛風の有病率が最も低くなることから，BMI＝22となる体重を理想としたのが標準体重とする．身長170 cmの男性の標準体重は，64 kgとなる．

4. 痛風

生活習慣病のひとつ．血液中の尿酸が結晶となり，足の拇趾のつけ根のMP関節（中足趾節；ちゅうそくしせつ関節）に集積し，強い痛みを生じる．風が吹いても痛いくらい激痛なので，痛風と名付けられた．40歳代の男性に多い．肉，魚介類，アルコールで尿酸値が高くなる．王侯貴族のなる病気といわれていた．尿酸値の基準値は，7.0 mg/dLとされている．

血中尿酸値が高いと，尿中の尿酸が析出しやすくなり，尿路結石の中でも尿酸結石ができやすい（☞ p.44）．また尿酸の結晶が腎臓にたまって炎症をおこすと「痛風腎」とよばれ，痛風に効率に合併する高血圧と相まって，徐々に腎臓機能が低下する．

5. 糖尿病

（☞ p.51）

関連事項

メタボリックシンドロームの診断基準

腹囲（おへその高さのウェスト周囲径）が男性では85 cm，女性では90 cmを超え，高血圧・高血糖・脂質異常症の3つのうち，2つ以上が基準値を超えていると，メタボリックシンドロームと診断される．

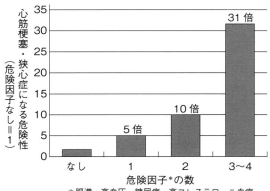

図1-74 危険因子と心筋梗塞・狭心症になる危険性
＊肥満，高血圧，糖尿病，高コレステロール血症

37 疾病予防とがん検診

1. 対策型検診と任意型検診

病気を治療する「治療医学」ばかりでなく、病気にならないようにする「予防医学」、あるいは病気を早期に発見する「検診」も重要である。癌による死亡者を減らす対策として、1次予防、2次予防、3次予防が行われている。1次予防とは禁煙、食生活、生活習慣の改善など、癌にならないための対策で、費用対効果が最も優れている。2次予防とは早期発見早期治療により重症化を予防し、癌死亡を減少させることを目指すもので、がん検診は2次予防である。3次予防は治療の過程において、リハビリテーションなどで社会復帰を支援し、再発を予防することである。適切な食生活による生活習慣病の予防は、1次予防となる。

診療放射線技師の業務のうち、がん検診（2次予防）が最も関係が深い。がん検診には対策型検診（住民検診）と任意型検診（人間ドック）のふたつがある。対策型検診とは、集団全体の死亡率減少を目的として実施され、公共的な予防対策として行われる。市区町村が行う住民検診で、公的資金を使うため、原則として有効性が確立したがん検診のみを採用し、利益は不利益を上回ることが基本条件となる。特定の検診施設や検診車による集団方式と、検診実施主体が認定した地域の医療機関を受診する個別方式に分けられる。

一方、任意型検診とは、医療機関や検診機関が行う人間ドックが代表的なものである。わが国独特の制度で、保険者による予防給付や個人による受診など様々な形態で行われている。任意型検診には公的資金は使われておらず、受診者の選択にまかされており、高価な費用を支払って豪華な施設で実施される検診や有効性の確立していない検診も含まれることがある。

2. 対策型がん検診

対策型がん検診は「健康増進法」に基づく市町村が実施する事業として位置づけられている。肺癌、子宮癌、胃癌、大腸癌、乳癌の5つの癌を対象に行われているが、受診率向上と検診の精度管理が課題となっている（表1-23）。

A. 肺癌

低線量CTによる肺癌検診の有効性が報告されているが、CT費用が高く住民検診としては採用されていない。一部の人間ドックで行われている。

表 1-23 対策型がん検診（住民検診）いずれも問診を行う

	検査項目	対象者	受診間隔
1. 肺癌	胸部X線検査、喀痰細胞診	40歳以上	年1回
2. 子宮頸癌	子宮頸部の細胞診および内診、視診	20歳以上	2年に1回
3. 胃癌	胃部X線検査または胃内視鏡検査	50歳以上	2年に1回
4. 大腸癌	便潜血検査	40歳以上	年1回
5. 乳癌	マンモグラフィ 視診、触診は推奨しない	40歳以上	2年に1回

B. 子宮頸癌

子宮癌には子宮頸癌と子宮体癌があり、検診では20歳以上の者で実施回数は2年に1回、主に子宮頸部の細胞診が行われている。子宮頸癌は検診と子宮頸癌ワクチンが有効である。

C. 胃癌

胃内視鏡検査による胃癌検診は、死亡率減少効果があり、対策型検診として実施するようになった。胃部X線検査に比べ、検診の費用がかかるほか、内視鏡検査を実施する医師や医療機関の確保、検診体制の整備・拡充等が必要である。1970年代以降、胃癌の罹患率・死亡率は減少し、40歳代の者に対して対策型検診を継続する必要性は乏しく、胃癌検診の対象年齢は50歳以上とすることが妥当であるとされた。ただし、当分の間は40歳代の者に対して実施しても差し支えない。

D. 大腸癌

スクリーニング検査は40歳以上の者を対象に、免疫法便潜血検査2日法により実施することとされており、また精密検査は全大腸内視鏡検査が推奨されている。なお注腸X線検査単独による精密検査は、頻度の高い直腸癌やS状結腸癌の見逃しが増えるおそれがあることからすすめられない。

E. 乳癌

40歳以上であれば、マンモグラフィ検診により乳癌死を防ぐことができるベネフィットが、放射線被ばくの不利益で死亡するリスクを上回る可能性が示されている。若い女性は密度の濃い高濃度乳房（デンスブレスト）の者が多く、マンモグラフィでの検出率が低くなる。超音波検査については、特に高濃度乳房の者に対して、マンモグラフィと併用した場合、マンモグラフィ単独検査に比べて感度およびがん発見率が優れているという研究結果が得られており、将来的に対策型検診として導入される可能性がある。

38 チーム医療

1. チーム医療の必要性

医学の発展に伴って，医療は急速に高度化・細分化し，病院では多くの職種の人々が，医療スタッフとして働いている（表1-24）．医療の高度化・複雑化に伴う業務の増大，質が高く安心・安全な医療を求める患者・家族に対応するには，1人1人の医療スタッフの専門性を高めるとともに，医療スタッフ間の協働（チーム医療）を推進しなければならない．

チーム医療とは，「多種多様な医療スタッフが，各々の高い専門性を前提に，目的と情報を共有し，業務を分担しつつも互いに連携・補完し合い，患者の状況に的確に対応した医療を提供すること」である（厚労省チーム医療に関する検討会より）．

チーム医療を進めることにより，患者を中心とした良質の医療を提供することができる．その結果，①疾病の早期発見・回復促進・重症化予防など医療・生活の質の向上，②医療の効率性の向上による医療従事者の負担軽減，③医療の標準化・組織化を通じた医療安全の向上，等が期待される．医療事故の防止には他の医療職との緊密な連携が不可欠である．

表 1-24 病院で働く主な医療スタッフ（国家資格）

医師，歯科医師，薬剤師，看護師，助産師，診療放射線技師，管理栄養士，社会福祉士，精神保健福祉士，臨床検査技師，臨床工学技士，歯科衛生士，理学療法士，作業療法士，義肢装具士，歯科技工士，言語聴覚士，視能訓練士，公認心理士（臨床心理士），介護福祉士＊など

1) 患者とその家族の医療への参加は，現代医療では必須となっている．
2) ＊介護福祉士は病院ではなく，退院したあと一定期間入所し，在宅復帰の準備を行うことを目的とした介護老人保健施設などで働くことが多い．

2. 主な医療職の仕事内容

いずれの医療職においても，基本的には医師・歯科医師の具体的な指示のもとに仕事をしなければならない．診療放射線技師と関係の深い主な医療職の仕事内容を紹介する．

1) 臨床検査技師

患者の採血を行ったり，生物学的な検査を行う．ひとつは生体の一部（血液・尿・組織・細胞など）を検査する「検体検査」で，もうひとつは心電図・脳波や超音波検査など直接患者に対して「生理学的検査」を行う職種．検体検査には血液学的検査・微生物学的検査・生化学的検査・病理学的検査・PCR検査・遺伝子関連検査などが含まれる．

2) 臨床工学技士

生命維持管理装置の操作及び保守点検を行う職種．高度に発達した医療機器を安全に動くよう，心臓手術の際や集中治療室で仕事をする．新型コロナウィルスによる肺炎が重症化した患者治療では，臨床工学技士が人工呼吸器，人工心肺（エクモ）を操作及び保守点検する．

3) 理学療法士・作業療法士

理学療法士（PT）は理学療法を行う職種．病気・けが・障害などによって運動機能が低下した人に対し，基本的動作（座る・立つ・歩く）の回復や維持，障害悪化の予防を目的に，運動療法や物理療法（マッサージ・温熱・電気療法等）などを用いて日常生活をおくれるようリハビリテーションを行う．

作業療法士（OT）は作業療法を行う職種．身体または精神に障害がある者に対し，手芸・工作その他作業を行わせて，応用的動作能力または社会適応能力の回復を図る．食事・着替え・入浴・洗顔といった身辺動作や家事動作など，日常生活をおくる上で必要な動作訓練を行う．精神病院や介護施設でも働いている．

4) 言語聴覚士

聴覚や音声機能・言語機能に障害がある者にリハビリテーションを繰返し行い，その機能の維持向上を目指す職種．脳卒中後の人や聴覚障害のある人が対象になることが多い．

5) 視能訓練士

眼科で両眼視機能に異状のある者に対し，視機能回復のための矯正訓練及びこれに必要な検査を行う職種．目のスペシャリストで女性が多い．散瞳薬の使用・眼底写真撮影も行うことが出来る．

6) 社会福祉士

患者が抱える経済的あるいは心理的・社会的な問題，福祉サービスの相談にのり，助言する．医療ソーシャルワーカーとよばれる．

関連事項

クリニカルパス

クリニカルパス（クリティカルパスともいう）とは入院中の検査や治療の予定をスケジュール表にまとめた入院診療計画書のこと．あらゆる職種が最も効果的に治療に関わることができるよう何度も会議を重ね，病気毎に作成する．医療のばらつきを無くし標準的な医療を受けられるし，情報を共有化することによって，医療スタッフだけでなく，患者も安心して治療に取り組むことができる．また無駄な放射線検査や検査漏れを無くすることができ，医療の安全や医療の質の向上に役立つ．しかし，標準化しにくい稀な病気や患者の状態によってはクリニカルパスを使えないこともある．

39 衛生学・公衆衛生学

はじめに

衛生学（Hygiene）と公衆衛生学（Public Health）は同じ範疇と思われていることも多いが実態は異なる．両者は共に社会医学に該当し目的も「健康の保持増進と疾病予防」であるが，その起源と研究方法が異なっている．"衛生学"はドイツ生まれで，動物実験や培養細胞を使った基礎研究が主体となるが，"公衆衛生学"はアメリカ生まれで，人の集団を対象とした疫学研究が主体である．日本では歴史的に明治から第2次世界大戦前まではドイツ医学の影響が強く，衛生学が主流だったが，戦後はアメリカ医学の影響が強くなり公衆衛生学が中心となっている．公衆衛生学は，社会の人々の健康を増進し，疾病の負担を軽減し，健康水準の格差を是正し，地域，国，地球レベルの健康への脅威に対処するための組織的な活動を実践・評価する学問である．ここでは疫学・健康指標・保健統計，感染症・予防接種・食中毒，予防医学，国際宣言などについて概説する．

1. 疫学・健康指標・保健統計

疫学（Epidemiology）とは人間集団における疾病の分布とその発生原因を究明して，疾病発生を予防し，健康の促進に繋げる学問である．疫学研究では死亡率，平均余命，有病率など様々な健康指標が用いられるが，これらを評価することで，都道府県間や国際間での健康水準を比較することができる．

図1-75は日本の死因別に見た死亡率の年次推移である．最近三年間では，死亡原因の上位は1．悪性新生物 2．心疾患 3．老衰の順になっている．日本では悪性新生物の死亡率が最も高く，現在「日本人の2人に1人

表 1-25a　部位別癌罹患数（2018年度）

	1位	2位	3位	4位	5位
男性	前立腺	胃	大腸	肺	肝臓
女性	乳房	大腸	肺	胃	子宮
総数	大腸	胃	肺	乳房	前立腺

表 1-25b　部位別癌死亡数（2019年度）

	1位	2位	3位	4位	5位
男性	肺	胃	大腸	膵臓	肝臓
女性	大腸	肺	膵臓	胃	乳房
男女計	肺	大腸	胃	膵臓	肝臓

表 1-25c　部位別年齢調整癌死亡率（2019年度）

	1位	2位	3位	4位	5位
男性	肺	大腸	胃	膵臓	肝臓
女性	乳房	大腸	肺	膵臓	胃

がんになり3人に1人ががんで死ぬ」という時代になっている．さらに団塊の世代が高齢化を迎える中，癌対策は今後の国民の健康促進にとって最重要課題となっている．表1-25a〜cでは悪性新生物について部位別癌罹患数，部位別癌死亡数，部位別年齢調整癌死亡率についてそれぞれ上位5つを示す．部位別癌罹患数では男性で前立腺，女性では乳房が最も多い．男女あわせた部位別癌死亡数では肺がんが最も多い．部位別癌死亡数では，男性では肺，女性では大腸が最も多く，男女あわせた数では肺が最も多い．一方，部位別年齢調整癌死亡率では，男性では肺，女性では乳房が最も多くなる．部位別にみた悪性新生物年齢調整死亡率の年次推移を図1-76に示すが，近年男性では膵癌，女性では膵癌，乳癌が増加傾向にあることがわかる．

死亡率については，「人口10万人のうち何人死亡したか」と言う粗死亡率と，基準人口（1985年の日本の人口モデル）に調整した年齢調整別死亡率があり，人口の高齢化が急速に進行する日本社会では粗死亡率は上昇しているが，年齢調整別死亡率では減少傾向にある（図

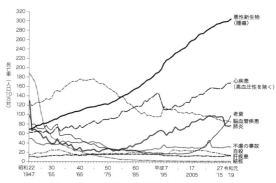

図 1-75　死因別に見た死亡率の年次推移
（厚生労働省「人口動態統計」より）

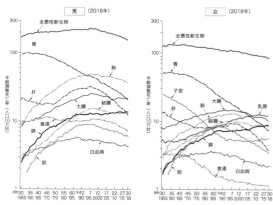

図 1-76　部位別にみた悪性新生物年齢調整死亡率の年次推移
（厚生労働省「人口動態統計」より）

1-77).

表1-26に保健統計の関して様々な健康指標を列挙する．現代日本は人口減少社会であり，高齢化が急速に進み，医療費が増大し，出生率が低下していることがわかる．

2. 感染症・予防接種・食中毒

人類の歴史は感染症との戦いであり，有史以来ペスト，天然痘，コレラ，スペインかぜ（インフルエンザ），結核，エイズ，SARS：（severe acute respiratory syndrome），エボラ出血熱，そして現在の新型コロナ肺炎（COVID-19）など様々なパンデミックが発生してきた．

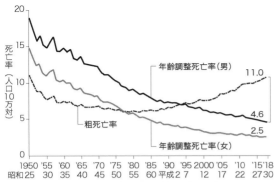

図 1-77　粗死亡率，年齢調整別死亡率年次推移
（厚生労働省「人口動態統計」より）

表 1-26　日本の健康指標

総人口：1億2548万人	前年比48.2万人↓
年少人口（15歳未満）：1,492万5千人（11.9％）	前年比20.5万人↓
生産年齢人口（15〜64）：7,428万3千人（59.2％）	前年比53万人↓
老年人口（65歳以上）：3,627万1千人（28.9％）（2021年3月）	前年比25.3万人↑

平均寿命：男性81.64歳（世界第2位）
女性87.74歳（世界1位）
（0歳児平均余命）
出生数：84.0832万人↓（調査開始以来最低）
合計特殊出生率：1.34↓
（母の年齢別出生数/同年齢の女子人口）の15〜49歳の合計
死亡数：138.4544万人↓
年齢調整死亡率（人口千対）：男4.8↓，女2.5↓
婚姻数：52万5490組↓
離婚率：19万3251組↓
（2020年）

国民総医療費：43兆3,949億円
（2018年）

2019年に発生し，瞬く間に世界中に流行してパンデミックとなったCOVID-19の様な新たな感染症を調査・研究し，流行を抑制して行くことは公衆衛生の重要な任務である．予防接種は感染症制御の有効な手段だが，2020年よりCOVID-19に対してもワクチン接種が進み，今後COVID-19パンデミックが制御されることが期待されている．日本国内では予防接種は国民が受けるように努めなければならない「勧奨接種」と希望者に行われる「任意接種」の2種類がある（表1-27a，b）．

食品衛生法は，飲食に関連する衛生上の危害発生を防止し，国民の健康を保護するための法律である．食品，添加物，器具，容器包装などが対象だが，食品衛生法においては食中毒が発生した場合，医師は地域の保健所長に届け，さらに保健所長は都道府県知事に届ける義務がある．食中毒の原因となるものは多岐に渡り，①細菌：感染型，毒素型（ボツリヌス菌）②ウイルス③自然毒（キノコ・カビ毒・フグ毒）④化学物質（メタノール）等がある．細菌性食中毒の起炎菌には，カンピロバクター，サルモネラ，病原性大腸菌（O-157など），腸炎ビブリオ，

表 1-27a　予防接種法による定期予防接種（勧奨接種）

症病	ワクチン名
ジフテリア・百日咳・破傷風・急性灰白髄炎（ポリオ）	四種混合ワクチン，DPT-IPV
麻疹・風疹	MRワクチン
日本脳炎（北海道を除く）	日本脳炎ワクチン
結核	BCGワクチン
Hib感染症（ヘモフィルスインフルエンザ菌b型）	Hibワクチン
小児の肺炎球菌感染症	小児用肺炎球菌ワクチンPCV13
水痘	水痘ワクチン
ヒトパピローマウイルス感染症	HPVワクチン
B型肝炎	HBワクチン
インフルエンザ	インフルエンザHAワクチン
高齢者の肺炎球菌感染症	高齢者用肺炎球菌ワクチン23価肺炎球菌莢膜多糖体ワクチン
ロタウイルス（感染性胃腸炎）	ロタウイルスワクチン*

＊2020年10月1日からロタウイルスワクチンは定期接種の対象となった．

表 1-27b　予防接種法による任意接種

疾病	ワクチン名
流行性耳下腺炎（おたふくかぜ）	おたふくかぜワクチン
髄膜炎菌感染症	髄膜炎菌ワクチン
インフルエンザ	インフルエンザワクチン

その他海外渡航者に対するワクチンにA型肝炎，狂犬病，コレラ，黄熱病ワクチンがある．

黄色ブドウ球菌，ウェルシュ菌，ボツリヌス菌などがある．ウイルス性食中毒の原因にはノロウイルス，ロタウイルスなどがあり，寄生虫が原因の食中毒は最近では急性腹症を起こすアニサキスが挙げられる（表1-28）．

3. 予防医学

疾病はその進行過程から疾病前段階，疾病段階（前期，後期）に分けられるが，それらの段階に応じた対応として一次予防，二次予防，三次予防がある．

一次予防：疾病・事故の発現を防止する，病気になる前に発生を防ぐことであり，予防接種，栄養指導，健康教育，発がん性物質対策などが挙げられる．

二次予防：疾病の早期発見と早期治療による健康障害の進展を防止することであり，病気の早期発見，早期治療により重症化を防ぐ．人間ドック，がん検診，高血圧に対する服薬指導，糖尿病に対する栄養指導などが挙げられる．

三次予防：病気になった後，適切な治療と管理指導することであり，後遺症治療，再発防止，機能回復・温存，リハビリなどが挙げられる．予防医学の発展位より国民の健康向上が期待される．

4. 国際宣言

世界レベルで健康の増進に努める国連の専門機関が世界保険機関・WHO（world health organization）であるが，WHOはその憲章で「健康とは肉体的にも精神的にも社会的にも完全に良好な状態をいい，単に病気がないとか病弱ではないということではない．」と健康を定義している．公衆衛生における予防医学の重要性，医師の倫理性，医学研究の倫理的原則などを提示した種々の宣言を下記に示す．

①アルマ・アタ宣言

プライマリヘルスケアとは，「すべての人に健康を」を基本理念とした総合的保険医療活動である．疾病の治療や予防，健康の保持・増進のための保険医療サービスなどが含まれる．

②オタワ憲章

ヘルスプロモーションを提唱，新しい健康観に基づく21世紀の健康戦略を示す．「人々が自らの健康とその決定要因をコントロールし，改善することができるようにするプロセス」と定義される．

③リスボン宣言

患者の権利に関する宣言；良質の医療を受ける権利，患者の自己決定の権利など11の原理原則が謳われている．

④ヒポクラテスの誓い，ジュネーブ宣言

ヒポクラテスの誓いでは医師の職業的倫理を明文化している．さらにジュネーブ宣言では，医師の専門職としての倫理，医師の良心，尊厳や患者への配慮などが示されている．

⑤ニュルンベルグ綱領，ヘルシンキ宣言

ニュルンベルグ綱領では医学研究（人体を用いる実験）に関する基本原則を示し，さらにヘルシンキ宣言では，ヒトを対象とする医学研究に係る医師などの倫理を規定．

表 1-28 食中毒の原因となる病原体とその特徴

		原因菌	原因食	潜伏期間	発熱	嘔吐	腹痛	下痢	神経症状
細菌性	感染型	サルモネラ属菌	弁当類，生乳，生卵，肉類（特に鶏肉）	6～72時間	38～40℃（3～5日続く）	+	+	＃ときに血便	−
		腸管出血性大腸菌（O157）	肉類，飲料水	4～8日	38℃以上になることはまれ	+	＃	＃頻回の水様便（特に血便）	+（けいれん）
		カンピロバクター	飲料水，生乳，鶏肉，ウシ・ブタの生肉	2～7日	38～39℃（ときに40℃）	+	+	+～＃水様性粘血便	+（けいれん）
		腸炎ビブリオ	生鮮魚介類（さしみ，すし等）	6～12時間	38～39℃（ときに40℃）	+	＃	＃ときに鮮血	−
	毒素型	黄色ブドウ球菌	加工食品（にぎりめしや弁当等）	1～3時間	−	＃	＃	+	−
		ボツリヌス菌	いずし，辛子れんこん，かんづめ食品	8～36時間	−	+	+	+	+（神経・筋麻痺）
ウイルス性		ノロウイルス	飲料水，生食魚介類（特にカキなど二枚貝）	1～3日	+	＃	+	+	
		ロタウイルス	（糞口感染）	1～4日	37～38℃	+	+	＃ときに白色ないし黄白色	−

（厚生労働省「食中毒統計調査」を参考に作成）

40 覚え方

1. 脳神経12対（☞ p.10）
 「嗅いで見る動く車の三つの外．顔を耳に近づけて，舌を迷わす，服の下」
 （1）嗅神経，（2）視神経，（3）動眼神経，（4）滑車神経，（5）三叉神経，（6）外転神経，（7）顔面神経，（8）内耳神経，（9）舌咽神経，（10）迷走神経，（11）副神経，（12）舌下神経
 嗅いで（1）見る（2）．動く（3）車（4）の三つ（5）の外（6）．顔（8）を耳（8）に近づけて舌（9）を迷わす（10）．服（11）の下（12）．

2. 脳神経12対のうち副交感神経（☞ p.10）
 「みなとく」
 （3）動眼神経，（7）顔面神経，（9）舌咽神経，（10）迷走神経は副交感神経の作用を有する．

3. 脳頭蓋（6種8個）（☞ p.12）
 「ごちそう豊島園」
 ①ご 後頭骨，②ち 蝶形骨，③そ 側頭骨（2個），④と 頭頂骨（2個），⑤し 篩骨，⑥まえ 前頭骨

4. 顔面頭蓋（9種15個）（☞ p.12）
 「上カルビ好き！子が絶叫」
 ①上 上顎骨（2個），②カ 下鼻甲介（2個），③ル 涙骨（2個），④ビ 鼻骨（2個），⑤好き 鋤骨（ジョスキと読む），⑥子 口蓋骨（2個），⑦が 下顎骨，⑧絶 舌骨，⑨叫 頬骨（2個）

5. 眼窩を構成する骨（☞ p.12）
 「今日，前工場長が涙した」
 今日→頬骨．前→前頭骨．工→口蓋骨．上→上顎骨．長→蝶形骨．涙→涙骨．し→篩骨．の7つの骨が壁をなした眼窩で，大事な眼球を保護する．

6. 手根骨（☞ p.15）
 「父さんの月収は大小有るが，有効に使えよ」
 父→豆状骨．さん→三角骨．月→月状骨．収→舟状骨．大→大菱形骨．
 小→小菱形骨．有→有頭骨．有効→有鉤骨
 掌尺側近位から，逆時計周り．

7. 肺癌の特徴（☞ p.25）
 「はい！せんべい好き」
 はい→肺癌．せん→腺癌．べい→扁平上皮癌

8. 腹部大動脈の分枝（☞ p.30）
 「服は，上下人造のセーラー服」
 服→腹部大動脈，腹腔動脈．上→上腸間膜動脈．下→下腸間膜動脈．人造→腎動脈．セー→精巣動脈．ラー→卵巣動脈

9. 後腹膜臓器（☞ p.35）
 「5時12分に噴水の下」
 5→後腹膜臓器．時→腎臓．12→十二指腸．分→副腎．に→尿管．噴→腹大動脈．水→膵臓．下→下行大動脈

10. 腹腔動脈の枝（☞ p.37）
 「服装は歳費から」
 服→腹腔動脈．装→総肝動脈．歳→左胃動脈．費→脾動脈

11. 門脈の枝（☞ p.37）
 「非情な課長だもん」
 非→脾静脈．情→上腸間膜静脈．課長→下腸間膜静脈．もん→門脈

12. 肝臓の働き（☞ p.37）
 「逃げたブタ」
 逃→尿素生成．げ→解毒作用．た→胆汁生成．ブ→ブトウ糖貯蔵．タ→蛋白質合成

13. 胆石症（☞ p.40）
 胆石ができやすいのは「40過ぎの元気でふくよかな女性」
 「胆石をつくる4つのF」
 Fine—元気．Fatty—ふくよか．Forty—40歳以上．Female—女性

14. 高血圧となる疾患（☞ p.49, 50, 61）
 「高血圧！過食とアルコールで決心だ！」
 高血圧→高血圧となる疾患．過食→褐色細胞腫．アル→アルドステロン症．決心→クッシング症候群

15. 糖尿病の合併症（☞ p.51）
 「しめじもあればえのきもある」
 ①し 神経疾患，②め 眼（網膜症），③じ 腎臓，④え 壊疽，⑤の 脳梗塞，⑥き 心筋梗塞

16. 自己免疫疾患（☞ p.57）
 「リウマチで欠席？ きょう日，禁煙すれば？」
 リウマチ→関節リウマチ．欠席→結節性多発性動脈炎．きょう日→強皮症．禁煙→皮膚筋炎．すれ→SLE

2章 放射線生物学

●渡邊祐司
●佐藤芳文

　放射線生物学とは放射線がおこす人体への影響を学ぶ学問である．放射線がもたらす人体の障害は，放射線による DNA 損傷が根本的な原因である．DNA 損傷に引き続いて細胞死や DNA・染色体の突然変異が生じる．本章では，放射線による一連の連鎖的な作用を，物理学的過程（電離，励起），化学的・生化学的過程（ラジカル生成，生体高分子との反応），生物学的過程（DNA 損傷・修復，細胞死，組織障害，発がん，遺伝的影響）に分けて作用の時間軸に沿って解説する．

　診療放射線技師国家試験の対策本として，過去の国家試験問題で使われた用語をできるかぎり組み込み，最近の国家試験の出題傾向をもとに以下の重要な項目に力点をおいて解説を進める．

- 電離放射線と物質の相互作用
- 直接作用と間接作用
- 間接作用の 4 つの修飾効果
- DNA 損傷と修復
- 遺伝子突然変異と染色体異常
- 細胞周期と細胞死
- 細胞の生存率曲線：ヒット標的理論と LQ モデル（α/β 値）
- 線質・線エネルギー付与（LET）と生物学的効果
- 組織の放射線感受性
- 確定的影響と確率的影響
- 全身被ばくによる放射線障害
- 胎児の放射線障害（胎内被ばく）
- 各種臓器障害：造血系，消化器系，脳・中枢神経，生殖腺，皮膚，眼
- 発がん・遺伝的影響
- 内部被ばく
- 分割照射と 4R
- 粒子線治療，ホウ素中性子捕捉療法
- 温熱療法

　なお，治療の臨床的な分野については 13 章 放射線治療技術学を参照されたい．また，放射線衛生学の分野のうち ICRP 勧告に関連した内容は本章では扱わず，15 章 放射線安全管理学の第 1 節を参照されたい．

1 放射線の種類と電離作用

放射線が人体に影響を及ぼす第1段階は物理学的過程である．放射線が人体内の分子・原子との相互作用で，電離や励起が生じる過程のことである．この所要時間は10^{-15}秒程度で極めて短い．次に起こる化学的過程では，生体高分子や水が電離・励起され，遊離基（フリーラジカル）が生成される．そして遊離基が標的であるDNAに損傷を与える過程が生化学的過程である．

1. 電離放射線

放射線生物学で扱われる放射線は，ふつう電離放射線とよばれるエネルギーレベルの高い放射線で，原子から電子を引き剥がす作用（電離作用）を有する．

電離放射線には，X線・γ線などの波長の短い電磁波（光子線），α線・β線・電子線・陽子線・重粒子線などの荷電粒子線，非荷電粒子である中性子線・ニュートリノなどが知られている（図2-1）．紫外線は一部の波長の短いものを除いて電離作用をもたないので非電離放射線として扱われ，法令では電離放射線に分類されない．しかし実際には紫外線がDNAに特異的に吸収され，細胞を殺す能力が高い．

2. 電離と励起

放射線と細胞を構成している分子や原子との相互作用は電離や励起である．電離とは軌道電子にエネルギーを与えて電子を原子からはじき出す作用で，励起とは軌道電子をエネルギー準位の高い外側の軌道に電子を移動させる作用である．この励起に必要なエネルギーは電離に必要なエネルギーより小さい．

α線・β線・電子線・陽子線・重粒子線など電荷をもった粒子は生体を構成する原子の近くを通過すると，クーロン力によって軌道電子にエネルギーを与え，直接電離を起こすことができるので，直接電離放射線とよばれる．

一方，電荷をもたない粒子である中性子や光子線（X線やγ線などの電磁波）は，クーロン力によって電離を起こすことはない．しかし，それぞれ特有の相互作用によって荷電粒子を放出させることができるので，間接電離放射線とよばれる．

たとえば，光子は光電効果，コンプトン効果や電子対生成によって，電子を放出させる．この効果自体が細胞に及ぼす影響は小さいので問題にならないが，飛び出した電子（二次電子）が十分エネルギーをもっていれば，直接電離放射線として振る舞うことができる．

中性子の場合は，水素原子核との反応が重要となる．水は人体の70％を占める重要な成分であり，細胞内には多量の水分子がある．高速の中性子が水素の原子核に近づくと玉突き衝突のように水素原子核の陽子を弾き出す．飛び出した陽子（反跳陽子）が十分エネルギーをもっていれば，直接電離放射線として振る舞うことができる．

したがって，光子や中性子はそれ自身の電離能力を問題にされることはないが，荷電粒子を放出させることによって間接的に電離放射線として振る舞うことになる．これが間接電離放射線とよばれる所以である．

放射線のもつ強い生物作用によって，被ばくした組織は障害を受ける可能性がある．その際，考慮すべき要因として，エネルギーの大きさだけではなく，その放射線がどこまで深く生体に入ることができるか（放射線の透過力あるいは飛程の長さ），細胞内でどのように電離を引き起こすか（電離の分布の仕方や密度）などを挙げることができる（図2-2）．

荷電粒子を加速すると透過力は大きくなる．生体に照射すれば，体内の組織を構成する原子中に電離や励起を

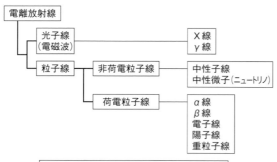

図 2-1 電離放射線の分類

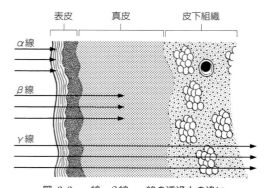

図 2-2 α線，β線，γ線の透過力の違い
放射線が生体にどのような効果を与えるかを考えるとき，エネルギーの大きさと同時に，透過力が問題となる．（草間他：放射線健康科学．p.26，杏林書院）

引き起こし，エネルギーを失っていく．その粒子が高速で飛んでいる時は，軌道電子と作用する時間は短く，放出するエネルギーは小さい．しかし，エネルギーを失い止る寸前になると，相互作用を起こしやすくなり，放出されるエネルギーは急速に増加する．このように，荷電粒子のエネルギーの放出は体表面で少なく体の深部で大きくなる．腫瘍の治療の場合には，この線量分布の特徴を生かすように工夫することになる（☞ p.93）．

3. 線エネルギー付与（LET）と線量単位

放射線の種類によって，同じ線量でも効果が異なる．このとき放射線の線質が異なるという．実際には，放射線によって引き起こされる電離の分布の仕方が違うためと考えられている（図2-3）．この電離の分布の仕方の表現として線エネルギー付与（LET）が用いられる（☞ p.90）．LETは入射した放射線だけではなく，二次的に放出された粒子も含め，飛跡に沿って単位長さあたりに与えられるエネルギー［keV/μm］で定義されている．一般的にLETは放射線の荷電の二乗に比例し，粒子の速さに反比例する．粒子の質量が大きいほどLETは大きくなる．同じ種類の放射線ではエネルギーが高いほうがLETが通常小さい（表2-1）．LETの大小によって放射線の線質を規定でき，LETが高い中性子線・α線・重粒子線は高LET放射線に分類され，LETが低いX線・γ線・β線・電子線・陽子線は低LET放射線に分類される．（ただし陽子線では，陽子線治療に用いるエネルギーは数10～240 MeVの陽子線を用いるので，LETは4.7～0.5と低く，低LET放射線に分類される）

放射線に関する線量単位には，照射線量，吸収線量，等価線量，実効線量などがある．照射線量とは，X線・γ線についてある場所での空気を電離する能力を表す量で，単位はC（クーロン）/kgを用いる．

吸収線量は照射された組織の単位質量あたりに吸収されるエネルギー［J/kg］と定義され，普通，放射線の生物作用を問題にするときには，吸収線量［Gy］を用いる．この吸収線量はすべての放射線に適用される生体への影響を考えるときの基本となる．たとえば同一線量を局所的に被ばくしたときと広範囲に被ばくしたときを比較してみよう．同一線量である以上，同じ体積で比較すれば，吸収エネルギーは同じである．しかし，範囲が広くなれば，被ばく容積が増えるので，全吸収エネルギーは大きくなる．広範囲に被ばくすれば障害部分は大きくなる．また，放射線の種類によって生体への影響が異なる．同じ1Gyでも，X線と中性子やα線などでは生物効果が異なる．このため，放射線防護の観点から，放射線加重（荷重）係数が定められ，放射線の種類による放射線の影響の重み付けを行う．光子線（X線・γ線）と電子線は1，陽子線は2，α線と重粒子線は20，中性子線は2.5～20の連続関数である（表2-2）．

等価線量とは人体の特定の組織・臓器に対する放射線の影響を表す線量で，吸収線量に放射線加重係数を乗じて得られ，単位はシーベルト（Sv）を用いる．臓器・組織の確率的影響のリスク算定に用いられる．

実効線量とは人体の全身に対する放射線の影響を表す指標で，各臓器の受けた等価線量にその臓器の組織加重係数を乗じた値をすべての臓器の総和量として求められ（表2-3），単位は等価線量と同じシーベルト（Sv）である．全身の確率的影響のリスク算定に用いる．

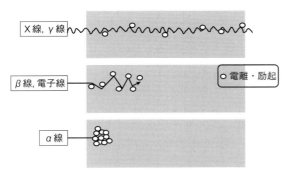

図 2-3 放射線と物質の相互作用
X線・γ線は直線的で飛跡が長く透過しやすい．引き起こす電離・励起は少ない．
β線・電子線の飛跡はジグザグで比較的短い．電離励起を引き起こすところで飛跡角度が変わる．α線は飛跡が短く，局所的に一気に電離励起をきたし，エネルギーを付与する．

表 2-1 各種放射線のLET

放射線		LET (keV/μm)
光子線	⁶⁰Coγ線	0.2
	250 keV X線	2.0
陽子線	10 MeV	4.7
	150 MeV	0.5
α線	2.5 MeV	166
炭素線	50 MeV	330

・低LET放射線： X線・γ線・β線・電子線・陽子線
・高LET放射線： 中性子線・α線・重粒子線

表 2-2 放射線加重係数（W_R）と等価線量

等価線量(Sv)＝放射線加重係数 W_R×吸収線量(Gy)	
放射線の種類	放射線加重係数（W_R）
光子（X線，γ線）	1
電子	1
陽子	2
α線，重イオン線	20
中性子	2.5～20 （中性子エネルギーの連続関数）

ICRP勧告2007を改変

表 2-3 組織加重係数 (W_T) と実効線量

実効線量(Sv)＝Σ(組織加重係数 W_T×等価線量)	
組織・臓器の種類	組織加重係数 (W_T)
乳房, 骨髄 (赤色), 結腸, 肺, 胃	0.12
生殖腺	0.08
甲状腺, 食道, 肝臓, 膀胱	0.04
脳, 唾液腺, 皮膚, 骨表面	0.01
残りの組織の合計	0.12

ICRP 勧告 2007 を改変

4. 直接作用と間接作用

放射線を人体に照射すると, 生体高分子や水分子に電離や励起がおこり, フリーラジカル (遊離基) が生成される (化学的過程). このフリーラジカルは活性が非常に高く, 標的である DNA に障害をひきおこす (生化学的過程).

放射線が直接標的分子に作用することを放射線の直接作用, 放射線が水分子に当たり生成したラジカルが標的に作用する仕方を間接作用とよぶ. 高 LET 放射線では直接作用が優位に働き, 低 LET 放射線ではこの間接作用の寄与が非常に大きい. 間接作用が主体であることを示す 4 つの修飾効果がある. 保護効果, 酸素効果, 凍結効果, 希釈効果である. 保護効果では, ラジカルスカベンジャーとよばれる放射線防護剤 SH 化合物 (システイン・システアミン・グルタチオン) によって間接作用による放射線障害が軽減する (図2-4). 酸素効果では, 酸素の存在下で間接作用が増強する. 凍結 (乾燥) 効果では, 凍結や乾燥状態で間接作用が軽減する. 希釈効果は, 一定線量による溶質分子が失活する分子数は溶質濃度に関係なく一定で, 失活する溶質分子の割合は溶質濃度が希釈されると高くなることである.

たとえば低 LET 放射線である X 線を溶質である酵素分子に照射する場合, 水溶液の状態のほうが乾燥状態と比べて効果が大きい. また, 水溶液の場合, 壊れる酵素分子の数は線量に依存し濃度には依存しない. もし, 放射線が直接, 酵素分子に当たるのであれば, 水溶液の酵素分子の濃度が高いほうが当たる確率は高くなるはずである. しかし, 実際には線量が同じなら壊れる酵素分子の数は変わらない (図2-5).

これは, 水溶液中では放射線が直接, 溶質である酵素分子に当たるのではなく, まず水分子に当たり, 壊れた水分子の破片すなわちラジカル (フリーラジカルあるいは遊離基) が酵素分子を傷つけるからである. このラジカルの作用する範囲は広く, しかも標的分子に命中すればラジカルは消滅するので, 濃度は関係なくなる (図2-6).

濃度を下げると溶質の酵素分子数は減る. しかし, 間接作用が支配的であれば, 失活する酵素分子数は変わらない. したがって, 全酵素分子の中で失活分子の割合は濃度が低いほど高くなる. この現象を希釈効果という (図2-6).

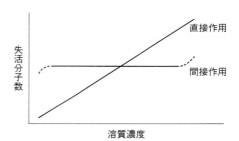

図 2-5 溶質の濃度と失活分子数の関係

放射線が溶質分子 (酵素分子) に直接ヒットすると考えると, 酵素分子の濃度が高いほど当たる確率は高くなる. したがって, 失活する酵素分子数は濃度に比例すると考えられる. しかし, 実際には失活する酵素分子数は線量に依存するが, 酵素分子の濃度には依存せず一定である. これは, 直接作用が主ではなく間接作用が支配的であることを意味している.

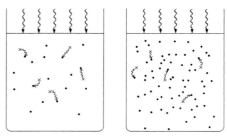

図 2-6 希釈効果

放射線が水分子を分解し, 生成したラジカルが溶質分子 (酵素分子) にヒットする. 照射する放射線量が一定であれば, 水分子から生成されるラジカル数は同じであるので, ラジカルの攻撃によって失活する酵素分子数は, 酵素分子の濃度に関係なく一定である. 左の図では濃度の低い水溶液中にある酵素分子数 18 個に対し失活する酵素分子数 5 個, 右の図では濃度の高い水溶液中の酵素分子数 68 個に対し失活する分酵素子数は 5 個となる. すなわち酵素分子の不活性化の割合を率にすると, 水溶液の酵素分子濃度の低い方が不活性化率が高くなる. これを希釈効果という.

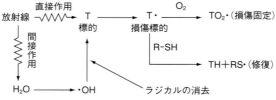

図 2-4 SH 化合物による防護効果のメカニズム

SH 化合物のもつ H・がフリーラジカルの消去に使われれば, 放射線の間接作用から標的が守られることになる. 酸素があると損傷を受けた標的にいち早く酸素分子が結合し損傷を固定してしまう. 酸素がなければ SH 化合物は H・によって損傷を修復できる. したがって, SH 化合物が存在する状態で酸素の有無による生物効果の違いが現れる.

5. 水の放射線分解

水に放射線が当たると以下のような反応が起こるが, 間接作用において最も重要な役割を果たすラジカルは ·OH と考えられている.

$H_2O \rightarrow H_2O^+ \cdot + e^-$
$H_2O^+ \cdot \rightarrow H^+ + \cdot OH$ (ヒドロキシルラジカル)
$e^- + nH_2O \rightarrow e_{aq}^-$ (水和電子)
$e_{aq}^- + H_2O \rightarrow OH^- + H \cdot$ (水素ラジカル)

· は不対電子を表している.

普通, 分子は逆向きのスピンをもった電子が2個同じ軌道に入ることによって安定する. しかし, 軌道から1個の電子を失い不対電子になると, 非常に不安定になり反応性が高まる. この不対電子をもつものをラジカルという. ·OH は酸化剤として働き, 高い反応性のために次のような水素の引き抜き反応によって標的分子に酸化損傷を与える.

標的分子をTで表すと,

$T{:}H + \cdot OH \rightarrow T \cdot + H \cdot + \cdot OH \rightarrow T \cdot + H_2O$

6. 間接作用の増感効果と防護効果

間接作用ではフリーラジカルを介してDNAに損傷を与える. このフリーラジカルの働きに影響を及ぼす化学物質が存在する. その効果を増強し, DNAの損傷を大きくするものは, 放射線増感剤と呼ばれる. 酸素はその一つで, DNA分子に生じた損傷部分に酸素が結合すると損傷が固定され修復できなくなるからと考えられている (図2-4). 細胞の生存率は, 有酸素下では無酸素下 (たとえば窒素100%) と比べて低下する. すなわち酸素があるほうが放射線の生物効果が高いというこの現象を, 酸素による増感効果という意味で, 酸素効果とよばれる.

そのほかの放射線増感剤として良く知られたものにブロモデオキシウリジン (BrdU) がある. これはチミンのメチル基を臭素 (Br) で置き換えたもので, DNA合成の際, 細胞はチミジンの代わりにこれを取り込む. 取り込んだDNAは損傷を起こしやすく, 放射線感受性が高まる.

このような増感効果を表す指標としてERがある. 増感剤 (sensitizer) による増感率はSER, 酸素 (oxygen) による増感率はOER (図2-7) とよばれる.

一方, 間接作用を減弱させる化合物があり, 放射線防護剤と呼ばれている. SH基を有する化合物は, ラジカルにH·を与え, 不対電子がなくなれば, ラジカルは消去され, 間接作用を未然に防ぐことができる. また, 水素引き抜き反応によって損傷を受けた標的分子にH·を与えることによって修復することもできる. したがって, DNA分子を直接作用からも間接作用からも防護することになる (図2-4). このような化合物はフリーラジカルを消去する作用を有することからラジカルスカベンジャーともよばれる. SH基をもつ代表的な化合物にはグルタチオン, システイン, システアミンなどがあり, 細胞内にグルタチオンのようなSH基をもつ化合物があると細胞の生存率が高くなる.

防護効果を表す指標としてDRF (図2-7) がある. 細胞レベルでは, 増感率と同様, 生存率曲線で同じ生存率となる線量の比で表す. 個体レベルで防護剤の効果をみる場合, たとえば生存個体の割合が増えたり, 生存日数が延びたりするような場合も, やはり同じ効果をもたらす線量の比で表す.

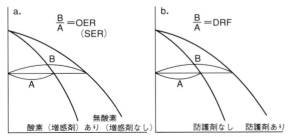

図 2-7 増感効果, 防護効果を表した生存率曲線
a. 増感効果の大きさ (ER), b. 防護効果の大きさ (DRF) いずれの場合も, 生存率が同じになる線量の比 (B/A) で求める.
縦軸：生存率, 横軸：線量

2 放射線の標的としての細胞

　放射線が生体に及ぼす影響の発端は，分子あるいは原子レベルにおける相互作用にある．そして，細胞レベルの変化へと発展してはじめて生物学的な効果として現れる．そこで本節では，細胞に関する基礎的な事項について述べておきたい．

1. 細胞の基本構造と機能

　多細胞生物の体は細胞を単位として成り立っている．細胞は細胞膜に包まれ，外部と異なる環境を維持している．細胞内には生体膜で仕切られた様々な細胞小器官が配置され，その隙間を細胞質基質とよばれる液体成分が満たしている（図 2-8，表 2-4）．細胞質基質には解糖系や種々の物質の合成酵素が含まれている．

　1）細胞膜は細胞を包み保護しているもので，細胞内にある生体膜と同じ，単位膜とよばれる構造をもっている．単位膜は，リン脂質分子が疎水性の部分を内側にして並んだリン脂質二重層とよばれる膜に，蛋白質が埋め込まれた構造をもっている．イオンや電荷をもった物質は，リン脂質二重層の働きによって細胞膜を通過できない．しかし，細胞膜に埋め込まれた蛋白質の働きによってそれが行われている．

　物質は濃度の高いほうから低いほうに拡散していくが，大きな分子や電荷をもった分子を通すために輸送体やチャネルがある．また，物質の濃度勾配に逆らって ATP のエネルギーを使って行う輸送は能動輸送とよばれ，ポンプとよばれる輸送体が行う．

　細胞が組織を作るうえで細胞間の結合は重要な意味をもっている．がん細胞は自分自身の組織を離れ他の組織内でも増殖する．すなわち転移する．それは，細胞膜にある接着機構が破壊されたためである．

　2）核は二重膜である核膜に包まれた構造である．この中には遺伝情報の担い手である二本鎖 DNA が二重らせんを形成して蛋白質（ヒストン）に巻きついた状態，すなわちクロマチンとして存在している．細胞分裂の際には，クロマチンは凝集し，何重にも折りたたまれて棒状の染色体となる（図 2-10）．染色体は細胞周期の間期では不明瞭であるが，分裂期（M 期）にはクロマチンが高度に凝集するので明瞭に認められるようになる．

　放射線を照射すると細胞全体にエネルギーが吸収される．しかし細胞死は核におけるエネルギー吸収の大きさに依存するので，核が細胞死の標的と考えられる．数多くの証拠によって核内の DNA が標的であることがわかっている．

　細胞質の容積に対する核の容積の比は，核・細胞質比（N/C 比）といわれ，値が大きいほど放射線感受性は高くなる．

　3）リボソームは RNA と蛋白質の複合体であり，DNA の遺伝情報に基づいて蛋白質を合成する．遊離のリボソームでは細胞内で日常的に使用される蛋白質が合成され，小胞体に結合したリボソームでは，細胞外へ分泌される蛋白質や膜蛋白が合成される．

　4）小胞体は，二重膜である核膜の外側の膜とつながり，細胞内にある膜構造の半分以上を占めている．リボソームの付着した平たい袋状をしている部分を粗面小胞体，リボソームを欠くむしろ管状の部分を滑面小胞体とよんでいる．

　小胞体の種々の機能のうち最も重要なのは，蛋白質の合成であり，粗面小胞体で行われる．合成過程にある蛋白質は小胞体の内腔あるいは小胞体膜に輸送され，種々の修飾をうける．脂質やステロイドホルモンの生合成が盛んな細胞では滑面小胞体が発達している．また，筋小胞体は，Ca^{2+} の貯蔵器官となっている．

　5）ゴルジ体は，複合的な網状構造をもち，分泌の盛んな細胞で発達している．小胞体から送られてきた蛋白質に糖鎖を付加するなど加工したあと，最終目的地に向かう輸送小胞に詰め込む．

　6）リソソームは多くの加水分解酵素を含み，消化作用を営む．細菌などの病原微生物や小さな異物が細胞膜

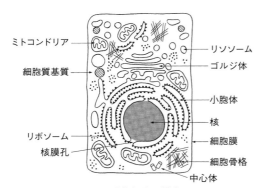

図 2-8　動物細胞の模式図

表 2-4　細胞の基本構造と機能

細胞内の構造	主な働き
細胞膜	選択的透過性　食作用　能動輸送　細胞選別
核	遺伝子の格納　DNA の複製　RNA の合成
中心体	分裂装置の形成
リソソーム	細胞内消化
リボソーム	蛋白質の合成
小胞体	蛋白質の合成　脂質の合成　物質の輸送
ゴルジ体	分泌物の生成　糖脂質の合成
ミトコンドリア	好気条件下での ATP 生成　アポトーシスの開始

に接触すると，細胞膜がそれを包み込む．膜に包まれた異物は細胞内に取り込まれる．これを食作用という．この小胞はやがてリソソームと合体し，内容物は加水分解酵素の作用で分解される．

7) ミトコンドリアは二重膜によって包まれた細胞小器官である．マトリクスにあるクエン酸回路や内膜にある電子伝達系の酵素群によって酸化的リン酸化によるATP生産を行う．

また，ミトコンドリアは，アポトーシスにおいて中心的な役割を果たしている．DNA損傷やその他の細胞のストレスが情報として伝えられると，ミトコンドリアはATP生産の活動を停止し，電子伝達系で働くシトクロムCを放出する．その後，カスパーゼと総称される一連の蛋白分解酵素が生産され，細胞死が誘導される．そこでアポトーシスを自爆死というが，この自殺のスイッチは免疫細胞のように増殖能力が強く，また突然変異が重要な意味をもつ細胞ではたとえ損傷が小さくても入りやすい．

8) 中心体は細胞分裂に必要な分裂装置を形成する．分裂装置は，紡錘体・中心体・星状体などで構成されている．細胞分裂の分裂期には，染色体のくびれた部分にある動原体（図2-12a）に紡錘糸が付着し，複製後の2本の染色体を2つの細胞に分配する．

2. 細胞周期と細胞分裂

細胞は分裂によって数を増やす．増殖する細胞は，M期（分裂期）—G₁期—S期（DNA合成期）—G₂期—M期を繰り返す．細胞の分裂から次の分裂までを細胞周期という（図2-9）．M期は一般に非常に短く，1〜2時間である．M期以外の細胞周期を間期と呼び，その中のS期ではDNA複製が起こり6〜8時間である．G₁期はM期とS期の間のギャップ期で通常6時間以上であるが，細胞の種類によって細胞周期の長さは非常に異なり，このG₁期の長さの違いが細胞周期全体の長さを決めている．G₂期はS期とM期の間のギャップ期で3〜5時間である．神経細胞などの分化した細胞あるいは増殖を止めた細胞では細胞周期を回っていない静止期にあり，細胞周期から抜けたと考えることができ，そのような状態をG₀期とよぶ．

間期の細胞では染色体は凝集度が高くないので光学顕微鏡で観察するのは難しい．M期の細胞では，染色体のクロマチンが高度に凝集し，棒状の染色体が光学顕微鏡で明瞭にみられ染色体数を数えることができる．M期以外の細胞周期では染色体はヒトの細胞は，基本的には同形同大の染色体（相同染色体）を2本ずつもっている．それらは，卵と精子を通して両親から1本ずつ受け取り，受精によって2本となったものである．ヒトでは22対の常染色体と1対の性染色体（合計23対46本の染色

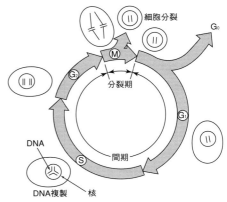

図 2-9　細胞周期

増殖する細胞ではS期にDNAが複製される．M期に入るとDNAは染色体の形で出現し，2つの細胞に半分に分けられる．増殖のサイクルから抜けた細胞の状態をG₀期という．

体）が存在する．すなわち，母方と父方それぞれから受け継いだ対の染色体は相同染色体と呼ばれる．

細胞集団に占めるM期の細胞の割合を分裂指数といい，細胞周期が短ければ高い値をとる．そこで分裂指数は細胞の増殖活動の度合いを示す指標とされる．

細胞分裂では，DNAはS期に複製され染色体が倍加され，M期に入ると複製したDNAからなる倍加した染色体（姉妹染色分体）が動原体（セントロメア）で接し結合した状態で現れる．体細胞分裂では，2本の染色体（姉妹染色分体）が両極に分かれて移動する．これによって染色体は2つの娘細胞に等しく分配され，細胞質の分裂をともない細胞分裂が完了する．母細胞と同じ染色体をもつ娘細胞が生成される．

生殖細胞を形成する分裂すなわち減数分裂では，2回の分裂が連続して起こり4つの細胞ができる．その際，第一分裂で相同染色体は対合して二価染色体を形成し，それぞれが両極に分かれ，相同染色体数が半減する．第二分裂では，体細胞分裂と同様，複製して2本となった染色体が娘細胞に分配される．すなわち精子・卵子では母細胞の半分の23本の染色体数である．

ヒトの精子形成の場合，青年期に達すると精巣内にある精原細胞は増殖を盛んに行うようになる．栄養成長して一次精母細胞となったものが減数分裂して4つの精細胞となる．精細胞は変態し精子となる．

ヒトの卵形成の場合，発生初期には卵巣内で多くの卵原細胞が形成されるが，多くは発育を停止する．成長して一次卵母細胞となったものは，出生時には減数分裂の第一分裂の前期を終えた状態で休止する．青年期に入ると，一次卵母細胞は減数分裂を再開し，第二分裂の中期に排卵される．卵管内を移動中の二次卵母細胞に精子が進入すると減数分裂は完了する．

3 放射線の標的としての DNA

　放射線によって細胞死や突然変異が起こる原因となるのは，遺伝子すなわち DNA の損傷である．そこで本節では，DNA に関する基礎的な事項をについてまとめておく．

1. DNA の構造

　染色体は DNA が蛋白質に巻きついた状態で何重にも折りたたまれた複雑な構造をしている（図2-10）．DNA の基本単位は，塩基・糖（デオキシリボース）・リン酸（H_3PO_4）が結合したヌクレオチドで，これが鎖のように長くつながって一本鎖 DNA となる．塩基には A（アデニン），T（チミン），G（グアニン）と C（シトシン）の 4 種類が使われている．一本鎖 DNA には，方向性があって，リン酸と糖が作る互いに逆向きの二本の鎖が，相補塩基対である A と T，G と C が水素結合によって結合し二本鎖 DNA を形成し，二重らせん構造を呈する．この二重らせん DNA ではらせん階段が 1 回転する間に 10 個の相補塩基対が含まれている．

　DNA の遺伝情報は核内でメッセンジャー RNA（mRNA）に転写され，核膜孔を介して細胞質内に出て行った mRNA の情報をもとにリボソームでアミノ酸からタンパク質を合成する（翻訳）．この翻訳では，トランスファー RNA（tRNA）がアミノ酸を連れてきて，粗面小胞体のリボソーム（リボソーム RNA とタンパク質が合体して形成されている）でアミノ酸を連結してタンパク質を合成する．

　DNA 鎖から転写された mRNA の塩基配列は，連続する塩基 3 個が 1 組になってアミノ酸を規定する．この 3 個 1 組の塩基は暗号にたとえられ，コドンと呼ばれる．そして mRNA の塩基配列はアミノ酸の配列を指定し，それによって蛋白質の構造を決める暗号文となっている．

　この DNA の遺伝情報に始まり，mRNA への転写とそれに基づくタンパク質への翻訳の一連の過程はセントラルドグマと呼ばれ，生物の遺伝情報はすべてゲノム DNA に由来する．

2. DNA の損傷と修復

　放射線による DNA 損傷には次のようなものが知られている（図2-11）．

　紫外線による DNA 損傷は特異的で，同じ鎖上の隣り合ったピリミジン塩基（チミンあるいはシトシン）同士が結合するピリミジン二量体が大量に生成される．電離放射線によって引き起こされる DNA 損傷に特異的なものはなく，塩基損傷，塩基遊離，架橋形成，DNA 鎖切断がある．塩基損傷とは塩基の一部にラジカルが作用し形が変わってしまったものをいい，塩基遊離とは塩基が欠損することをいう．架橋は二本鎖の間あるいは DNA と他の分子との間に強い結合ができる．DNA 鎖切断には一本鎖切断と二本鎖切断があり，向かい合った鎖のそれぞれが同時に切れるのが二本鎖切断で，細胞死と関連して重要な損傷である．

　これらの DNA 損傷の発生頻度は，低 LET 放射線である X 線を 1 mGy を照射した場合，塩基損傷が最も多く 1 細胞あたり 2.5 カ所に生じ，一本鎖切断は 1 カ所，二

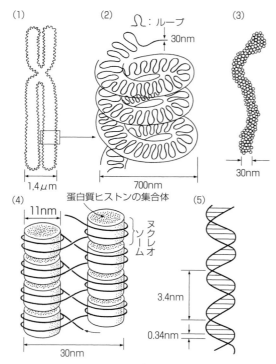

図 2-10　染色体の構造
（1）染色体を拡大してみると，（2）繊維状の構造がループを作りながら複雑に折りたたまれた構造となっている．（3）この繊維状の構造は，クロマチン繊維とよばれる．クロマチンは，（4）DNA の細い糸が蛋白質に巻き付いてできている．（5）DNA の細い糸は二重らせん構造をもっている．

表 2-5　低 LET 放射線による DNA 損傷

X線 1 mGy あたりの DNA 損傷の頻度（1細胞あたり）	
DNA 損傷の種類	損傷頻度
塩基損傷	2.5 カ所
DNA 一本鎖切断	1 カ所
DNA 二本鎖切断	0.04 カ所

Morgan, NCRP 年次総会（第 44 回，2008）を改変

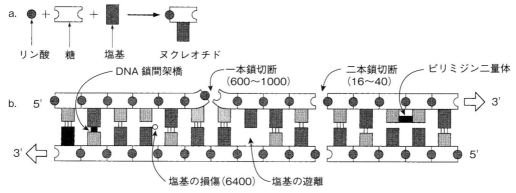

図 2-11　DNA の構造と電離放射線による DNA 損傷の模式図
a. DNA の構成単位は，リン酸，糖，塩基からなるヌクレオチドである．糖（デオキシリボース）は五炭糖であり，それらの炭素原子には番号が付けられている．
b. 上の鎖の左端は糖の 5 番目の炭素に結合したリン酸基で終わっている．右端は 3 番目の炭素で終わっている．ここには別のヌクレオチドのリン酸基が結合することができ，長い鎖が合成されていく．下の鎖は，この方向が逆になっている．図の DNA 鎖にはいくつかの損傷が模式的に描かれている．（　）内の数字は低 LET 放射線を 1 Gy 照射した場合に生ずるヒトの細胞 1 個当たりの損傷数を示している．

本鎖切断は 0.04 箇所生じる（表 2-5）．DNA にできた損傷は，ほとんどが修復されるが，修復されずに残った二本鎖切断が細胞死の原因と考えられている．

ピリミジン二量体の修復機構には，光回復がある．光回復酵素が可視光のエネルギーを利用して二量体を元に戻すが，この酵素をヒトはもっていないため，ヒトではヌクレオチド除去修復により修復される．

ヌクレオチド除去修復や塩基除去修復では二量体や塩基の損傷部分を切り出して，一本鎖になったところに新たな鎖を合成する．

哺乳動物の二本鎖切断の修復機構には二つのタイプが知られている．相同組換え（HR；homologous recombination）修復と非相同末端結合（NHEJ；non-homologous end-joining）修復である（表 2-6）．前者の相同組換え（HR；homologous recombination）修復とよばれる修復機構では切断された DNA 二本鎖と相同な（すべて同一の）DNA 二本鎖（姉妹染色分体）が鋳型として使われるので，合成された塩基配列は元と全く同じである．しかし，姉妹染色分体を鋳型として必要とするので，細胞周期では姉妹染色分体が存在する S 期後半から G_2 期に限定される．それに対して，非相同末端結合（NHEJ；non-homologous end-joining）修復は，切断された DNA 末端を単純に直接再結合するので細胞周期全体を通して働くことができ，相同組換え修復のできない G_1 期や G_0 期で重要となる．また，元と異なる誤った修復がおこることがあり，突然変異を誘発しやすい．

3. 遺伝子突然変異と染色体異常

DNA 損傷が修復されずに固定すると，遺伝子突然変異が起こる．これには 2 つのタイプがあり塩基の損傷などによって塩基が置換される塩基置換（点突然変異）と塩基が 1 つまたは 2 つ（3 の倍数でない数）欠失したり挿入されたりするとそれに続く塩基配列によるコドンの組み合わせがずれてしまうフレームシフト変異がある（表 2-7）．点突然変異では塩基置換によってそれを含むコドンが規定するアミノ酸が変更される．ナンセンス変異とは，コドンが終止コドンとなり，タンパク質への翻訳がそのコドンで終了してしまう変異．ミスセンス変異とは異なるアミノ酸へ変異すること．サイレント（セイムセンス）変異とはコドンが変わっても規定するアミノ酸に変化がない場合の変異．一方，フレームシフト変異はコドンの枠組みが大きく変化してしまい，生成されるタンパク質が異質になってしまう．

DNA の二本鎖切断は染色体異常の原因となる．放射

表 2-6　DNA 二本鎖切断の修復

特徴	相同組み換え修復	非相同末端結合修復
細胞周期	S 期後半～G_2 期	間期（M 期以外の全周期）
鋳型 DNA（姉妹染色分体）	必要	不要
誤修復	−	＋

表 2-7　遺伝子突然変異の種類

・点突然変異（塩基置換）	
1．ナンセンス変異	終止コード
2．ミスセンス変異	異なるアミノ酸
3．サイレント変異	同じアミノ酸
・フレームシフト変異（3 の倍数でない塩基の欠失・挿入）	
コドン読み枠のずれ	異質なタンパク質

線を照射された細胞には，光学顕微鏡下でいくつかの染色体異常が観察される（図2-12）．安定型異常と不安定型異常に分類される．安定型異常では転座・逆位・欠失が含まれ，細胞分裂によって娘細胞に引き継がれ，生殖細胞にこの異常が起これば次世代に遺伝するので，遺伝的障害の原因となる．不安定型異常には二動原体染色体や環状染色体が含まれ，この異常を有する細胞は正常な細胞分裂ができないため細胞死と関連している．また，染色体異常は姉妹染色分体の異常の形態で染色体型異常と染色分体型異常に分類される．姉妹染色分体が形成されるS期よりも以前に損傷を受けると損傷がS期に複製され，M期の染色体は姉妹染色分体が2つとも同じ異常を有する染色体型異常となる．一方，S期後半以降に損傷を生じると片方の姉妹染色分体のみに異常が生じるのが染色分体型異常である．

2本の相同染色体は同形同大だが，対応する場所にまったく同じ遺伝子が乗っている訳ではない．一方が正常型で，もう一方が突然変異型の場合，突然変異型のほうが形質として現れれば，その突然変異を優性突然変異という．正常型のほうが発現すれば，その突然変異を劣性突然変異という．多くの場合，遺伝子は突然変異によって機能を失うので劣性突然変異のほうが多くなる．また，野生型というのは正しくは自然集団のなかで最も頻度の高い形質に関する遺伝子を意味するが，突然変異を起こしていない正常型の意味で使われる場合が多い．

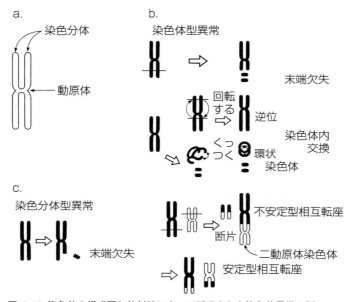

図 2-12 染色体の模式図と放射線によって誘発された染色体異常の例
a. 染色体．動原体に紡錘糸が付着し，2本の染色体（染色分体）に分かれ両極に移動する．
b. S期の前に損傷を受けると傷を持った状態で複製され，染色体型異常とよばれる左右対称の異常がみられる．リンパ球を用いた観察では，普通 G_0 期に照射されるので染色体型異常がみられる．
c. S期以降に照射された場合は，左右非対称の染色分体型異常がみられる．

4 放射線による細胞死と細胞生存率曲線

　放射線の細胞に及ぼす影響は，細胞周期を回っている増殖性の細胞で非常に顕著に現れる．細胞が生理的に死ぬ場合はもちろん，たとえ死ななくても分裂が異常になったり，分裂能力が失われたりすると増殖できなくなる．

1. 細胞周期と放射線感受性

　常に分裂増殖をしている細胞では，どの細胞周期に放射線被ばくを受けたかによって放射線感受性に差異がある（図 2-13）．放射線感受性が高いのは M 期及び G_1 後期から S 期初期の 2 つの高感受性周期がある．逆に放射線感受性が低いのは G_1 初期及び S 期後期から G_2 期の 2 つの低感受性周期である．低感受性の周期は DNA 二本鎖切断の修復機構の活性時期と密接に関連している．S 期後半から G_2 期にかけて感受性が低いのは，DNA の二本鎖切断の相同組み換え修復（☞ p.76）によると考えられている．

2. 細胞周期チェックポイント

　細胞による組織構築では細胞の分裂と DNA 複製が正確に行われるように維持制御されている．DNA や染色体に異常が生じていると，細胞は DNA 複製や細胞分裂を開始する前に細胞周期の回転を停止して異常（損傷）の修復作業を行う．修復が成功すれば細胞周期の回転を再開させて次の周期に移る．修復が不可能な場合には細胞死が誘導される．このようにして DNA 損傷や染色体異常を有する細胞を排除する機構がある．このステップを細胞周期チェックポイントと呼び，細胞周期に 4 つ存在することが知られている．G_1/S チェックポイント（G_1 期から S 期に移行する時期），S チェックポイント（S 期），G_2/M チェックポイント（G_2 期から M 期に移行する時期），M チェックポイント（M 期）の 4 つで，DNA の損傷をチェック（G_1/S, G_2/M）し，DNA 複製が正常であるかをチェック（S）し，染色体の分離が正常かをチェック（M）する．

3. 放射線による細胞分裂への影響

　細胞が放射線を浴びると DNA 損傷を生じ細胞分裂に影響する．細胞分裂遅延，分裂停止による巨大細胞化，不完全分裂による多核形成，染色体異常による異常分裂・小核形成，細胞死（アポトーシス）などが起こる．

　分裂遅延は細胞を比較的低線量の放射線で照射すると細胞周期の進行に異常を生じ，G_2/M チェックポイントで停滞することで分裂の開始が遅れ G_2 期の延長（G_2 アレストあるいは G_2 ブロック）が観察される．また G_1 期が延長して停滞する場合もある（G_1 ブロック）．

4. 細胞死

①分裂死と間期死

　放射線の影響によって誘導される細胞死は，細胞周期の観点から分裂死と間期死に分類される．

　分裂死：DNA 損傷を受けた細胞が，細胞周期を停止できずに分裂期に入ることで誘導された死であり，放射線治療後の腫瘍細胞の死の特徴とされている．

　間期死：もともと分裂能力のない細胞が死ぬ場合は，細胞周期の間期に死ぬという意味で間期死といわれる．高線量を浴びるとしばしば分裂をしないまま死ぬ場合が多く，一度も分裂することなく死ねば間期死ということができる．

②アポトーシスとネクローシス

　細胞死を様式で分類すると，アポトーシスとネクローシスがある．

　ネクローシス：壊死と訳され，放射線ばかりでなく他の原因でも致死的な障害をうけた細胞に起こる病理学的死である．ミトコンドリアや小胞体が膨潤し，細胞が膨れて破裂する．その結果，細胞内容物が流出し，白血球が動員され周辺組織に炎症が起こる．一般に壊死は広範囲にわたり一斉に起こる．

　アポトーシス：細胞自滅と訳され，自爆死ともいう．遺伝的なプログラムに従って起こる細胞の自殺と考えられている．細胞の縮小，クロマチンの核膜周辺への凝縮，核の断片化などの特徴的な形態変化を伴い，膜に包まれたアポトーシス小体へと分裂する．アポトーシス小体は，マクロファージに貪食されるので細胞内容物の流出は起こらず，炎症を伴わない．壊死とは異なり，散発的に起こる．これは正常な形態形成のために，あるいは傷ついた細胞を排除するために，積極的に細胞を除去する機構が働いたためと考えられる．たとえば，骨髄細胞は潜在的にはより多くの血球を生産する能力をもっているが，

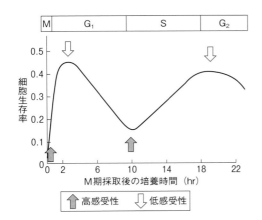

図 2-13 細胞周期と放射線感受性
(Terashima T, Biophys J. 3：11-33；1963 を改変)

幹細胞が障害を受けるようなことがなければ，必要以上に分裂することなくアポトーシスにより数が「調整」される．

老化様増殖停止：老化した細胞と類似した形態の変化や老化細胞で特異的に発現する老化に関連した酵素を生産するなどの特徴をもち，増殖能力を喪失する．

5. 細胞の生存率曲線

細胞に対する放射線の作用のうち最も顕著なものが細胞死（増殖死）である．放射線生物学では生存率を調べる場合，コロニー法を用いる．培養細胞を適当な培地の上に一つずつバラバラになるように撒くと，やがて肉眼でも観察できる細胞集団（コロニー）を形成する．X線を照射された培養細胞は増殖能力を失っていくので，同じ数を培地にまいても形成されるコロニーの数は少なくなる．そこで生存率は，

$$\frac{照射された細胞によるコロニー数（観察値）}{未照射の細胞によるコロニー数（期待値）}$$

で求められる．

培養条件（*in vitro*）だけではなく，生体内（*in vivo*）における生存率を定量化する方法も考えられている．

たとえば，脾コロニー法というのは，脾臓の上から観察できる骨髄細胞のコロニーを数えることで，移植した骨髄細胞の生体内での生存率を求める方法である．

あらかじめ致死線量照射したマウスに，照射していない，遺伝的に同じ系統のマウスの骨髄細胞を移植（静注）すると，注入された骨髄細胞は骨髄に定着して増殖し，各種の血球を作りだす．ところが，注入された細胞のわずかな部分は脾臓内で増殖しコロニーを作る．これはマウスを解剖し脾臓を観察したときに表面の盛り上がりとして数えることができる．そこで，照射されていない骨髄細胞の数から予想されるコロニー数に対して，照射された細胞の移植によってどのくらいコロニーが観察されたかで，生存率を計算することができる．

6. 標的理論

放射線による細胞の生存率曲線（線量−効果関係）を描くとき，縦軸は対数目盛で表現する．こうすると培養細胞などでは，はじめに肩をもち，高線量域で直線となる（図2-14）．このことは，直線部分では生存細胞数が指数関数的に減少していることを意味している．つまり，細胞の増殖死は確率的現象であり，理論的にはしきい値がないことになる．

この現象を細胞内の標的にヒットがあったとき細胞が死ぬという考えによって説明しようとしたのが標的説やヒット説であり，いくつかのモデルが提案された．

A. 1ヒット1標的モデル

細胞は1つの標的をもち，その標的に少なくとも1個ヒットがあるとき細胞が死ぬと仮定したモデルである．

この場合，生存率は標的中のヒットがゼロになる確率に等しい．

標的の体積をV，標的の単位体積当たりのヒット数をHとすると標的中にはVH個のヒットが期待される．このとき標的中にx個のヒットがある確率P(x)は，ポアソン分布とよばれる次の式で表される．

$$P(x) = \frac{e^{-VH}(VH)^x}{X!}$$

ただし，eは自然対数の底を表す．

標的中にヒットがないとき，すなわちx=0のとき細胞は生き残る．したがって，生存率Sは

$$S = P(0) = e^{-VH} \text{ となる．}$$

いま，ある線量Dを照射したとき，標的内に生じるヒットが平均1個となる線量（平均致死線量）をD_0とすると，D/D_0は標的に命中する平均ヒット数を表すことになる．そこで

$VH = D/D_0$ となり，上の式は

$S = e^{-D/D_0}$ と書くことができる．

したがって，D_0照射された細胞の生存率は

$S = e^{-1} = 1/e ≒ 0.37$ となる．

このことは，平均1個標的に命中する線量を照射しても37%の細胞は死を免れることを意味している．ヒットがランダムに分布する場合，命中するものが平均1個といっても，2発以上命中する標的もあれば，1発も当たらない標的もあるからである．

$S = e^{-D/D_0}$の両辺についてeを底とする対数をとると

$\log_e S = -D/D_0$ となる．

これはDを変数とする傾きが$-1/D_0$の直線を表している．

肩のない生存率曲線は，このようにして1ヒット1標的モデルで表現できる．酵素の失活やウイルスの死に関しては，直線の傾きから標的の大きさを求めることができた．このとき，標的の大きさは，酵素分子やウイルスDNAそのものだった．

B. その他のモデル

1ヒット1標的モデルでは，低線量域に肩のある生存率曲線を表現できなかった．そこで，いくつかのモデルが考え出された．たとえば，細胞はたくさんの標的をもち，すべての標的に少なくとも1個のヒットがあれば細胞は死ぬという1ヒット多標的モデル，標的は一つだが，いくつもヒットがないと死なないという多ヒット1標的モデルなどである．しかし，いずれも直線部分は近似できるが，肩の部分を表現できなかった．また，適当な数値を入れると異なったモデルでも同じ曲線を表現できたことから，モデルのもつ生物学的な意味合いは薄らいだ．

C. 生存率曲線のパラメータ

現在では，標的理論で使われたパラメータは，単に生

存率曲線の形の表現となっている（図2-14）．

D_0（平均致死線量）：生存率曲線の直線部分で生残率を1/eにする線量であり，37％生残線量ともよばれる．D_0が小さいとき直線の傾きは大きく，細胞の放射線感受性は高い．逆に，D_0が大きいとき直線の傾きは小さく，細胞の放射線感受性は低くなる．哺乳動物細胞においては通常1〜2Gyの範囲にある．

n（外挿値）：1ヒット多標的モデルにおいては標的数を表したが，生存率曲線では直線部分を延長してY軸と交わった点の値となる．そこで単にn値あるいは外挿値とよばれる．これは十分間隔をあけて分割照射（☞p.91）した場合の生存率の上昇分に一致する（図2-15）．すなわち，回復力の表現となっている．哺乳動物細胞においては通常1〜10の範囲にある．

D_q（準しきい線量）：生存率曲線の肩の幅を表し，分割照射したとき得られる生存率曲線の右方への偏位に一致する（図2-15）．これも回復力を表す別の表現となっている．

これら3つのパラメータは次の式で表される関係にあり，2つが与えられれば残りの1つが決まる．

$\log_e n = D_q / D_0$

7. 直線二次曲線モデル（LQモデル）

生存率曲線において低線量域にみられる曲線部分，いわゆる肩の部分は標的理論のモデルでは表現できなかった．しかし，LQモデルによって近似的に表現することができる（図2-16）．これは二次曲線なので，逆に高線量域では実際の生存率曲線とは合わない．

このモデルでは，1ヒットで細胞が死ぬ成分と2ヒットで細胞が死ぬ成分を仮定している．1ヒットによる死の確率は，線量Dに比例し，2ヒットによる死の確率は，D_2に比例すると考える．

細胞死に対する両者の寄与が等しい線量は

$\alpha D = \beta D_2$ ∴ $\alpha/\beta = D$

すなわちα/βは，生存率曲線の線量0の点で引いた接線の示す生存率が生存率曲線の示す生存率の半分になる線量を意味する（図2-16）．そこで，このα/β（$\alpha\beta$比）も生存率曲線の形の表現として用いられる．α/βが大きい細胞生存率曲線は肩の部分が小さく直線的で，α/βが小さい細胞生存率曲線は肩の部分が大きく曲線的である．すなわちα/βが大きい細胞は，α/βが小さい細胞と比べて放射線感受性が高い．

8. α/β値と細胞の種類

同じ線量でも生存率が低い細胞があれば，その細胞は「放射線感受性が高い」あるいは，その細胞は「放射線感受性である」という．逆に，生存率が高いとき，「放射線感受性が低い」あるいは「放射線抵抗性である」という．α/β値によって細胞の感受性を分類できる．α/β値が大きい（約10Gy）ときその細胞の放射線感受性は高く，急性障害型（早期反応系）の正常細胞や多くの腫瘍細胞が該当する．α/β値が小さい（約3Gy）ときその細胞の放射線感受性は低い（放射線抵抗性）で，晩期障害型（晩期反応系）の正常組織（神経細胞など）が該当する．

9. 亜致死損傷の修復（SLDR）と潜在的致死損傷の修復（PLDR）

細胞生存率曲線では低線量部（5Gy以下）で肩を有する曲線であるのは放射線による亜致死損傷からの回復が関与している．放射線や化学物質によりDNAに損傷が

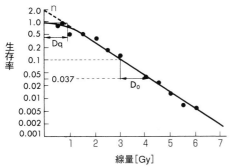

図 2-14 哺乳動物の培養細胞にX線を照射したときの生存率曲線

横軸に線量をとり，縦軸に生存率を対数目盛りで表すと，生存率曲線は高線量域では直線になるが，低線量域では肩をもつ．
n：1ヒット多標的モデルにおいては標的数
D_q：生存率曲線の肩の幅
D_0：生存率曲線の直線部分で生存率を1/eにする線量

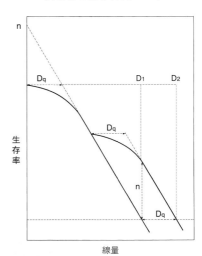

図 2-15 回復力の指標としてのnおよびD_qが生存率曲線上でもつ意味

十分時間をおいて分割照射を行うと総線量D_1が同じでも生存率はn上昇する．また，生存率を同じにするためにはD_q（すなわち$D_2 - D_1$）だけ線量を増やす必要がある．

起こり生物学的障害をきたす．その一方で，生体には損傷を正常な状態に戻す防御機構が備わっている．細胞や組織でみた機能の障害が軽減される現象を回復（Recovery）と呼び，分子レベルの DNA 損傷の修復する現象を修復（Repair）という．

放射線による損傷は，回復することのできない損傷（致死損傷 LD）と回復が可能な損傷（回復性損傷）に分類される．この回復性損傷には，亜致死損傷 SLD と潜在的致死損傷 PLD がある．この二つの損傷の修復や障害からの回復はそれぞれ亜致死損傷修復・回復（SLDR），潜在的致死損傷修復・回復（PLDR）という．

10. 亜致死損傷回復（SLDR）

培養細胞に同じ線量を適当な間隔をあけて分割照射すると，分割せずに 1 回で照射したときよりも生存率が高くなる．図 2-17 を例に挙げて説明しよう．1 回照射 9.92 Gy のときの生存率は 0.00186 である．5.05 Gy と 4.87 Gy と分割して照射すると，総線量は 9.92 Gy と同じだが，生存率は高く 0.0078 と 4 倍ほどになる．分割照射した場合にみられるこのような生存率の上昇は，研究者の名を取って「エルカインド型」回復とよばれる．

5.05 Gy，4.87 Gy を単独で照射したときの生存率はそれぞれ 0.082，0.095 なので，分割照射したときの生存率 0.0078（＝0.082×0.095）は，2 回の照射がそれぞれ独立に効果を表した結果とみなすことができる．

この現象は，連続して照射されていれば致死的な損傷（LD）になったものが，1 回目の照射ののち次の照射までに修復されたと考えると理解できる．生き残った細胞に関しては，まったく損傷のない状態で 2 回目の照射が行われたことになる．この修復されたと考えられる損傷を亜致死損傷（SLD）とよび，この現象を亜致死損傷の修復（SLDR）という．SLD の実体は DNA の二本鎖切断で，SLDR はその相同組み換え修復（☞ p.76）と考えられている．

照射と照射の間隔を変えたとき，図 2-17 の下のほうのグラフにあるように生存率の上昇の程度が変化している（図 2-17）．はじめの 2 時間までの生存率の上昇は SLDR で説明される．その後の下降は，37℃で培養したため 1 回目の照射時に放射線抵抗性の S 期にあった細胞が放射線感受性の M 期に移り，増殖死が起こったと考えられる．すなわち，放射線感受性の細胞周期依存性（☞ p.79）が関係していることを示唆している．実際に，培養の温度を下げ細胞周期の進行を止めると，生存率は時間とともに上昇し，下降することはない．

11. 潜在的致死損傷回復（PLDR）

照射後に細胞のおかれている環境条件を変えることによって細胞生存率が上昇する．これを潜在的致死損傷回復 PLDR と言う．この PLDR が起こる環境条件は細胞増殖を抑制する厳しい環境に相当し，低栄養，低酸素，低 pH などがある．

12. 放射線の線質と回復

増殖する培養細胞の生存率曲線は線質によって異なる．X 線・γ 線・β 線・電子線・陽子線などの低 LET 放射線に対しては大きな肩をもつ生存率曲線となるが，中性子線・α 線・重粒子線などの高 LET 放射線に対しては肩のない直線的な生存率曲線となる．このことから高 LET 放射線で生じた損傷は修復されにくいと考えられている．

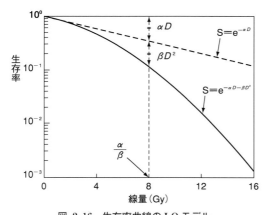

図 2-16 生存率曲線の LQ モデル
細胞死は，線量に比例する要素と線量の二乗に比例する要素の 2 つによって引き起こされると仮定すると，生存率 S は，$S = e^{-\alpha D} \times e^{-\beta D^2} = e^{-(\alpha D + \beta D^2)}$ で表すことができる．図において $\alpha/\beta = 8\,\mathrm{Gy}$ のときは，細胞死に対する両者の寄与が等しいことを表している．

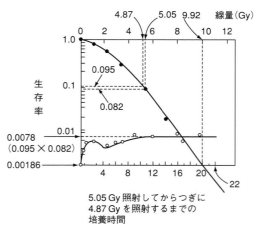

5.05 Gy 照射してからつぎに 4.87 Gy を照射するまでの培養時間

図 2-17 チャイニーズ・ハムスターの V79 細胞に対して，1 回照射および間隔を変えて 2 度照射したときの生存率

5 放射線の組織および臓器に及ぼす影響

どの臓器もいくつかの組織からなり，組織に特有の実質細胞とそれを支持する結合組織および血管系から構成されている．細胞再生系のように生涯を通じて幹細胞が増殖を続けている組織は，幹細胞の増殖死がその組織の機能障害をもたらす．それに対し，成体ではもはや細胞増殖のない組織では，血管の破壊による二次的な障害によって実質組織の機能障害が起こり，それが臓器としての機能障害をもたらす．

1. 細胞・組織の放射線感受性

組織の放射線感受性は，機能障害を起こす線量の大小で比較できる．増殖性の組織では，幹細胞の増殖死のレベル，増殖能力のない組織では，組織が機能し得なくなるほど実質組織に二次障害をもたらす線量レベルが基準となる．

組織の放射線感受性は大きく分けると以下のようになる．括弧内は，該当する臓器を示している．

1) 造血・リンパ組織・生殖腺（骨髄・胸腺・脾・精巣・卵巣）
2) 上皮組織（消化管上皮・皮膚）
3) 結合組織・血管系
4) 腺組織（肺・腎・肝）
5) 筋肉組織・神経組織（脳・脊髄）

一般には，増殖性の組織ほど放射線感受性が高い．しかし，成長したあとでも細胞が増殖し続ける組織は限られている．上の1）と2）は卵巣を除いて細胞再生系である．細胞再生系では，成体でも増殖を続ける幹細胞があるのが特徴で，増殖層，分化・成熟層，機能層から構成されている．機能層の細胞は，組織本来の働きをしたあと脱落してゆく．細胞再生系の幹細胞が増殖死すると組織は再生されない．そのため，機能細胞への分化および成熟に要する期間と機能細胞の寿命を合わせた期間が過ぎると組織は失われることになる．水晶体の場合は，成熟した細胞が脱落することがないので，むしろ損傷が蓄積していくことが問題となる．

2. 臓器の放射線感受性

臓器の放射線感受性は，臓器を構成している組織のうち，最も感受性の高い組織によって決まる．実質組織の放射線感受性が非常に低くても，結合組織や血管系が壊れると実質組織が二次的な障害を受け，やがて回復不能な障害が現れる．すなわち，結合組織や血管系の感受性が臓器の感受性を決めてしまう（☞表2-11）．

3. ベルゴニエ・トリボンドウ（ベルゴニー・トリボンド）の法則

二人のフランス人医師，ベルゴニエとトリボンドウは，ラットの精巣にγ線を照射し，組織学的な観察から，次のような結論を導き出した．

1) 細胞は分裂頻度が高いほど放射線感受性が高い．
2) 将来長期にわたって分裂する細胞は放射線感受性が高い．
3) 形態的あるいは機能的に未分化な細胞は放射線感受性が高い．

以上は細胞再生系であるラットの精巣から得られた結論なので，どの組織にも当てはまるわけではない．しかし，増殖性の組織の放射線感受性を考えるうえで重要な意味をもっている．

上の1）2）のように，分裂頻度が高くても，分裂をしている期間が長くても，細胞集団中のM期の細胞の出現頻度が高くなるので感受性が高くなると考えればわかりやすい（☞p.79）．腫瘍に対してもベルゴニー・トリボンドの法則の考え方は適用可能で，一般的に高分化の腫瘍と比べて低分化の腫瘍の方が放射線感受性が高い事が知られている．

4. 早期反応・後期反応と α/β 値

増殖の盛んな組織で幹細胞の増殖死によって起こる障害は，潜伏期が短いので早期反応とよばれる．しかし，増殖速度が遅いあるいは増殖を停止している組織では，反応の出現はゆっくり現れる．したがって，早期反応と後期反応を潜伏期の長さで区別するよりもその発生のメカニズムで区別するほうがわかりやすい．

早期反応は，しきい値は低いが障害は可逆的であり一過性で回復しやすい．後期反応では血管の破壊による二次的な障害が起こり，実質組織が失われたり，結合組織が発達したりする．その結果，萎縮や狭窄，線維化などが起こる．しきい値は高いが障害は不可逆的であり回復は困難である．

このような早期反応型組織と晩期反応型組織はLQモデルの α/β 値で分類できる．早期反応型組織すなわち急性障害を生じる組織や一部の腫瘍では α/β 値が大きい（約10Gy）．急性障害をきたす皮膚・骨髄・消化管上皮などの正常組織の α/β 値は7〜15Gyで，増殖のはやい腫瘍も9〜30Gyである．晩期反応型組織では α/β 値が小さい（約3Gy）．増殖が遅いか停止している組織である神経，筋，肺などが含まれ，1〜7Gyの範囲である．

放射線治療に伴う正常組織の後期反応は遅発性有害反応ともいわれる（☞表2-11）．

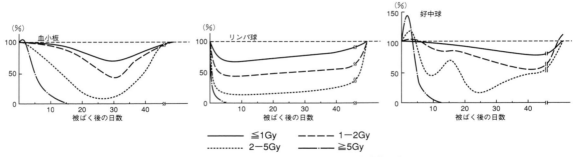

図 2-18 放射線被ばく後の末梢血における血球数の変化

(UNSCEAR 1988 より)

5. 主要な臓器にみられる障害

A. 骨髄

多能性の幹細胞が分裂を続ける一方，分裂してできた娘細胞の一部は，各種血球のもとになる幹細胞である芽細胞へと分化していく．分裂と分化を繰り返したすえに，成熟した血球が末梢血中に供給される．したがって，骨髄の幹細胞が増殖を止めたあと，成熟に要する日数経過すると各種血球ごとに影響が出始める（図2-18）.

被ばく後の末梢血中の血球数の変化をみると，最も早く影響の現れるのがリンパ球で照射後すぐに減少し始めている．リンパ球は未分化な細胞はもちろん，末梢の成熟リンパ球も放射線感受性がきわめて高いからである．続いて好中球，血小板，赤血球の減少がみられる．好中球などで一過性の増加がみられるが，予備として骨髄中に貯留されていたものが末梢血中に動員されたもので，実際に総数が増えるわけではない．赤血球は寿命が4ヵ月と非常に長いので影響は小さい．

造血機能の低下のしきい値は0.5 Gyといわれる．

骨髄の晩発障害は再生不良性貧血で，被ばく後何年も経て造血細胞が減少し，血中では汎血球減少をきたす．

B. 生殖腺

ヒトの卵巣では卵原細胞は出生時には増殖を止め，一次卵母細胞の状態にある．その状態では放射線感受性は低い．しかし，月経周期毎に減数分裂を再開し成熟し，2次卵母細胞から卵子（卵胞）が形成される．2次卵母細胞は最も放射線感受性は高く，そのため比較的低線量でも一時的な不妊になりやすい．急性被ばくの場合，3 Gyで永久不妊になるといわれる．

精巣は細胞再生系であり，常に細胞分裂し精子を産生している．このため幹細胞である精原細胞が最も放射線感受性が高く，分裂を経るにしたがって感受性は低くなり，精子がもっとも感受性が低く放射線抵抗性である．0.15 Gyで一過性の不妊をきたすが，被ばく直後は精子が残存しているので妊孕力が残存する．一過性不妊からの回復は，精原細胞から成熟精子になるまで3ヵ月といわれており，高線量を被ばくした場合には数ヵ月を要することがある．永久不妊のしきい値は6 Gyといわれている．

C. 水晶体

眼のレンズの役割を果たしているのが水晶体である．細胞再生系であり，前方の辺縁部（赤道部に近い所）に増殖部位がある．分裂した細胞は後方に移動してゆく．照射によって障害を受けても，細胞が脱落しないため，白濁した状態で水晶体の内部にとどまる．これが白内障の原因となる．白濁がひどくなると視力を奪われる．放射線被ばくによる白内障は後嚢下白内障が特徴と言われているが，通常の老人性白内障との区別は困難である．

しきい値は0.5 Gy（ICRP 勧告 2011）であるが，線量と潜伏期の間には一定の関係があり，10 Gy以上の高線量を被ばくすると潜伏期は短く数年で発症する．また，線質依存性があり，特に中性子線を含む高LET放射線はRBEが大きく白内障をきたしやすい．

白内障は視力に影響を与えることから，命にかかわることではないが，特に重視されている．しかし現在では，白濁した水晶体を取り出して人工水晶体に入れかえる白内障の手術によって視力は回復可能である．

D. 皮膚

皮膚の構成成分は表皮（角質層，有棘層，基底層），真皮（毛嚢，汗腺，血管，神経），皮下組織（脂肪織，結合織）である．放射線感受性が高いのは表皮の基底（細胞）層に存在する皮膚幹細胞と真皮内の毛嚢である．汗腺や角化層は放射線抵抗性である．

被ばく後，最も早く現れるのは毛細血管の拡張による初期紅斑である．毛嚢内の細胞は感受性が高く，3〜4 Gyで一時的な脱毛を生ずる．3〜6 Gy被ばくすると，強い紅斑（主紅斑），20 Gyで水疱を生ずるといわれるが，線量は照射条件によって異なる．

血管の透過性が高まると浮腫や水疱形成が起こる．基底層にある幹細胞（基底細胞）が死ぬと表皮は剥がれ落ちる（落屑）．幹細胞の増殖の停止が1週間以上続くと，

表皮は脱落しても再生されず露出する（びらん）．

後期反応としては色素沈着がある．被ばく線量が大きいと難治性の潰瘍を生ずることもある．皮脂腺や汗腺が破壊されると皮膚は乾燥する．皮下の結合組織や脂肪組織の障害では萎縮や硬結を生ずる．

E. 消化管（小腸）

消化管粘膜の放射線感受性の高さは，小腸（十二指腸）・大腸・胃・食道の順である．小腸では，腸上皮の幹細胞（クリプト細胞）は，絨毛の基底部の腺窩（クリプト・陰窩）とよばれる部位に存在する．このクリプト細胞の放射線感受性は非常に高い．10 Gy以上の高線量を被ばくすると幹細胞の死によって絨毛は短縮し，粘膜上皮細胞は1週間以内に消失してしまう．その結果，体液は流失し，栄養の吸収もできなくなる．下痢や下血に伴う脱水，細菌の感染や電解質失調が起こる．

F. 神経組織（脳・脊髄）

神経細胞はほぼ増殖を停止しているので放射線感受性は低い．小線量では神経細胞自体には障害が起こらない．しかし，脳や脊髄を構成している血管系に障害が生じれば血流障害を来し，酸素や栄養の補給が断たれ二次的に障害を受ける．脊髄への50～60 Gyの照射によって数ヵ月から3年の潜伏期で脊髄麻痺（放射線脊髄症）を生ずることがあり血管の障害が原因と考えられている．

全身被ばくによる影響

被ばくした本人の身体に現れる影響を身体的影響という。体細胞の死あるいは体細胞の遺伝子に起こった突然変異が原因となる。生殖細胞の場合でも、細胞死によって生殖能力が失われれば不妊となり、被ばく個人の障害と考えられるので、身体的影響といえる。

それに対し、被ばくした個人の子孫に現れる障害を遺伝的影響という。これは被ばくした人の生殖細胞に起こった遺伝子突然変異が原因であり、突然変異を起こした遺伝子が子孫に受け継がれたために起こる。

身体的影響は症状が現れるまでの潜伏期の長さによって、急性障害と晩発障害に分けることができる（☞表2-9）。全身に一時的に大きな線量を被ばくしたとき、2～3ヵ月以内に現れてくるものは急性障害とよばれる。一方、急性障害から回復した後、あるいは比較的低線量の照射や遷延（低線量率）照射を受けた後など、長期間の潜伏期を経て現れてくるものは晩発障害とよばれる。晩発障害は、被ばくとの因果関係を明らかにするのが難しい。なお、全身被ばくに伴う症状は、急性障害や晩発障害とよばれるが、症状を組織あるいは臓器単位でみれば、早期反応や後期反応と同じである。

1. 急性障害

ヒトが全身に一時的に高線量被ばくすると、様々な組織あるいは臓器の障害に伴い、線量に応じて特徴的な症状が現れる（表2-8）。これを急性放射線症（急性放射線症候群）という。被ばく線量が大きくなるにしたがって、死亡率は高まり生存期間は短くなる。急性障害による死を急性放射線死といい、被ばく線量と生存期間を表したグラフ（図2-19）では、骨髄死・腸管死・中枢神経死の三相を区別することができる。それぞれ症状と死因から標的となっている臓器名によって区別されている。

個体レベルの放射線感受性を表す指標に半数致死線量（LD_{50}）がある。これは被ばくした個体の50%が死亡する線量を表し、一般に哺乳動物では30日以内に死亡するので$LD_{50/30}$と書かれる。つまり、この線量を被ばくした個体の50%は30日以内に死亡するが残りの50%は回復する。ヒトの場合、死亡のピークが遅く期間が2ヵ

表 2-8 ヒトにおける全身被ばく後の症状
（UNSCEAR 1988 より）

線量（Gy）	特徴的な症状	死因
>50	けいれん　ふるえ　昏睡	脳浮腫
10～15	下痢　電解質失調	腸炎　ショック
<10	血小板減少　白血球減少	感染　出血

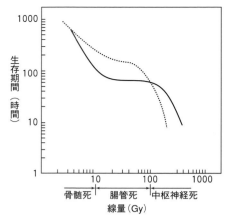

図 2-19 哺乳動物の全身照射後の生存期間
実線はマウスのデータ、点線はヒトの推定値をもとに作成した概念図。

月にわたるので$LD_{50/60}$を用い、4 Gyである。哺乳動物の場合、LD_{50}は次に述べる骨髄死の線量である。

A. 骨髄死

2～10 Gyの被ばくでは、造血幹細胞の死により骨髄障害が現れる。血小板の減少による出血、白血球減少による感染症などが死因となる。通常60日以内に死亡し、線量の増加とともに症状が早く現れ、死亡までの期間が短くなる。

B. 腸管死

小腸上皮も恒常的細胞再生系であって、非常に放射線感受性が高い。10～15 Gyで幹細胞は死ぬが、分化した機能細胞は生存しているので絨毛はその間正常な状態に保たれる。しかし、上皮細胞の補給がなくなるため、絨毛の高さは低くなり、1週間も経たずに腸上皮は消失してしまう。直接の死因は、脱水と電解質失調によるショックであるが、上皮細胞の寿命が個体の寿命を決めている。この腸管死では死亡するまでの期間はほぼ1～2週間と一定である。

C. 中枢神経死

50 Gy以上の大線量被ばくでは、中枢神経が障害されて、被ばく後2～3日で死亡する。頭痛や嘔吐、けいれん、意識障害、昏睡など中枢神経障害の症状が現れる。死因は脳浮腫により脳圧が高まり、神経細胞が圧迫されることによる。

2. 晩発障害

放射線に被ばくし、急性障害から回復した後、あるいは比較的低線量の被ばく後、長期間の潜伏期を経て現れてくるもので、白内障（☞p.84）、再生不良性貧血（☞p.84）、放射線肺線維症、膀胱萎縮、発がん（☞p.87）などがある。

7 確定的影響と確率的影響

放射線による障害は，それが発生するメカニズムから，細胞死が原因で起こるか，遺伝子突然変異が原因で発生するかで確定的影響と確率的影響を区別することができる．

1. 確定的影響

確定的影響は，細胞死が原因で起こり，組織の障害によって引き起こされる．身体的影響の中ですべての急性障害は確定的影響に含まれ，晩発障害も発がんを除いて確定的影響である（表2-9）．発症率（発生頻度）はしきい値を超えて線量の増加とともに上昇する．線量が十分高ければ発症率は100％となる（図2-20A）．症状の重篤度も線量に応じて症状が重くなる．

細胞の障害についてみると放射線による電離から細胞死までの段階は確率的な現象であり，どの細胞が損傷をうけるか，あるいは死ぬか予測できない．しかし，線量が多くなると損傷を受ける細胞の割合は増える．その結果ある線量レベルを超えると，組織あるいは臓器の障害が現れる．この線量がしきい値である．

防護の観点からみると，被ばく線量をしきい値以下に抑えられれば，確定的影響は防止できる（線量限度）．

2. 確率的影響

確率的影響には遺伝的障害および身体的影響の中の発がんが含まれる．発生頻度にしきい値がなく，線量が増加するとともに頻度が増加するとされている（図2-20B）．これはLNT仮説（直線しきい値無し　LNT：Linear non-threshold）と呼ばれている．重篤度は線量には関係ない．遺伝的影響の場合は損傷した遺伝子の重要性に依拠し，癌の場合も病気の進行の度合いによる．

しきい値がないことは防止できないことを意味し，防護の基準を作るにあたっては，発生率をどのレベルに抑えるべきかが問題となる．そのために，放射線のリスク（線量あたりの発生頻度の増加分）を推定することになる．

A. 悪性腫瘍の誘発（発がん）

発がんの原因は，体細胞に起こった遺伝子突然変異である．原爆被爆者の疫学調査から，放射線被ばくによって発がんのリスクが高くなることが示された．発がんに関して，白血病と固形癌で特徴が異なる．被ばく線量と発症リスクの関係は，一般の固形癌では，誘発率は線量に比例すると考えられているが，白血病の誘発率についての線量との関係は，低線量域は二次曲線，高線量域は直線で近似されている．発症率と被ばく後の時間の関係

表 2-9　放射線障害の分類

身体的影響		
急性障害	脱毛	
	紅斑	
	骨髄死	確定的影響
	腸管死	
晩発障害	白内障	
	再生不良性貧血	
	発がん	確率的影響
遺伝的影響	遺伝的障害	

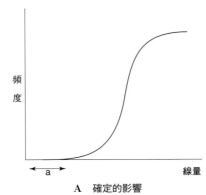

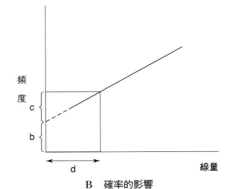

図 2-20　放射線の線量─効果関係を表す概念図：確定的影響（A）と確率的影響（B）
縦軸：発生頻度，　a:しきい値，　b：自然発生頻度，　c＝b，　d：倍加線量
　　aはしきい値を表し，この範囲の被ばくでは症状（障害）は現れない線量域である．bは自然発生頻度を表し，cは放射線による誘発でb＝cである．その線量dを倍加線量という．図Aでは，線量が増加すればS状曲線を描いて頻度が100％に到達する．図Bではがんの発生頻度は線量の増加とともに上昇する．しかし，0.1Gy以下の部分（点線）は被ばくによる有意な増加は確認されていないが，0.1Gy以上の直線をY軸にむかって延長すると自然発生率bに交わる．すなわち，がんの発生頻度はしきい値がなくて線量の増加に対して連続性に直線的に増加する（直線しきい値なし仮説　LNT）．

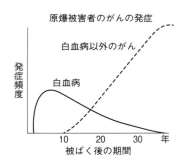

図 2-21 白血病と固形癌の被ばく後の発症
引用：環境省「放射線による健康影響等に関する統一的な基礎資料（平成 30 年度版）」

表 2-10 放射性核種の集積臓器と発がん

核　種	集積臓器	障害例
^{131}I	甲状腺	甲状腺がん
^{226}Ra	骨皮質	骨肉腫
^{222}Rn　^{220}Rn	肺	肺がん
^{90}Sr	骨皮質	骨肉腫
	骨髄	白血病
^{232}Th	肝臓	肝がん・肝血管肉腫
	脾臓・骨髄	白血病

は，白血病が固形癌とくらべて発生率増加が非常に大きい．白血病は被ばく後比較的早く約 2～3 年で発生し，約 6～8 年で発生がピークになり，その後は徐々に低下し，20 年も経過すると自然発生率と変わらなくなる（図 2-21）．固形癌では約 10 年の潜伏期を経て発症し，時間経過とともに徐々に増加する．

放射線発がんについては，体表面への放射線被ばくすなわち外部被ばくだけではなく，体内に取り込まれた放射性核種による内部被ばくによっても起こる（表 2-10）．内部被ばくによる発がんで職業被ばくに伴うものとして，ウラン鉱山の労働者に多くみられた肺がんがある．鉱山内に発生する気体のラドン（^{222}Rn）は呼吸により肺に入る．肺組織に沈着したラドンおよびその子孫核種から放出された α 線が原因になったと考えられている．また，米国のダイヤルペインタのラジウム中毒事件も有名である．時計の文字盤にラジウム入りの夜光塗料を塗る仕事をしていた女子工員に骨肉腫のほかいろいろな障害が発生し，死亡する者も現れた．筆の先を尖らすため舐めたことによって，ラジウム（^{226}Ra）が体内に取り込まれ，骨皮質に沈着し，そこから放出された α 線が原因といわれている．

医療被ばくに伴うものとして，トロトラストによる肝癌・肝血管肉腫や白血病の発生がある．トロトラストは肝・脾造影や血管造影に用いられたが，二酸化トリウムが使われており，組織に沈着したトリウム（^{232}Th）から放出された α 線が原因といわれている．

がん発生のリスクは臓器によって異なる．実効線量を求めるときに用いる組織加重係数（☞ p. 72 表 2-3）は，放射線による影響のリスクの大小を考慮に入れて設定されている．すなわち組織加重係数が大きい臓器・組織ほどがん発生のリスクが高い．乳房，骨髄（赤色），胃，肺，結腸は組織加重係数が 0.12 と最も高い臓器群である．

B. 遺伝的障害

遺伝的障害の原因は，生殖細胞に起こった遺伝子突然変異である．遺伝子突然変異は放射線だけが原因で起こるわけではない．自然突然変異と同量の突然変異を誘発する線量を倍加線量（図 2-20B）という．すなわち，ある集団に属するすべての人が倍加線量を被ばくするとその集団中の突然変異率は自然突然変異率の 2 倍になる．倍加線量は 0.3～3 Gy といわれるが UNSCEAR（原子放射線の影響に関する国連科学委員会）は 1 Gy を採用している．放射線によって誘発される突然変異は線量に比例するとされている．

実験動物を使った研究などでは放射線が遺伝的障害を誘発することが確認されているが，広島や長崎の原爆被爆者に対して行われた調査では，現在まで放射線によるヒトの遺伝的影響は確認されていない．

胎児の放射線影響

胎児の放射線影響は胎内被ばくと呼ばれ，妊娠と気づかず胚が被ばくする可能性や，また，母体に影響がない線量で胚や胎児に障害を与える危険がある点で重要である．胎児の発生・発育段階に応じて放射線による障害は特異的なものが知られている．

1. 胎児への放射線影響：確定的影響と発育時期特異性

胎児の主な障害は発生・発育段階で特異的である．妊娠を受精後の時期で分類し，それぞれに特異的な確定的影響としきい値を表示する（表2-12）．

1) 着床前期（受精後約1週間）は，細胞数も少なく，細胞死に対する感受性が高いので，障害としては着床の失敗（流産）が挙げられる．多くの細胞が死ねば胚は死亡（胚死亡）し吸収されるが，増殖速度が非常に大きいので，死んだ細胞がわずかならば容易に回復できる．その場合には何の障害もなく正常に発育できる．しきい値は0.1 Gy．

2) 器官形成期（受精後2～8週）は，様々な器官が形成され分化が進む時期にあたる．したがって，奇形に対する感受性が非常に高い．そこで，奇形あるいは新生児死亡が問題となる．原爆被ばく者の調査では，奇形としては小頭症の発生がみられた．しきい値は0.1 Gy．

3) 胎児期（受精後9週～）には，奇形の起こることは少なく，成長障害，精神遅滞あるいは発がんの頻度の上昇などが問題とされる．特に胎児期前期（受精後9～15週）では中枢神経が高感受性で精神発達遅滞が誘発される．しきい値は0.12 Gy以上．

表 2-12 胚あるいは胎児の確定的影響のしきい値
（ICRP 1990 より）

影響の種類	しきい値	問題となる被ばく時期
胚（胎芽）死亡	0.1 Gy 以下	着床前～着床直後
奇形	0.1 Gy	受精後2～8週
精神発達遅滞	0.12～0.2 Gy 以上	受精後8～25週

2. 10日則（10-day rule）

ICRPが1965年に行った勧告で「若い女性の下腹部が照射野に入る検査を実施する場合には，特に検査を急ぐ必要がなければ，月経の始まった日から10日以内に実施する」というものである．

この期間には，妊娠の可能性がほとんどない．実際には，胚や胎児に被ばくの影響が現れるような検査（100 mGy＝0.1 Gy以上）はほとんどないと考えてよい．

表 2-11 放射線治療後に有害な確定的影響の発生する線量（UNSCEAR 1982, 1993 など）

臓器	5年後の障害	患者に障害の現れる線量（Gy） 患者の1～5%	患者の25～50%	照射範囲（cm²）
骨髄	低形成	2	5	全体
卵巣	永久不妊	2～3	6～12	全体
水晶体	白内障	5	12	全体
精巣	永久不妊	5～15	20	全体
骨（幼児）	成長阻止	20	30	10
腎臓	ネフローゼ	23	28	全体
肝臓	機能不全	35	45	全体
リンパ節	萎縮	35～45	＞70	全体
心臓	心嚢炎，汎心炎	40	＞100	全体
肺	肺炎，肺線維症	40	60	葉
下垂体	機能低下	45	200～300	全体
甲状腺	機能低下	45	150	全体
胃	潰瘍，穿孔	45	50	100
小腸	潰瘍，狭窄	45	65	100
結腸	潰瘍，狭窄	45	65	100
唾液腺	口内乾燥	50	70	50
脳	壊死	50	＞60	全体
脊髄	壊死	50	＞60	5
毛細血管	拡張，硬化	50～60	70～100	
乳房	萎縮，壊死	＞50	＞100	全体
皮膚	潰瘍，線維化	55	70	100
眼	眼球炎	55	100	全体
直腸	潰瘍，狭窄	55	80	100
口腔粘膜	潰瘍，線維化	60	75	50
食道	潰瘍，狭窄	60	75	75
膀胱	潰瘍，拘縮	60	80	全体
骨（成人）	壊死，骨折	60	150	10
軟骨	壊死	60	100	全体
尿管	狭窄	75	100	5～10
筋肉	萎縮	＞100		全体

この表は，いろいろな臓器の耐容線量を表しているが，正常組織・臓器の放射線感受性のレベルを比較するのに参考になる．

9 放射線の生物効果を修飾する要因

放射線の生物効果の大きさは，照射条件および生物側の条件によって異なる．照射条件では，線質，分割の仕方，線量率などが放射線の生物効果に影響をおよぼす重要なポイントである．また，生物側の条件では，組織・臓器の種類，被ばく容積，細胞の状態，細胞内にある化学物質などによって生物効果に修飾を受ける．ここでは，生物効果の指標とそれに影響を及ぼす修飾因子とくに酸素効果についてまとめておく．

1. 相対的生物学的効果比 RBE

放射線の種類が異なれば生物効果は異なる．この放射線の線質による生物効果の違いを表す指標が相対的生物学的効果比 RBE である．

RBE＝ある生物効果を起こすのに必要な基準放射線の線量／同じ生物効果を起こす対象放射線の線量で求められる．基準となる放射線には，管電圧 250 keV の X 線や ^{60}Co の γ 線などの光子を用いる．RBE は，この基準放射線に比べて何倍の生物効果を与えることができるかを示す数値である．一般に高 LET 放射線は低 LET 放射線に比べ RBE が高く，少ない線量で同じ効果を与えることができる．

RBE の求め方は，たとえばある生物効果の指標として生存率のレベルを決め，同じ生存率をもたらす線量に関して，高 LET 放射線を A，基準となる低 LET 放射線を B としたとき，

$$（\text{A の}）\text{RBE}=\frac{\text{B の線量}}{\text{A の線量}}\quad（図2\text{-}22）$$

RBE は，線質以外の条件をすべて同じにして，基準となる放射線と同じ生物効果をもたらす対象放射線の線量との比である．同じ放射線であっても注目する生物効果によって値が変わる（図 2-22）．

放射線の線質と RBE との関係では，LET の高い放射線ほど RBE は大きくなるが，100～200 keV/μm 付近でピークをもち，それ以上高くなるとむしろ下降する（オーバーキル現象）（図 2-23）．

2. 酸素増感比 OER

酸素は放射線増感作用を有している（☞ p.73）．有酸素下では無酸素下と比べて細胞生存率が低下する．酸素による増感効果で，この酸素の有無による生物効果の違いを表す指標が酸素増感比 OER である．

OER＝酸素非存在下である生物効果を起こすのに必要な線量（基準）／酸素存在下で同じ生物効果を起こすのに必要な線量　で求められる．

低 LET 放射線では OER は 2.5～3.0 で，LET が高くなるにつれて OER は小さくなり最終的に 1.0 になる（図 2-23）．高 LET 放射線は酸素がなくても致死効果が大きいことを意味している．

一般的に，高 LET 放射線は種々の修飾因子の影響を受けにくい．この理由として高 LET 放射線による DNA 損傷は修復しにくいからと考えられている．同様に増感剤による増感効果，防護剤による防護効果も小さくなる．細胞周期依存性も低く，細胞周期の時期による生物効果の差異は小さい．

3. 線量率効果

低 LET 放射線の照射では，単位時間あたりの照射線量（線量率）を下げていくと，最終的に同じ総線量を照射しても生物効果が下がる．この線量率の違いによって与える生物効果が異なることを線量率効果という．

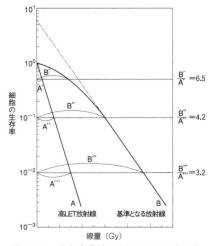

図 2-22　生存率曲線による RBE の求め方
A を高 LET 放射線，B を基準となる低 LET 放射線とすると生存率を生物効果の指標とした場合，RBE は線量の比（B/A）で表される．生存率のレベルによって RBE は異なり，低い生存率を指標にすると RBE は小さくなる．

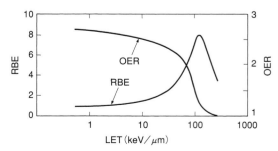

図 2-23　LET の違いによる RBE，OER の変化
一般に哺乳動物細胞では，LET の上昇とともに RBE は大きくなるが，200 keV/μm 付近でピークをもち下降する．OER の値は，RBE が急上昇する LET で急に小さくなっていく．

10 放射線の生物効果と放射線治療

1. 治療可能比

悪性腫瘍の放射線治療では，腫瘍組織を致死させると同時に正常組織に与える障害を抑制することが重要である．正常組織の耐容線量と腫瘍致死線量の間に照射する総線量を設定できれば，腫瘍を制御可能な可能性が高まる．この放射線治療が可能であるかどうかの指標に治療可能比が用いられる．

$$治療可能比 = \frac{正常組織耐容線量}{腫瘍致死線量（腫瘍制御線量）}$$

腫瘍致死（制御）線量とは90％の患者で腫瘍を治癒できる線量，正常組織耐容線量とは5％の患者で5年以内に正常組織に障害を発生させる線量（表2-11）である．上記の式の値が1より大きければ治療可能である．1より小さければ治療は困難で，放射線治療を行うには線量分布を改善できる照射法や重粒子線などの使用や放射線増感剤・防護剤の併用などにより治療可能比を上げる必要がある．

2. 分割照射と4R

放射線治療において考慮すべき重要な事象は，腫瘍の局所制御・正常組織の急性障害・正常組織の晩発性障害の3つで，なかでも正常組織の晩発性障害をできるだけ抑制して腫瘍組織を致死させることである．この目的のために線量分割すなわち分割照射が行われる．

晩期障害型の正常組織と腫瘍に対する生物効果の違いが重要となる．たとえば細胞に同じ線量を適当な間隔をあけて分割照射すると，分割せずに1回で照射したときよりも生存率が高くなる．これは亜致死損傷回復によるもので，α/β値の小さい（約3Gy）細胞（晩期反応系）が，α/β値の大きい（約10Gy）細胞（早期反応系や腫瘍細胞）よりも回復が大きい．

このように分割照射中には以下の4つのRとよばれるメカニズムが働いて照射効果に影響を与える．特に腫瘍組織と早期反応系・晩期反応系の正常組織の3種類の組織において作動しうるRに違いがあり，これが分割照射の効果を考える上で重要なポイントとなる（表2-13）．

A. 4つのR

1) Repair（Recovery）：修復（回復）

亜致死損傷回復のことで，照射と照射の間にDNA損傷が修復され，それにより生存率が回復する現象（☞p.82 SLDR）．3種類の組織すべてでみられる．

表 2-13　分割照射と4R

	腫瘍組織	正常組織 急性反応系	正常組織 晩期反応系
α/β 値	大きい	大きい	小さい
回復（Repair/Recovery）	○	○	○
再分布（Redistribution）	○	○	×
再増殖（Repopulation）	○	○	×
再酸素化（Reoxygenation）	○	×	×

2) Redistribution（Reassortment）：再分布

細胞集団に放射線照射すると，放射線感受性の高い細胞周期（M期，G_1後期～S期初期）の細胞が死滅し，残存する細胞がG_2ブロックによりG_2期にとどまることにより，細胞周期の各時期の細胞の分布割合が変化する現象．このG_2期にとどまった細胞群が一気にM期に進行し，そのタイミングで照射が行われると，効率よく腫瘍細胞死をもたらすことができる．

早期反応系の正常組織と腫瘍組織にみられる．増殖を停止しているあるいは遅い晩期反応系の正常組織では観察されない．

3) Repopulation（Regeneration）：再増殖

増殖死していない細胞による再増殖．照射期間が長引くと，照射期間中に腫瘍の増殖が促進（加速再増殖）され，同じ線量では治癒しにくくなり，必要な総線量が多くなる．早期反応系の正常組織と腫瘍組織にみられ，晩期反応系の正常組織では観察されない．腫瘍の中でも頭頸部扁平上皮癌や肺小細胞癌で加速再増殖がみられ，治療期間が30日を超えると腫瘍の再増殖のリスクが高くなる．

4) Reoxygenation：再酸素化

照射後に，生き残った低酸素細胞が酸素化される現象のこと．この現象は，他の3つのRとは異なり，腫瘍組織でのみ起こり，正常組織ではみられない．

これは腫瘍と正常組織内の血管構築の差異に起因する．正常組織は発生学的に組織構築では正常血管と実質細胞がバランス良く展開されている．そのため正常組織では低酸素細胞は存在しない．一方，腫瘍では腫瘍細胞が増殖して大きくなっても，腫瘍内の毛細血管の分布はそれに伴って発達するわけではない．そのため腫瘍の中心部には血流の乏しい低酸素状態の細胞が出現し，放射線抵抗性となる．その割合は腫瘍に固有の値をもち，10～15％といわれる．

再酸素化の機序は，腫瘍が照射されると辺縁部の細胞は有酸素下で死滅し辺縁部での酸素需要が減少し，中心部の低酸素細胞が血管からの酸素供給を相対的に受けや

すくなり，低酸素であった細胞が有酸素下の状態に変わる．この状態で照射すると，かつては放射線抵抗性であった細胞が有酸素下で感受性が向上し，効率よく腫瘍を死滅させることができる．これを繰り返すことによって腫瘍が縮小していく．

B. 種々の線量分割法

放射線治療では腫瘍制御を高めることと晩期有害事象を抑制することを両立させることが重要で，線量分割による手法が試みられてきた．現在では，腫瘍の部位や種類による腫瘍致死線量および有害事象をきたしうる正常組織の耐容線量を考慮してさまざまな分割照射の方法がある．これらの分割照射は通常分割照射の課題に対する対策を講じていることになる．

回復（repair/recovery）では，正常組織晩期反応系の障害の軽減に力点を置き，再分布（redistribution）では腫瘍への照射タイミングがM期に合わせるように抗腫瘍効果を増強することで照射間隔の時間が重要，再増殖（repopulation）では通常分割では照射期間が腫瘍の再増殖をきたす臨界期を超えてしまうリスクがありこれを抑制する対策が必要となること，再酸素化（reoxygenation）は線量分割で通常引き起こすことができる．

1) 通常分割照射法は，1日1回2Gy，週5回，総線量60〜70Gyが基本となっている．総線量を分割することによって晩期反応系の正常組織の回復を期す．腫瘍はα/β値が大きく，分割によっておこる腫瘍細胞の回復は，晩期反応系ほど大きくはない．また，腫瘍組織中の低酸素細胞を酸素化することによって低酸素細胞の集団を小さくしていくことができる再酸素化が期待できる．

2) 多（過）分割照射法（hyperfractionation）は，1回あたりの線量を小さくし，1日多数回の分割照射を行う．α/βが大きな腫瘍の周りにα/βが小さな正常組織がある場合に有用で，正常組織の晩期反応を抑制する照射法であり，4つのRの対策を強化している（表2-14）．

通常の1回2Gy照射に対して，1回に1.0〜1.2Gy，1日2回照射する．すなわち照射間隔が約6時間と18時間となり，晩期反応系の正常組織の回復を期待し，腫瘍組織の再分布による抗腫瘍効果の増強を狙う．総治療期間は通常分割照射と同等なので，再増殖に対する効果は通常分割と変わらない．再酸素化は通常分割よりも効率よくなる可能性あり．

3) 加速分割照射法（accelerated fractionation）は，腫瘍における加速再増殖を抑えるため短期間で治療を終了させる照射法である．オリジナルは1回2Gy，週7回投与して，総治療期間を短縮する方法である．

4) 加速多分割照射法（accelerated hyperfractionation）は，加速分割と多分割の併用で，腫瘍における加速再増殖を抑えることを強化した短期間で治療を終了させる照射法である．1回に1.5Gy，1日2回で副作用を抑えつつ，高い抗腫瘍効果を有する．肺小細胞癌に対して行われる，1回1.5Gy，1日2回，総線量45Gy・3週間は頻用される照射法である．

5) 寡分割（少分割）照射法（hypofractionation）は，1回線量を増やし照射回数を減らすことで，治療期間が長引くことによる患者の負担を軽減する照射法である．緩和照射やα/βが小さな腫瘍に有効である．

定位放射線治療（SRT）では，細いビームによって腫瘍に線量を集中させることにより，抗腫瘍効果を高めかつ周囲の正常組織への影響を抑えることができる．通常の分割照射と比べて1回線量が3〜35Gyと大きい．

6) 低線量率連続照射は，永久刺入小線源治療のように，線量率は低いが放射線感受性の高いM期への照射を連続して行うことにより治療効果を高める照射法である．放射線感受性の細胞周期依存性を利用している．

C. 生物学的等価線量（Biological Effective Dose: BED）

（☞ p422：13章放射線治療技術学）

分割照射による生物効果（細胞の致死効果）を比較評価する方法としてBEDが用いられる．1回照射線量をDとし，それに対する効果EはLQモデルを用いて表すと

$$E = \alpha D + \beta D^2$$

ここでnを分割回数，dを分割線量とすると

$$E = n(\alpha d + \beta d^2) = nd(\alpha + \beta d) = \alpha \cdot nd\left(1 + \frac{d}{\alpha/\beta}\right)$$

表 2-14 通常以外の分割照射と4R対策

	回復 （正常組織）	再分布 （腫瘍）	再増殖 （腫瘍）	再酸素化 （腫瘍）	特　徴
多分割　1日2回1.2Gy	○	○	△	○	晩期有害事象の抑制
加速分割　1日1回2Gy，週7回	△	△	○	△	腫瘍の加速再増殖を防止
加速多分割　1日2回1.5Gy	○	○	◎	○	腫瘍の加速再増殖を防止強化
寡分割　大きな1回線量	×	×	○	△	α/β値の小さい腫瘍に有効

◎：通常分割照射と比し重点的に対策強化
○：通常分割照射と比し対策強化
△：通常分割照射と同等
×：通常分割照射と比し対策弱い

nd は総線量 D なので $E/\alpha = nd(1+\frac{d}{\alpha/\beta}) = D(1+\frac{d}{\alpha/\beta})$
$= BED$

E/α は BED（Biologicall Effective Dose：生物学的等価線量）とよばれ，総線量 D が同じ場合の分割の仕方による治療効果の違いを比較することができる．

臨床では，晩期有害事象に対する比較として α/β＝3 を用いて BED₃ を計算する．抗腫瘍効果に関しては α/β＝10 を用いて BED₁₀ を計算する．これにより，通常分割照射とほかの照射法の抗腫瘍効果と晩期有害事象のリスクを比較可能となる．

4．粒子線

X 線，γ 線とは異なった生物効果をもつ粒子線について，その特徴をまとめておく．X 線，γ 線などの低 LET 放射線と比較したとき，炭素，ネオンなどの高エネルギー重粒子線は高 LET 放射線であり，RBE が大きく，酸素効果（OER）が小さいという特徴がある．

また，治療効果を考えるときは線量分布も問題となる（図 2-24）．荷電粒子は停止する直前に大きなエネルギーを組織に与え，ブラッグピークを形成する．このことは，体の表面の正常組織にあまり障害を与えず，深部にある腫瘍の治療に効果的なことが期待される．したがって，このような放射線は「線量分布が優れている」という．

なお，高エネルギー陽子線は，線量分布が優れているが，ブラッグピークの RBE は X 線並みといわれ，低 LET 放射線とみなされている．

5．ホウ素中性子捕捉療法

中性子は非荷電粒子であるため，線量分布は良くない．しかし，速中性子線は反跳陽子の LET が高く，高 LET 放射線とみなされる．一方，腫瘍組織に取り込ませたホウ素 ¹⁰B に原子炉からの熱中性子を照射するホウ素中性子捕捉療法（BNCT）がある．中性子捕捉反応により放出される ⁷Li と α 粒子の飛程が短いので，周りの細胞に影響を及ぼすことなくがん細胞に障害を与えることができる．¹⁸F-BPA を利用することで，PET による画像化と治療が可能となった．

6．温熱療法（ハイパーサーミア）

温熱は単独でもがん細胞に致死的な効果を与えるといわれており，組織レベルでの効果についても研究が進んでいる．低酸素細胞は放射線には抵抗性であるが，温熱療法にとってはむしろ有利な条件を備えている．そこで，X 線との併用による相乗効果が期待される．

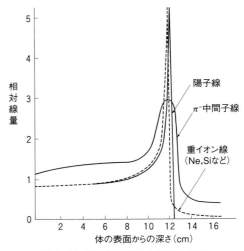

図 2-24　荷電粒子線の深部線量分布

A．腫瘍の温熱感受性

腫瘍は正常組織より温熱感受性が高い可能性が指摘されている．温度が高いほど治療効果は大きいが，現実には，腫瘍部分のみの温度を局所的に高くすることは難しく，周囲の正常組織にも障害を与え，何より患者に大きな苦痛を与えることになる．しかし，治療に有効と考えられている 43℃ 付近で，正常組織の血流量は増加し熱拡散が大きくなる．それに対し，腫瘍の血流量は低下するため，腫瘍の温度がより上昇するといわれる．腫瘍にある栄養欠乏状態の細胞は，栄養が十分な細胞より温熱感受性が高く，また低酸素細胞でも定常酸素圧の細胞と同様に障害を受けるといわれる．さらに，pH が低い細胞ほど温熱感受性が高く，放射線感受性が低い S 期の細胞も熱には高感受性である．

ただし，温熱療法には熱耐性を生ずるという難点がある．温熱処理をすると，生き残った細胞では次の温熱処理の際，ヒートショック蛋白（HSP）の合成が誘導され，DNA 修復酵素が熱変性から守られる．しかし，この熱耐性は 3 日ほど 37℃ に戻すことにより消失する．一方，42℃ 以下で長時間温熱処理した場合には，処理中に熱耐性が誘導される．このため温熱療法は毎日ではなく週 2 回の施行が行われる．

表 2-15

温熱感受性の高い状態（42.5 度以上で殺細胞効果）
1．血流が乏しい（腫瘍中心部や壊死部）
2．低酸素細胞
3．低 pH 組織
4．低栄養状態
5．S 期の細胞
6．低 LET 放射線との併用

B. 放射線と温熱の併用による相乗効果（表2-15）

　がんを放射線難治性にしている種々の要因に対して，温熱は有効である．そこで，温熱療法を併用することによって放射線治療の難点のいくつかが解消できると考えられている．

　腫瘍は一般に血流が低下しているので，低酸素細胞が多くなり，放射線に抵抗性になる．しかし，そのような細胞は一般に嫌気性代謝によってpHが低くなっており，熱に対する感受性は高まっている．さらに，正常組織は加温によって血流が増加し熱拡散は大きくなるが，腫瘍の血流は悪いので腫瘍の温度はより上昇する．加温により周囲の正常組織よりも腫瘍の温度が高くなれば，いっそう治療効果を高めると期待できる．

　X線に対する感受性の低いS期の細胞は，温熱感受性が高い．M期に比べS期は長いので，増殖の速い腫瘍に対しては，X線単独よりもはるかに大きな治療効果が期待できる．また，X線照射後の回復（PLDR）が熱によって阻害されるので，X線の生物効果を高めることが期待できる．

　一般に熱耐性を獲得した細胞では温熱効果が期待できないので，放射線の1回2Gy週5回という処置に対し，加温は1回60分，間隔をあけるため週2回にするなどの方法がとられている．

7. 抗がん剤

　X線と作用機序の異なった薬剤を併用することで相乗効果と有害事象の分散が期待できる．これまでの抗がん剤の多くは，DNA合成や修復，細胞分裂など正常な細胞にも共通する機構に作用したため，正常組織への障害が避けられなかった．しかし，増殖細胞全般ではなく，がん細胞のみで活性化されているシグナル伝達系に狙いを定めれば，正常組織への副作用をできるだけ抑えることができる可能性がある．

A. 抗がん剤の併用の仕方

　X線との相乗効果により，がん病巣への局所効果を高める．肛門がんや進行した肺がん，食道がん，子宮頸がんでは根治的に用いられる．食道がんでは手術前に，また，膠芽腫や子宮頸がんでは術後の残存病巣に対して行われる．一方，乳がんや悪性リンパ腫では，抗がん剤による治療に引き続いて放射線療法を行うのが標準である．

　髄芽腫などの小児腫瘍では，照射線量を減らし成長障害などの副作用を軽減する努力がされている．

B. シグナル伝達系に作用する分子標的薬剤

1）がん遺伝子とがん抑制遺伝子

　悪性腫瘍は正常組織の一部の細胞が異常に増殖して，周囲の正常組織を侵害したり，他の場所に転移して致命的な影響を与えたりするようになった細胞集団のことで，一般にがんとよばれる．

　細胞のがん化の原因の一つは，本来，細胞増殖を制御するシグナル伝達系（情報伝達系）の因子が突然変異を起こし，増殖のスイッチが入りっぱなしになってしまったものである．

　これは，遺伝子の突然変異によって引き起こされる．この突然変異が起こると正常な対立遺伝子が残っていても，細胞はがん化してしまう．この変異を起こした遺伝子をがん遺伝子とよび，変異する前の正常な遺伝子をがん原遺伝子（プロトオンコジーン）とよぶ．

　もう一つは，細胞が異常な増殖をしないように監視しているがん抑制遺伝子に起こる．この突然変異が起こっても，対立遺伝子の一方が正常であれば，がん化を抑制する機能は失われない．

　がん遺伝子ががん化のアクセルなら，がん抑制遺伝子はブレーキにたとえることができる．両者が突然変異を起こした状態は，アクセルが入り放しでブレーキが故障した状態にたとえられる．

2）分子標的治療薬

　分子標的薬は，細胞増殖や細胞周期を制御している因子が異常に活性化された場合の過剰なシグナルを阻害するもので，分子の大きさによって分類される．一つは，細胞膜を透過し，細胞内の分子を標的として，シグナル伝達系の活性化を阻害するチロシンキナーゼ阻害剤などの低分子化合物であり，もう一つは，細胞膜上の受容体やそれと結合する物質（リガンド）を対象とするモノクローナル抗体などの抗体である．

3章　放射線物理学

●澤田　晃

　計測機器や解析，シミュレーション技術の進歩に伴い，近年の素粒子物理分野における新発見が目覚ましく，放射線物理学の学術領域が広範囲に拡がってきている．これらの新しい発見や知見が，今後の新しい医療機器や医療技術の開発に寄与することが期待されるが，現時点の診療放射線技師国家試験に出題される範囲としては，主として医療分野で診断，治療に用いられる放射線の性質と，物質との相互作用に絞ることができる．

　診療に使用されてきた放射線の種類として，X線診断のための比較的エネルギーの低いX線，γ線，放射線治療に用いる高エネルギーX線，α線，β線，電子線，中性子線，さらに重荷電粒子線が使用されている．そこで，この章で述べる内容は，このような放射線の発生方法，その放射線の諸性質と，物質との相互作用を主体とするものである．

　放射線の発生や物質との相互作用はほとんどの場合，原子や原子核，電子が対象であり，分子や結晶に関する物理学的知識はほとんど重要ではない．そこで，まず，第1節から第2節で単位や物理定数，波の性質など基礎的事項を取り上げた．第3節から第4節で原子および原子核の構造と性質について述べた．

　次に放射性同位元素に関する知識を第5節から第8節にまとめた．この中で，原子核の壊変やその性質は国家試験出題傾向からみても非常に重要であるから，よく理解してほしい．

　次に第9節から第13節までにX線およびγ線に関する物理学的内容をまとめたが，過去の国家試験出題傾向からみて，最も重要であろう．特にX線と物質との相互作用は，国家試験のみならず卒業後，X線検査を中心とした放射線業務を行う者にとって，必ず理解しておかなければならない内容でもある．

　さらに放射性同位元素から放射されるα線，β線ならびに核壊変などで放出される中性子と物質との相互作用を第14節と第15節に，原子核反応を第16節に述べた．

　放射線物理学は，他の学科目を勉強する上で，最も基本となるものであるから，最初に十分時間をかけて理解に努めることが大切である．

1 単位と定数

1. 国際単位系（SI）

Système International d'Unités の略で **SI 単位系**とよび，7個の基本単位と2個の補助単位から構成される．あらゆる分野で国際的に使用される．

A. 基本単位
1) 時間：秒 [s]
2) 長さ：メートル [m]
3) 質量：キログラム [kg]
4) 電流：アンペア [A]
5) 温度：ケルビン [K]
6) 物質量：モル [mol]
7) 光度：カンデラ [cd]

B. 補助単位
1) 平面角：ラジアン [rad]
2) 立体角：ステラジアン [sr]

C. 組立単位
以上の基本単位を組み合わせることによって，表 3-1 に示すような種々の組立単位ができる．

2. 主な物理定数（表 3-2）

表 3-1 SI 組立単位

量	単位	単位記号	他の SI 単位による表し方	SI 基本単位による表し方
周波数	ヘルツ（hertz）	Hz		s^{-1}
力	ニュートン（newton）	N	J/m	$m \cdot kg \cdot s^{-2}$
圧力，応力	パスカル（pascal）	Pa	N/m^2	$m^{-1} \cdot kg \cdot s^{-2}$
エネルギー 仕事，熱量	ジュール（joule）	J	$N \cdot m$	$m^2 \cdot kg \cdot s^{-2}$
仕事率，電力	ワット（watt）	W	J/s	$m^2 \cdot kg \cdot s^{-3}$
電気量，電荷	クーロン（coulomb）	C	$A \cdot s$	$s \cdot A$
電圧，電位	ボルト（volt）	V	J/C	$m^2 \cdot kg \cdot s^{-3} \cdot A^{-1}$
静電容量	ファラド（farad）	F	C/V	$m^{-2} \cdot kg^{-1} \cdot s^4 \cdot A^2$
電気抵抗	オーム（ohm）	Ω	V/A	$m^2 \cdot kg \cdot s^{-3} \cdot A^{-2}$
コンダクタンス	ジーメンス（siemens）	S	A/V	$m^{-2} \cdot kg^{-1} \cdot s^3 \cdot A^2$
磁束	ウェーバー（weber）	Wb	$V \cdot s$	$m^2 \cdot kg \cdot s^{-2} \cdot A^{-1}$
磁束密度	テスラ（tesla）	T	Wb/m^2	$kg/s^{-2} \cdot A^{-1}$
インダクタンス	ヘンリー（henry）	H	Wb/A	$m^2 \cdot kg \cdot s^{-2} \cdot A^{-2}$
光束	ルーメン（lumen）	lm	$cd \cdot sr$	
照度	ルクス（lux）	lx	lm/m^2	
放射能	ベクレル（becquerel）	Bq		s^{-1}
吸収線量	グレイ（gray）	Gy	J/kg	$m^2 \cdot s^{-2}$
線量当量	シーベルト（sievert）	Sv	J/kg	$m^2 \cdot s^{-2}$
面積	平方メートル	m^2		
体積	立方メートル	m^3		
密度	キログラム/立方メートル	kg/m^3		
速度，速さ	メートル/秒	m/s		
加速度	メートル/(秒)^2	m/s^2		
角速度	ラジアン/秒	rad/s		
熱伝導率	ワット/（メートル・ケルビン）	$W \cdot m^{-1} \cdot K^{-1}$		$m \cdot kg \cdot s^{-3} \cdot K^{-1}$
電界の強さ	ボルト/メートル	V/m		$m \cdot kg \cdot s^{-3} \cdot A^{-1}$
誘電率	ファラド/メートル	F/m		$m^{-3} \cdot kg^{-1} \cdot s^4 \cdot A^2$
電流密度	アンペア/平方メートル	A/m^2		
磁界の強さ	アンペア/メートル	A/m		
透磁率	ヘンリー/メートル	H/m		$m \cdot kg \cdot s^{-2} \cdot A^{-2}$
起磁力，磁位差	アンペア	A		
モル濃度	モル/立方メートル	mol/m^3		
輝度	カンデラ/平方メートル	cd/m^2		

（理科年表による）

表 3-2 主な物理定数

名称	記号	数値	名称	記号	数値
アボガドロ定数	N_A	$6.02 \times 10^{23} mol^{-1}$	電子の静止質量	M_e	$5.5 \times 10^{-4} u$
ファラデー定数	F	$9.65 \times 10^4 C \cdot mol^{-1}$	陽子の静止質量	M_p	1.007 u
プランク定数	h	$6.63 \times 10^{-34} J \cdot s$	中性子の静止質量	M_n	1.009 u
ボルツマン定数	k	$1.38 \times 10^{-23} J \cdot K^{-1}$	水素原子の質量	M_H	1.008 u
リュードベリ定数	R_∞	$1.1 \times 10^7 m^{-1}$	原子質量単位	u	$1.66 \times 10^{-27} kg$
気体定数	R	$8.31 J \cdot K^{-1} \cdot mol^{-1}$	電子ボルト	eV	$1.6 \times 10^{-19} J$
光速度（真空中）	c	$3 \times 10^8 m \cdot s^{-1}$	バーン	b	$1 \times 10^{-28} m^2$
電子の電荷	e	$1.6 \times 10^{-19} C$			

2 波の性質

1. 電磁波

電場と磁場の相互の変化により発生する波動が電磁波であり，電場と磁場との振動方向は波動の進行方向と垂直な面内にあって，互いに直交する横波である．電磁波の分類を図 3-1 に示すが，すべての波は真空中の光速度 $c(3\times10^8 \text{m/s})$ で進行し，波長 λ と周波数 ν が $\lambda=c/\nu$ の関係によりそれぞれ異なる．ここでは X，γ 線以外の医療で使用される電磁波について述べる．

A. マイクロ波

図 3-1 からも分かるようにマイクロ波の周波数は，およそ 1 GHz から数 100 GHz にあり，これを波長に換算すると数 10 cm から 0.1 cm に相当する．したがって，マイクロ波のことをセンチ波ともいう．マイクロ波の発生には高出力用としてマグネトロンやクライストロンが使用されるが，中出力用としてガンダイオードなどの半導体素子が用いられる．現在，医療においては進行波形のリニアックによる電子加速や，加熱作用を利用したハイパーサーミアなどにも使用している．そしてマイクロ波は次のような特性をもっている．

1) 直進性：光と同様に直進し，回折はあまりしない．
2) 反射，屈折性：異なった媒質の境界面や金属板で反射，屈折がおこり，進行方向が変わる．
3) 透過性：媒質を透過でき，その透過能力は光よりも大きく，光の透過できない雲や霧でも容易に透過できる（逆に光より透過できないものもある）．
4) 干渉性：光と同様に干渉する．
5) 加熱性：非金属である誘電体を加熱することができる．発熱量はマイクロ波の周波数に比例する．

B. レーザー

レーザー（LASER）は Light Amplification by Stimulated Emission of Radiation の略で，誘導放射による増幅光の意味である．

1) 発光原理

基底状態 E_1 から励起状態 E_2 に励起された原子または分子に，$E_2 - E_1 = h\nu$ によって決まる周波数 ν の光を照射すると，照射光と同じ方向に，同じ周波数，同じ位相，そして同じ偏光特性の光が放射される現象を光の誘導放出とよぶ．一般状態では，ほとんどの原子が基底状態におかれていることが普通であるが，外部からこれらの原子にエネルギーを供給することにより，励起状態におかれる原子数のほうが多くなることがある．これを反転分布とよび，この状態により誘導放出が効果的に起こる状態が形成される．また，エネルギーを供給することをポンピングとよび，エネルギーの供給方法は，ガスレーザーの場合には高電圧を印加して放電させたり，ルビーレーザーの場合にはキセノンランプのフラッシュ光を照射したりする．

そこでレーザー物質の両端に反射鏡を装着しておくことにより，この中の光は数多くの反射を繰り返しながら往復し，効果的な誘導放出により定在波ができる．これにより飛躍的な光増幅が行われることになる．これをレーザー発振とよび，一端の反射鏡を一部の光が通過できるような半透明にしておくことにより，レーザー光を外部に取り出すことができる．

2) レーザー光の特性

①波の位相がそろいコヒーレント（可干渉性）の光
②指向性にすぐれ，発散することなく遠くまで直線的に進行する．
③単色性にすぐれ，完全な一本のスペクトル線と考えてもよい．
④高輝度である．すなわち，指向性がよく発散しないため単位面積当たりの光子数が大きい．

3) レーザーの種類

①固体レーザー（例：$Y_3 Al_5 O_{12}$ 略称 YAG）
②気体レーザー

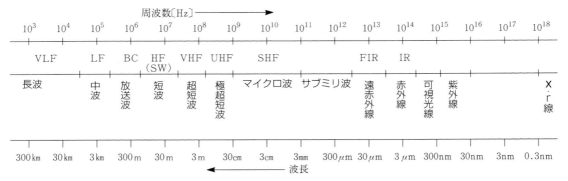

図 3-1 電磁波の分類

エキシマレーザー（例：ArCl），金属蒸気レーザー（例：Ba），希ガスレーザー（例：He-Ne），化学レーザー（例：HCl），放電励起遠赤外レーザー（例：H_2O），CO_2レーザー励起遠赤外レーザー（例：NH_3）
③色素レーザー（例：p-Terphenyl）
④半導体レーザー（例：AlGaInP, AlGaAs, InGaAs）

2. 超音波

人間の可聴周波数（20 Hz～20 kHz）以上の音波を一般に超音波とよぶが，実際に超音波診断装置で使用されている周波数は約2 MHz～20 MHz程度である．

A. 伝播速度（音速）

音の速度は気体，液体，固体により大きく変化する．
一般に気体および液体中での音速C(m/s)は $C=\sqrt{k}/\sqrt{\rho}$で表される．ここでkは体積弾性率[N/m^2]，ρは密度[kg/m^3]である．

気体中では，圧力にはほとんど無関係で，絶対温度の平方根に比例して増加するが，標準状態の乾燥空気中での音速は，331.5 m/sとなる．一般には，標準状態での音速と絶対温度-音速の傾きにより近似した，$C=331.5+0.6t$（tは空気の摂氏温度）が用いられる．

液体中での音速は1000～1500 m/sにあり，温度の上昇とともに減少するものが多い．蒸留水中での音速は，約1500 m/sである．

一方，固体中では，気体，液体に比べると音速ははるかに大きく，同じ物質でも金属では結晶の状態や方向，ゴムなどでは混合物の割合や周波数によって変化し，温度の上昇とともに一般に小さくなる．

そこで超音波診断に必要な生体内での音速は，もちろん各臓器や器官によって変化するものの，JISにより（37℃において）1530 m/sと定めている（規格音速）．

B. 音響インピーダンス

音響インピーダンスとは，媒質の音響的性質を表す指標であり，異なった媒質の境界では音響インピーダンスの差に応じて，超音波の反射が起こる（図3-2）．音響インピーダンスZは媒質によって決まる定数であり，次式で示される．

$$Z=p/v=\rho \cdot C \quad [kg/m^2 \cdot s] \quad (3.1)$$

ただし，pは音圧[N/m^2]，vは粒子速度（媒質の微小部分が振動する速度[m/s]），ρは媒質の密度[kg/m^3]，Cは媒質中の音速[m/s]である．このことから，音響インピーダンスは超音波の周波数には無関係であることがわかる．

C. 周波数

超音波の周波数は，送受信プローブの中の振動子（トランスデューサ）を振動させる電気信号の周波数によって調整されるが，周波数の変化によって次のような超音波の特性がある．

1) 超音波の減衰は，媒質によって決まる減衰定数[$dB/(cm \cdot MHz)$]に従って，周波数および伝播距離に比例する．つまり，周波数が高くなるほど，深部になるほど，超音波の減衰が大きくなり（透過力が低下し），感度が低くなる．
2) 周波数が高くなるほどパルス幅が小さくなり，進行方向に対する距離分解能が向上する．
3) 周波数が高くなるほど指向性が向上し，超音波ビームが細くなり，方位分解能が向上する．

D. 反射と透過

音響インピーダンスの異なる媒質の境界面に図3-2のように超音波が垂直に入射すると，入射波の一部は境界面で反射し，残りのエネルギーは透過する．媒質Ⅰの音響インピーダンスをZ_1，媒質ⅡをZ_2とすると，音の強さ[W/m^2]の反射率Rおよび透過率Tは次式となる．

$$R=\frac{Z_2-Z_1}{Z_2+Z_1}, \quad T=1-R \quad (3.1)$$

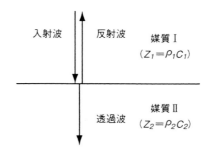

図 3-2　媒質の境界面における超音波の反射と透過の模式図

関連事項

シンクロトロン放射（synchrotron radiation）
シンクロトロン放射は，光速度に近い高エネルギー電子が磁場により急激な偏向を受けたときに発生する光をいう．発生方法は直線型電子加速装置などにより，高速度に加速した電子を蓄積リンクとよばれる円形電子加速管に導入する．蓄積リングの目的は，シンクロトロン放射によって失われたエネルギーを補給しながら電子を常に一定速度，言い換えれば一定エネルギーで回転させることにある．この電子を偏向磁石で偏向させることにより，真空紫外からX線領域にわたる連続分布の電磁波を発生させることができる．

加速エネルギーは，真空紫外線用として0.2～3 GeV，X線用として2～10 GeV程度である．放射光の特長は，①指向性が極めてよく，高輝度である．②連続スペクトルであるが，モノクロメータで単色光が取り出せる．③偏向特性を有している．④パルス光が得られる．

3 原子の構造と性質

1. 原子の構造

原子は原子核とその外側を回る軌道電子から構成され，物質としての性質を保持した最小構成単位である．

原子核は**陽子**と**中性子**の2種類の核子から構成され，陽子は1.6736×10^{-27} kgの質量と，1.6×10^{-19} Cの正の電気量をもった粒子である．また中性子は陽子よりわずかに大きな質量，1.6749×10^{-27} kgをもった電気的に中性な粒子である．これらの陽子と中性子の質量の和が，およそ原子核の質量となる（陽子と中性子の質量の一部は，両者の結合エネルギーとして費され，原子核の質量は若干軽くなる）．原子核は原子全体の質量の大部分（99％以上）を占める．

軌道電子は9.1096×10^{-31} kgの質量と1.6×10^{-19} Cの負の電気量をもった粒子である．この質量は陽子または中性子の質量の約1/1,800に相当し，電気量は陽子の電気量と絶対値は等しく，符号が互いに反対である．

さらに原子の大きさは原子の種類によっても変わるが，約0.1 nm（10^{-10} m）程度であるのに対して，原子核の大きさは約1 fm（10^{-15} m）程度と極めて小さく，原子の約$1/10^5$となる．

中性原子は原子核内の陽子数と等しい数の軌道電子を有し，それぞれのもつ電気量は正負相殺されて電気的に中性となる．そこで，陽子の数または軌道電子の数を**原子番号**とよび，原子の化学的性質を支配する．原子番号は，1番の水素から始まり，現在118番のオガネソン（Og）まで認められ，それ以上の元素も発見されているが，自然界に存在する原子は92番のウランまでである．92番を超える原子は**超ウラン元素**とよび，現在は人工的に作り出されるのみで自然界には存在しない．

中性子の数は，低原子番号領域の原子では，陽子の数とほぼ等しい数が核内に存在し，高原子番号になるに従って，陽子数に比して中性子数は増加する．陽子と中性子の数の和を**質量数**とよび，これは整数である．質量数と原子番号は，元素記号に添字で表し，例えば，原子番号92，質量数235のウランUは$^{235}_{92}$Uとして表す．

原子の質量はあまりにも小さいため，相対質量で表すことが便利である．そこで，質量数12の炭素原子の重さを12として，他の原子の重さを比較した数値を**原子量**とよぶ．したがって，^{12}Cの原子量は12.0000であり，たとえば^{12}Cと^{13}Cの安定同位体からなる炭素原子の原子量は12.0107となる．

2. ボーアの原子模型

1913年，ボーア（N. Bohr）は水素原子から発するスペクトル線を説明するため，次の2つの仮定を設けた．

①電子が原子核の周囲を回転する場合，電子は次に述べるような量子化された軌道のみを回転し，この軌道上の電子はエネルギーの放射は行わない（定常状態）．

②原子がエネルギーW_aの定常状態からW_bの定常状態に移るとき，エネルギーの放射が起こり，逆にW_bからW_aに移るときにはエネルギーの吸収が起こる（$W_a > W_b$）．

このとき，放射または吸収エネルギーの授受は電磁波により行われ，その振動数νは次式で与えられる．

$$\nu = \frac{W_a - W_b}{h} \tag{3.2}$$

h：プランク定数（6.626×10^{-34} J·s）

ボーアの考えた水素原子模型は，$+e$の電気量をもつ原子核の周りを$-e$の電子が円運動するとした．電子の質量をm，電子の軌道半径をaとすると，向心力はmv^2/aであり，これは核と電子のクーロン引力となる．

$$\frac{mv^2}{a} = k\frac{e^2}{a^2} \tag{3.3}$$

k：クーロン定数（9.0×10^9 N·m²/C²（真空））

いま，電子が原子核から無限遠方に置かれた場合の位置エネルギーを0とすると，核からaの場所での位置エネルギーは$-ke^2/a$となり，原子の全エネルギーWは

関連事項

原子1個の質量の求め方

アボガドロの法則によって，分子1モル（グラム分子）中に含まれる分子数は，どのような分子でも一定で，アボガドロ数だけ含まれる．また原子1モル（グラム原子）中に含まれる原子数も一定で，これもアボガドロ数だけ含まれる．したがって，原子1モルの重さをアボガドロ数で除すことによって，原子1個の重さを求めることができる．例えば水素原子1個の重さは，

$$\frac{1.0080}{6.022 \times 10^{23}} = 1.6726 \times 10^{-24} \text{ g}$$

水素の原子量1.0080の中には，$^1_1$H原子（存在比：99.985％）と$^2_1$H原子（存在比：0.015％）が含まれるため，この場合の水素原子1個の重さは，これらの平均値であって，$^1_1$H原子の重さではない．

1 g中に含まれる原子数の求め方

先の考え方に従って，原子1モル中にはアボガドロ数の原子が含まれるから，アボガドロ数を原子1モルすなわち，グラム原子で除することによって得られる．近似的な値を得る場合には，原子量の代わりに質量数を使うことがよくある．例えば，1 g中に含まれる^{60}Co原子の個数を求める場合には，質量数60から次のように求める．

$$\frac{6.022 \times 10^{23}}{60} = 1.004 \times 10^{22} \text{ [g}^{-1}\text{]}$$

$$W = \frac{1}{2}mv^2 - k\frac{e^2}{a} \quad (3.4)$$

これより，Wと軌道半径 a の関係は次式となる．

$$W = -\frac{1}{2}k\frac{e^2}{a} \quad (3.5)$$

一方，ボーアの仮定した量子化された電子軌道とは，次式を満足する軌道のみが存在すると考えた．

$$L = n\frac{h}{2\pi} \quad (n=1,2,3\cdots) \quad (3.6)$$

L：角運動量（mva）

これを量子条件という．この条件を満足する軌道半径 a_n は (3.3) 式から，

$$a_n = \frac{n^2 h^2}{4\pi^2 kme^2} \quad (n=1,2,3\cdots) \quad (3.7)$$

したがって電子の軌道半径は不連続となり，その比率は $a_1 : a_2 : a_3 = 1^2 : 2^2 : 3^2$ となる．

3．水素原子のスペクトル系列

原子核の周りを回転する電子軌道の半径は不連続な値をとることは先に述べたが，いま，エネルギーを吸収して n' 番目に励起された電子が，n 番目の軌道に遷移するときに放射される電磁波の振動数 ν は (3.5)，(3.7) 式より次式となる．（$n' > n$）

$$\nu = \frac{W_{n'} - W_n}{h} = \frac{2\pi^2 k^2 me^4}{h^3}\left(\frac{1}{n^2} - \frac{1}{n'^2}\right) \quad (3.8)$$

いま，ν の代わりに波数 σ を用いるため，

$$R = \frac{2\pi^2 k^2 me^4}{ch^3} \quad (R をリュードベリ定数とよぶ) \quad (3.9)$$

とおくと，波数 $\sigma(\sigma=1/\lambda=\nu/c)$ は次式となる．

$$\sigma = R\left(\frac{1}{n^2} - \frac{1}{n'^2}\right)$$

n, n' は種々の値をとるが，$n=1$ に対して，$n'=2,3,4\cdots$，また $n=2$ に対して，$n'=3,4,5\cdots$ の系列ができ，水素原子について次のようにまとめられる．

$$\left.\begin{array}{l}\sigma = R\left(\dfrac{1}{1^2} - \dfrac{1}{n^2}\right),\ n=2,3,\cdots\text{ライマン系列}\\[4pt]\sigma = R\left(\dfrac{1}{2^2} - \dfrac{1}{n^2}\right),\ n=3,4,\cdots\text{バルマー系列}\\[4pt]\sigma = R\left(\dfrac{1}{3^2} - \dfrac{1}{n^2}\right),\ n=4,5,\cdots\text{パッシェン系列}\end{array}\right\} \quad (3.10)$$

これを図示したものが，図3-3であり，水素原子については，$n=1$ の定常状態にある電子が，これより上の軌道に励起されることにより，このような波数のスペクト

関連事項

素粒子の性質

現在発見されている素粒子の主なものを表3-3に示す．電子と陽子や中性子の中間の重さをもつものとして中間子と名付けられたが，現在では μ 中間子は μ 粒子とよばれ，π, K が中間子となる．また，陽子，中性子の重さを超えた重さをもつものが，重核子（ハイペロン）とよばれ，全体を総称して重粒子（バリオン）という．中間子やハイペロンはいずれも不安定で，約 10^{-10} 秒程度の短時間で，次々と軽粒子に壊変していく．次に壊変の一例を示す．

$\Omega^- \to \Lambda + K^- \quad \Xi^- \to \Lambda + \pi^- \quad \Sigma^- \to n + \pi^- \quad \Lambda \to P + \pi^-$
$K^+ \to \pi^+ + \pi^0 \quad \pi^\pm \to \mu^\pm + \nu_\mu \quad \mu^\pm \to e^\pm + \nu_e + \nu_\mu$

最後には電子（e^+, e^-），中性微子（ν），光子（γ），あるいは陽子（p）となり安定となる．この中で，π^- 中間子は放射線治療に用いるための研究がなされていた．

表 3-3

		記号 粒子	記号 反粒子	スピン ($\hbar$)	質量 (MeV)	平均寿命 (s)
	光子	γ	γ	1	0	安定
軽粒子	中性微子	ν	ν^-	1/2	$<3\times10^{-6}$: ν_e	安定
	電子	e^-	e^+	1/2	0.511	安定
	μ粒子	μ^-	μ^+	1/2	105.7	2.19×10^{-6}
中間子	π中間子	π^0	π^0	0	134.9	8.4×10^{-17}
		π^+	π^-	0	139.5	2.6×10^{-6}
	K中間子	K^+	K^-	0	493.6	1.23×10^{-8}
		K^0	$\overline{K}^0$	0	497.6	$\{K_S^0: 0.89\times10^{-10}$ $\{K_L^0: 5.17\times10^{-8}$
重粒子	核子 N 陽子	p	$\overline{p}$	1/2	938.2	安定
	中性子	n	$\overline{n}$	1/2	939.6	0.9×10^3
	重核子 Y Λ粒子	Λ	$\overline{\Lambda}$	1/2	1115.6	2.6×10^{-10}
	Σ粒子	Σ^+	$\overline{\Sigma}^+$	1/2	1189.4	0.8×10^{-10}
		Σ^0	$\overline{\Sigma}^0$	1/2	1192.5	$<1.0\times10^{-14}$
		Σ^-	$\overline{\Sigma}^-$	1/2	1197.3	1.5×10^{-10}
	Ξ粒子	Ξ^0	$\overline{\Xi}^0$	1/2	1314.9	2.98×10^{-10}
		Ξ^-	$\overline{\Xi}^-$	1/2	1321.3	1.65×10^{-10}
	Ω粒子	Ω^-	$\overline{\Omega}^-$	3/2	1672.2	1.3×10^{-10}

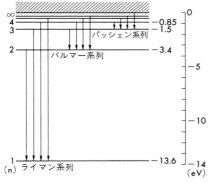

図 3-3 水素原子のスペクトル線

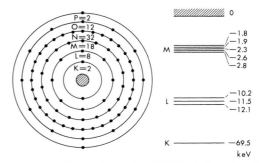

図 3-4 タングステン原子の電子軌道配置とポテンシャル

ル線を放射する．実験的にはボーアの理論以前にバルマーによってバルマー系列が最も早く発見された．

4. 軌道電子の配置

水素原子については，軌道電子のもつ全エネルギー W_n は

$$W_n = -\frac{2\pi^2 k^2 me^4}{h^2}\frac{1}{n^2} \quad (n=1, 2, 3,) \quad (3.11)$$

で表される．ここで，n を**主量子数**とよび，$n=1$ を K 軌道，$n=2$ を L 軌道，$n=3$ を M 軌道……と名づける．ボーアは電子軌道を円軌道と仮定したが，後に楕円軌道に修正された．その結果，電子軌道は主量子数 n のほかに微細構造があり，これを**方位量子数** l と名づけた．

しかし，この量子条件を満足するものが，すべての電子軌道ではなく，パウリの原理により，ある制限が加えられる．その結果，主量子数 n で定まる軌道に収容される電子数 N は

$$N = 2n^2 \quad (3.12)$$

その結果，K 軌道は $2\cdot 1^2=2$，L 軌道は $2\cdot 2^2=8$，M 軌道は $2\cdot 3^2=18$ …となる．図 3-4 にタングステン原子についての電子配列と全エネルギー W_n を示す．

一方微細構造，方位量子数 l を考慮すると，$l=0, 1, 2, 3$ の電子をそれぞれ，s, p, d, f, …と名づけ，主量子数 n とともに $1s, 2p, 3d$ などと表す．これらの電子配置を周期律表と対応させると，元素の化学的性質がよくわかる．

微細構造には方位量子数のほかに，磁気量子数 m，スピン量子数 s がある．このように電子配置が量子数 n, l, m, s によって決められる原理を**パウリの排他原理**という．

5. 特殊相対性理論

1905 年，アインシュタインは特殊相対性理論を発表し，さらに 1915 年には一般相対性理論を確立した．この中で，特に放射線物理に関係するもののみを次に示す．

①動物体の質量

静止質量 m_0 の物体が，速度 v で運動すると次式で示すように物体の質量は m に増加する．

$$m = \frac{m_0}{\sqrt{1-\left(\frac{v}{c}\right)^2}} \quad c:\text{光速度} \quad (3.13)$$

②質量とエネルギーの等価性

質量とエネルギーは本来は等価であって，質量 m の物体は次式によってエネルギー E に換算できる．

$$E = mc^2 \quad c:\text{光速度} \quad (3.14)$$

m を kg 単位，c を m/s 単位で表すと，E は J 単位となる．したがって，1 g の物体は 9×10^{13} J のエネルギーに相当し，電子 1 個は 0.51 MeV のエネルギーに相当する．

関連事項

メスバウアー効果

ある原子核から放出される γ 線が反跳を伴うことなく，同じ種類の原子核によって共鳴吸収される現象をいう．例えば，放射性同位元素である ^{57}Co は電子捕獲をして ^{57}Fe となり，このとき 122 keV と 14.4 keV の γ 線を放出する．このうちの 14.4 keV の γ 線を同じ種類の安定な原子核 ^{57}Fe（同位体存在比 2.2%）に照射すると，このとき両原子核が固定されていると，無反跳となり γ 線の共鳴吸収が起こる．この共鳴吸収は線源を移動させることにより，最大共鳴吸収点を見い出すことができる．そして共鳴吸収は温度が低く，γ 線エネルギーが小さいほど効果は大きい．この結果から原子核の磁気能率，固体中の原子や電子の結合状態などを知ることができる．

4 原子核の構造と性質

1. 原子核の構成

原子の中心に存在する原子核は陽子と中性子とから構成され，それぞれを**核子**とよぶ．陽子は正の電荷（1.6×10^{-19}C）をもち，中性子は電荷をもたない．両者の質量はほぼ等しく，これらの核子で構成される原子核は原子の質量の大部分をもつ．また原子核の大きさは，その半径を R とするとき，次式で示される．

$$R = 1.4\times10^{-15} A^{1/3} \text{ [m]} \quad (A：質量数) \quad (3.15)$$

低原子番号元素では，陽子と中性子が同数の割合で存在するが，高原子番号になるに従って，陽子数に比べて中性子数が増大する．陽子数と中性子数の和を質量数とよび，陽子数を原子番号とよぶ．

2. 同位体など

A. 同位体（同位元素）isotope

原子番号が同じで，質量数が互いに異なる元素を**同位体**または**同位元素**とよぶ．例えば水素原子は，^{1}H と ^{2}H が自然界に存在し，互いに同位元素という．この場合，^{1}H は 99.9885％ を占め，^{2}H は 0.0115％ の割合で存在する．この割合を**同位体存在比**という．しかし，人工的に ^{6}Li 原子に中性子を照射すると，^{3}H 原子が生成する．^{3}H はトリチウムとよび，半減期 12.32 年で 18.6 keV の β 線を放出する不安定な原子核である．^{3}H も ^{1}H，^{2}H の同位元素であるが，これは人工的に作られ，放射線を放出するため，このような元素を**（人工）放射性同位元素**とよぶ．これに対して，^{1}H，^{2}H のように放射線も放出せず安定した元素を**安定同位元素**という．現在，天然に存在する安定同位元素の総数は約 270 種，自然放射性同位元素は 58 種，人工放射性同位元素は約 2,000 種類以上に及ぶ．このようなそれぞれの原子核を**核種**とよぶ．

B. 同重体（同重元素）isobar

質量数が等しくて，互いに原子番号の異なる元素を**同重体**または**同重元素**とよぶ．例えば，$^{64}_{28}$Ni と $^{64}_{30}$Zn は互いに同重元素である．

C. 同中性子体 isotone

中性子数が等しくて，質量数の異なるものを**同中性子体**とよぶ．例えば，$^{58}_{26}$Fe と $^{60}_{28}$Ni は互いに同中性子体である．すなわち，$^{58}_{26}$Fe の中性子数は，$58-26=32$．また $^{60}_{28}$Ni の中性子数は，$60-28=32$ となり，同数となる．

3. 原子質量単位

原子や原子核を構成する核子，素粒子などの相対質量を表すのに**原子質量単位**（atomic mass unit）を用い，**u** の記号を使う．1u は ^{12}C 原子の質量の 1/12 と定義する．^{12}C 原子 12 g 中にはアボガドロ数だけの原子があるから，1u の質量は次式となる．

$$1\text{u} = \frac{12}{6.022\times10^{23}} \times \frac{1}{12} = 1.66\times10^{-24}\text{g} \quad (3.16)$$

また，質量とエネルギーの等価性 $E=mc^2$ から，この質量をエネルギーに換算すると，

$$1\text{u} = (1.66\times10^{-27}\text{kg}) \times (3\times10^8\text{m/s})^2$$
$$= 1.49\times10^{-10}\text{J} = 931.5\text{MeV} \quad (3.17)$$

この関係を使って電子 1 個のエネルギーを求めると，$E = 0.000548\text{u} \times 931.5 = 0.51\text{MeV}$ となることがわかる．

4. 結合エネルギーと質量欠損

重水素 ^{2}H 原子について考えてみる．^{2}H 核は陽子 1 個と中性子 1 個とからできている．いま陽子と中性子の質量和（m_p+m_n）と重水素原子核の質量（m_d）を比較すると，

$$\begin{array}{rl} m_p+m_n = & 1.007276+1.008665 = 2.015941\text{u} \\ m_d = & 2.013553\text{u} \\ \hline \Delta m & 0.002388\text{u} \end{array}$$

Δm だけ ^{2}H 核の質量が減少していることがわかる．Δm を**質量欠損**という．これをエネルギーに換算すると $0.002388 \times 931.5 = 2.22\text{MeV}$ となる．結局，陽子と中性子の結合エネルギーに 2.22 MeV が消費され，Δm だけ質量が少なくなったわけである．核子 1 個当たりの結合エネルギーに直すと，$2.22/2 = 1.11\text{MeV}$ となる．どのような原子核でも，核子間の結合エネルギーのために質量欠損を起こす．いま，質量数に対して核子 1 個当たりの結合エネルギーを調べてみると，^{2}H は 1.11 MeV であったが，質量数の増加とともに大きくなり，質量数約 60 の原子核（Fe 近傍）で最大値となり，約 8.8 MeV となる．その後は徐々に下がり，U や Pu のような質量数 240 程度で約 7.5 MeV となる．質量数の小さい核と大きい核を除いて，質量数 20～180 の核は 8 MeV 以上となり，最も安定である．

5. 安定核種の陽子数と中性子数

原子核内での核子の結合は，p-p，n-n，p-n で互いに結合しているが，それぞれの核力は大体等しい．しかし，安定核種について，p と n の個数が奇数，偶数について分類してみると，次のようになる．

p と n が偶数：166 種，p が偶数，n が奇数：53 種
p と n が奇数：4 種，p が奇数，n が偶数：57 種

5 原子核の壊変

3章 放射線物理学

原子核がエネルギー的に不安定な核種は、核子を核外に放出したり、陽子を中性子に転換するか、中性子を陽子に転換するなどの過程を経て、より安定な核種になろうとする．これを原子核壊変とよび，次の種類がある．

1. α壊変

原子核から ^{4}He の原子核である，α粒子を放出して，より安定な核種になろうとする現象をα壊変という．したがってα壊変が起こると原子番号が2，質量数が4減少した核種となる．

α壊変は $_{84}$Po 以上の原子番号の元素に主として起こり，これ以下の放射性同位元素では特定のものを除いてほとんど起こらない．α壊変が起こると，α線および多くの場合でγ線を伴い，α線，γ線ともに単一エネルギーの線スペクトルとなる．ラジウムのα壊変の例を図3-5に示す．^{226}Ra は半減期1600年で $α_1$(4.784 MeV；94.4％) と $α_2$(4.601 MeV；5.6％) の2本のα線を放出し，^{222}Rn に壊変する．$α_2$ は Rn の励起状態となり，残余のエネルギー，0.186 MeV を γ 線として放出する．

一般にα放射核の壊変定数λと放出されるα粒子エネルギー E の間には次の関係があり，これを**ガイガー・ヌッタル**（Geiger-Nuttal）**の法則**という．

$$\log λ = A + B \log E \quad A, B \text{ は定数} \quad (3.18)$$

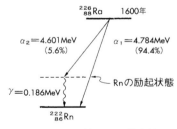

図 3-5　ラジウムのα壊変図

2. β壊変

β壊変を分類すると，①$β^-$壊変，②$β^+$壊変，③軌道電子捕獲となる．$β^+$壊変と軌道電子捕獲は壊変機構は異なるが，結果的に同じ核種となる．

A. $β^-$壊変

不安定な中性子過剰核種（原子炉などで中性子照射すると，人工的に中性子過剰核種が生産される）は，核内で次の反応により，中性子 n を陽子 p に変換して安定核種になろうとする．

$$n \rightarrow p + β^- + \bar{ν} \quad (3.19)$$

ただし，$β^-$ は陰電子で，これを $β^-$ 線という．$\bar{ν}$ は**反中性微子**（反ニュートリノ）とよび，質量は0に近く極めて微小なエネルギー粒子である．この核壊変の結果，質量数は不変であるが，原子番号が1増加した核種となり，$β^-$ 線と $\bar{ν}$ を核外に放出する．これを $β^-$ 壊変という．壊変の際の放出エネルギーは $β^-$ と $\bar{ν}$ に与えられ，$β^-$ 線および $\bar{ν}$ は連続エネルギー分布となる．図3-6に $β^-$ 壊変の例を示す．

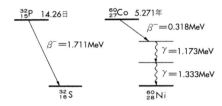

図 3-6　$β^-$ 壊変の例

そこで ^{32}P の壊変は次式のように書ける．

$$^{32}_{15}\text{P} \rightarrow {}^{32}_{16}\text{S} + β^- + \bar{ν} + E \quad (3.20)$$
（E；放出エネルギー）

放出エネルギー E を計算するには，反応式の左辺と右辺の質量差を求めればよい．m_0 を電子の静止質量とすると，

左辺：^{32}P の核質量＝　　　　　$31.98403 - 15 m_0$

右辺：^{32}S の核質量 ＋ $β^-$ 質量 ＋ $\bar{ν}$

　　　　　　＝ $(31.98220 - 16 m_0) + m_0 = 31.98220 - 15 m_0$

左辺 − 右辺（E）：　　　　　0.00183 u

$E = 0.00183 \times 931.5 = 1.71$ MeV

1.71 MeV のエネルギーは $β^-$ の運動エネルギーと $\bar{ν}$ に分配されるため，$β^-$ 線は図3-7のような連続スペクトル分布となる．平均エネルギーは最大エネルギーの約 1/3 となり，^{32}P の場合は約 0.6 MeV となる．

図3-6に示す ^{60}Co の $β^-$ 壊変では，$β^-$ 線のほかにγ線を伴う．^{32}P のように $β^-$ 線のみを放出する場合と，^{60}Co

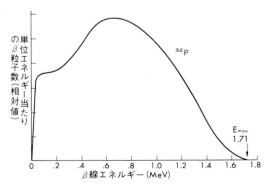

図 3-7　β線エネルギー分布（^{32}P）

のようにβ^-線とγ線を放出する場合とがある．γ線は単一エネルギーである．

B. β^+壊変

不安定な陽子過剰核種（サイクロトロンなどで陽子線照射をすると，人工的に陽子過剰核種が生産される）では，核内で陽子を中性子に変換して安定核種になろうとする．

$$p \to n + \beta^+ + \nu \tag{3.21}$$

ただし，β^+は陽電子で，これをβ^+線という．この結果，質量数は不変であるが，原子番号が1減少した核種となり，β^+線とν（ニュートリノ）を核外に放出する．これをβ^+壊変という．β^-壊変と同様に放出エネルギーはβ^+とνに分配されるため，β^+線は連続スペクトルを示す．運動エネルギーを消費したβ^+は，β^-と異なり自然に安定な形で存在できないため，0.51 MeVの2本の電磁波（消滅放射線）を互いに反対方向に放射して消滅する．これを物質消滅という．

β^+壊変がβ^-壊変と異なる点は，β^+が物質消滅を起こすことのほかに，β^+壊変では元の原子と生成原子との質量差に$2m_0c^2$(1.02 MeV)以上なければ反応できない点である．このことを$^{12}_7$Nのβ^+壊変について考えてみる．

$$^{12}_7\text{N} \longrightarrow {}^{12}_6\text{C} + \beta^+ + \nu + E \tag{3.22}$$

この場合の放出エネルギーEを計算してみると，

左辺：$^{12}_7$Nの核質量 = 12.022780 − 7m_0
右辺：$^{12}_6$Cの核質量 + β^+質量 + ν
    = (12.003803 − 6m_0) + m_0 = 12.003803 − 5m_0

左辺 − 右辺：   0.018977 − 2m_0
$E = (0.018977 \times 931.5) - 2 \times 0.511$
  $= 17.68 - 1.022 = 16.66$ MeV

結局，最大16.66 MeV～0まで連続分布したβ^+線が放出されるが，反応前後の核質量（エネルギー）差が1.02 MeV以上なければβ^+壊変が起こらないことがわかる．

β^+壊変でもβ^+線に付随して単一エネルギーのγ線が放射されることが多い．

C. 軌道電子捕獲 electron capture (EC)

$^7_4$Be核のβ^+壊変は次のようになる．

$$^7_4\text{Be} \to {}^7_3\text{Li} + \beta^+ + \nu \tag{3.23}$$

この反応で，^{7}Beと^{7}Liの核質量（エネルギー）差は図3-8に示すように0.863 MeVとなって，これは1.02 MeV以下であるから，β^+壊変は起こり得ない．しかし次の反応は可能である．

$$^7_4\text{Be} + e^- \to {}^7_3\text{Li} + \nu \tag{3.24}$$

これは^{7}Be核が自分のK軌道電子を核内に捕獲して，^{7}Li核となる．β^+線は放射されないが，結果的には，質量数は不変で，原子番号が1減少した核が生成され，β^+壊変と同じ結果となる．これを軌道電子捕獲という．K軌道電子が捕獲された結果，K軌道に空位ができ，^{7}Li原子のK特性X線が放射される．また反応により放出されるエネルギーは^{7}Li核の運動エネルギーとνに分配されるが，大部分のエネルギーはνが得る．

図3-8の$^{22}_{11}$Naの壊変のように，β^+壊変と軌道電子捕獲を並行して起こすこともある．

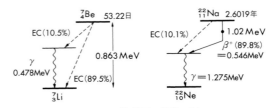

図3-8 軌道電子捕獲の例

3. 核異性体転移 isomeric transition (IT)

α壊変またはβ壊変をした後，なお核が励起状態にあるときにγ線を放射して基底状態となるが，特に励起状態にある時間の比較的長い核種（半減期の長いもの）を核異性体（isomer）とよび，この現象を核異性体転移という．^{99m}Tc（半減期6時間），^{137m}Ba（半減期2.6分）のように質量数に mの記号を付して区別する．図3-9に^{137}Csのβ^-壊変により生成した^{137m}Baが核異性体転移する様子を示している．核異性体はγ線のみを放射するため，核医学診断によく用いられる．

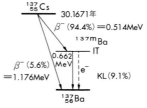

図3-9 ^{137}Csのβ^-壊変図

4. 内部転換 internal conversion (IC)

α壊変，β壊変に付随してγ線が放射されるが，ときには原子核の励起エネルギーがγ線の放射を伴わないで自分の原子の軌道電子にエネルギーを与えて，電子として原子外に放射する場合がある．これを内部転換とよび，放出された電子を内部転換電子という．

内部転換は内側軌道電子ほどよく起こり，K殻電子の放出確率が最も高い．また高原子番号ほどよく起こり，その確率はZ^3に比例して増大する．γ線のままで放出される光子数をN_r，内部転換される光子数をN_eとすると，N_e/N_rを内部転換係数または内部転換比とよぶ．

γ線エネルギーを $h\nu$, 軌道電子と原子核との結合エネルギーを φ とすると，内部転換電子は $(h\nu-\varphi)$ の単一エネルギーをもつ．また内部転換の起こった後には軌道電子の空位ができるため，特性X線が発生する．

5. 自発核分裂 spontaneous fission (SF)

原子番号 92 以上の核種の中で，中性子などの衝突なしに自然に一定の半減期で主として2つの原子核に分裂する現象を自発核分裂とよび，SF の記号で表す．この場合，生成核は中性子過剰となり，中性子の放出を伴うとともに，さらに β^- 壊変するものもある．したがって，中性子発生源としてよく用いられ，^{252}Cf (半減期：α 壊変 2.730 y，SF 85.5 y) は中性子放出率が非常に高く利用価値が大きい．SF はほとんどの場合，α 壊変と並行して起こる．

6. 光（ひかり）核反応 photo-disintegration

高エネルギー光子で原子核を衝撃すると，反応断面積は非常に小さいが，(γ, n), (γ, p), $(\gamma, 2n)$, (γ, np) などの核反応を起こす．これを光核反応とよび，反応を起こすのに必要な光子エネルギーに一定のしきい値をもつ．この中でも (γ, n) 反応は中性子発生源に用いられることもあり，代表的なものに ^{9}Be$(\gamma, n)^8$Be (Q 値 -1.666 MeV), ^{2}H$(\gamma, n)^1$H (Q 値 -2.226 MeV) がある．

7. 壊変図式

図 3-5 から図 3-9 まで種々の壊変図を示すが，左右の移動は原子番号の増減を表す．α 壊変，β^+ 壊変ならびに軌道電子捕獲は左下方への斜線で表し，β^- 壊変は右下方への斜線で表す．また γ 線放射は垂直線または波線で表す．この図では，放出エネルギーに α, β, γ の記号をつけているが，実際にはエネルギーと割合（％）は数値のみで表示する．また，内部転換電子は垂直下方の点線で表示し，K, L は K 軌道ならびに L 軌道電子の内部転換を示している．

---関連事項---

種々の原子核壊変をまとめると次のようになる．

表 3-4

壊変形式	質量数	原子番号	放出放射線など
α 壊変	-4	-2	α 線（単一エネルギー） γ 線（単一エネルギー）
β^- 壊変	不変	$+1$	β^- 線（連続エネルギー） 反中性微子（$\bar{\nu}$） γ 線（単一エネルギー）
β^+ 壊変	不変	-1	β^+ 線（連続エネルギー） 中性微子（ν） γ 線（単一エネルギー） 消滅放射線 （0.51 MeV 2本）
軌道電子捕獲 (EC)	不変	-1	中性微子（ν） γ 線（単一エネルギー） 特性X線（単一エネルギー） オージェ電子（単一エネルギー）
核異性体転移 (IT)	不変	不変	γ 線（単一エネルギー）
内部転換 (IC)	不変	不変	K, L 電子（単一エネルギー） 特性X線（単一エネルギー） オージェ電子（単一エネルギー）

6 核壊変の指数法則

1. 壊変の指数法則

放射性核種の壊変は，個々の原子核では時間的にランダムに起こる．しかし，多数の原子核を考える場合，放射性核種の原子数を N 個とし，これが微小時間 dt で壊変する原子数 dN は次式となる．

$$dN = -\lambda N dt \tag{3.25}$$

負の符号は原子数の減少を意味し，λ は**壊変定数**[s^{-1}] である．すなわち，壊変原子数はそのときに存在する原子数に比例する．時刻 0 のときの原子数を N_0 として，(3.25) 式を積分すると，次式が得られる．

$$N = N_0 e^{-\lambda t} \tag{3.26}$$

N は t 秒後に存在する原子数を示し，この式を核壊変の指数法則という．この式を変形して，両辺の自然対数をとると，次式となる．

$$\log_e \frac{N}{N_0} = -\lambda t \tag{3.27}$$

縦軸に $\log_e N/N_0$ を，横軸に時刻 t を目盛ると直線となり，その傾きの絶対値は壊変定数 λ を示す．図 3-10 に種々の核種の壊変曲線を示す．一方，最初に存在した原子数 N_0 が壊変によって，1/2 になるときの時間を（物理的）**半減期**とよぶ．半減期を T とし，$N/N_0 = 1/2$ とすると，(3.27) 式は次式となり半減期と壊変定数の関係が得られる．

$$\lambda T = \log_e 2 = 0.693 \tag{3.28}$$

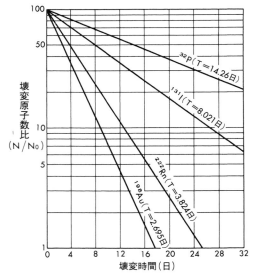

図 3-10 種々の核種の壊変曲線

図 3-10 からもわかるように，1 半減期 T で N/N_0 は 1/2 に，$2T$ で 1/4，$3T$ で 1/8，nT で $(1/2)^n$ となる．したがって半減期の整数倍であれば，減衰の割合は簡単に求まる．例えば，$T/2$ であれば $(1/2)^{\frac{1}{2}} = 1/\sqrt{2} = 0.707$ となる．

核種によって，例えば ^{40}K のように β^- 壊変と軌道電子捕獲といった，複数の壊変形式をもつものがあり，これを**分岐壊変**という．それぞれの壊変定数を λ_1, λ_2 とすると，**全壊変定数** λ は，$\lambda = \lambda_1 + \lambda_2$ となる．λ_1, λ_2 を**部分壊変定数**という．

2. 平均寿命

最初に存在した N_0 個の原子は，あるものは早く壊変し，ある原子は長時間経過してから壊変する．そこで，個々の原子が壊変するまでの時間を積分し，もとの原子数 N_0 で除すと，ちょうど人間の平均寿命と同じ意味の，原子の**平均寿命**が求められる．平均寿命を T_a とすると，次式となる．

$$T_a = 1/\lambda = 1.44 T \tag{3.29}$$

すなわち，T_a は物理的半減期の 1.44 倍となる．また，T_a は最初の原子数 N_0 が $1/e$ に減少するまでの時間ともいえる．

3. 放射能

放射能の単位はベクレル Bq [s^{-1}] であり，旧単位ではキュリー [Ci] で表していた．Ci と Bq の間には次の関係がある．

$$1 \text{ Ci} = 3.7 \times 10^{10} \text{ Bq} \tag{3.30}$$

Rn と放射平衡にある Ra 1 g は約 1 Ci である．単位時間当たりの壊変数 (dN/dt) は (3.25) 式より $-\lambda N$ となるから，1 MBq の放射性核種の原子数は次式で計算できる．

$$N = \frac{10^6 [s^{-1}]}{\lambda [s^{-1}]} = \frac{10^6 [s^{-1}] \cdot T[s]}{0.693} \tag{3.31}$$

さらに，原子数 N は次式により質量 x [g] に換算することもできる．

$$x = \frac{AN}{N_A} \begin{pmatrix} A : 核種の原子量 \\ N_A : アボガドロ数 \end{pmatrix} \tag{3.32}$$

4. 比放射能，放射能濃度

比放射能は放射性核種 1 g あたりの放射能 [Bq/g] で表す．水溶液の場合には [Bq/mol] で表すこともある．ラジオグラフィー用線源などでは比放射能の大きいほうが，同じ放射能であっても線源体積を小さくでき鮮鋭な写真が撮影できる．

また，水溶液 1 mL 当たりの放射能 [Bq/mL] を放射能濃度という．

7 自然放射性元素

自然界に存在する元素の中で、核壊変を起こし放射線を放出するものを自然放射性元素とよぶが、この中でも、原子番号81のタリウムから、92のウランまでの元素は系列を作って壊変する。ウランを超える元素は現在、地球上に存在せず、人工的に作り出すことによって118番の元素まで発見されている。これを**超ウラン元素**という。結局、半減期の非常に長いものだけが現在まで、地球上に残っていることになる。

系列を作って壊変するものは、自然界に次の3系列がある。

トリウム系列　　　　（$4n$ 系列）　　　$^{232}_{90}\text{Th} \to ^{208}_{82}\text{Pb}$
ウラン系列　　　　　（$4n+2$ 系列）　　$^{238}_{92}\text{U} \to ^{206}_{82}\text{Pb}$
アクチニウム系列　　（$4n+3$ 系列）　　$^{235}_{92}\text{U} \to ^{207}_{82}\text{Pb}$

1. 壊変系列

A. トリウム系列

$^{232}_{90}\text{Th}$ は半減期 1.405×10^{10} 年で自然界に存在し、α 壊変、β^- 壊変を繰り返しながら、$^{208}_{82}\text{Pb}$ に至り安定となる壊変系列である。質量数は α 壊変によって4減少するが、β 壊変では不変であるため、この系列にある元素の質量数は、$232-4n(n=1,2\cdots)$ にあるはずである。232 は $4n$ で割りきれるため、**$4n$ 系列**ともよぶ。

B. ウラン系列

$^{238}_{92}\text{U}$ は半減期 4.468×10^{9} 年の長半減期で自然界に存在し、α、β^- 壊変を繰り返し、$^{206}_{82}\text{Pb}$ に至る壊変系列である。この系列中の各元素の質量数は、$4n+2$ で表せるため、これを**$4n+2$ 系列**ともよぶ。ウラン系列は非常に重要で、この系列中には半減期1600年の $^{226}_{88}\text{Ra}$ や娘核である $^{222}_{86}\text{Rn}$ などの利用度の高い放射性元素がある。これらは古くから放射線治療などに用いられてきた。

C. アクチニウム系列

$^{235}_{92}\text{U}$ は半減期 7.040×10^{8} 年の半減期で自然界に存在し、α、β^- 壊変を繰り返して、$^{207}_{82}\text{Pb}$ に至る壊変系列である。この系列中の各元素の質量数は $4n+3$ で表されるため、これを **$4n+3$ 系列**とよぶ。

D. ネプツニウム系列

自然に存在する元素で系列壊変するものは、以上述べた3系列であるが、気がつくことは $4n+1$ 系列がないことである。これは最初の親核種の半減期が短いために、現在は地球上から姿を消した系列である。人工的に親核種を製造した結果、$^{241}_{95}\text{Am}$ から始まり $^{205}_{81}\text{Tl}$ で終わる系列であることがわかった。この系列に含まれる元素は $4n+1$ の質量数になることから、**$4n+1$ 系列**ともよばれ、これは人工放射性系列である。$^{241}_{95}\text{Am}$ の半減期は432.2年であるが、次の生成核 $^{237}_{93}\text{Np}$ の半減期が 2.144×10^{6} 年である。

2. 系列壊変しない自然放射性元素

主として $_{82}\text{Pb}$ 以下の原子番号で、系列的な壊変をせず（原則として1回の壊変で安定核となる）に、自然に存在する放射性元素がいくつかある。これを表3-5に示す。いずれも半減期が非常に長いために、現在まで自然界に残存している。

このほか、地球の大気中には、宇宙線照射で生成した中性子によって、$^{14}\text{N}(n,p)^{14}\text{C}$ の反応が起こり、これによって生成した ^{14}C（半減期5700年）なども自然界に存在している。

表 3-5 系列壊変しない自然放射性元素の例

核　種		壊変の形	半減期（年）
$^{40}_{19}\text{K}$	（カリウム）	β^-, EC	1.251×10^{9}
$^{87}_{37}\text{Rb}$	（ルビジウム）	β^-	4.923×10^{10}
$^{115}_{49}\text{In}$	（インジウム）	β^-	4.41×10^{14}
$^{138}_{57}\text{La}$	（ランタン）	EC, β^-	1.05×10^{11}
$^{144}_{60}\text{Nd}$	（ネオジム）	α	2.29×10^{15}
$^{147}_{62}\text{Sm}$	（サマリウム）	α	1.06×10^{11}
$^{176}_{71}\text{Lu}$	（ルテチウム）	β^-	4.00×10^{10}
$^{187}_{75}\text{Re}$	（レニウム）	β^-	4.12×10^{10}
$^{190}_{78}\text{Pt}$	（白金）	α	6.5×10^{11}

8 人工放射性元素

自然に存在する安定元素に種々の電離放射線や素粒子を照射すると原子核は不安定となり，放射線を放出して壊変する．これらの元素を人工放射性元素とよぶ．

1. 人工放射性元素の生産

原子核反応を起こすために用いる衝撃粒子としては，中性子，陽子，重陽子，光子（γ線），中間子および ^{3}H，^{3}He，^{4}He（α粒子）などの原子核が用いられる．

中性子源には主として原子炉があり，重荷電粒子はサイクロトロン，シンクロトロンなどの加速器で加速させることができる．

原子炉の中性子照射で作られた放射性同位元素は中性子過剰核となるため，n→p+β^-+$\bar{\nu}$ の核壊変により，β^- 壊変する核種が多い．一方，粒子加速装置を用いて，陽子や重陽子の衝撃で作られた，放射性同位元素は陽子過剰核となり，p→n+β^++ν の核壊変により，β^+ 壊変する核種が多い．

このほか，原子炉で生産される放射性同位元素として，ウランの**核分裂片**（fission product）の多くが放射性を示す．^{235}U が核分裂を起こすと，大きく2つの原子核に分裂する確率が高く，その中でも，質量数95と140近傍の元素に分裂する確率が高い．^{90}Sr，^{137}Cs などは核分裂生成物の中でも代表的な放射性同位元素である．

2. 人工放射性元素の性質

人工放射性元素の多くは β^-，β^+，EC，IT などの壊変形式となり，α壊変は特殊なものを除いてほとんどない（人工でα壊変するものはネプツニウム系列の元素である）．

人工放射性元素で炭素原子を例として，その性質を安定核を含めて比較してみると，次のようになる．

^{10}C－(19.1 s)→^{10}B+β^+
　　　　（2p過剰核）
^{11}C－(20.39 m)→^{11}B+β^+
　　　　（1p過剰核）
^{12}C 安定核（98.93％）
^{13}C 安定核（1.07％）
^{14}C－(5700 y)→^{14}N+β^-
　　　　（2n過剰核）
^{15}C－(2.3 s)→^{15}N+β^-

　　　　（3n過剰核）

ただし，p は陽子，n は中性子を表す．

^{12}C，^{13}C の安定核種を中心として，中性子数に比べて陽子数の過剰な核種は β^+ 壊変し，陽子数に比べて中性子数の過剰な核種は β^- 壊変することがわかる．しかも，過剰数が大きいほど原子核はより不安定となり，短半減期で壊変する傾向がある．

3. 人工放射性元素の系列壊変

人工放射性元素であっても，次のように系列的な壊変をするものがある（表3-6）．

このような系列壊変する最初の核種はいずれも，ウランの核分裂によってできた核分裂片である．先にも述べたとおり，最も生成確率の高い核種は質量数95ならびに140近傍である．高原子番号になるほど陽子数に比して中性子数が多くなるため，ウランが2つの原子に分裂すると，中性子過剰の不安定核ができる．これらは安定核になるまで，β^- 壊変を繰り返し系列壊変を行う．

表 3-6 人工放射性元素の壊変系列

$^{90}_{35}$Br $\Big\{$

$\xrightarrow[1.65m]{\beta^-,n}$ $^{89}_{36}$Kr $\xrightarrow[3.2m]{\beta^-}$ $^{89}_{37}$Rb $\xrightarrow[15.4m]{\beta^-}$ $^{89}_{38}$Sr $\xrightarrow[50.5d]{\beta^-}$ $^{89}_{39}$Y（安定）

$\xrightarrow[1.65m]{\beta^-}$ $^{90}_{36}$Kr $\xrightarrow[33s]{\beta^-}$ $^{90}_{37}$Rb $\xrightarrow[2.7m]{\beta^-}$ $^{90}_{38}$Sr $\xrightarrow[28y]{\beta^-}$ $^{90}_{39}$Y $\xrightarrow[64.3h]{\beta^-}$ $^{90}_{40}$Zr（安定）

$^{144}_{57}$La $\xrightarrow[短]{\beta^-}$ $^{144}_{58}$Ce $\xrightarrow[284d]{\beta^-}$ $^{144}_{59}$Pr $\xrightarrow[17.5m]{\beta^-}$ $^{144}_{60}$Nd（安定）

$^{137}_{53}$I $\Big\{$

$\xrightarrow[24s]{\beta^-,n}$ $^{136}_{54}$Xe（安定）

$\xrightarrow[24s]{\beta^-}$ $^{137}_{54}$Xe $\xrightarrow[3.9m]{\beta^-}$ $^{137}_{55}$Cs $\xrightarrow[30y]{\beta^-}\Big\{$ $^{137m}_{56}$Ba $\downarrow$ IT $^{137}_{56}$Ba (30y)

$^{140}_{54}$Xe $\xrightarrow[16s]{\beta^-}$ $^{140}_{55}$Cs $\xrightarrow[66s]{\beta^-}$ $^{140}_{56}$Ba $\xrightarrow[12.8d]{\beta^-}$ $^{140}_{57}$La $\xrightarrow[40.2h]{\beta^-}$ $^{140}_{58}$Ce（安定）

9 制動X線の発生と性質

1. 電界中での電子の運動エネルギー

図3-11のように電子が，V [V]の電位差で加速された場合に得る運動エネルギーを考える．電界の強さ E [V/m] は

$$E = V/d \quad (d：電極間距離[m]) \quad (3.33)$$

また，電界により電子に働く力 F [N] は

$$F = eE = eV/d \quad (e：素電荷[C]) \quad (3.34)$$

−極から+極まで電子が加速された結果，得られる運動エネルギー W [J] は

$$W = Fd = eV \quad (3.35)$$

となる．ここで，電子が1Vの電位差で加速されたときに得る運動エネルギーを1eV（エレクトロンボルト）と定義して，エネルギーの単位に用いる．

$$1eV = 1.6 \times 10^{-19} \text{ [J]} \quad (3.36)$$

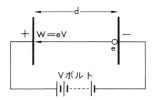

図 3-11 電子の運動エネルギー

2. 電子と原子の相互作用

電子と原子の相互作用では，原子核との相互作用は無視でき，すべてが核外での作用である．大きく次の2つの過程で電子は運動エネルギーを失う．

A. 衝突損失

電子は軌道電子と直接に衝突し，軌道電子にエネルギーを与えることにより，原子は電離または励起される．衝突損失は近似的には，一定の電子の運動エネルギーに対して，物質の種類にはあまり関係なく，物質の密度に比例する．言い換えれば，単位体積中の電子数に比例する．

B. 放射損失

高速電子が，原子核近傍の強いクーロン場を通過すると，急激に減速され軌道が曲げられる．この制動作用によって失ったエネルギーは電磁波として，原子外に放射され，この分だけ電子は運動エネルギーを失う．放射された電磁波を**制動X線**または**阻止X線**とよぶ．放射損失は，①電子のエネルギー，②物質の原子番号，③物質の密度に関係する．

C. 衝突損失と放射損失の関係

放射損失と衝突損失の間には次の関係がある．ただし，E は電子エネルギー（MeV），Z は原子番号である．

$$\frac{放射損失}{衝突損失} = \frac{EZ}{1600 m_0 c^2} = \frac{EZ}{820} \quad (3.37)$$

電子エネルギーが低く，物質の原子番号が小さいときは，ほとんどが衝突損失であり，$EZ ≒ 820$ で両者はほぼ等しく，これ以上の EZ では，放射損失のほうが大きくなる．

3. 制動X線の発生

電子の放射損失により制動X線が発生する．V [V]で加速された電子は eV [J]の運動エネルギーをもつが，これがすべて放射損失によりX線エネルギー $h\nu$ [J] に転換されると，X線の波長 λ は次式となる．

$$h\nu = h\frac{c}{\lambda} = eV \text{ より } \lambda = \frac{hc}{eV} \quad (3.38)$$

c：光速度

この場合，X線エネルギーは最大値をとり，波長は**最短波長** λ_{min} となる．

$$\lambda_{min} = \frac{hc}{eV} = \frac{12.4}{V(kV)} \text{ [Å]} = \frac{1.24}{V(kV)} \text{ [nm]} \quad (3.39)$$

これを**デュエン・ハント**（Duane-Hunt）**の式**という．

しかし，電子エネルギーのすべてがX線光子に転換される確率は少なく，一部のエネルギーのみが制動X線となり，そのエネルギーの大小は連続分布するため，発生するX線は $0 \sim eV$ [J]まで連続的に分布する（連続エネルギースペクトル）．したがって制動X線のことを**連続X線**とよぶこともある．

4. X線管のX線発生効率

発生するX線の総エネルギー（全強度）Q は次式となる．

$$Q = kV^2 IZ \quad (3.40)$$

ただし，V はX線管電圧，I は管電流，Z はターゲットの原子番号，k は定数．

一方，単位電力量［W］当たりのX線発生量をX線発生効率 η とすると，次式で示される．

$$\eta = \frac{X線の総エネルギー}{電力量} = k\frac{V^2 IZ}{VI} = kVZ \quad (3.41)$$

ターゲットにタングステン（$Z = 74$）を用い，管電圧

関連事項

電界中での電子速度

電極間電圧 V [V]で加速された電子の速度は次式となる．

$$\frac{1}{2}mv^2 = eV \text{ より } v = \sqrt{\frac{2eV}{m}}$$

100 kVで電子を加速すると，$v = 1.87 \times 10^8$ m/sとなり光速度に近くなる．光速度に近づけば電子質量 m は相対性理論を考慮しなければならない．

を 100 kV とすると，おおよそ k は 1.1×10^{-6} であり，η は約 0.0074 となり発生効率は 1％ に満たない．

5. X線の波動性

X線は 3×10^8 m/s（光速度）で空間を伝播する電磁波である．波長を λ [m]，振動数を ν [s^{-1}]，光速度を c [m/s] とすると，次の関係がある．

$$c=\lambda\cdot\nu \qquad (3.42)$$

高速電子と原子との相互作用で放射される電磁波がX線であり，これは連続波長分布をもつ．医療で用いられるX線の波長は，30 kV 程度のX線管電圧で発生する 0.01 nm 程度から，直線加速器によって 20〜30 MeV の電子エネルギーで発生する，0.01 pm 程度の波長まで分布している．

波動の性質をもった，このようなX線は光と同様に次のような作用や性質がある．①真空中では直進する．②物質を構成する原子と相互作用を起こし，吸収，散乱する．③距離の逆二乗で減弱する．④光と同様に反射，回折，干渉などの作用を受ける．

6. X線の量子性

X線は波動としての性質をもつと同時に，エネルギー粒子としての性質をもつ．このようなエネルギー粒子を**光子**とよび，光子のエネルギー E は次式となる．

$$E=h\nu \ [\text{J}] \qquad (3.43)$$

h：プランク定数（6.626×10^{-34} J·s）

ν：振動数（s^{-1}）

また光子は運動量 p をもち，次式で示される．

$$p=h\nu/c \qquad c：光速度 \qquad (3.44)$$

光子エネルギーはジュール単位よりも eV 単位で表すことが多く，X線管などではこのほうが便利である．すなわち，100 kV のX線管電圧で発生する最大光子エネルギーは 100 keV であり，20 MeV の電子エネルギーで発生するリニアックからの最大光子エネルギーは 20 MeV である．X線を光子として考えれば，物質との相互作用で起こる光電効果，コンプトン効果などはX線の粒子性により説明できる．

7. 物質波（ド・ブロイ波）

電磁波が粒子の性質をもつならば，質量をもった電子のような粒子が波動としての性質をもつだろうと考え，ド・ブロイ（L. de Broglie）は物質の波動性を理論的に導いた．これを**物質波**または**ド・ブロイ波**という．

そこで質量 m，速度 v で進行する粒子の波長 λ は次式となる．

$$\lambda=h/(mv) \qquad h：プランク定数 \qquad (3.45)$$

電子の物質波を電子波ともよぶが，これは電子線の回折現象などで，波動としての現象が観測できる．

8. X線の反射，干渉

X線の反射，干渉の現象は結晶回折で観測することができる．図 3-12 のように原子が規則正しく配列された結晶に θ 方向からX線が入射すると，X線は結晶面で反射される（実際には原子の軌道電子との古典散乱による）．反射は各結晶面で起こり，そのときの光路差が波長の整数倍になれば，θ 方向への反射X線は干渉して，その方向に強いX線が観測される．反射X線の検出は，フィルムや GM 計数管で行い，干渉条件は次式で示される．

$$n\lambda=2d\sin\theta \qquad (3.46)$$

ただし，λ はX線波長，d は結晶面間隔（格子定数ともいう），$n=1, 2, 3\cdots$（自然数）である．これを**ブラッグの反射式**という．

この原理により，d が既知であれば波長の測定のX線分光器ができ，λ が既知であれば結晶面間隔をはじめ，結晶構造の解析ができる．

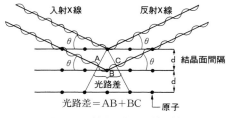

図 3-12 結晶によるX線反射

---関連事項---

X線スペクトルの変化

X線エネルギーに対するX線強度の曲線（図 3-13）をX線スペクトルという．図のスペクトルは次のように変化する．

1) スペクトル①で管電圧を増すと，②となり，最大エネルギーが増し，X線強度が増大する．
2) スペクトル①で管電流を増すと，③となり，最大エネルギーは変らず，X線強度のみ増大する．
3) スペクトル①にフィルタを付加すると，④となり，最大エネルギーは変わらず，低エネルギーX線が吸収され，X線強度は全体的に減少する．

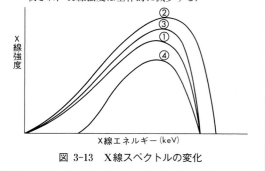

図 3-13 X線スペクトルの変化

10 特性X線の発生と性質

1. 特性X線の発生

入射光子と物質を構成する原子の軌道電子との光電効果や γ 線の内部転換などにより,内殻軌道の電子が電離され空位になると,外殻軌道電子が遷移する.その際,軌道のエネルギー準位差に相当するエネルギーの電磁波を放出し,これを特性X線(示性X線,固有X線,蛍光X線)とよぶ.特性X線は単一のエネルギースペクトルを呈し,物質に固有である.

タングステン原子の K 系列と L 系列の特性X線の名称とエネルギーを図 3-14 に示す.K 軌道の空位への遷移の際に放出される特性X線を K 線,L 軌道の空位への遷移の際に放出される特性X線を L 線とよぶ.K 線のうち,L 軌道から遷移したものを K_α,M または N 軌道から遷移したものを K_β という.また,磁場の存在下における L または M 軌道の分離したエネルギー準位間の遷移により,$K_{\alpha 1}$,$K_{\alpha 2}$ などと分類される.

特性X線のエネルギーは,各電子軌道のエネルギー準位のエネルギー差に相当し,例えば,$K_{\alpha 1}$ 特性X線のエネルギーは,以下となる.

$$E(L_3) - E(K) = (-10.2) - (-69.51) = 59.31 \text{ [keV]}$$

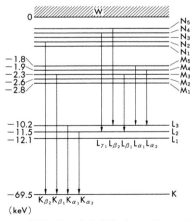

図 3-14 特性X線の発生機構(タングステン原子)

同様にして各エネルギー準位差を計算したものを表 3-7 に示す.結局,最もエネルギーの大きいものは K_β であり,K_α,L_γ と続く.また発生する X 線強度は $K_{\alpha 1}$ が最も強く,$K_{\alpha 1}$ と $K_{\alpha 2}$ で大部分を占める.したがって,K_α 特性X線は重要である.

表 3-7 タングステン原子の特性X線

特性X線	遷移	X線エネルギー (keV)	X線強度比
$K_{\beta 2}$	$N_2, N_3 - K$	69.089	15
$K_{\beta 1}$	$M_3 - K$	67.236	35
$K_{\alpha 1}$	$L_3 - K$	59.310	100
$K_{\alpha 2}$	$L_2 - K$	57.972	50
$L_{\gamma 1}$	$N_4 - L_2$	11.284	
$L_{\beta 2}$	$N_5 - L_3$	9.961	
$L_{\beta 1}$	$M_4 - L_2$	9.671	
$L_{\alpha 1}$	$M_5 - L_3$	8.396	
$L_{\alpha 2}$	$M_4 - L_3$	8.333	

2. 特性X線の波長と原子番号の関係

特性X線の振動数 ν と,これを発生させる物質の原子番号 Z には,以下のモーズレイ(Moseley)の法則が成り立つ.

$$\sqrt{\nu} = k(Z - \delta) \qquad (3.47)$$

ただし,k,δ は定数である.したがって,高原子番号物質ほど特性X線の振動数は高くなり,波長は短く,光子エネルギーも大きくなる.また,特性X線の波長は原子の種類のみで決まる固有の値である.

3. オージェ効果 Auger effect

電子軌道の空位へ外殻の軌道電子が遷移するとき,余剰のエネルギーを特性X線として放出される代わりにそのエネルギーを軌道電子が吸収し,電離する過程が起こることがある.この過程をオージェ効果とよび電離した電子を**オージェ電子**という.特性X線とオージェ電子の放出は競合して起こり,特性X線の放出割合を**蛍光収率**,オージェ電子の放出割合を**オージェ収率**とよぶ.原子番号が大きいほど,オージェ収率は減少し蛍光収率のほうが大きくなる.

関連事項

特性X線と吸収端の関係

光電効果に付随して発生する特性X線を考える.いま K 軌道電子に光電効果を起こさせるためには,図 3-14 よりタングステン原子の場合,69.5 keV(K 電子結合エネルギー)以上のX線エネルギーがなければならない.入射X線がこのエネルギーを超えると,K 光電効果が起こりX線吸収は飛躍的に増大する.そこでこのエネルギー値を **K 吸収端**(K-edge)とよぶ.続いて起こる特性X線の発生では,最もエネルギーの高い $K_{\beta 2}$ 線でも,69.089 keV であるから,必ず特性X線エネルギーより,吸収端が大きいエネルギーであることがわかる.

また,タングステンの K 特性X線を発生させるためには,K 電子結合エネルギー以上のエネルギーを有するX線を原子に照射しなければならず,X線管電圧が約 70 kV 未満ではタングステンの K 特性X線を観測できない.

11 光子（X線およびγ線）と物質の相互作用

1. 光電効果

図3-15の1）のように，X線光子は原子の内殻電子にそのエネルギー$h\nu$を与えることによって電子は運動エネルギーを得て，原子外に飛び出る．この電子を**光電子**という．光電子の運動エネルギーTは，電子の原子核との結合エネルギーをφとしたとき，次式となる．

$$T = h\nu - \varphi \tag{3.48}$$

光電子は物質中で電離，励起を繰り返し（ときには制動X線となる），大部分は熱エネルギーとして消費されるため，入射X線は結果的に物質中に真に吸収されたことになる．光電効果の起こる確率は，①内殻電子ほど大きく，K電子が最も大きい．K電子の結合エネルギーをφ_kとすると，$h\nu > \varphi_k$でないとK光電効果は起こらない．$h\nu$がφ_kを超えた瞬間，光電吸収は飛躍的に増加する．この現象を**選択吸収**とよび，このエネルギー値を**吸収端**という．K吸収端は1個，L吸収端は3個ある（☞図3-14）．

光電効果の起こる確率は電子軌道のほかに，②物質の原子番号，③X線光子エネルギーによって変化する．そして，生体のような低原子番号物質に対する比較的低エネルギーX線領域では，電子吸収係数はZ^3に比例する．また光子エネルギーを$h\nu$，波長をλとすると，$(1/h\nu)^3$またはλ^3に比例して増加する．

光電効果の起こった後には，軌道電子の空位の位置ができる．この空位を満たすため外殻電子が遷移することによって特性X線（またはオージェ電子）が発生する．高原子番号物質から発生した特性X線はエネルギーが高いため，物質外に飛び出る確率が大きい．この場合の光電吸収は，$(h\nu - \varphi)$となる．しかし特性X線のエネルギーが再吸収されれば$(h\nu - \varphi) + \varphi = h\nu$となる．

2. コンプトン効果

図3-15の3）のように，X線光子が軌道電子と衝突をして，光子エネルギーの一部を軌道電子に与え，自らは方向を変えて散乱する．エネルギーを与えられた電子は運動エネルギーを得て，軌道の外へ飛び出す．この電子を**反跳電子**または**コンプトン電子**とよび，散乱光子を**コンプトン散乱線**とよぶ．

散乱角をφとし，散乱光子エネルギーを$h\nu'$，反跳電子の運動エネルギーをEとすると次式の関係となる．

$$h\nu' = h\nu \frac{1}{1 + \alpha(1 - \cos\varphi)} \tag{3.49}$$

$$E = h\nu \frac{\alpha(1 - \cos\varphi)}{1 + \alpha(1 - \cos\varphi)} \tag{3.50}$$

$$\alpha = \frac{h\nu}{m_0 c^2} = \frac{h\nu[\text{MeV}]}{0.51} \quad \left(\begin{array}{l}m_0 c^2 : \text{電子の静}\\ \text{止エネルギー}\end{array}\right)$$

そこでエネルギー保存則から，$h\nu' + E = h\nu$となる．したがって，この保存則は軌道電子の結合エネルギーが無視される条件下で成立するため，主として外殻軌道で起こるが，高エネルギー光子が低原子番号物質と相互作用した場合には内殻軌道電子でもこの条件は成立する．

コンプトン散乱線は$h\nu$よりエネルギーが減少して，$h\nu'$となるため，波長が長くなる．波長ののびを$\Delta\lambda$とすると，次式となる．

$$\Delta\lambda = \frac{h}{m_0 c}(1 - \cos\varphi) = 2.43(1 - \cos\varphi) \, [\text{pm}] \tag{3.51}$$

散乱角$\varphi = 180°$で，反跳電子のエネルギーは最大（E_{max}）となり，散乱光子エネルギーは最小（$h\nu'_{min}$）となる．そして，この値は次式となる．

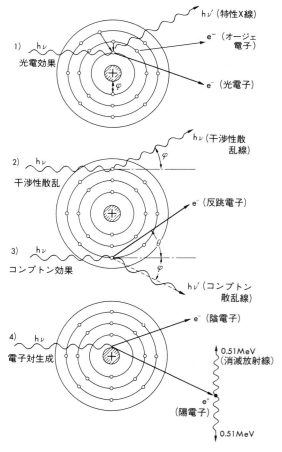

図 3-15 X線と物質の相互作用

$$E_{max}=h\nu\frac{2\alpha}{1+2\alpha} \qquad h\nu'_{min}=h\nu\frac{1}{1+2\alpha} \qquad (3.52)$$

この場合の E_{max} を**コンプトンエッジ**とよぶ．

反跳電子の運動エネルギーは光電子と同様，物質中に吸収されるが，散乱光子は物質外に逃げる確率が高いため，コンプトン効果による真の吸収は，反跳電子に与えられた運動エネルギーと考えればよい．

コンプトン効果の起こる確率（電子吸収係数）は① Z に依存しない．いい換えれば，単位質量中の電子数に比例するため，原子番号よりも物質の密度で変化する．また②光子エネルギーに対しては，0.5～5 MeVの中程度のエネルギー領域でコンプトン効果の起こる確率が高くなる．また角度分布は，光子エネルギーが大きくなるほどコンプトン散乱線は前方（入射X線の進行方向）に散乱される傾向が強くなる．コンプトン散乱のことを**量子散乱**，**非干渉性散乱**などとよぶ．

3．トムソン散乱・レイリー散乱

図3-15の2)に示すように，外殻の軌道電子が入射X線によって振動数 ν で強制振動を受け，この振動電子が波源となって空間に対して電磁波を放射する．放射される電磁波の振動数は入射X線と同じであるため，波長の変化はなく，方向だけが変わる散乱過程である．電子を原子核の拘束を受けない自由電子と考えた場合，これを**トムソン散乱**という．トムソン散乱はX線を古典理論により取り扱い，相手の電子は独立した1個の電子と考える．そのため，**古典散乱**または**干渉性散乱**（コヒーレント散乱）あるいはエネルギーの授受がないため弾性散乱ともよばれる．

一方，散乱体である電子を原子核に拘束された電子群として考えた散乱過程を**レイリー（Rayleigh）散乱**という．比較的，高原子番号の物質に低エネルギーX線が照射された場合に顕著となり，特に乳房撮影の際に問題となるが，これ以外のX線検査ではほとんど無視してもよい（コンプトン散乱のみを主として考えればよい）．

4．電子対生成

図3-15の4)のように，入射X線が1.02 MeV以上のエネルギーで原子核近傍を通過するとき，X線光子は消滅し，陰電子と陽電子が生成される．この現象を**電子対生成**という．静止質量 m_0 の電子は，質量とエネルギーの等価性により，$E=m_0c^2=0.51$ MeVのエネルギーに相当するから，陰電子と陽電子を生成するには，1.02 MeVのエネルギーを必要とする．したがって，電子対生成は光子エネルギー1.02 MeV未満では絶対に起こらない．光子エネルギー $h\nu$ の残余のエネルギー $(h\nu-1.02)$ MeVは陰陽電子の運動エネルギー（T_+，T_-）として消費される．

$$(T_++T_-)=h\nu-1.02 \ [\text{MeV}] \qquad (3.53)$$

T_+，T_- の運動エネルギーを得た陰陽電子は，物質中を進行する途中で，電離，励起を起こし，その運動エネルギーは物質中で真に吸収される．T_+，T_- への分配のされ方は，それぞれ1/2に分かれる確率が最も高く，0～$(h\nu-1.02)$ まで分布する．

電子対生成の起こる確率は，①物質の原子番号と光子エネルギーに依存して増大し，②光子エネルギーが一定であれば，電子吸収係数は原子番号 Z に比例する．

運動エネルギーを消費した陽電子は再び陰電子と結合して，これらの静止質量に相当する0.51 MeVの2本の電磁波（消滅放射線）となり，互いに反対方向（0°，180°）に放射して，陰陽電子は消滅する．これを**物質消滅**（annihilation）という．2本の電磁波は物質外に逃げる確率が高いため，結局，電子対生成による吸収エネルギーは $(h\nu-1.02)$ MeVとなる．

電子対生成が核の場で起こるのに対して，軌道電子の場で，陰陽電子の生成と軌道電子の合計3電子を放出する作用があり，これを**三対子生成**（triplet formation）とよび，$4m_0c^2(2.04$ MeV$)$ 以上の光子エネルギーを必要とする．

関連事項

電子吸収係数と質量吸収係数の関係

電子吸収係数 (μ_e) に1g中の電子数を乗ずると，質量吸収係数 (μ/ρ) となる．すなわち，原子量をA，原子番号をZ，アボガドロ数をNとすると，$(\mu/\rho)=\mu_e(NZ/A)$ となり，低原子番号物質ではZ/A≒1/2であるから，両者はZに依存しない．

したがって，質量吸収係数と電子吸収係数は光電効果に対して Z^3，コンプトン効果は0乗，電子対生成はZに比例することになる．

12 光子と物質の相互作用係数（吸収係数等）

1. 質量減弱係数 (μ/ρ)

X, γ線（光子線）が物質を通過するとき, ①光電効果による光電子, ②コンプトン効果による反跳電子, ③電子対生成による陰陽電子によって, 物質中でそのエネルギーが真に吸収される. 同時に, ④コンプトン散乱線, ⑤トムソン散乱線によって, X, γ線は減弱する.

物質 1 kg 当たり X, γ線がそれらすべての過程で減弱する割合を**質量減弱係数**という. 質量減弱係数は (μ/ρ) で表し, 次式で示される.

$$\frac{\mu}{\rho} = \frac{1}{\rho N} \cdot \frac{dN}{dl} \quad [\mathrm{m^2/kg}] \quad (3.54)$$

これは密度 ρ の物質中を長さ dl 進む間に, 放射線が相互作用を受ける割合 dN/N を示している.

そして, X線の減弱は次式となる.

$$\frac{\mu}{\rho} = \frac{\tau}{\rho} + \frac{\sigma_c}{\rho} + \frac{\sigma_{coh}}{\rho} + \frac{\kappa}{\rho} \quad (3.55)$$

ただし, τ/ρ は光電効果, σ_c/ρ は全コンプトン効果（散乱と吸収を含める）, σ_{coh}/ρ はトムソン散乱, κ/ρ は電子対生成によるそれぞれの質量減弱係数である.

さらに衝突断面積 σ [m²] を用いて μ/ρ の説明ができ, 次式で示される.

$$\frac{\mu}{\rho} = \frac{N_A \sigma}{M} \quad (3.56)$$

N_A：アボガドロ数, M：モル（グラム）分子 [kg]

2. 質量エネルギー転移係数 (μ_{tr}/ρ)

X, γ線のエネルギーが物質中で, 光電子, コンプトン効果の反跳電子, 電子対生成による陰陽電子の運動エネルギーに転移する割合を表し, 次式で示される.

$$\frac{\mu_{tr}}{\rho} = \frac{1}{\rho E} \frac{dE_{tr}}{dl} \quad (3.57)$$

これは密度 ρ の物質中を長さ dl 進む間に, 入射した X, γ線エネルギー E が相互作用の結果, 2次電子の運動エネルギー E_{tr} に転移される割合, dE_{tr}/E を示す.

X, γ線が 2 次電子エネルギーに転移する模様を式で示すと次式となる.

$$\frac{\mu_{tr}}{\rho} = \frac{\tau_a}{\rho} + \frac{\sigma_{ca}}{\rho} + \frac{\kappa_a}{\rho} \quad (3.58)$$

ただし, τ_a/ρ は光電減弱係数 (τ/ρ) の中で, 光電子の運動エネルギーに与えられる割合で, 次式となる.

$$\frac{\tau_a}{\rho} = \frac{\tau}{\rho} \left(1 - \frac{\delta}{h\nu} \right) \quad (3.59)$$

ただし, δ は X, γ線エネルギーのうち, 特性 X 線に転換される割合である.

σ_{ca}/ρ はコンプトン減弱係数 (σ_c/ρ) の中で, 反跳電子の運動エネルギーに与えられる割合で, 次式となる.

$$\frac{\sigma_{ca}}{\rho} = \frac{\sigma_c}{\rho} \frac{E_e}{h\nu} \quad (3.60)$$

E_e：反跳電子の平均エネルギー

κ_a/ρ は電子対生成減弱係数 (κ/ρ) の中で, 陰動電子の運動エネルギーに与えられる割合で, 次式となる.

$$\frac{\kappa_a}{\rho} = \frac{\kappa}{\rho} \left(1 - \frac{2 m_0 c^2}{h\nu} \right) \quad (3.61)$$

$2 m_0 c^2 = 1.02 \mathrm{MeV}$

以上のように, エネルギー転移係数は 2 次電子の運動エネルギーへの転移を表すから, カーマ K と次式によって関係づけられる.

$$K = \Psi \frac{\mu_{tr}}{\rho} = \Phi \left[E \left(\frac{\mu_{tr}}{\rho} \right) \right] \quad (3.62)$$

Ψ：エネルギーフルエンス, Φ：粒子フルエンス

この中で, $E(\mu_{tr}/\rho)$ を**カーマ因子**という.

3. 質量エネルギー吸収係数 (μ_{en}/ρ)

光子エネルギーが高くなり, 吸収物質が高原子番号となると, 2次電子が制動 X 線を放出する確率が増加する. 制動 X 線は物質中で吸収される確率が小さいため, 真の吸収エネルギーとしては, これを補正しなければならない. そこで μ_{en}/ρ は次式で示される.

$$\frac{\mu_{en}}{\rho} = \frac{\mu_{tr}}{\rho} (1 - g) \quad (3.63)$$

ただし, g は 2 次電子エネルギーが制動 X 線エネルギーとなる割合である.

低原子番号物質に低エネルギー光子が照射される場合に, 制動 X 線の発生が無視できれば, $\mu_{en}/\rho = \mu_{tr}/\rho$ と考えてもよい. また, 吸収線量の計算には μ_{en}/ρ を用いなければならない.

吸収線量 D とエネルギーフルエンス Ψ との間には次の関係がある.

$$D = \Psi \frac{\mu_{en}}{\rho} \quad (3.64)$$

4. 線吸収係数と質量吸収係数

X, γ線と物質との相互作用の過程から, μ/ρ, μ_{tr}/ρ, μ_{en}/ρ に分類できることはすでに述べた. これらは, 断面積 1 m² で 1 kg の物質に X, γ線が入射したとき, この物質内で X, γ線が減弱または吸収される割合を意味する. 次元は [m²/kg] で表す. 質量吸収係数は物質の状態（密度）によって変化しない特徴がある.

一方, X, γ線の吸収計算を行うときには, 線吸収係

数 μ_{en} を用いると便利である．これは物質1m当たりに吸収される割合を示し，次元は [m^{-1}] である．線吸収係数と質量吸収係数の関係は，$(\mu_{en}/\rho)\rho=\mu_{en}$ となり質量吸収係数に物質の密度 ρ を乗ずることによって線吸収係数が求められる．線減弱係数と質量減弱係数の関係についても同様である．

5. 原子衝突断面積と電子衝突断面積

原子1個当たりの吸収の割合を原子衝突断面積という．原子衝突断面積 σ_A と質量減弱係数の関係は次式となる．

$$\sigma_A = \frac{\mu}{\rho}\frac{A}{N_A} \quad [\text{m}^2/\text{atom}] \tag{3.65}$$

ただし，A は原子量，N_A はアボガドロ数，N_A/A は物質1g中の原子数であるから，μ/ρ を1g中の原子数で除することによって，原子1個当たりの**原子衝突断面積**が得られる．これは面積の次元をもつ．したがって非常に小さい数値となり 10^{-28} m^2 の桁である．そこで，10^{-28} m^2 を1バーン（barn）という．

一方，電子衝突断面積 σ_e は電子1個当たりの吸収の割合を示し，1個の原子中には Z 個の電子が含まれるため，原子衝突断面積を Z で除することによって，次式となる．

$$\sigma_e = \frac{\mu}{\rho}\frac{A}{N_A}\frac{1}{Z} \quad [\text{m}^2/\text{electron}] \tag{3.66}$$

原子衝突断面積と同様に，やはり 10^{-28} m^2 の桁となる．

関連事項

各相互作用係数と光子エネルギーの関係

質量減弱係数が光子エネルギーによって変わることはすでに述べた．一例として，図3-16に空気の質量減弱係数の曲線を示す．光子エネルギーに対する各減弱過程を調べてみる．

1) 光電効果による減弱（τ/ρ）は，低エネルギー領域の減弱の大部分を占め，エネルギーの増大とともに急激に減少する．高原子番号物質では，光電吸収の中にK，L吸収端がみられるとともに，光電吸収の終端は高エネルギー側に移行し，数 MeV まで続く．

2) コンプトン効果による反跳電子の吸収（σ_{ca}/ρ）は，山形となり，約1MeV のエネルギーで最大となる．コンプトン効果は原子番号に関係せず，単位質量中の電子数に依存するから，高原子番号物質になってもこの傾向は変わらない．

3) 電子対生成による減弱（κ/ρ）は，理論的には1.02 MeV 以上の光子エネルギーで起こるが，実際の相互作用として検出されるには微小であり，光子エネルギーの増加とともに増し，空気では約3MeV 程度から減弱係数は増加し始める．高原子番号の鉛（$Z=82$）では，電子対生成が Z^2 に比例するため，それだけ減弱量も大きく，約1.5 MeV から減弱の増加がみられる．

4) トムソン散乱（レイリー散乱）は，低エネルギー領域で顕著であり，エネルギーの増大とともに減少する．図3-16では μ/ρ に含めずに，単独に描いている．

5) コンプトン散乱（σ_{cs}/ρ）は，低エネルギー領域で大きく，エネルギーの増大とともに漸次減少の傾向となる．高エネルギーでは前方散乱するため，コンプトン散乱による減弱はエネルギーとともに非常に減少する．

6) 質量エネルギー転移係数（μ_{tr}/ρ）は，(τ/ρ)，(σ_{ca}/ρ)，(κ/ρ) を合計したものである．また質量減弱係数（μ/ρ）は（μ_{tr}/ρ）にさらにコンプトン散乱の減弱（σ_{cs}/ρ）を加えたものである．ただし，この曲線ではトムソン散乱は加えていない．

以上のように，各エネルギー領域で有効に働く，吸収，散乱過程をよく知っておくことが必要である．

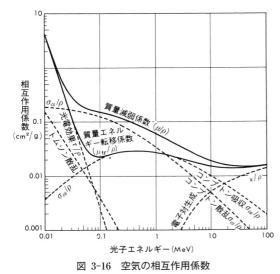

図 3-16　空気の相互作用係数

13 光子線（X線およびγ線）の減弱

光子が吸収，散乱を起こす過程はすでに述べたが，光子線（放射性同位元素からのγ線やX線管焦点から放射されるX線）の減弱について次に示す．

1. 距離による減弱

図 3-17 a）のように，γ線やX線は 4π [sr] 空間に放射されるため，途中に吸収物質がなくても，その強度は距離によって減弱する．いま，線源（焦点）F から r_1 の距離での照射線量率を I_1 とすると，距離 r_2 での線量率 I_2 は次式となる．

$$I_2 = \left(\frac{r_1}{r_2}\right)^2 \cdot I_1 \quad (3.67)$$

これを距離の逆二乗則とよび，光子線の強度が距離の 2 乗に反比例して減弱することを示す．厳密には，線源が点状で，外部からの散乱付加などがないときに成立する．

2. 物質中での吸収，散乱による減弱

図 3-17 b）に示す線束の中に，厚さ d [m]，質量減弱係数 μ/ρ [m²/kg]，密度 ρ [kg/m³] の物質をおくと，すでに述べた光子の吸収，散乱過程によって，点 P の照射線量率 I はγ線や単一波長X線の場合，次式によって減弱する．

$$I = I_0 e^{-(\frac{\mu}{\rho})\rho d} = I_0 e^{-\mu d} \quad (3.68)$$

ただし，I_0 は物質をおかなかったときの点 P での線量率である．これをX線減弱の**指数関数法則**という．この式が成立するのは，γ線や単一波長X線で，しかも散乱付加のない場合である．連続エネルギースペクトルを持つX線では，(μ/ρ) が物質の厚みとともに変化するため，半価層の点で等しい**実効減弱係数** μ_{eff} を用いる．連続X線の半価層を H とすると，μ_{eff} は次式となる．

$$\mu_{\text{eff}} \cdot H = l_n 2 = 0.693 \quad (3.69)$$

また 1/10 に減弱する吸収体の厚さを **1/10 価層**（H_{10}）とよび，μ_{eff} との関係は次式となる．

$$\mu_{\text{eff}} \cdot H_{10} = l_n 10 = 2.303 \quad (3.70)$$

放射線防護の観点では，物質（遮へいつい立てなど）と点 P が接近し，照射野が大きいと，物質（遮へいつい立てなど）からの散乱線が点 P に付加されるため，（3.68）式は次式のように改めねばならない．

$$I = BI_0 e^{-\mu d} \quad (3.71)$$

B を**再生係数**（ビルドアップファクタ）とよび，放射線防護の計算に用いる．近似的に次式で求められる．

$\mu d < 1$ のとき $B \fallingdotseq 1$
$\mu d > 1$ のとき $B \fallingdotseq \mu d$

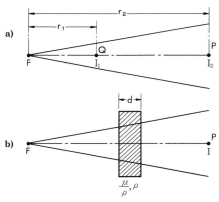

図 3-17 光子線の減弱

関連事項

$e^{-\mu d}$ **の計算法**

$I = I_0 e^{-\mu d}$ の式は，X線減弱率 I/I_0 を求めるために使用することが多い．この場合，$I/I_0 = e^{-\mu d}$ となり，e^{-x} を計算しなければならない．

1) d が半価層の整数倍の場合

半価層を H [cm] とし，物質の厚さを d [cm] とすると，指数関数式は次式となる．

$$\frac{I}{I_0} = \left(\frac{1}{2}\right)^{\frac{d}{H}} \quad (3.72)$$

この式を用いて，d/H が近似的に整数となれば，簡単に X線減弱率（I/I_0）を求めることができる．例えば，半価層が 0.5 cmPb である場合，1 cmPb のX線減弱率は 1/4，2 cmPb は $(1/2)^4 = 1/16$ となる．このときの Pb 厚を 2 半価層，4 半価層などとよぶ．10 半価層では約 1/1,000 に減弱する．

2) マクローリン展開による方法

$e^{-\mu d}$ において，μd が 1 より小さいときには，次の展開公式を用いて，μd の大きさに応じて高次の項を切り捨てるとよい．

$$e^{-\mu d} = 1 - \mu d + \frac{(\mu d)^2}{2!} - \frac{(\mu d)^3}{3!} \cdots \quad (3.73)$$

とくに，$\mu d \ll 1$ であれば，$e^{-\mu d} \fallingdotseq 1 - \mu d$ として計算すればよい．

14 荷電粒子（電子（β線），重荷電粒子）と物質の相互作用

1. 電子の吸収，散乱過程

高エネルギー電子の相互作用には，次の3つの過程がある．

A. 衝突損失（電離，励起作用）

高エネルギーの入射電子は原子の軌道電子と非弾性衝突を行い，電離または励起でエネルギーを消費する．Bethe-Bloch 理論により，電離，励起による平均エネルギー損失 $(-dE/dl)_{col}$ は，物質の密度 ρ，原子番号 Z，原子量 A，電子の速度 v，光速度 c，k を比例定数とすると，次式となる．

$$\left(-\frac{dE}{dl}\right)_{col} \approx k\rho \frac{Z}{A}\left(\frac{v}{c}\right)^{-2} \tag{3.74}$$

ただし，軽い元素では $Z/A \fallingdotseq 1/2$ であるため，$\left(-\dfrac{dE}{dl}\right)_{col}$ は物質の密度に比例し，電子の速度の 2 乗に反比例する．

B. 放射損失（制動 X 線の放射）

高エネルギーの入射電子が原子核近傍を通過するとき，原子核の強いクーロン場により減速され，電磁波を放射してエネルギーを失う．これを**制動放射**という．制動放射によるエネルギー損失 $(-dE/dl)_{rad}$ は，電子の運動エネルギーを E，吸収物質の原子番号 Z，原子量 A，k を比例定数とすると，次式となる．

$$\left(-\frac{dE}{dl}\right)_{rad} \approx k\rho \frac{Z}{A} EZ \tag{3.75}$$

ただし，軽い元素では $(Z/A) \fallingdotseq 1/2$ であり，放射損失は電子のエネルギーと原子番号に比例する．

また，放射損失と衝突損失の関係は次式で表される．

$$\frac{\text{放射損失}}{\text{衝突損失}} = \frac{EZ}{820} \quad (E : \text{MeV 単位}) \tag{3.76}$$

C. 弾性散乱

入射電子は先の吸収過程のほかに，原子核および軌道電子と弾性衝突を起こして散乱する．物質の原子番号が高くなるほど，散乱の確率は増す．

2. 阻止能

減弱係数や吸収係数が X，γ線（光子線）に用いられるのに対して，電子などの荷電粒子線に対する相互作用係数として**阻止能**がある．質量阻止能 (S/ρ) は次式で示される．

$$\frac{S}{\rho} = \frac{1}{\rho}\cdot\left(-\frac{dE}{dl}\right) \, [\text{Jm}^2/\text{kg}] \tag{3.77}$$

ここで dE は密度 ρ の物質中を荷電粒子が長さ dl 進む間に失うエネルギーであり，さらに質量阻止能は次のように2つの項に分けられる．

$$\frac{S}{\rho} = \frac{1}{\rho}\left(-\frac{dE}{dl}\right)_{col} + \frac{1}{\rho}\left(-\frac{dE}{dl}\right)_{rad} \tag{3.78}$$

ここで，$(dE/dl)_{col}$ は軌道電子との衝突損失によって失うエネルギーであり，$(dE/dl)_{rad}$ は原子核との放射損失によって失うエネルギーである．また，粒子フルエンス Φ [m^{-2}] との積により，荷電粒子による物質中の吸収エネルギー D を求めることができる．

$$D = \Phi \cdot \frac{S}{\rho} \, [\text{J/kg}] \tag{3.79}$$

また，質量阻止能 (S/ρ) に物質の密度 ρ を乗じた S [J/m] を線阻止能という．

3. 飛程

X，γ線と異なり，電子線はその運動エネルギーに依存した一定の飛程をもつ．β線エネルギーは連続分布となるが，単一エネルギーの電子線と同じ最大エネルギーをもつβ線でも，ほぼ同じ飛程となる．

β線の飛程はその最大エネルギーに関係するため，飛程からβ線最大エネルギーを求めることができる．これ

関連事項

β線の遮へい

β線や電子線では電離，励起による吸収は物質の密度に比例し，放射損失は原子番号に比例するため，制動 X 線の発生を抑制すべくプラスチックなどの低原子番号の遮へい材料を用いる．そして，X，γ線の減弱は高原子番号物質ほど大きいことを利用して，その外側に鉛などを配置して制動 X 線を遮へいする．

チェレンコフ効果

相対性原理によれば，物体の速度は真空中の光速度 c を超えることはない．しかし，屈折率 n（>1）の媒質中での光速度は c/n で表され，光速度を超える運動体が考えられる．

いま，荷電粒子線が媒質中を運動し，その速度 v が光速度 c/n を超えると，図 3-18 のように θ 方向に電磁波を放射する．これを**チェレンコフ放射**とよぶ．放射方向の角度 θ は次式によって決められる．

$\cos\theta = 1/n\beta,\ \beta = v/c$

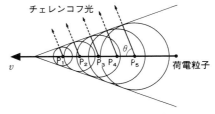

図 3-18 チェレンコフ放射

には次の実験式がある．
$$R_{Al}=0.542E-0.133 \quad (0.8\,\mathrm{MeV}<E) \tag{3.80}$$
$$R_{Al}=0.407E^{1.38} \quad (0.15\,\mathrm{MeV}<E<0.8\,\mathrm{MeV}) \tag{3.81}$$

R_{Al} はアルミニウム中の飛程で単位は [g/cm²] で表す．β線飛程の末端には制動X線の寄与があり，最大飛程の正確な測定はむずかしい．飛程の末端部の補正法として，**フェザー（Feather）法**，**ハーレイ（Harley）法**がある．

4. 陽電子の吸収

陽電子（$β^+$線）の物質中での吸収は，運動エネルギーを得ている間は電子（$β^-$線）と同様である．しかし，全運動エネルギーを消費した後は，陰電子と結合して物質消滅を起こし，0.51 MeV のエネルギーをもつ光子（消滅放射線）2本が互いに反対方向に放出され，陽電子は消滅する．

5. 重荷電粒子の吸収

陽子線，α線のような電子より質量の大きい荷電粒子を重荷電粒子線という．

重荷電粒子線の物質中での吸収過程の大部分は，軌道電子との非弾性衝突である．すなわち，軌道電子との相互作用により，原子を次々と電離，励起させ運動エネルギーを失っていく．荷電粒子線により電離された2次電子のうち，エネルギーが高く電離能力をもつものを**デルタ（δ）線**とよぶ．重荷電粒子線はその飛跡に沿って，多数のδ線を発生しながらほぼ直線的に物質中を進行し，その飛程は空気中で数 cm 程度と極めて短い．

重荷電粒子線は原子核との相互作用で核反応を起こすこともあるが，電離，励起に比べるとその確率は非常に小さい．

重荷電粒子の阻止能（$-dE/dl$）は次式となる．

$$\left(-\frac{dE}{dl}\right)_{col} \propto \frac{z^2}{v^2}\left(\frac{Z}{A}\right)\rho \tag{3.82}$$

ただし，z は荷電粒子の電荷，v は荷電粒子の速度，A は物質の原子量，Z は物質の原子番号，$ρ$ は物質の密度である．上式から，速度が遅いほど，電離，励起能力が大きい．

6. 重荷電粒子線の飛程

同じエネルギーのα線はほぼ同じ飛程をもつ．図3-19に物質中での飛程を示す（曲線A）が，終端近くで少しのゆらぎがあり，R_{max} を**最大飛程**，R_e を**外挿飛程**という．また R_0 はα粒子数が最初の1/2となった距離で，**平均飛程**とよび，一般にはこれがよく用いられる．

一方，物質中での単位長さ当たりの生成イオン対数を測定すると，曲線Bのようになり，飛程の終端近くで粒子速度が低下すると，急激に阻止能が大きくなり，イオン対数が増すことを示している．この曲線を**ブラッグ曲線**とよび，その最大値を**ブラッグピーク**という．重荷電粒子はすべて，このような形でエネルギー損失を起こす．

α線の空気中の飛程とエネルギーの関係を表すのに，次の実験式がある．

$$R=0.318E^{3/2}\,[\mathrm{cm}] \tag{3.83}$$

ただし，E はα線エネルギー（MeV）である．飛程は[mg/cm²]で表すことが多いことに留意する．

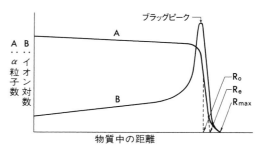

図 3-19　α粒子の飛程

関連事項

比電離

荷電粒子線が物質中を進行するとき，単位長さ当たりに生ずるイオン対数を**比電離**という．荷電粒子の速度が小さいほど，同一エネルギーでは質量が大きいほど，比電離は大きい．気体中では比電離にW値（1イオン対生成するに要する平均エネルギー）を乗ずると，近似的に阻止能を与える．

阻止能と線エネルギー付与

阻止能は荷電粒子線が物質中を進行するときに単位長さ当たりに失うエネルギー（$-dE/dl$）であり，全阻止能には放射損失分のエネルギーも含まれる．

一方，**線エネルギー付与（LET）**は，物質中で荷電粒子線によって，単位長さ当たりの物質へ付与されるエネルギー $L_Δ$ で表し，放射損失のエネルギーは含まれない．$Δ$ は dE に対するカットオフレベルであり，$Δ=∞$ の時，$L_∞=(-dE/dl)_{col}$ となる．すなわち，$L_∞$ は衝突阻止能に等しい．

このように，阻止能と線エネルギー付与は，失うエネルギー量と，付与されるエネルギー量の点で異なる．放射線生物学では主として $L_∞$ を使っている．

α線と障害

α線の飛程は非常に短く，数 MeV のα線で数 mg/cm² であるため，外部被ばくでは高エネルギーでない限り放射線障害はない．しかし内部被ばくでは，粘膜が直接照射され，しかも阻止能が非常に大きいため非常に危険である．

15 中性子と物質の相互作用

1. 中性子の性質
中性子は陽子とほぼ等しい質量をもつが，電荷をもたないため，X，γ線と同様に非荷電粒子線とよばれ，クーロン力による直接電離はしない．しかも，非常に不安定で，次の反応により平均寿命約15分で$β^-$壊変し陽子となる．

$$n \longrightarrow p + β^- + ν + 782\,keV \quad (3.84)$$

2. 中性子の発生
中性子はすべて原子核反応によって発生する．

A. 放射性物質と軽元素の組み合わせ
Ra, Poなどのα放射体と^{9}Be, ^{11}Bなどの軽元素を組み合わせ，α放射体からのα線を軽元素に照射して，(α, n)反応で発生する中性子を利用する．他の方法はγ放射体からのγ線を^{9}Be, ^{2}Hなどに照射して，(γ, n)反応で発生する中性子を利用する．これらの主なものを次に示す．

^{226}Ra（または^{210}Po, ^{241}Am）+ Be ： ^{9}Be(α, n)^{12}C
^{226}Ra + B ： ^{11}B(α, n)^{14}N
^{124}Sb + Be ： ^{9}Be(γ, n)^{8}Be
^{24}Na + D$_2$O ： ^{2}H(γ, n)^{1}H

これらはあまり大きな中性子束密度を得ることはできない．特に，(γ, n)反応は(α, n)反応に比べて非常に収率は悪い．

B. 粒子加速装置
粒子加速装置を用いて，p, dなどを加速して，これを軽元素に照射することによって，(p, n), (d, n)反応を起こさせ，これから発生する中性子を利用する．ときには加速装置で高エネルギーX線を発生させ，(γ, n)反応による中性子を利用することもある．軽元素としては，^{2}H, ^{3}H, ^{7}Li, ^{8}Beなどを用い，^{2}H(d, n)^{3}He, ^{3}H(d, n)^{4}He, ^{7}Li(p, n)^{7}Be, ^{9}Be(γ, n)^{8}Be反応などが利用される．これらの方法は，先ほどの放射性物質との組み合わせ法に比べて，はるかに大量の中性子を得ることができる．

C. 原子炉
^{235}U, ^{239}Puの核分裂の際，放出される中性子を利用する．ウランの核分裂では1回の核分裂で平均約2.5個の中性子が放出される．原子炉は種々の中性子源の中で最も大きな中性子束密度を得ることができる．

D. 自発核分裂（SF）
前述（☞ p.99）で述べたように^{252}Cfがよく用いられ，1g当たりの中性子放出数は$2.3 \times 10^{12}\,[s^{-1}]$と非常に大きい．全壊変のうち，SFは3.1%であり，残りはα壊変する．

3. 中性子の分類
中性子はエネルギーによっていくつかに分類されるが，その区分は漠然としている．大きく分けて，熱中性子，熱外中性子，速中性子となる．

1) 熱中性子：熱中性子とは周囲の媒質と熱平衡状態にあるものをいう．20℃での熱中性子平均エネルギーは，0.025 eVであり，速度は2,200 m/sとなる．また，これらの速度分布はマクスウェル分布に従う．
2) 熱外中性子：熱中性子と高速中性子の中間エネルギー域にあるものをいう．
3) 速中性子：エネルギーの下限値は明確でないが，約10 keV以上のものを速中性子という．

4. 中性子と物質との相互作用
中性子と物質との相互作用は，すべて原子核との反応である．中性子は直接電離能力はないが，これらの反応の結果，放出された荷電粒子線や電磁波が，直接，間接に電離，励起を起こすことによって中性子はエネルギーを失う．相互作用の形態は中性子エネルギーによって様々であり，主として次のような反応に分類できる．

A. 弾性衝突 (n, n)
中性子が原子核と弾性衝突し，散乱した中性子と反跳核に運動エネルギーを分配する．その結果，原子核に励起状態が残らない場合をいう．中性子質量のM倍の原子核がエネルギーE_nの中性子により，$θ$方向に反跳されたとすると，反跳核のもつ運動エネルギーEは次式となる．

$$E = E_n \frac{4M}{(M+1)^2} \cos^2 θ \quad (3.85)$$

いま，水素原子核を考え，$M \approx 1$とすると，水素原子核すなわち，反跳陽子に与えられる運動エネルギーE_pは，$E_p = E_n \cos^2 θ$, $θ=0$では$E_p = E_n$となり，中性子の全エネルギーを陽子に伝達することになる．これは速中性子について有効であるため，速中性子の減速には水素原子を多く含んだ含水素物質を用いる．

B. 非弾性衝突 (n, n'), (n, nγ), (n, 2n)
中性子と原子核の衝突において，原子核が励起状態になる場合をいう．これらは速中性子において可能な反応であり，(n, 2n)反応，すなわち，1回の衝突で2個の中性子が散乱される場合は，10 MeV以上の中性子エネルギーを必要とする．このような中性子は超高速中性子とよばれる．

C. 捕獲反応 (n, γ)
熱中性子に対して起こる反応であり，中性子を取り込

んだ原子核は励起状態となり，γ線を放射する．生成核は多くの場合，不安定核であり，放射性同位元素となる．Cd, In などは特に反応断面積が大きい．反応断面積は中性子速度に逆比例して大きくなり，これを **1/v 法則** とよぶ．したがって，中性子エネルギー E に対しては，$1/\sqrt{E}$ に比例して反応断面積は大きくなる．しかし，ある定まったエネルギー値で反応断面積が飛躍的に大きくなるところがあり，これを **共鳴吸収** とよんでいる．(n, γ) 反応で放出される γ 線エネルギーは通常数 MeV 程度である．

D. 荷電粒子放出

中性子の照射により，原子核から重荷電粒子が放出される反応である．これには，(n, p), (n, d), (n, α), (n, t), (n, αp) などがあり，この中でも (n, p), (n, α) 反応は重要である．反応例として次のようなものは中性子測定に応用されている．この中でも ^{10}B 反応は重要で BF$_3$ カウンターとして熱中性子測定に多く利用される．

$$^{10}\text{B}(n, \alpha)^{7}\text{Li} \quad (Q=2.78\,\text{MeV})$$
$$^{6}\text{Li}(n, \alpha)^{3}\text{H} \quad (Q=4.8\,\text{MeV})$$
$$^{3}\text{He}(n, p)^{3}\text{H} \quad (Q=0.77\,\text{MeV})$$

これらはいずれも発熱反応で，Q 値に相当するエネルギーが，生成核と放出荷電粒子の運動エネルギーとして，質量に逆比例で分配される．

E. 核分裂

中性子が原子核に取り込まれ，その結果，原子核はいったん複合核を作り，これが分裂することにより，2 個の核分裂生成物と，2～3 個の中性子が放出される反応 (n, f) である．^{232}U, ^{233}U, ^{235}U, ^{239}Pu, ^{241}Am, ^{242}Am などの核種は熱中性子によっても，高速中性子によっても核分裂する．

^{235}U の核分裂片 (fission product) は質量数が約 95 と 140 に分裂する確率が最も高く（図 3-21），その他種々の質量数の原子核 2 個に分裂する．したがって (n, f) 反応として表す．

F. 蒸発過程

約 100 MeV 以上の超高速中性子が，高原子番号の原子核に捕獲されると α 粒子を始めとして多数の粒子がシャワー状に放出される現象である．

5. 中性子線の減弱

中性子と原子核の相互作用を量的に表すのに核反応断面積を用いる．多数の原子を単原子層として 1 つの平面に配列し，その原子数が $1\,\text{cm}^2$ の面積に N 個あったとする．いま，この原子層に対して垂直方向から I(個/cm^2) の中性子を照射したとき，c 個の原子核に核反応が起こったとすれば，次式が成立する．

$$\sigma = c/NI \, (\text{cm}^2)$$

σ を **核反応微分断面積** とよび，面積 [m^2] の単位をもつ．σ の値は通常，非常に小さく $10^{-28}\,\text{m}^2$ の桁であるため，$10^{-28}\,\text{m}^2$ を **1 バーン** (barn) と決める．

上式を変形して，$c/I = N\sigma$ と書くと，c/I は入射中性子のうちで核反応を起こす数の割合となり，$N\sigma$ は $1\,\text{cm}^2$ の面積に並んだ原子の中で，中性子照射により核反応を起こす部分の断面積でもある．

実際には単原子層ではなく，ある厚さを有するため，深部にいくほど中性子数は減少し，核反応数も減ってくる．いま，標的の厚さを d(m) とし，$1\,\text{m}^3$ 当たりの標的原子の数を N_t 個とすると，I_0(個/m^2) の入射中性子は，この標的を通過した結果，I(個/m^2) に減少する．これを式で表すと次式となる．

$$I = I_0 e^{-N_t \sigma d}$$

関連事項

Q 値としきい値

^{14}N(α, p)^{17}O 反応を考えると，^{14}N と α の質量和は，18.01139 u，生成核の ^{17}O と p の質量和は 18.01268 u となり，生成核の方が重いため，衝撃粒子である α 粒子に一定の運動エネルギーを与えなければ，この反応は起こらない．結局，これは等式で示すと次式になる．

$$^{14}\text{N} + \alpha = ^{17}\text{O} + p - 1.2\,\text{MeV}$$

この右辺に書かれたエネルギー（−1.2 MeV）を反応の **Q 値** という．そこで $Q>0$ であれば **発熱反応**，$Q<0$ であれば **吸熱反応** という．

^{14}N の吸熱反応において，α 粒子に 1.2 MeV の運動エネルギーを与えればこの反応が起こるかというとそうではない．α 粒子と ^{14}N 殻の衝突においては，複合核が形成された後，陽子の放出と，^{17}O が生成される．その際，複合核へ与えられるエネルギーは，α 粒子の運動エネルギーから ^{17}O と陽子の運動エネルギーを差し引いた分のエネルギーとなり，これが Q 値より高いと反応が起こる．即ち，α 粒子の運動エネルギーは，Q 値に ^{17}O と陽子の運動エネルギーを加えたエネルギーより高くなければならず，これを **しきい値** とよぶ．この反応においては，α 粒子と ^{14}N 殻の衝突前後の運動量の保存則を考慮すると，しきい値は，$|Q\,\text{値}| \times (1 + \alpha\,\text{粒子の質量}/^{14}\text{N の質量}) \fallingdotseq 1.2 \times \left(1 + \dfrac{4}{14}\right)$ MeV となる (☞ p.128)．

16 原子核反応

1. 中性子照射による放射性核種の生成

例えば放射性核種である ^{60}Co は，天然に存在する安定元素の ^{59}Co に熱中性子を照射することによって，(n, γ) 反応が起こり，^{60}Co が生成する．この場合，^{59}Co を標的とよぶ．いま，標的原子数を N 個とし，これに束密度 $\varPhi [1/(m^2 \cdot s)]$ の熱中性子を照射すると，反応断面積を σ とした場合，(n, γ) 反応により，時間 dt 当たり，$n = N\varPhi\sigma dt$ 個の放射性核種が生成する．生成核 n は半減期 T で壊変するため，実際に生成された放射性核種の数 dn は次式となる．

$$dn = N\varPhi\sigma dt - \lambda n dt \qquad (3.86)$$

ただし，λ は壊変定数（$\lambda = 0.693/T$）である．この微分方程式を解き，生成核種の原子数 n から，壊変率 A に変換すると（$A = \lambda n$），

$$A = N\varPhi\sigma(1 - e^{-\frac{0.693}{T}t}) \qquad (3.87)$$

A は中性子の照射時間 t における生成核の壊変率（dps），すなわち放射能 [Bq] である．

もし生成核が壊変しなければ，非常に長時間照射することにより，最後には全原子を放射化することもできるが，実際には生成核は壊変するため，生成の割合と壊変の割合が平衡したところで，A は飽和し，一定値となる．$S = 1 - \exp(-0.693t/T)$ を**飽和係数**とよび，図3-20に示す．生成核種の半減期の時間で飽和値の 1/2 に達し，約 $7T$ で飽和するため，これ以上の照射は無駄である．

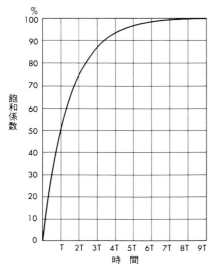

図 3-20 生成核種の飽和係数（T：生成核種の半減期）

2. 核分裂 fission

^{235}U や ^{239}Pu に熱中性子を照射すると，大きく2つの核分裂片に分かれ，同時に 2〜3 個の中性子（**即発中性子**という）を放出するとともに，約 200 MeV のエネルギーが1回の分裂で放射される．^{235}U の核分裂片の質量数は図3-21で示すように，2：3（質量数95と138）に分かれる確率が最も高く，最も確率の低い分かれ方は質量数72と161の場合である．1回の核分裂で約 200 MeV のエネルギーが放射されるから，1 g の ^{235}U では

$$\frac{6.02 \times 10^{23}}{235} \times 200 = 5.12 \times 10^{23} (\text{MeV}) \fallingdotseq 8 \times 10^{10} [\text{J}] \qquad (3.88)$$

このように莫大なエネルギーが放出される．また核分裂片は中性子過剰核であるため，ほとんどのものは β^- 系列壊変する．

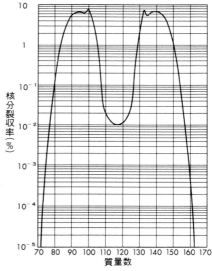

図 3-21 ^{235}U 核分裂に際する核分裂片の質量数と収率

3. 核融合 fusion

^{1}H や ^{2}H などの軽い元素は核子1個当たりの結合エネルギーが非常に小さいために，互いに結合してより結合力の大きい安定核になろうとする．これが**核融合**である．核融合が起こると，大きなエネルギーが放出される．例えば ^{2}H と ^{2}H が核融合すると ^{3}He が生成され，n が放出され，このとき，3.25 MeV のエネルギーが放出される．

このように核エネルギーを得る方法に，核分裂と核融合があるが，核分裂では多数の核分裂片を生成し，大部分が放射性同位元素であるため，これらの処理に困るが，核融合ではこのような放射性同位元素がほとんど生成しない特徴がある．

4章 放射化学

●屋木祐亮
●齊藤睦弘

放射線診断と基礎医学

　放射化学では，主として3つの内容が出題される．第一は，RIの製造法と原子核反応であり，この領域は，放射線物理学と重複する部分が多い．RIの製造に用いられる核反応の中で，医療に用いられる核種の製造方法や核反応は重要である．第二は，RIの分離法である．基本的な分離方法である共沈法，溶媒抽出法，クロマトグラフィーなどについて理解しておく必要がある．第三は，RIの化学的利用である．RI標識化合物は，トレーサーとして化学実験で広く用いられている．核医学で用いる放射性医薬品も生体機能を知るためのトレーサーであり，また，生体を対象とした希釈分析のプローブとしても用いられている．

　放射化学は一般化学と少し異なる点もあるが，化学の基本的知識が必要なことは両者に共通している．原子核反応や核壊変を理解するためには，元素の周期表を覚えることが必要である．また，主要なRIの製造法，壊変形式，半減期，放射線エネルギーなどを知っておくことも重要である．

元素と周期表

1. 周期表

1869年，メンデレーエフ（D. I. Mendeléeff）は元素の性質が原子量に対して周期性を示すことに着目し，よく似た性質の元素を縦に並べた元素の周期表を発表した．この表には当時知られていた65種の元素の他，11種の未発見元素が空欄として示され，メンデレーエフはそれらの性質や原子量を予言した．しかし，性質の異なる元素が同じ亜族に配置されるなどの問題を残していた．その後，モーズレイ（H. G. J. Moseley）の法則により，元素の性質の周期性は原子量ではなく原子番号によることが明らかとなった．また，同位体の存在が確認され，原子の電子配置の理解が進んだことによってそれらの問題は解決され，現在の周期表が完成した．

2. テクネチウム（Tc），プロメチウム（Pm），アスタチン（At），フランシウム（Fr）

これらの元素はいずれも人工放射性同位元素である．Tc は1937年にセグレ（E. G. Segré）とペリエ（C. Perrier）により発見された．現在核医学で用いられている ^{99m}Tc は，^{98}Mo(n, γ)^{99}Mo，U(n, f)^{99}Mo 反応で製造した ^{99}Mo からのミルキングで得られる．^{99m}Tc は核異性体転移（半減期6.015時間）により ^{99}Tc となり，さらに β$^-$ 壊変（半減期 2.11×10^5 年）する．

Pm は，1945年マリンスキー（J. A. Marinsky）らによって，核分裂生成物から分離された．^{147}Pm（半減期2.623年，β$^-$ 壊変）は β$^-$ 線源として利用されている．

アスタチン（At）は，1940年，セグレ等により発見され，最近 α 線による治療用核種として注目されている．また，フランシウム（Fr）は，1939年にマルグリット・ペレー（M. Perey）により発見された．

3. 超ウラン元素

放射性元素の壊変過程で生成するものも含めれば，原子番号92番のウラン（U）までの元素が天然に存在する．現在の周期表には，原子番号118番の元素まで記されている．U より原子番号の大きい元素は，超ウラン元素とよばれ，すべて人工放射性同位元素である．その中で，^{241}Am や ^{252}Cf は放射線源として利用されており，自発核分裂で中性子を放出する ^{252}Cf は近年中性子源として用いられている．

4. 同位体存在比

天然に存在する元素は，2種以上の同位体の混合物であることが多く，それらの割合を同位体存在比という．例えば，炭素は ^{12}C と ^{13}C との混合物（極微量であるが ^{14}C も含む）であり，それらの同位体存在比は，各々，98.93% と 1.07% である．

同位体存在比は天然の放射性同位元素の核壊変によってわずかに変動している場合があるが，元素ごとにほぼ一定した値をとる．多種類の安定同位体をもつ元素の例として，Sn（10種類），Xe（9種類），Te，Cd（8種類）などがある．また，天然に存在する核種がただ一つである元素（22元素）もあり，単核種元素（mononuclidic element）とよばれる．

5. 天然放射性壊変系列

天然の ^{232}Th，^{238}U，^{235}U は壊変系列を形成し，α 壊変と β$^-$ 壊変をして安定な Pb となる．系列名は質量数の関係と頭文字から「トネウア」の順で覚えるとよい．

1）^{232}Th トリウム系列　4n 系列

^{232}Th（半減期 1.405×10^{10} 年）に始まり，α 壊変 6回，β$^-$ 壊変 4回を繰り返して ^{208}Pb で安定となる．

2）^{237}Np ネプツニウム系列　4n+1 系列

^{237}Np（半減期 2.14×10^6 年）に始まり，α 壊変 8回，β$^-$ 壊変 4回を繰り返し，^{205}Tl で安定となる．^{237}Np の半減期は他の3系列に比較すると短く，現在は地球上より消滅した系列といわれている．

3）^{238}U ウラン系列　4n+2 系列

^{238}U（半減期 4.468×10^9 年）に始まり，α 壊変 8回，β$^-$ 壊変 6回を繰り返して ^{206}Pb で安定となる．天然ウランの中では ^{238}U の存在比は 99.2745% と大きい．この系列に属する ^{226}Ra（半減期 1,600年）と ^{222}Rn（半減期 3.8日）は永続平衡を形成し，よく利用される．

4）^{235}U アクチニウム系列　4n+3 系列

^{235}U（半減期 7.038×10^8 年）に始まり，α 壊変 7回，β$^-$ 壊変 4回を繰り返して ^{207}Pb で安定となる．^{235}U の天然ウラン中での同位体存在比は 0.72% である．^{235}U を別名アクチノウランとよぶこともある．

表 4-1 元素の周期表（日本化学会 2017）

周期\族	1	2	3	4	5	6	7	8	9	10	11	12	13	14	15	16	17	18
1	1 **H** 水素 1.00784〜1.00811																	2 **He** ヘリウム 4.002602
2	3 **Li** リチウム 6.938〜6.997	4 **Be** ベリリウム 9.0121831											5 **B** ホウ素 10.806〜10.821	6 **C** 炭素 12.0096〜12.0116	7 **N** 窒素 14.00643〜14.00728	8 **O** 酸素 15.99903〜15.99977	9 **F** フッ素 18.998403163	10 **Ne** ネオン 20.1797
3	11 **Na** ナトリウム 22.98976928	12 **Mg** マグネシウム 24.304〜24.307											13 **Al** アルミニウム 26.9815385	14 **Si** ケイ素 28.084〜28.086	15 **P** リン 30.973761998	16 **S** 硫黄 32.059〜32.076	17 **Cl** 塩素 35.446〜35.457	18 **Ar** アルゴン 39.948
4	19 **K** カリウム 39.0983	20 **Ca** カルシウム 40.078	21 **Sc** スカンジウム 44.955908	22 **Ti** チタン 47.867	23 **V** バナジウム 50.9415	24 **Cr** クロム 51.9961	25 **Mn** マンガン 54.938044	26 **Fe** 鉄 55.845	27 **Co** コバルト 58.933194	28 **Ni** ニッケル 58.6934	29 **Cu** 銅 63.546	30 **Zn** 亜鉛 65.38	31 **Ga** ガリウム 69.723	32 **Ge** ゲルマニウム 72.630	33 **As** ヒ素 74.921595	34 **Se** セレン 78.971	35 **Br** 臭素 79.901〜79.907	36 **Kr** クリプトン 83.798
5	37 **Rb** ルビジウム 85.4678	38 **Sr** ストロンチウム 87.62	39 **Y** イットリウム 88.90584	40 **Zr** ジルコニウム 91.224	41 **Nb** ニオブ 92.90637	42 **Mo** モリブデン 95.95	43 **Tc*** テクネチウム (99)	44 **Ru** ルテニウム 101.07	45 **Rh** ロジウム 102.90550	46 **Pd** パラジウム 106.42	47 **Ag** 銀 107.8682	48 **Cd** カドミウム 112.414	49 **In** インジウム 114.818	50 **Sn** スズ 118.710	51 **Sb** アンチモン 121.760	52 **Te** テルル 127.60	53 **I** ヨウ素 126.90447	54 **Xe** キセノン 131.293
6	55 **Cs** セシウム 132.9054519	56 **Ba** バリウム 137.327	57〜71 ランタノイド	72 **Hf** ハフニウム 178.49	73 **Ta** タンタル 180.94788	74 **W** タングステン 183.84	75 **Re** レニウム 186.207	76 **Os** オスミウム 190.23	77 **Ir** イリジウム 192.217	78 **Pt** 白金 195.084	79 **Au** 金 196.966569	80 **Hg** 水銀 200.592	81 **Tl** タリウム 204.382〜204.385	82 **Pb** 鉛 207.2	83 **Bi*** ビスマス 208.98040	84 **Po*** ポロニウム (210)	85 **At*** アスタチン (210)	86 **Rn*** ラドン (222)
7	87 **Fr*** フランシウム (223)	88 **Ra*** ラジウム (226)	89〜103 アクチノイド	104 **Rf*** ラザホージウム (267)	105 **Db*** ドブニウム (268)	106 **Sg*** シーボーギウム (271)	107 **Bh*** ボーリウム (272)	108 **Hs*** ハッシウム (277)	109 **Mt*** マイトネリウム (276)	110 **Ds*** ダームスタチウム (281)	111 **Rg*** レントゲニウム (280)	112 **Cn*** コペルニシウム (285)	113 **Nh*** ニホニウム (278)	114 **Fl*** フレロビウム (289)	115 **Mc*** モスコビウム (289)	116 **Lv*** リバモリウム (293)	117 **Ts*** テネシン (293)	118 **Og*** オガネソン (294)

ランタノイド:

| 57 **La** ランタン 138.90547 | 58 **Ce** セリウム 140.116 | 59 **Pr** プラセオジム 140.90766 | 60 **Nd** ネオジム 144.242 | 61 **Pm*** プロメチウム (145) | 62 **Sm** サマリウム 150.36 | 63 **Eu** ユウロピウム 151.964 | 64 **Gd** ガドリニウム 157.25 | 65 **Tb** テルビウム 158.92535 | 66 **Dy** ジスプロシウム 162.500 | 67 **Ho** ホルミウム 164.93033 | 68 **Er** エルビウム 167.259 | 69 **Tm** ツリウム 168.93422 | 70 **Yb** イッテルビウム 173.054 | 71 **Lu** ルテチウム 174.9668 |

アクチノイド:

| 89 **Ac*** アクチニウム (227) | 90 **Th*** トリウム 232.0377 | 91 **Pa*** プロトアクチニウム 231.03588 | 92 **U*** ウラン 238.02891 | 93 **Np*** ネプツニウム (237) | 94 **Pu*** プルトニウム (239) | 95 **Am*** アメリシウム (243) | 96 **Cm*** キュリウム (247) | 97 **Bk*** バークリウム (247) | 98 **Cf*** カリホルニウム (252) | 99 **Es*** アインスタイニウム (252) | 100 **Fm*** フェルミウム (257) | 101 **Md*** メンデレビウム (258) | 102 **No*** ノーベリウム (259) | 103 **Lr*** ローレンシウム (262) |

注1：元素記号の右肩の*はその元素には安定同位体が存在しないことを示す。そのような元素については放射性同位体の質量数の一例を（ ）内に示した。ただし、Bi, Th, Pa, U については天然で特定の同位体組成を示すので原子量が与えられる。

注2：この周期表は最新の原子量表「原子量表(2017)」が示されている。原子量が範囲で示されている12元素については複数の安定同位体が存在し、その組成が天然において大きく変動するため単一の数値が与えられない。その他の72元素については、示された数値の不確かさは示された数値の最後の桁にある。

備考：原子番号104番以降の超アクチノイドの周期表の位置は暫定的である。

4章 放射化学

2 原子核反応と放射性核種の製造

放射性核種は天然放射性核種と人工放射性核種に分類できる．天然放射性核種は ^{226}Ra, ^{40}K など58種が存在し，人工放射性核種は約2,000種以上もあるとされている．

放射性核種は，種々の原子核反応によってつくられている．自然界では，^{14}N(n, p)^{14}C 反応で ^{14}C がつくられる．人工的には，原子炉の中性子を利用した ^{59}Co(n, γ)^{60}Co 反応で ^{60}Co がつくられたり，サイクロトロンなどの粒子加速器で加速した重陽子を利用した ^{10}B(d, n)^{11}C 反応で ^{11}C がつくられたりしている．粒子加速器では，陽子や重陽子などの荷電粒子を用いた核反応を行うことが可能である．

原子核反応において，ターゲット核をA，衝撃粒子をa，生成核をB，放出粒子をbとしたときの反応は，次のいずれかの式で表されるが，一般には，A(a, b)Bと表すことが多い．

$$A + a \longrightarrow B + b \quad \text{または} \quad A(a, b)B$$

原子核反応における衝撃粒子としては，中性子（n），陽子（p），重陽子（d），アルファ粒子（α）のほか，大型の加速器で加速した ^{12}C，^{16}O なども利用されている．

放出粒子としては，中性子，陽子，重陽子，アルファ粒子のほか，γ光子があり，また，その数が1個の場合と複数個の場合とがある．

1. 中性子による原子核反応

原子核反応に用いる中性子は，原子炉によって得ることが多い．原子炉では ^{235}U に低速の中性子が入射すると核分裂が誘起される．この核分裂の際に平均して2.5個の熱中性子が放出され，さらにこの熱中性子により核分裂連鎖反応が起こる．このように入射粒子の照射で誘起される核分裂を**誘導核分裂**という．一方，ウランよりさらに重い超重核になると，α壊変と同時に**自発核分裂**が起こる．^{252}Cf は自発核分裂を起こす核種として知られ，中性子水分計などの中性子源として利用されている．中性子は放射性核種の製造によく使用されるが，特に熱中性子による(n, γ)反応の核反応断面積は大きいので熱中性子の利用価値は高い．この反応は熱中性子捕獲反応ともよばれ，原子炉中での熱中性子照射によって起こり，β$^-$壊変核種を生じやすい．

^{235}U の熱中性子による核分裂では，^{72}Zn〜^{161}Tb くらいの核分裂生成物ができ，特に ^{93}Zr と ^{134}Xe の前後で核分裂収率が大きくなる．核分裂生成物からも ^{137}Cs，^{99}Mo，^{90}Sr などの有用な放射性核種が得られる．

数 MeV のエネルギーの速中性子が(n, γ)反応を起こす確率は低く，(n, p)，(n, α)，(n, 2n)反応を起こす可能性が大きい．しかし，ターゲット核が低原子番号のときは，低エネルギー中性子による(n, α)反応も起こり得る．(n, f)反応は，中性子による核分裂（nuclear fission）で，この反応の結果，多くの核分裂生成物ができる（☞p.120）．

2. 陽子，重陽子による原子核反応

陽子，重陽子は，サイクロトロンなどで加速して原子核反応に利用する．特に放射性医薬品として使用されているもののうち，β$^+$壊変，軌道電子捕獲（EC）をする核種は，陽子，重陽子を用いた核反応によって得られることが多い．また，近年は短半減期のβ$^+$壊変核種である ^{11}C，^{13}N，^{15}O，^{18}F などを製造する目的で，医療用の超小型サイクロトロンが利用されている．

3. アルファ粒子による原子核反応

アルファ粒子もサイクロトロンなどで加速して核反応に利用する．特に放射性医薬品として利用されている ^{52}Fe，^{64}Ga，^{81}Rb，^{123}I，^{125}I など，少数のものの製造に利用されている．

4. その他

放射性核種の中で，原子核反応で生成した他の放射性核種の壊変によって得られる核種がある．

例　^{69}Ga(p, 2n)^{68}Ge $\xrightarrow{EC}$ ^{68}Ga

U(n, f)^{99}Mo $\xrightarrow{\beta^-}$ ^{99m}Tc

^{112}Sn(n, γ)^{113}Sn $\xrightarrow{EC}$ ^{113m}In

^{130}Te(n, γ)^{131}Te $\xrightarrow{\beta^-}$ ^{131}I

U(n, f)^{131}Te $\xrightarrow{\beta^-}$ ^{131}I

これらの核種は，放射性医薬品として有用である．

5. 原子核反応と原子番号，質量数の変化

原子核反応の種類は多く，衝撃粒子が同じでもそのエネルギーが異なると，核反応も変化する．

種々の核反応による原子番号および質量数の変化を表4-2に示す．

表 4-2　核反応による原子番号，質量数の変化

原子番号＼質量	−3	−2	−1	0	1	2	3
2						(α, 2n)	(α, n)
1			(p, 2n)	(p, n) (d, 2n)	(d, n)		(α, p)
0			(γ, n)	ターゲット核	(n, γ)		
−1		(d, α)		(n, p)			
−2	(n, α)						

3 放射性核種の製造

1. 中性子による放射化

熱中性子による (n, γ) 反応は，放射性核種の製造に広く利用されている．ここでは $^{59}\text{Co}(n, γ)^{60}\text{Co}$ 反応により ^{60}Co を製造する場合について考えてみることとする．ターゲット核である ^{59}Co の原子数を N 個とし，これに粒子束密度 $\varPhi$ の熱中性子を照射する．この反応の核反応断面積を σ とするとき，照射時間 dt 当たり生成される核種の原子数 n は，$n=N\varPhi\sigma dt$ となる．生成した核種は半減期 T で壊変するため，実際に生成された核種の原子数 dn は次式となる．

$$dn = N\varPhi\sigma dt - \lambda n dt \tag{4.1}$$

ただし，λ は壊変定数（$\lambda=0.693/T$）である．この微分方程式より得られる生成核種の原子数 n から，壊変率 A (dps) を表す次式が得られる（$A=\lambda n$）．

$$A = N\varPhi\sigma(1-e^{-\lambda t}) \tag{4.2}$$

A は照射時間 t での生成核種の壊変率である．

(4.1)，(4.2) 式中の σ は**核反応断面積（放射化断面積）**とよばれる．核反応断面積の単位はバーン（記号：b）を用い，1 バーンは $1\times10^{-28}\,\text{m}^2$（$1\times10^{-24}\,\text{cm}^2$）である．核反応断面積には**同位体断面積** σ_{is} と**原子断面積** σ_{el} とがあり，原子断面積 σ_{el} は同位体断面積 σ_{is} と同位体存在比 θ との積である．

$$\sigma_{el} = \sigma_{is}\theta$$

もし，生成核種が壊変しなければ，非常に長い時間照射することによって，ターゲット核原子をすべて放射化することもできるが，実際には生成した核種は壊変するため，生成割合と壊変の割合が平衡したところで (4.2) 式の A は飽和して一定となる．(4.2) 式中の照射時間 t を無限大にしたとき，$(1-e^{-\lambda t})=1$ となる．

- γ：質量数：0，陽子数：0（ガンマ線）
- n：質量数：1，陽子数：0（中性子）
- p：質量数：1，陽子数：1（水素の原子核）
- d：質量数：2，陽子数：1（重水素の原子核）
- α：質量数：4，陽子数：2（ヘリウムの原子核）

衝撃粒子を足す．放出粒子を引く．

例．$^{69}_{31}\text{Ga}(\text{ip}, 2^{1}_{0}\text{n})$ の生成核は何か？
　質量数：69+1−1(×2)=68
　陽子数：31+1−0=32
　すなわち，$^{68}_{32}\text{Ga}$

表 4-3 照射時間と飽和係数

照射時間 （単位：半減期 T）	飽和係数
0.10	0.067
0.25	0.159
0.50	0.293
0.75	0.405
1.0	0.500
2.0	0.750
3.0	0.875
4.0	0.937
5.0	0.969
6.0	0.984
7.0	0.992
8.0	0.996
9.0	0.998
10.0	0.999

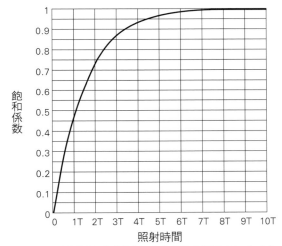

図 4-1 照射時間と生成核種の飽和係数の関係（T：生成核種の半減期）

$S=(1-e^{-\lambda t})$ を**飽和係数**とよぶ．表 4-3 と図 4-1 は照射時間と飽和係数の関係を示したものである．生成核種の 1 半減期時間の照射で飽和係数は 0.5，2 半減期時間で 0.75 となり，約 7 半減期時間で飽和すると見なしてよい．

［例題］

^{31}P 3.1 g を含む化合物を，熱中性子束密度 $10^{13}\,\text{cm}^{-2}\cdot\text{s}^{-1}$ の原子炉内で 14.3 日照射して $^{31}\text{P}(n, γ)^{32}\text{P}$ の反応により ^{32}P（半減期 14.3 日）を得た．このときの核反応断面積を 0.19 バーンとしたとき，照射終了時の放射能は何 Bq か．

［解答］

(4.2) 式より，照射終了時の放射能 A は，$A=N\varPhi\sigma(1-e^{-\lambda t})$ である．

$$N = \frac{3.1}{31}\times6\times10^{23} = 6\times10^{22},\quad \varPhi=10^{13}$$

$\sigma=0.19\times10^{-24}$, $S=(1-e^{-\lambda t})=0.5$ を代入して
$A=6\times10^{22}\times10^{13}\times0.19\times10^{-24}\times0.5=5.7\times10^{10}$
Bq となる.

2. 荷電粒子による放射化

サイクロトロンを用いた陽子,重陽子,アルファ粒子などの荷電粒子による原子核反応において,荷電粒子は中性子に比べて物質中の透過力が小さい.したがって,放射性核種をつくる場合,ターゲット物質を十分に薄くしなければならない.

ターゲット物質中の原子数を N 個,これに粒子束密度 Φ cm^{-2}·s^{-1} の単一エネルギーの荷電粒子を t 時間照射する.このときの核反応断面積を σ とすると, t 時間で生成する核種の壊変率 A[dps] は,中性子の場合と同様,次式で表される.

$$A=N\Phi\sigma(1-e^{-\lambda t})$$

荷電粒子の場合,Φ は単位面積当たりの照射ビーム電流を電流積算計で測定した電気量から求めることが多く,次式で計算できる.

$$\Phi=\frac{Q}{t\cdot q\cdot 1.6\times10^{-19}}$$

ただし,Q(クーロン)は,照射時間 t での電流積計算の読み, q は入射粒子の電荷数である.

(注意:式中の Q と後述の Q 値とは全く別のものである.)

荷電粒子による原子核反応の例として, Rutherford の反応がある.

$$^{14}N+^{4}He(\alpha) \longrightarrow ^{17}O+^{1}H+Q \qquad ^{14}N(\alpha, p)^{17}O$$

この反応について,反応式は原子番号,質量とも反応系と生成系がバランスを保つ必要がある.

反応系(左辺): $^{14}N=14.003074$ amu,
$^{4}He=4.002603$ amu
合計 18.005677 amu

生成系(右辺): $^{17}O=16.999133$ amu,
$^{1}H=1.007825$ amu
合計 18.006958 amu

この反応で(左辺−右辺)$=-0.001281$ amu の差が生じる.この差は核反応エネルギーで **Q 値** とよばれ,この場合 $-0.001281\times931=-1.19$ MeV となる.

$Q>0$ の場合は発熱反応であり,中性子による反応では,粒子が電荷をもたないため,粒子のエネルギーが小さい場合でも核反応 (n,γ) が起こる.発熱反応であっても,荷電粒子による反応が進行するためには,荷電粒子間の電荷の反発に打ち勝つため,入射粒子にある程度エネルギーを与える必要がある.

一方,$Q<0$ の場合は吸熱反応であり,照射する粒子にこのエネルギーを与えなければ反応は起こらない.また,上記の $^{14}N(\alpha, p)^{17}O$ 反応では, Q 値に相当する 1.19 MeV のエネルギーを α 粒子に与えて反応させた場合でも,与えたエネルギーの一部は複合核の運動エネルギーに消費されるため,α 粒子には Q 値に複合核の運動エネルギーを加えた $1.19\times(18/14)=1.53$ MeV のエネルギーを与えてやることが必要である.核反応を起こすために α 粒子に与えなければならないエネルギーをこの核反応の**しきい値**とよぶ.

上述のように,荷電粒子による核反応では,ターゲット核の電荷と照射粒子の電荷の反発によるエネルギー障壁が生じる.これを**クーロン障壁** V といい,その大きさは次式で示される.

$$V=\frac{1.44 Z_1\cdot Z_2}{R_1+R_2}$$

ここで, 1.44 は R の単位を 10^{-13} cm とし, V を MeV で表すときの換算係数, Z_1, Z_2 は原子番号, R_1, R_2 は原子核の半径を表す.

$^{14}N(\alpha, p)^{17}O$ 反応のクーロン障壁は次のように求められる.

$$V=\frac{1.44\times7\times2}{3.37+2.22}=3.6 \text{ MeV}$$

この式の R は, A を質量数とすると, $R=1.4\times10^{-13}A^{1/3}$ [cm]で表され, $R_1=3.37\times10^{-13}$ cm, $R_2=2.22\times10^{-13}$ cm となる.換算係数を 1.44 として, $R_1=3.37$, $R_2=2.22$ を代入すると, $V=3.6$ MeV となる.

その他,入射する粒子がターゲット核の芯をはずれて衝突したとき,入射粒子のエネルギーがターゲット核と粒子の回転運動に消費されることに起因する遠心力障壁があり,その値は約 1 MeV 程度である.

したがって,この原子核反応は,しきい値,クーロン

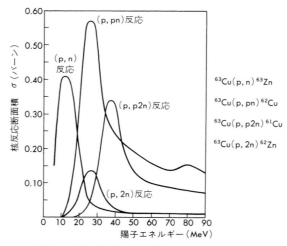

図 4-2 ^{63}Cu に陽子を照射したときの励起曲線

障壁, 遠心力障壁を加えた 6.13 MeV 程度のエネルギーが最低限必要となる.

荷電粒子による原子核反応の核反応断面積は, 入射 (衝撃) 粒子のエネルギーによって変化し, また同一ターゲットであっても種々の核反応を起こす. 核反応断面積を入射粒子のエネルギーの関数として表したものが**励起関数**であり, 図 4-2 にその例を示した.

表 4-4 は主な医療用放射性同位元素の種々の生成反応を示したものである.

表 4-4 医療用放射性同位元素の生成反応

核 種	生 成 反 応	核 種	生 成 反 応
^{3}H	^{6}Li(n, α)^{3}H	^{81}Rb	^{79}Br(α, 2n)^{81}Rb
^{11}C	^{10}B(d, n)^{11}C ^{14}N(p, α)^{11}C	^{86}Rb	^{85}Rb(n, γ)^{86}Rb
^{14}C	^{14}N(n, p)^{14}C	^{85}Sr	^{84}Sr(n, γ)^{85}Sr ^{85}Rb(d, 2n)^{85}Sr
^{13}N	^{12}C(d, n)^{13}N ^{16}O(p, α)^{13}N	^{87m}Sr	^{86}Sr(d, n)^{87}Y $\xrightarrow{EC}$ ^{87m}Sr
^{15}O	^{14}N(d, n)^{15}O	^{90}Sr	U(n, f)^{90}Sr
^{18}F	^{16}O(α, np)^{18}F ^{18}O(p, n)^{18}F ^{20}Ne(d, α)^{18}F	^{87}Y	^{86}Sr(d, n)^{87}Y
^{24}Na	^{23}Na(n, γ)^{24}Na	^{90}Y	^{89}Y(n, γ)^{90}Y ^{90}Sr $\xrightarrow{\beta^-}$ ^{90}Y
^{32}P	^{31}P(n, γ)^{32}P ^{32}S(n, p)^{32}P	^{99m}Tc	^{98}Mo(n, γ)^{99}Mo $\xrightarrow{\beta^-}$ ^{99m}Tc
^{35}S	^{35}Cl(n, p)^{35}S ^{34}S(n, γ)^{35}S		U(n, f)^{99}Mo $\xrightarrow{\beta^-}$ ^{99m}Tc
^{42}K	^{41}K(n, γ)^{42}K	^{111}In	^{111}Cd(p, n)^{111}In ^{109}Ag(α, 2n)^{111}In
^{43}K	^{40}Ar(α, p)^{43}K	^{113m}In	^{112}Sn(n, γ)^{113}Sn $\xrightarrow{EC}$ ^{113m}In
^{45}Ca	^{44}Ca(n, γ)^{45}Ca	^{123}I	^{121}Sb(α, 2n)^{123}I ^{127}I(p, 5n)^{123}Xe $\xrightarrow{EC, \beta^+}$ ^{123}I
^{47}Ca	^{46}Ca(n, γ)^{47}Ca	^{125}I	^{123}Sb(α, 2n)^{125}I ^{124}Xe(n, γ)^{125}Xe $\xrightarrow{EC, \beta^+}$ ^{125}I
^{51}Cr	^{50}Cr(n, γ)^{51}Cr ^{51}V(d, 2n)^{51}Cr	^{131}I	^{130}Te(n, γ)^{131}Te $\xrightarrow{\beta^-}$ ^{131}I
^{52}Fe	^{52}Cr(α, 4n)^{52}Fe		U(n, f)^{131}Te $\xrightarrow{\beta^-}$ ^{131}I
^{59}Fe	^{58}Fe(n, γ)^{59}Fe	^{132}I	U(n, f)^{132}Te $\xrightarrow{\beta^-}$ ^{132}I
^{57}Co	^{56}Fe(d, n)^{57}Co ^{60}Ni(p, α)^{57}Co ^{58}Ni(p, pn)^{57}Ni $\xrightarrow{EC}$ ^{57}Co	^{133}Xe	^{132}Xe(n, γ)^{133}Xe U(n, f)^{133}Xe
^{58}Co	^{58}Ni(n, p)^{58}Co	^{131}Cs	^{130}Ba(n, γ)^{131}Ba $\xrightarrow{EC}$ ^{131}Cs
^{60}Co	^{59}Co(n, γ)^{60}Co	^{169}Yb	^{168}Yb(n, γ)^{169}Yb
^{67}Ga	^{66}Zn(d, n)^{67}Ga ^{65}Cu(α, 2n)^{67}Ga ^{63}Cu(α, γ)^{67}Ga	^{192}Ir	^{191}Ir(n, γ)^{192}Ir
^{68}Ga	^{69}Ga(p, 2n)^{68}Ge $\xrightarrow{EC}$ ^{68}Ga	^{198}Au	^{197}Au(n, γ)^{198}Au
^{75}Se	^{74}Se(n, γ)^{75}Se	^{197}Hg	^{197}Au(d, 2n)^{197}Hg
^{82}Br	^{81}Br(n, γ)^{82}Br	^{203}Hg	^{202}Hg(n, γ)^{203}Hg
^{85}Kr	U(n, f)^{85}Kr	^{201}Tl	^{203}Tl(p, 3n)^{201}Pb $\xrightarrow{EC, \beta^+}$ ^{201}Tl

4 放射平衡

逐次壊変をする放射性核種の中で，親核の半減期が長く，娘核の半減期が短い場合，一定時間後には親核種と娘核種の放射能の比が一定になり，娘核種は親核種の半減期で減衰するようになる．このような状態を放射平衡という．いま親核種の原子数を N_1，壊変定数を λ_1，また娘核種の原子数を N_2，壊変定数を λ_2 とし，最初に親核種のみがあったとき，親核原子数 N_1 と娘核原子数 N_2 は時間 t とともに次式に従って推移する．

$$N_1 = N_{10} e^{-\lambda_1 t}$$

$$N_2 = \frac{\lambda_1}{\lambda_2 - \lambda_1} N_{10}(e^{-\lambda_1 t} - e^{-\lambda_2 t}) \quad (4.3)$$

ただし，N_{10} は時間 0 における親核種の原子数である．

1. 過渡平衡

次のような逐次壊変は，$\lambda_1 < \lambda_2 (T_1 > T_2)$ の場合である．

$${}^{140}_{56}\text{Ba} \xrightarrow[12.752\,\text{d}]{\beta^-} {}^{140}_{57}\text{La} \xrightarrow[1.6781\,\text{d}]{\beta^-} {}^{140}_{58}\text{Ce}\,(安定)$$

この場合，${}^{140}\text{Ba}$ を親核種として**過渡平衡**が成立する．(4.3) 式で十分長い時間が経過すれば，$e^{-\lambda_1 t}$ に対して $e^{-\lambda_2 t}$ は無視できるため，娘核種の原子数 N_2 は次式で表される．

$$N_2 = \frac{\lambda_1}{\lambda_2 - \lambda_1} N_1 \quad (4.4)$$

親核種と娘核種の放射能を A_1，A_2 とすると，

$$A_2 = \frac{\lambda_2}{\lambda_2 - \lambda_1} A_1 = \frac{T_1}{T_1 - T_2} A_1 \quad (4.5)$$

過渡平衡状態では，娘核種の放射能は $\frac{\lambda_2}{\lambda_2 - \lambda_1}$ 倍だけ親核種より大きくなり，親核種の壊変定数に従って減衰していく（図 4-3）．

2. 永続平衡

次のような逐次壊変は，$\lambda_1 \ll \lambda_2 (T_1 \gg T_2)$ の場合である．

$$^{226}_{88}\text{Ra} \xrightarrow[1600\,\text{y}]{\alpha} {}^{222}_{86}\text{Rn} \xrightarrow[3.8235\,\text{d}]{\alpha} {}^{218}_{84}\text{Po}$$

この場合（4.5）式は次のようになる．

$$N_2 = \frac{\lambda_1}{\lambda_2} N_1$$

この状態を**永続平衡**という．このとき，親核種と娘核種の放射能は，$A_1 = A_2$ となる（図 4-4）．

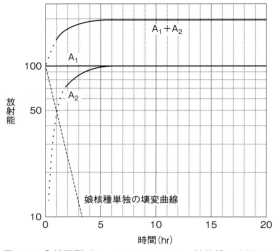

図 4-4 永続平衡（$T_1 = 1000\,\text{h}$，$T_2 = 1\,\text{h}$，娘核種の時間 0 における原子数 $N_{20} = 0$ のとき）

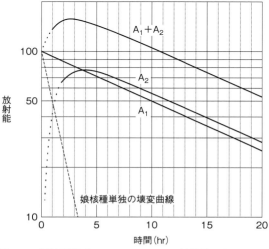

図 4-3 過渡平衡（$T_1 = 10\,\text{h}$，$T_2 = 1\,\text{h}$，娘核種の時間 0 における原子数 $N_{20} = 0$ のとき）

---関連事項---

ミルキング：放射平衡状態にある系から娘核種のみを化学的に分離抽出することにより，核医学検査に用いられる短半減期核種を得る場合がある．抽出後，娘核種半減期の数倍の時間が経過すると再び放射平衡に達するため，必要時に短半減期核種を繰り返し得ることができる．この娘核種分離操作をミルキングとよび，この系をカウアンドミルクシステムまたはジェネレータという．

抽出後，娘核種が極大に達する時間 t_{max} は次式で与えられる．$t_{max} = \{2.303/(\lambda_2 - \lambda_1)\} \log(\lambda_2/\lambda_1)$

表 4-5 ミルキングに用いられる核種の例

親核種（半減期）	娘核種（半減期）	極大に達する時間
${}^{68}\text{Ge}$ (271 d)	${}^{68}\text{Ga}$ (67.7 m)	14.1 h
${}^{87}\text{Y}$ (79.8 h)	${}^{87m}\text{Sr}$ (2.82 h)	14.1 h
${}^{90}\text{Sr}$ (28.79 y)	${}^{90}\text{Y}$ (64.0 h)	766 h
${}^{99}\text{Mo}$ (65.9 h)	${}^{99m}\text{Tc}$ (6.02 h)	22.9 h
${}^{132}\text{Te}$ (3.20 d)	${}^{132}\text{I}$ (2.30 h)	12.0 h
${}^{137}\text{Cs}$ (30.17 y)	${}^{137m}\text{Ba}$ (2.55 m)	57.6 m
${}^{140}\text{Ba}$ (12.75 d)	${}^{140}\text{La}$ (1.68 d)	5.65 d
${}^{226}\text{Ra}$ (1600 y)	${}^{222}\text{Rn}$ (3.82 d)	65.9 d

5 放射性核種の分離法-1
―共沈法，溶媒抽出法，イオン交換法，ミルキング―

核反応によって生成する核種の質量は非常に小さいため，一般に分離操作として用いられる沈殿，ろ過，遠心分離などによる分離は困難な場合が多い．そこで，これらの操作による分離を可能にするため，操作中放射性核種と同じ化学的挙動をする非放射性核種を加えることがある．この目的で加える物質を**担体**（carrier）という．放射性核種と同じ元素の担体を**同位体担体**，そうでないものを**非同位体担体**という．放射性核種の分離において，適切な担体の使用は効率のよい分離につながる．

1. 共沈法（沈殿法）

放射性核種を沈殿させて分離する方法である．しかし，溶液中の無担体放射性核種の濃度は極めて低いため，沈殿剤を加えても**溶解度積**を越えなければ沈殿は生成しない．そこで，担体を加えて反応を行うことになる．目的とする放射性核種を沈殿させるために加える担体を**共沈剤**または**捕集剤**とよぶ．逆に，不要な核種を沈殿させるために加える担体を**スカベンジャー**という．また，要不要にかかわらず，放射性核種を溶液中に留めておくために加える担体を**保持担体**という．「カタカナいらない」で覚えるとよい．次の例で担体を用いた分離について説明する．

《分離例》^{90}Sr-^{90}Y からの ^{90}Y の無担体分離（図 4-5）

放射平衡の状態にある ^{90}Sr-^{90}Y 希塩酸溶液に，^{90}Sr の保持担体として Sr^{2+}，共沈剤として ^{90}Y の非同位体担体である Fe^{3+} を加え，アンモニアでアルカリ性にすると Fe(OH)$_3$ が沈殿する．この沈殿に ^{90}Y が共沈するため，ろ過することで溶液中の ^{90}Sr から分離できる．^{90}Y を含む沈殿を 8 mol/L の塩酸に溶解した後，イソプロピルエーテルによる溶媒抽出で Fe^{3+} を除くことにより，無担体の ^{90}Y が得られる．

この方法は，^{140}Ba - ^{140}La から ^{140}La を無担体分離する際にも利用される．

2. 溶媒抽出法

互いに混ざりあわない2種の溶媒の一方に溶解している放射性核種を，他方の溶媒に抽出して分離する方法である．水相中に目的とする放射性金属イオンなどが他の物質と共存するような場合，この方法によって目的核種のみを有機相中に抽出分離することができる．

例えば，水-四塩化炭素の系にヨウ素 I$_2$ を適当量加えたとき，2つの溶媒中の溶質濃度の比は一定温度の下では溶質の量にかかわらず一定である（分配の法則）．水および四塩化炭素中の I$_2$ の濃度を，C_{H_2O}，C_{CCl_4} とするとき，**分配比 K**（distribution ratio）は次式で表される．

$$K = \frac{C_{CCl_4}}{C_{H_2O}} \tag{4.6}$$

水および四塩化炭素の体積を V_{H_2O}，V_{CCl_4} としたとき，この系における**抽出率 E**（％）（extractability, extraction ratio）は次式で表される．

$$E(\%) = \frac{C_{CCl_4} V_{CCl_4}}{C_{H_2O} V_{H_2O} + C_{CCl_4} V_{CCl_4}} \times 100$$

$$= \frac{100K}{K + \left(\frac{V_{H_2O}}{V_{CCl_4}}\right)} \tag{4.7}$$

水（50 mL）- 四塩化炭素（20 mL）系でヨウ素を四塩化炭素に抽出するとき，分配比 K を 40 とすると抽出率 E（％）は次のように求められる．

$$E(\%) = \frac{100 \times 40}{40 + \left(\frac{50}{20}\right)} = 94$$

K は温度が一定であれば一定値であるから，抽出する層の体積を増加すれば抽出率は高くなる．

3. イオン交換法

イオン交換現象を利用して放射性核種を分離する方法である．ある物質 RH と NaCl 溶液を共存させた場合に次の反応が進行したとする．

$$RH + NaCl \longrightarrow RNa + HCl$$

この場合，物質 RH の H$^+$（水素イオン）と溶液中の Na$^+$ イオンが交換されたことになる．この現象を**イオン交換**といい，交換されたイオンが陽イオンの場合を陽イオン交換，陰イオンの場合を陰イオン交換という．このような現象を示す物質の代表として，**イオン交換樹脂**がある．

イオン交換樹脂は，化学的に安定な樹脂基体とそれに

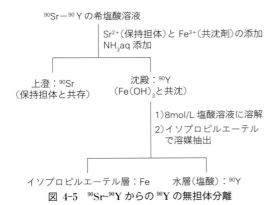

図 4-5 ^{90}Sr-^{90}Y からの ^{90}Y の無担体分離

結合したイオン交換基からできている．主なイオン交換基には次のようなものがある．
①強酸性陽イオン交換基：スルホ基
②弱酸性陽イオン交換基：カルボキシ基
③強塩基性陰イオン交換基：第四級アンモニウム基
④弱塩基性陰イオン交換基：第一，第二，第三級アミノ基，イミノ基

放射性核種の分離には，すべてのpH域で使用できる強酸性陽イオン交換樹脂や強塩基性陰イオン交換樹脂が利用されることが多い．

イオンがイオン交換樹脂へ吸着される強さの目安となるものに**選択係数**（selectivity coefficient）があり，この値が大きいほど吸着されやすい．

$$RH + NaCl \longrightarrow RNa + HCl$$

の反応における選択係数 K は，

$$K = \frac{[Na]_r [H]_w}{[H]_r [Na]_w} \tag{4.8}$$

で表される．ここで，[ ]$_r$ は樹脂相の濃度を，[ ]$_w$ は溶液中の濃度である．

また，交換吸着性の強さを表すのに，**分布係数**（distribution coefficient）Kd が用いられ，これは溶媒抽出法の分配比に相当する．

$$Kd = \frac{[Na]_r}{[Na]_w} \tag{4.9}$$

イオン交換クロマトグラフィーでは，イオン交換樹脂を充てんしたカラムを固定相として用いる（図4-6）．まず，分離しようとする成分を樹脂に吸着させ，溶離液の組成，濃度，pHなどを変化させながら溶出させることにより各核種成分が分離される．イオン交換法による分離の例としては，核分裂生成物からの元素の系統的分離が挙げられる．

金属陽イオンが塩酸溶液中でCl$^-$イオンと錯陰イオンを形成する場合，金属錯イオンは陰イオン交換樹脂を利用して分離することもできる．

4．ミルキング

親核種と娘核種が放射平衡（永続平衡または過渡平衡）の状態にある場合，娘核種を無担体分離する方法にミルキングがある（☞ p.130）．

^{99m}Tc（半減期6.01時間）のような短半減期核種は，原子炉などのRI製造設備が近くにない場合，輸送中の放射能低下が著しいために臨床使用は困難である．しかし，病院に設置可能な^{99}Mo-^{99m}Tcジェネレータが開発されたことにより，減衰の問題が解消されて^{99m}Tcは臨床で広く用いられるようになった．

図4-7の^{99}Mo-^{99m}Tcジェネレータでは，真空バイアルビンを装置にセットすると，モリブデン酸アンモニウム（(NH$_4$)$_2$^{99}MoO$_4$）を吸着させたアルミナカラムから，生理食塩水によって^{99m}Tc(^{99m}TcO$_4$$^-$)のみが溶出される．一度ミルキングした後，22.8時間後に^{99m}Tcの放射能が再び最大となる．

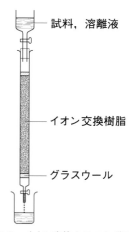

図4-6　イオン交換クロマトグラフ法

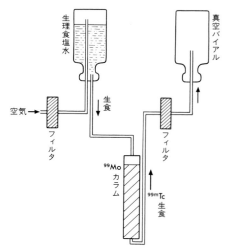

図4-7　^{99}Mo － ^{99m}Tcジェネレータ塩酸溶液から陰イオン交換樹脂への吸着

6 放射性核種の分離法-2
―クロマトグラフィー，その他の方法―

1. クロマトグラフィー

クロマトグラフィーは固定相と移動相に対する親和性が個々の化合物間で異なることを利用した分離の手法である．移動相に液体を用いるものを液体クロマトグラフィー，気体を用いるものをガスクロマトグラフィーという．また，固定相に用いる物質やその形態により，ろ紙クロマトグラフィー，薄層クロマトグラフィー，カラムクロマトグラフィーとよばれる．さらに，試料化合物と固定相との相互作用（分離機構）によって，吸着クロマトグラフィー，分配クロマトグラフィー，イオン交換クロマトグラフィー，ゲルろ過（サイズ排除）クロマトグラフィー，アフィニティークロマトグラフィーとよばれる．化合物が分離される過程では，同時に複数の機構が作用している場合がある．最近では，優れた分離能を有し，短時間で分離可能な高速液体クロマトグラフィーも用いられている．

1) ペーパークロマトグラフィー

ペーパークロマトグラフィー（**PC**）（図4-8）は，ろ紙に吸着された水を固定相とし，展開溶媒を移動相とするクロマトグラフィーである．ろ紙の下端から5 cmくらいのところに試料をスポットし，スポットより低い位置まで展開溶媒に浸して展開する．このとき試料は展開溶媒とともに上昇するが，上昇の割合は，試料のもつ固定相および移動相に対する親和性の大きさのバランスにより異なってくる．展開条件が一定であれば，溶媒の移動距離に対する物質の移動距離の値は物質の種類に固有の値となる．この値を **Rf値**（rate of flow）とよび，次式で表される．Rf値が異なる物質はこの方法で分離できる．

$$Rf = \frac{b}{a}$$

ペーパークロマトグラフィーは放射性医薬品の純度試験にも利用されている．Na^{131}I（ヨウ化ナトリウム）をメチルアルコール：水＝4：1の混合液で展開すると，Rf値は0.7〜0.8となる．それ以外の位置に現れるものは不純物である．展開後のろ紙上の放射能分布は，オートラジオグラフィーやラジオクロマトスキャナーを用いて知ることができる．

2) 薄層クロマトグラフィー

薄層クロマトグラフィー（**TLC**）の原理はペーパークロマトグラフィーと同じであるが，ろ紙のかわりにアルミナやシリカゲル，セルロースなどの吸着剤をガラス面などに均一に塗布して乾燥させたものを使用する．ペーパークロマトグラフィーに比較して，Rf値の再現性ではやや劣るものの，分離が良く，展開時間が短い利点を有している．

3) ラジオガスクロマトグラフィー，ラジオ高速液体クロマトグラフィー

ガスクロマトグラフィー（**GC**）は気体または気体にできる化合物を分離する手段である．ラジオガスクロマトグラフは，一般的なガスクロマトグラフ（図4-9（a））に放射線検出器を装備したものであり，高感度の分析が可能である．固定相には，シリカゲル，活性炭，モレキュラシーブなどの吸着剤や，珪藻土などの固体にポリエチレングリコールなどの高沸点液体を含浸させたものを，直径数ミリで長さが数メートルのガラスまたはステンレスの細管（カラム）に充てんして用いる．移動相は**キャリアガス**とよばれ，窒素，ヘリウム，アルゴンなどの不活性ガスを用いる．装置に注入された試料は高温炉でガス化され，カラム内で分離された後，成分ごとに放射能

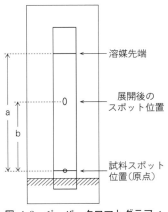

図 4-8 ペーパークロマトグラフィ

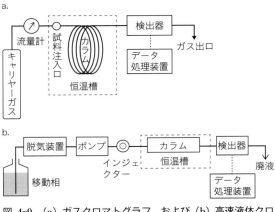

図 4-9 （a）ガスクロマトグラフ，および（b）高速液体クロマトグラフ

測定される．放射能測定には，GM 計数管やシンチレーション計数管，ガスフロー型計数管などが使用される．

最近では，高速液体クロマトグラフ（図 4-9（b））に放射線検出器を装備したラジオ高速液体クロマトグラフが放射性物質の分離によく利用される．高速液体クロマトグラフィー（**HPLC**）では，種々の固定相と移動相溶媒の組合せが可能である．この方法は，ペーパークロマトグラフィーや薄層クロマトグラフィーよりも迅速かつ高感度で汎用性に富み，多くの放射性標識化合物の分析に利用されている．

2. その他の分離法

A. ホットアトムを利用する方法

熱中性子を照射した場合，反応直後に放出される γ 線は高いエネルギーを有する．C_2H_5Br（臭化エチル）の熱中性子照射では ^{80}Br および ^{82}Br が生成するが，このとき γ 光子は Br 原子より勢いよくとび出る．その際に Br 原子は反対方向に反跳する．この反跳エネルギーが C_2H_5-Br の結合を切り，Br 原子は C_2H_5 分子から離れる．このとき水と振り混ぜると，水層に ^{80}Br，^{82}Br が移る．この反応は，一般に **Szilard-Chalmers 反応**として知られている．反跳エネルギーを有する原子を**ホットアトム**（hot atom）または**反跳原子**（recoil atom）という．

結合が切れるには，反跳エネルギーが結合エネルギーより大きい必要がある．反跳エネルギー E（eV）は，γ 線エネルギーを $E\gamma$（MeV），原子の質量を M とすると次式で示される．

$$E = \frac{537 E\gamma^2}{M}$$

通常，(n, γ) 反応では 6～8 MeV に原子核を励起している．$E\gamma$ を 6 MeV，M を 80 とすれば，E=242 eV となる．化学結合のエネルギーは数 eV なので，十分に結合を切ることができる．

この分離法は，一度切断された結合が再び結びついたり，他の安定同位体と同位体交換したりしない条件で，しかも反跳原子とターゲット核との分離が容易である場合に利用される．しかし，この方法で完全に無担体の放射性同位元素を得るのは難しい．

B. 電気化学的方法

1）電気分解法

電解質の水溶液に直流電流を通じると，電気分解が起こる．例えば，塩化銅（II）（$CuCl_2$）の水溶液を陽極に炭素棒，陰極に白金板を用いて電気分解すると，次の変化が起こる．

陰極　$Cu^{2+} + 2e^- \longrightarrow Cu$
陽極　$2Cl^- \longrightarrow Cl_2 + 2e^-$

陰極の白金板上に Cu が析出する．この析出量はファラデーの電気分解の法則から求められる．この方法を利用して，α 線源や β 線源などの薄い測定試料がつくられている．

2）イオン化傾向の違いを利用する方法

溶液中（主に水溶液中）で元素（主に金属）がイオンになろうとする性質をイオン化傾向という．金属をイオン化傾向の大きいものから小さいものへと並べた序列（金属のイオン化列）を次に示す．

（大←）K, Na, Ca, Mg, Al, Zn, Fe, Ni, Sn, Pb, (H), Cu, Hg, Ag, Pt, Au（→小）

水素よりイオン化傾向の大きい金属は，酸に侵されやすく，小さい金属は侵されにくい．

Cu^{2+} 溶液（硫酸銅溶液など）に金属の Zn を入れると次の反応が起こる．

$Zn \longrightarrow Zn^{2+} + 2e^-$
$Cu^{2+} + 2e^- \longrightarrow Cu$

イオン化傾向は Cu より Zn の方が大きいため，Zn がイオンとなり金属 Cu が析出する．また，^{64}Cu と ^{65}Zn を含む溶液に金属鉄を入れると，^{64}Cu だけが鉄表面に析出し，^{65}Zn と分離できる．

C. ラジオコロイド法

比較的短半減期の核種が無担体の状態で水溶液中に存在している場合，溶液中のその核種の量は非常に微量である．例えば，^{90}Y（半減期 64.1 時間）の 37 MBq の質量は 1.85×10^{-9} g である．極微量の RI を含む溶液中では，RI がコロイド状粒子を形成し，透析，拡散，電気泳動などの化学的挙動に異常性を示すことがある．この状態にあるものをラジオコロイドとよんでいる．これは，酸性溶液にした RaD（^{210}Pb）と RaE（^{210}Bi）が半透膜を通過するのに対して，アルカリ性溶液中ではラジオコロイドを形成して通過しないことから発見された．

ラジオコロイドの高い吸着性は，放射性核種の分離に応用できる．$^{90}Sr - ^{90}Y$ の水溶液をアンモニア水でアルカリ性（pH 9）にしてろ過すると，^{90}Y はラジオコロイドを形成してろ紙上に残るので，これを塩酸で溶解すれば，^{90}Y を無担体分離できる．このような方法は，^{47}Sc，^{88}Y，^{206}Bi などの分離にも利用されている．

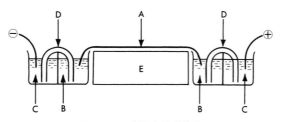

図 4-10　ろ紙電気泳動装置
A．ろ紙に試料をスポットする，B．電解液，C．塩化カリウム溶液，D．寒天橋，E．冷却槽

ラジオコロイドの形成は，pHや電解質濃度などで変化するが，少量の担体や錯化剤を加えることにより防止できることがある．

D. ろ紙電気泳動法

紙の両端を電解液に浸して両端に直流電圧を印加すると，陽イオンは陰極，陰イオンは陽極へ移動する．この現象を電気泳動とよぶ．電気泳動法は，電場の中でイオンが移動する向きや速さの相違に基づいてイオンを分離する方法である．ろ紙電気泳動装置の例を図4-10に示した．

E. 蒸留・昇華法

揮発性のRIは不揮発性のRIから蒸留によって分離できる．一般にはターゲット物質を溶解した液相からの蒸留が望ましく，担体として空気，不活性気体，炭酸ガスなどを通しながら行われる．蒸留・昇華法を利用すると，常温で気体であるものばかりでなく，固体（I_2など）や液体（Br_2など）である多くの物質を分離することができる．

7 放射性標識化合物

放射性同位元素をトレーサー（追跡子）として利用する場合には，単体ではなく化合物として用いることが多い．たとえば，放射性ヨウ素（^{131}I）は，ヨウ化ナトリウム（Na^{131}I）などの形で用いられ，化合物中のヨウ素のみが放射性である．このように化合物中の特定の元素が放射性であるものを**放射性標識化合物**とよぶ．特定の元素を放射性にしたり，放射性元素と置換したりすることを**標識**という．特に医療で使用される放射性医薬品は，ほとんど標識化合物の形で販売されている（☞ p.377, 378）．

1. 標識化合物の合成

A. 化学的合成法

化学反応を利用した合成方法で，標識位置を決定することができ，さらに比放射能や収率を自由に変化させることができる長所を有する．一方，複雑な化合物を合成することは難しい．

〔合成例〕
ブロムベンゼンのグリニャール試薬と $^{14}CO_2$ による ^{14}C-安息香酸の合成

$$\underset{MgBr}{\bigcirc} \xrightarrow{^{14}CO_2} \underset{^{14}COOMgBr}{\bigcirc} \xrightarrow{HCl} \underset{^{14}COOH}{\bigcirc} + MgBrCl$$

〔^{14}C〕-安息香酸

B. 生合成法

植物，酵素，微生物などの代謝反応を利用して合成する方法で，化学的合成が難しいホルモンやアミノ酸，タンパク質などが均一に標識でき，光学活性体の合成もできる利点を有する．一方，標識化合物の比放射能が低く，標識位置，比放射能，収率などを自由に決定することができない欠点を有する．

〔合成例〕
植物の光合成を利用した $^{14}CO_2$ からの ^{14}C-デンプンの合成

C. 放射合成法

原子核反応により生じたホットアトムによる**反跳合成法（ホットアトム法）**や同位体交換反応を利用した**同位体交換法**がある．前者の例としては，$^{14}N(n, p)^{14}C$ 反応で生成した ^{14}C の反跳効果を利用した ^{14}C 標識有機化合物合成などがある．この方法は簡単で反応が迅速であるが，副反応による化合物ができたり，放射線分解を生じたりする欠点を有する．後者には，^3H 原子と H 原子の同位体交換反応を利用する **Wilzbach 法**（トリチウムガス接触法）がある．また，非放射性ヨウ素化合物と放射性ヨウ素化合物を溶媒中で加温したり，両者を混合，加熱したりすることで同位体交換反応を行い放射性ヨウ素標識化合物を得ることができる．この方法は，簡単であるが，標識が外れやすく，高比放射能のものが得にくいなどの欠点がある．

〔同位体交換法による合成例〕

サイロキシン

$\xrightarrow{Na^{131}I}$ I*-サイロキシン

Na^{131}I によるヨウ素標識化合物の合成

2. ^{99m}Tc の標識化合物（☞ p.377）

核医学診断で最も多く利用されている ^{99m}Tc は，^{99}Mo よりミルキングによって $^{99m}TcO_4^-$ の形で得られる．一般に，^{99m}Tc を有機物に標識するには，+7 価から+1，+3，+4，+5 価などの原子価に還元する必要がある．そのため，適当な還元剤と標識する化合物を予めバイアルビンに封入したものが販売されており，ミルキングで得た $^{99m}TcO_4^-$ をこのバイアルビンに注入して振とうするだけで標識できる．たとえば，市販の ^{99m}Tc-DMSA の標識キット（テクネ®DMSA キット[富士フイルム富山化学]）では，DMSA（ジメルカプトコハク酸）と塩化スズ（Ⅱ）（SnCl$_2$）とがバイアルビンに入れてあり，これにジェネレータより溶出した $^{99m}TcO_4^-$ を加えると ^{99m}Tc-DMSA が得られる．この場合，還元剤として塩化スズ（Ⅱ）が用いられている．

^{99m}Tc は短半減期の核種であるが，近年は標識化合物をシリンジ製剤としてメーカーが毎日供給しているものもある．

3. タンパク質の放射性ヨウ素標識法

タンパク質のヨウ素標識法には，チロシン残基やヒスチジン残基にヨウ素を導入する**直接法**と，それらのアミノ酸残基を含まないタンパク質のN末端やリジン残基のアミノ基に予めヨウ素標識した試薬を結合させる**間接法**とがある．次の 1）〜 3）は直接法，4）は間接法である．

1）クロラミンT法：強い酸化作用をもつクロラミンTを用いる．クロラミンTは，水中でNa^{125}IやNa^{131}Iを酸化してHO^{125}IやH$_2$O^{125}Iを生成する．これによってチロシンのフェノール核やヒスチジンのイミダゾール核をヨウ素化する．タンパク質の変性が起こりやすい．

2）ラクトペルオキシダーゼ法：クロラミンTよりも酸化作用が弱いラクトペルオキシダーゼと過酸化水素を用いる．タンパク質の変性は少ない．

3）ヨードゲン法：酸化作用が2）の方法よりも弱いヨードゲンを用いる方法．

4）ボルトンハンター法：放射性ヨウ素で標識したボルトンハンター試薬を用いる方法．

4. 標識化合物自動合成装置（CBB；Chemical Black Box）による標識化合物の合成

^{11}C，^{13}N，^{15}O，^{18}Fはサイクロトロンで作られる陽電子放射体で半減期も短い．そのため，これらの核種は病院内で製造して標識に用いられる．標識化合物の合成には自動合成装置が用いられており，この装置により^{15}O標識ガス，H$_2$^{15}O，^{13}N-アンモニア，^{11}C-N-メチルスピペロンなどが合成されている．

〈^{18}F-FDGの合成法〉

1）フッ素イオン法：^{18}O-濃縮水をターゲットとして，^{18}O(p, n)^{18}F反応によってH^{18}Fを生成させ，イオン交換樹脂で^{18}F$^-$を回収した後，^{18}F-FDGに合成する．現在，^{18}F-標識体の合成は主としてこの方法による．

2）フッ素ガス法：フッ素を担体としたネオンガスをターゲットとし，^{20}Ne(d, α)^{18}F反応によって生成した^{18}F$_2$を用いて^{18}F-FDGを合成する．

5. 標識化合物の命名法

A. 特定位標識化合物（S標識化合物）

標識化合物の特定の位置に95％以上の放射能がある場合で，化合物の名称の前に標識位置と標識核種を〔 〕で示す．

例：〔6-^{3}H〕-ウラシル，〔メチル-^{14}C〕-トルエン

B. 名目標識化合物（N標識化合物）

標識化合物の特定の位置が標識されているが，他の位置もいくらか標識されている場合で，標識核種の後に（n）または（N）と示されている．

例：〔7-^{3}H(n)〕-コレステロール，〔9,10-^{3}H(n)〕-オレイン酸

C. 全般標識化合物（G標識化合物）

標識が全位置になされているが必ずしも均一でない場合で，標識核種の後に（G）と示されている．^{3}H標識化合物に多い．

例：〔^{3}H(G)〕-ヒスタミン，〔^{3}H(G)〕-アニリン

D. 均一標識化合物（U標識化合物）

標識化合物のすべての位置が均一に標識されている場合で，標識核種の後に（U）と示されている．

例：〔^{14}C(U)〕-グリシン，〔^{14}C(U)〕-オレイン酸

標識化合物の命名においては，〔U-^{14}C〕-フェノールや〔G-^{3}H〕-グルタミン酸のように，〔 〕内の標識核種の前に標識の種類を表示することもある．

6. 標識化合物の保存

標識化合物は貯蔵中に放射線自己分解をしたりして標識がはずれ，トレーサーとして使用できなくなることがあるため，適切な保存をしなければならない．それには以下のような方法がある（冷蔵庫をイメージするとよい）．

1）化合物を適当な溶媒（ベンゼン，トルエンなど）で使用可能な濃度まで希釈し，比放射能を低くする．

2）エタノールなどを安定剤として加える．

3）低温で保存する（^{3}H化合物は2℃）．

4）真空中または乾燥した窒素ガス中に保存するか，不活性ガスで封じて保存する．

5）固体の場合は分散して保存する．

6）適当な制菌剤を加える．

7）遮光または無酸素状態にする．

医療用の放射性医療品も一般に冷蔵庫中で低温保存し，表示された期限内に使用しなければならない．

7. 放射性核種の純度

A. 放射化学的純度

特定の化学形の放射能が全放射能に対して占める割合をいい，標識化合物の**標識率**は放射化学的純度と同義である．

$$\text{放射化学的純度} = \frac{\text{特定の化学形の放射能}}{\text{全放射能}} \times 100 (\%)$$

標識化合物の放射化学的純度の測定には，前述の各種クロマトグラフィー（☞ p.133）や後述の同位体希釈分析法（逆希釈分析）が利用される．

B. 放射性核種純度

放射純度ともいい，特定の核種が全放射能に対して占める割合をいう．

$$\text{放射性核種純度} = \frac{\text{特定核種の放射能}}{\text{全放射能}} \times 100 (\%)$$

^{131}I 37 kBq と ^{125}I 74 kBq および ^{60}Co 74 kBq の混合物があるとすれば，^{131}Iの放射性核種純度は20％となる．

C. 放射性同位体純度

特定元素の同位体の放射能が全放射能に対して占める割合をいう．

$$\text{放射性同位体純度} = \frac{\text{特定同位体の放射能}}{\text{全放射能}} \times 100 (\%)$$

Bの例において，Iについての放射性同位体純度は，60％になる．

8. 放射性同位体の化学分析への利用

放射性同位体は種々の分析に応用されており，次のような分析方法がある．
1) 放射化学分析法，2) 放射分析法，3) 放射化分析法，4) 同位体希釈分析法

1. 放射化学分析法

放射能測定により放射性核種を定性および定量分析する方法である．例えば，フォールアウト（放射性降下物）中の ^{90}Sr を分析する場合，娘核種である ^{90}Y をミルキングにより分離し，その放射能から親核種である ^{90}Sr を定量している．その他，岩石中の ^{40}K を γ 線スペクトル分析によって定量したり，^{226}Ra 量から ^{238}U を定量したりしている．この分析法は，分析する物質自身が放射性同位元素であることが他の分析法と大きく異なっている．

2. 放射分析法

非放射性物質を定量するのに，その物質と定量的に化合する放射性同位元素を用いる方法である．例えば，非放射性物質 A と定量的に化合する放射性物質を $*B$ とするとき，A と $*B$ とが反応して $A*B$ の沈殿が生じたとする．この沈殿の放射能を測定して $*B$ を求めれば，定量的に化合している A を定量できる（直接法）．

$$A + *B \longrightarrow A*B \quad A*B \longrightarrow 放射能測定$$

$*B$ を過剰に加えた場合には，余分の $*B$ が溶液中に残り，この溶液の上澄み液の放射能から間接的に沈殿となった $*B$ を求めることもできる（間接法）．

放射性核種で標識したイオンを用い，滴定操作によって放射分析を行うのが**放射滴定法**である．滴定の終点は，滴定溶液の上澄み液の放射能変化を指標として決定する．

3. 放射化分析法

非放射性物質を放射化し，その放射能を測定することにより試料中の元素をおよび定量分析する方法である．中性子による放射化を利用するものが一般的で，(n, γ) 反応がよく用いられる．中性子束密度と核反応断面積とが既知であれば，放射能から原子数を求めることができる．

この方法の利点は，1) 微量分析が可能であること，2) 放射化後は他の試薬などが混入しても影響されないこと，3) 化学的に性質のよく似た元素でも分離せずに定量できること，4) γ 線スペクトル分析などにより非破壊分析が可能であることなどである．欠点としては，1) 精度が低いこと，2) 副反応で目的核種以外のものが生成すること，3) 自己遮へいによって生成放射能が低下すること，4) 原子炉や粒子加速器を必要とすること，などがある．

4. 同位体希釈分析法

同位体希釈分析法は，"定量操作の前後で目的物質の比放射能は変化するが，総放射能は変化しない" ことを利用した定量分析法で以下の 5 つの方法がある．

A. 直接希釈分析法

定量しようとする非放射性物質を含む試料にそれと同じ化学形の放射性化合物を一定量加えて混合し，混合前後の放射性化合物の比放射能の変化から目的物質を定量する方法である．いま，試料中の定量しようとする物質の重量を X，加える放射性化合物の放射能を A_1，重量を W_1（比放射能 $S_1 = A_1/W_1$）とする．放射性化合物を加えて混合した後，その中から目的物質と同じ化学形の物質の一部を純粋に取り出し，その放射能 A_2 と重量 W_2 を測定して比放射能 $S_2 = A_2/W_2$ を求める．放射性化合物の総放射能は加える前と後で同じであるから次式が成立する．

$$S_1 W_1 = S_2 (X + W_1)$$

変形して X を求めると

$$X = W_1 \left(\frac{S_1}{S_2} - 1 \right) \tag{4.10}$$

となる．この分析法は，核医学における ^{51}Cr-赤血球による血球量の測定や ^{131}I-HSA による血漿量の測定などに応用されていた．

〔例題〕 ある混合物試料中の 1 成分を同位体希釈法で定量するため，試料に放射性同位体で標識したこの成分物質 40 mg（比放射能 1000 dpm/mg）を加え，十分に混合した．その後，この成分物質の一部を純粋に分離したところ，比放射能は 250 dpm/mg であった．試料中に含まれるこの成分の量（mg）を求めよ．

〔解答〕 式 (4.10) に $W_1 = 40$ mg　$S_1 = 1000$ dpm/mg　$S_2 = 250$ dpm/mg　を代入すると，求める成分の量

$$X = 40 \left(\frac{1000}{250} - 1 \right) = 120 \text{ mg} \quad \text{となる．}$$

B. 不足当量法（サブストイキオメトリ）

直接希釈分析法を基本としており，非放射性物質を定量する方法である．試料中の定量しようとする目的物質の量を X とする．試料を適当な溶媒に溶解し，目的物質の放射性標識化合物（重量 W_1，放射能 A_1）を加えて均一に混合する．混合した試料に目的物質と定量的に化合する物質 B を m だけ加える．このとき加える B の量 m は m < X でなければならない．B と化合した化合物を取り出しその放射能 a_2 を測定する．

次に，添加した放射性標識化合物（重量 W_1）に同じく

Bをmだけ加え，Bと化合した物質の放射能a_1を測定する．このとき加えるBの量mはm<W_1でなければならない．

a_2の放射能はmと($X+W_1$)が化合したものに由来し，一方a_1はmとW_1が化合したものに由来する．放射能a_2はBの量(m)が同じであるために，Xに相当する分だけ比放射能は低くなる．物質Bに着目した比放射能S_1およびS_2は次のようになる．

$$S_1 = \frac{a_1}{m} \quad S_2 = \frac{a_2}{m}$$

これを(4.10)式に代入すると次のようになる．

$$X = \left(\frac{a_1}{a_2} - 1\right) W_1 \quad (4.11)$$

この方法は，重量測定を必要とせず，放射能測定のみで定量できる特徴をもっている．

C. 逆希釈分析法

定量しようとする目的物質が放射性物質であるとき，目的物質と同じ化学形の非放射性物質を一定量加えて混合し，混合前後の放射性物質の比放射能の変化から目的物質を定量する方法である．直接希釈分析とは定量する対象が逆となるが，本法でも非放射性物質を加える前と後の総放射能は同じである．試料中の定量しようとする放射性物質の重量をXとする．その放射性物質の一部を取って測定した放射能をA_1，重量をW_1とすると，比放射能は$S_1 = A_1/W_1$である．試料に目的物質と同じ化学形の非放射性物質をaだけ加えて混合し，その中から目的物質と同じ化学形の物質の一部を純粋に取り出し，その放射能A_2と重量W_2を測定して比放射能$S_2 = A_2/W_2$を求める．このとき，次式が成立する．

$$S_1 X = S_2(X + a)$$

これを変形した次式によってXを求めることができる．

$$X = a\left(\frac{S_2}{S_1 - S_2}\right) \quad (4.12)$$

D. 二重希釈分析法

逆希釈分析法では比放射能S_1がわかっている必要があるが，そうでないときでもこの方法を利用すれば目的物質を定量できる．まず，定量しようとする放射性物質を含む元の試料から，等しい量の試料を二つ分け取る．これら二つの試料中の目的物質の重量をX，比放射能をSとする．二つの試料に目的物質と同じ化学形の非放射性物質を各々，a_1，a_2だけ加えて混合する．それぞれから目的物質と同じ化学形の物質の一部を純粋に取り出し，その重量W_1，W_2と放射能A_1，A_2とを測定することにより，比放射能$S_1 = A_1/W_1$，$S_2 = A_2/W_2$を求める．このとき，次式が成立する．

$$\begin{cases} SX = S_1(X + a_1) & (4.13) \\ SX = S_2(X + a_2) & (4.14) \end{cases}$$

この連立方程式より，Xは次式で求められる．

$$X = \frac{S_2 a_2 - S_1 a_1}{S_1 - S_2} \quad (4.15)$$

さらに，比放射能Sは，(4.13)と(4.15)式から次式で求められる．

$$S = S_1 + S_1 a_1 \frac{S_1 - S_2}{S_2 a_2 - S_1 a_1} \quad (4.16)$$

E. アイソトープ誘導体法

A～Dの方法では定量する試料と同じ化学形の化合物が必要であるが，それを得ることができないときに用いる方法である．例えば，性質のよく似たハロゲン化物イオンであるCl^-，Br^-，I^-の混合物中のCl^-を定量するとする．これらのイオンと結合する放射性*Ag^+を加え，*AgCl，*AgBr，*AgIを生成させた後，*AgClのみを取り出し，*AgClの比放射能S_1を測定する．次に，重量aの非放射性AgClを加えて，逆希釈法と同様にして希釈後の比放射能S_2を求めると，Cl^-の重量Xは次式で求められる．

$$X = a\left(\frac{S_2}{S_1 - S_2}\right)$$

この方法は標識化合物を容易に合成できないような複雑な化合物が目的物質であるときに利用される．

5. PIXE法による化学分析

PIXE (particle induced X-ray emission) 法は，放射性同位体を用いた分析法ではなく，加速器で得られる数MeVの高エネルギー陽子ビームを利用した高感度元素分析法である．本法では，分析試料に陽子ビームを照射し，分析対象原子の内殻軌道電子を電離させる．電離された軌道電子の空位には外側軌道から電子が遷移し，このとき特性X線が発生する．この特性X線をGe半導体検出器で計測し，スペクトル分析することにより，多元素を同時に定性および定量分析することができる（図4-11）．

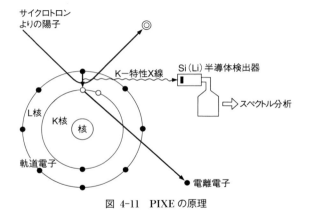

図4-11 PIXEの原理

9 放射性同位元素のトレーサー利用

　放射性同位元素はトレーサーとして利用することが多い．医療における放射性医薬品もトレーサーとして用いられている．トレーサーとして用いる放射性物質の質量は非常に微量で（これをトレーサー量とよぶ），例えば，ヨウ素の放射性同位体 ^{131}I（半減期 8.04 日）の 37 MBq は 8.07×10^{-9} g である．しかし，放射能としては 3.7×10^7 dps と十分に高い値であり，10% の計数効率の GM 計数装置でそのまま計数すると数え落しが大きな問題となるほどの高値である．また，トレーサー量の放射性同位元素は常用量の場合と異なった化学的挙動をすることが多いので，トレーサーを利用する際には，ラジオコロイドの生成や同位体効果，同位体交換反応などに注意しなければならない．

1. ラジオコロイド
（☞ p.134）

2. 同位体効果
　トレーサーは，非放射性の同位体と同一の化学式をもつため，その化学的挙動は同じである．しかし，低原子番号の水素の場合，^{1}H と ^{3}H の質量は 3 倍も異なるため，化学反応速度や化学平衡などに違いが生じてくる．同位体効果は質量の小さな原子で顕著に認められ，反応速度においては，一般に軽い同位体は重いものよりも速く反応する．同位体効果は，原子番号が大きくなるにつれ，質量数に対する同位体間の質量数の差の割合が小さくなるため，無視できるようになる．

3. 同位体交換反応
　$H_3{}^{32}PO_4$（リン酸）の水溶液に，水に不溶な $Ca_3(PO_4)_2$（リン酸三カルシウム）を加えて振り混ぜると，$^{32}PO_4{}^{3-}$ イオンが一部同位体交換反応を起こす．

$$H_3{}^{32}PO_4 + Ca_3(PO_4)_2 \longrightarrow H_3PO_4 + Ca_3({}^{32}PO_4)(PO_4)$$

　また，放射性 Na^{131}I 水溶液と I$_2$ の四塩化炭素溶液とを混合して振り混ぜると，次式のようにヨウ素の一部が同位体交換反応を起こす．

$$Na^{131}I + I_2 \longrightarrow NaI + {}^{131}I - I$$

　特に，^{3}H における同位体交換反応を用いた標識法を Wilzbach 法（ウイルツバッハ法）という．
　同位体交換反応の機構には，①原子が移動するもの，②電子が移動するもの，③解離によるもの，の 3 種類が考えられる．

4. アクチバブルトレーサー
　放射性核種をトレーサーとして使用することが困難な場合に，安定元素をトレーサーとして使用し，後に安定元素を放射化して目的を達成するものである．生物実験への応用では，Eu（ユーロピウム），Dy（ジスプロシウム），La（ランタン），Sm（サマリウム）などの希土類元素が用いられるが，中でも ^{151}Eu(n, γ)^{152}Eu の核反応断面積は 5,900 barn と大きく，生体試料の分析に利用されている．

5. オートラジオグラフィー
　写真乳剤またはイメージングプレートを用いて放射性同位体の分布を可視化する方法である．放射性同位体を含む試料とこれらを密着させると，放射性同位体から放出される β 線や γ 線の作用を利用して画像を得ることができる．
　イメージングプレート法は得られた画像を肉眼で観察するマクロオートラジオグラフィーに用いられる．本法の特徴は，光の下で作業できること，現像の必要がなく暗室が不要であること，X 線フィルムよりも高感度で繰り返し使用が可能なこと，結果の定量的評価が容易であることなどが挙げられる．
　写真乳剤を用いる方法は，結果の記録形式や観察方法によって，①飛跡オートラジオグラフィー（荷電粒子の飛跡を顕微鏡で観察する．放射性同位元素の位置，放射線線質，エネルギーなどがわかる．），②マクロオートラジオグラフィー（試料を直接 X 線フィルムに密着させる．試料中の放射性同位元素の分布を肉眼的に観察する．），③ミクロオートラジオグラフィー（感光性乳剤を試料に直接塗布して露出後，光学顕微鏡で観察する．細胞レベルでの放射性同位元素の分布がわかる．），④超ミクロオートラジオグラフィー（電子顕微鏡を用いて，ミクロオートラジオグラフィーよりさらに細かく調べる．），の 4 つに分類できる．
　写真乳剤を用いたオートラジオグラフィーで解像度を高めるには，1) 銀粒子の大きさが小さく揃った乳剤を用いる，2) 低エネルギーの β 線放出核種を用いる（最大エネルギー 0.0186 MeV の ^{3}H では最高解像度が得られる），3) 試料切片の厚さを薄くする，4) 試料と乳剤の密着度を高くする，5) 乳剤膜の厚さを薄くする，6) 露出時間をなるべく短くする，7) 緩和な条件で現像する，ことなどが有効である．
　生物学的分野のオートラジオグラフィーでは，^{3}H（β$^-$ 線 0.0186 MeV），^{14}C（β$^-$ 線 0.156 MeV），^{125}I（X 線 0.0275 MeV）など低エネルギーの β$^-$ 線，X 線を放出する核種が利用される．その他，細胞標識には，^{59}Fe，^{131}I，^{32}P なども使用される．

5章　医用工学

●佐藤敏幸

　平成 24 年の診療放射線技師国家試験の出題基準の変更に伴い「医用工学」のうち制御工学が「医用画像情報学」へ移った．新たに電磁気現象の生体への影響が追加され，レーザーや三相交流が削除された．その他の電磁気学および電気工学の基礎に関してはほとんど変わっていない．電子工学の基礎に関して，フィルタ回路と応答特性や AD 変換，DA 変換が追加されたのみである．

　多くの国家試験科目の中で，最も成績の悪いといわれる科目の 1 つとして，医用工学がある．何故，成績が悪いのかとよく考えてみるが，その原因の 1 つは計算問題に対して，全体的に受験生が弱いということであろうと思う．五者択一式の試験では，複雑な計算問題はほとんどなく，簡単な整数で解の得られるものが多いから，問題を解く手順をよく理解することが必要である．計算問題は暗記することは不可能であるから，とにかく，電気回路を理解することがまず重要である．

　この章の中でも，特によく出題され，そのために理解しておかねばならない節は，直流回路の計算，コンデンサ回路を中心とした静電気，交流回路の計算，過渡現象などに関する計算問題が中心で，最も理解しにくい磁気に関する出題は近年の MRI の普及とともに多くなっていくであろう．一方，電子工学の分野では，比較的計算問題は少なく，むしろ回路図や素子の特性等をよく理解しておく必要がある．

　電気に弱いという人を多くみかけるが，電気ほど正直なものはないと思う．また，これを理解する初歩は，オームの法則を完全に理解することである．難解な公式が沢山あるが，オームの法則を完全に理解できていれば，暗記すべき公式の数は半減するのではないかとも思う．医用工学は，まず，理解そしてその応用である．

1 電磁気の単位

1. 電気関係の単位

1) 電流（アンペア），単位記号；A

7つの基本単位の一つで，電気系を代表する唯一の単位である．電気量 Q [C] との関係は，$I=Q/s$ であり，1アンペアは1秒間に1クーロンの電気量の移動とも言える．記号には I を用いて，$I=1$ [A] などと表記する．1 [A] の電流の定義は関連事項を参照．

2) 電圧，電位（ボルト），単位記号；V

抵抗に1 [A] の定電流を流したとき，抵抗で消費される仕事率が1Wであれば，抵抗の端子電圧は1 [V] と定義され，V=W/A とも表現できる．記号には E を用いて，$E=1$ [V] などと表記する．

3) 電気抵抗（オーム），単位記号；Ω

抵抗の両端に1 [V] の一定電圧を与えたとき，1 [A] の電流が流れる電気抵抗を1 [Ω] と定義し，記号は R を用いる．したがって，R=V/A とも表現できる．

4) 電気量，電荷（クーロン），単位記号；C

クーロンはアンペア時（A・s）とも表現できる．また，記号には Q を用いて，$Q=1$ [C] などと表記する．

5) 電力，仕事率（ワット），単位記号；W

電力は1秒間当たり1ジュールの仕事率であり，W=J/s とも表現できる．記号には P を用い，$P=1$ [W] などと表記する．

6) 静電容量（ファラド），単位記号；F

電気容量とも言い，コンデンサなどに電気量が蓄えられる容量を表し，[C/V] でも表現できる．記号には C を用い，$C=1$ [F] などと表記する．

7) コンダクタンス（ジーメンス），単位記号；S

抵抗の逆数をコンダクタンスとよび，記号には G を用いる．

2. 磁気関係の単位

1) 磁束（ウェーバ），単位記号；Wb

磁荷からは磁力線が発生するが，この磁力線を総称して磁束という．SI単位により [V・s] で表現することもあるが，記号には Φ を用いて $\Phi=1$ [Wb] などと表記する．

2) 磁束密度（テスラ），単位記号；T

単位断面積を通過する磁束を磁束密度とよび，[Wb/m²] で表現できる．記号には B を用いて，$B=1$ [T] などと表記する．

3) インダクタンス（ヘンリー），単位記号；H

コイルは電流の時間的変化によって，電磁誘導による起電力を発生するが，このときの誘導係数をインダクタンスとよび，[Wb/A] で表現できる．自己インダクタンスと相互インダクタンスがあり，記号に L 及び M を用いて，$L=1$ [H] などと表記する．

3. 抵抗率（記号：ρ など，単位：[Ω・m]）

物質の電気抵抗は，物質の種類，断面積 S，長さ l によって変わり，電気抵抗 R は次式によって示される．

$$R=\rho[\Omega \cdot m]\frac{l[m]}{S[m^2]}\ [\Omega] \tag{5.1}$$

そこで ρ を**抵抗率**または比抵抗などとよぶ．ρ が約 10^{-6} [Ω・m] 以下のものを導体，約 10^{10} [Ω・m] 以上のものを絶縁体，これらの値の中間にあるものを半導体とよぶ．また，固有抵抗の逆数を**導電率** σ といい，単位は，[S/m] で表す．S：ジーメンス．

4. 抵抗の温度係数

固有抵抗の値は温度によって変化する．いま温度 t_1 における固有抵抗を ρ_1 とし，温度が t_2 に上昇したときの固有抵抗を ρ_2 とすると，ρ_2 は次式で与えられる．

$$\rho_2=\rho_1[1+\alpha_1(t_2-t_1)] \tag{5.2}$$

ここで，α_1 を抵抗の**温度係数**という．α の値はあらゆる温度に対して一定ではなく，温度に対して若干変化するため，t_1 と t_2 の差が大きいときは，$\alpha_{t1,t2}$ などと書いて平均温度係数を求めることがある．温度0℃における温度係数を α_0 とし，t℃における温度係数を α とすると，α は次式によって求められる．

$$\alpha=\frac{\alpha_0}{1+\alpha_0 t} \tag{5.3}$$

したがって，温度係数には温度を明示しなければならない．一般に金属の温度係数は正（温度が増すと，抵抗は増す）であるが，半導体や絶縁体では負の係数（温度が増すと抵抗は減少する）となることが多い．

関連事項

1アンペアの定義

真空中に1 [m] の間隔で平行に置かれた，無限に小さい円形断面積を有する，無限に長い2本の直線状導体のそれぞれを流れ，これらの導体の長さ1 [m] につき 2×10^{-7} [N] の力を及ぼし合う電流を1アンペアと定義していた．2019年5月より国際単位系の改定が決議され，現在の定義は次のようになっている．電気素量を $1.602176634\times 10^{-19}$ [C] と定めることによって設定される電流の単位．すなわち1 [A] は1秒間に電子が $(1/1.602176634)\times 10^{19}$ 個通過したときの電流に相当する．

超伝導現象

金属に対する抵抗率の温度係数は正であるため，逆に温度が低下すると，金属の抵抗は徐々に減少していく．ある種の金属では，絶対温度の零度（-273℃）付近になると，電気抵抗が零になるものがある．このような現象を超伝導現象という．たとえば，鉛では7.2 [°K]，錫では，3.71 [°K] で超伝導が起こる．

直流回路

1. オームの法則

電圧 V, 電流 I, 抵抗 R の間には次の関係がある．これをオームの法則という．

$$V = IR \tag{5.4}$$

2. 抵抗の直列接続

図5-1(a) のように，起電力 E の電池に抵抗 R_1, R_2 を直列に接続する．

1) 合成抵抗 R は $R = R_1 + R_2$
2) 回路電流 I は $I = V/R = V/(R_1 + R_2)$
3) 抵抗の端子電圧 V_1, V_2 は $V_1 = IR_1$, $V_2 = IR_2$

このことから，電圧 V_1, V_2 は抵抗 R_1, R_2 に比例する．

$$V_1/V_2 = R_1/R_2$$

4) 全電圧 V は $V = V_1 + V_2$

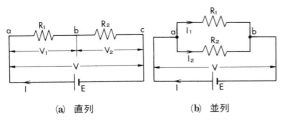

(a) 直列　　　　　(b) 並列

図 5-1　抵抗の直並列接続

3. 抵抗の並列接続

図5-1(b) のように，起電力 E の電池に抵抗 R_1, R_2 を並列に接続する．

1) 合成抵抗 R は $\dfrac{1}{R} = \dfrac{1}{R_1} + \dfrac{1}{R_2}$　　$R = \dfrac{R_1 R_2}{R_1 + R_2}$

2) 回路電流 I は $I = V/R = V\left(\dfrac{R_1 + R_2}{R_1 R_2}\right)$, $I = I_1 + I_2$

3) 電流 I_1, I_2 は $I_1 = V/R_1$, $I_2 = V/R_2$

これから，電流 I_1, I_2 は抵抗 R_1, R_2 に逆比例する．

$$I_1/I_2 = R_2/R_1$$

〔例題〕

図のような抵抗接続回路のa，b端子に直流50Vの電圧を印加した場合，次の値を計算せよ．1) 回路の合成抵抗，2) 端子電圧 V_1, V_2, 3) 回路電流 I_1, I_2, I_3, I_4, 4) 抵抗 R_1 の消費電力．

〔解説〕

1) R_1, R_2, R_3 の合成抵抗は，$R' = R_3 + [R_1 R_2/(R_1 + R_2)]$ で求められ，これと R_4 を並列計算すればよい．

$$R' = 9.5 + [15 \times 35/(15 + 35)] = 9.5 + 10.5 = 20 \ [\Omega]$$

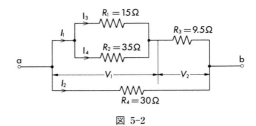

図 5-2

$$R = [20 \times 30/(20 + 30)] = 12 \ [\Omega]$$

2) 抵抗直列回路における抵抗の端子電圧は，その抵抗値に正比例するため，R_1, R_2 の合成抵抗値と R_3 の比を求めればよい．R_1, R_2 の合成抵抗値は10.5Ω，R_3 は9.5Ωであるから，

$$V_1 = 50 \times (10.5/20) = 26.25 \ [V]$$
$$V_2 = 50 \times (9.5/20) = 23.75 \ [V]$$

3) $I = V/R$（オームの法則）より，その回路の印加電圧を，その回路の合成抵抗で除すことにより求められる．

$$I_1 = 50 \ [V]/20 \ [\Omega] = 2.5 \ [A]$$
$$I_2 = 50 \ [V]/30 \ [\Omega] = 1.67 \ [A]$$
$$I_3 = 26.25 \ [V]/15 \ [\Omega] = 1.75 \ [A]$$
$$I_4 = 26.25 \ [V]/35 \ [\Omega] = 0.75 \ [A]$$

4) 電力 P は，$P = V_1 I_3$ で求められる．

$$P = 26.25 \ [V] \times 1.75 \ [A] \fallingdotseq 46 \ [W]$$

4. 電池の接続と内部抵抗

電池は起電力を発生するとともに，内部抵抗をもつ．起電力 E [V]，内部抵抗 r [Ω] の電池に R [Ω] の外部抵抗を直列に接続すると，流れる電流 I は

$$I = E/(r + R) \tag{5.5}$$

その結果，内部抵抗により $V_r = Ir$ の電圧降下が起こり，電池の両端子に現れる電圧 V は，次のようになる．

$$V = E - V_r = \frac{ER}{r + R} \tag{5.6}$$

回路電流が流れないときには，端子電圧 V と起電力 E は等しくなるが，電流が流れると，電流 I に比例して内部電圧降下は増大して，端子電圧 V は減少する．端子電圧 V と電流 I, 外部抵抗 R との間にはオームの法則が成り立つ．電池に限らず，あらゆる電源には内部抵抗があり，この値の小さいことが望ましい．

起電力 E の電池を n 個直列に接続すると，全体の起電力の代数和は (nE) となり，内部抵抗の合計も代数和 (nr) となる．また起電力 E の同じ電池を n 個並列に接続すると，起電力 E は変わらず，内部抵抗の合計は r/n に減少する．

並列接続の場合，それぞれの起電力の値が異なると電池相互間の電圧差に応じて，外部回路を接続しなくても電池に電流が流れ，電池を消耗するから注意を要する．

〔例題〕

起電力 1.86 V の電池に負荷抵抗を接続したところ，0.5 A の電流が流れ，電池の端子電圧は 1.42 V となった．この電池の内部抵抗はいくらか．

〔解説〕

電池に限らず電源には必ず内部抵抗 r がある．したがって，これらの電源に負荷を接続して電流 I を流すと，電源の中で，Ir ボルトの電圧降下が起こり，電源の端子電圧は起電力から，この電圧を差し引いた値となり，内部抵抗が大きいほど，端子に現れる電圧は低下する．この例題では，電池の内部抵抗 r による電圧降下 ΔV は $\Delta V = 1.86 - 1.42 = 0.44$ [V] となり，回路電流は 0.5 A であるから，オームの法則で，$r = \Delta V/I = 0.44$ [V]/0.5 [A] = 0.88Ω となる．

5. キルヒホッフの法則

複雑な回路網の電圧，電流，抵抗値の計算には次に示すキルヒホッフの法則を用いる．これは次の 2 つの法則から成り立つ．

第 1 法則：回路網中の任意の 1 点に流れ込む電流は，流出する電流の総和（代数和）に等しい．

第 2 法則：回路網中の任意の閉回路で，その閉回路に含まれる抵抗による電圧降下の総和は，その閉回路に含まれる起電力の総和に等しい．

〔例題〕

図 5-3 の回路で，各回路に流れる電流を求める．

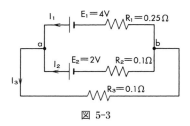

図 5-3

各回路の電流を I_1, I_2, I_3 とし，その方向を矢印のように仮定してみる．まず，a 点に第 1 法則をあてはめると，

$$I_1 + I_2 = I_3 \tag{5.7}$$

未知数は 3 であるから，3 式の連立方程式を必要とする．たとえば，$(E_1 \cdot a \cdot R_3 \cdot b \cdot R_1)$ と $(E_1 \cdot a \cdot E_2 \cdot R_3 \cdot b \cdot R_1)$ の 2 つの回路網に第 2 法則を適用する．

$$0.25 I_1 + 0.1 I_3 = 4 \tag{5.8}$$
$$0.25 I_1 - 0.1 I_2 = 4 - 2 \tag{5.9}$$

この場合，起電力の方向，電圧降下の方向が初めに仮定した矢印の方向と逆方向であれば，負の符号をつける．(5.8) 式に (5.7) 式を代入すると，

$$0.25 I_1 + 0.1 (I_1 + I_2) = 4 \tag{5.10}$$

(5.9) 式と (5.10) 式から，I_2 を消去すると

$$0.6 I_1 = 6 \qquad I_1 = 10 \text{ [A]}$$

$I_1 = 10$ [A] を (5.8) 式，(5.9) 式に代入すると，I_2, I_3 を求めることができる．

$$I_2 = 5 \text{ [A]} \qquad I_3 = 15 \text{ [A]}$$

キルヒホッフの法則を用いるときは，回路中の未知数の数だけの連立方程式を作る必要がある．

6. ジュールの法則

抵抗体における電力消費のほとんどは発熱作用である．そこで，導体を流れる電流によって単位時間に発生する熱量 (H) は抵抗 (R) と電流の 2 乗 (I^2) の積に比例する．

$$H = k I^2 R \quad (k \text{ は比例定数}) \tag{5.11}$$

これをジュールの法則といい，発生熱量をジュール熱という．R [Ω] の抵抗で t 秒間に発生する熱量をジュール [J] 単位で示すと，

$$H = I^2 R t \text{ [J]} \tag{5.12}$$

さらに，カロリー単位で表すと

$$H = (1/4.2) I^2 R t \text{ [cal]} \tag{5.13}$$

この場合，1 [cal] = 4.2 [J]，また，1 [J] = 1 [W·s] である．

関連事項

ジュール [J] 単位

ジュールはエネルギーの単位であり，ある物体に 1 [N] の力を作用させ，その物体を 1 [m] だけ動かす間になした仕事（エネルギー）を 1 [J] と定義する．

$$1 \text{ [J]} = 1 \text{ [N·m]} = 1 \text{ [kg·m}^2\text{·s}^{-2}\text{]} = 10^7 \text{ [erg]}$$

カロリー [cal] 単位

カロリーは熱量の単位で，純水の水 1 [g] を 1 気圧のもとで，14.5℃ から 15.5℃ まで昇温させるのに必要な熱量を 1 [cal] と定義するが，これは 15 度カロリーとよぶ．また，同条件で 0℃ の水を 100℃ に昇温させるのに必要な熱量の 1/100 を平均カロリーとよぶ．

3 直流の測定回路

1. 倍率器

1台の電圧計で，それよりも高い電圧測定するときに倍率器を用いる（指示値の低い電圧計に変更することはできない）．

いま，内部抵抗 r [Ω]で，測定電圧 V [V]の電圧計がある．この電圧計に図5-4のように R [Ω]の抵抗を直列に接続すると，外部から加えた電圧 V_0 は，R と r に比例して分配される．そのため，電圧計はその指示値 V よりも大きな電圧 V_0 の測定ができる．このとき，直列に接続した抵抗 R を**倍率器**とよび，R が大きいほど高い電圧 V_0 が測定できる．

そこで，指示値の倍率（V_0/V）は次式となる．

$$\frac{V_0}{V}=\frac{r+R}{r}=1+\frac{R}{r} \quad (5.14)$$

測定電圧を10倍に広げようと思えば，$R/r=9$ になるように，倍率器の抵抗 R の値を選べばよい．

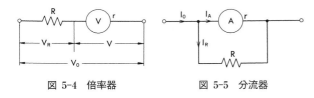

図 5-4　倍率器　　　　図 5-5　分流器

〔例題〕

最大目盛 5V，内部抵抗 100Ω の電圧計がある．これを用いて 150V 最大目盛の電圧計にするにはどのようにすればよいか．

〔解説〕

電圧計の指示目盛を拡大するには，図のように電圧計と直列に抵抗 R を接続した倍率器を用いる．5V の最大目盛を 150V に拡大するには，電圧計の印加電圧は 5V が最大であるから，145V が抵抗 R に印加されるようにすればよい．一方，回路に流れる最大電流は電圧計の定格から，5 [V]/100 [Ω]＝0.05 [A] であるから，倍率器抵抗 R は，R＝145 [V]/0.05 [A]＝2,900 [Ω] となる．また，式5.14を用いると，倍率器抵抗 R は次式により求めることができる．

$$R=(V_0 r/V)-r=(150\times 100/5)-100=2,900 \text{ [Ω]}$$

しかし，このような式を暗記するよりも，電気回路を理解して計算することが必要である．

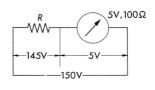

図 5-6

2. 分流器

1台の電流計で，それよりも大きい電流測定するときに分流器を用いる（指示値の小さい電流計にすることはできない）．

いま，内部抵抗 r [Ω]で，測定電流 I_A [A]の電流計がある．この電流計に図5-5のように R [Ω]の抵抗を並列に接続すると，外部から流入する電流 I_0 は，R と r の値に逆比例して I_A と I_R に分流する．したがって，電流計はその指示値 I_A よりも大きな電流 I_0 の測定ができる．このとき，並列に接続した抵抗 R を**分流器**とよび，R が小さいほど大きな電流 I_0 が測定できる．

そこで，指示値の倍率（I_0/I_A）は次式となる．

$$\frac{I_0}{I_A}=1+\frac{r}{R} \quad (5.15)$$

測定電流を10倍に広げようと思えば，$r/R=9$ になるように，分流器抵抗 R を選べばよい．

倍率器，分流器を適当に組み合わせることによって，テスタなどの多重レンジの計器を作ることができる．

〔例題〕

100mV の電圧計がある．この電圧計を用いて 250mA までの回路電流を測定するにはどのようにすればよいか．ただし，電圧計が最大に振れたときの電流は 50mA とする．

〔解説〕

電圧計といっても計器そのものは電流計を使って電圧測定しているにすぎないから，この電圧計は最大目盛 50mA の電流計と考えればよい．電流計の指示目盛を拡大するには，図5-7のように電流計と並列に抵抗を接続した分流器を用いる．電流計に流し得る電流の最大値は 50mA であるから，0.25－0.05＝0.2 [A] を抵抗 R に流せばよい．一方，この計器に 50mA 流したときの端子

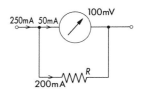

図 5-7

電圧は 100 mV であり，したがって，抵抗 R の端子電圧も 100 mV でなければならない．ゆえに抵抗 R はオームの法則より次式で求められる．

$$R = 0.1 \, [\text{V}] / 0.2 \, [\text{A}] = 0.5 \, [\Omega]$$

3. ホイートストン・ブリッジ

図 5-8 のように 4 個の抵抗をブリッジに接続し，これに起電力 E の直流電圧を加える．スイッチ S_1, S_2 を閉じ，抵抗値を適当に調節することによって，検流計 G の振れが零になったとする．検流計が振れないことは a, b 点

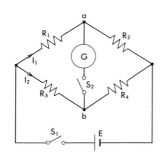

図 5-8 ホイートストン・ブリッジ

の電位が等しく，この間には電流が流れないから，

$$R_1 I_1 = R_3 I_2, \quad R_2 I_1 = R_4 I_2$$

ゆえに，$\dfrac{R_3}{R_1} = \dfrac{R_4}{R_2}$ または，$R_2 R_3 = R_1 R_4$ (5.16)

このように，ブリッジでは平衡状態（検流計が 0）において対辺の 2 つの抵抗値の積が等しくなる．

そこで，R_1, R_2 を既知の固定抵抗とし，その抵抗比を 0.1, 1, 10, 100 のような値に選ぶ．次に，R_3 を既知の可変抵抗として，R_4 に未知抵抗を接続し，検流計が零になるように R_3 を調節すると，次式により，未知抵抗 R_4 の値を測定することができる．

$$R_4 = \frac{R_2}{R_1} \cdot R_3 \tag{5.17}$$

R_1, R_2 を比例辺とよび，測定範囲を決めることができる．感度の高い検流計を用いることにより，数 $[\Omega]$ から数 $[k\Omega]$ の中位抵抗が精度よく測定できる．

4. 電位差計

一般に電池などの電圧を測定するとき，電圧計を用いると，計器を駆動させるための電流が，電池にも流れ，内部電圧降下を起こす．すなわち，起電力からこれを差

関連事項

電圧計，電流計による抵抗の測定

オームの法則により，抵抗 R の端子電圧と R を流れる電流を測定すれば，抵抗の値を測定することができる．測定方法には，図 5-9a, b に示す 2 つの方法があるが，いずれも，電圧計，電流計に内部抵抗があるため，正確な電圧，電流が測定できない．a は電流計の内部抵抗 r_A と R の和の端子電圧を測ることになり，これを補正すると R の正しい値は次式となる．

$$R = (V/I) - r_A \, [\Omega] \tag{5.18}$$

また，b では，R に流れる電流と電圧計に流れる電流の和の電流値を電流計が測定するから，これを補正すると，R の正しい値は次式となる．

$$R = V/(I - V/r_V) \, [\Omega] \tag{5.19}$$

しかし，a において，$r_A \ll R$ の場合，もしくは b において，$r_v \gg R$ の場合にはこのような補正は不要であるが，これの逆条件，すなわち，$r_A > R$, $r_V < R$ となると，上式の補正を行なっても誤差が大きくなる．したがって，比較的，測定抵抗 R の小さいときは b の回路，また R の大きいときには a の回路を用いるとよい．

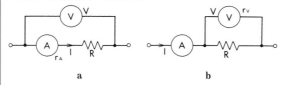

図 5-9 電圧計，電流計による抵抗測定

ケルビン・ダブルブリッジ

ホイートストン・ブリッジではプラグの接触抵抗などが誤差の原因となり，低抵抗の測定はできない．ケルビン・ダブルブリッジは図 5-10 に示すように，大電流の流れる $R-\alpha-X-E$ の回路と，その上部の微小電流の流れる回路からなり，約 0.1 $[\Omega]$ 以下の低抵抗の測定に適している．

図 5-10 で，$M/N = m/n$ となるように調整しておく．X に未知抵抗を接続して，R の調整により検流計 G を零にすると，次式により抵抗 X の値が測定できる．

$$X = \frac{N}{M} R \, [\Omega] \tag{5.20}$$

この方法は α の部分の抵抗値が測定値から除外できるのが特徴である．電気導線の抵抗測定などに用いる．

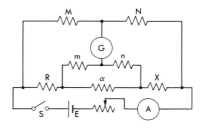

図 5-10 ケルビン・ダブルブリッジ

コールラウシュブリッジ

電解液抵抗を直流電源のブリッジで測定すると，分極作用や電解液のイオン化などが起こり正確な測定ができない．そこで，電源に可聴周波交流電源を用い，検流計の代わりにレシーバを用いたブリッジである．接地抵抗や電解液の抵抗測定によく用いられる．

し引いた端子電圧しか測定できない．しかし，電位差計を用いると電池に電流を流さない状態で測定（**零位法**という）できるため，起電力の測定ができる．また標準抵抗を用いることによって，抵抗と電流の正確な値を測定することもできる．

図5-11のように，均一な抵抗線 R_l の両端に起電力 E_0 の電源を接続し，可変抵抗 R によって R_l に加えられる電圧が調節できるようにする．スイッチ S_1 を閉じると，a点が正，b点が負の電圧となる．そこで，標準電池 E_S を図の極性で接続して，スイッチ S_2 を閉じたとき，検流計Gの振れが零になるように抵抗 R_l の接点を調節した結果，l_1 の長さの位置P点で検流計は零になったと仮定する．検流計は零になったことは，標準電池の起電力 E_S とaP間の電圧が等しいことを意味している．

次に標準電池の代わりに未知電池 E_X をスイッチ S_2 に接続して，同様な操作を行なったとき，Q点で検流計が零を示したと仮定する．この場合は，電圧 E_X とaQ間の電圧が等しいことを意味する．

2つの実験から次のことがわかる．

$E_X/E_S = $ aQ間の電圧/aP間の電圧 $= l_2/l_1$

$$E_X = \frac{l_2}{l_1} E_S \qquad (5.21)$$

標準電池の起電力 E_S は，カドミウム標準電池の場合，

$$e_t = 1.01864 - 0.0000406(t-20) \ [\text{V}] \qquad (5.22)$$

ただし，t は測定時の温度[℃]

したがって，未知電池 E_X の起電力は l_1, l_2 の長さ，またはaP, aQ間の抵抗値の測定から求められる．

これらの測定は，検流計が零の状態，言い換えれば測定電池に電流が流れない状態で測定できるので，起電力の測定ができる．これが電位差計の大きな特徴である．

5. 多重範囲計器

一般の電流計，電圧計は分流器や倍率器などの抵抗回路を用い，測定範囲を広くとる工夫がなされている．図5-12に示す多重範囲電流計の回路図をもとに各抵抗の関係を調べる．この電流計の最大許容電流が1 mA，内部抵抗が r_a とする．

1 A端子に対しては，r_a から R_1, R_2 を流れる電流は最大許容電流値である1 mAとなり，残りの999 mAは抵抗 R_3 を流れる．それぞれの径路の電圧が等しいので次式が成り立つ．

$$1 \times 10^{-3} \times (r_a + R_1 + R_2) = 999 \times 10^{-3} R_3$$
$$r_a = -R_1 - R_2 + 999 R_3 \qquad (5.23)$$

100 mA端子に対しても同様に考えて次式が成り立つ．

$$1 \times 10^{-3} \times (r_a + R_1) = 99 \times 10^{-3} \times (R_2 + R_3)$$
$$r_a = -R_1 + 99 R_2 + 99 R_3 \qquad (5.24)$$

10 mA端子に対しても同様に考えて次式が成り立つ．

$$1 \times 10^{-3} \times r_a = 9 \times 10^{-3} \times (R_1 + R_2 + R_3)$$
$$r_a = 9 R_1 + 9 R_2 + 9 R_3 \qquad (5.25)$$

式（5.23），（5.24），（5.25）より各抵抗の関係は次のようになる．

$$r_a : R_1 : R_2 : R_3 = 1 : \frac{1}{10} : \frac{1}{100} : \frac{1}{900} \qquad (5.26)$$

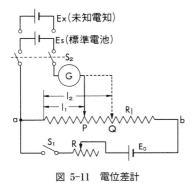

図5-11 電位差計

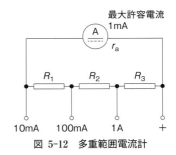

図5-12 多重範囲電流計

4 静電気

1. クーロンの法則

2つの電荷 Q_1, Q_2 [C] を r [m] の距離におくと，2つの電荷の間に働く力 f [N]（吸引力または反力）は真空中では次式で与えられる．これを静電気のクーロンの法則という．

$$f = \frac{1}{4\pi\varepsilon_0} \cdot \frac{Q_1 Q_2}{r^2} \text{ [N]} \tag{5.27}$$

ここで，ε_0 は真空中の**誘電率**であり，真空の**透磁率** μ_0 と光速度 c [m/s] の間に次の関係がある．

$$\varepsilon_0 \mu_0 = 1/c^2 \tag{5.28}$$

$\mu_0 = 4\pi \times 10^{-7}$ であるから

$$\varepsilon_0 = 8.85 \times 10^{-12} \text{ [F/m]}$$

また $1/4\pi\varepsilon_0 = 9 \times 10^9$ [m/F]

誘電率 ε の誘電体中でのクーロンの法則は

$$f = \frac{1}{4\pi\varepsilon} \cdot \frac{Q_1 Q_2}{r^2} = \frac{1}{4\pi\varepsilon_0} \cdot \frac{1}{\varepsilon_s} \cdot \frac{Q_1 Q_2}{r^2} \text{ [N]} \tag{5.29}$$

ただし，$\varepsilon_s = \varepsilon/\varepsilon_0$（比誘電率），空気の場合 $\varepsilon_s \doteqdot 1$

2. 電界と電位

A. 電界

2つの電荷の間にはクーロンの法則によって，吸引または反発の力が働くが，これは次のようにもいえる．1つの電荷は空間に力を及ぼす特別の状態を作り，この中に他の電荷が置かれると，静電力が働く．このように1つの電荷が空間に作る特別の領域を電場または電界という．

電界を量的に表すのに「**電界の強さ**」を用いる．電界の強さは大きさと方向を持ったベクトル量で，Q [C] の点電荷から r [m] 離れた点の真空中での電界の強さ E は次式となる．

$$E = \frac{1}{4\pi\varepsilon_0} \cdot \frac{Q}{r^2} = 9 \times 10^9 \frac{Q}{r^2} \text{ [N/C]} \tag{5.30}$$

誘電率 ε の誘電体中での電界の強さ E は

$$E = Q/4\pi r^2 \varepsilon \text{ [N/C]} \quad \text{ただし，} \varepsilon = \varepsilon_0 \cdot \varepsilon_s \tag{5.31}$$

この電界の中に Q' [C] の電荷を置くと，この電荷に働く力 f [N] は

$$f = Q'E \text{ [N]} \tag{5.32}$$

電界の強さの単位は [N/C] であるが，一般には [V/m] の単位を用いる．

B. 電気力線

電界の様子を表すのに電気力線を用い，これには次の性質がある．

1) 電気力線は正電荷から出て，負電荷または無限遠方に向かう．
2) 電気力線のある一点の接線はその点の電界の方向を表す．
3) 電気力線の数は電荷に比例し，単位正電荷から出る．そして電気力線は $1/\varepsilon$ 本である．
4) 電気力線の密度はその点の電界の大きさを表す．
5) 電気力線は分かれたり，交わることはない．

C. 電位

電界中に置かれた電荷は電界の方向に力を受ける．いま，電界中のA点からB点に電荷を移動させるには，一定の仕事を必要とする．この仕事 W をA点に対するB点の電位といい，AB間には**電位差**があるという．電位差の単位は [V] で，1 [C] の電荷を移動させるに必要な仕事が 1 [J] であるとき，その電位差は 1 [V] であると決める．

距離 d [m] 離れた平行平板電極間の電位差を V [V] とすると，電界の強さ E [V/m] との関係は次式となる．

$$V = Ed \text{ [V]} \tag{5.33}$$

また，Q [C] の点電荷から，r [m] 離れた点の電位は次式となる．

$$V = Q/4\pi r \varepsilon_0 \text{ [V]} \tag{5.34}$$

また誘電率 ε の媒質内では

$$V = Q/4\pi r \varepsilon \text{ [V]} \tag{5.35}$$

3. 静電容量

互いに絶縁された2つの導体があり，それぞれに，$+Q$, $-Q$ [C] の電荷を与えたとき，両導体間の電位差を V とすると，

$$Q = CV \tag{5.36}$$

このとき，C を2つの導体間の静電容量といい，単位はファラド [F] で表す．したがって，1 [F] は 1 [C] の電荷を与えたとき，電位差が 1 [V] になるような静電容量である．実際には 1 [F] は大きいため，[μF] [pF] などの単位をよく用いる．

静電容量 C は次のように計算できる．

1) 空気中に半径 r [m] の導体球があるとき，

$$C = 4\pi\varepsilon_0 r \text{ [F]} \quad \text{ただし，} \varepsilon_s \doteqdot 1 \tag{5.37}$$

2) 表面積 F [m^2] の導体板2枚を距離 d [m] 離して置き，この間に誘電率 ε の絶縁体を挿入するとき，

$$C = \varepsilon \frac{S}{d} \text{ [F]} \tag{5.38}$$

3) 半径 a の導体球の周りに，半径 b の導体球を同心に置き，その間を誘電率 ε の絶縁体でうめるとき，

$$C = 4\pi\varepsilon/(1/a - 1/b) \tag{5.39}$$

4. コンデンサの接続
A. 並列接続
図 5-13 のように静電容量 C_1, C_2 [F] のコンデンサを並列に接続し，電圧 V [V] を印加すると
1) 合成静電容量 $C = C_1 + C_2 + \cdots$ [F]
2) C_1, C_2 に蓄えられる電荷 Q_1, Q_2 は
$$Q_1 = C_1 V \text{ [C]} \quad Q_2 = C_2 V \text{ [C]}$$
3) C_1, C_2 に蓄えられた合成電荷 Q は，
$$Q = Q_1 + Q_2 = (C_1 + C_2) V \text{ [C]}$$
4) C_1, C_2 の印加電圧は，C_1, C_2 ともに V [V]

B. 直列接続
図 5-14 のように静電容量 C_1, C_2 [F] のコンデンサを直列に接続し，電圧 V [V] を印加すると，
1) 合成静電容量 C は $1/C = 1/C_1 + 1/C_2 \cdots$ [F^{-1}]
2) C_1, C_2 に蓄えられる電荷 Q_1, Q_2 は等しく
$$Q_1 = Q_2 = C_1 V_1 = C_2 V_2 \text{ [C]}$$
3) C_1, C_2 に蓄えられる全合成電荷 Q は，C_1, C_2 に蓄えられたそれぞれの電荷と等しい．
$$Q = Q_1 = Q_2$$
4) C_1, C_2 の印加電圧 V_1, V_2 は
$$V_1 = Q/C_1 \text{ [V]}, \quad V_2 = Q/C_2 \text{ [V]}$$
したがって
$$V = V_1 + V_2 = Q(1/C_1 + 1/C_2 + \cdots) \text{ [V]}$$

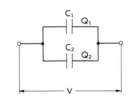

図 5-13 コンデンサの並列接続

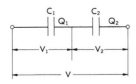

図 5-14 コンデンサの直列接続

5. コンデンサに蓄えられるエネルギー
静電容量 C [F] のコンデンサに V [V] の電圧を充電すると，コンデンサに蓄えられるエネルギー W [J] は次式となる．
$$W = \frac{1}{2} C V^2 \text{ [J]} \tag{5.40}$$

〔例題〕
図に示すように 4 個のコンデンサを直並列に接続して a，b 端子に直流 100 V を印加した場合，次の値を計算せよ．
1) 回路の合成静電容量，2) C_1 ならびに C_2, C_3 の端子電圧 V_1, V_2, 3) $C_1 \sim C_4$ のコンデンサに充電される電気量 Q_1, Q_2, Q_3, Q_4, 4) コンデンサ C_2 に蓄えられるエネルギー．

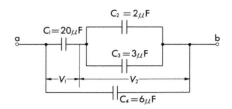

図 5-15

〔解説〕
1) C_2, C_3 の合成静電容量 $= 2 + 3 = 5$ [μF]，これに C_1 が直列に接続されると，$20 \times 5/(20+5) = 4$ [μF] となり，さらに C_4 がこれに並列接続されるから，全静電容量 C は，$C = 4 + 6 = 10$ [μF] となる．

2) コンデンサが直列接続された場合には，それぞれのコンデンサに充電される電気量はすべて等しい．したがって，$V = Q/C$ の関係から，端子電圧 V は静電容量 C に反比例する．V_1, V_2 を求めるには，$C_1 = 20 \mu$F と C_2，C_3 の合成静電容量 $= 5 \mu$F が直列接続されていると考えればよいから，V_1, V_2 は次式で求められる．
$$V_1 = [5/(5+20)] \times 100 \text{ [V]} = 20 \text{ [V]}$$
$$V_2 = [20/(5+20)] \times 100 \text{ [V]} = 80 \text{ [V]}$$

3) $Q = CV$ の関係から，それぞれのコンデンサの端子電圧と静電容量を乗ずればよい．
$$Q_1 = C_1 V_1 = 20 \times 10^{-6} \times 20 = 4 \times 10^{-4} \text{ [C]}$$
$$Q_2 = C_2 V_2 = 2 \times 10^{-6} \times 80 = 1.6 \times 10^{-4} \text{ [C]}$$
$$Q_3 = C_3 V_2 = 3 \times 10^{-6} \times 80 = 2.4 \times 10^{-4} \text{ [C]}$$
$$Q_4 = C_4 V_0 = 6 \times 10^{-6} \times 100 = 6 \times 10^{-4} \text{ [C]}$$

4) コンデンサに蓄えられるエネルギーは式 5.40 に示すように，$W = CV^2/2$ [J] で与えられる．したがって
$$W = 2 \times 10^{-6} \times 80^2/2 = 6.4 \times 10^{-3} \text{ [J]} \text{ となる．}$$

---関連事項---
圧電気
強誘電体，たとえば水晶の結晶板に強い機械的圧力を加えると，相対する面に正負の電荷が生じる．また，張力を加えると，電荷の符号は反転する．一方，この結晶に電圧を加えると，機械的にひずみ，交番電圧を加えれば振動する．このように機械的圧力で生じる電荷を圧電気とよぶ．水晶の機械的共振周波数は温度に対しても極めて安定しているため，周波数の安定度が高い**水晶発振器**として利用される．

5 電流と磁気

1. クーロンの法則

2つの磁極 m_1, m_2 [Wb] を r [m] の距離におくと, S, N極では吸引力, 同符号の極では反撥力 f [N] が働き, 真空中でのこれらの間の関係は次式で与えられる. これを磁気のクーロンの法則という.

$$f = \frac{1}{4\pi\mu_0} \cdot \frac{m_1 m_2}{r^2} \quad [\text{N}] \tag{5.41}$$

ここで, μ_0 は真空中の透磁率で, 真空の誘電率 ε_0 と (5.28) 式の関係がある.

透磁率 μ の媒質中に磁極が置かれた場合には, (5.41) 式の μ_0 を μ とすればよい. $\mu = \mu_0 \mu_s$ なり, μ_s は**比透磁率**という.

2. 磁界

A. 磁界の強さ

1つの磁極が力を及ぼす空間内に他の磁界をもってくると, クーロンの法則 (式5.41) に従って磁力が働く. このような力の及ぶ空間を**磁界**という.

磁界の強さ H, 大きさと方向をもったベクトル量で示し, m [Wb] の磁極より r [m] 離れた点の, 真空中の磁界の強さ H は

$$H = \frac{1}{4\pi\mu_0} \cdot \frac{m}{r^2} \quad [\text{A/m}] \tag{5.42}$$

また, この磁界の点に別の磁極 m' をおくと, これに作用する力は

$$f = m'H \quad [\text{N}] \tag{5.43}$$

B. 磁力線

磁界の様子を表すのに磁力線を用い, 次の性質がある.
1) 磁力線はN極から出てS極にもどる.
2) 磁力線は, 長さ方向に縮まろうとし, 側方に対しておのおのふくらもうとして互いに反する.
3) 磁力線は途中で分かれたり, 交わることはない.
4) 磁力線の任意の一点の接線は, その点の磁界の方向を表す.
5) m [Wb] の磁極からは m/μ 本の磁力線が出る.
6) 磁界中の磁力線密度は磁界の強さを表す.

3. 磁性体

鉄片を磁界の中におくと, 磁化される. 磁界を取り除いても磁石の性質の残るものを**強磁性体**といい, 鉄, ニッケル, コバルト, マンガンなどがある. 磁化される性質の弱いものを**常磁性体**といい, アルミニウム, 錫, 白金, イリジウムなどがあり, 逆に反する性質をもつ**反磁性体**としては, 亜鉛, 硫黄, 金, 水銀, 銅, 炭素などがある.

4. 右ネジの法則

導線に電流を流すと, その導線の周りに磁界ができる. この場合, 電流の方向と磁界の方向は, 右ネジの進む方向を電流の方向にとれば, ネジの回転方向が磁界の方向 (磁力線の方向) となる. これを**右ネジの法則**という.

この場合, 導線を無限に長い直線とし, これに I [A] の電流が流れたとすると, 導線から直角方向に r [m] 離れた点の磁界の大きさ H [A/m] は次式となる.

$$H = I/2\pi r \quad [\text{A/m}] \tag{5.44}$$

5. ビオ・サバールの法則

無限に長い直線導体の作る磁界の大きさは (5.44) 式から求められるが, 図5-16のように直線でない場合には計算できない. この場合には次式によって求められる. 導線中の任意の1点Pを中心として長さ Δl に流れる電流 I [Am] が接線から θ 方向に r [m] 離れた点Qに作る磁界の大きさ ΔH は

$$\Delta H = \frac{I \cdot \Delta l \sin\theta}{4\pi r^2} \quad [\text{A/m}] \tag{5.45}$$

これをビオ・サバールの法則という. この法則を使って, 導体のすべての長さについて積分すれば, 導体から任意の位置での磁界の大きさが計算できる.

たとえば, 半径 r [m] の円形コイルに I [Am] が流れているとき, その中心点での磁界の大きさ H は

$$H = I/2r \quad [\text{A/m}] \tag{5.46}$$

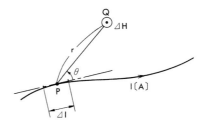

図 5-16 ビオ・サバールの法則

6. コイルによる磁界

A. 無限長コイル

図5-17 (a) のように, 1 [m] につき n 回の巻数で無限長のコイルを作る. これに I [A] の電流を流すと, コイルの内部における磁界の大きさ H [A/m] は

$$H = nI \quad [\text{A/m}] \tag{5.47}$$

また, コイルの外部には磁界は存在しない.

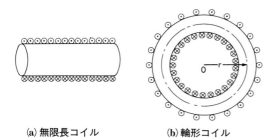

(a) 無限長コイル　　　(b) 輪形コイル

図 5-17　コイルによる磁界

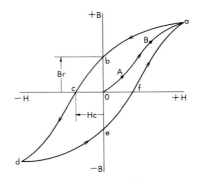

図 5-18　B-H 曲線

B. 輪形コイル

図 5-17 (b) のように，中心点 O から半径 r [m] の円の周りに総数 n 回のコイルを巻き，I [A] の電流を流すと，半径 r [m] の距離にある，コイル中心部の磁界の大きさ H [A/m] は，

$$H = nI/2\pi r \tag{5.48}$$

この場合はコイル内部の位置によって H は変わる．

7. 磁束密度と磁束

1 [Wb] の磁荷からは，真空中では $1/\mu_0$ 本の磁力線が出るが，透磁率 μ の媒質中では，$1/\mu$ 本が磁力線となり，磁力線の数は媒質により異なる．しかし，媒質には無関係に 1 [Wb] の磁荷からは，1 つの磁束が出ると考えて，これを 1 [Wb] の磁束という．そして，Φ で表す．

一方，S [m²] の断面積の磁性体に垂直に Φ [Wb] の磁束が通過した場合，単位断面積当たりの磁束を磁束密度 B という．単位はテスラ T [Wb/m²] を用い，$1\,T = 10^4\,G$（ガウス）．

$$B = \Phi/S \quad [T] \tag{5.49}$$

そこで，Φ [Wb] の磁荷から出る磁力線数 N は

$$N = \Phi/\mu \tag{5.50}$$

また，この磁荷から r [m] の位置での磁界の強さ H ならびに磁束密度 B は

$$H = N/4\pi r^2 \qquad B = \Phi/4\pi r^2$$

したがって，$H/B = N/\Phi$ となり，透磁率 μ の媒質中での H と B の間には次の関係ができる．

$$B = \mu H \quad [T] \tag{5.51}$$

真空中での透磁率 μ_0 と媒質中での透磁率 μ との比を，比透磁率 μ_s という．

$$\mu_s = \mu/\mu_0 \tag{5.52}$$

強磁性体では $\mu_s \gg 1$，反磁性体では $\mu_s < 1$ となる．

8. 磁化曲線（B-H 曲線）

図 5-18 のように強磁性体中で磁界の大きさ H を増加すると，磁束密度 B は直線的に増さず O, A, B の曲線をたどる．そして，B は a 点付近で磁気飽和に達する．このような B と H の関係を示す曲線を磁化曲線または B-H 曲線という．一方，H を a 点から徐々に減少していくと，元の曲線上はたどらず，矢印の方向で b 点に向かう．b 点では H が零になっても，Br に相当する磁束密度が残る．これを**残留磁化**とよび，B を零にするには，$-Hc$ の磁界を加えねばならない．Hc を**保磁力**という．さらに負の方向に磁化すると，B も負となり，b—c—d—e—f—a のループを作る．

また，このループの途中で H が小さい変化をすると，その点で再び小さいループを作り，磁束密度 B は磁界の大きさ H だけでは一義的に決まらず，その履歴によって異なった値となる．このような現象を**ヒステリシス現象**とよび，先ほどのループをヒステリシスループという．

残留磁化の大きい強磁性体は永久磁石となる．またヒステリシスループの面積に比例したエネルギーが，磁界から磁性体に与えられるため，このエネルギーを**ヒステリシス損**または**鉄損**とよぶ．変圧器の鉄心などはこの鉄損が発熱の原因となる．

9. 磁気回路

鉄心にコイルを N 回巻き，I [A] の電流を流すと，鉄心を通る磁束 Φ は R_m を比例定数とすると，次式となる．

$$NI = R_m \Phi \tag{5.53}$$

これは電気回路のオームの法則と同様と考えることができる．NI [A] は電圧に相当し，**起磁力**とよび，Φ が電流に相当すると考えると，R_m は抵抗にあたり，これを**磁気抵抗** [A/Wb] とよぶ．そして，このような磁束の通る回路を磁気回路とよぶ．磁気抵抗 R_m は電気抵抗に対応して，

$$R_m = l/\mu S \tag{5.54}$$

ただし，l は磁気回路の長さ，S は回路の断面積．

電流と磁界の相互作用

1. 電磁力

図 5-19 のような磁界中に直交して導体を置き，電流 I [A] を流すと，電流により発生する磁力線のため，合成磁界は上部で密となり，下部で粗となる．そこで，磁力線が縮まろうとする働きにより導体は下方へ運動しようとする力 f を受ける．この力を電磁力という．

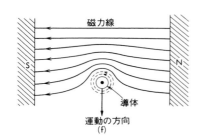

図 5-19 電磁力の原理

2. フレミング左手の法則

電磁力，磁界，電流の方向を決める法則で，左手の中指を電流の方向，人さし指を磁界の方向，母指を電磁力の方向と決め，互いに直角になるように向けると，電磁力の方向を知ることができる．図 5-19 では電流を紙面の裏から表の方向に流すと，導体は紙面の下方に動く（☞ p.153 右手の法則）．

3. 電磁力の大きさ

磁界の磁束密度を B [Wb/m²]，導体の長さを l [m]，電流を I [A] とすると，電磁力の大きさ f [N] は，
$$f = BIl \text{ [N]} \tag{5.55}$$
また導体と磁界のなす角が θ の傾きであれば
$$f = BIl \sin\theta \text{ [N]} \tag{5.56}$$

4. 2本の平行導体間に働く電磁力

r [m] の間隔で 2 本の導体を平行に配置し，それぞれに，I_1，I_2 [A] の電流を通ずると，一方の導体の作る磁力線が，他方の作る磁力線と作用して，同方向に電流が流れた場合には吸引力，互いに反対方向に流れた場合には反力として電磁力が働く．電磁力の大きさ f は，
$$f = \frac{\mu I_1 I_2}{2\pi r} \text{ [N/m]} \quad \mu = \mu_0 \mu_s \tag{5.57}$$
この電磁力の大きさから 1 [A] が定義される（☞ p.142，関連事項）．

5. 電子に働く電磁力

真空中で陰極から放出された電子流に磁界を加えると，電磁力が働き電子の軌道は曲げられる．電子の速度を v [m/s]，電子の電荷を e [C] とすると，これは，長さ v [m] の導線中に e [A] の電流が流れたと同じである．磁束密度を B [Wb/m²] とすると，電子はフレミング左手の法則に従った方向に f [N] の力を受ける．これをローレンツ力ともいう．電子流と磁界のなす角が θ の傾きであれば，
$$f = Bev \sin\theta \text{ [N]} \tag{5.58}$$
これは，シンクロトロンや，サイクロトロンの荷電粒子加速装置の回転条件に利用される．

6. コイルに働く電磁力

磁束密度 B [Wb/m²] の均一な磁界中に，幅 a [m]，長さ b [m] の矩形状に N 回巻いたコイルを磁力線に対して，角度 θ で置く．このコイルに I [A] の電流を通すと，電磁力が働き，次式の力を受ける．
$$f = BINb \sin\theta \text{ [N]} \tag{5.59}$$
コイルの回転軸を中心として，互いに働く力が反対方向になるため，回転力となり，コイルは回転する．この場合の回転トルク T 次式となる．
$$T = BIabN \cos\theta \sin\theta \tag{5.60}$$
永久磁石により，一定磁束密度 B を与えると，T は電流 I に比例するため，可動コイル形直流電流計に利用できる．

関連事項

磁界中での電子の回転

図 5-20 に示すように，速度 v [m/s] の電子が点線で示した磁界内に入ると，電磁力を受ける．磁力線の方向は手前から奥に向かい，電流の方向は電子と逆の方向をとると，フレミング左手の法則によって，下方にローレンツ力を受ける．しかし，その方向は電子軌道の接線に対して直角であるから，A 点，B 点と移動しても，常に内側に向くため，電子は回転する．しかも，その力は (5.58) 式に示した求心力 f として働く．($f = Bev$ [N])

一方電子の質量を m [kg]，回転半径を r [m] とすると，mv^2/r [N] の遠心力を受ける．そこで，回転条件は
$$Bev = mv^2/r \qquad r = mv/Be \tag{5.61}$$
相対論を考慮しなければ，m/e は一定であるから，一定磁界にしておくと，速度 v の増加とともに軌道半径 r は増大する．この半径 r をサイクロトロン半径という．一定半径 r にするには，速度 v の増加に伴って，磁束密度 B を増すことが必要である．このような考慮のもとで，一定の軌道半径を回転して，電子エネルギーを増大させるのが，シンクロトロン加速器である．

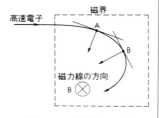

図 5-20 磁界中での電子の回転

7 電磁誘導

1. 電磁誘導による起電力の発生

図 5-21 のように，コイルと鎖交する磁束を時間的に変化させると，コイルに起電力が誘起する．この現象を電磁誘導といい，生じた起電力を**誘導起電力**，電流を**誘導電流**という．

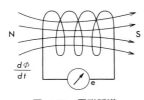

図 5-21 電磁誘導

A. 誘導起電力の方向（レンツの法則）

誘導起電力の方向は，その誘導電流の作る磁束によって，もとの磁束の変化を妨げるような方向に起こる．これをレンツ（Lenz）の法則という．

B. 誘導起電力の大きさ

起電力の大きさは磁束の時間的な変化率に比例する．磁束の変化を $d\Phi/dt$ すると，巻数 N のコイルの誘導起電力 e は，

$$e = -N(d\Phi/dt) \quad [V] \tag{5.62}$$

すなわち，巻数1回のコイルに1秒間に1 [Wb] の割合で磁束が変化すると，1 [V] の電圧が誘導される．

このことから，「電磁誘導によって1つの回路に生ずる誘導起電力は，この回路と鎖交する磁束の変化の割合に比例する」の結論を得る．これをファラデー（Faraday）の**電磁誘導に関する法則**という．

2. 磁界中で導体を動かしたときの起電力の発生

磁束が時間的に変化する代わりに，一様な磁界中で導体を動かしても相対的に同じ結果が得られ，導体中に起電力が発生する．

A. 起電力の大きさ

磁束密度 B [Wb/m^2] の一様な磁界中で1辺の長さ l [m] のコイルを v [m/s] 速度で磁束を切る方向に動かすと，発生する起電力 e は導体と磁界のなす角が θ の傾きであれば，

$$e = -Blv\sin\theta \quad [V] \tag{5.63}$$

B. 起電力の方向（フレミング右手の法則）

起電力の方向はレンツの法則から知ることができるが，フレミングの右手の法則を適用することが一般的である．右手の母指を導体の運動方向，人さし指を磁力線の方向として，これに中指を含めて互いに直角方向を指示すると，中指は起電力の方向を示す．これをフレミング右手の法則とよび，左手の法則とともに大切である．

3. 自己誘導と自己インダクタンス

1つのコイルに電流を流すと，コイルに鎖交磁束を生ずる．電流が時間的に変化すると，鎖交磁束も変化し，この磁束の変化によって，電流の変化を妨げる方向の起電力，すなわち逆起電力を生ずる．このようにコイル自身の電流変化によって逆起電力を生ずる現象を**自己誘導**という．電流の時間的変化 dI/dt によって生ずる起電力 e [V] は，

$$e = -L(dI/dt) \quad [V] \tag{5.64}$$

L を**自己インダクタンス**といい，ヘンリー（H），単位 [Wb/A] を用いる．したがって，1 [H] のインダクタンスとは1秒間に1 [A] の電流が変化したとき，1 [V] の起電力を生ずるコイルと考えられる．

A. 無限長コイルの L

無限長の円形コイルを想定し，単位長さあたりの巻数を N 回，コイル内物質の透磁率を μ，コイル断面積を S [m^2] とすると，L は，

$$L = \mu S N^2 \quad [H] \tag{5.65}$$

B. 有限長コイルの L

有限の長さの筒形コイルでは，コイルの断面積 S [m^2]，長さ l [m]，巻数 N 回，コイル内物質の透磁率を μ とすると，

$$L = \lambda \mu S N^2 / l \quad [H] \tag{5.66}$$

ここで，λ はコイルの形（直径と長さ）で決まる定数で，**長岡係数**という．

C. 輪形コイル

ドーナツ形の巻心に巻いたコイルで，コイルの断面積 S [m^2]，磁路の長さ l [m]，内部巻心の透過率 μ（鉄でなくてもよい），巻数 N 回とすると，

$$L = \mu S N^2 / l \quad [H] \tag{5.67}$$

4. 相互誘導と相互インダクタンス

図 5-22 のように，2組のコイル1，2を並べ，コイル1に時間的に変化する電流を通すと，発生する磁束も時間的に変化する．この磁束はコイル2と鎖交するため，コイル2に起電力が発生する．このような現象を相互誘導という．コイル1の時間的電流変化を dI/dt とすると，コイル2に誘起される起電力 e は，

$$e = -M(dI/dt) \tag{5.68}$$

ここで，M を**相互インダクタンス**といい，単位にはヘンリー H [Wb/A] を用いる．したがって，1 [H] は，コイル1に1秒間に1 [A] の電流を変化させると，コイル2に1 [V] の起電力が誘起される場合である．相互誘導は変圧器の基本原理である．

図 5-23 のように，鉄

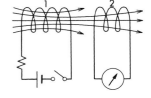

図 5-22 相互誘導

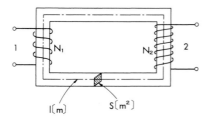

図 5-23 鉄心コイルの相互インダクタンス

心にコイル 1, 2 をそれぞれ巻いた場合の相互インダクタンス M を考える．これは一般の変圧器と考えればよい．鉄心の断面積 S [m^2], 鉄心の中心長さ l [m], 透磁率 μ とし，コイル 1, 2 の巻数を N_1, N_2 とすると，**相互インダクタンス M は**

$$M = \mu S N_1 N_2 / l \text{ [H]}, \quad \mu = \mu_0 \mu_s \tag{5.69}$$

これは輪形鉄心コイルでも同じ式となる．

5. 自己インダクタンスと相互インダクタンス

図 5-22 において，コイル 1 の自己インダクタンスを L_1，コイル 2 を L_2 としたとき，相互インダクタンス M との関係は次式となる．

$$M^2 = L_1 L_2 \quad M = \sqrt{L_1 L_2} \tag{5.70}$$

これが成立するのは，コイル 1 の磁束が全部コイル 2 と鎖交する場合で，漏れ磁束のない場合である．磁気回路では若干の漏れ磁束を必ず伴うから，

$$M = k\sqrt{L_1 L_2} \tag{5.71}$$

k を**結合係数**といい，$1 > k > 0$ である．

6. 磁界エネルギー

L [H] の自己インダクタンスに t 秒間に I [A] の割合で変化する電流を流すと，$e = -L(I/t)$ に相当する起電力が誘起されるが，これは電流の変化を妨げる方向に発生しているから，誘導起電力に打ちかって電流を流しただけの電気エネルギーは磁界に蓄えられなければならない．このように，t 秒間に 0 から I [A] に電流が変化したことによって供給された電気エネルギー W [J] は

$$W = LI^2/2 \text{ [J]} \tag{5.72}$$

インダクタンスを含んだ電気回路で開閉器を急に切ると火花が飛ぶことがあるが，磁界に蓄えられたエネルギーはこのような形で放出される．

7. 変圧器
A. 電圧電流の関係

図 5-24 に示す変圧器で，1 次巻線数 n_1 に対する 2 次巻線数 n_2 の比を巻線比 n とする ($n = n_1/n_2$). そこで，1 次，2 次の電圧，電流を V_1, V_2, I_1, I_2 とすると，

$$I_2 = (n_1/n_2)I_1 = nI_1 \quad V_2 = (n_2/n_1)V_1 = V_1/n$$

ここで，1 次コイルのインピーダンス Z_1, 2 次コイルのインピーダンス Z_2 とすると，

$Z_1 = V_1/I_1$, $Z_2 = V_2/I_2$ より
$Z_2 = V_2/I_2 = (V_1/n)/(nI_1) = (1/n^2)Z_1$ となる．

理想変圧器では，1 次電圧 V_1 に対して位相が 90 度遅れた電流 I_1 が流れ，これにより磁束 Φ が発生する．したがって，Φ は 1 次電圧 V_1 より 90 度遅れる．さらに Φ は 2 次コイルと鎖交して，電圧 V_2 を発生するが，E_2 は Φ より 90 度遅れる．結局，V_1 と V_2 は 180 度の位相差となる．実際は二次端子で反転接続してある．

B. 漏洩磁束と巻線抵抗および励磁電流

実際には理想変圧器はなく，漏洩リアクタンス x と巻線抵抗 r を有する．1 次巻線で発生した磁束は全部が鉄心の中を通過せず，図 5-24 の Φ_L のような漏洩磁束がある．これは 1 次，2 次電流に対してリアクタンスとして作用して電圧降下を生じる．また巻線には若干の抵抗 r があり，これも電圧降下を起こす．この他，鉄心を励磁し，磁束を発生するための磁化電流と鉄損（ヒステリシスとうず電流による損失）に必要な電流の和が流れ，これを励磁電流 I_0 という．励磁電流は無負荷でも流れる．

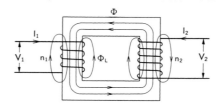

図 5-24 変圧器の原理

関連事項

うず電流 eddy current

変圧器鉄心のように，ある体積をもった導体に磁束が通り，これが時間的に変化すると，先に説明した電磁誘導によって起電力が誘起され，導体面にはうず状の電流となって流れる．この電流をうず電流という．うず電流は導体内の電気抵抗によって，主としてジュール熱として失われ，導体の温度が上昇する原因となる．うず電流の大きさは，最大磁束密度と，磁束が導体を切る速度または，周波数に比例するため，大容量で，しかも，周波数の高い変圧器などでは，うず電流による発熱は非常に大きくなる．

一方，積算電力計や多相誘導電動機は，うず電流と磁束の間で生じた電磁力によって回転するもので，回転陽極 X 線管の陽極回転もこの原理による．これはアラゴの円板の原理によるもので，図 5-25 のように，磁石によって磁界を左方向に動かすと，相対的に導体は右方に磁界を切ることになり，フレミング右手の法則で矢印の方向にうず電流を生ずる．この電流と磁界により，フレミング左手の法則に従った電磁力が左方向に働き，円板は回転する．誘導電動機では磁石を移動する代わりに回転磁界を用いる．

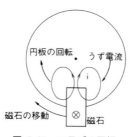

図 5-25 アラゴの円板

8 正弦波交流

1. 正弦波交流の性質

図 5-26 に示すように，電圧または電流の値が円回転に従って，時間とともに周期的に変化するものを正弦波電圧または正弦波電流という．

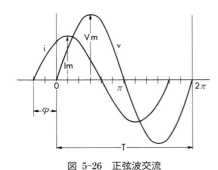

図 5-26　正弦波交流

A. 周　期

図の横軸は角度をラジアン [rad] で目盛っているが，0から 2π まで変化すると，元の位置にもどる．この1回の変化を1サイクルとよび，1サイクルに要する時間 T を周期という．

B. 周波数

1秒間のサイクル数を周波数といい，単位はヘルツ [Hz] である．周波数を f [Hz] とすると，

$$T = 1/f \ [\text{s}] \tag{5.73}$$

ラジアンとの関係を求めると，

$$\omega = 2\pi f = 2\pi/T \ [\text{rad/s}] \tag{5.74}$$

ω を**角周波数**という．

C. 正弦波式

また図 5-26 の正弦波電圧の瞬時値 v は，次式で表す．

$$v = V_m \sin \omega t = V_m \sin 2\pi f t \tag{5.75}$$

D. 位　相

図 5-26 の正弦波電流 i は，電圧 V が零のとき，すでに $\pi/3$（60°）の位置にあり，電圧よりも早く進んでいることになる．したがって，電流 i は次式で表せる．

$$i = I_m \sin(\omega t + \pi/3) \tag{5.76}$$

図では，φ が $\pi/3$ にあたるため，この角度 φ を**位相角**という．この場合は，電圧に対して電流は60°進んだ位相角にある．このような電流を**進み電流**といい，また逆に位相角が遅れた場合を，**遅れ電流**とよぶ．

2. 最大値，実効値，平均値

以下の式は電圧で示してあるが，電流も同様に考えて，電圧を電流に変えて考えればよい．

A. 実効値（V）

正弦波交流波形の2乗平均の平方根を実効値，または RMS（Root Mean Square）値という．最大値 V_m との間には次の関係がある．

$$V = \sqrt{\frac{1}{T}\int_0^T V_m^2 \sin^2 \omega t \, dt} = \frac{1}{\sqrt{2}} V_m = 0.707 V_m \tag{5.77}$$

また，$V_m = \sqrt{2} V = 1.414 V$ (5.78)

B. 平均値（V_a）

正弦波交流波形の 1/2 周期の算術平均である．

$$V_a = \frac{2}{T}\int_0^{T/2} V_m \sin \omega t \, dt = \frac{2}{\pi} V_m = 0.637 V_m \tag{5.79}$$

また，$V_m = \pi/2 \, V_a = 1.57 V_a$ (5.80)

さらに，実効値と平均値との関係は

$$V = (\pi/2\sqrt{2}) V_a = 1.11 V_a \tag{5.81}$$

3. 波形率と波高率

正弦波以外の波形も含めて，波の形を数量的に表すために，波形率，波高率を用いる．

波形率＝実効値/平均値＝V/V_a

波高率＝最大値/実効値＝V_m/V

この式から正弦波形の波形率は1.11，波高率は1.41となる．

関連事項

半波整流波形の実効値，平均値

X線発生装置では管電圧を波高値で，管電流を平均値で表すことが一般的であるため，これらの換算がしばしば必要になる．

正弦波の半波整流波形の実効値，平均値は次のようになる．ただし，V_m は最大値，V_a は平均値，V は実効値

実効値　$V = V_m/2 = \pi/2 \cdot V_a$ (5.82)

平均値　$V_a = V_m/\pi$ (5.83)

9 交流回路

1. 自己インダクタンス（L）回路

自己インダクタンス L [H] に, $i=\sqrt{2}I\sin\omega t$ [A] の電流が流れると, コイル内に磁束が発生し, コイルとの鎖交磁束により誘導起電力が発生する（図5-27）. その結果コイルの端子電圧 v は

$$v=\sqrt{2}\,\omega LI\sin(\omega t+\pi/2)\text{ [V]} \quad (5.84)$$

ただし, $\omega L=2\pi fL$ であり, これを X_L で表して**誘導リアクタンス**とよび, 単位に [Ω] を用いる.

1) 実効電圧と実効電流の大きさは $V=\omega LI$ [V]
2) 誘導リアクタンス X_L は $X_L=2\pi fL=\omega L$ [Ω]
3) 電流は電圧より $\pi/2$ [rad], （90°）遅れる.
4) 電圧 $\dot{V}$ を基準とすると, $\dot{I}=-j\dfrac{\dot{V}}{\omega L}=\dfrac{\dot{V}}{jX_L}$

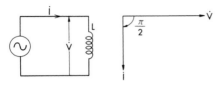

図5-27 自己インダクタンス回路

2. 静電容量（C）回路

静電容量 C [F] に, $v=\sqrt{2}\,V\sin\omega t$ の電圧を加えると, 静電容量に流れる電流 i は

$$i=\sqrt{2}\,\omega CV\sin(\omega t+\pi/2)\text{ [A]} \quad (5.85)$$

ただし, $\omega C=2\pi fC$ であり, $1/\omega C=X_c$ と表して**容量リアクタンス**とよび, 単位に [Ω] を用いる（図5-28）.

1) 実効電圧と実効電流の大きさは, $V=I(1/\omega C)$ [V]
2) 容量リアクタンス X_c は $X_c=1/2\pi fC=1/\omega C$ [Ω]
3) 電流は電圧より $\pi/2$ [rad], （90°）進む.
4) 電圧 $\dot{V}$ を基準とすると, $\dot{I}=j\dfrac{\dot{V}}{(1/\omega C)}=\dfrac{\dot{V}}{-jX_c}$

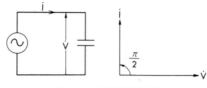

図5-28 静電容量回路

3. RLC直列回路

図5-29のように, 抵抗 R, 自己インダクタンス L, 静電容量 C を直列に接続して, 電圧 $\dot{V}$ を印加すると, 各部に流れる電流は全部同じであるが, $\dot{V}$, $\dot{V}_R$, $\dot{V}_L$, $\dot{V}_C$ の位相はそれぞれ異なりベクトル図に示すようになる.
抵抗 R の電圧 $\dot{V}_R$ は電流 $\dot{I}$ と同位相になる.

1) インピーダンス Z は
   $Z=\sqrt{R^2+(\omega L-1/\omega C)^2}$ [Ω]
2) 回路電流 I は
   $I=V/Z=V/\sqrt{R^2+(\omega L-1/\omega C)^2}$ [A]
3) R の端子電圧 V_R は $V_R=IR$ [V]
4) L の端子電圧 V_L は $V_L=I\omega L=IX_L$ [V]
5) C の端子電圧 V_C は $V_C=I/\omega C=IX_c$ [V]
6) 全電圧 V は $V=IZ$, ベクトルで表すと,
   $\dot{V}=\dot{V}_R+\dot{V}_L+\dot{V}_C$

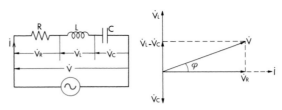

図5-29 RLC直列回路

図5-29のベクトル図で端子電圧 $\dot{V}$ と電流 $\dot{I}$ は角度 φ の位相差があり, 電流を基準にすると, 電圧は φ だけ進んでいる. そこで, $\cos\varphi$ を**力率**とよぶ.

7) 力率 $\cos\varphi$ は $\cos\varphi=R/Z=\dot{V}_R/\dot{V}$
8) $X_L>X_C$ のとき, 電圧は電流より進み, $X_L<X_C$ のとき電圧は電流より遅れる.

〔例題〕

図に示すような R, L, C の直列回路に, 50Hz, 100V の交流電圧を印加した場合, 次の値を計算せよ.

1) 回路に流れる電流 I, 2) R, L, C の端子電圧, V_R, V_C, V_L, 3) 電源電圧と回路電流との位相角ならびにベクトル図.

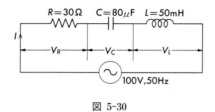

図5-30

〔解説〕

1) 電流 I を求めるためには, 回路のインピーダンス Z を計算しなければならない. まず, 容量リアクタンス X_c と誘導リアクタンス X_L を計算すると,

$X_c=1/2\pi fc=1/2\times 3.14\times 50\times 80\times 10^{-6}$

$= 1/2.5 \times 10^{-2} \fallingdotseq 40\ [\Omega]$
$X_L = 2\pi f L = 2 \times 3.14 \times 50 \times 50 \times 10^{-3} = 15.7\ [\Omega]$
$Z = \sqrt{R^2 + (X_L - X_C)^2} = \sqrt{30^2 + (15.7-40)^2}$
$= \sqrt{900 + 590.5} = 38.6\ [\Omega]$

したがって，電流 I は，$I = V/Z$ の関係から
$I = V/Z = 100/38.6 = 2.6\ [A]$

2) R, L, C の端子電圧の大きさは，それぞれのリアクタンスに回路電流を乗ずればよいから
$V_R = IR = 2.6\ [A] \times 30\ [\Omega] = 78\ [V]$
$V_C = IX_C = 2.6\ [A] \times 40\ [\Omega] = 104\ [V]$
$V_L = IX_L = 2.6\ [A] \times 15.7\ [\Omega] = 40.8\ [V]$

3) 位相角を φ とすると，$\varphi = \tan^{-1}(V_L - V_C/R)$ となる．
$\varphi = \tan^{-1}[(15.7-40)/30] = \tan^{-1}(-0.81) = -39°$

直列回路では電流を基準にして各電圧をベクトル表示するため，電流に対して電圧が 39° 遅れている．
これらの関係をベクトル図に書くと図 5-31 のようになる．

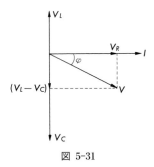

図 5-31

4. 直列共振

図 5-29 の回路において，電源の周波数を変化すると，L と C の値が同じでも，リアクタンス X_L, X_C の値は変わる．すなわち，周波数 f を徐々に増加すると，$X_L = 2\pi f L$ により，X_L は増加し，逆に X_C は減少する．ある周波数で $X_L = X_C$ の条件が成り立つと，回路のインピーダンスは抵抗 R のみとなって，回路電流は最大となる．この現象を**直列共振**または**電圧共振**とよび，その周波数を**共振周波数**という．いま，共振周波数 f_0 となる条件を求めると，

$$2\pi f L = \frac{1}{2\pi f C} \ \text{より}\quad f_0 = \frac{1}{2\pi \sqrt{LC}}\ [\text{Hz}] \quad (5.86)$$

この現象は，増幅器で特定の周波数を選択したり，ラジオの同調回路に用いられ，$\omega_0 L/R$ を選択度またはコイルの Q 値とよび，コイルのよさを表す．直列共振では
1) $X_L = X_C$ となる．
2) 回路電流 I は $I = V/R$
3) 電圧 V と電流 I の位相差は零で，同相となる．

また，並列回路でも共振が起こりこれを**並列共振**または**電流共振**という．

〔例題〕
あるコイルに 12 [pF] のコンデンサを直列に接続したところ，125 [kHz] の周波数で共振した．このとき，コイルは何ヘンリーか計算せよ．

〔解説〕
直列共振は RLC 回路の誘導リアクタンス ωL と容量リアクタンス $1/\omega C$ が等しくなったとき，両者は相殺し，回路のインピーダンスは抵抗 R のみとなり，最低値となる．したがって，回路電流は最大となる現象である．そこで共振条件は式 5.86 に示すように，$2\pi f L = 1/2\pi f C$ となり，これより共振周波数 f_0 は，$f_0 = 1/2\pi\sqrt{LC}$ となる．問題を解くには，L を求める必要があるから，これを変形して，

$L = 1/4\pi^2 f_0^2 C$ となる．
$L = 1/4 \times (3.14)^2 \times (125 \times 10^3)^2 \times 12 \times 10^{-12}$
$= 0.135\ [H]$

5. RL 並列回路

抵抗 R と自己インダクタンス L の並列回路では，図 5-32 に示すように，R, L に印加される電圧はいずれも等しいが，R と L に流れる電流 $\dot{I}_R$, $\dot{I}_L$ の位相は，$\dot{I}_L$ が $\pi/2$ 遅れる．したがって，全電流 $\dot{I}$ も電圧に対して φ だけ位相が遅れる．また並列回路の計算では，インピーダンス Z の逆数として，**アドミタンス** Y を用いると便利である．$\dot{Y} = 1/\dot{Z}$，単位はジーメンス [S] で $S = \Omega^{-1}$．

1) 合成アドミタンス Y は，
$$Y\left(=\frac{1}{Z}\right) = \sqrt{\left(\frac{1}{R}\right)^2 + \left(\frac{1}{\omega L}\right)^2}\ [S]$$

2) R に流れる電流 I_R は $I_R = V/R\ [A]$
3) L に流れる電流 I_L は $I_L = V/\omega L = V/X_L\ [A]$
4) 全電流 $\dot{I}$ は $\dot{I} = I_R + I_L$
$$I = VY = V\sqrt{\left(\frac{1}{R}\right)^2 + \left(\frac{1}{\omega L}\right)^2}\ [A]$$

5) 力率 $\cos\varphi$ は $\cos\varphi = \dfrac{I_R}{I} = \dfrac{1}{YR} = \dfrac{X_L}{\sqrt{R^2 + X_L^2}}$

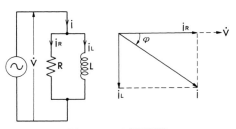

図 5-32 RL 並列回路

6. RC 並列回路

R, L 並列回路と同様に, 電圧は R, C ともに同一電圧が印加される. 図 5-33 に示すように, 静電容量に流れる電流 I_C は抵抗に流れる電流 I_R より $\pi/2$ 位相が進む. したがって, 全電流 I は電圧を基準にした場合, 位相角が φ だけ進む.

1) 合成アドミタンス Y は
$$Y\left(=\frac{1}{Z}\right)=\sqrt{\left(\frac{1}{R}\right)^2+(\omega C)^2}\ [\mathrm{S}]$$

2) R に流れる電流 I_R は $I_R = V/R$ [A]

3) C に流れる電流 I_C は $I_C = \omega CV = V/X_C$ [A]

4) 全電流 I は $\dot{I} = \dot{I}_R + \dot{I}_C$
$$I = VY = V\sqrt{\left(\frac{1}{R}\right)^2+(\omega C)^2}\ [\mathrm{A}]$$

5) 力率 $\cos\varphi$ は $\cos\varphi = \dfrac{I_R}{I} = \dfrac{1}{YR} = \dfrac{X_C}{\sqrt{R^2+X_C^2}}$

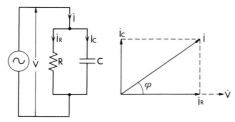

図 5-33 RC 並列回路

7. RCL 並列回路

図 5-34 に示すように, R, L, C を並列に接続すると, ベクトル図に示す電流が流れる. 電圧を基準にすると $\dot{I}_C$ と $\dot{I}_L$ の差に相当する電流 $\dot{I}_C - \dot{I}_L$ と $\dot{I}_R$ のベクトル和の電流 $\dot{I}$ が流れる.

1) 合成アドミタンス Y は
$$Y\left(=\frac{1}{Z}\right)=\sqrt{\left(\frac{1}{R}\right)^2+\left(\frac{1}{\omega L}-\omega C\right)^2}\ [\mathrm{S}]$$

2) R に流れる電流 I_R は $I_R = V/R$ [A]

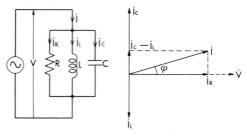

図 5-34 RLC 並列回路

3) L に流れる電流 I_L は $I_L = V/\omega L = V/X_L$ [A]

4) C に流れる電流 I_C は $I_C = \omega CV = V/X_C$ [A]

5) 全電流 $\dot{I}$ は $\dot{I} = \dot{I}_R + \dot{I}_L + \dot{I}_C$
$$I = VY = V\sqrt{\left(\frac{1}{R}\right)^2+\left(\frac{1}{\omega L}-\omega C\right)^2}$$

8. 交流電力

電圧 V, 電流 I の回路の消費電力 P は
$$P = VI\cos\varphi\ [\mathrm{W}] \tag{5.87}$$
ここで $\cos\varphi$ を**力率**とよび, P を**有効電力**という. また $VI\sin\varphi$ [var] を**無効電力**, VI [VA] を**皮相電力**という.

〔例題〕

ある負荷に交流電圧 100 [V] を印加すると, 20 [A] の進み電流が流れ, 消費電力は 1.6 [kW] であった. 回路の力率と皮相電力, 無効電力を求めよ.

〔解説〕

一般に電力は有効電力 P で表し, $P = VI\cos\varphi$ と表され, $\cos\varphi$ を力率とよぶ. したがって, 力率は
$\cos\varphi = P/VI = 1{,}600/100\times 20 = 0.8$ となる.
また, 無効電力 Q は, $Q = VI\sin\varphi$
皮相電力 W は, $W = VI$ で表されるため
$\sin\varphi = \sqrt{1-\cos^2\varphi} = \sqrt{1-0.8^2} = 0.6$ とすると
$Q = 100\times 20\times 0.6 = 1{,}200 = 1.2$ [kvar]
$W = 100\times 20 = 2{,}000 = 2$ [kVA]

10 三相交流

三相交流電圧はすでに述べた単相交流電圧を $2\pi/3$ [rad] の位相差で1周期に3組,組み合わせたものである.結線方式に星形結線,三角結線,V形結線などがある.

1. 星形結線

$\dot{E}_1, \dot{E}_2, \dot{E}_3$ の起電力を有するコイルを図 5-35 のように組み合わせた結線方式を星形結線またはスター結線とよび,E_1, E_2, E_3 が等しい場合,対称三相交流電圧とよぶ.それぞれのコイルの起電力は次式となる.

$$\left.\begin{array}{l} e_1 = \sqrt{2}\,E_1 \sin \omega t \\ e_2 = \sqrt{2}\,E_2 \sin(\omega t - 2\pi/3) \\ e_3 = \sqrt{2}\,E_3 \sin(\omega t - 4\pi/3) \end{array}\right\} \quad (5.88)$$

そこで,$\dot{E}_1, \dot{E}_2, \dot{E}_3$ を相電圧,$\dot{E}_{12}, \dot{E}_{23}, \dot{E}_{31}$ を線間電圧,コイルを流れる電流を相電流,$\dot{I}_1, \dot{I}_2, \dot{I}_3$ を線電流といい,相電流と線電流は等しい.また,相電圧と線間電圧の関係は次式となる.ただし,$E_1 = E_2 = E_3 = E$ とし,$\dot{E}_1$ をベクトルの基準とする

$$\left.\begin{array}{l} \dot{E}_{12} = \dot{E}_1 - \dot{E}_2 = \sqrt{3}\,E \sin(\omega t + \pi/6) \\ \dot{E}_{23} = \dot{E}_2 - \dot{E}_3 = \sqrt{3}\,E \sin(\omega t - \pi/2) \\ \dot{E}_{31} = \dot{E}_3 - \dot{E}_1 = \sqrt{3}\,E \sin(\omega t - 7\pi/6) \end{array}\right\} \quad (5.89)$$

以上のことから,

1) 線間電圧は相電圧の $\sqrt{3}$ 倍となる.
2) 線間電圧は相電圧より $\pi/6$ [rad] $=30°$ 進む.
3) 相電流と線電流は大きさは等しく,位相関係も同じである.
4) 電圧と電流の位相差 φ は負荷のインピーダンスにより決まる.
5) $\dot{E}_{12} + \dot{E}_{23} + \dot{E}_{31} = 0$ となる.

2. 三角結線

$\dot{E}_1, \dot{E}_2, \dot{E}_3$ の起電力を有するコイルを図 5-36 のように組み合わせた結線方式を三角結線またはデルタ結線とよぶ.コイルの起電力の瞬時値 e は (5.88) 式となり,三角結線では相電圧と線間電圧は等しいが,相電流と線電流が次のように変わる.ただし,相電流 $I_1 = I_2 = I_3 = I$ とし,$\dot{I}_1$ をベクトルの基準とする.

$$\left.\begin{array}{l} \dot{I}_{12} = \dot{I}_1 - \dot{I}_2 = \sqrt{3}\,I \sin(\omega t - \pi/6) \\ \dot{I}_{23} = \dot{I}_2 - \dot{I}_3 = \sqrt{3}\,I \sin(\omega t - 5\pi/6) \\ \dot{I}_{31} = \dot{I}_3 - \dot{I}_1 = \sqrt{3}\,I \sin(\omega t - 3\pi/2) \end{array}\right\} \quad (5.90)$$

したがって,

1) 線電流は相電流の $\sqrt{3}$ 倍である.
2) 線電流は相電流より $\pi/6$ [rad] $=30°$ 遅れる.
3) 相電圧と線間電圧は大きさは等しく,位相も同じである.
4) 電圧と電流の相位差 φ は負荷のインピーダンスにより決まる.
5) $\dot{I}_{12} + \dot{I}_{23} + \dot{I}_{31} = 0$ となる.

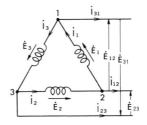 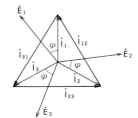

図 5-36 三角結線

3. 三相交流の電力

結線方式が星形,三角結線に限らず,線間電圧を V [V],線電流を I [A],負荷の力率を $\cos\varphi$ とすると,三相の電力 P [W] は次式となる.

$$P = \sqrt{3}\,VI\cos\varphi \text{ [W]} \quad (5.91)$$

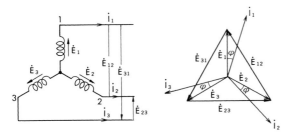

図 5-35 星形結線

関連事項

三相X線発生装置の結線方式

X線発生装置の高圧変圧器は,2次側に高電圧が要求される反面,1次側には負荷時に大電流が流れるため,三相式X線発生装置の高圧変圧器では1次側を三角形,2次側を星形として,△—Y 結線方式とすることが多い.この場合,変圧器の巻線比を $1:n$ としたとき,1次巻線に線間電圧 V_1 [V] の電圧を印加すると,2次側の線間電圧 V_2 [V] は $V_2 = \sqrt{3}\,nV_1$ [V] となる.一方,2次側に I_2 [A] の線電流が流れると,1次側線電流 I_1 [A] は,$I_1 = \sqrt{3}\,nI_2$ [A] となる.

また三相交流を2次側で全波整流すると,1周期に6パルスの脈動直流電圧となる.このときの最大値 $E_{\max}$,実効値 E_{eff},平均値 E_{mean} の関係は

$$E_{\text{eff}} = 0.956\,E_{\max} \quad E_{\text{mean}} = 0.954\,E_{\max} \quad (5.92)$$

11 過渡現象

自己インダクタンス L や静電容量 C の含まれた回路では，スイッチを入れて電流を流し始めたときや，電流を切る瞬間には，定常状態になるまでの短時間にいろいろと特殊な現象が現れる．これを過渡現象という．

1. LR回路の過渡現象

図 5-37 (a) に示す回路で自己インダクタンス L [H] と抵抗 R [Ω] を直列に接続して，V [V] の直流電圧を加えて，スイッチ S を閉じると，回路には同図 (b) のような電流が流れる．これはスイッチを入れた瞬間，L には $e = -L(di/dt)$ [V] の逆起電力が発生し，回路電圧は $(V-e)$ [V] となる．回路に流れる電流 i は時間とともに指数関数的に増加する．

$$i = \frac{V}{R}\left(1 - \exp\left(-\frac{t}{\tau}\right)\right) \ [\text{A}] \quad (5.93)$$

τ は $\tau = L/R$ で表される回路定数で**時定数**とよび，単位は [s] である．時間の経過とともに逆起電力 e は減少し，回路電流は徐々に増加し飽和する．電流の変化がなくなれば，逆起電力も零となり $I = V/R$ の電流が流れ，定常状態となる．スイッチを入れてから τ [s] 経過した後には，飽和電流の 0.63 倍，2τ [s] で 0.87，3τ [s] で 0.95，4τ [s] で 0.98 倍となる．したがって，τ が大きい（L が大か，R が小さい回路）ほど，定常状態になるまでの時間は長くなる．

この現象は，回路の起電力や抵抗が急変したり，電流が流れている状態でコイルを短絡したりするときにも生じ，図 5-37 (b) の曲線となる．

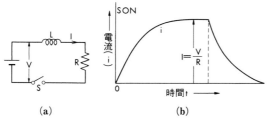

図 5-37 LR回路の過渡現象

2. CR回路の過渡現象

図 5-38 (a) のように，静電容量 C [F] と抵抗 R [Ω] ならびに直流電源 V [V] を直列に接続して，スイッチ S_1 を閉じると，同図 b に示す電流 i が流れるとともに，静電容量 C に電荷が充電され始める．充電電流および充

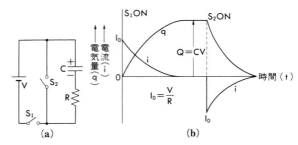

図 5-38 CR回路の過渡現象

電電気量は次式となる．

$$i = \frac{V}{R}\exp\left(-\frac{t}{CR}\right) \ [\text{A}] \quad (5.94)$$

$$q = CV\left(1 - \exp\left(-\frac{t}{CR}\right)\right) \ [\text{C}] \quad (5.95)$$

LR回路と同様に CR は**時定数**とよび，単位は [s] である．定常状態となると，C には電源電圧 V [V] が充電され，その極性は電源と逆方向であるため，抵抗 R の端子電圧は 0 [V] となり回路電流は 0 [A] となる（C の放電がなく，理想状態において）．

次に，定常状態からスイッチ S_1 を開き S_2 を閉じて，CR の両端を短絡すると，C に充電された電気量が，抵抗 R を通じて放電するため，図 5-38 (b) の右方の曲線に従って，電気量 q は減少する．一方，このとき流れる電流 i は，充電時の電流とは逆方向となり，それぞれ次式で表される．

$$\begin{aligned} q &= CV\exp\left(-\frac{t}{CR}\right) \ [\text{C}] \\ i &= -\frac{V}{R}\exp\left(-\frac{t}{CR}\right) \ [\text{A}] \end{aligned} \quad (5.96)$$

この場合，CR 秒の時間経過の後には，スイッチを入れる前の電気量および電流の値の 0.37 倍，$2CR$ [s] で 0.14，$3CR$ [s] で 0.05，$4CR$ [s] で 0.02 倍となる．

時定数 CR が大きいほど，充電時間は長くなると同時に放電時間も長くなる．

〔例題〕

図 5-39 に示すようなコンデンサの充放電回路で，スイッチ S_1 を閉じてから，8 秒後の充電電圧と充電電流はいくらか．また，コンデンサを 100 V まで充電した後，S_1 を開にして，次いで S_2 を閉じると R_1 を通じて放電するが，S_2 を閉じてから 0.25 秒後のコンデンサ端子電圧とその時の放電電流はいくらか．

〔解説〕

コンデンサの充電電圧 v は，$v = V_0[1-\exp(-t/CR)]$ で表され，最終的には電源電圧 V_0 まで充電される．また，充電電流 i は，$i = V_0/R [\exp(-t/CR)]$ で表され，

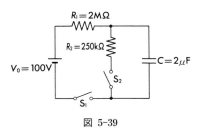

図 5-39

最初の電流は V_0/R となり，後は指数関数的に減少する．CR は時定数であり，充電の場合は，$CR_1=2\times10^{-6}\times2\times10^6=4$ [s] となる．

したがって，8秒後の v と i は
$$v=100[1-\exp(-8/4)]=100(1-e^{-2})$$
$$=100(1-1/2.7^2)=86.3 \text{ [V]}$$
$$i=100(2\times10^{-6}[\exp(-8/4)])=5\times10^{-5}e^{-2}$$
$$=5\times10^{-5}/2.7^2=6.9\times10^{-6} \text{ [A]}$$

一方，放電に際して t 秒後にコンデンサに残る電圧 v は，$v=V_0[\exp(-t/CR)]$ となり，放電電流 i は，$i=V_0/R[\exp(-t/CR)]$ となる．放電に際する回路の時定数は，$CR_2=2\times10^{-6}\times250\times10^3=0.5$ [s] であるから，0.25秒後の v と i は次のようになる．
$$v=100\exp(-0.25/0.5)=100e^{-5}=100/\sqrt{2.7}$$
$$=60.9 \text{ [V]}$$
$$i=100/250\times10^3[\exp(-0.25/0.5)]$$
$$=4\times10^{-4}(e^{-0.5})=2.4\times10^{-4} \text{ [A]}$$

関連事項

微分回路，積分回路

図 5-40 は微分回路で，矩形波を入力に加えると，CR の充放電により微分波形が出力に現れる．CR の小さいことが必要である．一方，図 5-41 は CR を比較的大きくすることにより，積分波形が得られる．これを積分回路という．

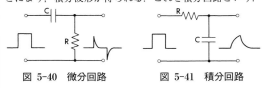

図 5-40 微分回路　　図 5-41 積分回路

関連事項

放電時のエネルギーの流れ

放電時にはコンデンサに蓄えられたエネルギーは抵抗で消費する電力量と等しくなることを確かめてみよう．

コンデンサに蓄えられた静電エネルギーは次のように表される（☞式 (5.40)）．
$$W_C=\frac{1}{2}QV=\frac{1}{2}CV^2$$

一方抵抗で消費される電力量は次のように求められる．
放電時の電流 (式 5.96) を使って
$$P=i^2R=\frac{V^2}{R}exp\left(-\frac{2t}{CR}\right)$$
$$W_R=\int_0^\infty Pdt=\frac{V^2}{R}\int_0^\infty exp\left(-\frac{2t}{CR}\right)dt$$
$$W_R=\frac{V^2}{R}\left[-\frac{CR}{2}exp\left(-\frac{t}{CR}\right)\right]_0^\infty$$
$$=\frac{V^2}{R}\left(0+\frac{CR}{2}\right)=\frac{1}{2}CV^2 \quad (5.97)$$

$W_C=W_R$ となり，コンデンサに蓄えられたエネルギーは放電時に抵抗で消費される電力量と等しいことが確かめられた．

12 半導体-1

1. 半導体
半導体には真性半導体と不純物半導体がある．

A. 真性半導体
シリコン（Si）やゲルマニウム（Ge）は第IV属元素で，最外殻軌道電子が4個であるため，原子価4の元素として互いに共有結合している．しかし，比較的結合力が弱いため，常温程度の熱エネルギーで一部の電子は自由電子となって結晶内を移動できるようになる．一方，価電子の抜けたあとは**正孔**（ホール）となり，荷電交換により正の電荷を運ぶ．このような半導体を真性半導体またはi形（intrinsic）半導体という．

B. 不純物半導体
真性半導体は電子の電導性があまりないが，これに微量の不純物を混ぜることによって電導性を増すことができる．たとえば，Si にひ素（As）を微量加えると，As は価電子が5であるため，4個の電子は Si と共有結合するが，余剰の1個が自由電子となって，結晶内を自由に移動できる．これを **n形**（negative）**半導体**とよび，加えた不純物を**ドナ**（donor）という．

一方，Si の中に原子価3の硼素（B）やインジウム（In）を若干加えると，3個の電子は共有結合しても1個が不足するため，これが正孔となる．これを **p形**（positive）**半導体**とよび，加えた不純物を**アクセプタ**（acceptor）という．

2. ダイオード
A. pn接合ダイオード
図5-42に示すように，p形半導体とn形半導体を接合して，a図のようにp形に正，n形に負の電圧を加えると，p形の中の正孔は負電圧に引かれて，接合面を越えて負電極に移動し，一方，n形の中の電子は反対に正電極の方へ移動する．その結果，外部回路に電流が流れる．これを順方向という．次に電源の極性を逆にして，p形に負電圧を，n形に正電圧を印加すると，電子，正孔ともに接合面を越えることなく，それぞれの電極に引き寄せられる．その結果，外部回路には電圧は加わっても電流は流れない．これを逆方向という．この場合，接合面付近には電子も正孔もなくなった領域ができ，これを**空乏層**とよぶ．したがって，印加した電圧のほとんどは空乏層に加えられる．

このように，外部の電界の極性によって，p形に正電圧が加えられたときのみ電流が流れるため，交流電圧を直流電圧に整流することができる．

半導体には温度特性があり，温度が上昇するほど順方向の抵抗は減少し，同じ電圧であれば順方向電流は増加する．また逆方向電流も温度が上昇するに従って増加し，整流作用が悪くなる．さらに逆方向の電圧を増すと，ついには導通状態となる．この電圧を**降伏電圧**とよぶ．

B. 定電圧ダイオード（ツェナーダイオード）
pn接合形ダイオードに逆電圧を印加し，電圧を徐々に増すと，降伏現象がみられる．降伏現象の起こる1つの原因は，接合面付近で電子や正孔が高電圧で加速され，電子なだれを起こすため，逆電流が急激に増加する．他の1つの原因はツェナー効果によるもので，これは量子力学的なトンネル効果によって，一定電圧以上になると急激に逆電流が増す．このツェナー効果をうまく利用したものがツェナーダイオードである．このように，ダイオードが降伏電圧に達すると，逆電流は流れるがダイオードの端子電圧は常に一定電圧に保たれる．したがって，ツェナーダイオードを電源と並列に接続すると，定電圧が得られ，そのため，定電圧ダイオードともよばれる．

C. 可変容量ダイオード（バラクタダイオード）
pn接合形ダイオードに逆電圧を印加すると，接合面に空乏層ができる．空乏層の両側には正孔群と電子群の集中した電極層ができているため，これは2つの電極の間に絶縁体をはさんだ静電容量と同等である．静電容量 C は空乏層の断面積を S，厚さを d，半導体の誘電率を ε とすると，$C=\varepsilon S/d$ となる．しかし，空乏層の厚さ d は逆電圧の値に左右されるため，電圧の変化を静電容量の変化に変換することができる．このようなダイオードを可変容量ダイオードまたはバラクタダイオードとよび，テレビの AFT 回路や FM ラジオの AFC 回路などに用いる．

D. トンネルダイオード（エサキダイオード）
pn接合形ダイオードの不純物濃度を増すと，電圧―電流特性のある領域において，電圧を増すと電流が減少するという，負性抵抗特性がみられる．これは量子学的なトンネル効果によるもので，これをトンネルダイオードまたは発見者の名前からエサキダイオードとよぶ．そこでこの負性特性を利用してバイアス電圧の ON，OFF による1ns以下の高速スイッチングや，高周波の発振，

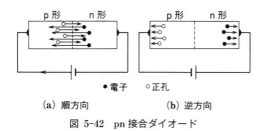

(a) 順方向　　(b) 逆方向
図 5-42　pn接合ダイオード

増幅，論理計算回路などに用いる．

E. 発光ダイオード（LED）

ガリウムりん（GaP）のような半導体のpn接合面に順方向のバイアス電圧を印加すると，接合面で電子と正孔が再結合するとき，伝導帯から価電子帯への遷移エネルギーが光として放出される．半導体材料や加える不純物の種類によって，発光色を変えることができ，発光強度は入力電流に比例して大きくなる．また発光までの応答時間が極めて短く，振動に強く，かつ寿命も長いなどの特徴をもっている．これを表示装置に用いる場合には，赤色にはGaP，青色にはGaN，緑色にはZnSeなどが一般によく用いられる．

3. シリコン制御整流素子（SCR）

図5-43に示すように，pn接合形ダイオードを2組直列に接続し，陽極Aと陰極Kの間に順方向電圧V_0を加える．また，中央のp形半導体からゲートGの端子を出し，陰極Kとの間に正電圧（順方向）を加える．接合面のうち，J_1とJ_3は順方向になるが，J_2は逆方向の接合面となるため，このままでは陽極電流は流れない．しかし，Gに若干の電流I_gを流しながら，V_0を増していくと，ある電圧値（ブレークオーバ電圧V_{BO}という）に達したとき，J_2の接合面を通して急に電流が流れ始める．いったん導通すると，ゲート電流を切っても，陽極電圧が零以下にならない限り，陽極電流は流れ続ける．I_gが小さいと，V_{BO}は大きく，この場合，V_0をかなり増さないと導通とならない．図5-44はその動作特性を示す．AK間に交流電圧を入力として加え，ある瞬間にAおよびBのゲート電流を通ずると，導通となり出力電圧を出すことができる．しかし，ゲート電流が切れても陽極電流は流れ，入力電圧が負電圧になったとき，はじめて導通は止まる．このように，ゲートに適当なタイミングで小さな電流を流すことによって大きな陽極電流の制御ができるため，電子回路の無接点開閉器として使用できる．これはシリコン制御整流素子（SCR：Silicon Controled Rectifier）

またはサイリスタとよばれる．

SCRの特徴は，①回路開閉の位相制御ができる．②正弦波交流の導通位相が変えられるから，陽極電流の平均値の制御ができる．③小形軽量で安定度が高い．④小さなゲート信号で大きな陽極電流制御ができる．

このようなSCRは無接点スイッチ，周波数変換，電動機制御，またX線発生装置では高圧変圧器1次回路開閉用の電磁開閉器に代わって用いられるようになった．

またSCRを2組，組み合わせて正負の電圧が制御できる双方向性3端子シリコン制御整流素子（トライアック）も交流電流の制御に用いられる．

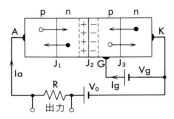

図5-43 SCRの動作

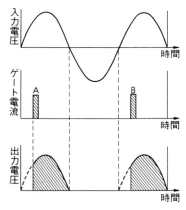

図5-44 SCRの特性

13 半導体-2

1. トランジスタ
トランジスタを大きく分類すると，接合型トランジスタと電界効果トランジスタに分けられる．

A. 接合型トランジスタ
1) 動作原理
トランジスタはp形半導体とn形半導体を図5-45のように接合したもので，(a)図に示すpnp形と(b)図に示すnpn形がある．それぞれから端子を出し，エミッタ（E），ベース（B），コレクタ（C）の3端子からなる．図のようにベースを共通とした結線をベース接地とよぶ．このほか，エミッタを共通としたエミッタ接地，コレクタを共通としたコレクタ接地の3つの結線方式がある．

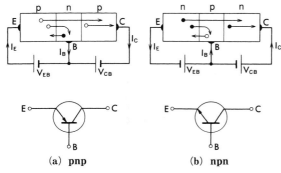

(a) pnp　　　　(b) npn

図 5-45　トランジスタの構造と記号

pnpトランジスタではEに正電圧（V_{EB}）を，Cに負電圧（V_{CB}）を印加する．また，npnでは，極性を逆にした電圧を印加する．pnpについて考えてみると，E，B間は順方向電圧であるが，B，C間は逆電圧であるため電流は流れない．しかし，熱エネルギーによる少数のキャリアのためB，C間には若干の電流が流れ，これをコレクタ遮断電流という．

V_{EB}とV_{CB}を同時に印加すると，E，B間にベース電流I_Bが流れるが，ベース幅が薄いため，大部分の正孔は拡散現象によってベースを通り抜けて，B，C接合面付近に到達する．Cには負電圧が印加されているため，これらの正孔はCに達し，コレクタ電流I_Cとなる．したがって，$I_E = I_B + I_C$の関係が成立する．実際にはI_BはI_Cの数%であるから，わずかなI_Bの変化が大きなコレクタ電流I_Cの変化となり，電流増幅される．したがって，トランジスタは電流増幅素子である．

2) 電流増幅率
ベース接地において，V_{CB}一定にしてΔI_CとΔI_Eの比を電流増幅率αという．
$$\alpha = \Delta I_C / \Delta I_E \tag{5.98}$$
また，エミッタ接地において，V_{CE}一定にしてΔI_CとΔI_Bの比を電流増幅率βという．
$$\beta = \Delta I_C / \Delta I_B \tag{5.99}$$
そこで，同じトランジスタについてのαとβの関係は
$$\beta = \alpha/(1-\alpha) \quad \alpha = \beta/(1+\beta) \tag{5.100}$$
一般に接合形トランジスタでは，αは0.9～0.99程度で1より小さく，逆にβは20～200程度である．

3) 接続方式
①エミッタ接地回路：周波数があまり高くない範囲で電力利得が大きく，入出力インピーダンスは中程度である．しかし，周波数特性があまりよくない．電圧入力信号と出力信号に180°の位相差がある．

②ベース接地回路：高周波の特性がよく，電流増幅率の直線性がよい．しかし，電流利得はない．入力インピーダンスは低く，出力インピーダンスは高い．電圧入力信号と出力信号は同位相．

③コレクタ接地回路：電圧利得は1以下で増幅はできない．しかし，入力インピーダンスは高く，出力インピーダンスが低いため，インピーダンス変換に都合がよい．電圧入力信号と出力信号は同位相．

B. 電界効果トランジスタ（FET）
図5-46に示すように，n形半導体の中央にp形半導体からなるゲート（G）を設ける．また電子流の供給源側をソース（S）といい，出力側をドレイン（D）という．いま，S，G間に逆電圧V_{GS}を印加すると，斜線部のような空乏層ができる．空乏層は電子は通れないから，チャネルとよばれる空乏層の間隙部を電子は通過する．空乏層の大きさは，逆電圧V_{GS}により変わるため，V_{GS}によりSからDに流れる電子流の制御ができる．このようなトランジスタをFET（Field Effect Transistor）という．FETはチャネル中を流れるキャリアが電子であるnチャネル型（図5-46）と，正孔であるpチャネル型に分けられるが，いずれも動作に関与するキャリアが一種類のためユニポーラトランジスタともよばれる．ゲート電極は電界の効果を生むために，チャネルに接近して設

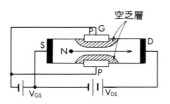

図 5-46　電界効果トランジスタ

けられるが，チャネルとゲート電極の導通を避けるために絶縁膜を介在させた**MOS 形**（Metal Oxide Semiconductor）**FET** と，pn 接合を介在させた**接合形 FET** がある．

MOS 形は金属―酸化物―半導体の 3 種の組み合せと考えればよく，入力インピーダンスは極めて高く，集積回路に用いられる他，高耐圧，パワー増幅，高周波増幅素子としても利用価値は大きい．また，接合形は小信号の低雑音増幅に適している．

C. フォトトランジスタ

pnp トランジスタに光を照射すると，内部にキャリアを生じ，これによって，エミッタからコレクタに電流が流れ，照射光量に応じた電流が流れる．光検出や光量測定に利用される．また，ダイオードの光による逆電流変化を利用したものを**フォトダイオード**という．

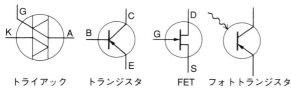

図 5-47　半導体素子の記号

関連事項

薄膜トランジスタ（TFT）

TFT は Thin Film Transistor の略で，ガラスや金属板の上に極めて薄い膜状（0.5μm 程度）に作られたトランジスタで，しかも大面積の基盤に微少な素子（1 個のチャネル幅 20μm 程度）を多数集積させることを特徴としている．半導体材料にはアモルファス・シリコン（a-Si）などを用いて，原理的には電界効果トランジスタの一種であり，ゲート，ドレイン，ソースの電極を備えて，スイッチ機能として使うことが多い．用途は広く，テレビやパソコンの液晶ディスプレイを始めとして，放射線領域では平面検出器（FPD：Flat Panel Detector）にも使用されている．

ホール素子

半導体に電流を流し，この電流の方向を xyz 座標の x 軸とするとき，z 軸方向に磁界を加えると，y 軸方向に起電力が発生する．そしてこの現象は発見者の名前からホール効果とよび，使用される半導体をホール素子という．これには Ge，Si，InSb，GaAs などがあり，これらの素子に流す電流を一定にして起電力を測定すると，磁界の強さが計測できるため磁束計に使用できる．また，放射線領域では X 線発生装置の管電流測定に利用しているが，この場合は磁界を一定にして起電力の測定から管電流を求めることになる．

圧電素子

水晶，チタン酸バリウム，PZT（ジルコン酸チタン酸鉛）などの結晶に力を加えると，物質の表面に電荷が誘起されて電場が発生する．逆にその物質に電場を加えると機械的なひずみが発生する．このような現象を圧電効果または**ピエゾ効果**とよび，その物質を圧電素子という．このように圧電素子は電気量と機械量の相互交換ができ，多くの用途に用いられている．電気量から機械量に変換する現象を利用したものに，スピーカーや超音波洗浄器，インクジェットプリンタがあり，逆に機械量から電気量に変換するものにマイクロホンや圧電ライタ，ガス点火装置がある．また電気量と機械量の変換を相互利用するものに，超音波診断装置の探触子がある．

14 集積回路（IC）

1. 集積回路（IC）の種類

A. 容量からの分類
ICは数多くのトランジスタ，ダイオード，抵抗などが1つのチップの中に集積され，種々の電子回路を構成している．この中に含まれる素子の容量から分類して，小型をSSI，中規模をMSI，大規模をLSI，更に大容量のものをVLSI，ULSIとよび，ULSIを構成する素子数は10^7個以上となる．

B. 構造上の分類
ICを構造的に大きく分類して，モノリシックICとハイブリッドICそして薄膜ICに分けられる．

1) モノリシックIC
単一結晶の意味で実際には，シリコン単結晶の中に作り込み，トランジスタ，抵抗などの各回路素子がシリコンだけで作られているため，小形で故障も少ない．

2) ハイブリッドIC
混成または混合の意味で，種々の材料，部品が結合されたICで，モノリシックよりも大きくなる．

C. 動作上の分類
用途に応じてアナログICとデジタルICに分けられるが，アナログICは主としてOPアンプに代表される．そしてデジタルICは次のロジック回路とメモリ回路から成っている．

1) ロジック回路
これを分類するとバイポーラ型とMOS型になり，バイポーラ型はTTL（トランジスタ・トランジスタ・ロジック）やECL（エミッタ結合ロジック）とよばれる論理回路を構成し，比較的大電流の流せるパワーICとして利用される．一方，MOS型はpチャネルMOS，nチャネルMOS，C-MOSとよばれる論理回路を構成し，比較的小体積のICが作れる．

2) メモリ回路
メモリICは電子回路で構成されたメモリ素子をマトリックス状に配列して，xy軸のアドレスラインの交点への書込みと読取りを行う機能をもったもので，書込みと読出しが可能なメモリ（RAM）と，読出しのみのメモリ（ROM）がある．

2. 演算増幅器（OPアンプ）

OPアンプは，ハイブリッドICとモノリシックICで作られた，アナログICである．これは万能増幅器として広く使われるとともに，OPアンプは理想増幅器に近い

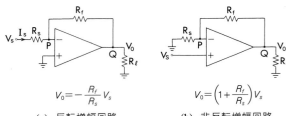

図 5-48 OPアンプの増幅回路

といわれている．そこで，次の条件を満たすことになる．
①電圧増幅度が無限大，②入力インピーダンスが無限大，③出力インピーダンスが零，④周波数帯域幅が無限大，⑤オフセットが零．

OPアンプの基本結線を図5-48に示す．(a)図は反転増幅回路で，入力が正のとき出力は負電圧となるため，R_fの抵抗を通して負帰還される．増幅度は無限大であるから，どのような入力電圧が入っても負帰還により，入力に戻されP点は常に零電位に保たれる．P点が零電位すなわち，接地電位となるから，入力電流I_Sは$I_S = V_S/R_S$となり，R_fを通って出力に流れることになる．その結果，Q点の出力電圧は，$V_0 = -I_S R_f$となる（P点は0[V]である．）したがって，電圧増幅度Aは

$$A = \frac{V_0}{V_s} = -\frac{R_f}{R_s} \tag{5.101}$$

一方，(b)図は非反転増幅回路で入力出力は同位相となる．反転増幅回路の場合と同様にP点の電位は入力電圧V_Sと同じ電圧になり，R_SとR_fに流れる電流は等しいので$V_S/R_S = (V_0 - V_S)/R_f$の関係式が得られる．これより，電圧増幅度（$V_0/V_S$）は$1 + (R_f/R_S)$となる．

このようにOPアンプの増幅度はR_SとR_fの抵抗比で決まり，OPアンプそのものには無関係となり非常に安定した増幅ができる．

図5-49にOPアンプの種々の演算回路例を示す．

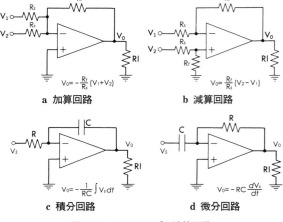

図 5-49 OPアンプの演算回路

15
電子回路-1

1. 増幅回路
A. 増幅の基本回路

トランジスタの開発以前は真空管が増幅管として用いられたが，現在ではトランジスタが増幅器の基本要素であり，さらには，これらの多くの回路要素を小型に集積したICが増幅器として使用される．そこでトランジスタを用いた増幅基本回路を図5-50に示すが，これは微小なベース電流を大きなコレクタ電流として出力する電流増幅形である．

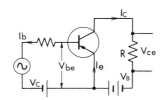

図 5-50 トランジスタの増幅回路

B. 増幅器の利得

増幅器の利得 G（ゲイン）を数量的に表すのにデシベル（dB）を用いる．

電力増幅度　$G_p = 10 \log_{10}(P_2/P_1)$ [dB]　(5.102)

ただし，P_1, P_2 は入力と出力の電力 [W] である．

電圧増幅度　$G_v = 20 \log_{10}(V_2/V_1)$ [dB]　(5.103)

ただし，V_1, V_2 は入力と出力の電圧 [V] である．

C. 直流増幅

増幅器の種類は極めて多種類にのぼるので，すべての説明はできない．そこで，放射線線量計によく用いられる直流増幅について述べる．

1) 直接結合増幅器

一般の増幅器では先に説明した，トランジスタの1段増幅では利得が不足するため，2段以上の多段結合をする．この場合，各素子の間は静電容量 C で結合していくが，直流増幅では直流成分がカットオフされるため，抵抗で直接結合していく．これを直接結合増幅器という．これは直流ばかりでなく，高周波までの広帯域増幅回路であるが，出力がわずかに時間とともに変動する．これをドリフトといい，直接結合増幅器はドリフトを伴うことが欠点である．

2) 差動増幅器

直接結合増幅器の欠点であるドリフトを除くために，直流増幅回路を2つ組み合わせたもので，その原理図を図5-51に示す．a図はトランジスタ回路であり，b図は OPアンプ使用回路である．いずれも2つの入力電圧の差電圧に比例した出力電圧が得られ，ドリフトの少ない安定した増幅ができる．

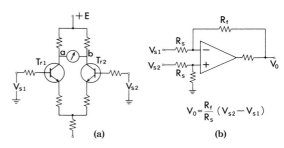

図 5-51 差動増幅回路

3) 振動容量増幅器

直流増幅器の欠点を補うために，機械的に振動する静電容量に入力の直流電圧を印加すると，$V=Q/C$ の関係から，直流電圧は振動し交流電圧となる．これを交流増幅した後，再び整流してメータで指示する．このような増幅器を振動容量増幅器または振動容量電位計とよび，比較的高い増幅度を得ることができる．

D. 負帰還

増幅器で，出力の一部または全部を入力端子に戻すことを帰還（フィードバック）といい，正電圧で戻す場合を正帰還とよび，出力は加速度的に増加して発振を起こしたりする．一方，負電圧で戻す場合を負帰還とよび，この場合は入力電圧が減少するため，増幅器としてのゲインは減少するが，入，出力の直線性がよいなど，計測用増幅器としては多くの利点がある．したがって，放射線線量計用増幅器ではほとんど負帰還が用いられる．

図5-52はその原理図である．増幅度 A の増幅器出力電圧 e_2 のうち，$R_2/(R_1+R_2)$ 倍の電圧を負帰還すると，回路全体の増幅度 A_f は

$$A_f = \frac{e_2}{e_1} = \frac{A}{1+\beta A} \qquad \beta = \frac{R_2}{R_1+R_2} \quad (5.104)$$

ここで，β は帰還率で $\beta \leq 1$ である．$\beta=1$ の場合，100％の負帰還という．このように，負帰還をかけると，増幅度は低下するが，次の利点がある．

①増幅器のゲインが ΔA 変動しても，負帰還によって，$1/(1+\beta A)$ 倍に減少する．②入力インピーダンスは（1

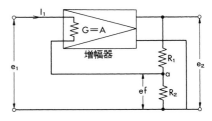

図 5-52 負帰還増幅器の原理

$+\beta A$) 倍に増加する．③入力，出力の直線性がよくなる．④周波数特性が改善できる．⑤入力の時定数が減少する．

2．パルス回路
A．矩形波発生回路
矩形波の発生には，一般にマルチバイブレータが用いられる．マルチバイブレータには，動作の方法によって，非安定，単安定，双安定の3種類がある．

1）非安定マルチバイブレータ
無安定または自走マルチバイブレータとよばれるもので，2個のトランジスタの入出力間を互いにCRで結合する．一方のトランジスタが導通のとき，他の一方が遮断状態となる動作を連続して繰り返し，いったん動作を始めると，回路電圧とCRで決まる一定の周期で連続的に発振する．

2）単安定マルチバイブレータ
非安定と同様に2個のトランジスタの出力と入力をCR結合したもので，外部からトリガパルスを入力するごとに1周期の矩形波を発生し，もとの状態にもどる．トリガパルスと出力パルスの関係を図5-53（a）に示す．したがってパルス周波数は外部からのトリガパルス周波数で決まる．

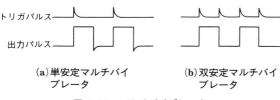

図 5-53　マルチバイブレータ

3）双安定マルチバイブレータ
フリップフロップ回路ともよばれ，計数装置や計算機などに用いられる．2個のトランジスタは抵抗で結合され，1つのトリガパルスで1回の導通，遮断状態が安定となるため，トリガパルスの入来ごとにON，OFFが繰り返される．この模様を図5-53（b）に示す．したがって，2個のトリガパルスで1個の出力が取り出せるため，集積回路のメモリICや放射線計測での2進計数回路としても使用される．

B．波形成形回路
1）クリッパ（clipper）回路：波形の上部または下部を一定のレベルで切り捨てる回路．
・並列ピーククリッパ回路，並列ベースクリッパ回路
図5-54（a）並列ピーククリッパ回路では，入力電圧がV_Bより大きい電圧の間だけRとダイオードに電流が流れ，出力はV_Bに等しい．入力電圧がV_Bより小さい間はダイオードが非導通となるため，出力には入力波形がそのまま現れる．逆に（b）並列ベースクリッパ回路では，入力波形の頭だけが出力に現れ，それより低い入力電圧では出力はV_Bに等しい．

・直列ベースクリッパ回路，直列ピーククリッパ回路
直列の場合，並列とは逆に，（c）直列ベースクリッパ回路は（b）並列ベースクリッパ回路と同様な，（d）直列ピーククリッパ回路は（a）並列ピーククリッパ回路と同じ出力波形が得られる．

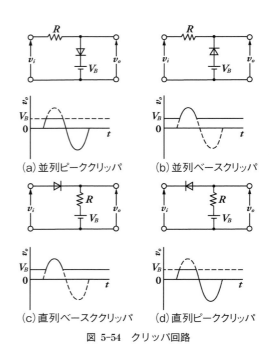

図 5-54　クリッパ回路

2）スライサ（slicer）回路：入力波形から一定電圧間だけを切り出す回路であり，ベースクリッパ回路とピーククリッパ回路を併用する．図5-55では，入力波から一定電圧V_{B1}とV_{B2}の間の電圧だけを切り出す回路である．リミッタ回路ともよばれる．

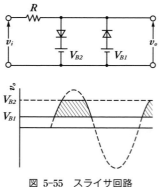

図 5-55　スライサ回路

16 電子回路-2

1. フィルタ回路
A. 遮断周波数
1) CR直列回路の周波数依存

コンデンサ C と抵抗 R からなる CR 直列回路に交流電圧 E を印加する．R の両端にかかる電圧を E_R，C の両端にかかる電圧を E_C とし，これに流れる電流を I_m とすると，

$$E=\sqrt{E_R^2+E_C^2} \quad (E_R=I_mR,\ E_C=I_m/\omega C)$$

となる．入力交流電圧 E は一定であるが周波数が変わると E の位相角が変化し，E_R と E_C の大きさが変化する．周波数が低いときは $\omega \to 0$ と近似できるので，$E_R<E_C(E=E_C)$ となるが，周波数が高いときは $\omega \to \infty$ とおくと，$E_R>E_C(E=E_R)$ となる．

2) 遮断周波数

入力電圧 E の周波数が高いときはコンデンサ C のインピーダンスは 0 となり出力電圧 E_R は入力と同じになる．よって，CR 直列回路の抵抗電圧 E_R は，入力信号の低周波成分を遮断する機能をもつ．ここで，$E_R=E_C$ となる時の周波数を遮断周波数という．したがって，

$I_mR=I_m/\omega C$ より，遮断周波数は $f_L=\omega/2\pi=1/(2\pi CR)$ となる．

B. 低周波遮断回路（ハイパスフィルタ）

低周波遮断回路は，細かい振動を通し変動成分を抽出する回路である（図5-56）．CR 回路の抵抗電圧出力は，低周波遮断回路（ローカットフィルタ）かつ微分回路である．

［例］1［μF］のコンデンサと 300［kΩ］の抵抗からなる CR 回路の時定数 $CR=(1\times10^{-6})\times(300\times10^3)=0.3$ ［s］より，低周波遮断周波数 $f_L=1/(2\pi\times0.3)=0.53$ ［Hz］となる．

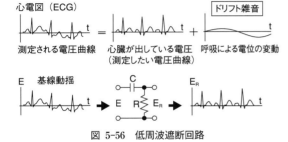

図 5-56 低周波遮断回路

C. 高周波遮断回路（ローパスフィルタ）

逆に，高周波遮断回路は緩い振動を通し変化の乏しい成分を抽出する回路である（図5-57）．CR 回路のコンデンサ電圧出力は，高周波遮断回路（ハイカットフィルタ）かつ積分回路である．

［例］1［μF］のコンデンサと 30［Ω］の抵抗からなる CR 回路の時定数 $CR=(1\times10^{-6})\times30=0.03\times10^{-3}$［s］より，高周波遮断周波数 $f_H=1/(2\pi\times0.03\times10^{-3})=5.3$ ［kHz］となる．

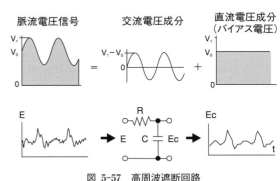

図 5-57 高周波遮断回路

2. 電源回路
A. 整流回路

交流を直流に変換することを整流という．通常，一方向しか電流を通さない半導体ダイオードが整流に用いられる．

1) **半波整流回路**：1個のダイオードを用い，交流の半周期だけ電流が流れる回路である（図5-58）．交流の正の部分のみが出力として現れる．

2) **全波整流回路**：交流の他の半周期にも電流が流れるようにした回路．

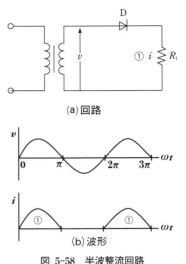

図 5-58 半波整流回路

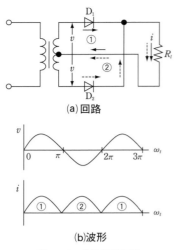

(a) 回路

(b) 波形

図 5-59 全波整流回路

図 5-59 のように，交流も正電圧のとき電流は D_1 を通り R_l を実線の向きに流れる．一方，逆電圧のとき電流は D_2 を通り R_l を逆に破線の向きに流れる．その結果，全周期にわたって同方向に電流が流れる．

また，図 5-60 のように 4 個のダイオードをブリッジにすることで，正電圧の半周期では実線の向きに流れ，逆の半周期のときは破線の向きに流れる．結果として上記と同じように，全周期にわたって同方向に電流が流れ全波整流となる．

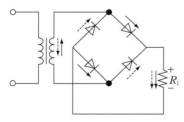

図 5-60 ブリッジ全波整流回路

B. 平滑回路

整流回路の出力電圧の向きは一定であるが，大きさは周期的に脈動（リップル）している．このままでは直流とは言い難いので，このリップルを平均して平滑化する必要がある．この目的で使用されるのが平滑回路である．図 5-61 のように出力に対して並列にコンデンサを接続した回路では，ダイオードによって整流された電流によりコンデンサを充電する．電源電圧が平滑回路のコンデンサ C の端子電圧より低くなると，コンデンサは放電する．電源電圧が C の端子電圧より高くなると再びコンデンサは充電されて繰り返す．

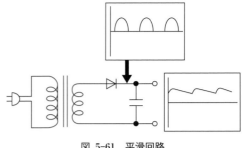

図 5-61 平滑回路

C. 直流定電圧電源

［例］2 個のトランジスタを用いた定電圧回路：

図 5-62 において，出力電圧の変動分を検出し，これと基準電圧を発生するツェナーダイオード Z. D. との差をトランジスタ Tr_1 で比較する．これを増幅して，トランジスタ Tr_2 で補正し出力電圧変動を少なくするよう制御する．

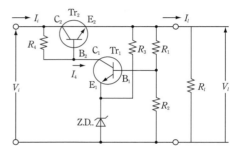

図 5-62 直流定電圧電源

D. DC/DC コンバータ

直流電圧を降圧，昇圧する回路が DC/DC コンバータであり，それぞれの回路を図 5-63(a), (b) に示す．入力電圧をトランジスタなどの制御素子の ON・OFF の時間比率によって分割し，コイルやコンデンサによって平滑化することで昇圧・降圧した出力電圧を得る．

降圧型の場合，出力電圧は ON・OFF 時間を使って次のように表される．

$$V_O = \frac{T_{ON}}{T_{ON}+T_{OFF}} V_{in} = \frac{T_{ON}}{T} V_{in} \qquad (5.105)$$

ここに，T は ON・OFF の周期であり，$\frac{T_{ON}}{T}$ をデューティ比と言う．

一方昇圧型の場合はデューティ比を D とおくと，出力電圧は次のように表される．

$$V_O = \frac{T_{ON}}{1-D} V_{in} \qquad (5.106)$$

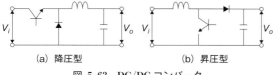

図 5-63 DC/DC コンバータ

3. A/D コンバータ，D/A コンバータ

1) **A/D コンバータ**（アナログ−デジタル変換回路）：ADC ともいい，連続量であるアナログ信号を離散化されたデジタル信号に変換する電子回路である（図 5-64）．サンプリングレート（周波数）によって精度が決まる．

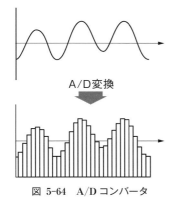

図 5-64 A/D コンバータ

2) **D/A コンバータ**（デジタル−アナログ変換回路）：DAC ともいい A/D コンバータと逆に，デジタル信号をアナログ信号に変換する電子回路である（図 5-65）．A/D コンバータと同様にサンプリングレート（周波数）によって精度が決まる．

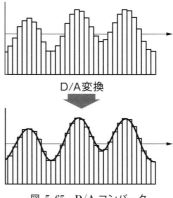

図 5-65 D/A コンバータ

関連事項

インバータ（inverter）：直流電源から交流電源に逆変換する装置

　交流電源を一旦，直流に変え，それを可変周波数，可変電圧の交流に変換する装置もインバータという（例：エアコン，冷蔵庫，蛍光灯等）．
　スイッチを交互に切り替えることにより変圧器の一次側電圧の向きが変わり二次側に交流が得られる．トランジスタ 2 個をスイッチとして用いて交互に ON/OFF させてインバータを構成する．エアコン，冷蔵庫など交流モーターは電源周波数に比例して回転数が変化する．家庭用電源は周波数が一定であり回転数が変化できない．「インバータ」がない頃は電源のオン，オフ制御か機械的に回転数を変化していた．

コンバータ（converter）：交流電源を直流電源に順変換する装置

　インバータを利用して直流電源から電圧の異なる直流電源を得る変換装置もコンバータという（例：DC/DC コンバータ，スイッチング電源）．
　変圧器から 2 個のトランジスタのコレクタからベースに正帰還を行い，ON/OFF を自動的に行わせる．その後，整流平滑回路を使って直流電源へ変換しコンバータを構成する．DC/DC コンバータ（直流電源発生器）は小型高性能な直流電源であり，放射線検出器のバイアス等に供給する定電圧源である．

17 電磁気現象と生体

1. 電磁波による影響
X線やγ線等のエネルギーの高い電磁波は電離放射線といわれDNAの破壊など生体に重大な影響を及ぼすことが知られている．一方，イオン化するだけのエネルギーをもたない低エネルギーの電磁波は非電離放射線といわれ，生体に対する影響は神経刺激（感電）および熱的作用（体温上昇）の二つと考えられている．しかし，長期間の低レベル電磁界の生体に与える影響などは研究段階であり未だ明らかになっていない．

2. 磁界による影響
生体は磁気的にはほぼ透明なので，磁界と人体組織の直接的影響を考える必要はほとんどなく，高周波磁界と人体との結合は磁界の誘導する電界による影響と考えてよい．

3. 神経刺激
体内に電流が流れると神経細胞の細胞膜に電位差が生じ，ある値を超えると神経細胞が興奮する．刺激作用は電磁界によって生体組織に誘導される電流のために神経や筋が興奮し不随意な運動が生じる．この現象は30 [kHz] 以下の低周波で問題となる．筋細胞も同様に心筋や呼吸筋が電気刺激されると心停止や呼吸停止につながる恐れがある．心筋に直接20 [mA] 程度の電流が流れると心室細動を生じさせる．心筋に直接電流が流れて受ける影響をミクロショックという．これに対して，体外から電流を流したときには，100 [mA] 程度で心停止につながることもある．

4. 熱的作用
電磁界によって生体が発熱する作用を熱的作用とよぶ．電磁界が時間的に速く変化すると表皮効果によって細胞膜にかかる電圧が下がるので神経刺激作用が低下し，熱的作用が支配的になる．体重1 [kg] あたり1秒間に吸収されるエネルギーとしてSAR（Specific Absorption Rate；比吸収率）（単位：W/kg）が定義されている（8章「診療画像検査学」1．MRI検査を参照）電磁界の熱的作用による生体への影響については，以下に述べる安全基準が定められている．

A. 全身SAR：0.4 [W/kg]
深部体温上昇による生体影響の指標であり，動物実験ではSARが4～8 [W/kg] を超えると体温の上昇にともなう熱調節行動など，様々な生体影響が生じることが知られている．人体では安全率を考慮して，その1/10である0.4 [W/kg] が防護指針となる．

B. 局所SAR：8 [W/kg]
ファントム内の局所SARは全身平均の約20倍なので，全身SARの20倍である8 [W/kg] が防護指針である．身体の局所に集中して曝露されると，深部体温には影響が及ばなくても局所の組織の温度が上昇する．生体組織の局所に電力吸収が集中すると局所組織が上昇し，44℃程度以上に長時間保たれると熱傷などの障害が生じる．眼球では41℃程度で白内障が生じる．携帯電話など専門家の管理下でない状況で使用されるものは，さらに1/5の1.6 [W/kg] を上限とする．

C. 熱的作用の生体への影響
電磁界のエネルギーを吸収した結果による体温上昇に起因しているので，安全基準を守っている限り危険性はほとんどない．しかし，電磁界の生体への悪影響としては，白内障，不妊，胎児奇形などが報告されている．

5. 非熱的作用
非熱的作用の場合も生体組織内部の電界による影響が支配的と考えられる．神経刺激や熱的作用以外に電磁界が生体に及ぼす影響に関する明確な結論はでていないが，下記のような報告がある．

低レベル電磁界への継続的曝露の影響
長期にわたり熱的作用は無視できる程度の弱い電磁界による影響，たとえば，高圧電線下の住民，発電所・変電所で働く人々への疫学的調査では明確な結論はでていないので，現段階ではどのような影響がでるかは一概にはいえない．

6. 医用電気機器の安全性
1) マクロショック：体表に着けた電極，患者の手などを介して受ける電撃．許容電流：100 [μA]
  - 最小感知電流：1 [mA]
  - 最大許容電流：5 [mA]
  - 脱離電流：10（～20）[mA]
  - 心室細動がおこる電流：100 [mA]
  - 火傷電流：数 [A]

2) ミクロショック：心臓の電極を介して受ける直接心臓に流れる電撃．許容電流：10 [μA]

7. 身のまわりの電磁界（制限値）
1) 送電線の作る電界：国内，地上では3,000 [V/m] 以下に制限されている．
2) 電気毛布が作る電界：30 cm 離れて 250～3,000 [V/m] に制限されている．
3) 他の家庭電気器具の電界：数10 [V/m] 以下に制限されている．
4) 携帯電話のSAR：0.6 [W] 以下に制限されている．

18 電気計器

1. 可動コイル形計器

永久磁石のN,S極の間に指針をつけた可動性のコイルを置く．コイルに直流電流を通すと，コイルの中で磁束と鎖交する部分に，フレミング左手の法則に従った電磁力が働き，駆動トルク τ により指針は回転する．τ は通じた電流 I に比例するため，$\tau = kI$ で表される．電流 I と回転角 θ は比例するため，計器は平等目盛となる．電流を逆方向に通すと指針は逆回転するため，交流電流の測定はできない．また，脈動電流の場合は平均値を指示する．

2. 可動鉄片形計器

コイルの中に鉄片Aを固定し，その近傍に指針をつけた可動性の鉄片Bを置く．コイルに電流を通すと，鉄片Aは磁化され，鉄片Bを吸引または反する．この力で指針は回転し，回転軸に取りつけたばねの制御トルクと平衡したところで指針は止まる．したがって，吸引形と反形の2種類がある．磁化による駆動トルクはコイルに通じた電流の2乗に比例するため，この計器は2乗目盛となり，不平等となる．磁化は直流でも交流でもできるが，直流では鉄片がヒステリシス現象で残留磁化を残し，誤差を生ずるため，交流電流ならびに交流電圧の測定に限定される．この計器は実効値を指示する．

3. 整流器形計器

交流を可動鉄片形計器で測定すると不平等目盛となるため，交流を全波整流して脈動直流に変換し，可動線輪形計器を動作させる．その結果，交流電流，電圧が平等目盛で読みとれる．目盛は実効値で指示する．

4. 静電形計器

2枚の固定電極Aと指針をつけた可動電極Bの間に電圧を加えると，両電極間に静電気による吸引力または反力が働き，指針は回転する．静電力は電圧の2乗に比例するため不平等目盛となるが，電極構造の改良で平等に近い目盛にできる．数 [kV] から数 10 [kV] の高い直流または交流電圧が測定できる．電流は測定できない．

5. 熱電形計器

測定すべき電流を抵抗線に流し，抵抗線の温度上昇を熱電対で検出し，熱電対の起電力を可動線輪形計器で指示する．抵抗線の発熱は電流の2乗に比例するため，不平等目盛となる．この計器は 100 [mA]～200 [A] 程度の交流，直流電流が測定でき，特に高周波電流の測定に適している．

6. デジタル計器

測定しようとする電気諸量（電圧，電流等）を A-D（analog-to-digital）変換器を用いて処理する方法と，電気諸量をパルス列に変換して，その数を LED や液晶素子用いて表示する方法がある．いずれも電気諸量を数値表示により読みとるもので，現在の電気計器のほとんどはこの方法による．

7. オシロスコープ

垂直偏光板と水平偏光板を備えた真空管で，時間的に変化の早い電気現象を真空管内面の蛍光板で観察できるものである．CRT（Cathode Ray Tube）ともよばれテレビジョンを始め多くの分野で広く用いられているが，オシロスコープは波形や周波数，ひずみ，位相等の電気現象の観測，分析を目的に使用される．水平偏光板に鋸歯状波電圧を印加すると，フィラメントから放射された電子はブラウン管の蛍光面上で等速運動をして時間軸をつくる．そこで垂直偏光板に観測波形電圧を印加して，電圧周期を時間軸に同期させると，蛍光板上で固定された波形として観測できる．また時間的に不規則な波形でもトリガ掃引すると固定波形として観測できる．図 5-66 は垂直と水平偏光板にそれぞれ正弦波交流電圧を印加し，周波数比と位相差を変化させたときの図形で，これをリサージュ図形とよぶ．この原理を利用して交流電圧の周波数や位相差の測定ができる．

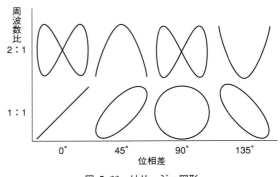

図 5-66 リサージュ図形

19 諸効果・法則と単位

1. 電気の諸効果

A. ゼーベック効果
熱電対の原理となるもので，2種の異なる導体または半導体の両端を接合して，両端に温度差をつくると回路に起電力が発生して電流が流れる現象をいう．銅―コンスタンタンや，クロメル―アルメル熱電対などが温度測定素子として用いられている．

B. ペルティエ効果
ゼーベック効果の逆現象で，異種の導体または半導体の一端を接合して電流を流すと，接合点に熱の発生または吸収の起こる現象をいう．そして電流の方向を逆にすれば熱の発生と吸収は反転する．発生する熱量と電流の大きさは比例し，電子冷却などに利用している．

C. ホール効果
板状の導体に電流を流し，電流の方向と垂直方向に磁場をかけると，両者と垂直な方向に電場を生じて起電力を発生する現象をいう．互いの方向はx，y，z軸の関係にある．この効果を利用して磁場の強さの測定や，X線関係ではX線発生装置の管電流測定に用いている．

D. マイスナー効果
超伝導体の磁気現象に関する効果で，超伝導性のある金属球を磁場の中で冷却して超伝導状態にすると，金属の中の磁束密度が完全に0になる現象をいう．これは完全反磁性を示す性質といえる．

E. トンネル効果
量子力学系において，一定のエネルギーのポテンシャル障壁があるとき，これよりも小さい運動エネルギーをもった粒子が，ある確立をもってこの障壁を突き抜けて外へ飛び出したり，または内部に入り込んだりする現象をいう．α粒子が原子核から飛び出す現象や，この効果を利用したトンネルダイオードなどがある．

F. ポッケルス効果・カー効果
結晶に電界を加えたとき，結晶の光屈折率が変化する現象をいう．屈折率の変化が電界の強さに比例するときをポッケルス効果とよび，電界の2乗に比例するときをカー効果という．そして，両者を総称して電気光学効果とよんでいる．結晶の分極のし易さや結晶の対称性によって変化し，すべての結晶で見られるわけではないが，この効果をもつ物質は光変調器などに利用される．

2. 電気の諸法則

A. オームの法則（☞ p.143）
B. キルヒホッフの法則（☞ p.144）
C. ジュールの法則（☞ p.144）
D. ファラデーの法則

電気分解量と電気量の関係を表す．電気分解による析出量 W [g] は電流 I [A] と通電時間 t [s]，すなわち電気量 Q [C] に比例し，分解物質の化学当量（原子量/原子価）M/n に比例する．

$$W = \frac{1}{F} \cdot \frac{M}{n} It = ZQ \qquad (5.107)$$

Fはファラデー定数で（9.65×10^4 C/グラム当量），Zを電気化学当量という．

E. クーロンの法則（☞ p.148，p.150）
F. ビオ・サバールの法則（☞ p.150）
G. 右ネジの法則（☞ p.150）
H. フレミングの法則（☞ p.152，p.153）
I. レンツの法則（☞ p.153）

関連事項

JIS 電気用図記号の新旧対比

電気回路図に用いられる素子記号は日本工業規格（JIS）で定められている．JISの改定に伴い新たな記号が用いられることとなったが，依然として旧記号も使われている．新旧の記号が混在して使われている実態を踏まえ，医用工学で頻繁に用いられる電気記号について，新旧で記号が大きく変わったものを表に示す．

表 5-1 JIS 電気用図記号の新旧対比

素子		新記号	旧記号
抵抗器	抵抗器		
	可変抵抗器		
コイル			
変圧器			

6章 診療画像機器学（X線）

● 赤澤博之（1-14）
● 笠井俊文（15-17）
● 向井孝夫（18）

　本章では国家試験出題基準のうち，Ⅰ．診療画像技術学の大項目2．診療画像機器を扱う．その内容は，X線発生装置，X線映像装置および関連付属機器，各種のX線検査システム，X線CT装置，MRI装置，超音波画像診断装置，（無散瞳）眼底写真撮影装置等に関する動作原理や構造，特性（機能と性能）ならびに品質・安全管理である．

　本書は国家試験の勉学を手助けすることを目的に計画されたことから，臨床関係の内容と検査機器の内容を包含するように編集し，できるだけ理解しやすいような形態にすることにつとめた．したがって，この第6章の診療画像機器学は，その解説内容をX線関係に限定するとともに，X線CTと骨密度測定装置に関しては，機器とともに検査法も含めて解説した．X線撮影技術学に関しては，解説内容が非常に多いため，機器に関しては本章で行い，検査法については第7のX線撮影技術学で解説した．またMRI装置，超音波画像診断装置，（無散瞳）眼底写真撮影装置は第8章診療画像検査学で解説している．

　したがって，本章ではX線撮影装置に関する機器工学についての勉学をするとともに，X線CTと骨密度測定装置に関しては，機器と検査法を含めた臨床関係の知識を習得していただきたい．特にX線CTでは臨床画像に関する出題が増えており，臨床画像をできるだけ多く観察することが必要である．また，X線診断装置についても最近の技術的進歩は著しいため，十分に時代の動きにも着目していただきたい．特にFPD（フラットパネルディテクタ）などのデジタル診断装置の普及は目覚ましく，次章のX線撮影技術学と併せて理解を深めていただきたい．

1 医用X線装置の構成

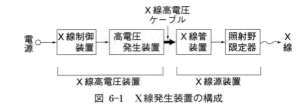

図 6-1　X線発生装置の構成

医用X線装置はJISで表6-1のように分類される．これらは管電圧10kVから400kVの装置に適用され，X線発生装置，X線機械装置，X線映像装置，X線画像処理装置および関連機器から構成される．

1. X線発生装置

X線発生装置とは電源設備から電力を供給して，X線を照射するための一連の装置をいう．大きく分類して，X線高電圧装置（高電圧発生装置とX線制御装置）とX線源装置ならびに付属品から構成される（図6-1）．

一方，一体形X線発生装置はX線制御装置，高電圧発生装置，X線管装置を一体として1つの油槽の中に収納したもの，または制御装置のみ別にして，高電圧発生装置とX線管装置を一体としたものである．これらは歯科用X線装置（口内法用デンタル装置）および可搬形X線撮影装置として使用される．

A. X線管装置
防護形X線管容器にX線管（図6-2，6-3）を封入したものをX線管装置とよぶ．

B. X線管装置付属器具
X線管装置と組み合わせて使用するもので，①照射野限定器（可動絞り，照射筒），②光照射野投光器，③十字投光器，④暗流X線遮蔽シャッタ，⑤冷却用送風器などをいう．

C. X線高電圧装置
X線制御装置と高電圧発生装置から構成され，電源設備から供給される電力をX線制御装置で調整した後，高電圧発生装置（高電圧変圧器，高電圧整流器など）を用いて，X線管に印加すべき管電圧（25〜150kV程度）を発生させる．

1）変圧器式X線高電圧装置
　①2ピーク形X線高電圧装置：単相電源で作動し，電源の各周期に2つのピークをもつ装置
　②6ピーク形X線高電圧装置：三相電源で作動し，電源の各周期に6つのピークをもつ装置
　③12ピーク形X線高電圧装置：三相電源で作動し，電源の各周期に12のピークをもつ装置

2）インバータ式X線高電圧装置
X線照射中に直流電力を交流電力に変換して（インバータ回路），必要な高電圧を得る．
　①変圧器形インバータ式：撮影時にX線照射エネルギーを電源設備から供給する装置（据置形）
　②エネルギー蓄積形インバータ式：撮影時にX線照射エネルギーを蓄電池またはコンデンサから供給

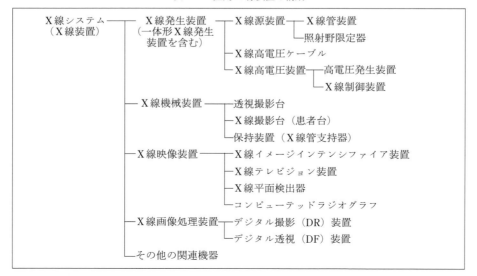

表 6-1　医用X線装置の構成

する装置（可搬形）
3) **定電圧形X線高電圧装置**
管電圧リプル百分率が4%を超えない装置
4) **コンデンサ式X線高電圧装置**
電気エネルギーをコンデンサに蓄え，その放電によってX線管に1回の負荷を供給する装置で，コンデンサ容量2μF以下でX線照射の開閉を高電圧側で行うもの．格子制御形X線管（三極X線管）を組み合わせて使用する．

2. X線機械装置

X線管装置やX線映像装置および被検者を保持するための，X線透視撮影台，X線撮影台，保持装置などをいう．検査部位や種別により様々なタイプに分かれる．成人を対象とする装置では，100 kgの体重まで正常に動作し，騒音は正常な使用状態で65 dBを超えてはならない．

A. **X線透視撮影台**
一般透視撮影台と特殊透視撮影台に分けられる．

B. **X線撮影台**
直接撮影台，間接撮影台，断層撮影台，X線CT撮影台，特殊撮影台に分けられる．

C. **保持装置**
天井式保持装置，床上式保持装置，壁掛式保持装置，台車式保持装置に分けられる．

血管造影・IVR，乳房撮影に用いるCアーム型の保持装置やX線CTのガントリもここに含まれる．

3. X線映像装置

被写体を透過したX線像を検出または観察する装置で，X線イメージインテンシファイア，X線間接撮影用ミラーカメラ，X線テレビジョン（X線テレビカメラ，X線テレビモニタ），FPD装置，CR装置などがある．

4. X線画像処理装置

画像信号のデジタル処理を行う装置で，デジタル撮影（DR）装置，デジタル透視（DF）装置などをいう．

2 医用X線管

1. X線管の構造

外囲器（おもにガラス容器）の中に陰極と陽極を封入し、管内を高真空（約 10^{-7} mmHg）にした、熱陰極を有する2極の真空管である。図6-2に固定陽極X線管の構造を示す。

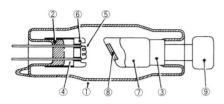

図 6-2　固定陽極X線管の構造
①外囲器，ガラスバルブ　⑥集束電極
②ステム　　　　　　　　⑦陽極
③リングシール　　　　　⑧ターゲット
④陰極　　　　　　　　　⑨放熱器
⑤フィラメント

A. 陰　極 cathode

X線発生に必要な電子源として，高温に熱したフィラメントから放出される熱電子を用いる．フィラメントは直径0.1～0.3mmのタングステン線をコイル状に巻き，10数V，数Aの交流電力で高温に熱する．一方，熱電子流をターゲット上の焦点面に集束させるために，**集束電極**を用い，フィラメントは集束電極の溝の中に組み込む．陰極の構造で焦点サイズが決まる．

1つの陰極に2つのフィラメントを備えたものを**二重焦点**とよび，これにより，大焦点と小焦点を得るようにする．固定陽極X線管は単焦点が，回転陽極X線管は二重焦点が主流である．

また，格子制御形X線管（**三極X線管**）では，フィラメントの前に格子（グリッド）を設け，これに負電圧を加えることにより，熱電子流を制御する（つまり，X線の照射／遮断を制御する）構造の陰極であり，コンデンサ式X線高電圧装置と組み合わせて使用する．

B. 陽　極 anode

陰極からの熱電子流を受けとめる働きをするターゲットを有し，熱電子が直接衝撃する**ターゲット上の一部を実焦点**という．陽極にはその構造と形状から，固定陽極と回転陽極がある．

固定陽極は図6-2のように全体を銅で作り，その先端にタングステン板を埋め込んで，ターゲットとする．

ターゲットとして必要な条件を次に示す．
1) 原子番号が大きいこと：X線の発生効率はターゲットの原子番号に比例する．
2) 溶融点が高いこと：ターゲットを衝撃する熱電子のエネルギーのおよそ99％は熱となり，ターゲットを高温にする．
3) 蒸気圧の低いこと：蒸気圧の高い金属はX線管内のガス圧力を増し，その結果真空度が低下する．
4) 電気伝導のよいこと：ターゲット内を電子が自由に通過することによって，X線管高圧回路が形成される．

以上の条件を満足する金属として，タングステン（原子番号74，溶融点3,450°C）が最適材料として用いられる．また，タングステンは高温になると結晶構造の変化により，焦点面が荒れてX線出力の低下につながる．焦点の荒れを防止するために，レニウムのような金属を添加するのが一般的である．

固定陽極管の陽極に銅を用いる理由は，ターゲットで発生した熱をすみやかに外部へ放散する目的で，熱伝導と電気伝導の良好な材料として最適である．

一方，回転陽極は図6-3のように，タングステンでターゲット円板（直径80～200mm程度）を作り，実焦点を円軌道上に形成する．

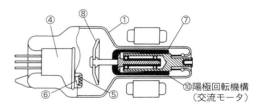

図 6-3　回転陽極X線管の構造
⑩陽極回転機構（交流モータ）

陽極の回転はターゲット円板に直結された銅製の回転子と外部の固定子からなり，誘導電動機（交流モータ）の原理により，固定子から回転磁界が与えられ，回転子は次式の速度で回転する．

$$N = \frac{120f}{P}(1-S) \text{ [rpm]} \qquad (6.1)$$

ただし，fは電源周波数，Pは磁極（固定子）の数，Sは滑り（約0.1），Nは1分間の回転数．Pは通常2であるから，電源周波数60Hzの場合約3,200rpm，50Hzでは約2,700rpmとなる．また3倍高速回転陽極は電源周波数fを3倍にし，約9,000rpmを得る．

C. ガラスバルブ

X線管の陰極と陽極はガラス容器に封入され，X線管用ガラスとしては，1) 電気絶縁耐力が大きいこと，2) 高真空が保てること，3) 温度変化に強いこと，4) X線吸収が小さいこと，5) 機械的強度が大きいこと．

以上の条件を満足するものとして，現在は硬質ガラスを用いる．

2. 焦 点
A. 実焦点と実効焦点

図 6-4 のように，フィラメントから放射された熱電子が，ターゲットを衝撃する面積を**実焦点**とよび，X線管の許容負荷（特に短時間許容負荷）を決める．またX線管の利用線錐方向から見た，基準面への垂直投影を**実効焦点**とよび，X線画像の鮮鋭度（幾何学的半影）に影響する．したがって，実焦点は大きく，実効焦点は小さくすることがX線管の理想であり，回転陽極はこれを実現した．

焦点の大きさはX線管軸に対して垂直方向（基準軸方向）の実効焦点寸法で表し，これが正方形となるよう設計されている（一般撮影用の大焦点で 1～2 mm，小焦点で 0.5 mm 程度）．基準軸と実焦点面との角度（8～15 度程度）を**陽極角**または**ターゲット角**とよぶ．ターゲット角が小さいほど，実焦点は同じでも実効焦点は小さくなる（実効焦点を同じとすると，実焦点は大きくなる）が，X線放射角が小さくなり有効照射野が狭くなる．またX線放射強度は陽極側で小さく，陰極側で大きくなり，このようなX線強度（量）の変化を**ヒール効果**という．線質はターゲットによる自己吸収の影響で陽極側が硬質となる．

B. 正焦点と副焦点

フィラメント前面から放射された熱電子の作る焦点を**正焦点**とよび，フィラメントの側方向から出た電子が集束電極で反射されて作る焦点を**副焦点**という．両者を合わせて実焦点となり，電子密度は正焦点のほうが大きい．実焦点面での温度上昇を考慮して，正焦点のやや内側に副焦点がある状態が望ましい．

C. 照射条件による焦点寸法の変化

焦点寸法はX線照射時の管電圧，管電流によって若干変化する．

1) 管電流の影響：管電圧を一定にして管電流を増すと焦点は大きくなる．低管電圧では特にこの影響は大きい．これは熱電子流の増大により，熱電子相互の

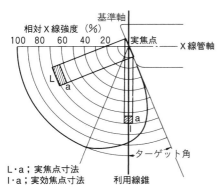

図 6-4　X線管焦点と強度分布

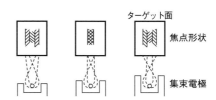

図 6-5　陰極（集束電極）構造による正焦点と副焦点の関係

クーロン斥力が大となり，電子軌道が広がるからである．この現象を**ブルーミング効果**という．

2) 管電圧の影響：管電流を一定にして管電圧を増すと焦点は小さくなる．これは，管電圧の増大とともに，電界強度（陽極側への熱電子の吸引力）が大きくなるからである．実効焦点の大きさの測定法として，**ピンホールカメラ法，スリットカメラ法，解像力法**がある．

3. 焦点外X線

ターゲットを衝撃した熱電子の一部は散乱を起こし，2次電子として陽極外に飛び出るが，再び電界に引かれて陽極にもどるときX線を放射する．2次電子のもどる位置は実焦点とは限らず，実焦点以外の陽極全体からX線を放射する．このようなX線を**焦点外X線**という．陽極に銅を用いた固定陽極では発生量は少ないが，回転陽極では陽極全体が原子番号の高いタングステンであるため（X線発生効率が高く），発生量が多い．焦点外X線は鮮鋭度の低下やコントラストの低下，被ばく線量の増大などの悪影響を起こす．

焦点外X線は管電圧の上昇とともに発生量は増加する傾向があり，実焦点の近傍での発生量が多い．また焦点から遠い位置になるほど2次電子のエネルギーも大きく線質が硬くなる傾向がある．

焦点外X線の除去には，X線放射窓につける鉛コーンと可動絞りの奥羽根で，照射野外は大幅に除去できる．また照射野内に混入した焦点外X線は，固有ろ過および付加ろ過（あわせて総ろ過）で吸収される．

4. 防護形X線管容器とX線管の冷却
A. 防護形X線管容器

X線管を収納する管容器は次の条件を備える必要がある．

1) 防電撃（感電防止）であること．そのため軽金属容器で作り，これを接地する．2) 防X線であること．X線放射口以外から漏洩X線の出ないように鉛板を内張りする．3) 高電圧ケーブルのソケットを備えていること．4) X線放射窓を備えていること．5) 油浸式の場合は熱による油の膨張を吸収するベローズを備えていること．6) 回

転陽極では陽極駆動用の固定子が組み込めること．

B. X線管の冷却（熱の移動）

X線管の陽極の冷却には，物理的に**放射**，**伝導**，**対流**の3現象があり，これらの組み合わせで冷却されている．

固定陽極管では，主としてターゲットの熱は伝導により陽極金属を通じて外部に導かれ，油冷，空冷，水冷などの方法で冷却される．一方，回転陽極管では回転軸受（ベアリングなど）に熱が伝わらないよう，ターゲット円板の軸を細くし，ターゲットの熱は主として放射によりガラス壁を通して周囲の絶縁油に伝える．また，熱の一部は伝導により陽極端にも伝えられる．絶縁油の熱は強制循環冷却または管容器を介して自然冷却か強制空冷で冷却する．

5. 特殊なX線管

A. 乳房撮影用X線管

乳房などの軟部組織撮影専用のX線管で，使用管電圧は20〜40kV，X線放射窓はベリリウムとし，ターゲットにモリブデン（またはロジウム）を用いるとともに，モリブデン（またはロジウム）のエッジフィルタを組み合わせて，モリブデン（またはロジウム）の特性X線を利用して，X線画像のコントラストを増す．

図6-6はMoターゲットX線管から管電圧30kVで発生したX線スペクトルを示す．Moフィルタを付加するとMoのK吸収端（20keV）以上のX線が選択吸収されて，MoのK特性X線（K_α：17.4keV，K_β：19.6keV）を中心としたスペクトルとなる．

B. 立体撮影用（双焦点）X線管

1つのターゲット上に数cm離して2個の焦点を備え

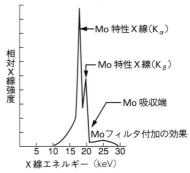

図6-6　MoターゲットによるX線スペクトル

たX線管で，2つの焦点から交互にX線を放射することによって，立体撮影をする．

C. X線CT用X線管

近年のX線CTはマルチスライス化によって，人体の一定容積の画像情報を一度のスキャンで得ようとするため，極めて大容量の回転陽極X線管が必要になる．そのためにはターゲットの熱容量を増すとともに，冷却効率を上げなければならない．熱容量を増すためには，ターゲットの厚さと直径を大きくすることが必要で，厚さ40mm，直径200mmにも達する．さらに熱容量を増し，重量を軽減するために，タングステン・モリブデン張り合わせ陽極や，タングステン・カーボン張り合わせ陽極が使われる．また冷却効率を上げるためには，油強制循環冷却により，X線管の絶縁油を外部に設置された熱交換器で冷却する方法が用いられる．一般的な使用条件は，管電圧80〜140kV，管電流100〜500mA，照射時間は数〜30秒程度であり，陽極熱容量は8MHU程度にも及ぶ．

3 X線管の動作特性と故障

1. X線管の動作特性

X線管は陽極と陰極を備えた二極管であるから，図6-7に示すような動作特性（二極管特性）となる．これはフィラメント電流（If）をパラメータとして，管電圧に対する管電流の変化を示したもので，管電圧の低い領域では陰極近傍の熱電子（空間電荷）が滞留して十分な管電流が得られない．この領域を**空間電荷領域**とよび，管電流は管電圧の3/2乗に比例する．乳房撮影では，この領域で動作する．さらに管電圧を増すとやがて管電流は若干の勾配をもちながら飽和する．この領域を**飽和領域**（または温度制限領域）とよび，一般撮影ではこの領域で使用される．

空間電荷領域，飽和領域とも，管電流は電極間距離の2乗に反比例する．

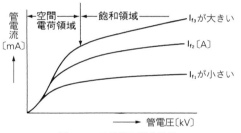

図 6-7 X線管の動作特性

2. 管電流特性（エミッション特性）

横軸にフィラメント電流を，縦軸に管電流をとり，管電圧をパラメータとして表した曲線をエミッション特性という．この特性はX線管の種類（フィラメント材料，陰極構造，焦点寸法）のほか，管電圧波形（整流方式）によっても変わる．

3. フィラメント特性

フィラメント電圧に対するフィラメント電流の変化を表した曲線をフィラメント特性という．フィラメントの材質，形状，焦点寸法によって特性が変わる．X線管では，5〜15V，3〜5.5A程度．

4. 格子制御形X線管（三極X線管）の特性

A. 管電流遮断特性

三極X線管はフィラメントを点火し，管電圧を印加した状態で格子（グリッド）に負電圧を印加することによって，熱電子流を遮断する働きをする．格子電圧はX線管電圧が増すほど，大きな負電圧にする必要がある．遮断に必要な格子電圧は−数kV程度となる．

B. 暗流X線

コンデンサ式装置に使用する三極X線管では常時，管電圧が印加されているため，格子に十分な負電圧を加えたとしても，格子表面や陰極部から若干の電子流が流れる（数μA）．これにより発生するX線を暗流X線とよぶ．暗流X線は管電圧の印加中，常時放射されるため，X線管放射口に照射時のみ開く鉛シャッタ（暗流X線防止シャッタ）を装着してX線防護をしている．

5. X線管の故障

A. グローの発生

X線管の真空度が低下し，管内の気体分子数が増加すると，熱電子はガス増幅を起こし二次電子数が急増するため，管電流は急激に増大する．フィラメントの点火を消しても，若干の陰極放出電子がガス増幅を起こし，同じ状態に至るため，フィラメント加熱による管電流制御は全くきかない．

グローの発生原因は，製作時の排気不良，過負荷によるガス放出などの経年変化が考えられる．

B. フィラメントの断線

フィラメントはX線照射時に高温となるため，徐々に蒸発して細っていき（やせ），最終的には断線してしまう．その結果，高電圧を印加してもX線は発生しない．

C. ターゲット（実焦点）の荒れまたは溶融

過負荷および経年変化によりターゲット面が荒れたり，溶融すると，ターゲット面の凹凸により発生X線の自己吸収が起こり，同一管電圧，管電流でも出力線量率は低下する．溶融が起こるとガス放出が顕著となり，グローとなることもある．

4 高電圧発生装置

　高電圧発生装置は，主として高電圧変圧器，フィラメント加熱変圧器，高電圧整流器から構成される．また発生した高電圧をX線管へと導くためにX線高電圧ケーブルが用いられる．

1. 高電圧変圧器（主変圧器）

　100～200 V の交流電圧を 40～150 kV の高電圧に昇圧するために用いる．n_1 を1次巻線数，n_2 を2次巻線数とし，V_1, V_2 を1次，2次電圧（実効値），I_1, I_2 を1次，2次電流（実効値）とすると，次の関係となる．

$$\frac{n_2}{n_1} = \frac{V_2}{V_1} = \frac{I_1}{I_2} \qquad (6.2)$$

　2次巻線は，中性点で2組に分割して接地する．変圧器出力電圧を V とすると，中性点接地することにより，X線管の陽極側には $+V/2$，陰極側には $-V/2$ の電圧が印加され，その結果，高電圧回路全体は $V/2$ の絶縁耐力でよい長所がある．mA 計を中性点に接続することにより，管電流が読み取れる．

　ただし，管電圧はピーク（最大）値で，管電流は平均値で表示するため，単相交流での実効値への換算は次のようになる．

$$\text{実効値} = \frac{\text{ピーク値}}{\sqrt{2}} = \frac{\pi}{2\sqrt{2}} \text{平均値} \qquad (6.3)$$

式6.2と式6.3より単相2ピーク装置での1次電圧 V_1，1次電流 I_1 と管電圧 kV，管電流 mA の関係は次式となる．

$$V_1 \cdot I_1 = \frac{\text{kV}}{\sqrt{2}} \cdot \frac{\pi}{2\sqrt{2}} \text{mA} \qquad (6.4)$$

2. フィラメント加熱変圧器

　X線管のフィラメント加熱に用いるフィラメント電圧は 10 V 前後であるから，加熱変圧器では約 100 V の1次電圧を 10 V 前後に降圧させる．しかし，2次巻線には高電圧が印加されるため，1次‐2次巻線間の絶縁耐力は，高電圧変圧器と同等でなければならない．したがって，高電圧変圧器と同じ油タンクの中に設置される．

3. 高電圧整流器

　X線高電圧装置の整流器としては，耐電圧，電流容量の観点から，現在は PN 接合形のシリコン整流器が主流である．

　シリコンは1素子当たりの耐電圧が 1,000 V 程度と高く，素子の積層が少なくてすむため，順方向の電圧降下も小さい．また，電流容量も大きいため X線高電圧装置に適している．しかし，瞬間的でも過電圧に弱いため，零位相投入や過電圧防止回路が必要となる．

4. X線高電圧ケーブル

　高電圧変圧器，高電圧整流器などを収容した油タンクから，X線管に高電圧を導くために用いる．構造は導線，絶縁体層，外部被覆から構成される（図6-8）．導線は3芯と4芯のものがあり，3芯は二重焦点X線管（大フィラメント用，小フィラメント用，共通端子の3芯）に，また4芯は三極X線管を二重焦点で使うとき（フィラメント加熱に3芯，格子に1芯）に必要である．また陽極端子は1芯でよいが，ケーブルに互換性をもたせるために同じ種類のケーブルを用い，各芯線を一まとめにして陽極に接続する．

　絶縁体層はゴムまたは合成樹脂が用いられ，芯線近傍は半導電層の被覆をする．絶縁体層の外側は金属編組で覆い，これを接地することにより，高電圧からの感電を防止する．金属編組の外側はビニールまたはクロロプレン混合物で包んだシースケーブルが用いられる．

　X線高電圧ケーブルは中心導線と外部金属編組の間に高絶縁体層があるため，一種のコンデンサを形成し，その静電容量は約 250 pF/m 程度である．この静電容量により，①周波数が高いほど，②管電流が小さいほど，③ケーブルが長いほど，管電圧波形の平滑化作用が大きくなり，リプル百分率が小さくなる．

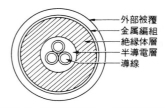

図 6-8　X線高電圧ケーブルの断面図

5 整流方式（高電圧回路）

1. 自己整流方式（1ピーク形）（図6-9）

高電圧変圧器 T_1 の2次巻線に直接，X線管を接続する．T_1 の2次巻線には交流高電圧が発生するから，a点が正電圧になったとき，X線管に電流が流れ，a点が負電圧になったときには電流は流れない．電源1周期に1個のパルス電圧となるため1ピーク形ともよばれる．ターゲット温度が上昇すると（およそ2,000℃以上），b点が正電圧になったとき陽極から電子流が流れ，逆方向の電流により陰極が破壊される．これを**逆電流**という．

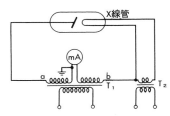

図6-9　自己整流回路

2. 半波整流方式（1ピーク形）（図6-10）

高電圧変圧器2次回路に1個または2個の整流器Kを経てX線管が直列に接続される．自己整流回路と同様に，a点が正電圧になったときのみ管電流が流れ，半波整流（1ピーク）の管電流が流れる．整流器 K_1，K_2 を接続することによって，X線管のターゲット温度が上昇した状態でb点が正電圧になっても，X線管には逆電流は流れない．

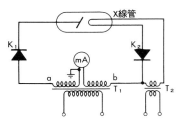

図6-10　半波整流回路

3. 単相全波整流方式（2ピーク形）（図6-11）

整流器4個を使用して全波整流する回路でグレッツ結線ともよばれる．高電圧変圧器2次回路のa点が正電圧になったとき，a→K_1→X線管→K_3→bとなる回路で管電流が流れる．また，b点が正電圧になったとき，b→K_4→X線管→K_2→aとなる回路で流れ，変圧器2次電圧の正負ともにX線管には同一方向に管電流が流れ，電源1周期に2個のパルス電圧となるため2ピーク形ともよばれる．管電圧リプル百分率は理論値・実測値とも100％となる．

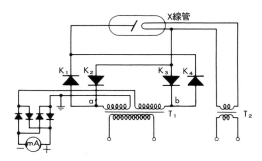

図6-11　単相全波整流回路

4. 三相全波整流方式（6ピーク形）（図6-12）

高電圧変圧器1次巻線は△結線，2次巻線はY結線とし，これを1組または2組（2次側はY・Yの直列接続）使用する．図6-12は2組（T_{1A}，T_{1B}）使用．

高電圧変圧器 T_{1A} と整流器6個で正電圧を，T_{1B} と整流器6個で負電圧を整流して，中性点に対して正負対称な電圧をX線管に印加する．電源1周期で6個のピークをもつ電圧波形がX線管に印加されるため，6ピーク形とよばれる．管電圧ピーク値（V_p），平均値（V_{mean}），実効値（V_{eff}）には次の関係がある．

$$V_{eff} \fallingdotseq V_{mean} = 0.95 V_p \qquad (6.5)$$

管電圧リプル百分率は13.4％（理論値）となり，この値が小さいほど大容量のX線発生装置となる．つまり，単相全波整流方式（2ピーク形）に比べると，より大きな出力が得られる．

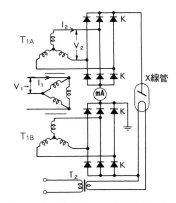

図6-12　三相全波整流回路（6ピーク形）

5. 三相全波整流方式（12ピーク形）（図6-13）

高電圧変圧器2次巻線に△・Y結線（2次側は△・Yの直列接続）を用いる．三相6ピーク形回路の場合，1パルス間の位相差は60°であるが，2次回路を△・Y結

線とすると，それぞれ対応する線間電圧 V_{2A} と V_{2B} の位相差は 30° となり，X線管に印加される正負電圧も互いに 30° の位相差をもつ．その結果，電源 1 周期に 12 個のピークを持つ管電圧波形となるため 12 ピーク形とよばれ，管電圧リプル百分率は 3.4%（理論値）となる．

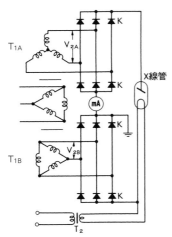

図 6-13　三相全波整流回路（12 ピーク形）

6. 定電圧方式（テトロード管制御）

図 6-14 は平滑コンデンサと高圧テトロード管を使用した定電圧形回路で，三相 12 ピーク形回路の出力をコンデンサでさらに平滑し，テトロード管（T_1，T_2）とX線管を直列に接続する．管電圧を分割抵抗を通じて検出（実測）し，設定管電圧との差を比較器で調べ，格子制御装置を介してテトロード管の内部抵抗を自動調整することによって定電圧（管電圧リプル百分率は実測値で 4% 以下）が得られる．この回路は管電圧を 2 次側でフィードバック制御すると同時に，高電圧回路のスイッチングができるので，パルスX線の発生に適している．

高圧テトロード管

コントロールグリッド（g_1）とスクリーングリッド（g_2）をもつ 4 極真空管．g_1 と g_2 の印加電圧を調整することにより，テトロード管内の内部抵抗（電圧降下）を変化させる．いま，g_1 に十分な負電圧を瞬間的に印加すると，電流を完全に遮断することができる．すなわち，高電圧回路の開閉動作ができ，パルスX線の照射が可能となる．また，g_2 の負電圧を適当な値に調整すると，内部電圧降下の微調整ができ，管電圧の 2 次側制御ができる（この整流方式以外はすべて 1 次側制御である）．

7. インバータ方式

制御方式から分類すると，「方形波（非共振形）インバータ式」と「共振形インバータ式」に分けられる．また JIS では，エネルギー供給方式から分類し，電源設備からエネルギーを供給する「変圧器形」と，蓄電池やコンデンサからエネルギーを供給する「エネルギー蓄積形」に分けている．

A. 原　理（図 6-15）

単相または三相交流を，まず整流回路と平滑回路によって直流電圧に変換する（AC/DC コンバータ）．次にこの直流電圧を**インバータ**回路で DC → AC 変換し，高周波交流電圧に変換した後，高電圧変圧器で昇圧してから，さらに全波整流することにより，ほぼ完全直流に近い管電圧を得る（管電圧リプル百分率は実測値で数～10% 未満）．したがって，電源設備が単相でも三相でも（電源容量は違っても）管電圧波形としては同じとなる．インバータ回路に用いる大電力用の高速スイッチング半導体素子には IGBT，MOSFET などがある．

変圧器形インバータ式は据置形装置として，蓄電池エネルギー蓄積形は交流電源が不要のため，主として移動形（回診用）として用いられ，コンデンサエネルギー蓄積形は胸部・胃部集団検診用として用いられている．共振形，非共振形ともにインバータ駆動周波数としては，数十 kHz～100 kHz 程度のものが使用されている．

B. 管電圧調整法

インバータ装置の管電圧調整法には，次の二つの方式がある．表 6-2 に管電圧調整法とその特徴をまとめる．

1）方形波（非共振）形インバータ：周波数固定方式ともよばれ，図 6-16 に示すように単相または三相の交

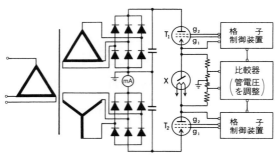

図 6-14　定電圧形回路（テトロード管制御）

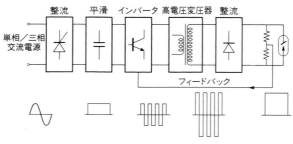

図 6-15　変圧器形インバータ式高電圧回路の基本構成

流電圧を整流・平滑して直流電圧に変換し（AC/DCコンバータ），この直流電圧をチョッパ回路の高速のON/OFF制御により直流のパルス群に変換する．チョッパの出力は，管電圧の高低に応じて，デューティ比（ON時間＋OFF時間に対するON時間の割合）で調整できるため，変圧器式装置の一次電圧調整用の単巻変圧器の役割をもたせることができる．そして，この直流パルス電圧は次段のフィルタ回路により平均化してインバータ回路に入力される．すなわちX線管負荷の増減に応じて，DC/DCコンバータの出力を変化させることによって，インバータへの入力が調整され，管電圧制御が可能となる．この場合，インバータは一定の駆動周波数で動作し，出力される高周波交流電圧が高電圧変圧器の一次側に入力される（ハードスイッチング）．

2）共振形インバータ：図6-17に基本回路を示すが，方形波形と比べてDC/DCコンバータが不要になり，これに代わって高電圧変圧器と直列に接続した共振コイルLと共振コンデンサCを用いて，回路を共振状態にすることにより，効率のよいX線制御ができる．共振周波数fは，$f=1/(2\pi\sqrt{LC})$によって決まり，出力波形は正弦波状となる．スイッチング素子の遮断電流が小さくでき，電力損失が少ない特長がある（ソフトスイッチング）．

まず，交流電圧を整流・平滑して直流電圧に変換するまでは方形波形と同じである．この直流電圧がインバータに入力されるが，この電圧はX線管負荷の大小にかかわらず一定である．そこで，X線管負荷量に応じてインバータの動作周波数を変調することにより，管電圧を制御する．したがって，周波数可変方式ともよばれ，X線管負荷が大きくなるに従って，インバータの動作周波数は大きくなっていく．また，インバータの動作周波数は固定しておき，X線管負荷に応じてスイッチング素子の投入位相を変調して，パルス幅を変えることにより管電圧を制御する方式（PWM制御）もある．

C. 特徴

インバータ式X線装置は，変圧器式（単相2ピーク形や三相6ピーク形）に比べて次のような特徴をもっている．

① 高いX線発生効率：単相電源で作動させても，三相12ピーク形や定電圧形に匹敵する大きな出力線量が得られる．この理由は，高電圧変圧器二次電圧が高周波であるため，高電圧ケーブルの浮遊容量で十分な平滑作用が働き，管電圧リプル百分率は数％程度（実測値）となるため，X線発生効率は極めて高くなる．

② 高電圧変圧器の小型化：高電圧変圧器の二次側誘起起電力eは次式で示される．

$$e \propto nfBS \tag{6.6}$$

ただし，n：巻数比，f：周波数，B：磁束密度，S：鉄心断面積とする．

いま，変圧器から一定の誘起起電力を得るために，巻線の巻数と磁束密度を一定にしておくと，周波数を増した分だけ鉄心の断面積を減らすことができる．たとえば周波数を1000倍にすれば鉄心の断面積は1/1000にすることが可能となる．実際には，高電圧絶縁のため極端に減少させることはできないが，インバータ回路による高周波化により，変圧器全体が小型軽量となる．このように鉄心断面積が減少すると，巻線の1巻の長さも短くなり銅損が減少する．しかし，高周波化に伴い鉄損（ヒステリシス損）は増大し，全体として，電力変換効率は低

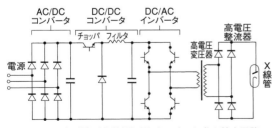

図 6-16 方形波（非共振）形インバータ式の基本回路

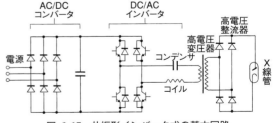

図 6-17 共振形インバータ式の基本回路

―関連事項―

管電圧波形とX線管負荷の関係

同一のX線管を用いても，管電圧波形（整流方式）によってX線管に加えられる負荷量は次のように変わる．

たとえば，単相全波整流方式（2ピーク形）で10kWのX線管は，定電圧に近い管電圧波形（三相12ピーク形，定電圧形，インバータ式）では約14kW，半波整流方式では7kW，自己整流方式では5kWと考えて使用しなければならない．この理由は，同一の電力がターゲットで消費された場合，管電圧リプル百分率が大きいほど瞬間的なターゲットの温度上昇が著しく，溶融の恐れがあるためである．この関係性は，X線管入力（陽極入力）やヒートユニットの計算でも同様に考慮されている．

下する（エネルギー損失は増大する）ため，高周波化には限界がある．

③高精度の短時間遮断特性：周波数が高くなることにより，単相2ピーク形と比べて管電圧波形の立ち上がりが急峻となり，波尾切断と組み合わせると矩形波に近くなるため，X線照射の短時間遮断特性が向上し，1ms程度の短時間制御が再現性よくできる（高線量率パルス透視）．

④安定度の高いX線発生：管電圧，管電流を実測して，この信号を制御回路にフィードバックすることにより，極めて短時間で管電圧，管電流を一定にするよう制御できる．したがって，電源電圧などの変動にも影響されず，常に安定したX線照射が可能となる．

8. コンデンサ方式（グライナッヘル回路）（図6-18）

高電圧変圧器（T_1）の出力電圧を高圧コンデンサ（C_1, C_2）に充電し，その後に充電電気量をX線管を通して放電する方式．変圧器2次電圧（V）はb点が正電圧になったとき整流器K_1を通じてC_1に充電し，a点が正電圧になったときK_2を通じてC_2に充電する．したがって，X線管には約$2V$の電圧が印加される．

コンデンサの充電電気量を放電させるために格子制御を行う．三極X線管を用いて，高電圧が印加された状態で，フィラメントが点火した状態で，格子に約-2kVの負電圧を印加して熱電子流を遮断しておき，格子電圧を開放することによってコンデンサ充電電気量を放電し，X線

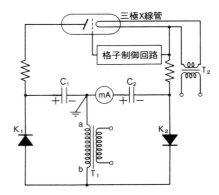

図6-18　格子制御コンデンサ式高電圧回路

を発生させる．

静電容量$C[\mu F]$のコンデンサを$V_0[kV]$に充電すると$Q[mC] = CV_0$の電気量が充電されるが，これをすべてX線管を通じて放電させることはなく，電圧V（最低でも$V_0/2$）で放電を停止させる．これは$V_0/2$以下の電圧で発生するX線は低エネルギーであり，被ばく線量を増大させるばかりで画像には寄与しない．このように，ある電圧以下の放電を停止することを**波尾切断**という．

充電電圧（設定管電圧）V_0と波尾切断電圧Vの電位差（$V_0 - V$）に相当する電気量がmAs値として設定した値だけ放電される．つまり，mAs値$= C(V_0 - V)$の関係となる．

表6-2　インバータ式X線装置の管電圧調整法と特徴

インバータ装置の種類	出力(管電圧/管電流)の制御(どこで)	出力の制御(どうやって)	管電圧リプル百分率
共振形（※1）PFM方式（周波数可変）	インバータ回路	インバータ周波数を変えて（※3）	インバータ周波数が高いほど小さくなる
	フィラメント加熱回路（高周波加熱）		
共振形（※1）PWM方式（周波数固定）	インバータ回路	インバータの位相シフト角（パルス幅）を変えて	ほぼ一定
	フィラメント加熱回路（高周波加熱）		
非共振（方形波）形（※2）（周波数固定）	DC/DCコンバータ（チョッパ＋平均化フィルタ）	チョッパのデューティ比（パルス幅）を変えて	ほぼ一定
	フィラメント加熱回路（高周波加熱）		

※1 ソフトスイッチング→スイッチング損失＝電磁ノイズの発生→小さい．
※2 ハードスイッチング→スイッチング損失＝電磁ノイズの発生→大きい．
※3 直列共振では，インバータ周波数を共振周波数にしたとき，共振回路には最大電流が流れ（ピーク），共振周波数から離れるほど小さくなる（山形となる）．

インバータ周波数	スイッチング損失	高電圧変圧器の損失	管電圧リプル百分率
高い	大きい	大きい	小さい
低い	小さい	小さい	大きい

※インバータ式X線装置に共通の特長として，電源周期と無関係にX線を発生・遮断できる．従来の2ピーク形では，電源周期に依存する．

6 X線制御装置

6章 診療画像機器学（X線）

管電圧制御には，高電圧変圧器1次側の印加電圧を調整する方式と，テトロード管を用いて2次側で調整する方式がある．

管電流はフィラメント加熱変圧器1次側の印加電圧を調整して，フィラメントに流れる電流を変えて，フィラメント温度を制御する．

照射時間は管電圧の印加時間を1次側で制御する方式と，テトロード管や三極X線管を用いて管電流の遮断を2次側で制御する方式がある．

1. 管電圧の調整

1) 変圧器式（2，6，12ピーク形）

図6-19に示すように高電圧変圧器の一次側端子 T_1，T_2 の印加電圧を単巻変圧器で調整することにより，管電圧を調節する．しかし，図6-23にも示すように管電流が大きくなると回路中の高電圧整流器などによる電圧降下が増加して，同じ一次電圧を与えておいたのでは管電圧は低下する．言い換えれば管電圧を一定にするには，管電流が大きくなるほど，変圧器一次電圧を増しておかなければならない．そこで，これを補償するためフィラメント加熱調整器に連動して抵抗Rの接点を変え，その変化分を管電圧調整器で再調整する．

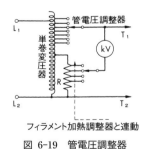

図6-19 管電圧調整器

2) インバータ式

インバータ式高電圧回路で述べたように，インバータ式X線発生装置の管電圧制御法には，方形波（非共振）形と共振形があり，どちらも高電圧変圧器の1次電圧を調整している．いずれの方式も図6-20に示すように，管電圧に比例した電圧を管電圧検出器からフィードバックし，kV設定信号とともに比較器に入力する．比較器は両者を比較して，差がある場合にはそれがなくなるまで，チョッパ回路のデューティ比（方形波インバータの場合）またはインバータ動作周波数（共振形インバータの

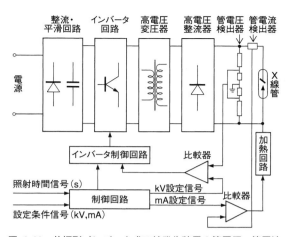

図6-20 共振形インバータ式X線発生装置の管電圧・管電流制御

場合）を制御して管電圧を微調整することにより，常にkV設定値を維持することができる．

3) 定電圧形

図6-14に示すように，二次回路に挿入したテトロード管の内部抵抗（内部電圧降下）の調整から管電圧を調節する方式であり，高電圧変圧器の発生電圧は一定にして，高電圧変圧器の二次側で管電圧を制御する．

2. 管電流の調整

管電流の調整とは，フィラメント加熱温度の調整であり，図6-21のように単巻変圧器から約100Vの電圧を電力安定器（鉄共振型スタビライザ）を通して，フィラメント加熱抵抗で電圧を調整した後，フィラメント加熱変圧器の1次端子 C_1，C_2 に印加する（商用交流方式）．

インバータ式X線装置では図6-22に示すようにインバータ回路を用いて数十kHz以上の高周波交流で加熱することにより，脈動の少ない安定した管電流を得ることができる（高周波加熱方式）．また，図6-20にも示すように高電圧変圧器二次側で検出した管電流測定値をフィードバックしてmA設定値と比較しながらリアルタイム制御することにより，管電流を常にmA設定値どおりに維持することができる．

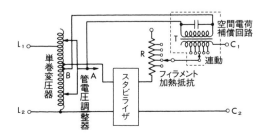

図6-21 管電流調整回路および空間電荷補償回路

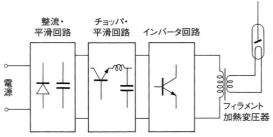

図 6-22 インバータによる高周波加熱方式

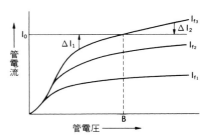

図 6-23 管電圧・管電流特性

3. 空間電荷補償回路

管電圧と管電流およびフィラメント加熱電流の関係は図 6-23 に示すように，フィラメント加熱電流（I_f）を一定にしても，管電圧の上昇とともに管電流も増加する．そのため，管電圧が変わっても管電流を一定に保つために，フィラメント加熱電流の補正が必要となる．これを**空間電荷補償回路**とよぶ．図 6-23 からもわかるように，たとえばB点を基準として，管電圧が増加したときはΔI_2だけ管電流を減少させ，管電圧が減少したときはΔI_1だけ管電流が増すようにすればよい．つまりB点より管電圧の高いときはフィラメント加熱電圧が差し引かれ，低いときには加算されるようにする．管電圧が同じでも管電流の大小によって加減すべきフィラメント加熱電圧が異なるため，図 6-21 の補償変圧器 T の二次側はフィラメント加熱調整器と連動させる．また，インバータ式X線装置では二次側の管電圧，管電流をフィードバックして制御するため，このような補償回路自体は不要となる．

4. タイマ回路

タイマはX線照射に必要な時間だけ，高電圧変圧器一次回路を開閉するための電気信号を送る働きをし，半導体（SCR）式タイマを用いる．また，インバータ式X線装置では，X線照射に必要な時間だけインバータ回路を駆動させる．

変圧器式（2ピーク形など）X線装置の**半導体式タイマ**には主としてサイリスタが用いられるが，制御できる電流容量が大きいため，高電圧変圧器一次回路を大容量サイリスタで直接制御する．この場合，開閉時の過渡現象による異常電圧（サージ）発生を防ぐため，位相制御回路により**ゼロ位相投入**が行われる．そのため2ピーク形の最短撮影時間は電源の半周期つまり1パルスとなる．

7 X線管の定格と許容負荷

1. 焦点の比負荷

焦点の最高許容温度（2,600〜3,000℃）を考慮して，ターゲットの単位面積当たり許容される電力［W/mm²］を比負荷という（短時間許容負荷と同意）．

1) **実焦点面積とタングステン厚**：実焦点が大きくなり，タングステン板が厚くなるほど，熱容量が大きくなるため比負荷は増加する．

2) **管電圧波形（整流方式，管電圧リプル百分率）**：定電圧（管電圧リプルで4％以下に相当）の比負荷を1としたとき，単相全波，単相半波，自己整流の順にそれぞれ0.7倍ずつ比負荷は減少する（☞ p.185 関連事項）．

3) **回転陽極**：回転陽極の比負荷 Q は0.1秒以下の短時間のとき次式となる．

$$Q \propto \sqrt{nd} \tag{6.7}$$

n は陽極回転速度，d は焦点の軌道直径．たとえば回転数を3倍高速とすると比負荷は$\sqrt{3}$倍となり，X線管入力は$\sqrt{3}$倍増加できる．

2. ヒートユニット（HU）

X線管の種々の熱量（陽極蓄積熱量など）を表すためにHU単位が用いられてきた．陽極では入力電力の99％以上が熱となるため，熱量はジュール単位で求めるべきであるが，使用の便宜上から，［管電圧 U（ピーク値 kV）×管電流 I（平均値 mA）×時間 t(s)］の積をHUとして表し，整流方式により次式となる．

1) 単相全波・単相半波・自己整流方式
   HU 値 = UIt，HU/s = UI

2) 三相全波整流方式（またはこれと同等のリプル百分率）
   HU 値 = $1.35\,UIt$，HU/s = $1.35\,UI$

3) 定電圧方式（またはこれと同等のリプル百分率）
   HU 値 = $1.41\,UIt$，HU/s = $1.41\,UI$

4) コンデンサ式
   HU 値 = $0.71\,C(U_1^2 - U_2^2)$
   C；コンデンサ容量［μF］，U_1, U_2；放電前と放電後の管電圧［kV］

HU単位は特殊な単位であり，換算係数は次式による．

$$1\,\mathrm{HU} = 0.71\,\mathrm{J} \tag{6.8}$$

3. X線管入力（陽極入力）

X線管に入力される電力 P［kW］は，管電圧および管電流を理想的な正弦波形とすると，管電圧波形（整流方式）により次式となる（V または U：管電圧ピーク値 kV，I：管電流平均値 mA）．

1) 自己整流・単相半波（1ピーク形）
   $P = V/2 \times (\pi/2)I = (\pi/4)VI = 0.785\,VI$

2) 単相全波（2ピーク形）
   $P = V/\sqrt{2} \times (\pi/2\sqrt{2})I = (\pi/4)VI$
   $= 0.785\,VI$

3) 三相全波（6ピーク形）$P = (3/\pi)VI = 0.955\,VI$

4) 12ピーク形，定電圧形，インバータ式 $P = VI$

5) コンデンサ式 $E[\mathrm{J}] = (1/2)\cdot C(V_0^2 - V^2)$

以上は理論式であるが，実際の回路では正弦波形が歪むため，JISで規定された係数 f を用いて，$P[\mathrm{kW}] = U\cdot I\cdot f \times 10^{-3}$ となり，f の値は管電圧波形により，次のように分類されている．

$f = 1$ ：リプル百分率が10％以下の場合（12ピーク形，定電圧形，インバータ式に相当）

$f = 0.95$：リプル百分率が10％を超え，25％以下の場合（6ピーク形に相当）

$f = 0.74$：リプル百分率が25％を超える場合（1ピーク形，2ピーク形に相当）

4. X線管の定格

1) **短時間定格**：固定陽極では1秒間，回転陽極では0.1秒間の1回の最大入力［kW］で表す．実際の使用に際しては図6-24に示す短時間定格図を用いる．

短時間定格は，①焦点寸法，②管電圧波形（リプル百分率），③陽極回転速度，④焦点軌道直径，⑤ターゲット角度などにより変化する．

2) **長時間定格**：X線管装置に連続して加えることのできる入力を（W）または（HU/s）で表す．実際の使用に際しては，縦軸に陽極蓄積熱量（JまたはHU）を，横軸に時間（分）を目盛った陽極負荷（加熱・冷却）曲線を用いる．

長時間定格は，X線管装置の熱容量や冷却効率などにより変化する．

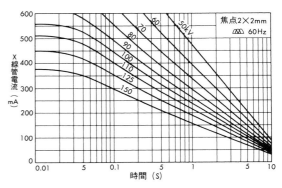

図 6-24 X線管の短時間定格図

8 電源設備

　X線発生装置の電源設備とは，配電変圧器から低圧電線によって，X線発生装置の手元開閉器に至る設備をいう．配電変圧器の容量，すなわち電源容量［kVA］が小さいと大出力のX線発生装置を設置しても，電源での電圧降下が大きくなり，X線出力が制限される．

　配電変圧器からX線発生装置までの配電系統を図6-25に示す．配電変圧器の2次電圧は電圧降下することなくX線発生装置に送られることが望ましく，この間の電圧降下 ΔV は次のようになる．

$$\Delta V = V_0 - V = (Z_1 + Z_2)I \quad (6.9)$$

　ここで，Z_1 は配電変圧器2次巻線のインピーダンス，すなわち電源インピーダンス（見掛けの抵抗），Z_2 は低圧電線の抵抗を表す．したがって電圧降下を小さくするには Z_1，Z_2，I_L を小さくする必要がある．

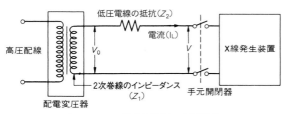

図 6-25　X線発生装置の電源設備

A. 電源インピーダンス（Z_1）

　JIS Z-4702で定める電源設備の一部を表6-3，表6-4に示す．大出力のX線装置ほど電源容量［kVA］は大きくなければならない．また，大容量の配電変圧器ほど見掛けの抵抗 Z_1 が小さいから，できるだけ大きな容量の配電変圧器を用いることが望ましい．表6-3は100Vまたは200V電源について，短時間負荷時の電源電圧変動率を10%以下とするための値である．また表6-4は415V電源に対するもので，電源電圧変動率を5%以下にするための値である．

　標準となる形名として，たとえばIRF-1000-150は変圧器形インバータ式で公称最大管電流1000mA，公称最高管電圧150kVを表す．また，CIRF-5-120はコンデンサエネルギー蓄積形インバータ式で公称最大管電流時間

表 6-3　電源設備（100または200V配電の場合）

標準となる形名	定格標準電圧［V］	電源の見掛けの抵抗［Ω］	推奨する配電変圧器の容量［kVA］
RDP-20-100	100		2 以上
CIRF-5-120	100	0.5	3 以上
コンデンサ式			3 以上
IR-400-150		0.08	30
RF-500-125		0.064	50
RF-500-150	200	0.051	50
IRF-1000-150		0.054	75
TRF-1250-150		0.035	150

表 6-4　電源設備（415V配電の場合）

標準となる形名	定格標準電圧［V］	電源の見掛けの抵抗［Ω］	推奨する配電変圧器の容量［kVA］
RF-500-150		0.12	50
IRF-1000-150	415	0.12	75
TRF-1250-150		0.07	150
TRF-2000-150		0.04	200

積5mAs，公称最高管電圧120kVを表す．

　ここで，電源の見掛けの抵抗 Z_1［Ω］，電源電圧変動率（%）は次式によって求められる．

$$Z_1 = \frac{U_N - U_L}{I_L}, \quad \frac{U_N - U_L}{U_L} \times 100 \quad (6.10)$$

ただし，U_N は無負荷時の電源電圧［V］，U_L は短時間定格負荷時の電源電圧［V］，I_L は負荷時の電源電流［A］である．

B. 低圧電線の抵抗（Z_2）

　電線の抵抗を R［Ω］とすると，$R = \rho \cdot l / S$

　ρ は固有抵抗率［Ω・m］，l は電線の長さ［m］，S は電線の断面積［m²］である．R を小さくするには，断面積の大きい電線を用いて，配線距離をできるだけ短くする必要がある．

C. 負荷電流（I_L）

　X線発生装置が瞬間的に P［W］の電力を消費すると，電源電圧を100Vから200V，さらに415Vに変更することによって，低圧電線に流れる電流 I_L は1/2，1/4と減少し，電圧降下も回路のインピーダンスが一定であれば1/2，1/4となる．したがって電源電圧は高い方が望ましい．

9 X線発生装置に関するJIS規格

1. X線装置通則
1) 接地設備：第3種接地工事（接地抵抗100Ω以下）を行う．
2) X線装置の総ろ過
   ① 乳房用，歯科用以外のX線装置：2.5 mmAl 以上
   ② 乳房用X線装置（50 kV 以下）：モリブデンターゲットの装置 30 μmMo 以上，ロジウムターゲットの装置 25 μmRh 以上，その他のターゲットの装置 0.5 mmAl 以上
   ③ 歯科用X線装置（70 kV 以下）1.5 mmAl 以上
3) 光照射野表示器の表示精度：X線照射野と光照射野の境界のずれは，焦点―受像面間距離の2％以内．

2. X線高電圧装置通則
A. 性能を表す用語
1) 撮影時間：撮影に有効な線量が得られる時間として，次のように定められる．
   ① インバータ式，6ピーク形，12ピーク形，定電圧形は，管電圧波形の立上がり部および立下がり部が，設定管電圧に対して各々75％になる間の時間．
   ② 2ピーク形は，パルス数から時間を求めるが，電気角45度を超えたものを1パルスと数える．
2) 変動係数（C）
$$C=\frac{S}{\overline{K}}=\frac{1}{\overline{K}}\left[\sum_{i=1}^{10}\frac{(K_i-\overline{K})^2}{9}\right]^{\frac{1}{2}} \quad (6.11)$$

S：10回の測定による標準偏差，$\overline{K}$：10回の測定による相加平均値，K_i：i番目の測定値

B. 性能
1) 乳房用X線装置以外
   ① 管電圧の誤差：±10％以内（2021年JISより±8％以内）
   ② 管電流の誤差：±20％以内
   ③ 撮影時間の誤差：±(10％＋1 ms) 以内
   ④ 管電流時間積の誤差：±(10％＋0.2 mAs) 以内
   ⑤ X線出力の再現性：変動係数 $C\leq0.05$
   ⑥ X線出力の直線性：撮影時において管電流，撮影時間，管電流時間積の相隣な設定値におけるX線出力 K_1, K_2 を測定したとき，その測定値は次式を満足すること．
   $|(K_1/I_1t_1)-(K_2/I_2t_2)|\leq 0.2[(K_1/I_1t_1)+(K_2/I_2t_2)]/2$
   ただし，I_1, I_2 は相隣な管電流の設定値，t_1t_2 は相隣な撮影時間の設定値である．
   ⑦ 撮影用コンデンサ容量：2 μF 以下とし，その誤差は－5～＋10％の範囲内
2) 乳房用X線装置
   ① 管電圧の正確度：±5％以内
   ② 管電圧の再現性：変動係数 $C\leq0.05$
   ③ 管電流の正確度：±20％以内
   ④ 撮影時間の正確度：±(10％＋1 ms) 以内
   ⑤ 管電流時間積の正確度：±(10％＋0.2 mAs) 以内
   ⑥ X線出力の再現性：変動係数 $C\leq0.05$

10 自動露出制御装置

　X線検査において，対象部位や被検者の体格（とくに体厚）に影響されずに常に一定の受像器入射線量（アナログ系では写真濃度，デジタル系ではノイズ特性）を得るために，ホトタイマなどとよばれる自動露出制御装置（AEC）が利用される．被写体の透過線量を検出するための検出器として，①蛍光体，②電離箱，③半導体検出器，④I.I.などが利用される．

　被写体を透過した線量を検出する位置として，受像器（カセッテなど）の前面で検出する方法（前面採光方式）と，後面で検出する方法（後面採光方式）がある．

　また，採光野は1個または複数個があり，検査部位に応じて，個数，位置，形状が異なる．受像入射線量を一定としたい位置に配置する．

1. 前面（採光）方式

　直接撮影の多くで利用され，図6-26に示すように受像器前面に検出器を配置する．ホトタイマでは，被写体を透過したX線を蛍光体で受光し，採光野の光のみがライトパイプに導かれて光電子増倍管（PMT）に入射し電気信号に変換される．PMTの出力電流は積分コンデンサを充電し，濃度設定器で設定された電位と同電位になるとX線遮断信号を発し，X線照射が遮断される．この機構の特徴は，①被写体透過線量が正確に検出できる．②検出器でのX線の吸収，散乱，被写体と受像器の距離が開くなどの影響で，画質の低下と被ばく線量の増加が欠点となる．

2. 後面（採光）方式

　受像器を透過した後の線量を検出する方式で，増感紙とフイルム，またはイメージングプレート，カセッテ材等を透過するため，管電圧特性が悪くなるなどの問題が起こる．しかし，前面採光方式の②の欠点が生じないため，乳房撮影装置に利用されている．透視撮影装置では図6-27に示すようなX線TVシステムに組み込み，I.I.の出力光を検出する方式（I.I.ホトタイマ）として利用される．映像分配器からI.I.の出力光の一部をPMTで検出し，前面採光方式と同様の方法で一定光量に達した時点でX線遮断信号を出す．また，透視中のモニタ輝度をリアルタイムで一定にするため，被写体を透過した線量率を一定にする**自動輝度制御装置（ABC）**とよばれる機能ももたせている．

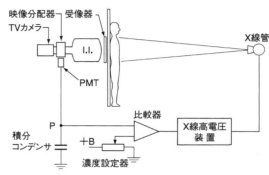

図6-27　X線TVシステムの自動露出制御装置（I.I.ホトタイマ）

3. 自動露出制御装置の特性

　1）**管電圧特性**：受像器の蛍光体とAEC検出器の違いから，エネルギー依存性に差が生じ，管電圧が変わると受像器入射線量が一定にならない現象をいう．前面採光方式では，被写体厚が厚くなると被写体からの散乱線が増し，受像器入射線量が低下する傾向を示す．管電圧が上昇しても散乱線は増すが，X線出力が大きくなるため短時間領域となり，応答特性の影響が現れる．

　2）**応答（時間）特性**：設定した線量に達してからAECが作動するまでの遅れと，AECがX線遮断信号を出してから実際にX線照射が停止するまでの遅れで，受像器入射線量が上昇する．短時間領域（薄い被写体）ほど影響が大きい．インバータ式X線装置では短時間特性に優れ，ほとんど問題にならなくなった．

　3）**被写体厚特性**：薄い被写体では応答特性の影響で受像器入射線量が上昇し，被写体厚が増すと散乱線が増加して受像器入射線量が低下する傾向を示す．

　4）**被覆特性**：たとえば消化器検査などで，採光野位置に造影剤部分がくると，受像器入射線量が著しく増す現象をいう．

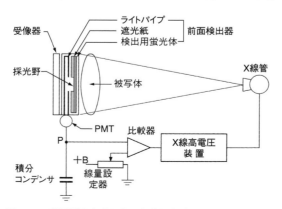

図6-26　前面採光方式による自動露出制御装置（ホトタイマ）

11
X線TVシステム

X線TVシステムは，主として消化器系検査や循環器系検査，IVRに用いる透視および撮影システムである．システムの基本形は図6-28に示すようにI.I.の出力像を映像分配器を介してX線TVカメラ（動画記録）やスポットカメラ（静止画記録）などの各種映像機器に接続し，X線TVモニタで透視像を観察しながら検査や治療を行う方式である．最近ではI.I.-TV系に代わって，**X線平面検出器（FPD）**（☞p.196）が開発され，静止画像としての直接撮影はもちろん，動画にも対応できることから，FPD1台で透視撮影が可能となる．

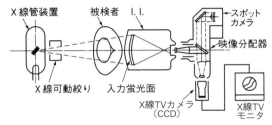

図6-28 X線TVシステム

1. 透視撮影システムの外観
A. 消化器系
1) 近接操作式透視撮影装置
図6-29(b)に示すようなアンダーテーブル方式が用いられ，医師が直接に被検者と接しながら検査する方式で精密検査に適している．映像装置は被検者に密着できるため，ボケが少ない鮮明な画像が得られる．
2) 遠隔操作式透視撮影装置
X線TVシステムを介して検査室とは別の操作室から遠隔操作によって透視撮影する方式で，従事者の被ばくが全くないという利点がある．一般に図6-29(a)に示すようなオーバーテーブル方式が用いられる．この方式は，被検者周囲の空間が広いため，体位変換がしやすい利点がある．しかし，従事者が近接位置で操作する場合には，アンダーテーブル方式より従事者の被ばく線量が大きくなる欠点もある．

B. 循環器系
血管造影検査などに用いる透視撮影装置で，被検者は四肢の動静脈よりカテーテルを挿入されており，基本的に体位変換はできない．したがって，C形（あるいはU形やΩ形）をした支持器の先端にX線管と撮像装置であるI.I.またはFPDを装着して，固定された被検者のあらゆる方向から撮影できる機能をもつ．このような支持器をCアーム，Uアーム，Ωアームとよぶ．特に心血管撮影では前後，側面方向の撮影を一度の造影で行うため，これらの撮影装置を2つ組み合わせた2方向同時撮影（バイプレーン撮影）装置が使われる．

C. 外科系
手術室での使用を主目的とした透視撮影装置で，ほとんどがCアームでX線管とI.I.またはFPDを保持している．手術台に固定された被検者の周りを自由に移動できるように，キャスタの付いた移動型装置となっている．

2. X線映像装置
A. X線イメージインテンシファイア
（X線映像増倍管，Image Intensifier；I.I.）
1) 構造：
図6-30に示すように，被写体を透過してきたX線像を入力蛍光面で蛍光像に変換し，光電陰極で電子像に変換し，集束電極および陽極に印加された加速電圧によって電子に運動エネルギーを与えた後，出力蛍光面で輝度増幅された縮小像として出力する．輝度増幅は，像の縮小と電子加速により行われ，拡大率を$M(M<1)$，加速電圧をVとすると，輝度増幅率は$(1/M)^2 \cdot V$に比例し，数千倍の輝度増幅が得られる．

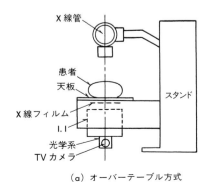
(a) オーバーテーブル方式

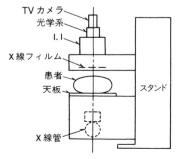
(b) アンダーテーブル方式

図6-29 消化器用透視撮影システムの外観

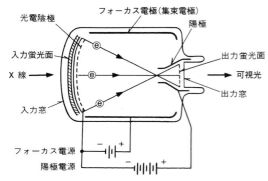

図 6-30　X線イメージインテンシファイアの構造

入力蛍光面には CsI：Na の柱（針）状結晶，出力蛍光面には ZnCdS：Ag の微小粒状結晶を用いる．CsI：Na は X 線吸収率が大きく，感度が高いばかりでなく，柱状結晶のため横方向への光の散乱が少なく，高解像度の蛍光像が得られる．管内は電子走行を容易にするため高真空が保持されている．管容器の前面をアルミニウムまたはチタンなどの薄い金属で作られたもの（メタルチューブ）は，ガラスに比べて X 線の吸収，散乱が少なく，高コントラスト，低バックグラウンドの像が得られる．管容器はさらに X 線遮蔽および磁気遮蔽するため，鉛容器に収納される．

2）　**種類**：視野サイズは公称入射面視野寸法で決まり，10〜40 cm 径の各種がある．単一視野型の他，加速電極（集束電極，陽極）の印加電圧を調節して，視野サイズが 2〜3 段階に変えられる可変視野型や連続的に変えられるズーミング型がある．小さな視野に切り替えると出力像は拡大し，解像力は向上するが，輝度が暗くなるため被ばく線量が増す．

3）　**変換係数**：変換係数 G_X は I.I. の感度を示す係数であり，G_X が大きくなるほど高感度となる．

$$G_X = L[\text{cd/m}^2]/K[\mu\text{Gy/s}] \quad (6.12)$$

ただし，L は出力像の輝度，K は I.I. 入射面中心での空気カーマ率である．

4）　**輝度の不均一度**：I.I. は次のような理由で中心部よりも周辺部で輝度が低下し，輝度が不均一になる．①I.I. の入力面が曲面であるため，周辺部では焦点からの距離が長い．②像ひずみで周辺部の電子密度が低下する．③光学レンズ系で周辺光量が低下する．④周辺部では被写体の X 線通過距離が長い．輝度の不均一性が 2％を超える場合には補正が必要であり，20％を超えてはならない．

5）　**像ひずみ**：I.I. の入力面は曲面であるため，一般に糸巻き状のひずみが起こる．このひずみは①焦点-入射面間距離が短くなるほど，②大視野になるほど大きくなる．

6）　**コントラスト比・ベーリンググレア指数**：鉛円板を入射面中心に置いたときの輝度 $L_D[\text{cd/m}^2]$ と，鉛円板が無いときの輝度 $L_B[\text{cd/m}^2]$ を測定し，次式から求める．

コントラスト比　$C_R = L_B/L_D$
ベーリンググレア指数　$VGI = L_D/L_B$　(6.13)

C_R と VGI は逆数関係にあり，いずれも像コントラストを評価する因子で，①被写体からの散乱線，②入力蛍光面での光の散乱や反射，③光電陰極からの迷走電子等が影響を与える．

7）　**解像度**：I.I. 入射面に JIS で定める解像力チャートを置き，出力面での像を拡大して目視で観察し，解像限界を [Lp/mm] によって評価する．

8）　**変調伝達関数（MTF）**：I.I. の解像特性を表し，①空間フィルタ法，②LSF 法によって測定する．

9）　**量子検出効率（DQE）**：検出器に入射する全光子数のうち，検出器の出力信号となりうる光子数の割合を表す指標であり，DQE が大きいほど検出器の効率は高くなる．

B.　**映像分配器**

I.I. の出力蛍光像の明るさを失うことなく，X 線 TV カメラ，スポットカメラ，シネカメラなどに映像を伝達するため，タンデムレンズ（視野の大きさを調整する光学系）と映像分配器を用いる．

映像分配器は，出力像をプリズムの回転によって 2 方向あるいは 3 方向に分配する．半透明板（ハーフミラー）によって一定比率に映像分配し，透視像を観察しながらシネ撮影するなど 2 つの機能を同時に行うこともできる．

C.　**X 線 TV カメラと X 線 TV モニタ**

以前は真空管の一種である撮像管が用いられたが，現在では **CCD**（Charge Coupled Device）が使用され，高解像度で高階調数の液晶モニタで観察する．CCD は①撮像管に匹敵する感度をもち，②残像が極めて少なく，③像歪みもない．また，④振動に強く，⑤磁気の影響も受けず，⑥ダイナミックレンジが広くて，⑦入出力の直線性が高い．さらに⑧小型で長寿命と多くの特長をもつため，X 線 TV をはじめ電子内視鏡などに使用される．100 万画素（1M）または 400 万画素（4M）クラスの CCD を用いた I.I.-DR システムにより，デジタルの透視像，撮影像を得る透視撮影装置が使用されている．

12 コンピューテッド・ラジオグラフィ（CR）装置

X線撮影に用いる受像器として，以前は増感紙／フィルムをカセッテに入れたアナログシステムが用いられてきた．これに代わるデジタルシステムがコンピューテッド・ラジオグラフィ（CR）であり，輝尽性蛍光板（イメージングプレート，IP）を用いた，撮影専用のシステムである．

1. 輝尽性蛍光板（イメージングプレート，IP）

IPに用いる輝尽性蛍光体（BaFX：Eu，XはCl，Br，Iなどのハロゲン）は，被写体を透過したX線エネルギーを吸収した直後に発光（一次発光）し，さらに吸収エネルギーの一部を蛍光体に蓄積する性質がある．蓄積されたX線エネルギーは励起エネルギー（励起光の照射）によって放出され，再度，発光（輝尽発光）する．この輝尽発光を画像化する過程が読み取り処理である．

カセッテ撮影の場合には，IP表面を保護するためのIPカセッテに入れた状態で撮影し，その後に専用読取装置にて読み取り処理（およそ1分）を行う．立位および臥位のダイレクトデジタイザ（オートカセッテタイプ）では，撮影装置の中をIPのみが移動し，撮影と読み取り処理（およそ数秒）が交互に行われる．

2. 画像読み取りの原理

被写体透過後のX線強度分布が記録されたIPの読み取り処理では，図6-31に示すように，半導体レーザー光源から出たレーザービーム（波長約650nmの赤色光）が，ポリゴンミラーでその方向を変えられ，複数のレンズで構成された光学系でビーム径を絞られ，IP上の一点を照射する．レーザー（励起光）照射によって，蓄積されたX線エネルギーが輝尽発光（波長約400nmの青紫色光）する．輝尽発光は集光ガイドを介して光電子増倍管へと送られる．

レーザービームの光路をポリゴンミラーで変化させ，IP上を直線状に走査する（主走査，レーザー走査光学系）．これと直交する方向は，モータードライブを用いた副走査により，IP全面の二次元走査を実現している．

時系列化された輝尽発光信号は光電子増倍管でアナログ電気信号に変換され，増幅器により増幅される．エリアシングエラー（モアレ）を防止するため，ローパスフ

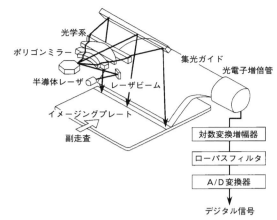

図6-31 イメージングプレートの読み取り原理
（大松秀樹：放射線写真学，富士フイルムメディカル）

ィルタを通して信号の高周波成分を除去した後，A/D変換器を通してデジタル信号に変換する．

読み取り処理後のIPには，輝尽発光しなかったX線エネルギーが多少残っているため，強力な白色光を均一に照射して蓄積エネルギーを完全に消去する（使用状況にもよるが数千～数万回の反復使用が可能）．

3. 特徴

受像器の重要な特性のひとつに入出力特性があり，入射したX線量に対してどのような出力が得られるかを表したものである．デジタル系では出力がピクセル値となり，デジタル特性曲線などとよばれる．この入出力特性において，入力に対して出力が一意に決まる入力の範囲（一般に横軸上）をダイナミックレンジといい，これが広いほど，より少ないX線量からより多いX線量までを画像化できる．一般に，増感紙／フィルムで1.5～2桁，I.I.—DRで2～2.5桁，CRやFPDで3.5～4桁程度である．また，CRを含む多くのデジタル系では，低露光部から高露光部まで入射X線量に対して出力ピクセル値が直線状に変化している（直線性に優れている）．

CRの画素サイズは一般撮影用で100μm程度，乳房撮影用では50μm程度のシステムもあり，増感紙／フィルムに劣らない解像特性を有している．

CRを含む多くのデジタル画像では，各種の画像処理が適用できる．代表的な画像処理として，①階調処理，②周波数処理，③サブトラクション処理（テンポラルサブトラクション，エネルギーサブトラクション），④幾何学情報（距離，角度）の計測，⑤CAD等がある．また，従来のフィルムに比べ，保存・検索・伝送に有利である．

13 X線平面検出器（フラットパネルディテクタ，FPD）

多数の半導体（TFT）スイッチをマトリクス状に配列し，被写体透過後のX線量を高速に読み出す受像器であり，1枚のパネルにX線検出部と画像読み出し回路を組み込んだ一体成型である．読み出し処理を電気的に行うため，静止画（撮影像，DR）のみならず動画（透視像，DF）にも対応できるデジタルシステムである．

1. 構造

FPDは，図6-32に示すように，被写体を透過したX線強度分布を電気信号に変換し，最終的にはデジタル画像を出力する撮像装置であり，X線変換部（検出部）と信号読取部（TFTスイッチングアレイ）の二層が一体構造となっている．

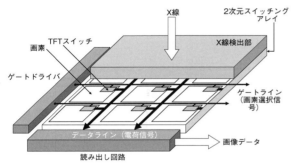

図6-32　フラットパネルディテクタの基本構造

2. 画像読み出しの原理

直接変換方式では，①アモルファスセレン（a—Se）などを用いたX線—電荷変換層で，入射したX線強度に応じた正孔—電子対が生成する．②バイアス電極に印加した高電圧（およそ10,000 V/mm）による電界により，画素電極（セグメント）ごとの蓄積キャパシタに電荷が蓄えられる．③TFTアレイを用いて，蓄えられた電荷を時系列の電気信号として読み出す．④電気信号を増幅後，ローパスフィルタを通し，A/D変換してデジタル信号を得る（図6-33）．

間接変換方式では，①シンチレータ（CsI：TlやGd_2O_2S：Tbなど）を用いたX線—光変換層で，入射したX線強度に応じた蛍光が生じる．②a-Siフォトダイオードで蛍光を電荷に変換して，画素電極（セグメント）ごとの蓄積キャパシタに蓄える．③TFTアレイを用いて，蓄えられた電荷を時系列の電気信号として読み出す（またはCCDを用いて光電変換し，時系列の電気信号として読み出す）．④電気信号を増幅後，ローパスフィルタを通し，A/D変換してデジタル信号を得る（図6-34）．

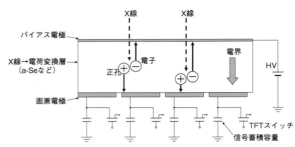

図6-33　直接変換方式FPDの画像読み出し原理

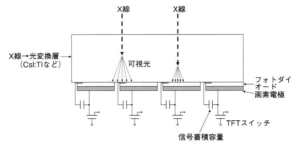

図6-34　間接変換方式FPDの画像読み出し原理

両方式の違いはX線→電荷の変換過程にあり，TFTスイッチングアレイで電気的に読み出す過程は同じである．また，両方式とも撮影専用（静止画専用）と透視撮影用（動画対応）のパネルがある．

3. 特徴

両方式ともX線変換部では，吸収されたX線エネルギーに応じた電荷が生成する．その途中で一旦，光に変換される方式が間接変換である．光の拡散によるボケが生じるため，直接変換と比べて解像力が劣る．直接変換では電界の作用により正孔（または電子）は拡散せず，画素電極に収集される．また間接変換方式では，1つの画素に占める電子部品（TFTスイッチや信号蓄積容量およびTFTスイッチを駆動させるためのゲートラインや信号を収集するためのデータライン）の面積がパネルの感度を低下させるため，画素サイズを小さくすることが難しい．画素の大きさに対するX線感応部分の面積割合を開口率（フィルファクタ）という．

また，マトリクスサイズ分の電子部品（TFTスイッチ，信号蓄積容量）が集積されており，個々の性能差によって画素ごとに感度が異なるという欠点が生じるため，定期的なキャリブレーション（感度補正，欠陥画素補正など）が必要となる．

I.I.を用いたX線TVシステムと比べると，FPDの入射面は平面であり，I.I.のように凸状でないため，画像の周辺部に歪みが生じない．また視野が円形のI.I.に対して，FPDのパネルは矩形であり，一辺が9～17インチ（22～43 cm）程度のものが製品化されている．画素サイズは100～200 μm程度である．

14 特殊撮影装置

1. X線断層撮影装置
A. 原理

図6-35に示すように，被写体内のO点を回転中心としてX線管をAからBまで移動させ，これと連動して受像器を反対方向にO'からO''まで移動させる．

受像器の移動距離$\overline{O'O''}$は
$$\overline{O'O''}=(n/m)\overline{AB} \qquad (6.14)$$
受像器上のO点の移動距離も$\overline{O'O''}$であるから，X線管と受像器が運動しても，O点像は受像器上で鮮鋭な像となる．受像器面と平行なO点を含む面上の像は同じ関係が成立するから，この平面は受像器上で鮮鋭な像として映像される．一方，回転中心面から上下に離れたP，Q点は受像器上で像が流れたように写りボケ像となる．したがって，回転中心面は鮮鋭であるが，これから上下に離れるほど，ボケの長さは長くなり，受像器上には鮮鋭な像として写らない．これを利用して，回転中心面の断層撮影ができる．

また，FPD装置を用いてコンピュータにより断層像を再構成する手法を（デジタル）トモシンセシスといい，同時に複数の断層像を得ることが可能である．

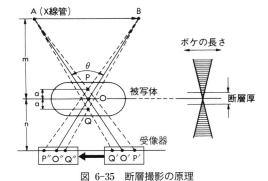

図6-35 断層撮影の原理

B. 断層厚

実際，受像器に映像されるのは面ではない．人間の目でボケ像として識別できない層以外は鮮鋭に見えるから図6-35に示した一定厚の層（断層厚）が撮影されたことになる．断層厚は次の因子によって変わる．①断層角度（θ）が大きいほど断層厚は薄くなる．②n/mが大きいほど断層厚は薄くなる．逆に断層角度を小さくする（2〜3°）と，厚い層の断層撮影ができる．

2. オルソパントモグラフィー（歯科用X線断層撮影）装置

上下顎を含む全歯列を断層撮影の原理でパノラマ撮影する方法である．図6-36に示すように，歯列の形を半円形と考えたとき，スリット状のX線ビーム（X線管側に1次スリット，受像器側に2次スリットを配置して同期させる）を半円形歯列の中心を軸として，①から③まで回転させる．一方，X線管を支持するアームの端に受像器を置いて，X線ビームの回転と同時にこの受像器を矢印の方向に移動させる．その結果，受像器上を移動する像点の線速度と受像器の線速度が等しくなる被写体面（B）は受像器上で鮮鋭となるが，A面は早くなりC面は遅くなるため，これらの像は受像器上でボケる．B面を歯列とすれば歯列のみが断層撮影の原理で撮影できる．現実には歯列は半円形ではないため，回軸中心を変えながら連続的に撮影することにより，歯列の形に適合した断層撮影ができる．

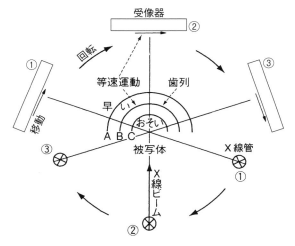

図6-36 パントモグラフィーの原理

3. 乳房用X線装置

乳がんの早期発見を目的として，乳がん検診が行われるが，そのためには乳房組織内の微小石灰化や腫瘍辺縁などの微細病変をX線画像として描出する必要がある．このため，X線画像には高解像度と高コントラストが要求され，専用のX線装置が用いられる．

乳房撮影装置の外観を図6-37に示す．乳房はカセッテ保持部の上に位置付けし，圧迫板で強く圧迫して平たく薄くすることにより，①散乱線の減少と②乳腺組織の重なりを減少でき，③乳房の固定にも役立つ．また④被ばく線量も低減でき，非常に重要な働きをする．

A. X線管装置

一般撮影に比べて被写体コントラストの極めて低い乳房組織の撮影には低エネルギーX線を必要とするが，そのためモリブデンMo（Z：42）ターゲットの特性X線（K_α：17.5 keV, K_β：19.6 keV）を有効に利用する．さらに画像コントラストの低下をきたす特性X線エネルギ

一以上のX線(制動X線)を効果的に除去するため,K吸収端を利用したMo(K-edge:20 keV),ロジウムRh(同:23.2 keV)などの付加フィルタ(エッジフィルタ)を用いる.MoターゲットとMoフィルタを組み合わせたときのX線スペクトルの一例を図6-6に示す.高密度乳腺など,やや高エネルギーが必要な場合にはロジウムRh(Z:45)ターゲットの特性X線を利用する.

X線発生装置は管電圧25〜35 kV程度が調整できるインバータ式X線発生装置が使用され,焦点寸法は0.3 mm/0.1 mmで,0.1 mmは1.7〜2.0倍の拡大撮影に使用される.また,X線管の放射口はできるだけ軟X線吸収の少ないベリリウムBe(Z:4)で作られる.

B. 撮影台

X線管からAECが組み込まれたカセッテ保持部までの一体が上下方向に移動できるとともに,左右方向に回転することもできる(Cアーム支持器).圧迫板はX線吸収が少なく,機械的強度も必要で,多くはポリカーボネート材質が使用され,手動並びに電動機構で圧迫する.焦点-受像器間距離(SID)は65 cm程度のものが多く,

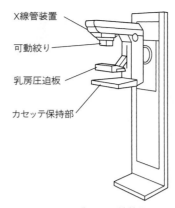

図6-37 乳房用X線装置

比較的短距離であるためヒール効果が大きく現れるが,これを逆利用して,乳房先端部のX線量を減少させるような方向,すなわちX線管の陽極側が乳房先端側にくるように設置する.また,密着撮影のほかに,拡大撮影やブッキー撮影の機能も有している.

15 CTの概要と装置構成

6章 診療画像機器学（X線）

CTの原理はX線管球から発生したX線を，まずコリメータで絞って人体に入射する．人体を透過したX線は検出器前に配置されたコリメータによって絞られて，薄いスライスの決定や散乱線の影響を小さくする．透過X線は検出器・データ収集部（DAS）で電気信号に変換されて画像再構成装置（コンピュータ）に送られる（図6-38）．

透過X線強度は均一な物質では，次式により減弱する．
注）単一エネルギーX線の場合のみ成り立つ．

$$I = I_0 \times e^{-\mu x}$$

I_0：入射X線強度，I：透過X線強度，x：透過長，
μ：線減弱係数（cm^{-1}）

人体の場合，体内は均一でないため，いろいろな線減弱係数の掛け合わせとなる．

$$I = I_0 \times e^{-(\mu_1+\mu_2+\mu_3+\cdots+\mu_n)x}$$

ここで両辺の自然対数をとると

$$(\mu_1+\mu_2+\mu_3+\cdots+\mu_n) = \frac{1}{x}\ln\frac{I_0}{I}$$

となり，入射X線強度 I_0，透過X線強度 I，透過長 x が解れば線減弱係数の和 $(\mu_1+\mu_2+\mu_3+\cdots+\mu_n)$ が求まり，μ は連立方程式で計算することができる．

CTでは多方向からの投影データを画像再構成処理によって断層像として求めている．画像は水の線減弱係数の相対値として，CT値に変換して表示する．

$$\text{CT値} = \frac{\mu_t - \mu_w}{\mu_w} \times k$$

μ_w は水の線減弱係数，μ_t は組織の線減弱係数，k は定数．$k=1,000$（HU：ハンスフィールドユニット）が使用されるため，μ_t を水とするとCT値は0となる．空気（$\mu_{air} \fallingdotseq 0$）のCT値は−1,000となる．また，骨の線減弱係数が水の1.5倍と仮定するとCT値は+500，2倍の場合は+1,000として表示される．

（例題）水の線減弱係数が0.215 cm^{-1} のとき，線減弱係数が0.258 cm^{-1} の組織のHounsfield値（CT値）は，200〔HU〕である．

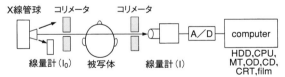

図6-38 X線CTの撮影原理

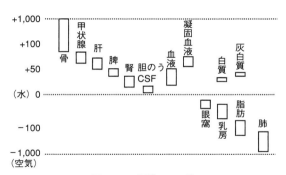

図6-39 組織のCT値

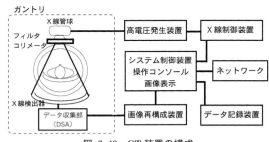

図6-40 CT装置の構成

投影データの流れ（ハードウェア）

|X線管球|
↓↓↓ 透過X線
|検出器|（電離箱，固体検出器）
↓ 投影データ
|DAS|（積分・フィルタ回路，A-D変換部）
↓ ケーブル，スリップリング
|CPU・画像再構成部・表示メモリ|

人体組織のCT値を図6-39に，CT装置の構成を図6-40に示す．

1. 高電圧発生装置

X線発生装置に要求される性能項目には，①管電圧・管電流の安定性・再現性が良い，②リプル率（管電圧脈動率）が小さい，③管電圧波形の立ち上がり・立ち下がり時間が短い，④大出力，大容量などがある．

X線出力は（管電圧×管電流）の値で表され，30〜60 kWの出力が用いられている．例えば，48 kWでは120 kV，400 mAの出力である．

X線発生装置には高周波インバータ方式が使用されている．ヘリカル（ら旋型）CT装置では回転部にインバータ式高電圧発生装置を搭載して，X線管球や検出器とともに回転する方式がとられている．

管電圧は120 kVに設定された装置が多い．この場合CT値は120 kVでキャリブレーション（校正）されてい

るため，それ以外の管電圧（80，100，140 kv など）で使用する場合は，CT 値の校正が必要である．

2. X 線管球

X 線管球は短時間に多数スライスの撮影，ヘリカル CT では連続的に X 線を発生させるため，陽極蓄積熱容量が大きく冷却効率の高い管球が使用される．CT 専用管球では，冷却オイルを管球の外部へ強制循環させて冷却している．X 線管球の容量は，陽極熱容量を HU（ヒートユニット）単位で表し，6.5〜20 MHU の管球が使用されている．

管電圧は 80〜140 kV の高電圧で使用されるため，高い耐電圧特性も要求される．また，1 秒以下の高速回転でスキャンするため，耐遠心力についても考慮されている．

高速回転時の強い遠心力によって発生する焦点ブレを，陽極の両持ち支持構造で抑制した管球．焦点外 X 線をカットする目的の陽極接地型 X 線管球．陽極を管球底面に配置して陽極の裏側を直接冷却オイルと接触させて冷却効率を高めた，直接陽極冷却方式の管球などがある．

3. X 線検出器

1) 検出器に要求される項目

① X 線検出効率が高い．
② 安定性がよい．
③ 入出力の直線性がよく，ダイナミックレンジが広い（10^4〜10^6）．
④ パルス応答性（過渡特性）がよい．
⑤ X 線エネルギー依存性が少ない．
⑥ 素子サイズが小さい．

2) 検出器の構造

シングルスライス CT では，体軸方向の幅が 10 mm 程度でファンビーム方向に一列に配列された検出器素子が約 1000 個（ch.）並んでいる．Xe ガス封入電離箱が多く用いられた．

マルチスライス CT では，検出器列は体軸方向に多列化（4〜320 列）された二次元マトリックス構造で，シンチレータとフォトダイオードが用いられている．投影データは複数の DAS に出力される．

3) 検出器の種類

（1）電離箱検出器（Xe ガス高圧封入電離箱）：キセノンガス（原子番号 54）を高圧封入（10〜20 気圧）した多チャンネルの電離箱である．高圧印加用電極と信号用の集電極が交互に並べてあり，2 つの高圧電極に挟まれた体積が 1 つの検出素子（チャンネル）となる．

検出効率は固体検出器より劣るが，高密度配列（検出部が小さい）が可能で出力信号の安定性がよい検出器である．第 3 世代シングルスライス CT に用いられた．

（2）固体検出器：初期の装置にはシンチレータ NaI（Tl）と光電子増倍管を組み合わせた検出器が用いられた．現在は，シンチレータで X 線を光に変換した後，フォトダイオード（光半導体）で電気信号に変換している．フォトダイオードは小型で量子効率は高いが，電流増幅作用がないため，発光量の多いシンチレータ（Gd 系セラミックなど）と組み合わせて用いられている．フォトダイオードは高密度配列，ダイナミックレンジ，安定性，直線性などが優れている．フォトダイオードを用いたものを，半導体検出器と呼称する場合がある．

4. データ収集システム（DAS）

DAS（data acquisition system）は検出器から出力された電気信号（電流）を増幅後（増幅回路），デジタル信号に変換（A-D 変換）して再構成コンピュータに転送するシステム部をいう．

5. ガントリ（架台），寝台

X 線管球と対向して設置された検出器を回転させて，被検者の投影データを収集する構成部の総称をガントリという．マルチスライス CT では複数列の検出器を備えており，1 回のスキャンで同時に複数のスライスデータを収集する．

チルト機構：スライス面を被検者の体軸方向にガントリを傾斜させて，最適なスライス断面を設定する機構をいう．頭部の OM ラインや，椎体・椎間ごとのスライス断面の角度調整に用いる．スライス位置や角度設定はガントリ固定部に設けられたレーザーポインタで行う．

寝台は被検者をガントリに出し入れする水平移動と，被検者の乗り降りのための上下動がある．ヘリカル CT では，低速（0.5 mm/sec）から高速（100 mm/sec）移動を高精度に駆動する性能が要求される．また，寝台の移動を繰り返した場合における寝台停止位置の精度も重要である．

関連事項

パーシャルボリューム効果（部分体積効果）
1 ボクセル内に異なった組織が存在している場合，CT 値は平均化されて表示される現象で，組織の正確な CT 値が得られない．通常，ピクセルサイズに比べてスライス厚が厚いため，薄いスライスでの撮影で減少できる．

ビームハードニング効果（線質硬化現象）
連続スペクトル X 線は，組織を透過するに従い軟線部分が相対的に吸収され，実効エネルギーが高くなる現象で，CT 値が変化する．CT 値が低くなる現象をカッピング効果という．

スリップリング機構
CT 装置の固定部と回転部を接続するケーブルを，電気的導体のリングとブラシを接触させた方式で，X 線管球は連続回転が可能である．従来は電源・信号ケーブルがあるため右回り・左回りと交互回転を繰り返していた．

16 CTのデータ収集方法

CT装置はスキャン時間の短縮を目的に各種の走査方式が開発され世代分類されている.

1. 走査方式

1) 第1世代（T-R）方式の装置は，X線管球から発生する1本の細いX線束（pencil beam）と数個の検出器が，平行移動（Translate）と1°回転（Rotate）を組み合せて撮影する（図6-41a）.

2) 第2世代（T-R）方式は，X線束を狭いファン状（narrow fan beam）にして，複数個の検出器を用いた.走査方法は平行移動と回転を繰り返すが，ファン角度に比例して回転角度を大きくできるため，スキャン時間が1分程度に短縮できる.

3) 第3世代（R-R）方式は，X線束を広いファン状（fan beam）にして被写体全体を覆い，検出器は管球に向かって円弧状に配列されている（図6-41b）.X線管球と検出器を対向させて一体として360°回転させる方式で，回転走査のみでデータ収集を行う.全身用として10秒程度のスキャン時間から始まり，現在では0.5秒以下で1回転スキャンが可能である.走査方式の機構上，リング状アーチファクトが発生しやすい欠点がある.

ヘリカルCTやマルチスライスCTもこの第3世代方式でデータ収集を行っている.

4) 第4世代（S-R）方式は，検出器を円周状に固定（stationary）して，X線管球のみを回転させる方式である（図6-41c）.この方式は，X線利用効率や分解能低下（拡大によるボケ）などの問題があった.改良型として，検出器の外側をX線管球が回転する（検出器は退避する）N-R方式も開発された.退避する動きを章動（Nutate）という.

2. ヘリカルCT（ら旋型CT，スパイラルCT）

X線管球の回転と寝台の連続移動を組み合わせたスキャンがヘリカルCTである.患者からX線束を見ると，ら旋状の軌跡を描くことからヘリカルCTあるいはスパイラルCTとよばれている（図6-42）.ヘリカルCTでは，短時間で広い範囲のスキャンが可能で，体軸方向に連続したデータが得られる.

A. スリップリング機構

従来のCT装置では，高電圧ケーブルを引き廻しながら，時計方向/反時計方向の交互回転を行う必要があった.ヘリカルCTではスリップリング機構（電導ブラシ，電導リング）によって，回転中のX線管球に電力が供給されるため，連続回転が可能である.検出器への電力供給および出力信号の伝送も同様に行われる.

B. ヘリカルCTの画像再構成（補間再構成）

従来のCTでは，1つのスライス断面上で1回転分（360°）の投影データを得て画像再構成を行う.ヘリカルCTでは投影データの始めと終わりの位置が異なるため，そのまま画像再構成を行うとアーチファクトが出現する.スライス断面の投影データは1方向（1投影角度）しかない.そのため，スライス前後の投影データを用いて，多方向の投影データを作成（通常は線形補間法）している.

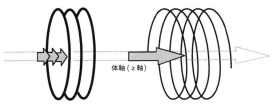

a. 従来のシングルスキャン　　b. ヘリカルスキャン

図6-42　従来のシングルスキャンとヘリカルスキャン

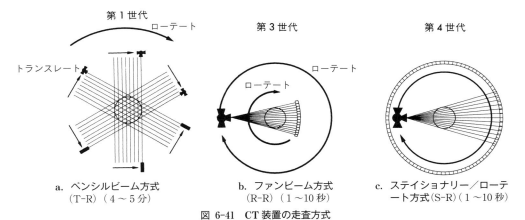

a. ペンシルビーム方式　　b. ファンビーム方式　　c. ステイショナリー／ローテート方式(S-R)(1~10秒)
　　(T-R)(4~5分)　　　　（R-R）(1~10秒)

図6-41　CT装置の走査方式

1) 360°補間法：2回転（±360°）分の投影データを用いる．前後の隣接する同一方向の投影データに距離に応じた重み付け加算をして，多方向の投影データを求める．ノイズは少ないが，実効スライス厚が厚くなるためパーシャルボリューム効果の影響が大きい．

2) 180°補間法：1回転（±180°）分の投影データを用いる．180°対向する投影データを距離に応じた重み付け加算をして，多方向の投影データを求める．体軸方向（スライス厚）の分解能に優れ，パーシャルボリューム効果も少ないため180°補間法が多く用いられている．

C. CTピッチ係数（CT pitch factor）

スライス厚に対する患者支持器（天板・寝台）移動量の指標としてCTピッチ係数（ビームピッチ）が定義されている．

$$CTピッチ係数 = \frac{管球1回転当たりの患者支持器の移動量}{N \times 公称スライス厚}$$

Nは単一スキャンで生成されるスライスの数．公称スライス厚は設定スライス厚，コリメーション幅，検出器列幅などを指す．ヘリカルピッチを大きくすれば短時間に広範囲の撮影ができるが，画質（実効スライス厚など）は低下する．ヘリカルピッチは小さいほど，実効スライス厚は薄く，パーシャルボリューム効果も小さく，空間分解能は高い．しかし，被ばく線量は増加し，スキャン範囲は狭い（表6-5）．

表6-5 CTピッチ係数（ヘリカルピッチ）

CTピッチ係数	小さい設定	大きい設定
時間分解能	低い	向上
実効スライス厚	薄い	厚い
空間分解能	高い	低下
3D表示，MPR処理	優れる	不利
被ばく線量	多い	低減

ヘリカルCTは，体軸方向に連続した投影データが得られるため，空間的・時間的に連続性のある情報が得られ，3D表示の画質向上，任意方向のスライス断面の画像再構成ができるなどの特徴がある．

3. マルチスライスCT（MDCT；multi detector-row CT）

体軸方向に複数の検出器列を配置して，同時に複数スライスをスキャンする方式をマルチスライスCTという．高画質でかつ短時間に多くのデータを収集することができる．

検出器はマトリックス構造の固体検出器を採用し，X線束（ファン角）方向に約1,000チャンネル×体軸（コーン角）方向に素子列が複数並んでいる（図6-43）．基本的にマルチスライス数と同数のDASを備え，一回のスキャンで体軸方向に4列〜256, 320列の投影データを同時に収集可能である．

MDCTにはスライス厚を決定する検出器前コリメータはない．スライス厚の決定は検出器素子列（0.5〜1 mm等）を組み合わせてスライス厚を設定する．

ヘリカルCT（スリップリング機構）を併用することにより時間分解能の高い検査が可能である．

1) アイソトロピックボクセル

検出器の狭小化（小型化）による薄いスライス断面とヘリカルCTによって，サイコロのように三辺の長さが等しい等方性ボクセル（アイソトロピックボクセル）データが得られる．作成された画像を等方性イメージ（isotropic image）という．

2) z軸補正

検出器の多列化（16列程度以上）に伴い，コーン角度の広がりとともにコーンビームアーチファクトが生じるため，z軸補正（Feldkampなど）を行う必要がある．ヘリカルピッチを大きく設定すると，スキャン時間の短縮化が図られるがウィンドミル（風車状）アーチファクトが生じる．

3) オーバースキャニング

MDCTではスキャン開始と終了位置では，設定スライス位置より外側方向にまでX線ビームが照射される．対策として体軸方向に非対称に独立して動作するアクティブコリメータを備えた装置もある．

  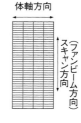

a. 従来の検出器（一次元配列）　b. 多列検出器（二次元配列）　c. 検出器の形状（4列）

図6-43 従来のCTとマルチスライスCTの検出器

関連事項

CTコロノグラフィ（大腸CT検査）
大腸・直腸内へ炭酸ガス・空気を注入して仰臥位と腹臥位でCT撮影を行う．画像処理によって実際の内視鏡で観察するような画像（仮想内視鏡：バーチャルコロノグラフィ）を再構成する．

デュアルエネルギーCT
高低エネルギーの異なるX線を用いてX線吸収係数（CT値）の情報を得る技術．造影剤と石灰化の分離，尿酸と炭酸カルシウムの識別などに応用される．また，造影画像から仮想的に，非造影画像を作成することができる．コントラスト向上やビームハードニング改善に役立つ．

17 CTの画像再構成と性能評価

1. 画像再構成法

X線CTの画像再構成は，逆投影法（コンボリューション逆投影，フィルタ補正逆投影）や逐次近似法が用いられている．逐次近似法は繰り返し計算が必要なため膨大な計算処理を伴うが，画像ノイズ低減や被ばく線量低減が可能である．

投影データの流れ（データ処理）

データ収集部（DAS）
↓増幅，オフセット処理，log変換，A/D変換
（前処理）キャリブレーション
↓　　ビームハードニング補正
↓　　平行ビュー変換（ファンパラレル変換）
↓　　フィルタ処理（コンボリューション，フィルタ関数）
画像再構成　フィルタ逆投影，逐次近似法
（後処理）
↓断層画像をCT値の単位に変換，ビット処理
CT画像表示

CT画像は横断像が基本であるが，薄いスライスデータを用いて，MPRによるコロナル像やサジタル像の作成，MIP，3D画像処理を行って立体的な三次元画像の作成．また側頭骨や肺野など微細構造を描出する高分解能再構成処理HRCTは，フィルタ関数を変えてダイナミックレンジを広げて再構成を行う．

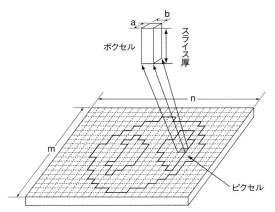

図6-44　CT画像のマトリックス，ピクセル，ボクセル
マトリックス数：ピクセルの総数（m×n）
ピクセル（画素）サイズ：a×b[mm^2]
ボクセルサイズ：ピクセルサイズ×スライス厚[mm^3]

2. CT画像の表示

画像を構成する最小単位を画素（ピクセル）という（図6-44）．CT画像は多数の画素がマトリックス状に配列され，マトリックス数は1024×1024，512×512などが用いられている．再構成領域（FOV）は撮影部位に応じて設定されるため，実際の画素サイズは撮影部位によって異なる．またCT画像にはスライス厚という奥行き情報が含まれており，画素とスライス厚の積をボクセル（体積）という．CT値は一つのボクセル内の平均値を表示する．このため，パーシャルボリュームアーチファクト（部分体積効果）が発生する．

CT画像を表示するとき−1,000〜+1,000のCT値をそのまま白黒表示すると，CT値の表示範囲が広すぎる．そこで観察したいCT値の中央値（ウィンドウレベル；WL）とCT値の表示幅（ウィンドウ幅；WW）を設定

表6-6　CT装置の日常試験（不変性試験—医用X線CT装置JIS z 4752-2-6：2012）

試験項目	適用する基準	試験の頻度
患者支持器の位置決め	長手方向の差：±1mmを超えないこと バックラッシュの差：±1mmを超えないこと	3カ月
患者位置決め精度	位置決め基準（光照射野）とスライス面の相関指定位置に対して±2mm以内	3カ月
スライス厚	測定スライス厚と基礎値との差の最大値2mmを超えるスライス厚：±1.0mm 1mm〜2mm以下のスライス厚：±50% 1mm未満のスライス厚：±0.5mm	1カ月
線量指数（CTDI）	$CTDI_w$または$CTDI_{free\ air}$の値を基礎値と比較 基礎値の±20%以内	半年 大きな保守作業後
ノイズ 平均CT値 均一性	基礎値から±10%または0.2HU単位の大きいほうを超えないこと 基礎値の±4HU単位以内 中央部と他の差（平均）が2HU単位を超えないこと	1カ月
空間分解能	金属線（0.2mmφ以下）による点広がり関数からMTF曲線で評価　MTF曲線の50%および10%の値が，0.5LP/cmまたは基礎値の±15%のいずれか大きい値まで	3カ月

基礎値の設定：受入試験を行うときに設定する．または画質・線量に影響する部品を変更したとき，試験（測定）機器を変更したときは新しい基礎値を設定する．

することにより目的組織，臓器を最適なコントラストで表示する．

例えば WL＝0，WW＝400 に設定すると，−200〜＋200 の CT 値が表示される．ウィンドウ幅を小さく設定すると，範囲内にある組織のわずかな X 線吸収差を高コントラストで表示することができる．ただし，表示される CT 値の範囲は狭くなる．

3. CT 画像と性能評価法

ノイズ（雑音）とは均一ファントム画像の特定区域内の画素（ピクセル）の CT 値変動の標準偏差で表す．標準偏差を σ としたとき，理論的には次式の関係がある．

$$\sigma^2 = \frac{k}{W^3 \times D}$$

k：定数
W：ボクセル一辺の大きさ
D：透過 X 線量

雑音の少ない CT 画像を得るためには，X 線線量を多く，ボクセルは大きくする必要がある．ただし，被ばく線量の増加，分解能の低下を伴う．

X 線 CT 用ファントム（JIS Z4923）および，医用 X 線 CT 装置—安全（JIS Z 4751-2-44）の概要を記述する．表 6-6 に医用 X 線 CT 装置—不変性試験（JIS Z 4752-2-6）の概要を示す．

A. 雑音（ノイズ），平均 CT 値及び均一性

測定は均一なファントム（水が望ましい）画像の数カ所の関心領域から，CT 値の平均および標準偏差を求める．ノイズは中央部と周辺部 4 カ所と合わせた 5 カ所の標準偏差を加算平均した値 σ_{av} から，水の線減弱係数に対するパーセント（%）として求める．

$$\% \sigma_{av} = \frac{CS \times \sigma_{av}}{\mu_w} \times 100$$

μ_w：水の線減弱係数で $0.195 \, \mathrm{cm}^{-1}$
CS：コントラストスケール

均一性は，中央部の関心領域の平均 CT 値を周辺部の平均 CT 値と比較評価する．

B. コントラストスケール（CS）

CT 値と線減弱係数の関係を示す尺度．200 mm 径の水ファントムの中央部に 50 mm 径の空気円筒を配置したファントムを撮影して，空気と水の CT 値の差に対する線減弱係数の差から CS を求める．

$$CS = \frac{\mu_x - \mu_w}{CT_x - CT_w}$$

μ_x：空気の線減弱係数
μ_w：水の線減弱係数
CT_x：空気の CT 値
CT_w：水の CT 値

コントラストスケールは管電圧，検出器，CT 装置などにより異なる．

C. 空間分解能

空間分解能は異なるサイズの物体を識別できる最小検出能で，CT 装置の能力をいい高コントラスト分解能を指す．（JIS Z4923）ではメタクリル樹脂円盤に直径 0.2 mm 以下の金属線（ステンレス鋼線）の点広がり関数（PSF）のフーリエ変換から MTF 曲線を求めて評価する．代替の評価法として，バーパターン（周期的パターン，3〜10 LP/cm）による視覚評価または MTF により評価する．

空間分解能に影響する項目として幾何学的因子（焦点サイズ，拡大率，検出器サイズ），投影データ数や精度，画像再構成法（再構成関数），スライス厚，画素サイズ，表示マトリックス数などがある．

D. スライス厚

金属板や金属線（ワイヤ）などの傾斜物（代表的な角度 45°）の CT 値（スライス感度プロファイル）から半値幅 FWHM によりスライス厚を評価する．

ヘリカル CT では円盤（ディスク，コイン）または微小球体（ビーズ）ファントムを撮影してスライス感度プロファイルの半値幅から実効スライス厚を求める．円盤または微小球体は 0.05〜0.1 mm 程度の厚さとする．

E. コントラスト分解能

被写体コントラストが大きく影響するため，高コントラスト分解能と低コントラスト分解能に分けて評価する．

1) **高コントラスト分解能**は，ある物質とその周囲との X 線吸収差が大きいとき，画像上でその物体を識別できる最小識別能をいう．ファントムは，メタクリル樹脂製円盤にサイズの異なる孔（空気）を周期的に配置して，認識できる穴の径と個数によって評価する．

2) **低コントラスト分解能**は，ある物質とその周囲との X 線吸収差が小さいとき，画像上でその物質を識別できる最小識別能をいう．ファントムは CT 値が約 50 の物質の円盤に，CT 値が 5±1 低い物質（CT 値 45±1）を満たしたサイズの異なる孔を周期的に配置し，その CT 画像で評価する．

F. 線量測定

測定した線量（$CTDI_w$ または $CTDI_{free\ air}$）を用いて，基礎値と比較する．

1) **CT 線量指数 100（$CTDI_{100}$）**：スライス面に対して垂直な線（z）に沿った単一アキシャルスキャンの線量プロファイルを −50 mm〜+50 mm の範囲で積分した値を，単一スキャンで生成されるスライス数 N と公称スライス厚 T との積，または 100 mm の小さい方で除したもので，単位は〔mGy〕．頭部用は 160 mm 径，体幹部用は 320 mm 径のメタクリル樹脂（PMMA）円筒ファントムを用いる．測定はペンシル型電離箱線量計（長さ 10 cm）を用いてを求める．

$$CTDI_{100} = \int_{-50\,mm}^{+50\,mm} \frac{D(z)}{\langle N \times T, 100\,mm \rangle_{min}} dz$$

$D(z)$：スライス面に垂直な線量プロファイル（空気カーマ）

$\langle N \times T, 100\,mm \rangle_{min}$：$N \times T$ または 100 mm のいずれか小さい方を用いる

ファントムおよび患者支持器（天板）がない状態（空気中）で評価した場合は CT 線量指数 FREE-IN-AIR（$CTDI_{free\,air}$）として定義されている．

2) **重み付け $CTDI_{100}$（$CTDI_W$）**：ファントム中心部と周辺部（4 カ所の平均）の $CTDI_{100}$ から求める．

$$CTDI_W = \frac{1}{3} CTDI_{100(中心)} + \frac{2}{3} CTDI_{100(周辺)}$$

3) **ボリューム $CTDI_W$（以下，$CTDI_{vol}$）**：撮影された検査部位の平均線量を表す．

a) アキシャルスキャン

$$CTDI_{vol} = \frac{N \times T}{\Delta d} \times CTDI_W$$

N：単一スキャンで得られるスライスの数
T：公称スライス厚
Δd：連続スキャン間の患者支持器（天板）の移動量

b) ヘリカルスキャン

$$CTDI_{vol} = \frac{CTDI_W}{CT\,ピッチ係数}$$

c) 患者支持器（天板）の移動がないスキャン

$$CTDI_{vol} = n \times CTDI_W$$

n：プログラムされた回転数の最大値

4) **長さ線量積（DLP）**：撮影シリーズ毎の線量を表す指標で，$CTDI_{vol}$ にX線照射されるスキャン長を乗じた値で単位は（mGy・cm）．

a) アキシャルスキャン

$$DLP = CTDI_{vol} \times \Delta d \times n$$

Δd：連続スキャン間の患者支持器の移動量
n：一連のスキャン数

b) ヘリカルスキャン

$$DLP = CTDI_{vol} \times L$$

L：X 線照射中の患者支持器の移動量

c) 患者支持器（天板）の移動がないスキャン

$$DLP = CTDI_{vol} \times N \times T$$

N：単一スキャンで得られるスライス数
T：公称スライス厚

G. 架台および患者支持器

患者支持器（天板）に 135 kg 以下の人体相当の負荷をかけた状態で試験を実施する．患者支持器の長手方向の位置決めとバックラッシュの評価を行う．誤差は ± 1 mm を超えないこと．

H. 患者位置決め制度

アキシャル面の患者位置決め基準（光照射野）とスキャン面との相違を試験する．適用基準は，指定した位置に対して ± 2 mm 以内．

I. アーチファクトは，体動や高吸収物質（義歯，Ba など）など被写体に由来するものと，X 線発生装置や検出器不良など装置に由来するものに分けられる．画像上での形状はストリーク（直線）状，リング状，シャワー状などがある（図 6-45）．ヘリカル CT では，ヘリカルピッチを大きく設定するとウィンドミル（風車状）アーチファクトが生じる．

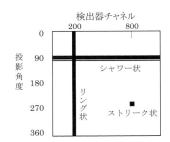

ストリーク状　　リング状　　シャワー状

図 6-45 サイノグラムとアーチファクト

関連事項

デュアルソース CT

2 つのX線管球，検出器を 90° オフセットした位置に搭載したもので，2 管球による同時収集ができる．短時間スキャン（90° スキャンで 180° データが得られる）や，デュアルエネルギー CT が可能である．

CT 用自動露出機構

人体横断面は正面（前後）方向が薄く，側面（左右）方向が厚い体形をしているが，一定管電流で 360° データを収集していた．正面は過剰線量/側面は線量不足が生じる．そこで，位置決め像やスキャン画像から体厚情報を得て，スキャン中の線量（管電流）を自動的に調整する機構で，線量の最適化が図れる．

ボーラストラッキング機構（造影剤モニタリング機構）

ダイナミック造影検査では必須の機構である．低線量で設定 ROI の CT 値を監視（モニタ）しながら，設定 CT 値を超えると自動的に撮影を開始する．

MPR（多断面変換再構成）

連続した横断像から任意方向の画像を再構成する．三次元画像にした場合，階段状に表示されるステアステップアーチファクトがあるが，MDCT では見られない．

18 骨密度測定装置

加齢に伴う骨量の減少と骨構造の劣化は，骨粗鬆症へ進行して骨折を起こすが，これによる寝たきり老人の増加は高齢化社会の深刻な問題である．現在，実用されている骨塩量（BMC：bone mineral content）の測定は以下のような方法がある．

1）MD：X線フィルム上の骨影を計測する方法
2）PA：X線の透過による光子吸収法
3）QCT：ファントムを用いた定量的X線CT法
4）QUS：超音波の音速や減衰を測定する方法

研究的には，X線，CT，MRIの骨影の周波数分析，テクスチュア解析などによる骨梁の微細構造，骨強度の解析があり，測定機器も多種におよんでいる．測定は長期にわたる微弱な骨量変化を観測しなければならないことから，①高い精度，再現性（低い変動係数：CV），②長期にわたる安定性，③短い測定時間，④高い解像力の骨影，⑤少ない被ばく線量などの点が重要視される．

1. MD法

MD法（micro densitometry）は，第2中手骨中点のX線写真濃度を精巧な濃度計で走査し，同時に撮影したアルミニウムスロープの厚さで表す方法である．骨影の観察とともに，骨幅（骨髄，皮質骨）を測定し，骨塩密度（BMD：bone mineral density），皮質骨厚比（MCI：metacarpal index）などを得ている（図6-46）．

測定法は従来，X線フィルムとマイクロ濃度計を用いていたが，今日ではCCDカメラとパソコンによって半自動的に測定するCXD法（computer X-ray densitometry），DIP法（digital image processing）が用いられている．本法は簡便で低被ばく，精度CVも1％以下とよく，骨量減少のスクリーニングに適している．

2. PA法

PA法（photon absorptiometry；光子吸収法）は，かつては ^{125}I，^{153}Gd などのγ線が用いられていたが，単色という長所はあるものの，光子数不足による低い精度やRI管理が面倒なことから，今日ではほとんどX線に代わっている．

A. 光子の体内通過による減弱

単一エネルギーをもった光子束の物質中での減弱（吸収）は，指数則に従う．

$$I = I_0 \exp(-\mu x), \quad \ln(I_0/I) = \mu x \quad (6.15)$$

I_0，I はそれぞれ入射，および透過光子数であり，光子吸収量 $\ln(I_0/I)$ は物質の減弱係数 μ と物質の厚さ x（cm）に比例する（ln：自然対数 $\log_e$）．μ は線減弱係数 μ_l（cm^{-1}），または質量減弱係数 μ_m（cm^2/g）で表され，物質の密度を ρ（g/cm^3）とすると $\mu_l = \mu_m \rho$ である．(6.15) 式より，I_0，I を測定すれば，μ_m および ρ が既知である物質の厚さ x が求められる．X線のように連続スペクトルを示す光子束の場合，μ は実効エネルギーに対する平均的な値としてしか表現できず，また線質硬化（beam hardening）などのため，厳密に厚さ x を求めることは難しい．X線によるPA法ではこれらの点に対する工夫が必要となる．ここで人体は骨と均一な軟部組織（水）のみからなっていると仮定すると光子の吸収は次式で表される．

$$I = I_0 \exp(-\mu_s \rho_s (x-B) - \mu_b \rho_b B) \quad (6.16)$$

B は骨の厚さ，x は軟部組織をも含めた人体の厚さ，μ，ρ はそれぞれ質量減弱係数，密度である．接尾記号 s，b はそれぞれ軟部組織，骨を表す．骨塩定量は，この軟部組織の影響を取り除かなければならない．PA法には1種のエネルギーの光子を用いるSXA（single energy X ray absorptiometry）と2種のエネルギーを用いるDXA（dual energy XA）がある．

B. SXA法

測定は軟部組織の影響を除去するために組織等価であ

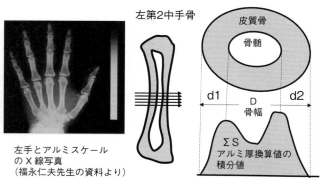

図 6-46 MD法による第2中手骨の骨量測定
BMD＝ΣS/D（mmAl），MCI＝（d₁＋d₂）/D

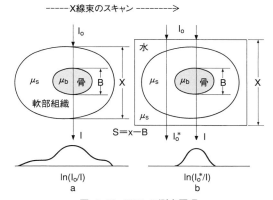

図 6-47 SXA の測定原理
a. 光子束の骨および軟部組織による減弱
b. 水槽を用いると軟部組織の厚さが一定となる．
 I_0, I：入射および通過光子の強度（数）
 I_0^*：水または軟部組織のみを通過した光子の強度
 $\ln(I_0/I)$, $\ln(I_0^*/I)$ は光子吸収量で，骨量に比例する．

る水やラバーで被験体を覆い，一定の厚さの軟部組織中に骨のみが存在するという状態を作って行われる．そうすれば軟部組織，または水のみを通過した光子束の強度 I_0^* は次式で表される（図 6-47）．

$$I_0^* = I_0 \exp(-\mu_s \rho_s x) \qquad (6.17)$$

また骨をも通過した光子の減弱は（6.16）式で表されるので（6.16），（6.17）式より，

$$\ln(I_0^*/I) = (\mu_b \rho_b - \mu_s \rho_s)B \qquad (6.18)$$

が得られる．μ_b, ρ_b, μ_s, ρ_s は全て既知であるので I_0^* と I のみを測定すれば骨の厚さ B が求まり，その点での面積当たりの骨塩量（BMD：g/cm^2）は $B\rho_b$ より得られる（$\rho_b = 3.08\,g/cm^3$）．この測定を骨の横断面に沿って線スキャンすれば，BMD とスキャンのサンプリング幅（cm）の積の総和よりその横断部全体の骨塩量 BMC（g/cm），また BMC を骨幅で除した骨塩密度指標（g/cm^2）が得ら

れる．X 線管（35～40 kV，0.1～0.5 mA 程度）からの X 線を適当な物質のフィルタを通し，ある程度単色化して NaI 検出器や CdTe 半導体検出器により計数する装置が作られている．測定部位はその機構上，前腕，踵骨などに限られるが，測定原理が簡単なため正確度，精度（1 % 程度）も比較的よい．

C. DXA 法

水槽などを使わずに軟部組織の影響を取り除くには，2 種のエネルギーの光子吸収を利用すればよい．これにより腰椎，大腿部，また全身の骨量が測定できる．低，高エネルギーの光子束の減弱はそれぞれ（6.16）式で表される．この 2 つの式の対数変換後の連立式より軟部組織の厚さ $S = (x-B)$ を消去すると，骨の厚さ B，および骨塩量 $B\rho_b$（g/cm^2）を求めることができる．

$$B\rho_b = (L - H \cdot R_S) / \{\mu_{b2}(R_b - R_S)\} \qquad (6.19)$$

ただし，$L = \ln(I_{01}/I_1)$，$H = \ln(I_{02}/I_2)$，$R_S = \mu_{S1}/\mu_{S2} = \ln(I_{01}/I_{S1})/\ln(I_{02}/I_{S2})$，$R_b = \mu_{b1}/\mu_{b2}$ であり，接尾記号 1，2 は低，高のエネルギーを示す．図 6-48 に示すように，低エ

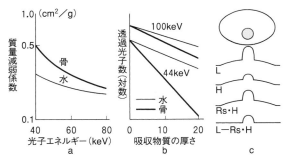

図 6-48 DXA の測定原理
a. 骨，水の光子エネルギーによる減弱係数の変化．
b. 単色光子（44, 100 keV）の骨，水による減弱曲線．
c. 骨量は $L - R_S \cdot H$ に比例する．L, H は低，高エネルギー光子の吸収量

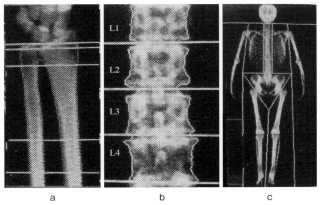

図 6-49 DXA による骨影の例（Hologic 社のカタログより）
a. 前腕骨，b. 腰椎，c. 全身骨

ネルギー光子は高エネルギー光子より大きな減弱を受けるが，減弱の差は骨の方が軟部組織より大きい．そして軟部組織のみの部位ではその厚さにかかわらず（6.19）式の分子は 0 となる．

2 種のエネルギーの X 線を得る方法，また単色化には，(1) X 線をシリコン結晶などの回折格子に入射させ，特定方向に干渉性散乱させる（強度，単色性は格子間隔，入反射角に依存），(2) 大きな K 吸収端をもった 1 つ，または 2 つのフィルタ（K-edge filter；Sn：29 keV，Ce：40 keV，Sm：47 keV，Gd：49 keV など）を通して入射 X 線のエネルギー分布に亀裂を与える，(3) X 線管電圧を高速で切り替えするなどの方法が採られている．いずれにしても完全な単色 X 線は得られないため線質硬化の点で厳密な測定には問題点が残る．2 種のエネルギーは共に低く，また適当な差をもっている方がより高い精度が得られるが，低すぎると腰椎など体厚の大きい部位では減弱が大きく，統計雑音のため精度が低下する．

透過 X 線の検出は，線，面スキャン方式では，1 個または 2 個のシンチレーション検出器，ファンビームの体軸スキャン方式では多くのフォトダイオードや CdWO₄ 検出器，CdTe 半導体を配列した検出器を用いている．どの装置も精度を上げるため，X 線管出力や検出器特性の変動，数え落し，線質硬化，散乱，体厚などに対する補正を行っている．また，腰椎側面像（椎体と棘突起などの重なりを避ける）や全身骨も測定可能である．精度（CV；0.5〜1％），画像の分解能（0.5〜1 mm 程度）もよく，測定時間も数十秒，全身でも数分と短い．このように DXA 法には多くの機種と測定方法があるが，臨床的には部位，装置ごとの年齢と骨塩量の関係を把握しておくことが基本である．図 6-49 に DXA 法による骨影の例を示す．

3. QCT 法

X 線 CT 装置を用いて主に腰椎の骨塩量を測定する QCT 法（quantitative CT）の特徴は，

1) 海綿骨，皮質骨の量を選択的に測定できる
2) 骨量が体積密度（g/cm³）の単位で得られる

ことである．海綿骨の骨は皮質骨より代謝速度が速く，骨量変化が早期に出現するといわれており，これらを分離して測定できることは他の方法に較べてより定量的である．QCT 法は患者の体幹部と数種の密度（0〜200 mg/cm³）をもった Hydroxyapatite や CaCO₃ のロッド，および軟部組織等価物質からなるファントムを同時にスキャンして，ファントム濃度とその CT 値との較正曲線より目的部位の骨該当量を得る方法である（図 6-50）．患者測定ごとに較正データを得るため，測定日や機種が異なってもよい結果が得られる．骨中の脂肪成分量により骨量の正確度が低下する場合があるが，脂肪髄の影響を

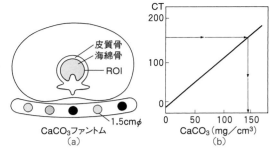

図 6-50　QCT 測定原理
a. 腰椎部を校正用ファントム（CaCO₃ など）と同時に撮像し，腰椎の骨量をファントムの該当量として得る．
b. ファントムの該当量（mg/cm³）と CT 値との関係．

低減させる 2 種の管電圧を用いる dual energy 法もある．また，検診車で移動も可能な前腕骨，下腿骨など末梢骨専用のマイクロ CT 装置（pQCT；peripheral QCT）も製作されている．

4. QUS 法

超音波の強度は物質通過で減衰するが，周波数が高いほど，また軟部組織より硬い骨組織ほど減衰量が大きくなる性質がある．QUS 法（quantitative US）は骨での透過力の強い比較的低い広帯域の周波数（100 k 〜 1 MHz）の超音波を用いる．

方法は接触振動子で測定部位を挟み，部位を透過したパルス超音波の伝播速度 SOS（m/sec；sound of speed，骨密度の平方根に比例）を測定するもので，踵骨（海綿骨：全身骨，大腿骨との相関が高い）が対象となっている．測定できる骨量のパラメータは，SOS のほかに，水中のみと水中および骨中を透過した超音波の減衰の差を周波数域での勾配で表す超音波減衰係数 BUA（db/MHz；broadband ultrasound attenuation）があり，これらから強度 stiffness，硬さの算出も検討されている（図 6-51）．

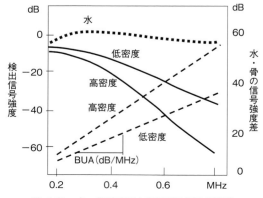

図 6-51　水，骨透過による超音波信号の減衰

7章　X線撮影技術学

● 木村千里（1-14）
● 石井里枝（15）
● 井戸靖司（16, 17）
● 柴田登志也（18）
● 小田敍弘（19）

　X線撮影技術学は，診療放射線技師の臨床業務において最も基本的必要な科目である．

　X線撮影技術学は，基礎医学大要・診療画像検査学・診療画像機器学などと関連が深い科目であり，国家試験に対してはこれらの科目を横断的に結びつけて学習することが必要である．

　X線撮影技術学の領域には，単純X線撮影・造影検査（消化管造影，血管造影）・CT検査が主体となっている．このため，これらの撮影・検査技術の習得は，教科書のみならず臨地実習で学んだことを復習する必要がある．

　国家試験においては，教科書レベルの問題はもとより，現在臨床で行われている撮影・検査技術にまでおよぶ問題が出題され，さらには画像解剖の知識までも問われている．

　この章では，X線撮影技術学の教科書レベルのまとめに加えて，臨床技術に結びつく内容を簡潔に記した．したがって，国家試験対策としての本書の活用はもちろんのこと，読者が将来のX線撮影技術学の向上に寄与していただくことにも期待している．

1 画像診断における診療放射線技師の役割と義務

1. 診療放射線技師の役割

　画像検査に携わる診療放射線技師は，各種の画像診断機器を操作して患者の病巣を画像として捉え，あるいは画像検査に並行して行われる血管内治療への画像提供など画像診断の技術分野を担当する．

　画像診断機器は，X線撮影では単純撮影，造影撮影，特殊撮影，CT，歯科撮影，骨密度測定などさらにMRI検査を含めて多用途に分かれ，また同じ用途でもメーカーや性能で多くの装置があり，診療放射線技師はこれら多くの機種機能を，検査する部位や疾患に対応させて選択し，診断側が求める画像を提供する役割を担っている．

　装置の性能を十分把握した上で，患者の疾病を画像情報として的確・安全・迅速に取り出すには，撮影技術はもちろん，画像データ収集やその後の画像処理技術も極めて重要である．診断情報に富む画像を提供するためには，診療放射線技師は解剖学や生理学，病態学，画像診断学などの医学知識に基づく検査技術および画像処理，画像機器の性能を良好に維持させる技術をもっていなければならない．

　診療放射線技師は画像検査業務のほかに，一般人を放射線から守り，同時に放射線従事者が放射線を安全に利用できる環境を整備する役割も担っている．そして，患者には必要以上の被ばくが起きないよう装置や付属機器を整備し，より少ない検査（撮影回数や線量）で多くの診断情報が得られるために最善を尽くすことが求められる．

　近年，医療画像は大部分がデジタル画像に移行している．デジタル画像は最初の画像データ収集から，途中の画像処理さらに機器の品質管理など最良の技術で機能させて初めて，診断に役立つ画像を提供できるわけで，検査を担当する診療放射線技師は，これまで以上に画像作成の技術を高める必要がある．

　このデジタル化によって，現在医療施設に普及している情報システム（HIS）や，部門内の情報システム（RIS）とリンクする画像保管転送システム（PACS）が実現され，この3者による院内情報ネットワークが，各種の診療情報を正確かつ迅速に各診療部門に転送するようになった．こうした医療と科学技術，情報技術が融合された病院情報システムを有効に機能させるためにも，診療放射線技師の役割は益々拡大してきている．

2. 医療倫理

　診療放射線技師が検査に携わる以上，患者の氏名や年齢，家族歴などの個人情報はもちろん，過去の疾病や既往歴など医療情報も知ることになる．検査する側は，これらの患者情報によって診断情報を増大させる一方で，患者の病気や人権に関わる部分を知ることになる．医療人として患者のプライバシーを守ることは当然だが，知り得た情報によって検査した側の心情を表面化することは許されない．同時に患者やその家族に対する温かい言葉遣いや，思いやりを常に意識して行動するよう努めなければならない．

3. チーム医療

　画像検査には，単純撮影のように診療放射線技師だけで検査が行われる部門と，CTやMRI検査など造影検査が伴う部門，さらに血管造影のように医師，看護師に加え，臨床工学技士などの医療スタッフとともにチームを組んで，画像検査が進められる部門とがある．

　いずれの場合も，精度の高い診断やインターベンショナル・ラジオロジー（IVR：経カテーテル的血管内治療などを行う放射線医学）が行われる場合に，そこに携わる医療スタッフは，患者にとって安全で，苦痛が少なく，予後も良好な検査が行われるよう各分野が一丸となって努力することは言うまでもない．

　通常，安全に行われている検査も，患者の状態によっては突然の事態が発生することがある．いったん，患者の生命に危機が起きたときは，放射線診療部門だけの対応でなく救命救急センター（ICU）や麻酔科の応援を仰ぐなど，病院全体のチーム医療が瞬時に動き出す危機管理態勢を整備しておくと同時に，その中における診療放射線技師の役割を明確にして，敏速に対応することが重要である．

4. 検査時のインフォームド・コンセントと患者保護，被ばく軽減

　画像検査には，数秒の検査から長時間の造影検査まで患者にとって精神的，肉体的に苦痛を伴う検査が多い．このような検査に患者に協力してもらうには，検査前にその方法はもちろん，その検査が診断する上でどんな意義をもつのか，またどんな苦痛や危険な状態が起こり得るのかなどを検査する側はわかりやすく説明し，理解してもらった上で患者自身の意志で検査を了承する，いわゆるインフォームド・コンセントの過程を踏むことが大切である．

　検査を担当する診療放射線技師は，患者へのインフォームド・コンセントを重視すると同時に，各分野のスタッフに率先して，患者の容態に注視し，患者の苦痛を軽減させる"声かけ"を忘れてはならない．

　さらに，X線撮影時の患者の被ばく線量の軽減に努めることは，診療放射線技師として責務である．

2 X線撮影の基本

1. X線撮影の目的

　X線撮影はX線の透過と吸収の性質を利用することによって，人体内部の構造や異常および病変などを客観的観察可能なX線画像にすることを目的に行われる．
　この目的を達成するためには，次のことに注意して行う必要がある．
　1）画像上に異常や病変を描出するための標準的な撮影法（体位，中心線など）で撮影されていること．
　2）使用する受像器面サイズが，撮影目的に対応したサイズになっていること．
　3）患者の氏名・生年月日（年齢）・性別，および撮影年月日・方向・左右などが画像上に表示されていること．
　4）画像に歪みやボケが少なく，目的部位，病変が観察可能な画質（コントラスト，濃度，鮮鋭度，粒状性など）で描出されていること．
　5）観察の支障になる不必要なもの（ヘアピン，バンド，衣服など）が写っていないこと．
　6）可動絞りや防護衣などを使用して，患者の被ばくをできるだけ少なく抑えること．

2. X線画像の画質

　X線画像はコントラスト，濃度，鮮鋭度，粒状性（度）などによって画質が変わるため，これらの因子は画質を評価する上で重要である．
　1）X線画像コントラストは被写体コントラストとフィルムコントラストが関係する．被写体コントラストはX線コントラストともいわれ，X線と被写体によって起こるコントラストであり，被写体の減弱係数・密度・厚さ，および散乱X線で変化し，この中の減弱係数と散乱X線は，管電圧（X線エネルギー）が大きく作用する．
　フィルムコントラストは，フィルム自体の特性や増感紙の蛍光体，現像処理によって変化する．X線画像（写真）のコントラストは，これら被写体コントラスト，フィルムコントラストの相乗積によって成り立っている．
　2）画像濃度は管電圧，管電流，撮影時間，受像系の感度などによって変化する．
　3）鮮鋭度は画像の輪郭や細部についての明瞭さを表す物理的尺度で，X線管球焦点，焦点―被写体―受像器の位置による幾何学的関係，受像器の種類，被写体の動き，撮影条件などによって変化する．
　4）粒状性（度）は，画像を形成する粒状模様がざらざらしたまだら模様になっている状態の程度を表し，X線量子（X線量），受像器の特性などに影響される．

3. 撮影条件

　X線撮影条件は，診断に適した画像を撮影するために重要である．撮影条件は主に次の因子で決まる．
　1）**管電圧**（kV）：管電圧はX線のエネルギー（線質）を変化させるもので，高電圧ほど被写体の透過性が高くなると同時に，散乱X線が多くなる．
　2）**管電流**（mA）：管電流は単位時間当たりのX線量を変化させるもので，撮影時間との積で写真濃度を制御する．
　3）**撮影時間**（sec）：撮影時間はX線を被写体に照射している時間で，時間が長くなると被写体の動きによるボケの影響が多くなる．
　4）**撮影距離**（cm）：撮影距離はX線管球焦点―受像面間距離（SID；source image recepter distance）で，距離が長いほど拡大が少ない．一方，撮影距離は距離の逆二乗則により，線量に大きく影響を与える．
　5）**被写体（撮影対象）の種類と厚さ**：被写体の実効原子番号や厚さはX線の透過・吸収・散乱に影響し，画像の描出性に大きく関与する．
　6）**受像系**：受像系は被写体を透過したX線を受けて画像形成に直接関わるため，その種類は画質の良否を左右する．また，被写体への被ばく線量にも影響する．
　7）**グリッドの種類**：グリッドは散乱X線を除去する目的で使われるもので，画像のコントラストを高めることができ，撮影目的や被写体の厚さなどによってグリッド比・グリッド密度などを選択して使い分ける．
　8）**照射野の大きさ**：照射野はX線を照射する範囲をいい，より広い照射野は散乱X線を多く含みコントラストを低下させるのと同時に患者の被ばくが増加する．

4. 患者の協力と防護

　X線撮影（X線検査）は，X線を患者に照射して得られる画像から，必要な診断情報を得るのが目的である．検査はできる限り短時間に終了するように患者側の協力が必要である．撮影時の呼吸の動作や体位の保持など患者側の協力により，検査時間が短縮でき，加えて診断に適した画像の撮像に結びつける．撮影時は患者に無用な被ばくを避けるために，最大限のX線防護は不可欠である．

3 X線撮影（検査）の種類

　X線撮影には，人体組織のX線吸収差だけで透過像を作る単純撮影と，造影剤を使用して特定の部位を画像として強調する造影検査，さらに特殊な機能をもつX線装置で撮影する特殊撮影とがある．

1. 単純撮影

　単純撮影は一般撮影ともいわれ，X線画像診断の基本になる撮影技術として位置付けられる．
　単純撮影法は患者の体位とX線中心線の設定によって行い，その撮影条件は目的部位が診断しやすい画像になるように設定する．

2. 造影検査

　造影検査は体内の特定の部位や病巣が周囲組織とX線吸収差が少ない部位に対して，造影剤を使うことによってX線吸収差を大きくして，目的部位が観察しやすい濃度・コントラストに描出されるように行う検査方法である．

A. 循環器系造影
　脳血管，心血管，腹部血管，四肢血管などの循環器系造影では，陽性造影剤（非イオン性ヨード系造影剤）を使用する．

B. 消化管造影
　食道，胃，十二指腸，小腸，大腸などの消化管造影は，陽性造影剤（硫酸バリウム製剤，水溶性ヨード系造影剤）と陰性造影剤（空気，CO_2）を用いた二重造影法である．

C. 胆嚢胆管造影
　肝内胆管，胆嚢管，胆嚢，総胆管などの胆嚢胆管造影は，陽性造影剤（水溶性ヨード系造影剤）を使用する．

D. 泌尿器・生殖器系造影

1) 尿路造影
　腎盂，尿管，膀胱，尿道などの尿路造影は，陽性造影剤（水溶性ヨード系造影剤）を使用する．この他，膀胱造影には陽性造影剤と陰性造影剤（空気）による二重造影法も行われる．

2) 子宮卵管造影
　子宮卵管造影は，陽性造影剤（油性ヨード系造影剤）を使用する．

E. 脊髄腔造影
　脊髄クモ膜下腔に造影剤を注入する脊髄腔造影は，陽性造影剤（非イオン性ヨード系造影剤）を使用する．

F. 唾液腺造影
　耳下腺，顎下腺などの唾液腺造影では，陽性造影剤（水溶性ヨード系造影剤）を使用する．

3. 特殊撮影

　特殊撮影は特別な機能をもったX線装置を用いて，目的の部位を診断しやすい画像に撮影する方法である．

A. 乳房撮影
　乳房撮影は軟部組織やがん病変，石灰化を診断しやすいコントラストの画像にするための撮影法で，低電圧，圧迫法，拡大撮影などの方法で行われる．

B. 断層撮影
　断層撮影は目的の深さ部分を描出し，それ以外の部分をぼかす方法で，X線管の移動方式によって直線方式（平行移動，円弧移動）と多軌道方式（円，楕円，ハイポサイクロイド，スパイラル）がある．現在はトモシンセシス（☞ p.197）という方法が行われている．

C. 拡大撮影
　拡大撮影は目的部位を拡大することによって，通常の撮影よりも診断しやすくする方法で，直接拡大法と間接拡大法がある．

D. 立体撮影
　立体撮影は両眼の立体視を応用した撮影方法で，一つのX線管を移動する方法，X線管のフィラメント部を移動させて焦点を変位する方法，二つのX線管から交互にX線を照射する方法，一つのX線管内に二つのフィラメントを設けて交互にX線を照射する方法などがある．

E. 間接撮影
　間接撮影は受像面の像を光学系を用いて，フィルム上に縮小した像として記録する撮影方法と，蛍光増倍管（I.I.）の出力蛍光面の像をカメラで撮影する方法とがある．

4 体位と撮影方向

X線撮影時の体位やX線の入射方向・入射点,基準点・線・面などは診断に適した画像を再現性よく作成するために重要である.

1. 体 位
A. 立 位
自然立位:足は平行位で少し開脚,または両踵を付けて,足先を開き,手掌は体側に向けて下げる.

解剖学的立位:自然立位の状態から手掌を前方へ向ける.

B. 坐 位
坐った状態.腰掛け坐位,屈膝坐位,長坐位などがある.

C. 臥 位
背臥位(仰臥位):背部を下にして,体幹部の前額面は水平位.屈膝臥位,半臥位などがある.

腹臥位(伏臥位):腹部を下にして,体幹部の前額面は水平位.

側臥位(右側臥位・左側臥位):右または左を下にした臥位で,体幹部の前額面は垂直位.

D. 斜 位(図7-1)
第1斜位(右前斜位・RAO):体の右前を受像面に近付ける斜位.

第2斜位(左前斜位・LAO):体の左前を受像面に近付ける斜位.

第3斜位(左後斜位・LPO):体の左後を受像面に近付ける斜位.

第4斜位(右後斜位・RPO):体の右後を受像面に近付ける斜位.

2. 運動の方向(図7-2)
A. 外 転
上肢または下肢を体側から離し,体軸(正中面)から遠ざける運動.

B. 内 転
上肢または下肢を体軸(正中面)に近付ける運動.

C. 外 旋
上肢または下肢を外側へねじる運動.前腕,足部は回外という.

D. 内 旋
上肢または下肢を内側へねじる運動.前腕,足部は回

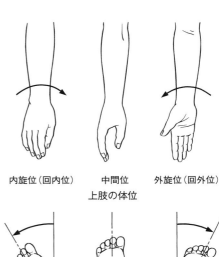

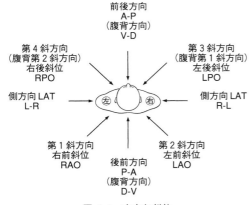

図7-1 方向と斜位

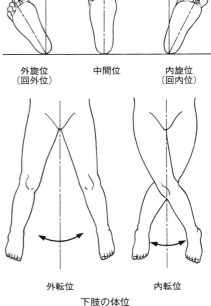

図7-2 四肢の運動方向

内という．

　E．伸　展

　　関節を真っ直ぐ伸ばす運動．脊柱は背屈，手関節は背屈，足関節は底屈を指す．

　F．屈　曲

　　関節の内角を小さくする運動．脊柱は前屈，手関節は掌屈，足関節は背屈を指す．

3．撮影の方向

　A．一般的な方向（図 7-1）

　　矢状方向：矢状面に平行で体の前後を貫く方向．
　　　前後方向：A-P，後前方向：P-A
　　　腹背方向：V-D，背腹方向：D-V
　　側方向（前額方向）：矢状面に対して垂直に貫く方向．
　　　右－左方向：R-L，左－右方向：L-R
　　斜方向
　　　第 1 斜方向：体の左後から右前斜めに貫く方向．
　　　第 2 斜方向：体の右後から左前斜めに貫く方向．
　　　その他，第 3 斜方向，第 4 斜方向がある．
　　軸方向：体幹部または骨軸を頭尾方向，尾頭方向，または上下に貫く方向．

　B．四肢に対する方向

　　脛腓方向：脛骨側から腓骨側への方向で，腓脛方向はその逆．
　　橈尺方向：橈骨側から尺骨側への方向で，尺橈方向はその逆．
　　背底方向：足背側から足底側への方向で，底背方向はその逆．
　　背掌方向：手背から手掌への方向で，掌背方向はその逆．

　C．その他の方向

　　内外方向：体の内側（正中線に近い側）から外側の方向で，外内方向はその逆．
　　接線方向：目的部位に接して撮影する方向．

4．基準点・線・面

　A．頭部の基準点（図 7-3）

　　①眼窩下点，②鼻根点，③外後頭隆起点，④外耳孔中心，⑤外耳孔上縁，⑥眼窩中心（外眼角，外眥），⑦眉間，⑧鼻棘点

　B．頭部の基準線（図 7-3）

　　①ドイツ水平線（人類学的基準線・ABL）：眼窩下縁と外耳孔上縁を結ぶ線．
　　②眼窩耳孔線（外眼角耳孔線・OMBL）：眼窩中心（外眥）と外耳孔中心を結ぶ線．ABL と 10°〜15° の角度をもつ．実用的な基準線として使われる．
　　③耳垂直線（ARL）：外耳孔中心を通って，ドイツ水平線に垂直な頭頂側の線．
　　④眼窩下縁線（IOL）：正面からみて左右の眼窩下点を結ぶ線．

　C．体幹部の基準線

　　ヤコビー線：両腸骨稜の頂点を結ぶ線．

　D．上肢・下肢の基準線

　　①手の基準線：前腕部中央と第 3 指中心を結ぶ線．
　　②足の基準線（足軸）：第 1 趾と第 5 趾中足骨頭間の中点と，足関節内果と外果の中点を結ぶ足底の線．

　E．基準面

　　①正中矢状面：頭部および体幹部を左右に 2 等分する面．
　　②前額面（冠状面）：正中面に垂直な面．
　　③横断面（水平面）：正中矢状面や前額面に垂直な面で，身体を上下に分ける面．
　　④ドイツ水平面：両側のドイツ水平線を含む面．

　F．体幹部の体表指標と脊椎高位（図 7-4）

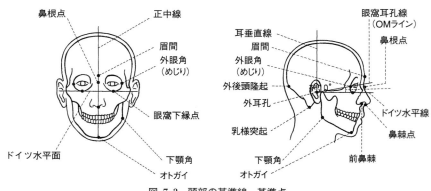

図 7-3　頭部の基準線，基準点

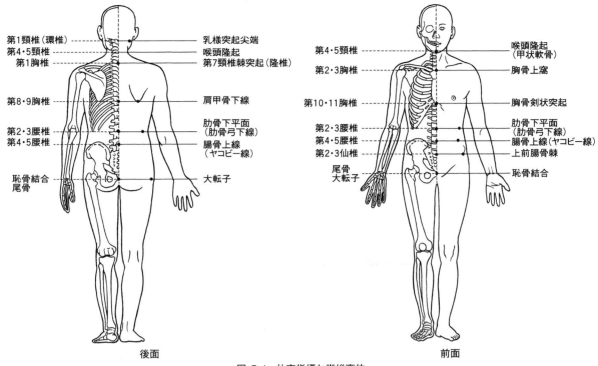

図 7-4　体表指標と脊椎高位

5 撮影用具と必要な条件

　X線撮影にはX線装置のほかに次のような用具が必要である．これらの用具は撮影時，撮影目的，部位に合わせて適宜使用することで，診断情報を増大させる．

1. イメージングプレート
　イメージングプレートは増感紙と同様な平板状のポリエステルやアルミニウムのベース板に，輝尽性蛍光体を塗布または蒸着したものである．

2. X線平面検出器（FPD：flat panel detector）
　X線平面検出器は，増感紙―フィルム系およびイメージングプレートに取って代わる受像器である．現在から今後，X線平面検出器は受像器の主流となり得る．
　X線平面検出器はセンサの種類によって，直接変換方式と間接変換方式があり，アナログ信号をデジタル信号に変換させて画像作成する．
　X線平面検出器の特徴として，
①空間分解能およびコントラスト分解能が高い．
②ダイナミックレンジが広い．
③感度が高い．
④画像の歪みがない．
⑤リアルタイムで画像が表示される．
などがある．

3. グリッド（散乱X線除去格子）
　グリッドはX線受像面に入射する散乱X線量を減少させて，X線像のコントラストを改善する目的で使用する用具で，受像面の前面に置く．グリッドはX線吸収率の大きい金属箔（鉛など）と小さい中間物質（アルミニウム，木，紙，CFRPなど）とを細断して交互に並べた構造になっている．

A. 分　類
　グリッドを構造上から分類すると，
　1）**平行グリッド**：箔が平行な構造で，一定の焦点距離をもたないグリッド．
　2）**集束グリッド**：箔面の延長が一定の距離に集束する構造のグリッド．
　3）**クロスグリッド（直交，斜交）**：2枚のグリッドを前後に重ね合わせた構造のグリッドで，交差角度が90°のものは直交グリッド，90°以外ものは斜交グリッドという．また，グリッドを使用方法で分類すると，
　1）**静止グリッド**：静止状態で使用するグリッドで，平行グリッドの場合，リスホルムブレンデとよぶ．
　2）**運動グリッド（移動グリッド）**：箔の縞目を消去する目的で，グリッドが撮影時に箔と直交する方向に移動する方式で，ブッキーブレンデに装着して使用する．

B. 性　能
　グリッドは構造上からの幾何学的性能と，X線の透過からの物理的性能で評価することができ，これら2つの性能評価は散乱線除去の性能に関する指標になる．
　1）**幾何学的性能**
　グリッド比（r）：中間物質の厚さ（D），高さ（h）としたとき，$r=h/D$ で表される．
　グリッド密度（N）（単位：本/cm）：中心部の1cm当たりの箔の数をいい，箔の厚さ（d），中間物質の厚さ（D）としたとき，$N=1/(d+D)$ で表される．
　2）**物理的性能**
　グリッド露出倍数（B）：全X線透過率（T_t）の逆数をいい，$B=1/T_t$ で表される．

C. 使用上の注意
　グリッドの使用時は，指定された焦点―グリッド間距離を撮影距離に合わせ，傾斜させない．また，取り扱いは本体を落下させたり，強い衝撃を与えて変形させない．保管は専用のケースまたは保管棚に置く．

4. マーカー
　マーカーは鉛または鉛化合物で作られた文字，数字，記号などを透明プラスチックに封入したもの．
　マーカーは撮影年月日，患者氏名，左右，撮影方向などを撮影時にX線で写し込み読影時の情報として重要である．

5. 体厚計
　体厚計は撮影条件を設定するときに，被写体の厚みを計るために使われる．

6. 角度計
　角度計は被写体に特定の角度を設定する際用いるもので，正確な画像を撮影したり，再現性を求めるときに欠くことができない．
　角度計は教材として市販されている分度器だけではなく，厚紙，スポンジ等で必要に成形したものも使用する．

7. 固定具
　固定具は撮影時に患者の動揺を抑制したり，転倒や落下などで患者に危害が及ぶことを防止し，目的部位や病巣を適正に撮影するために重要である．

8. 分割板

分割板は1枚の画面に2～3枚の画像を撮影する場合に受像面を覆うもので，鉛板や鉛ゴムなどが使われる．

9. 防護衣

防護衣は撮影時に患者に不必要な部分の被ばくを抑える目的や，撮影時の介助者の被ばく防護のために使われるもので，鉛粉末がゴムやビニール素材に入れてあるエプロン（鉛エプロン）がほとんどである．このエプロン他を用いた，生殖腺被ばく防護用のものがある．

10. フィルタ

フィルタはX線管自体の固有ろ過（2 mm Al 当量）フィルタと低エネルギーX線をカットするための付加ろ過とがある．固有ろ過＋付加ろ過を総ろ過（2.5 mm Al 当量）という．

付加フィルタは撮影に直接関与しないX線を除去するもので，患者の被ばく低減に役立つ．

11. 多重絞り（可動絞り，コリメータ）

多重絞りは，数枚の羽状鉛板を井桁に組んだ矩形の絞り器で，撮影に必要な縦×横の照射野を設定するときに使う．多重絞りで設定されたX線の照射野と光で示される照射野との不一致は患者被ばくを多くする．

12. ディスプレイ

ディスプレイはデジタル画像表示に必須の機器であり，高解像度・高鮮鋭度・高輝度が要求される．

6 胸部・腹部単純撮影

1. 胸　部
A. 胸部正面撮影（図7-5）
 1) 体位：立位で前胸部を受像面に密着．両脚を肩幅に広げ均等荷重．両肘は軽く屈曲させ手背を腰部に当て肘を前方へ出す．この体位が苦痛な場合は，上肢を前方へ回し，両手で装置の握り棒を摑む．吸気時，呼吸停止で撮影する．気胸や異物の誤吸飲時には呼気時も撮影．
 2) 中心線：第7胸椎の高さで正中線上に，受像面に対して垂直入射．
 3) 画像の要点（図7-6）：第6頸椎から肋骨横隔膜角（CP angle）まで写り，両鎖骨胸骨端の中点に胸椎棘突起が位置する．肺尖部は広く，肩甲骨は肺野に重複せず，右横隔膜は第9～第10肋骨の高さに位置する．

気管および左右の主気管支，肺門を描出し，肺野の細い血管（紋理）や心陰影内，横隔膜下の血管を描出する．心陰影は写真の左側に右第1弓（上大静脈）と右第2弓（右心房）を，右側には左第1弓（大動脈弓），左第2弓（肺動脈），左第3弓（左心耳），左第4弓（左心室）の辺縁を描出する．心・縦隔陰影内には下行大動脈，正中部では胸椎に重複して傍食道線と，胸椎の左側に傍脊椎線を描出する．

B. 胸部側面撮影（図7-7）
 1) 体位：立位で左側胸部を受像面に密着．正中面は垂直で受像面と平行．両脚を肩幅に広げ均等荷重．両上肢は肘を伸ばして挙上させ，装置の握り棒を摑む．前額面は少し前傾位．吸気時，呼吸停止で撮影する．
 2) 中心線：第7胸椎の高さで胸部の中央に，受像面に垂直入射．
 3) 画像の要点（図7-8）：上肺野から左肺底区までを含み，前後は胸骨から背部肋骨までを描出する．胸骨の側面像と左右の胸椎椎間孔がほぼ一致して描出する．左

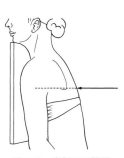

図7-5　胸部正面撮影

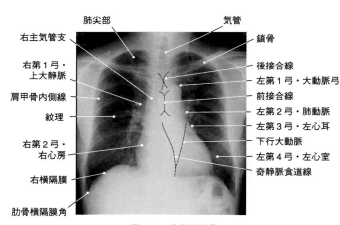

図7-6　胸部正面像

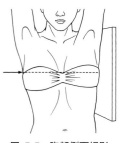

図7-7　胸部側面撮影

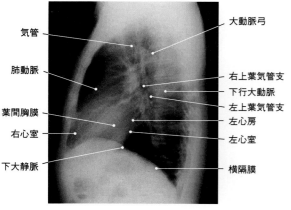

図7-8　胸部側面像

右肺および心陰影内の紋理と，上縦隔の気管および気管に重複して上位に右上葉気管支，下位に左上葉気管支分岐部を描出する．胸膜は上位より右上～中葉間を，中間に左上～下葉間を，最下位に右中～下葉間の胸膜を描出し，肺門部には気管支リンパ節および肺血管を描出する．心陰影は前胸部に右心室，背部は左心房，左心室の辺縁を描出し，後縦隔の右肺に縦走して下大静脈辺縁を描出する．

C. 胸部第1斜位撮影（図7-9）
 1） 体位：立位で右前胸部を受像面に密着．前額面は受像面に対し右前45°斜位（RAO45°）．両脚は肩幅に広げ均等荷重．両上肢は肘を伸ばして挙上，装置の握り棒を掴む．吸気時，呼吸停止で撮影する．心臓を目的とする場合は第1斜位45°～55°（RAO45°～55°）．
 2） 中心線：第7胸椎の高さで胸部の中央に，受像面に垂直入射．
 3） 画像の要点（図7-10）：上肺野から右下肺野までを含み，画像の右側に左肺，左側に右肺を描出する．第1斜位像の特徴は，大動脈弓部が球状に写り，心臓の前縁に右心室，肺動脈の接線像が描出する．後方は胸椎との間にHolzknecht腔を描出し，食道造影で左心房および右心房の辺縁を描出する．

D. 胸部第2斜位撮影（図7-11）
 1） 体位：立位で左前胸部を受像面に密着．両脚を肩幅に広げ均等荷重．前額面は受像面に対し左前45°斜位（LAO45°）．上肢は肘を伸ばして挙上させ，両手は装置の握り棒を掴む．心臓を目的とする場合は第2斜位50°～60°（LAO50°～60°）．吸気時，呼吸停止で撮影する．
 2） 中心線：第7胸椎の高さで胸部の中央で，受像面に垂直入射．
 3） 画像の要点（図7-12）：上肺野から，左肋骨横隔膜洞までを含み，前方は右前胸壁から後方左背部胸壁までを描出する．心陰影，大動脈弓および紋理が鮮鋭な像として描出し，右前胸部および左背胸部が高濃度にならない．

第2斜位像の特徴は，上縦隔に大動脈弓がアーチ状に描出し，4つの心房・心室辺縁がすべて描出する．心陰影は右肺に接して上方から右心房，右心室，後縁は胸椎に接して左心房，下肺野に接して左心室を描出する．また大動脈弓の内側と肺動脈で囲まれた部分に大動脈窓（aortic window）を描出する．

E. 胸部側臥位正面撮影（左，右 decubitus 撮影）（図7-13）
 1） 体位：撮影台上に，左または右を下にした側臥位（RまたはL decubitus）．膝は軽度屈曲で胸部の前額面を垂直位．受像面は垂直に立て背部に密着，両上肢は頭部を抱える．下方の側胸部の下に5cm程度の発泡スチロール板を敷く．吸気時，呼吸停止で撮影する．

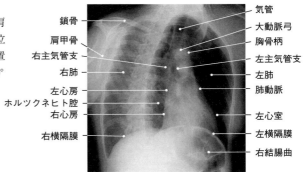

図 7-10　胸部第1斜位像

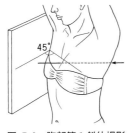

図 7-9　胸部第1斜位撮影

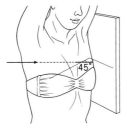

図 7-11　胸部第2斜位撮影

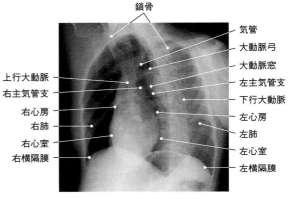

図 7-12　胸部第2斜位像

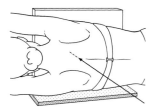

図 7-13　胸部 decubitus 撮影

2) 中心線：水平方向の中心線で，胸骨の中央の正中線上に，受像面に垂直入射．

3) 画像の要点：前額面が傾斜せず正確な正面像で，下方の肺尖部から肋骨横隔膜角までの側胸壁を描出し，紋理は鮮鋭で，写真濃度が不足しない．

下方胸膜腔に胸水や血液が相当量貯留した場合，液面像 air-fluid level を描出する．左右の肺臓は縦隔で遮られているため，両側の decubitus 撮影を行って，左右いずれかの肺の液体貯留を確認する．

F．肺尖撮影（図 7-14）

1) 体位：立位で前後方向撮影．受像面からX線管側に少し離れて立ち，両肩甲骨を受像面に付ける．両脚は肩幅に広げ均等荷重．両手を後頭部で組み，肘を屈曲して頭部を抱える．背面は受像面に対し 30°脊椎後彎位．吸気時，呼吸停止で撮影する．

2) 中心線：水平方向の中心線で胸骨の中央に，受像面に垂直入射．中心線を水平より頭頂側へ 5°〜7°傾斜させる Flaxman 法がある．

3) 画像の要点（図 7-15）：両鎖骨は肺尖部より上方に分離し，第 1 〜第 3 肋骨の背側と腹側が一致して肋間腔が広く描出する．

高 X 線吸収の鎖骨が肺野と重複せず，肋骨陰影を極力小さくして広い肋間腔に紋理を描出する．また肺尖像は背部の病巣と，胸壁に近い病巣とが区別でき，病巣の深さ方向を判断することにも役立つ．

2．腹　部

A．腹部臥位正面撮影（図 7-16）

1) 体位：背臥位で前後方向撮影．腹部の前額面を水

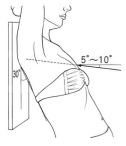

図 7-14　肺尖撮影

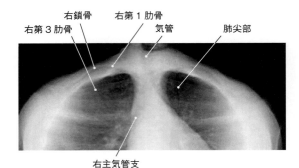

図 7-15　肺尖像

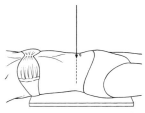

図 7-16　腹部臥位正面撮影

平にする．上肢は体側から離し，下肢は伸展位．受像面の下縁を恥骨結合と一致させる．呼気時，呼吸停止で撮影する．

2) 中心線：剣状突起と恥骨結合の中間で，正中線上に，受像面に垂直入射．

3) 画像の要点（図 7-17）：恥骨結合から上方が写り，左右の側腹線条と肝角を描出する．

肝臓部や小骨盤腔が低濃度にならず，側腹線条の層構造を描出する．腸管ガスや肝臓下縁の静止像を撮影する．肝臓下縁や腎臓辺縁，大腰筋，石灰化，腫瘤像を静止像として鮮鋭に描出する．

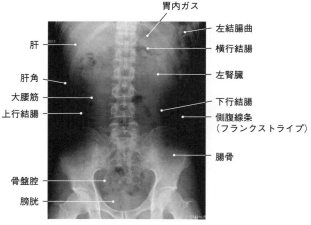

図 7-17　腹部臥位正面像

7章　X線撮影技術学

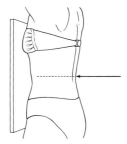

図 7-18　腹部立位正面撮影

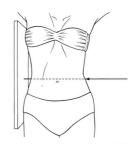

図 7-20　腹部立位側面撮影

B. **腹部立位正面撮影**（図 7-18）
1) 体位：立位で後前方向撮影．受像面の上縁を肩甲骨下角の下方 5 cm の点に合わせ，腹部の正中線を受像系の中心線に合わせる．上肢を前方に回して装置の握り棒をつかみ，腹部を受像面に密着．呼気時，呼吸停止で撮影する．
2) 中心線：水平方向の中心線で，肋骨弓下縁の高さの正中線に，受像面に垂直入射．
3) 画像の要点（図 7-19）：上方は横隔膜を含み，左右の側腹線条を写す．
　肝臓部や小骨盤腔が低濃度にならず，側腹線条の層構造を描出する．横隔膜や肝角，腸管ガス，結石を静止像として鮮鋭に描出する．

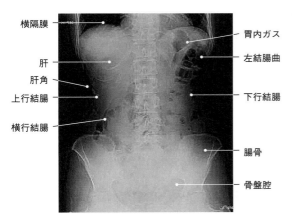

図 7-19　腹部立位正面像

C. **腹部立位側面撮影**（図 7-20）
1) 体位：立位で，左→右側方向撮影．右側腹部を受像面に密着させ，腹部の正中面を垂直位．両上肢を水平または上方に上げ，保持機をつかむ．受像面の上縁は肩甲骨下角の下方 5 cm の高さに一致させる．呼気時，呼吸停止で撮影する．
2) 中心線：水平方向の中心線で，肋骨弓下縁の高さで腹部の中心軸上に，受像面に垂直入射．
3) 画像の要点：上方は横隔膜を含み，前腹壁から背面までを写す．
　上腹部（肝臓部）と骨盤部が低濃度にならず，前腹壁が高濃度にならない．横隔膜，腸管ガスが静止像として鮮鋭に描出する．

D. **腹部左側臥位正面撮影（左 decubitus 撮影）**（図 7-21）
1) 体位：撮影台上 3 cm 厚の発泡スチロール板上に左下側臥位で後→前方向撮影．腹部前額面を垂直にし，腹部前面を受像面に密着させる．受像面の上縁は肩甲骨下角の下方 5 cm の高さに一致させる．両上肢は頭側に上げ，頭部を抱える．呼気時，呼吸停止で撮影する．
2) 中心線：水平方向の中心線で，肋骨弓下縁の高さで正中線に，受像面に垂直入射．
3) 画像の要点（図 7-22）：上方は横隔膜を含み，右側腹線条を描出する．側腹線条，肝角，腸管ガスが濃度過度にならず，静止像として鮮鋭に描出する．

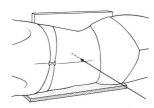

図 7-21　腹部 decubitus 撮影

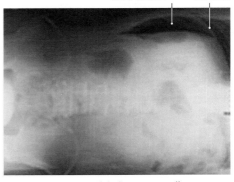

図 7-22　腹部左 decubitus 像

7 頭部単純撮影

1. 頭蓋骨

A. 頭蓋骨正面撮影（図 7-23）

1) 体位：腹臥位，後→前方向撮影，または背臥位，前→後方向撮影．坐位，後→前または前→後方向撮影．外傷時または小児は背臥位，前→後方向撮影．背臥位前→後方向撮影では，後頭部を受像面に密着する．OM 線および正中線を受像面に対し垂直にする．

2) 中心線：前→後方向撮影は眉間を射入点として正中線上に，また後→前方向撮影は眉間を射出点として後頭部正中線上に，受像面に垂直入射．

3) 画像の要点（図 7-25）：頭頂部から下顎骨オトガイ部までを含み，両側の側頭部までを描出する．前頭稜または鶏冠の延長線と矢状縫合が一致する．錐体上縁は眼窩中央から上方 1/3 の間に位置する．

頭頂部の外板，内板が濃度過度にならず，錐体部は逆に低濃度に描出しない．前頭骨や頭頂骨の骨質を微細な凹凸像として描出し，側頭骨錐体部の内耳道や前庭の辺縁を鮮鋭に描出する．副鼻腔は内腔の構造や骨壁を鮮明に描出する．下顎骨や歯槽骨は濃度過度ならず，その骨梁を鮮明に描出する．頬部，頸部の軟部組織は各組織の区別ができるコントラストが必要である．

B. 頭蓋骨側面撮影（図 7-24）

1) 体位：臥位は頭部側位で正中線（面）を水平にする．背臥位または坐位では正中線（面）が垂直位で，いずれの場合も正中線（面）は受像面と平行にする．受傷時および小児は頸部を回旋した側位は厳禁．

2) 中心線：臥位で頭部側位撮影は，垂直方向の中心線で，側頭部のトルコ鞍部に，受像面に垂直入射．背臥位で正中線（面）垂直位または坐位は，水平方向の中心線で側頭部のトルコ鞍部に，受像面に垂直入射．側頭部のトルコ鞍部はトルコ鞍側面撮影を参照．

3) 画像の要点（図 7-26）：頭頂部から下顎骨部までを含み，前額部から後頭部までを描出する．左右の前床突起，後床突起がほぼ一致し，左右の蝶形骨大翼，顎関節がわずかにずれて描出する．眼窩および上顎洞が濃度過度にならず，側頭骨錐体部が低濃度に描出しない．頭頂骨の骨質を微細な凹凸像として描出し，トルコ鞍は鮮鋭でコントラスト良く描出する．鼻骨および後頭部の軟部組織は区別ができるコントラストが必要である．

C. Towne 法撮影（図 7-27）

1) 体位：背臥位または坐位で，頭尾方向半軸位撮影．頭部正中線（面）および OM 線は受像面に対し垂直にする．

2) 中心線：受像面に対し垂直から 30°頭尾方向の中心線で，両外耳孔の中点を通り正中線上に斜入射．

3) 画像の要点（図 7-28）：後頭骨から斜台までの両側の側頭骨を描出する．後頭骨が濃度過度にならず，錐体稜，斜台が低濃度に描出しない．

後頭蓋窩には内後頭隆起，内後頭稜，冠状縫合，ラム

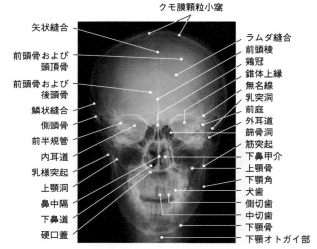

図 7-25　頭蓋骨正面像（A-P）

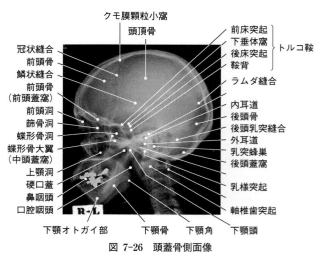

図 7-26　頭蓋骨側面像

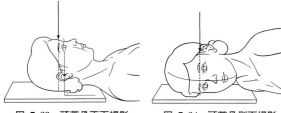

図 7-23　頭蓋骨正面撮影　　図 7-24　頭蓋骨側面撮影

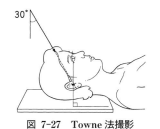

図 7-27 Towne 法撮影

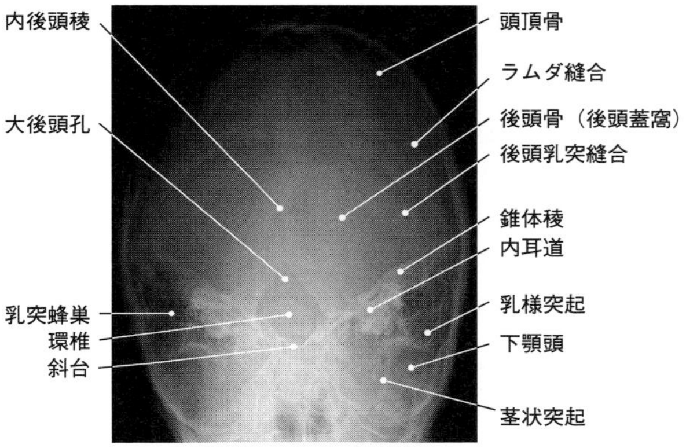

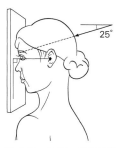

図 7-29 Caldwell 法撮影

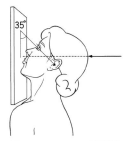

図 7-30 Waters 法撮影

図 7-28 Towne 像

ダ縫合を描出し，大後頭孔内にトルコ鞍背，後床突起を描出する．側頭骨は内耳道，乳様突起を描出する．

2. 副鼻腔

A. Caldwell 法撮影（図 7-29）

1) 体位：坐位で後→前方向撮影．坐位が不可能な場合は，腹臥位撮影．受傷時および小児は背臥位，前→後方向撮影．後→前方向撮影は，前額部と鼻部を受像面に付け，正中線（面）と OM 線は受像面に垂直にする．

2) 中心線：眉間を射出点として，受像面に対し垂直から 25°頭尾方向の中心線で，後頭部正中線上に斜入射．

3) 画像の要点：前頭洞から上顎洞全体が入り，側方は左右の頬骨弓までを描出する．前頭稜と鼻中隔の中心線が一致し，正中線から等距離に上眼窩裂を描出する．

上顎洞上部から篩骨洞，前頭洞，鼻腔の骨壁と空気層，その中間の粘膜層や液面をコントラストよく，しかも鮮鋭に描出する．

B. Waters 法撮影（図 7-30）

1) 体位：坐位で後→前方向半軸位撮影．坐位が不可能な場合は腹臥位撮影．受傷時および小児は背臥位前→後方向撮影．下顎骨部を受像面に付け，正中線（面）は受像面に対し垂直位，OM 線は 35°にする．

2) 中心線：鼻棘点を射出点として，頭頂部正中線に，受像面に垂直入射．

3) 画像の要点：前頭洞から上顎歯槽骨まで入り，側方は頬骨弓までを描出する．顔面の正中線が頭部の正中線と一致し，錐体上縁が上顎洞下縁とほぼ一致する．

上顎洞の骨壁と空気層，気体－液面形成をコントラストよく，かつ鮮鋭に描出する．篩骨洞は上顎洞と重複し，その境界は不鮮明だが，眼窩上壁後部の前頭洞は描出する．外傷による上顎骨，頬骨，頬骨弓の骨折，骨折変位を描出する．

3. 上顎骨・下顎骨

A. 上顎骨・下顎骨正面撮影（図 7-31）

1) 体位：腹臥位または坐位で，後→前方向撮影．前額部と鼻部を受像面に付け，正中線（面）と OM 線は受像面に垂直位．開口位で撮影する．

2) 中心線：両側の顎関節を通り，後頭部正中線上に，受像面に対し垂直から 10°尾頭方向で斜入射．

3) 画像の要点：両側顎関節から下顎部（下顎尖）までを含み，両側下顎枝が鼻中隔の中心線と等距離に位置する．顎関節は下顎頭と下顎窩（閉口時），関節結節（開口時）間に間隙を描出し，上・下顎骨の骨梁，歯根部の歯槽骨白線，歯根膜腔を描出する．

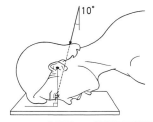

図 7-31 上顎骨・下顎骨正面撮影

B. 下顎骨斜位撮影（図 7-32）

1) 体位：坐位または側臥位で，側方向斜位撮影．正中線（面）は受像面に対して 15°下顎側を離し，矢状線（面）は受像面に 10°検側へ外旋位．

2) 中心線：検側下顎体中央部を射入点として，受像面に対し垂直より 10°尾頭方向で斜入射．

3) 画像の要点：検側の顎関節から下顎第 4 歯までの下顎体が非検側と重複せず，下顎頭および下顎枝が頸椎から分離して描出する．歯槽骨の骨梁，歯槽骨白線，歯

図 7-32 下顎骨斜位撮影

根膜腔を描出する．

4. 顎関節・頬骨
A. 顎関節側面撮影（Schuller 法撮影）（図 7-33）
1）体位：Schuller 法撮影と同一体位で，開口時と閉口時の 2 回撮影する．
2）中心線：Schuller 法撮影と同一．
3）画像の要点：関節窩，下顎頭，および関節結節の辺縁が鮮明で，関節腔を明瞭に描出する．

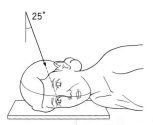

図 7-33 顎関節側面撮影

B. 頬骨正面撮影（図 7-34）
1）体位：腹臥位または坐位で，後→前方向半軸位撮影．下顎骨部と鼻尖部を受像面に付け，正中線（面）は受像面に対して垂直にする．
2）中心線：両側の頬骨を射出点として正中線上に，受像面に対し垂直から 30°頭尾方向で斜入射．
3）画像の要点：前頭洞から下顎骨まで含み，左右の頬骨が鼻中隔の中心線から等距離に描出する．頬骨前頭突起，頬骨，頬骨弓を広く描出する．

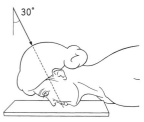

図 7-34 頬骨正面撮影

C. 頬骨弓軸位撮影（図 7-35）
1）体位：背臥位で尾頭方向軸位撮影．両肩の下にク

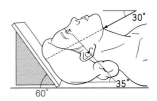

図 7-35 頬骨弓軸位撮影

ッションを敷き，OM 線を撮影台に対し 35°頭頂側へ傾斜させ，正中線（面）は撮影台に垂直にする．受像面は撮影台に対し，60°傾斜．
2）中心線：両側の下顎角の中点を入射点として，正中線上に水平より下方に 30°で受像面に垂直入射．
3）画像の要点：前顎部から下顎角まで含み，頬骨弓が正中線に対し左右対称で，側頭部および下顎骨から外側へ離れて描出し，頬骨弓が適正濃度に描出する．

5. 鼻骨
A. 鼻骨軸位撮影（図 7-36）
1）体位：腹臥位または坐位で，後→前方向半軸位撮影．下顎を突きだし，鼻背および正中線（面）は受像面に対して垂直にする．
2）中心線：鼻根部を射出点として，受像面に垂直および頭尾方向 10°（+10°），尾頭方向 10°（−10°）で，正中線上に斜入射．
3）画像の要点：鼻骨先端から上顎骨を含み，眼窩中央まで描出する．鼻骨，鼻部軟部組織，鼻中隔，眼窩下縁を描出する．

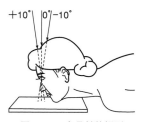

図 7-36 鼻骨軸位撮影

B. 鼻骨側面撮影（図 7-37）
1）体位：側臥位または坐位で，頭部側位．正中線（面）および矢状線を受像面と平行にする．
2）中心線：鼻根部を入射点として，正中線（面）と

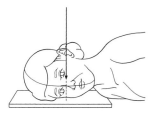

図 7-37 鼻骨側面撮影

受像面に垂直入射.

3) 画像の要点：前頭洞から前鼻棘を含み，鼻尖部から頬骨前頭突起までの軟部組織を描出する．

6. 側頭骨錐体と乳突蜂巣

A. Schuller法撮影（図7-38）

1) 体位：腹臥位または坐位で，検側側頭部を受像面に密着した頭部側位．正中線（面）は受像面と平行位．耳垂直線は中心線入射線と一致させる．

2) 中心線：検側外耳孔を射出点として，頭尾方向25°で耳垂直線上に斜入射．

3) 画像の要点：検側の乳様突起先端から全体の乳突蜂巣と，顎関節を描出する．非検側の外耳孔や乳突蜂巣，顎関節が検側の垂直下方に不鮮明な塊像として描出する．検側の外耳道，内耳道は軸位像として連なり，この中間に鼓室と耳小骨（ツチ骨，キヌタ骨）を描出する．

画像上は，乳突蜂巣壁を鮮鋭に描出し，蜂巣の含気状態をコントラストよく描出すると同時に，蜂巣内の乳突洞やS状静脈洞前板を明瞭に描出する．

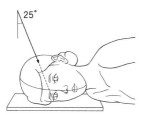

図7-38　Schuller法撮影

B. Sonnenkalb法撮影（図7-39）

Sonnenkalb法の原型は，腹臥位頭部側位で正中線（面）を受像面と平行にし，中心線が後頭・頭頂側から各々15°の立体角で斜入射する方法である．この撮影法はグリッドの方向やX線管の角度設定などに撮影技術上の不都合が多いため，中心線入射角度を受像面に対し垂直にし，頭部の正中線に二重の角度を設定する方法（Granger法）をSonnenkalb法としている．

1) 体位：腹臥位または坐位で頭部側位．検側外耳孔を受像面の中心に合わせ，正中線を受像面に対して15°前傾位，下顎側に15°下げた体位にする．耳垂直線は受像面の長軸と平行にする．

2) 中心線：非検側外耳孔後方3.5cmの点から上方3.5cmの点を入射点として，受像面に垂直入射．

3) 画像の要点：乳様突起から全体の乳突蜂巣を含め，顎関節までを描出する．非検側の外耳孔や乳突蜂巣が検側の前下方に描出し，内耳道は外耳道から前上方の顎関節部に描出する．外耳道上方に乳突洞，後方にS状静脈洞前板，前方に顎関節，下方に乳様突起を描出する．Schuller像に比べ，X線の受像面に対する入射角が垂直になるため鮮鋭な画像が得られる．画質は，Schuller法と同じ内容が要求される．

C. Stenvers法撮影（図7-40）

1) 体位：腹臥位または坐位で正中線（面）を垂直から検側へ傾斜させ，受像面に対し40°〜45°にする．OM線は受像面に対し垂直にする．受傷時や小児には，背臥位で正中線を非検側へ45°傾斜させ，OM線は垂直にする（Arcelin法）．

2) 中心線：非検側の乳様突起と外後頭隆起を結ぶ線上の外後頭隆起側1/3の点を入射点として，受像面に垂直入射．

3) 画像の要点：錐体尖から側頭骨外側までの錐体上縁から，乳様突起先端までを描出する．錐体上縁は水平に描出し，内後頭稜が内耳道や前庭，骨半規管に重複せず，内耳孔，内耳道，内耳道底，横稜，前庭，前および外側骨半規管を鮮鋭にコントラスト良く描出する．乳突洞，上鼓室，乳様突起などの含気部を高濃度にならないよう描出する．

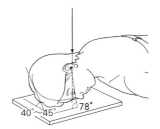

図7-40　Stenvers法撮影

D. Mayer法撮影（図7-41）

1) 体位：背臥位または坐位で，前後方向半軸位斜位撮影．正中線（面）を検側へ45°傾斜．OM線は受像面に対し垂直より10°頭頂側へ傾斜させる．乳様突起先端を受像面中心より2cm上方に位置させる．

2) 中心線：検側乳様突起先端を射出点として，頭尾方向45°で斜入射．

3) 画像の要点：上方は後頭部乳突蜂巣から錐体尖までを描出する．

外耳道内に耳小骨が描出し，錐体後縁に内耳道が開口

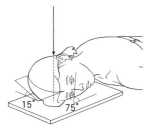

図7-39　Sonnenkalb法撮影

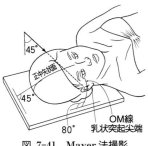

図 7-41 Mayer 法撮影

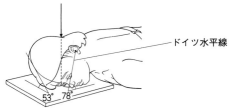

図 7-43 Rhese-Goalwin 法撮影

する．上部乳突蜂巣と内耳道，骨性蝸牛の濃度差が少なく，外耳孔内側やその上方の乳突洞を鮮鋭に描出する．

7. 眼　窩
A. 眼窩正面撮影（図 7-42）
1) 体位：坐位または腹臥位で，後→前方向撮影．下顎部および鼻尖部を受像面に付け，正中線（面）は垂直にする．耳介付着部上縁と眼窩下縁を結ぶ線を受像面に対し垂直にする．受傷時や小児は背臥位で前→後方向撮影．背臥位の体位は後前方向撮影体位と同じ．

2) 中心線：眉間を射出点として，後頭部正中線に受像面に垂直入射．前→後方向撮影は眉間を入射点として，受像面に垂直入射．

3) 画像の要点：前頭洞から上顎洞全体を含み，側方は両側の頬骨を描出する．頭部正中線から左右の蝶形骨大翼側頭面（無名線），あるいは頬骨外側縁までの距離が同一で，錐体上縁が眼窩下縁の下方約 2 cm の位置に描出する．蝶形骨小翼，上眼窩裂，篩骨眼窩壁，眼窩底が鮮鋭でコントラスト良く描出する．

8. 視神経管
A. Rhese-Goalwin 法撮影（図 7-43）
1) 体位：腹臥位または坐位で，後→前方向斜位撮影．眼窩外側下縁を受像面の中心に合わせる．正中線を検側に傾け，受像面に対して 53° の斜位．ドイツ水平線は顎を出して垂直より 12° 傾斜（OM 線は同様に受像面に対し 68°）．

2) 中心線：眼窩外側下縁を射出点として，受像面に垂直入射．

B. 戸塚法撮影（図 7-44）
1) 体位：腹臥位または坐位で，後→前方向斜位撮影．眼窩外側下縁を受像面の中心に合わせる．

2) 中心線：眼窩外側下縁を射出点とし，入射点は非検側乳様突起と外後頭隆起を結ぶ線を底辺とする 75° 二等辺三角形の頂点として，受像面に垂直入射．

3) 画像の要点：視神経管は，眼窩外側下方に円形に描出し，視神経管の中心を X 線中心線が透過するため，管壁が接線像としてコントラスト良く描出する．視神経管に続く前方の蝶形骨小翼，前頭骨平面が接線像として前頭洞まで延び，その下方に蝶形骨洞が鮮鋭に描出する．

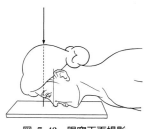

図 7-42 眼窩正面撮影

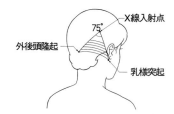

図 7-44 戸塚法撮影（左視神経管撮影）

9. その他の眼科，視神経管撮影
その他の眼窩撮影には，Fueger I 法，Fueger II 法，および X 線断層撮影法があり，いずれも眼窩底，眼窩内壁，眼窩内異物などを診断しやすくする．また，視神経管撮影には Rhese 法や Hartmann 法などがある．

8 脊椎単純撮影

1. 頸　椎

A. 正面撮影（第3～7頸椎）（図7-45）

1) 体位：坐位．顔を上に向かせ，下顎下縁と外後頭隆起を結ぶ線を水平より下方へ15°傾斜させ，頭部と上体の矢状面を受像面に垂直にする．
2) 中心線：喉頭隆起に向け，尾頭方向15°で斜入射．
3) 画像の要点（図7-46）：第3頸椎以下の頸椎，第1胸椎，第1肋骨を描出する．各椎間腔とルシュカ関節が分離し，椎体中央に棘突起が，上関節突起と下関節突起は連続した側方塊として描出する．

B. 側面撮影（図7-47）

1) 体位：坐位．脊柱を伸ばし，矢状面を受像面に平行にする．両肩は下垂させ，顔をやや前方に突き出す．
2) 中心線：喉頭隆起の高さで頸部の中央に向けて，受像面に垂直入射．

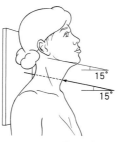

図7-45　頸椎正面撮影

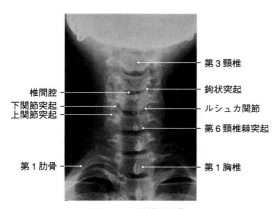

図7-46　頸椎正面像

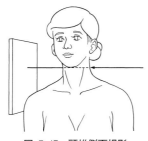

図7-47　頸椎側面撮影

3) 画像の要点（図7-48）：環椎～第7頸椎までの椎体，上関節突起，下関節突起，棘突起，椎間腔，椎間関節を描出する．両下顎枝が一致して，乳様突起が環椎に重複し，椎体の前方に気管，舌骨が描出する．

C. 斜位撮影（図7-49）

1) 体位：坐位．検側を受像面から離し，背面を受像面に対して50°にする．顔をやや前方に突き出す．
2) 中心線：第4頸椎の高さの胸鎖乳突筋の前面に向けて，尾頭方向15°で斜入射．
3) 画像の要点（図7-50）：第2頸椎～第1胸椎の椎

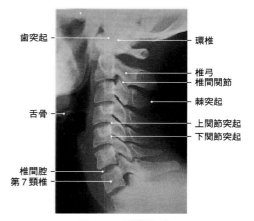

図7-48　頸椎側面像

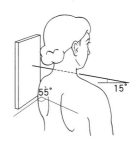

図7-49　頸椎斜位撮影

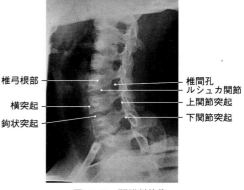

図7-50　頸椎斜位像

間孔が椎体後方に描出し，上下の椎弓および鉤状突起で囲まれた楕円形またはひょうたん状の孔として描出する．

D．正面撮影（環椎・軸椎）（図7-51）
　1）体位：坐位または背臥位．上顎切歯と乳様突起を結ぶ線と矢状面を受像面に垂直にして，大きく開口する．
　2）中心線：上顎切歯下端に向け，受像面に垂直入射．
　3）画像の要点：開口した口腔の上方に，切歯と後頭骨の下面が一致し，その下方に環椎と歯突起が描出する．

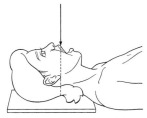

図7-51　環椎，軸椎正面撮影

2．胸椎

A．正面撮影（図7-52）
　1）体位：背臥位．胸部の前額面を水平にし，膝は屈曲する．頭部は低い枕を敷く．
　2）中心線：胸骨上窩と剣状突起の中間に向けて，受像面に垂直入射．
　3）画像の要点：両鎖骨胸骨端の中間に第3胸椎が位置し，第4〜12胸椎の椎体上縁と下縁が一致して椎間腔の間隙を描出する．椎体幅の中間で上下の椎体の中央に上位椎体の棘突起が，各椎体の外側上縁に2個の椎弓根を描出する．

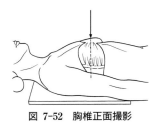

図7-52　胸椎正面撮影

B．側面撮影（図7-53）
　1）体位：側臥位．両上肢は挙上させ，膝は軽度の屈曲位．胸椎の正中線は水平よりやや下方に凸の曲面状にし，前額面は垂直にする．
　2）中心線：胸骨上窩と剣状突起の中間で，背面より約6cm前方（内方）の点に向けて，受像面に垂直入射．
　3）画像の要点：第3〜12胸椎の椎体上縁・下縁が一致して椎間腔との椎間関節を描出する．

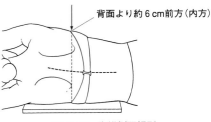

図7-53　胸椎側面撮影

3．腰椎

A．正面撮影（図7-54）
　1）体位：背臥位．胸部・骨盤部の前額面を水平にして膝は屈曲する．

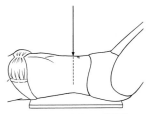

図7-54　腰椎正面撮影

　2）中心線：剣状突起と恥骨結合の中点または肋骨弓下縁の高さで正中線上に受像面に垂直入射．
　3）画像の要点（図7-55）：第3〜4腰椎の椎体上縁と下縁が一致して椎間腔を広く描出する．椎体中央に棘突起，椎体外側に横突起を描出し，椎体上縁の外側に左右の椎弓根が，上・下の関節突起と椎弓が椎体に重複し，その中間に左右の椎間関節を描出する．

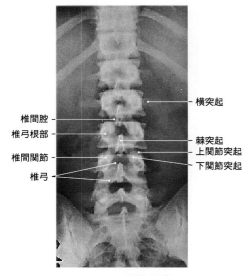

図7-55　腰椎正面像

B. 側面撮影（図7-56）

1) 体位：側臥位．胸部，腰部，骨盤部の正中線は，第3腰椎の位置で水平よりやや下方に凸の曲線状にクッションで調節して，前額面は受像面に垂直にする．

2) 中心線：肋骨弓下縁の高さで背面より前方（内方）へ約7cmの点に向けて，受像面に垂直入射．

3) 画像の要点（図7-57）：第1〜5腰椎の椎体上縁・下縁が一致して椎間腔を広く，椎体後縁と椎弓が一致して椎間孔を広く描出する．椎体後方の上・下の関節突起が連続して描出し，その後方に棘突起を描出する．

C. 斜位撮影（図7-58）

1) 体位：側臥位から胸部および骨盤部の背面を受像面に対して非検側を上げて35°斜位．

2) 中心線：剣状突起と恥骨結合の中点または肋骨弓下縁の高さで正中線から外側へ6〜7cmの点に向けて，受像面に垂直入射．

3) 画像の要点（図7-59）：第1〜5腰椎の検側の上関節突起と下関節突起，椎弓を広く描出し，椎弓根の接線像と椎体の斜位像を描出する．なお，この抽出像は子犬像（ドッグライン）ともよばれる．

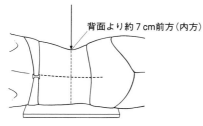

図7-56 腰椎側面撮影

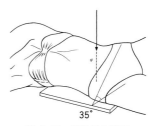

図7-58 腰椎斜位撮影

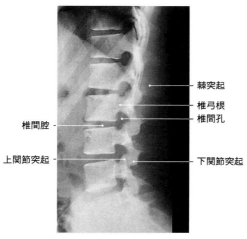

図7-57 腰椎側面像

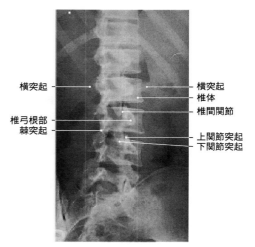

図7-59 腰椎斜位像

9 仙骨，尾骨，骨盤単純撮影

1. 仙骨・尾骨
A. 仙骨正面撮影（図7-60）
1) 体位：背臥位．両上前腸骨棘を結ぶ線を水平にし，下肢は伸展位または膝を軽度屈曲位．
2) 中心線：上前腸骨棘の高さで正中線上に，尾頭方向（男性：15°，女性：25°）で斜入射．
3) 画像の要点：仙骨が恥骨に重複せずに，仙骨の正中線上に恥骨結合が位置して，仙腸関節，閉鎖孔を広く描出する．

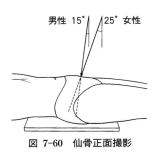

図7-60 仙骨正面撮影

B. 尾骨正面撮影（図7-61）
1) 体位：背臥位．両上前腸骨棘を結ぶ線を水平にし，下肢は伸展する．撮影前に排尿する．
2) 中心線：両上前腸骨棘の中点と恥骨結合の中点で正中線に向けて，頭尾方向（男性：25°，女性：15°）で斜入射．
3) 画像の要点：尾骨が恥骨結合に重複せずに，仙骨，尾骨の正中線上に恥骨結合が位置する．

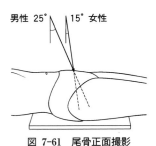

図7-61 尾骨正面撮影

C. 仙骨・尾骨側面撮影（図7-62）
1) 体位：側臥位．骨盤部の前額面を垂直にする．股関節および膝を軽度の屈曲位．照射野はできるだけ小さくし，かつ，背面からの散乱X線入射を防ぐため鉛ゴムを背面に置く．

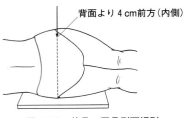

図7-62 仙骨・尾骨側面撮影

2) 中心線：腸骨稜と尾骨の中間で背面より4cm前方（内側）の点に，受像面に垂直入射．
3) 画像の要点：第5腰椎〜仙骨の腰椎仙椎関節腔，仙骨横線，仙尾関節腔，正中仙骨稜を描出する．

2. 骨盤
A. 正面撮影（図7-63）
1) 体位：背臥位．両上前腸骨棘を結ぶ線を水平にし，下肢は伸展位で内旋位．
2) 中心線：両上前腸骨棘を結ぶ中点と恥骨結合との中点で正中線に向けて，受像面に垂直入射．
3) 画像の要点：仙骨，尾骨の正中線が恥骨結合と一致し，閉鎖孔，腸骨，仙腸関節，寛骨臼，大腿骨頭，大腿骨頸，大転子，小転子，恥骨，恥骨結合，坐骨結節を描出する．

図7-63 骨盤正面撮影

B. 斜位撮影（図7-64）
1) 体位：背臥位．両上前腸骨棘を結ぶ線を検側へ45°傾斜させ，腰部と骨盤の正中線を受像面中心線から非検側へ約14cm平行移動．検側の股関節および膝関節は軽度屈曲位で外転位．

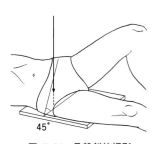

図7-64 骨盤斜位撮影

2) 中心線：上前腸骨棘と正中線の中間点に向けて，受像面に垂直入射．

3) 画像の要点：検側上前腸骨棘が外側に突出して，腸骨が正投影像として広く描出する．検側坐骨棘が骨盤腔に突出して，坐骨および恥骨は軸位像として描出する．

C. インレット撮影，アウトレット撮影（図7-65）

1) 体位：背臥位．両上前腸骨棘を結ぶ線を水平にし，下肢は伸展する．

2) 中心線：両上前腸骨棘の中点と恥骨結合との中点に向けて，インレット撮影は頭尾方向30°で，またアウトレット撮影は尾頭方向30°で斜入射．

3) 画像の要点：インレット像は小骨盤腔が前後に伸展し，腸骨，恥骨，坐骨，寛骨臼が半軸位像で描出する．またアウトレット像は恥骨が仙骨に重複し，恥骨結合および閉鎖孔が上下に拡大し，坐骨結節は下方に，腸骨は上方に拡大して描出する．

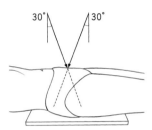

図7-65 骨盤インレット，アウトレット撮影

3. 仙腸関節（斜位撮影）（図7-66）

1) 体位：背臥位から20°斜位．検側骨盤を上げて，両上前腸骨棘を結ぶ線が受像面に対して20°斜位．

2) 中心線：上前腸骨棘の内側5cmの点に向けて，尾頭方向15°で斜入射．

3) 画像の要点：検側腸骨の幅が短縮し，上下が伸展した腸骨と，軽度斜位像の仙骨の間に仙腸関節を描出する．

4. 恥骨・坐骨

A. 正面撮影（図7-67）

1) 体位：背臥位．両側の上前腸骨棘を結ぶ線を水平にし，下肢は伸展する．

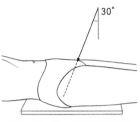

図7-67 恥・坐骨正面撮影

2) 中心線：恥骨結合上縁の正中線上面に，尾頭方向30°で斜入射．

3) 画像の要点：恥骨結合が仙骨，尾骨と重複するが，上下に拡大して描出し，坐骨，閉鎖孔とも広く描出する．

B. 恥骨軸位撮影（図7-68）

1) 体位：半坐位．背面を受像面に対して50°傾斜して，下肢は伸展する．

2) 中心線：恥骨結合上縁に向けて，受像面に垂直入射．

3) 画像の要点：恥骨結合の間隙と前後の位置関係，骨折を描出する．

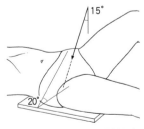

図7-66 仙腸関節斜位撮影

図7-68 恥骨軸位撮影

10 胸郭単純撮影

1. 肋 骨
A. 正面撮影（前後位・後前位）（図7-69, 7-70）
1) 体位：立位または坐位．上体の前額面を受像面に平行にする．両上肢は手背を腰部に当て，肘を軽度に屈曲して前方に出す．深吸気時撮影．
2) 中心線：前後位は肩甲骨下角の高さで受像面に対して，両側撮影は正中線上に，片側撮影は正中線と側胸壁の中点に向けて，垂直に入射する．また後前位は胸骨上窩と剣状突起の中間で，両側撮影は正中線上に，片側撮影は正中線と側胸壁の中点に向けて，受像面に対して，垂直に入射する．
3) 画像の要点：第1～9肋骨までの肺野内肋骨，鎖骨，肩甲骨が描出する．

B. 斜位撮影（図7-71）
1) 体位：立位または坐位．検側の背面を受像面に付け，上体の前額面を受像面に対して45°斜位．両上肢は挙上位．深吸気時撮影．
2) 中心線：第1～7肋骨までの肺野内肋骨には，胸骨上窩と剣状突起の中点で正中線上に，第8肋骨以下の横隔膜下肋骨には剣状突起に向けて，受像面に垂直に入射する．
3) 画像の要点：検側の肺野内に第1～7肋骨が，第8肋骨以下は横隔膜下に描出する．

C. 接線撮影（図7-72）
1) 体位：立位または坐位．側胸壁から前胸壁にかけた患部の胸壁面を受像面と垂直にする．検側上肢は挙上位．深吸気時に撮影する．
2) 中心線：患部の肋骨の皮膚面から1cm内側で，受像面に対して垂直より頭尾方向30°で斜入射．
3) 画像の要点：側胸壁から前胸壁までの肋骨が上下に伸展して描出する．

2. 胸 骨
A. 斜位撮影（図7-73）
1) 体位：腹臥位．上体の前額面を受像面に密着し，上肢は体側におく．通常の呼吸状態で撮影する．
2) 中心線：左背面より胸骨の中央に向けて，受像面に対して垂直より30°で斜入射．

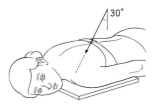

図7-73 胸骨斜位撮影

3) 画像の要点：左胸鎖関節，胸骨柄，胸骨体，剣状突起が胸椎の左側で心臓陰影内に描出する．
4) 注意事項：小電流，長時間撮影が望ましい．グリッドを使用する場合は体軸に直交方向にグリッドを置く．受像面の下に台を用意する．

B. 側面撮影（図7-74）
1) 体位：坐位または立位．上体の正中線を受像面と平行にし，前額面は垂直にする．上肢は腰背部で手を組み，胸を反らす．
2) 中心線：胸骨の中央で，前胸壁皮膚面から2cm内側に向けて，受像面に垂直入射．
3) 画像の要点：胸骨柄と胸骨体が結合する胸骨角部が分離し，胸骨前面および後面が一致する．剣状突起が胸骨の下端内側に描出する．
4) 注意事項：照射野は胸骨柄と胸骨体が写る最小の幅に設定する．

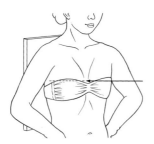
図7-69 肋骨正面前後方向撮影

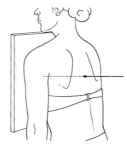
図7-70 肋骨正面後前方向撮影

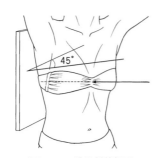
図7-71 肋骨斜位撮影

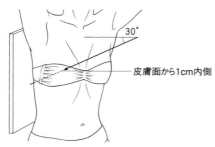
図7-72 肋骨接線撮影

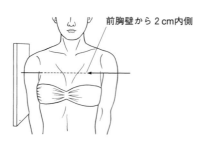
図7-74 胸骨側面撮影

11 上肢単純撮影

1. 肩甲骨

A. 正面撮影（図 7-75）

1) 体位：坐位または立位．検側肩甲部を受像面に付け，非検側が受像面から離れるように上体の前額面を20°回旋位．上肢は肘を曲げて上腕を外転し，手を腰部に当てる．

2) 中心線：第3肋骨の外側縁に向けて，受像面に垂直入射．

3) 画像の要点：肩甲骨の約1/2は肋骨に重複するため，内側縁や下角は不明瞭で，上角は鎖骨に重複する．肩峰，烏口突起，肩甲頸，外側縁，上腕骨頭が描出する．肩関節腔は描出しない．

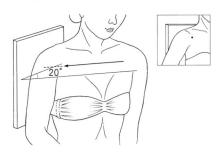

図 7-75 肩甲骨正面撮影

B. 軸位撮影（図 7-76）

1) 体位：坐位または立位．検側の手は非検側の肩を掴み，検側の肩前面を受像面に付け，非検側が受像面から離れるように上体の前額面は20°斜位．

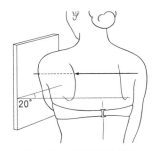

図 7-76 肩甲骨軸位撮影

2) 中心線：肩甲骨内側縁の中央に向けて，受像面に垂直入射．

3) 画像の要点（図 7-77）：肩甲骨の内・外側縁が接線状に一致し，肋骨から分離する．肩甲棘，烏口突起の頸部，棘上窩によりY字状を示す．肩峰と鎖骨が連なる空間に上腕骨頭が描出する．

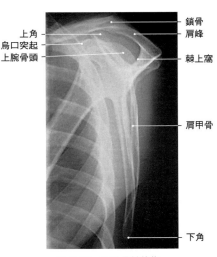

図 7-77 肩甲骨軸位像

2. 鎖骨

A. 正面撮影（図 7-78）

1) 体位：坐位または立位．上体の前額面を受像面と平行にする．上肢は手を体側に付けて下垂位にさせる．

2) 中心線：鎖骨中央に向けて，水平より尾頭方向20°で斜入射．

3) 画像の要点：肩峰端が下がり，鎖骨が水平で直線状に描出する．鎖骨の近位1/3は第1・2肋骨に重複し，遠位は胸郭から分離する．

図 7-78 鎖骨正面撮影

3. 肩鎖関節撮影（図 7-79）

1) 体位：坐位または立位．検側肩甲部を受像面に付け，上体の前額面を検側へ5°回旋位．上肢は手を体側に付けて下垂位にさせる．

2) 中心線：肩鎖関節部に向けて，水平より尾頭方向10°で斜入射．

3) 画像の要点：肩峰の関節面と鎖骨肩峰端の関節面が接線像になったり，肩鎖関節腔と肩峰と鎖骨下面の接線像を描出する．

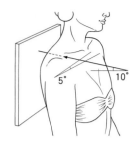

図 7-79 肩鎖関節撮影

4. 肩関節
A. 正面撮影（図7-80）
1) 体位：坐位または立位．検側の肩甲部を受像面に付け，非検側が受像面から離れるように上体の前額面（背面）は30°〜40°斜位．上肢は手を体側に付けて下垂位にし，頭部は非検側へ倒す．

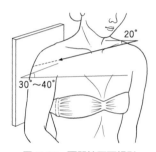

図 7-80 肩関節正面撮影

2) 中心線：上腕骨頭中央の内縁に向けて，水平より頭尾方向20°で斜入射．
3) 画像の要点（図7-81）：肩関節腔と肩峰部が一致して肩峰下郭腔を広く描出する．烏口突起が上腕骨頭の上方内側に重複し，上腕骨の外側に大結節，内側に小結節が描出する．

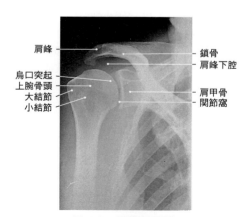

図 7-81 肩関節正面像

B. 軸位撮影（図7-82）
1) 体位：立位または背臥位．立位撮影は検側の手掌を体側に付けた自然立位から90°外転位で支柱を持たせる．受像面を肩の上に保持させ，X線管を腋窩の下方に置く．

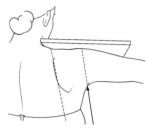

図 7-82 肩関節軸位撮影

2) 中心線：肩甲骨内側縁に平行な中心線で，肩峰の内側2〜3cmを射出点として，腋窩へ斜入射する．
3) 画像の要点（図7-83）：肩甲関節窩と上腕骨頭との間に肩関節腔を描出する．肩峰と鎖骨肩峰端が上腕骨頭に重複し，上腕骨頭の前縁に小結節，内側に大結節が描出する．烏口突起が上腕骨頭に接近して描出する．

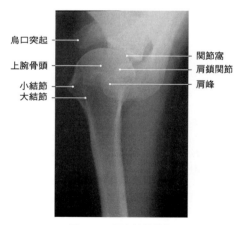

図 7-83 肩関節軸位像

C. スカプラY撮影（図7-84）
1) 体位：坐位または立位．検側の上腕骨前面を受像面に付け，非検側が受像面から離れるように上体の前額面を70°斜位．上肢は手を体側に付けて下垂位にさせる．
2) 中心線：肩甲棘後面に向けて，水平より頭尾方向20°で斜入射．
3) 画像の要点：肩甲骨の内側縁と外側縁が一致し，胸郭から分離する．肩甲棘と烏口突起の頸部，棘上窩で形成されるY字状構造と上方の肩峰と鎖骨が連続する弓上の間に上腕骨頭が描出する．上腕骨体は肩甲骨に重複する．

7章　X線撮影技術学

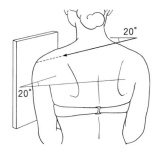

図 7-84　肩関節スカプラY撮影

5. 上腕骨
A. 正面撮影（図 7-85）
　1）　体位：立位または背臥位．上腕と手掌および肘関節部の前面を受像面と平行位．
　2）　中心線：上腕の中央に向けて，受像面に垂直入射．
　3）　画像の要点：上腕骨頭から肘関節までの正面像を描出する．上腕骨頭は肩峰および肩甲骨関節面が重複し，大結節，小結節，結節間溝を描出する．肘関節部は内側上顆，外側上顆を描出する．

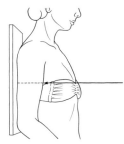

図 7-85　上腕骨正面撮影

B. 側面撮影（図 7-86）
　1）　体位：背臥位または立位．肘関節を屈曲させて上腕部を外旋させ，上腕部の外側を受像面に付ける．
　2）　中心線：上腕の中央に向けて，受像面に垂直入射．
　3）　画像の要点：上腕骨頭から肘関節までの側面像を描出する．上腕骨頭は肩峰および肩甲骨に重複し，肘関節は上腕骨小頭，滑車がずれて描出する．

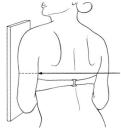

図 7-86　上腕骨側面撮影

6. 肘関節
A. 正面撮影（図 7-87）
　1）　体位：坐位．上腕部，前腕部とも水平位．肘関節は伸展位で，手掌と肘関節部の前面を上方に向け水平位．
　2）　中心線：内側上顆と外側上顆を結ぶ線の中点から，垂直遠位側へ1.5 cmの点に向けて，受像面に垂直入射．
　3）　画像の要点：肘頭は内側上顆と外側上顆のほぼ中央に位置し，小頭と橈骨頭との間に腕橈関節，滑車と尺骨関節面との間に腕尺関節が明瞭に描出する．尺骨神経溝が内側上顆の下端に陥凹像として描出する．

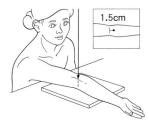

図 7-87　肘関節正面撮影

B. 側面撮影（図 7-88）
　1）　体位：坐位．肘関節を90°屈曲させて内側を受像面に付け，前腕は手掌を垂直にし，手関節の位置で3 cm上げる．
　2）　中心線：外側上顆から45°外側遠位1.5 cmの点に，受像面に垂直入射．
　3）　画像の要点：上腕骨滑車と上腕骨小頭が同心円状で，その外側に尺骨の滑車切痕と橈骨頭関節面が均一な間隔で描出する．橈骨関節窩と鉤状突起関節面が一致する．

図 7-88　肘関節側面撮影

7. 尺骨神経溝撮影（図 7-89）
　1）　体位：坐位．上腕部は水平位で後面を受像面に付け，肘関節を屈曲させて前腕部の長軸を垂直から20°外旋位．
　2）　中心線：上腕骨内側上顆と肘頭の中点に向けて，上腕骨長軸に平行で，垂直から近位へ20°で斜入射．
　3）　画像の要点：尺骨神経溝が上腕骨内側上顆と上腕骨滑車の中間にU字状に描出し，内側に上腕骨滑車と肘頭の滑車切痕による関節腔が描出する．

図 7-89　尺骨神経溝撮影

8. 前腕骨
A. 正面撮影（図 7-90）
1) 体位：坐位または背臥位．肘関節を伸展させ，前腕部の背面は受像面に付けて，手掌を上方に向けてやや外旋位．
2) 中心線：前腕部の中央に向けて，受像面に垂直入射．
3) 画像の要点：肘関節および手関節が正面像で，橈骨および尺骨が橈骨粗面と下橈尺関節部で重複し，その他は分離して描出する．

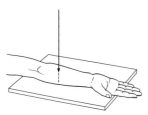

図 7-90　前腕骨正面撮影

B. 側面撮影（図 7-91）
1) 体位：坐位．肘関節を 90°屈曲させ，前腕部の尺側を受像面に付け，上腕部とも水平位にする．手掌は垂直よりやや内旋位．
2) 中心線：前腕部の中央のやや外側に向けて，受像面に垂直入射．
3) 画像の要点：上腕骨滑車面がほぼ側面像で，肘関節および手関節が側面像からわずかな斜位像で描出する．橈骨と尺骨は鉤状突起部と下橈尺関節部で重複し，その他は分離して描出する．

図 7-91　前腕骨側面撮影

9. 手関節
A. 正面撮影（図 7-92）
1) 体位：坐位．肘関節を 90°屈曲させて，前腕部は水平位で，手関節部の掌面を受像面に付ける．指は力を抜いて軽く曲げる．
2) 中心線：橈骨茎状突起と尺骨茎状突起を結ぶ中点に向けて，受像面に垂直入射．
3) 画像の要点：手根骨の輪郭や有鉤骨鉤，大菱形骨結節などの突出した部分や三角骨に重複した豆状骨，橈骨手根関節，手根中央関節，手根中手関節が描出する．

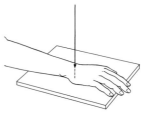

図 7-92　手関節正面撮影

B. 側面撮影（図 7-93）
1) 体位：坐位．肘関節は伸展位で尺側を受像面に付けて，橈骨軸と指の長軸を一直線にし，手掌を垂直より 7°外旋させる．
2) 中心線：橈骨茎状突起に向けて，受像面に垂直入射．
3) 画像の要点：橈骨と尺骨が一致し，手根骨，中手骨が直線状に重複する．橈骨関節および手根中央関節は月状骨の輪郭によって描出する．舟状骨，豆状骨，大菱形骨は重複して，それぞれの輪郭が不明瞭である．

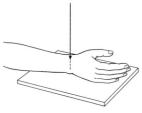

図 7-93　手関節側面撮影

10. 手根骨
A. 正面撮影（図 7-94）
1) 体位：坐位．肘関節を 90°屈曲させて，前腕部は水平位で，手関節部の掌面を受像面に付ける．指は伸展位にする．
2) 中心線：橈骨茎状突起と尺骨茎状突起を結ぶ線の中点から垂直遠位 3 cm の点に向けて，受像面に垂直入射．
3) 画像の要点：手根骨の輪郭や有鉤骨鉤，大菱形骨結節などの突出した部分や三角骨に重複した豆状骨を描

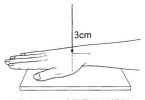

図 7-94 手根骨正面撮影

出する．橈骨手根関節，手根中央関節，手根中手関節，手根間関節が描出する．

B. 側面撮影（図7-95）

1) 体位：坐位．肘関節は伸展位で尺側を受像面に付けて，第1指を内反させて，第2～5指の長軸と橈骨軸と一直線にする．手掌は垂直より7°外旋させる．

2) 中心線：橈骨茎状突起から3cm遠位の点に向けて，受像面に垂直入射．

3) 画像の要点：橈骨と尺骨が一致し，その直線上に月状骨，有頭骨と第2～5指の中手骨が描出する．舟状骨は内側にずれて大菱形骨，第1中手骨底と重複する．

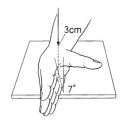

図 7-95 手根骨側面撮影

C. その他の手根骨撮影

舟状骨骨折を目的にした撮影法に，
① 屈曲位（外転位）正面撮影
② 45°回内位撮影
③ 45°回外位撮影

などがある．また，手掌側の指屈曲筋や神経，血管が集中して通る手根管を軸方向から撮影する手根管撮影がある．

11. 手指骨

A. 正面撮影（図7-96）

1) 体位：坐位．手掌面を下にして受像面に付ける．指は伸展位．

2) 中心線：第3中手指節関節に向けて，受像面に垂直入射．

3) 画像の要点：手関節から末節骨まで描出する．第2～5までの中手骨，基節骨，中節骨，末節骨が正面像で，第1中手骨，および指節骨は斜位像で描出する．

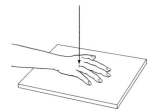

図 7-96 手指骨正面撮影

B. 側面撮影（図7-97）

1) 体位：坐位．第5指および手掌の内側を受像面に付けて，手掌面を垂直にし，第1・2指は軽く曲げて指先を付けて，第3指および第4指を基節骨から階段状にずらす．

2) 中心線：第2中手指節関節に向けて，受像面に垂直入射．

3) 画像の要点：手関節から第2～5までの指節骨が側面像で，第1指節骨は斜位像に描出する．第2～5までの中手骨，基節骨は他の指骨と重複し，中節骨から末節骨までは分離して描出する．

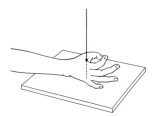

図 7-97 手指骨側面撮影

C. 斜位撮影（図7-98）

1) 体位：坐位．第5指を受像面に付けて，手掌が受像面に対して45°斜位．第1～5指を少しずつずらす．

2) 中心線：第3中手指節関節に向けて，受像面に垂直入射．

3) 画像の要点：手関節，手根骨の斜位像として第1～5指までの中手骨，指節骨が斜位像として描出する．この撮影は中手骨の重複が少ないため，中手骨の側面像に代わる撮影になる．

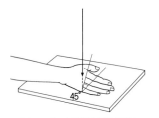

図 7-98 手指骨斜位撮影

12 下肢単純撮影

1. 大腿骨

A. 正面撮影（図7-99）
1) 体位：背臥位．股関節および膝関節を伸展し，膝蓋骨が膝部の中央に位置するように内旋位．
2) 中心線：大腿部の中央に向けて，受像面に垂直入射．
3) 画像の要点：大腿骨頭から膝関節までの大腿骨正面像を描出する．大腿骨頭および大転子は広く描出するが，膝関節は関節腔を分離しない．

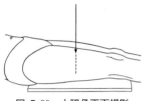

図7-99　大腿骨正面撮影

B. 側面撮影（図7-100）
1) 体位：側臥位．検側の膝関節は軽度屈曲位で大腿部外側を受像面に付けて骨盤部を斜位．非検側の膝関節は屈曲して外転位．
2) 中心線：大腿部の中央よりやや前方に向けて，受像面に垂直入射．
3) 画像の要点：大腿骨頭に大転子が重複した大腿骨の側面像を描出し，膝関節はやや外旋した斜位像を描出する．

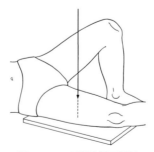

図7-100　大腿骨側面撮影

2. 膝関節

A. 正面撮影（図7-101）
1) 体位：坐位．膝関節を伸展し，脛骨前縁が水平より10°傾斜するように軽度屈曲位．膝蓋骨が膝部の中央に位置するように内旋位．

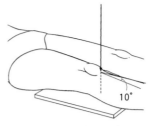

図7-101　膝関節正面撮影

2) 中心線：膝蓋骨下端に向けて，受像面に垂直入射．
3) 画像の要点：膝蓋骨が大腿骨の外側上顆と内側上顆の中央に位置し，大腿骨内側顆，外側顆が接線像で描出する．脛骨上関節面は内側が二重の線で，外側は一本の接線像で描出し，その中央に顆間隆起を描出する．

B. 側面撮影（図7-102）
1) 体位：側臥位．検側の膝関節部の外側を受像面に付け，膝関節を内角130°になるように屈曲してわずかに外旋する．脛骨前縁は水平より足方を8°上げる．
2) 中心線：膝蓋骨下端と後方のくびれを結ぶ線の中点に，受像面に垂直入射．
3) 画像の要点：大腿骨の内側顆と外側顆関節面がほぼ一致し，脛骨上関節面との間に関節腔が描出する．また大腿骨膝蓋関節面と膝蓋骨の間に関節腔が描出する．大腿骨内側顆は内側上顆に内転筋結節の小さな隆起を示す．顆間隆起は脛骨中央部で大腿骨内側顆・外側顆に重複し，腓骨頭は脛骨後方で重複して描出する．

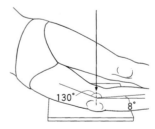

図7-102　膝関節側面撮影

3. 大腿膝蓋関節（スカイライン撮影）（図7-103）
1) 体位：屈膝坐位．大腿骨の長軸はX線中心線と一致させ，膝関節は45°屈曲位．膝蓋部の前面がほぼ水平になるように下腿の高さを調節する．膝蓋骨脱臼の診断には，膝屈曲角を30°，45°，60°，90°で撮影する場合がある．
2) 中心線：膝蓋骨尖に向けて，膝蓋部の前面に平行で下腿長軸より外側から5°で入射．
3) 画像の要点：大腿骨膝蓋面および膝蓋骨関節面が接線状になり，関節腔を広く描出する．大腿骨外側顆は長く鋭角な曲線に，内側顆は短い線を描出する．

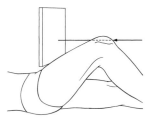

図 7-103　スカイライン撮影

4. 下腿骨

A. 正面撮影（図 7-104）

1) 体位：坐位または背臥位．膝関節を伸展し，足軸を垂直より 15°内旋位．

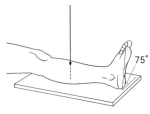

図 7-104　下腿骨正面撮影

2) 中心線：下腿部の中央に向けて，受像面に垂直入射．

3) 画像の要点：脛骨と腓骨が脛腓関節と腓骨切痕部で重複するほかは分離し，足関節腔も描出する．

B. 側面撮影（図 7-105）

1) 体位：側臥位．膝関節は軽度屈曲位で，足軸を水平より 15°外旋させる．

2) 中心線：下腿部の中間でやや後方に向けて，受像面に垂直入射．

3) 画像の要点：脛骨と腓骨が腓骨頭および足関節部でわずかに重複するが，その他の部分は分離して描出する．足関節は外旋した斜位像を示す．

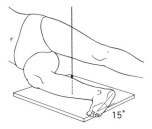

図 7-105　下腿骨側面撮影

5. 足関節

A. 正面撮影（図 7-106）

1) 体位：坐位または背臥位．膝関節を伸展し，足底

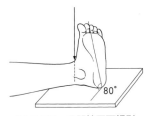

図 7-106　足関節正面撮影

を垂直に立て，足軸を垂直より 10°内旋位．

2) 中心線：脛骨内果と腓骨外果を結ぶ線の中央に向けて，受像面に垂直入射．

3) 画像の要点（図 7-107）：足関節上方の距腿関節は，脛骨下関節後縁が関節腔に重複する．腓骨外果関節面と距骨外果面との関節腔を分離するが，脛骨内果関節面と距骨内果面による関節腔は分離しない．

B. 側面撮影（図 7-108）

1) 体位：側臥位．足底を垂直より 10°内旋位にし，足軸を水平より 10°内旋位．

2) 中心線：脛骨内果の中央に向けて，受像面に垂直入射．

3) 画像の要点（図 7-109）：距骨滑車の内果と外果面が一致して脛骨下関節面と関節腔を描出する．

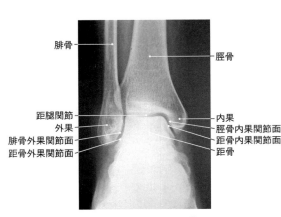

図 7-107　足関節正面像

図 7-108　足関節側面撮影

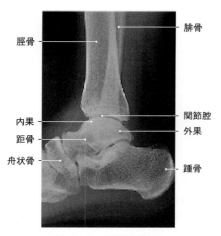

図 7-109 足関節側面像

C. 斜位撮影（図 7-110）
1) 体位：坐位または背臥位．膝関節を伸展して，高さ10cm程度の台上に受像面を置き，その上に踵部を乗せ，足軸を35°内旋位と45°外旋位にする．
2) 中心線：内旋位，外旋位とも脛骨内果と腓骨外果を結ぶ線の中央に向けて，受像面に垂直入射．
3) 画像の要点：内旋位は腓骨外果，脛骨内果，腓骨切痕，脛骨関節の後縁を，外旋位は内，外果のほかに距腿関節および脛骨下端と距骨滑車部の斜位像を描出する．

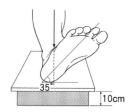

図 7-110 足関節回内斜位撮影

6. 距踵関節
A. Anthonsen I 撮影（図 7-111）
1) 体位：側臥位．下腿部長軸を中心線入射方向と一致させ，足軸を水平から40°踵を上げる．
2) 中心線：脛骨内果の直下に向けて，垂直より頭足方向20°で斜入射．

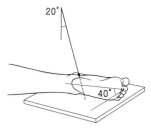

図 7-111 Anthonsen I 撮影

3) 画像の要点：後距踵関節と中距踵関節が直線的に描出し，その中間に踵骨溝が描出する．
B. Anthonsen II 撮影（図 7-112）
1) 体位：坐位．下腿部長軸を中心線入射方向と一致させ，足軸を垂直より45°外旋位．
2) 中心線：脛骨内果の直下に向けて，垂直より足頭方向15°で斜入射．
3) 画像の要点：後距踵関節が円弧状に描出し，その上方に脛骨内果および距骨内側が描出する．

図 7-112 Anthonsen II 撮影

7. 足趾骨
A. 正面撮影（図 7-113）
1) 体位：坐位または背臥位．膝関節を屈曲し，足底を受像面に密着し，足趾は伸展位．
2) 中心線：第2中足骨中央に向けて，垂直より足頭方向7°で斜入射．
3) 画像の要点：第1〜5趾までの中足骨，基節骨，中節骨，末節骨が分離し，距骨と踵骨を除く足根骨と第1中足骨頭の位置に種子骨が描出する．

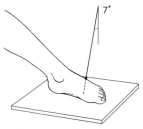

図 7-113 足趾骨正面撮影

B. 斜位撮影（図 7-114）
1) 体位：側臥位．足底を受像面に対して70°にする．
2) 中心線：第5中足骨中央に向けて，受像面に垂直入射．
3) 画像の要点：足関節が斜位像で，距骨，踵骨がほぼ側面像で描出し，足根骨は重複が少なく関節腔を描出する．第1〜5趾までの中足骨，基節骨，末節骨は，足根中足関節および中足趾節関節で重複するほかは分離して描出する．

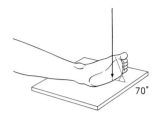

図 7-114　足趾骨斜位撮影

C. 足根骨横倉側面撮影（図7-115）
1)　体位：立位．高さ5cm程度の台上に立位．足軸を受像面と平行位．撮影時に検側に片脚荷重位．
2)　中心線：脛骨内果直下で足底面に向けて，受像面に垂直入射．
3)　画像の要点：第1中足骨頭，楔状骨，舟状骨，立方骨，踵骨による足弓を描出する．

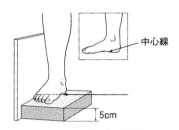

図 7-115　横倉側面撮影

13 股関節, 乳幼児股関節単純撮影

1. 股関節

A. 正面撮影（図7-116）

1）体位：背臥位．両側の上前腸骨棘を結ぶ線を水平にし，下肢は伸展位で内旋する．
2）中心線：両側撮影は恥骨結合の上方3cmの正中線上に，受像面に垂直入射．片側撮影は恥骨結合と上前腸骨棘を結ぶ線の中点を垂直足方へ5cmの点に向けて，受像面に垂直入射．
3）画像の要点：両側正面像は仙骨，尾骨の正中線が恥骨結合と一致し，腸骨および閉鎖孔が左右対称に描出する．寛骨臼と大腿骨頭につづいて大腿骨頸と大転子を広く，小転子は小さく描出する．

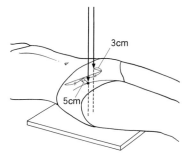

図7-116 股関節正面撮影

B. 軸位撮影（図7-117）

1）体位：背臥位．骨盤部を水平にし，非検側の股関節と膝関節をそれぞれ90°屈曲し，補助台に乗せる．検側の下肢は伸展して内旋する．
2）中心線：水平な中心線で，検側の上前腸骨棘と恥骨結合を結ぶ線に平行な角度で，上前腸骨棘と恥骨結合を結ぶ線の足方7cmの位置で，大腿部の前方1/3の点に入射する．
3）画像の要点：寛骨臼，大腿骨頭が側面像になり，大腿骨頭につづく大腿骨頸は水平に長く，大転子と小転子が同一位置に重複する．寛骨臼の後方に坐骨結節が描出する．大腿部の内旋度が不十分な場合は大転子が下方に下がり，坐骨に重複して描出する．

C. Lauenstein I 撮影（図7-118）

1）体位：背臥位から両側の上前腸骨棘を結ぶ線を受像面に対して検側へ45°斜位にする．検側の下肢は股関節と膝関節を軽度屈曲させ，大腿部外側を下にして受像面に付ける．非検側は膝関節を屈曲し，大腿部を垂直に立てる．臀部および背部に45°のスポンジを敷く．
2）中心線：恥骨結合と前腸骨棘突起を結ぶ線の中点から垂直足方4cmの点に向けて，受像面に垂直入射．
3）画像の要点：寛骨臼の接線像と大腿骨頭，大腿骨頸および大腿部の側面像を描出する．大転子が大腿骨頭に重複し，大腿骨頸が短縮して描出する．寛骨臼に対する大腿骨軸と大腿骨頸軸の位置関係を描出する．

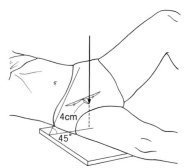

図7-118 Lauenstein I 撮影

D. Lauenstein II 撮影（図7-119）

1）体位：背臥位で骨盤部は水平位．両股関節および膝関節を90°屈曲し，股関節は垂直から40°外転して，大腿軸が受像面に対して50°にする．
2）中心線：両側撮影は恥骨結合の上縁の正中線上に，受像面に垂直入射．片側撮影は検側の鼠径部中央に，受像面に垂直入射．
3）画像の要点：骨盤部および寛骨臼は正面像で，大腿骨頭と大腿骨頸は側面像を描出する．大腿骨頸が軸位

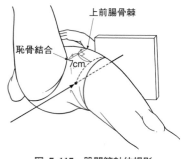

図7-117 股関節軸位撮影

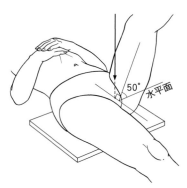

図7-119 Lauenstein II 撮影

像に比較してやや短縮して描出する．

2．乳幼児股関節単純撮影
A．股関節脱臼の判定基準（図7-120）
①A線とB線の間の角度が小さくなる（正常：約70°）．
②臼蓋角（α）が大きくなる（正常：20〜30°）．
③A線とM線は正常で平行か外側で交差するが，脱臼は内側で交わる．
④Shenton線（S）が連続しない．
⑤骨頭核の出現が遅れる（通常：3〜6ヵ月）．
⑥骨頭核がB線の外側に位置し，Y軟骨線に接近するか重なる．
⑦頸体角（正常：125°）が大きくなる．

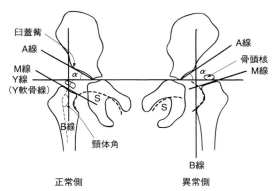

図7-120 乳幼児股関節脱臼判定に使われる基準線

B．乳幼児股関節伸展位撮影（図7-121）
1）体位：背臥位．平行位で膝蓋骨が上に向くように軽度内旋する．両下肢は伸展する．
2）中心線：恥骨結合に向けて，受像面に垂直入射．
3）画像の要点：先天性股関節脱臼，臼蓋形成不全を診断するため，腸骨および閉鎖孔が左右対称で描出されること．内転，外転を加えて撮影することもある．生殖腺防護を行う．

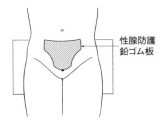

図7-121 乳幼児股関節伸展位撮影

C．Lorenz（開排位）撮影（図7-122）
1）体位：背臥位で骨盤は水平位．股関節，膝関節を90°を屈曲して，大腿を左右に90°外転する．
2）中心線：恥骨結合に向けて，受像面に垂直入射．
3）画像の要点：寛骨臼に対する大腿骨頭の位置を診断する（整復の状態を診る）ため，骨盤全体が正面像で大腿骨頭が明瞭に描出されることが要求される．

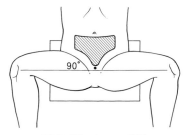

図7-122 Lorenz撮影

D．von Rosen撮影（図7-123）
1）体位：背臥位で骨盤は水平位．両下肢は伸展位で，45°外転し，下肢は内旋する．
2）中心線：恥骨結合に向けて，受像面に垂直入射．
3）画像の要点：骨盤が傾斜せず，大腿骨が体幹部の正中線に対して，正確に45°の角度に撮影する．内旋位は両側と同程度に強制保持する．

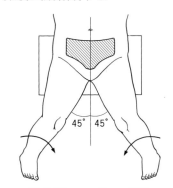

図7-123 von Rosen撮影

E．Rippstein撮影（図7-124）
1）体位：背臥位で骨盤は水平位．股関節，膝関節を90°屈曲して，大腿を左右に20°ずつ外転する．
2）中心線：恥骨結合に向けて，受像面に垂直入射．
3）画像の要点：股関節脱臼における前捻角を計測するため，骨盤が正しい正面像で，大腿骨頭および大腿骨頸が明瞭に描出されることが要求される．

図7-124 Rippstein撮影

14 産婦人科領域の腹部単純撮影，骨盤計測撮影

1. 骨盤計測

A. Guthmann 撮影（図 7-125）

1) 体位：立位．腹部および骨盤の正中線（面）を受像面と平行にする．計測用鉛スケールを大腿部で挟み，スケールも正中面と平行にする．

2) 中心線：骨盤側面の大転子隆起部から垂直上方 5 cm の点から，水平前方 2 cm の点に，受像面に垂直入射．撮影距離を 200 cm とする．

3) 画像の要点：腸骨稜や坐骨結節がほぼ一致し，両側大腿骨頭が同心円状に重なる．仙骨および恥骨結合内面が明瞭に写り，両大腿部に挿入されている鉛スケールが受像面上に描出している．

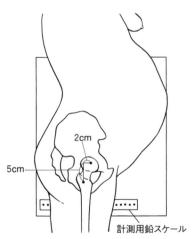

図 7-125 Guthmann 撮影

B. Martius 撮影（図 7-126）

1) 体位：半坐位．上肢は後方で上体を支え，背面は受像面に対して 50° にし，正中線（面）は垂直にする．

2) 中心線：左右の上前腸骨棘を結ぶ線の中点に向けて，受像面に垂直入射．

3) 画像の要点：坐骨棘が小骨盤腔の中央に投影し，恥骨，仙骨，仙骨岬角が接線像として描出する．

注意事項：撮影時は恥骨結合に掛からない程度にハレーション防止の鉛シートを股関節付近にかぶせる．また患者撮影後に，大転子より約 3 cm 上方の高さで計測用スケールを写し込む．

C. 計測法（図 7-127，7-128）

児頭骨盤不適合（CPD）が疑われる場合に，次の結合線を利用して，骨産道の計測を行う．

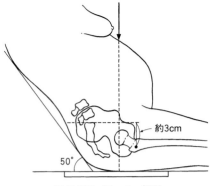

図 7-126 Martius 撮影

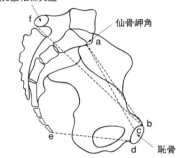

a-b：解剖学的結合線　　a-c：真結合線
b-f：外結合線　　　　　d-e：骨盤出口縦径

図 7-127 Guthmann 像における計測点

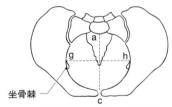

a-c：真結合線　　g-h：骨盤横径

図 7-128 Martius 像における計測点

①解剖学的結合線：仙骨岬角と恥骨結合上縁を結ぶ線．

②真結合線：仙骨岬角と恥骨結合の最も後方に突出した点を結ぶ線．

③外結合線：第 5 腰椎棘突起と恥骨結合上縁を結ぶ線．体表から触知できるので撮影の基準になる．

④骨盤出口縦径：恥骨結合下縁から尾骨先端までの距離で，骨盤下口結合線，骨盤出口に相当する．

⑤骨盤横径：左右の腸骨弓状線が最も外側に広がった位置での距離．

15 マンモグラフィ

7章　X線撮影技術学

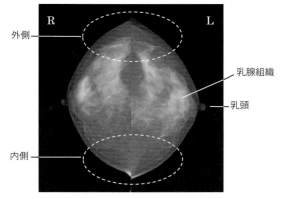

図 7-130　乳房X線画像（CC）

　日本人女性においてがん罹患率第1位の乳がんは，罹患のピークが40歳代後半にあり，がん罹患年齢が他のがんに比べて低いことが特徴である．そのため，がんの早期発見，早期治療のために実施される乳房X線撮影（以下，マンモグラフィ）は重要な検査法となっている．
　乳房は，乳腺組織，脂肪組織，皮膚組織などの軟部組織から構成される．これらX線吸収差が少ない軟部組織の中で病変を発見するために，マンモグラフィは低エネルギーX線と高コントラスト検出器が必要とされ，専用機として使用される．そして，マンモグラフィで発見を期待する乳がんは，腫瘤を形成したり，乳管内にがんに由来する小さな石灰化を形成したりする．このような病変を発見するためにマンモグラフィには，高鮮鋭・高精細な画像が要求される．
　乳がん検診におけるマンモグラフィは，40歳以上50歳未満の受診者は内外斜位方向（mediolateral oblique；MLO）と頭尾方向（craniocaudal；CC）の2方向を，50歳以上の受診者はMLOの1方向を撮影する．年齢により撮影枚数が異なる理由は，40歳以上50歳未満の受診者の乳腺含有率が高い（高濃度乳房）ためである．高濃度乳房は，正常乳腺組織が多いため乳がんなどの病変組織をマンモグラフィで描出することは難しい．そのため，より情報量を多くするために2方向撮影を実施する．年齢が高くなると乳腺組織は脂肪に置き換わり乳腺量が減少する．現在，マンモグラフィ画像から乳腺量を判定し，乳腺量が多い順に乳房の構成を「高濃度＞不均一高濃度＞乳腺散在＞脂肪性」と分類する[1]．ここで用いられる「高濃度」とは高密度を意味し，「高濃度」乳腺はX線透過率が低いため，図7-129，図7-130の乳腺組織のようにX線写真濃度は低く（白く）なる．

1. マンモグラフィ撮影

　マンモグラフィは左右の乳房を個別に撮影し，読影時には症例写真図7-129や図7-130のように左右の画像を並べて比較読影する．代表的なマンモグラフィ撮影法は，MLOとCCである．MLOはもっとも広い範囲を撮影できる撮影法として用いられ，CCはMLOを補完する撮影として使用される．図7-131は癌取り扱い規約における右乳房の占拠性病変位置を示すものである[2]．図7-131のように乳房を乳頭を中心に左右上下に4分割すると，乳がんの半数以上は外側上部のCとC'（腋窩部）に発生している．MLOは多くのがんが発生するC，C'領域をより描出する撮影法として採用されている．

1）内外斜位方向（MLO）

　MLOは撮影装置のCアームを回転させ，検側の大胸筋外側と撮影台が平行になる角度で撮影する．このとき撮影台は，受診者の外側（腋窩側）に配置する．次に乳房を圧迫板で内側（胸骨側）から外側へ向けて圧迫し撮影する．MLOは，1. 左右の乳房が対称であること．2. 乳頭がprofileに出ていること．3. 大胸筋が乳頭の高さ

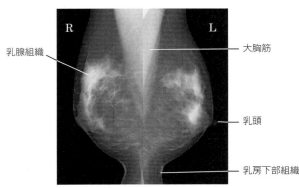

図 7-129　乳房X線画像（MLO）

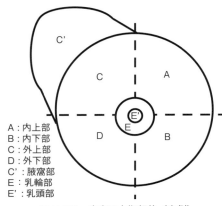

A：内上部
B：内下部
C：外上部
D：外下部
C'：腋窩部
E：乳輪部
E'：乳頭部

図 7-131　病変の占拠部位（右側）

まで写っていること，4. 乳腺後方の脂肪組織がよく描出されていること，5. 乳房下部組織が入り，inframammary fold が伸びていること，6. 乳房に皺がないこと，などの合格基準がある．「2. 乳頭が profile に出ている」とは，乳頭が側面像として描出されるように撮影することである．また，乳房内側上部組織や乳房下部組織は，MLO において撮影しにくい領域，つまりブラインドエリアとなりやすいので注意する[3]．

2）頭尾方向（CC）

CC は撮影装置のCアームをX線管が上部（頭側），撮影台が床に水平になるように回転させる．撮影台の上に乳房を引き出し，頭側から乳房を圧迫板で圧迫する．特に CC は内側乳腺が十分に入るように胸骨を撮影台に密着させて撮影する．CC 画像の合格基準は，1. 左右が対称であること，2. 乳頭が profile に出ていること，3. 内側乳腺組織が描出され，外側も出来るだけ入れること，4. 胸壁深くまで描出されていること，5. 乳房に皺がないこと，などである．また CC においても乳腺外側上部組織がブラインドエリアとなりやすいので注意する．MLO，CC のどちらの撮影でも，より多くの乳房を引き出し写し出すことが重要である[3]．

マンモグラフィの被ばく線量は平均乳腺線量で評価され，CC 撮影において圧迫乳房厚 4 cm において 3 mGy を超えないこととされている[4]．

3）フルオート撮影

マンモグラフィは自動露出制御機構（AEC）を利用したフルオート撮影が行われる．ポジショニング終了後，X線曝射ボタンを押したときの圧迫乳房厚により，装置は撮影に使用する線質（ターゲット/フィルタの組合せと管電圧）を決定する．そのため圧迫乳房厚が厚いほど硬い線質が選択される．また，最新の FPD マンモグラフィは，プレ曝射のX線減弱を用いて乳腺が多く存在する位置の FPD 素子を AEC 検出器として使用する．そのためマンモグラフィ装置によっては，乳腺含有量が多い乳房ほど硬い線質が選択される．

4）圧迫の効果

マンモグラフィにおける圧迫の役割は，①乳房厚の減少による乳腺組織吸収線量の減少，②散乱線の減少によるコントラスト向上，③乳房厚の均一化による乳腺の濃度の均一化，④乳腺構造の重なりの分離により組織間コントラストの向上，⑤被写体−検出器間距離の縮小による幾何学的不鋭の減少，⑥乳房の固定による体動ボケの抑制，などがあげられる[3]．特に，圧迫により乳房厚が薄くなることで被ばく線量は大きく低減する．

マンモグラフィ装置の圧迫板の圧力は JIS 規格で 200 N 以下と定められる．しかし，比較的小さな乳房の日本人に対しては 100～120 N 程度の圧力が適するとされる．圧迫板の素材はX線吸収が少なく，破損しにくいポリカーボネートが利用されている．

5）Digital Breast Tomosynthesis（DBT）

マンモグラフィ領域のディジタル断層撮影のトモシンセシスは DBT と呼ばれる．DBT は，正常乳腺に重なった病変を検出することを期待して利用されている．トモシンセシスの分解能は FPD のピクセルの大きさに依存するX，Y平面の分解能とX線入射方向のZ軸方向の分解能が存在する．一般撮影領域のトモシンセシスは計算時間短縮のため，4ピクセルの画素値をひとまとめにするビニング処理を施しトモシンセシス画像を表示している．しかし最新の DBT はビニングを行わずトモシンセシス画像を作成しているため，X，Y平面の分解能はピクセルサイズと等しい．またZ軸方向の分解能はX線管の振角（移動角度）が大きいほど向上するが，画像処理の影響を受ける．画像再構成にはフィルタバックプロジェクション（FBP）法と逐次近似法が用いられる．

6）追加撮影

マンモグラフィは通常撮影の MLO と CC において病変を疑い，病変の有無を明確にするために実施する撮影を追加撮影という．主な追加撮影には，スポット撮影と拡大撮影がある．スポット撮影は正常乳腺と重なった腫瘤を分離するための撮影で，拡大撮影は微小石灰化の形状や分布を観察しやすくするための撮影である．マンモグラフィ領域の拡大撮影の拡大率は，1.5～1.8 倍であるが，焦点−皮膚間距離が短いため被ばく線量が多くなるので注意が必要である．

2. マンモグラフィの臨床

1）乳がん

腫瘤を形成する乳がんは，正常乳腺よりややX線吸収は高い．そのため，X線画像では正常乳腺組織より写真濃度が低い腫瘤像として発見される．がんの腫瘤像は，辺縁が不正で棘状のスピキュラを伴う．また，乳がんに生じる微小石灰化は，乳管内を進展する性質から，大きさや形状，分布などから良性と悪性を判定する．そして，「構築の乱れ」と呼ばれる乳腺構造の乱れが乳がんの所見としてあげられる[1]．

2）良性所見

マンモグラフィには良性を示唆する石灰化像がある．その画像所見の線維腺腫の粗大石灰化や中心透亮円形石灰化は，良性石灰化の典型例として有名である．良性の腫瘤像の多くは，辺縁が明瞭，平滑な画像所見を示す[3]．

3）マンモグラフィにおける病変の位置

マンモグラフィにおいて病変が疑われる所見は，MLO，CC それぞれその位置を図 7-132 に示すシェーマに記入する[1]．図 7-132 は便宜上右乳房のみを示している．そ

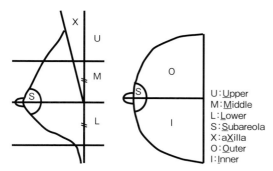

図 7-132　MLO と CC 撮影における病変部位記載

して病変の所見は癌取り扱い規約に準じた図 7-131 により病変位置を決定する[1,2]．

4）**組織生検について**

乳腺腫瘍画像ガイド下吸引術（マンモトーム生検）は，マンモグラフィまたは超音波による画像ガイド下で専用吸引装置を用いて目的とする乳腺組織を摘出する手技である．マンモグラフィガイド下のマンモトームではX線管をそれぞれ左右に 15°程度傾けて撮影した 2 枚のX線画像（ステレオ撮影画像）から，病変の位置を立体的に把握し病変の深さ方向を計算する．計算した位置まで針を進め目的組織を採取する手法である．X線ガイド下では主に石灰化病変を，超音波ガイド下では腫瘤性病変をターゲットとしている．

参考文献

1) 日本医学放射線学会/日本放射線技術学会編集．第 7 章所見の記載．マンモグラフィガイドライン第 4 版，医学書院，pp.61-65，2021．
2) 日本乳癌学会（編）．第 1 章腫瘍の臨床的記載法．乳癌取扱い規約　第 18 版，金原出版，pp.2-6，2018．
3) 日本医学放射線学会/日本放射線技術学会編集．第 2 章撮影法．マンモグラフィガイドライン第 4 版，医学書院，pp.7-15，2021．
4) IAEA: Schedule Ⅲ GUIDANCE LEVELS OF FOR MEDICAL EXPOSURE. INTERNATIONAL ATOMIC ENERGY AGENCY, VIENNA, 1996 SAFETY SERIES No. 115, IAEA, 279-284, 1996.

16 消化管造影検査

1. 上部消化管検査（食道，胃，十二指腸）

上部消化管で最も重要となる疾患は胃がんで，日本人の好発がんの一つである．近年は二重造影法の開発と検診の普及により早期がん（粘膜下層以内）の発見が増加している．早期胃がんで発見できれば5年生存率が90%以上である．胃がん検診が普及し早期発見ができるようになり，胃がんの死亡率を下げることに寄与している．検査法としては硫酸バリウム懸濁液（ゾル）を経口投与し胃粘膜をコーティングし，発泡剤による炭酸ガスとの二重造影法で胃粘膜面を観察する．上部消化管検査は内視鏡による検査に置き換わりつつある．それは，粘膜面の色調の変化による診断や異常部位の生検により組織の病理学的診断が可能となってきたからである．しかし，検診という多数の健常人を対象と予防医療では内視鏡検査に限界があり，現在もなおX線消化管検診が主流である．

A. 造影剤について

消化管検査の造影は二重造影法が中心である．陽性造影剤として硫酸バリウム（バリウム）の懸濁液と陰性造影剤としてガス（炭酸ガス）が用いられる．バリウム懸濁液は高濃度で低粘調が求められる．バリウム粒子の役割は胃内の粘液を胃粘膜より除去し，胃粘膜をコーティングすることである．バリウムゾルは懸濁液であるため濃度は重量/容積%（w/v%）で表される．上部消化管検査に使用されるバリウムゾルは濃度200〜220 w/v%と高濃度で，総量150 mL程度飲用させて検査される．陰性造影剤として使用されるガスは発泡顆粒として飲用され，胃内で炭酸ガスを発生させ陰性造影剤として利用される．発泡顆粒は炭酸水素ナトリウムと酒石酸の顆粒で水に接すると化学反応を起こし炭酸ガスを発生させる．水と混合させるとガスが発生するため少量の水で飲用させるが，その時に口内でガスが発生してしまうため一定の時間経過後ガスが発生するよう工夫されている．飲用後10秒から30秒でガス化するようになっている．

二重造影法は薄くバリウムの付着した状態を観察し粘膜病変を評価する方法である．また，ガスを充満させることによって胃壁の硬化があると拡張の異常や，辺縁不正となってくる．

B. バリウム製剤投与の留意事項

1) 長時間大腸内に滞留するとバリウム塊となって排出困難となる．そのため投与後に下剤の服用，水分接収などが必要である．
2) 消化管穿孔や術後の縫合不全によって腹腔内に漏出するとバリウム粒子が吸収されることなくいつまでも残るので，危険性があるときは経口ヨード造影剤を使用する．
3) 嚥下障害のある患者にバリウムゾルを投与すると，気管内にバリウムが誤嚥され肺炎・気管支炎の原因となるので注意が必要である．

C. 胃の解剖

胃は大きく分けて穹窿部，胃体部，胃角部，前庭部に分けられる．穹窿部は噴門部より頭側をいう．各部の呼称に前壁・後壁，小弯・大弯などを組み合わせて，病変や所見の位置を特定する（図7-131）．

胃壁の構造は内腔より粘膜層（m），粘膜筋板（mm），粘膜下層（sm），固有筋層（mp），漿膜下組織（ss），漿膜（s）に分けられる．胃粘膜の表面は1〜5 mmの多角形の小区域に分かれ，これを胃小区（アレア）と呼び，胃小区の境界にバリウムをため二重造影で表現する．

D. 造影法の特徴

1) 二重造影法

胃小区に幅広く均一にバリウムを付着させるためバリウム飲用後ローリングなどの体位変換が重要である．

2) 粘膜法（薄層法）

少量のバリウムゾルを飲用後，腹臥位や背臥位にて粘膜ひだを描出する．粘膜面の評価はできないが粘膜ひだの集中や中断を明瞭に観察できる．

3) 充満法

胃を十分進展させるため250〜300 mLのバリウムゾルを飲用させ立位および腹臥位で撮影する．胃角の変形や大弯・小弯の壁の固さ・壁の不整・陰影欠損を評価する．立位は胃角正面での撮影が基準となる．腹臥位は前庭部の小弯・大弯が進展した状態で撮影する．

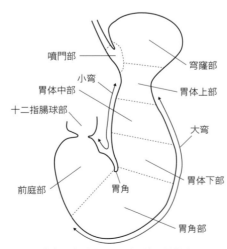

図7-131 胃各部の名称と区分（X線造影検査の実践，医療科学社より）

4) 圧迫法

　立位もしくは半立位状態の被検者を圧迫筒によってバリウムの入った胃を圧迫撮影し，胃壁の評価を行う．圧迫撮影する部位は胃体部・胃角部・前庭部などで圧迫筒と脊椎の間に目的部位を挟んで撮影する．胃体上部や胃穹窿部は肋骨により圧迫困難である．無理に圧迫すると肋骨骨折を起こすことがあるので注意が必要である．

E. **基準撮影法**（図7-132　1)〜12)）

1) 食道二重造影立位第1斜位

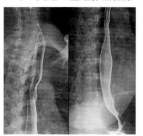

食道上部，下部，噴門部を中心に観察．

2) 背臥位二重造影正面位

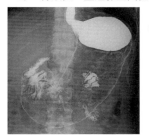

体部から幽門部の後壁を中心に観察．

3) 背臥位二重造影第1斜位

体部（大弯より）から幽門部（小弯より）の後壁を中心に観察．

4) 背臥位二重造影第2斜位

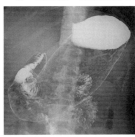

体部（小弯より）から幽門部（大弯より）の後壁を中心に観察．

5) 腹臥位二重造影正面位（下部前壁　頭低位）

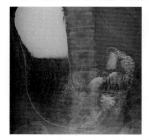

体中部から幽門部前壁を中心に観察．

6) 腹臥位二重造影第2斜位（下部前壁　頭低位）

体中部（大弯より）から幽門部（小弯より）の前壁を中心に観察．

7) 腹臥位二重造影第1斜位（上部前壁）

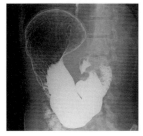

噴門部小弯から胃上部前壁を中心に観察．

8) 右側臥位二重造影（上部）

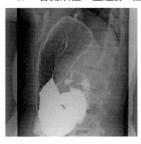

噴門部小弯を中心とする前後壁を中心に観察．

9) 半臥位二重造影第2斜位（上部）

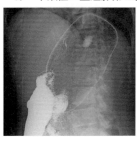

噴門部から体上部の後壁を中心に観察．

10) 背臥位二重造影第2斜位　　11) 立位二重造影第1斜位　　12) 立位圧迫
（体部，幽門部，前庭部，幽門部）

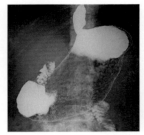
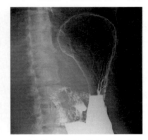
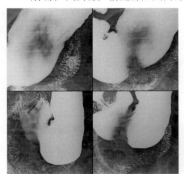

体上部後壁小弯よりを中心に観察．　　胃体上部大弯を中心とする前後壁を中心に観察．

図 7-132

F．撮影時の事故防止

被検者が透視台天板上でローリングを行い，天板の起倒，天板の逆傾斜で転落事故につながることがある．天板側面の支持棒を利用し，また肩当てなども利用して転落防止に努めなくてはならない．検査前に検査について説明し，支持棒のつかみ方を説明する必要がある．特に前壁二重造影時の頭低位にする逆傾斜は30度程度になる．被検者は滑り落ちる危険性があるので肩当てが事故防止に重要である．

G．胃造影検査の読影

胃がん検診での画像読影は異常所見の部位・形状・範囲・深さが必要となってくる．画像所見より腫瘤性かびまん性か・上皮性か非上皮性か・境界明瞭か不明瞭化などを評価していく．胃X線画像所見には独特な表現が多数あるので理解する必要がある．胃辺縁の所見として胃壁不整・陰影欠損・硬化・進展不良などがある．粘膜面の用語には顆粒状・結節状・透亮・ニッシェなどと記載される．粘膜ひだの評価として集中・中断・肥大などがある．

胃がんの肉眼分類は図7-133のようにまとめられる．

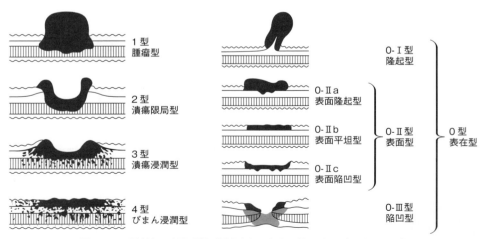

図 7-133　胃がんの肉眼分類（胃癌取扱い規約　第14版　金原出版より）
0型は表在型で粘膜下層までにとどまる形態．早期胃がんに分類される
1型は隆起した形態で周囲との境界が明瞭なもの
2型は潰瘍を形成し周囲粘膜が肥厚し，周囲正常粘膜との境界が明瞭なもの
3型は潰瘍を形成し周囲粘膜が肥厚し，周囲正常粘膜との境界が不明瞭なもの
4型は潰瘍形成も隆起もなく，胃壁の肥厚・硬化を特徴としたびまん浸潤型．スキルス胃がんとよばれる

H. 上部消化管検査の代表的な症例

1) 食道がん（図7-134）

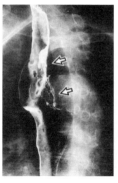

図 7-134
食道上部に約8cmの腫瘤像を認める．偏在性の狭窄があり辺縁不正の硬化像を認める．

2) 食道裂孔ヘルニア（図7-135）

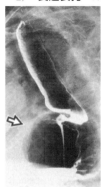

図 7-135
食道裂孔ヘルニアは横隔膜裂孔周辺が脆弱であるため，胃の一部が食道裂孔から胸腔内に脱出したものである．

3) 胃潰瘍（図7-136）

図 7-136
胃体下部にニッシェを認める．圧迫によりニッシェ辺縁に炎症性隆起が表現されている．

4) 胃がん

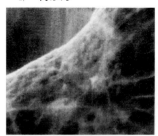

図 7-137 早期胃がん
背臥位第2斜位像で胃体中部の小弯よりに陥凹型型病変で輪郭周堤に隆起を認めるⅡCタイプの早期胃がんである．

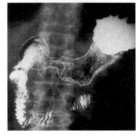

図 7-138 進行した4型胃がん
胃壁の肥厚・硬化を特徴とした4型の進行がんである．

ワンポイントアドバイス
胃透視斜位像，第1と第2の見分け方

A 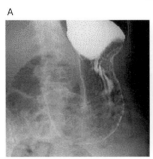 B 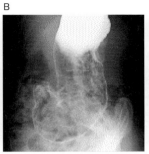 C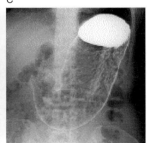

Cの正面像をよく見てみよう．胃角は人体の中央部にある．胃角と脊椎が重なって映し出されます．でも，胃は脊椎より前方（腹側）に位置するため斜位にすると脊椎からずれて映し出される．
第1斜位では前方にある胃角が脊椎の左側に映し出される．
第2斜位では前方にある胃角が脊椎の右側に映し出される．
結果はAが背臥位第1斜位像でBが背臥位第2斜位像となる．
腹臥位の斜位像も同様に考えれば見分けがつく．

2. 下部消化管検査

大腸検査はX線による注腸検査と大腸内視鏡検査があるが，注腸検査の多くは診療放射線技師によって行われている．直腸内にゾンデを挿入固定し，ゾンデを経由してバリウムゾルを注入し，空気を送り込むことによってバリウムを逆行性に進め大腸二重造影像として検査される．検査前に大腸内を洗腸する必要がある．

A. 前処置，ブラウン変法

大腸内残渣を排泄させ，粘膜面をきれいにする前処置法である．

①検査前日より低脂肪・低繊維製食事．②多量の水分摂取．③下剤によって腸内残渣を排泄させる方法である．大腸内視鏡検査ではポリエチレングリコール溶液の大量飲用による腸内洗浄が行われるが，大腸内に水溶性残渣が残りバリウムの粘膜付着不良を起こすので注腸検査では使用されない．

B. 造影法

大腸には網目状陰影（fine network pattern）として表現される小区がある．細かい小区を表現するために粒子の細かいバリウムゾルが利用される．濃度は50～80 w/v%と胃透視より低濃度造影剤が利用される．注入量としては200～300 mLのバリウムゾルを1.5 L程度の空気で盲腸部まで送り込む必要がある．大腸はバリウムと空気が入ることによって蠕動運動が亢進するため，検査前に抗コリン剤（鎮痙剤）を筋注する．

C. 造影手技

検査には肛門からゾンデを挿入し，バリウムを空気と体の回転によって大腸全体に移動させ撮影する説明を行う．

透視台に被検者を左側臥位にし，注腸ゾンデを肛門から挿入する．頭低位にしてバリウムを注入する．バリウムの先端が左結腸曲まで到達したら腹臥位とし空気を注入する．盲腸部が進展した状態でゾンデを抜去し撮影に移る．

3. 注腸の画像とシェーマ（図7-139）

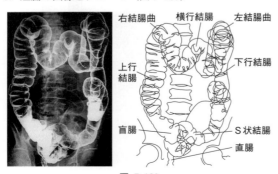

図 7-139

大腸の長さは個人差が大きく1.5 m程度が平均である．形状はひだのような膨隆と陥凹で形成され，結腸膨隆（半月ひだ，結腸ハウストラ）とよばれる．

4. 代表的な症例

A. 大腸憩室（図7-140）

大腸憩室は粘膜，粘膜下層が輪状筋線維間から突出した状態である．加齢とともに増加し，時には憩室炎を併発することがある．

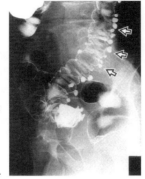

図 7-140
下行結腸に囊状突出を認める．

B. 大腸がん（図7-141，142）

図 7-141
回盲部の位置に中央部が潰瘍による陥凹を認め，明確な周堤を伴っている．この状態をアップルコアサインとよぶ．

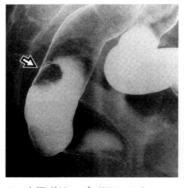

図 7-142
S状結腸に境界明瞭で辺縁不正な隆起性腫瘤を認める．

C. 大腸ポリープ（図7-143）

大腸ポリープ自体は良性であるが，大腸がんと密接な関係があるので発見されたら内視鏡的に切除される．

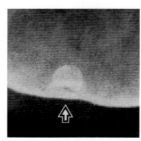

図 7-143
隆起の起始部が明瞭な境界を形成した良性ポリープを認める．

17 その他のX線造影検査

1. 胆道系造影

通常の尿路排泄型の造影剤ではなく，肝臓でトラップされ胆道排泄される薬剤が利用される．体内に投与されると血中でアルブミンなどのたんぱく質と結合しやすい薬剤で分子量が10万以上である．たんぱく質と結合した造影剤は腎の糸球体でろ過されず肝臓に集積し胆道排泄される．この機序を利用して胆道造影が行われる．

A. 点滴静注胆道造影 (DIC)

胆嚢だけでなく，総胆管や胆のう管も観察するのに利用される．胆道排泄型造影剤（DIC ビリスコピン）を30分以上かけて点滴静注する．点滴終了後30〜60分後に造影撮影する．点滴時間が短いと造影剤が血中たんぱくとすべてが結合できず，腎排泄され腎盂が造影されることがある．また，肝機能が悪化した場合は肝臓の解毒機能も低下するため，肝臓でトラップされず胆道造影が不良となる．撮影体位は腹臥位第2斜位として総胆管と脊椎が重ならないようにする．この体位は静止不良でぼけた画像となることがあるので補助具で固定することも考える必要がある．腹臥位撮影後に胆嚢と腸管ガスが重なりを避けるため，断層撮影や圧迫撮影もされることがある．造影後に胆のう機能を評価するため胆のう収縮剤（セオスニン）を筋注し再度撮影することがある．胆嚢に炎症がある場合は収縮不良となる．胆嚢が収縮することによって，胆嚢管・総胆管に造影剤が流れ総胆管結石など見やすくなる．胆道系の結石はコレステリン結石のようにX線単純撮影では描出できない場合が多く造影検査が必須となる．造影剤によって結石が胃陰影欠損として表現される．

B. 経皮胆道造影 (PTC)

閉塞性黄疸や肝機能障害がありDICで胆嚢・胆管が造影不良の場合にPTCが施行される．透視台にて超音波ガイド下で肝内胆管を狙って経皮・経肝的に穿刺針を進め，肝内胆管から造影する方法である．閉塞性黄疸で胆管拡張がある場合はドレナージチューブに置き換え，胆管ドレナージを留置する手法でもある（PTCD）．

C. 内視鏡的逆向性膵胆管造影 (ERCP)

内視鏡を十二指腸まで進め，ファーター乳頭よりチューブを差し込み造影する方法である．ファーター乳頭には総胆管と膵管が合流して開口しているため，どちらかを選択して造影できるとは限らない．総胆管結石や膵頭部疾患では必須の検査法だったが最近MRIを用いたMRCPがおこなわれるようになった．

代表的な症例

1) 胆嚢結石（図7-144a, b）

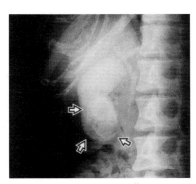

図7-144a DIC像
矢印部に陰影欠損を認め胆嚢結石と診断された．

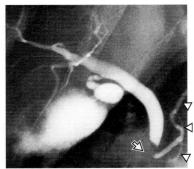

図7-144b ERCP像
胆道系だけでなく膵管（矢頭）も描出されている．矢印部に総胆管結石を認める．

2) 胆肝がん

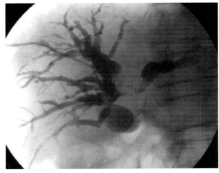

図7-145 PTC像
PTCDチューブから造影されたPTC像である．左右の胆管合流部で狭窄を認める．

2. 腎尿路造影
A. 点滴静注尿路造影（DIP）（図 7-146）
血液内のカルシウムがろ過され腎盂内で凝集し（シュウ酸カルシウムなど）尿路結石となることがある．この結石はX線吸収が大きく，単純X線像でも描出できるが尿路内か血管内・リンパ節などの石灰化なのか判断が困難な場合があり，DIP像で確認する必要がある．

検査法としては検査前に単純腹部臥位撮影（KUB）をおこない，100 mLの造影剤を10分程度で点滴静注し10分間隔で30分まで継時的に撮影する．最後に立位腹部撮影をおこなって終了としている．最初の画像では腎実質像（ネフログラム像）が得られ，経過時間とともに腎盂・腎杯，尿管，膀胱が造影される．立位像は游走腎の診断に有効である．

B. 逆行性腎盂造影（RP）
DIPで腎盂・尿管の状態が判読困難なときにはRPが施行されることがある．膀胱ファイバーを経由して左右の尿管口からカテーテルを挿入し，尿管を逆向性に造影する方法である．尿管閉塞など水腎症が発症した場合に，尿管内ステント留置を視野におこなわれる．

C. 膀胱造影（CUG）
膀胱内に造影剤を貯留させて撮影する方法で，膀胱がんや大腸がん・子宮がんの膀胱浸潤を評価する．また，怒責により膀胱尿管逆流や腹圧性尿失禁の診断にも利用される．腹圧性尿失禁の検査では側面像で膀胱後壁と尿道の角度を測定している．

D. 逆行性尿道造影（RUG）（図 7-147）
尿道から逆行性に造影剤を膀胱に送り，前立腺肥大の範囲や尿道狭窄の程度を観察する．

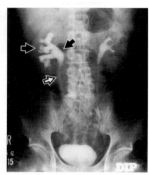

図 7-146 DIP像
右腎盂・腎杯の拡張を認め水腎症の所見である．

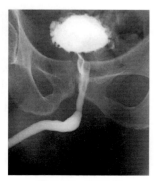

図 7-147 RUG像

3. 子宮卵管造影（HSG）（図 7-148）
子宮および卵管の異常を検査する手法である．不妊症の一部に卵管閉塞が原因の場合がある．子宮卵管造影によって確認するとともに，造影検査によって卵管閉塞が開通する場合もある．

検査法は，子宮腟部からカニューレを挿入し，造影剤を注入する．不妊症を対象としたHSGは継時的に撮影し造影剤が腹腔内に漏れ出すまで確認する必要がある．

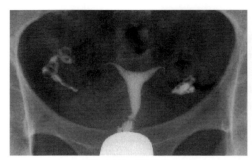

図 7-148 HSG像

子宮・卵管を認め，造影剤が腹腔内に流出している．

4. 脊髄腔造影（myelography）（図 7-149）
背部より脊髄くも膜下腔に造影剤を注入し造影する方法である．脊髄くも膜下腔は脳脊髄液で充満されており，造影することによって脊髄腫瘍や脊髄の外部圧迫の状態を観察する．特に椎間板ヘルニア，脊柱管狭窄症，脊椎すべり症の評価に利用される．

患者を側臥位最大前屈位として脊髄腔穿刺を行い，やや頭部を高くした状態で造影剤を投与する．造影剤は脳脊髄液より比重が重いため足側に集めて体位変換しながら撮影する．造影剤はクモ膜腔内でも刺激が少ない造影剤でなければならない．脳脊髄液と浸透圧が近い状態が望まれる．以上の条件から非イオン性のダイマー型造影剤や非イオン性モノマー型で浸透圧が低い造影剤が選定される．イオン性造影剤を投与すると急激な副作用が起

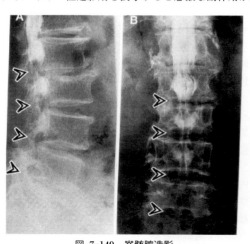

図 7-149 脊髄腔造影
造影剤注入後の正面・側面像である．造影剤が排圧され途切れている．脊柱管狭窄症の所見である．

こり死に至ることがあるので注意を要する．

5. 椎間板造影（discography）

椎間板の変性程度や椎間板ヘルニア腫瘤の描出を目的に検査が行われる．患者を腹臥位とし，背部斜めより椎間板を目標に穿刺する．椎間板に穿刺針が届いたら外套だけ椎間板の中心に進めて造影する．

6. 神経根造影（radiculography）

神経根症状のある患者に対して，責任神経根の解明とその後の神経根ブロックの治療効果の判定に利用される．患者を腹臥位としやや外側より，目的脊椎の横突起外側めがけて穿刺針を進めそのまま椎間孔出口まで進めて造影する．神経根が造影されたならブロックの目的で局所麻酔剤を投与する．

7. 肩関節造影（shoulder joint arthrography）（図7-150）

肩腱板断裂の診断に利用される．習慣性の肩関節脱臼の患者は腱板断裂により関節包が破壊されていることがある．腱板断裂の評価や手術の適応について検査する．

患者を仰臥位とし烏口直下より関節裂隙に穿刺針を進め造影剤を1～2mL注入する．その後空気も10～20mL注入してコントラストある関節腔を造影する．造影剤注入後に上腕の挙上・内外旋させて撮影する．肩峰から造影剤の漏出などを評価する．

8. 膝関節造影（knee joint arthrography）（図7-151）

半月板損傷や前・後十字靭帯損傷の評価に利用される．膝蓋骨と大腿骨外側顆または内側顆より穿刺し，関節腔内に造影剤と空気を注入する．内側および外側半月板を透視下で確認しながら撮影する．靭帯の評価にストレスを加えて撮影する．

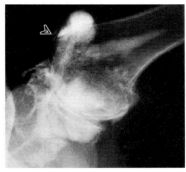

図 7-150　肩関節造影
関節包が破壊され，肩峰下へ造影剤の流出を認める．

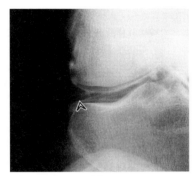

図 7-151　膝関節造影
半月板内に造影剤が入り込んでいる所見である．半月板損傷と診断された．

18 血管造影・IVR（インターベンショナルラジオロジー）

血管造影手技は，1953年にスウェーデンのセルジンガー（Seldinger）が大腿動脈からアプローチし，動脈内にガイドワイヤーと細いチューブのカテーテルを導入する穿刺法を確立し，有用な診断手段として現在に至るまで広く発展してきた．その後血管造影の領域では，造影剤注入前後の画像を引き算（subtraction）して，脊椎，肋骨などの既存構造を画像上から消去し，血管像のみを描出するDSA（digital subtraction angiography）が導入され，より詳細な像が得られるようになった．

一方で人体の輪切り横断像が見られるCT，MRIなどの導入により放射線診断学は飛躍的な進歩を果たした．例えば肝・胆道系・膵臓領域における疾患の血管造影による診断能は，CT，MRIなどの断層画像に比較すると遠く及ばない．また血管病変においても，最新のCTでは詳細な血管の3D画像が得られるようになっており，例えば心臓の冠動脈疾患の診断は，CTのみで十分な場合が多い．

現在，血管造影は診断モダリティーというよりも，血管造影で使用するカテーテルなどを用いて治療を行うインターベンショナルラジオロジー（IVR；interventional radiology）が中心となってきた．この発展・発達には近年の器機，機材の開発，改良などによるところが多い．

IVRを定義づけすれば，画像ガイド下に経皮的に病変にアプローチし，針・カテーテルなどを挿入し治療を行い，しかも外科手術と同等の治療効果を得るということである．また日本IVR学会では，カタカナ表記では一般の方々に理解を得難いということで，「画像下治療」という言葉を推奨している．本稿での表記はIVRで統一した．

1. IVRの分類

IVRは，vascular IVRとnon-vascular IVRに分けられる．

1) vascular IVR

vascular IVRは，血管造影（angiography）の手技を用いて，カテーテルを経皮的に血管（主に動脈）に挿入し，目的の血管（主に動脈）までカテーテルを進め，種々の治療を行う手技であり，カテーテル治療とも呼ばれる．

vascular IVRは大きくは，

① 血管（主に動脈）の血流を塞栓物質で遮断して治療を行う塞栓術；動脈塞栓術の場合は経カテーテル塞栓術（TAE；transcatheter arterial embolization）と呼ぶ．

② 狭窄あるいは閉塞した血管に，先端にバルーンがついたカテーテルを狭窄部において，バルーンをふくらませることにより拡張術を行い，さらには金属ステント（metallic stent）を留置して，血管の血流を回復させる血管形成術（PTA；percutaneous transluminal angioplasty）．

③ カテーテルから血管内（主に動脈）に薬剤を注入する経カテーテル動脈注入（動注）療法（TAI；transcatheter arterial infusion）などに分けられる．

2) non-vascular IVR

vascular IVR以外のすべてのIVR手技を**non-vascular IVR**とする．つまり血管造影の手技を用いないIVR手技がすべて含まれるが，**X線透視**，超音波（US），CTなどの画像を用いて画像ガイド下に，目的の臓器，病変などに針を挿入し，さらにはガイドワイヤー，カテーテルなどを挿入して行う治療である．

2. 症例

次に各々のIVRについて概説し，典型例を提示する．

1) 経カテーテル塞栓術（TAE）

経カテーテル塞栓術は，カテーテルを目的の動脈に進

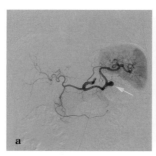 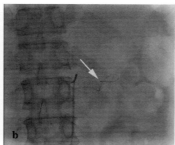 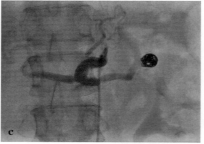

図 7-152　脾動脈瘤に対する塞栓術（TAE）
a．腹腔動脈造影（DSA）：脾動脈に直径7.8mmの嚢状の動脈瘤（saccular aneurysm）（矢印）が認められる．
b．マイクロカテーテル（矢印）を動脈瘤内まで進めた．
c．金属のマイクロコイル（microcoil）で塞栓術を行い，脾動脈瘤内の血流を遮断した．

め，カテーテルから血管造影を行い，病変を診断．続いて塞栓物質を挿入，動脈の血流を遮断して治療を行う．様々な塞栓物質が病気ごとに使用されているが，主な塞栓物質はジェルフォーム，金属コイル（マイクロコイル），DCビーズ，ヘパスフェアー，エンボスフェアーなどである．

経カテーテル塞栓術の適応となる疾患を挙げると下記のものがある．

a）動脈からの出血に対する塞栓，あるいは将来破裂して動脈出血を起こす可能性の高い病変に対して予防的に塞栓する．以下の病態が適応となるが，出血している場合は緊急に塞栓術を施行し，止血する必要がある．

・動脈瘤（動脈が瘤状に拡大した病変）：脳動脈瘤，脾動脈瘤（図7-152），腎動脈瘤，肝動脈瘤，上腸間膜動脈瘤，腹腔動脈瘤など．
・動静脈奇形（正常の毛細血管の形成がなく，動脈と静脈が直接繋がっている状態）：脳，肺などに見られるが，時に出血をきたすことがあり塞栓術により出血を予防することができる．また肺動静脈奇形・肺動静脈ろうではシャントのため二酸化炭素—酸素のガス交換がなされず，右→左シャントが起こり脳梗塞，脳膿瘍などが起こる．将来の病気予防のためにも塞栓術を行う．
・腫瘍破裂から動脈出血をきたした症例．
・種々の医原性出血：外科手術後，IVR，内視鏡治療後などの動脈損傷による出血
・外傷性出血：交通事故，労災事故後に動脈が破綻，動脈出血をきたす．
・産科出血：分娩・出産時の弛緩出血．
・喀血：気管支拡張症，肺結核，肺アスペルギローシスなどの慢性炎症では気管支動脈が破綻，喀血をきたすことがある．気管支動脈の塞栓により劇的な止血効果が得られる．

b）がん治療（腫瘍の進行を抑える）：肝細胞がん

肝細胞がんはC型肝炎ウイルスあるいはB型肝炎ウイルスによってひき起こされた慢性肝炎，肝硬変患者に発生することが多い．肝細胞がんに対する経カテーテル

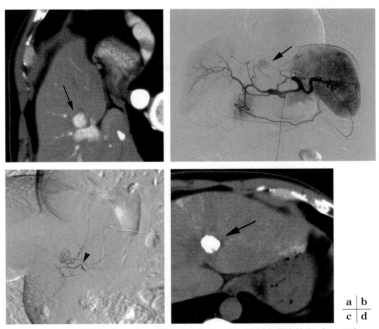

a	b
c	d

図7-153 肝細胞がん（HCC）に対する経カテーテル動脈化学塞栓術（TACE）

a．腹部ダイナミックCT：ダイナミックCT早期相（造影剤注入後早い時期に撮像）で，肝臓左葉に造影される直径約2cmの腫瘤（矢印）が認められ，肝細胞がんと診断された．
b．腹腔動脈造影（DSA）：肝左葉に，左肝動脈から血流を受ける多血性の腫瘍が認められる（矢印）．
c．左肝動脈造影（DSA）：左肝動脈にマイクロカテーテルを進め（矢頭）造影．同部位からTACEを施行した．抗がん剤と油性造影剤のリピオドール注入後，ジェルフォーム（ジェルパート）で左肝動脈を塞栓した．
d．TACE後の単純CT（造影剤を使用しないnon-contrast CT）：肝細胞内にリピオドールが強く集積し，高吸収となっている（矢印）．

塞栓術の有用性は確立しており，国内で広く多数の症例に対して行われている．まず肝細胞がんに動脈血を供給する肝動脈分枝をカテーテルで選択・挿入し，抗がん剤と油性造影剤であるリピオドール（iodized oil）を注入，続いて一時的塞栓物質であるジェルパートを注入して塞栓を行う（図7-153）．ジェルパートによる塞栓の前にリピオドールと抗がん剤の動脈内注入療法（動注療法）を行うので，TACE（テース）；transcather arterial chemoembolization とよぶことが多い．

 c) 症状・機能改善
・子宮筋腫：巨大な子宮筋腫に対して子宮動脈の塞栓術を行うことにより，月経痛，月経困難などの症状改善が見られる．
・多発性嚢胞腎：多発性嚢胞腎は腎臓が腫大し腹部圧迫症状を呈する．腎動脈を塞栓することにより症状改善が達成される．
・脾機能亢進：肝硬変で脾腫をきたした症例では，脾機能亢進状態となり末梢血の赤血球，白血球，血小板全てが減少する．著明な血小板の減少は，種々の治療ができない状態であり，部分的脾動脈塞栓術を行うことにより末梢血血小板数を増やし治療可能の状態にする．

 2) 血管形成術（PTA）
 a) 心筋に動脈血を供給する冠動脈が狭窄あるいは血栓形成をきたすと，狭心症あるいは心筋梗塞を起こす．狭窄した冠動脈をバルーンカテーテルでバルーン拡張し，続いてメタリックステントを狭窄部に挿入して冠動脈の血流改善〜心筋への動脈血確保を行う．このカテーテル治療をPCI（percutaneous coronary intervention；経皮的冠動脈インターベンション）といい，広く行われている確立した治療法である（図7-154）．
 b) 下肢の動脈硬化性閉塞症に対して，腸骨動脈，大腿動脈などの狭窄部にバルーンカテーテルでバルーン拡張し，続いてメタリックステントを挿入し，下肢の動脈血を改善させる有効な治療法である．

 3) non-vascular IVR
 a) 体内に感染が起こり，膿瘍（abscess）が形成された場合，手術することなく，画像ガイド下に（USガイド下に行うことが多い），経皮的アプローチで膿を体外に排泄させる経皮的膿瘍ドレナージ術．
 b) 胆管が閉塞し，閉塞性黄疸を呈した場合に，胆汁を体外に排泄させる経皮経肝胆道ドレナージ術（PTBD；percutaneous transhepatic biliary drainage）．さらにはメタリックステントを狭窄部に挿入して胆管の開存を確保する（図7-155）．
 c) 腫瘍に対する画像ガイド下生検：針を挿入して腫瘍組織などを採取し病理診断を行う．
 d) 肝がんに対して，画像ガイド下にラジオ波針を腫瘍内に挿入，ラジオ波による焼灼・壊死を行うラジオ波焼灼術（RFA；radiofrequency ablation）．特に直径3cm以下の小肝細胞がんに対する有用性は確立しており，肝切除術に匹敵する成績が得られている．

3. 診療放射線技師の業務拡大に伴う血管造影・画像下治療（IVR）における補助行為

 2021年10月1日より診療放射線技師法施行規則等の一部改正が行われ，診療放射線技師の業務拡大が行われることになった．血管造影・IVRの領域では，診療放射線技師は動脈路に造影剤注入装置を接続する行為（動脈路確保のためを除く），及び造影剤を投与するために当該造影剤注入装置を操作する行為を行うことができる様になった．その他，診療放射線技師は医師の補助としては，カテーテルやガイドワイヤー等を使用できる状態に準備する行為や医師に手渡しする行為，カテーテル及びガイドワイヤー等を保持する行為，医師が体内から抜去したカテーテル及びガイドワイヤー等を清潔トレイ内に安全に格納する行為等の医行為に該当しない補助行為についても，清潔区域への立入り方法等について医師・看護師の十分な指導を受けた後，行うことができるようになった．

7章　X線撮影技術学

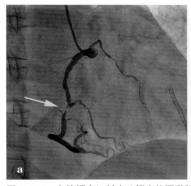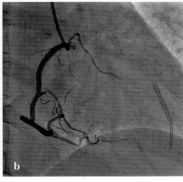

図 7-154　心筋梗塞に対する経皮的冠動脈インターベンション（PCI）
　a．右冠動脈造影：右冠動脈に狭窄が認められる（矢印）．
　b．ステント挿入後の右冠動脈造影：狭窄部にメタリックステントを挿入．右冠動脈狭窄は改善し，動脈血流が改善した．

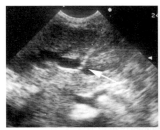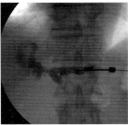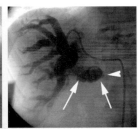
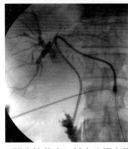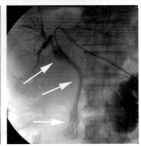

a	b	c
d	e	

図 7-155　膵がんによる閉塞性黄疸に対する経皮経肝胆管ドレナージ（PTBD）さらに金属ステント挿入
a．USガイド下穿刺：拡張した左肝内胆管（矢印）をUSガイド下に穿刺針で穿刺した（矢頭）．
b．PTC（経皮経肝胆管造影）：穿刺針より造影剤を注入すると拡張した胆管が造影される．
c．PTBD：カテーテルを胆管内に挿入して（矢印），胆汁を体外に排泄する．胆管造影上は総胆管末梢に高度狭窄を認める（矢頭）．
d．PTBD〜内ろう化：胆管狭窄部をガイドワイヤーで突破し，狭窄部を越えてドレナージカテーテルを挿入する．生理的な胆汁の流れを確保することを内ろう化という．
e．そのルートを用いてメタリックステントを，狭窄部を跨ぐ形で挿入し（矢印），胆管の内腔を確保，胆汁を十二指腸へ流出させる．

19 X線CT検査

　X線CTが放射線診断学に与えた影響は大きい．まず脳においては，優れたコントラスト分解能により，脳実質，浮腫，血腫，脳室等の構造・病変を非侵襲的に描出することが可能である．またスキャンの短時間化等により形態解析の他，造影剤を用いた動態解析，さらにCT値を利用した質的解析や機能解析にも広く応用されている．
　検出器の多列化とガントリの高速回転によるMDCT（multi detector-row computed tomography）は，時間分解能，空間分解能を飛躍的に向上させ，薄いスライス厚のデータを短時間に広範囲に得られるようになった．MDCTの普及に伴い，そのボリュームデータから画像処理による任意断面での画像が臨床応用されている．

1. 単純CT

　造影剤を使用しない一般的な人体横断面撮影である．単純CT検査は，臓器の肥大や萎縮，奇形，臓器内部の構造的な変化，病変や出血，石灰化などが検出できる．適応疾患としては，脳血管障害，頭部外傷，腹部外傷などの急性期疾患，多くの腫瘍疾患，びまん性肺疾患，腹部疾患などに有用である．

2. 造影CT（contrast enhancement）

　周囲組織と病変部とのコントラストを強調するために，造影剤を投与した後に撮影を行うCT検査である．腫瘍の性質やその悪性度の判定，リンパ節と血管および臓器の位置関係などの観察に有用である．造影剤投与法は，水溶性ヨード造影剤を血管内へインジェクタで急速注入する．腸管などの管腔内へは直接注入する．
　1）**静脈内投与法**：水溶性ヨード造影剤を静脈（肘静脈）からインジェクタで急速注入（2～4mL/秒程度）して撮影する．病変部の血行動態を観察する．
　2）**動脈内投与法**：動脈内に挿入したカテーテルから造影剤を注入して撮影する．血管造影検査に引き続いて行う場合が多い．
　3）**経口投与**：消化管と周囲臓器やリンパ節などと区別するためにガストログラフィン希釈液（2～3%）やCT用バリウムを経口的に投与して撮影する．
　4）**直接投与**：膀胱内にオリーブ油，脳脊髄液腔内に非イオン性ヨード造影剤を腰椎穿刺して注入し撮影する．

3. 撮影体位と基準線

　撮影体位は仰臥位が一般的で，寝台の中心に正中線を合わせ，全身に注意を払って体位をとる．検査中に動かないように体位は楽な姿勢をとることが大切である．
　頭部では前額断面の撮影のために腹臥位の体位をとることもある．腹部では症例によって腹臥位や側臥位の体位で撮影することもある．
　基準線は，頭部ではOMライン（眼窩耳孔線）やドイツ水平線．頭部および胸部では胸骨上窩，腹部では剣状突起，骨盤部では腸骨稜や恥骨結合上縁などを基準点とする．実際の撮影ではこれらの基準点の上下に範囲を決めて，スライス位置を決定するために，位置決め用画像を撮影する．

4. 頭　部

　撮影基準線としてOMラインをよく用いる．脳は左右対象であるため，正中線が傾かないように正確な位置決めが必要である．脳組織，脳室，脳槽などの正常解剖を理解し，変形，拡大，偏位および異常なCT値などの所見から頭蓋内疾患の診断を行う．
　1）脳組織より高吸収（高いCT値）になる病変は出血や石灰化などがある（図7-157）．
　2）脳組織より低吸収（低いCT値）になる病変は，脳梗塞，浮腫，囊胞性変化などがある（図7-158）．
　3）脂肪や空気は，脳脊髄液より低吸収に描出される．
　頭部造影検査は水溶性ヨード造影剤の静注により，脳腫瘍や脳血管系の病変検索を行う（図7-159，7-160）．一般に正常脳組織は血液脳関門があるため造影剤の漏出はない．血液脳関門のない組織や破綻した組織のみが造影され，腫瘍や炎症などが造影される．
　耳小骨や頭蓋骨は高分解能CT画像（HRCT）を作成する．薄いスライス厚で撮影した生データから演算拡大再構成する方法で，高域強調フィルタ関数とCT値ダイ

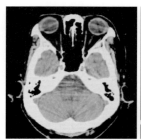
a. 後頭蓋窩レベル

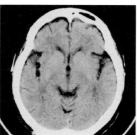
b. 視床下部レベル
図7-156　頭部CT

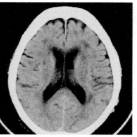
c. 側脳室レベル

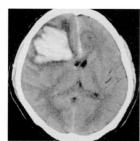
図7-157　脳出血

7章　X線撮影技術学

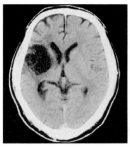
図 7-158　脳梗塞

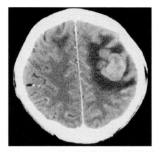
図 7-159　造影後(転移性脳腫瘍)

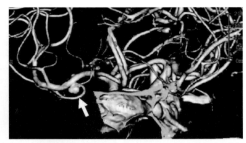
図 7-160　脳動脈瘤(造影, 3D-CT(三次元表示))

ナミックレンジの拡大により，微細な骨構造を描出する．
　頭蓋底部では高吸収の骨によるアーチファクトを低減するために，薄いスライスや角度を工夫した撮影を行う．

5. 胸　部

　体位は仰臥位で両上肢を頭部側へ上げた姿勢をとり，撮影時は呼吸を停止させる．呼吸性移動によるアーチファクトやスライスの連続性を保つために，毎回同程度の吸気動作を行うよう検査前に十分説明をして，正確に呼吸停止をする必要がある．
　スライス厚は1～3mm程度で，肺尖から横隔膜下部まで肺野全体を撮影する．画像はウィンドウレベル(WL)とウィンドウ幅(WW)を，肺野条件(WL＝－600程度に下げる，WW＝1,000程度に広げる)と縦隔条件(WL＝＋30程度，WW＝300程度)に合わせた2画像を表示する(図7-161)．びまん性肺疾患などの症例で

は薄いスライス断面(1mm以下)による高分解能CT画像(HRCT)により微細な形態学的情報を得る．
　ヘリカルCTは，1回の呼吸停止で全肺を撮影することができ，得られたCT画像は連続性があり，三次元処理により形態学的把握が容易になる．
　造影検査の対象は腫瘍性病変，縦隔部組織やリンパ節の評価，血管系病変などがある(図7-162, 7-163)．

6. 心　臓

　体位は仰臥位で両上肢を頭部側へ挙げた姿勢をとり，撮影時は呼吸を停止させる．320列MDCTを用いた撮影では，1秒以下(0.35s)で心臓全体を1スキャンで撮影が可能である．単純CTでは，冠動脈の石灰化プラーク(130HU以上)などがあり，冠動脈狭窄・閉塞病変の評価として用いられる．
　造影CT(3D-CT angiography)でわかることは，冠

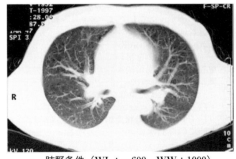
a. 肺野条件(WL：－600，WW：1000)

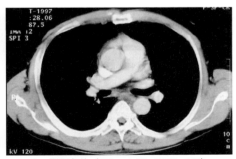
b. 縦隔条件(WL：＋30，WW：300)

図 7-161　胸部CT画像

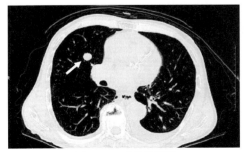
図 7-162　良性肺腫瘍

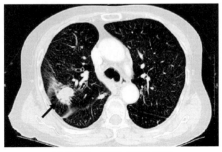
図 7-163　肺癌(造影CT)

 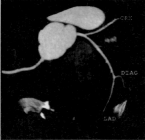

a. 3D-CT（三次元表示）　　b. 3D-CT（MIP 表示）
図 7-164　冠動脈 CT 画像（造影 CT）

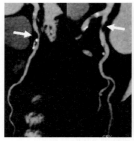 

図 7-165　冠動脈狭窄（造影　図 7-166　冠動脈ステント（造
CT, MIP 表示）　　　　　影 CT, MIP 表示）

動脈狭窄・閉塞の評価，冠動脈壁性状の評価，冠動脈ステント・バイパスグラフトの評価および心機能評価である（図 7-164〜7-166）．

画像劣化を起こす原因としては，呼吸停止不良や心拍数の急激な変動，多発する不整脈などがある．また高度石灰化は評価不能の原因となる．

7. 腹　部

スライス厚は 1〜3mm 程度で，まず単純 CT を行い，次に水溶性ヨード造影剤の静注による造影 CT を撮影することが多い．

上腹部の撮影では肝，胆，脾などの腹腔内臓器，膵，腎，副腎などの後腹膜の実質臓器が描出される．

中腹部では主に腹腔内の消化管．

骨盤部では膀胱，前立腺，子宮，卵巣などの泌尿器・生殖器が描出される．

腹部の場合，瘦身体に比べて肥満体の方が脂肪組織に取り囲まれた臓器が分離され，輪郭が良く描出される．
①単純 CT 画像では，肝囊胞や腹水は水と同程度の CT 値を，脂肪はさらに低い CT 値を示す．
②脂肪肝は正常肝より低吸収値（低い CT 値）を示す．
③腎結石などは高吸収域として描出される．

造影剤を静脈内に急速注入後，造影剤が主に動脈内に存在する時期の CT 画像を動脈優位相（早期相），主に門脈あるいは静脈内に存在する CT 画像を門脈優位相（静脈相，後期相），全身にほぼ均等に存在する時期のものを平衡相とよぶ（ダイナミック CT による多時相スキャン）．

腹部大動脈瘤：造影 CT により腹部大動脈瘤の存在がわかり，三次元表示で血管全体と血管周囲の臓器や脊椎との関係が表現できる（3D-CT angiograhy）．また，MIP（maximum intensity projection）表示では血管内の石灰化がよく描出されることが多い（図 7-168）．

肝細胞がん：単純 CT では淡い低吸収領域として観察される．ダイナミック造影 CT（動脈相）では腫瘍が高吸収領域として濃染され，その後，時間の経過とともに（後期相）では肝実質の造影効果と比べて低吸収領域となる（図 7-169）．

膵臓がん：正常膵実質は肝臓と比較すると，造影によるダイナミック CT（動脈相）からかなり強い濃染を示すのに対し，膵臓がん（図 7-170 矢印の膵尾部）は腫瘍血管に乏しく，低吸収領域として描出される．このため正常膵組織と腫瘍とのコントラストは大きい．

関連事項

ダイナミック造影 CT
自動注入器（インジェクタ）を用いて造影剤を静脈内に急速注入させながら対象部位を連続的にヘリカル CT 撮影する．血管性病変や腫瘍の鑑別診断に有効である．**多時相スキャンとダイナミックスキャン**のスキャン方法がある．
ダイナミックスキャンは同一の位置で連続あるいは断続的にスキャンする．これによって，同一位置の造影剤が循環する動態が観察でき，特定領域について**時間-濃度曲線**（time-density curve）が得られる．
ダイナミック CT では，スキャン数の増加に伴い**被ばく線量**も増加する．

3D-CT angiography
インジェクタを用いて造影剤を静脈内に急速注入させ，血管系が高濃度に造影されるタイミングに合わせてヘリカル CT を撮影する．得られた一連のデータを画像処理して，血管の三次元画像を作成する．

IVR 関連
（1）CTHA：肝動脈造影下 CT（CTHA）は，血管造影検査時に腹腔動脈にカテーテルを挿入し造影剤を注入しながら撮影する．CTHA では肝細胞癌，肝血管腫などの腫瘍は高吸収域として描出される．
（2）CTAP：経動脈性門脈造影下 CT（CTAP）は，血管造影検査時に上腸間膜動脈にカテーテルを挿入し造影剤を注入しながら撮影する．CTAP では肝細胞癌，肝血管腫，肝囊胞など門脈血流をうけない腫瘍は低吸収域として描出される．
（3）CT ガイド下生検：肺や脳など超音波などで描出しにくい部位の生検に用いる．体外から生検針を直接，肺などの病巣に穿刺して病理組織を採取する．

CTDIvol，DLP
ヘリカルスキャンなどで広い範囲を撮影したときの指標として CTDIvol〔mGy〕がある．通常は CTDIw をヘリカルピッチで除した線量で表す．DLP（dose-length product）は患者の被ばく線量の総量を示す指標として用い，CTDIvol にスキャンの長さを乗じた値〔mGy・cm〕で表す．

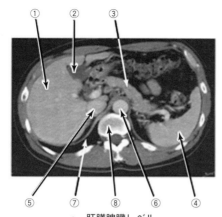
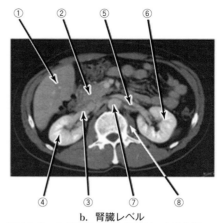

a. 肝膵脾臓レベル
①肝臓, ②胆のう, ③膵臓, ④脾臓, ⑤下大静脈
⑥腹部大動脈, ⑦右横隔膜脚, ⑧腰椎

b. 腎臓レベル
①肝右葉, ②膵頭部, ③右腎動脈, ④右腎臓
⑤左腎動脈, ⑥左腎臓, ⑦腹部大動脈, ⑧大腰筋

図 7-167 腹部のCT画像

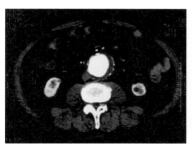
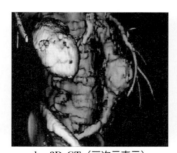
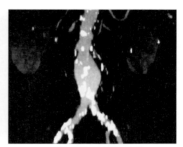

a. 造影CT（動脈相）　　b. 3D-CT（三次元表示）　　c. 3D-CT（MIP表示）
図 7-168 腹部大動脈瘤

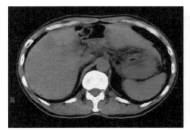
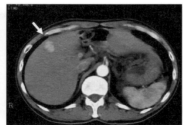
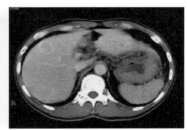

a. 単純CT　　b. 造影CT（動脈相）　　c. 造影CT（後期相）
図 7-169 肝細胞癌

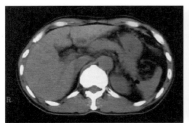
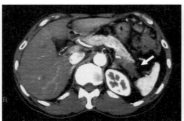
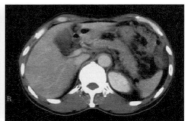

a. 単純CT　　b. 造影CT（動脈相）　　c. 造影CT（後期相）
図 7-170 膵臓がん

8章 診療画像検査学

●笠井俊文　（1-8）
●桑原奈津美（9-12）
●小嶋健太郎　（13）

　診療画像検査学は，平成16年3月の国家試験より新たに設けられた科目である．診療画像検査学には，磁気共鳴画像検査，超音波検査，無散瞳型眼底カメラなど，X線を用いない画像診断装置および画像が含まれている．

　試験の出題範囲は，装置の基本原理，構成，機能およびそれらの画像の成立理論，撮影，撮像方法，診断画像の特徴などについての基礎的な知識や技術が問われている．平成24年版の（新）出題基準では，特に「MRI検査」ではパルスシーケンス，脂肪抑制画像，MRS，ファンクショナルMRI，心臓・大血管など具体的な検査法が追加された．

　また最近の出題傾向をみると，臨床画像に対する設問が出題されている．解剖学で学んだ人体の構造と機能を基本として，画像の特徴と読影に必要な知識および理解は，特に臨床実習を通して十分に理解しておいてほしい．

　多くの試験科目の中でも，特に診療画像検査学の内容は日進月歩で発展しているため，常に新しい機器などが開発され，装置や撮像法はさらに進歩している．この章の内容に書かれた範囲を超えた新しい用語（key word）が実際に出題されている．この意味で，診療画像検査学の科目は，特に在学中の講義による知識を十分吸収して，広い知識から応用ができるように学習しておいていただきたい．

　超音波に関する最小限の知識を掲載した．超音波検査の最大の長所はリアルタイム性と被ばくを伴わない非侵襲性である．これらの特徴をしっかりと把握し，検査目的と検査方法を理解する．アーチファクトの出現原理や画像の特徴，その対策についても理解する．超音波画像に関しては，上腹部画像だけでなく頸部，骨盤部また腎臓や心臓などの部位も国家試験に出題されている．また読影に必要なkey wordを覚えて，多くの超音波画像にふれ解剖学の基礎と連携して正常像を十分に把握し，病変像の特徴を理解してほしい．

　眼底カメラに関する試験問題は，撮影方法だけでなく眼底カメラの構造と原理や，眼底所見についても出題されている．眼底写真を提示し，部位の名称や位置関係を問う問題も出題されている．解剖学的名称と実際の眼底写真を照らし合わせてしっかり整理しておいていただきたい．また，眼底カメラによって診断される疾患名や，その画像の特徴についても出題されているので，病変像も理解してほしい．

1 MRIの原理

MRIとはmagnetic resonance imaging（磁気共鳴画像）の頭文字をとった言葉で，1946年にBlochとPurcellによって報告された核磁気共鳴現象（nuclear magnetic resonance；NMR）と，Lauterbur（1973年）によって開発された投影再構成法による画像診断法である．生体内で対象となる核種は ^1H, ^{13}C, ^{19}F, ^{23}Na, ^{31}P などである．^1H は生体内に最も多く存在し，かつ強い信号を出すため，プロトン画像が主に利用されている．MR画像にはプロトン密度，T_1 緩和，T_2（T_2^*）緩和，流れ，拡散，磁化率，ケミカルシフト，組織構造などが信号として取り出せる．

1. MRI検査の特徴

1) 組織（軟部組織）のコントラスト分解能が高い．
2) T_1 や T_2 などの組織固有の情報が得られる．
3) 任意方向の断面が直接撮像可能である．
4) 血流情報を造影剤を使用せずに得られる（MRAや血流速度）．
5) 機能画像（f-MRI, d-MRI, p-MRIなど）．
6) MRS（スペクトロスコピー）による生化学的分析，代謝評価などが可能
7) 放射線被ばくがない．
8) 骨のアーチファクトがない．

などの利点があげられるが，欠点としては

1) 体内金属保有者は検査できない，あるいは注意が必要である（ペースメーカ，人工内耳装着者，動脈止血クリップなど）．
2) 検査時間が比較的長い．撮像時間の長さ．複数の画像（T_1, T_2, pdなど）の撮影が必要．
3) 検査中の騒音など．

2. NMR現象

NMR現象は，①特定の条件を満たす原子核（プロトンなど），②磁場強度の存在（静磁場：永久磁石，常電導磁石，超電導磁石），③原子核と磁場で決まる特定周波数の電磁波（ラーモア周波数），の3条件によって起きる．画像化のためには，断面の決定，スライス面内の位置情報の収得のために傾斜磁場が重要な役割を果たす．

A. NMRの対象となる核種

磁気共鳴を起こす原子核は，陽子・中性子のどちらかが奇数個，あるいは両方が奇数個の核である．
原子核は質量・電荷・スピンという3つの属性をもち，電荷をもった原子核（^1H は陽子：＋の電荷）がスピン（回転）すると，小さな磁気をもち棒磁石と考えることができる．その強さと方向（ベクトル）を表す量を磁気モーメントという．通常は一個ずつがバラバラな方向を向いており，全体では磁気をもたない．

B. ラーモアの歳差運動

プロトン（^1H）を静磁場（B_0）中に置くと，スピンをしながら歳差運動を行う（図8-1）．この歳差運動の回転角速度（周波数）と同じ高周波磁界（ラジオ波）を垂直方向から与えると，プロトンは共鳴を起こし歳差運動の角度が増加する．歳差運動の周期をラーモア周波数（共鳴周波数）とよぶ．共鳴角周波数 ω_0 [rad/s]，静磁場強度 B_0 [T] とすると，

$$\omega_0 = \gamma \times B_0$$

γ は核磁気回転比 [Mrad/T・s, MHz/T] で核種に固有な定数．共鳴周波数を ν_0 [MHz] とすると，$\omega = 2\pi\nu$ から

$$\nu_0 = \frac{\omega_0}{2\pi} = \frac{\gamma \times B_0}{2\pi}$$

静磁場強度が決まれば，目的核種の共鳴周波数が決まる．

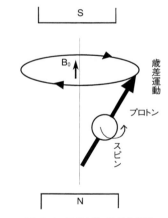

図 8-1 核スピンの歳差運動

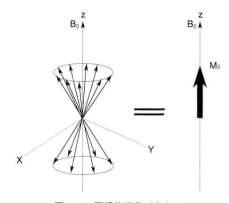

図 8-2 巨視的磁化ベクトル

プロトンのγは42.58 [MHz/T]（あるいは267.4 [Mrad/T·s]）である．静磁場強度が1.0 T（テスラ=10,000ガウス）では42.58 MHzのラジオ波（RF）を照射するとプロトンは共鳴する．1.5 Tでは63.87 MHz，3.0 Tでは127.74 MHzが共鳴周波数となる．

プロトンは磁場中では+z軸方向（55°）と反対方向（125°）を向いて回転するものに分けられるが，+z軸方向が少し多いためz軸方向に磁気をもつ（$M_z=M_0$）．この磁化を巨視的磁場とよびM_0で表す（図8-2）．x-y軸方向はバラバラな方向を向いているため磁気はもたない（$M_{xy}=0$）．

C. 励起現象

磁場中におかれたプロトンにRF（ラジオ波）パルスを照射するとRFは磁場（高周波磁場）をもっており，M_0はB_1（x軸）の回りを回転し始める．これが共鳴現象でスピンが倒れる（励起された）という．M_0が90°倒れるRFの強さを90°パルスとよび，この2倍の時間あるいは2倍の強さのRFを与えると180°パルスになる（図8-3）．静磁場強度をB_0，変動磁場（高周波磁場）をB_1として表記する．

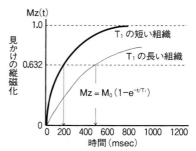

a. T_1による縦磁化の回復曲線

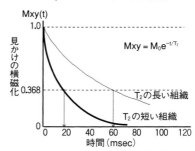

b. T_2による横磁化の減衰曲線

図 8-4 緩和現象

表 8-1 組織のT_1値とT_2値の概要

組　織	T_1値 (ms) 0.5 T	T_1値 (ms) 1.5 T	T_2値 (ms)
脳脊髄液	3,000	3,000<	200<
灰白質	660	920	100
筋　肉	600	870	50
白　質	540	790	90
肝　臓	320	500	40
脂　肪	215	250	85

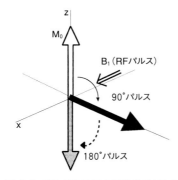

図 8-3 RFパルスによる磁化ベクトル

D. 緩和現象

RFパルスを止めると，励起された原子核は緩和とよばれる過程を経てエネルギーを失い，z軸方向は元の$M_z=M_0$に回復し，x-y軸方向は$M_{xy}=0$に減衰していく．

1) 縦緩和（T_1）はスピン-格子緩和ともよばれ，時間とともにゆっくり回復する．この回復過程は指数関数的で，その時定数をT_1緩和時間という（図8-4a）．

$$M_z(t) = M_0 \times (1 - e^{-\frac{t}{T_1}})$$

2) 横緩和（T_2）はスピン-スピン緩和ともよばれ，時間とともに急速に減少する．この減衰の時定数をT_2緩和時間という（図8-4b）．

$$M_{xy}(t) = M_0 \times e^{-\frac{t}{T_2}}$$

人体のT_1，T_2値は組織により異なり，これらの値に応じたMR信号を取り出すことによって画像コントラストが決定する．見かけの磁化M_z，M_{xy}の大きさが信号強度（画像コントラスト）に反映する．

人体軟部組織のT_1値は200～1,000 msec，T_2値は100 msec以下である．また静磁場強度が高くなると組織のT_1値は長くなるが，T_2値は磁場強度に依存しない

---関連事項---

・スピン量子数：原子核はスピン量子数Sに関連したエネルギーレベルをもつ．このエネルギー状態の数=2×S+1によって決まる．したがって，Sが1/2のプロトン^{1}Hは2方向，3/2の^{23}Naは4方向のエネルギー状態をとる．
・縦緩和時間（T_1）：T_1値は回復を示す指標で，T_1値が短いほど信号は強い（脂肪など）．T_1強調像を得るためには短いTRを設定する．TRを長くすると組織のT_1の影響が少ない画像になる．
・横緩和時間（T_2）：T_2値は減衰（言い換えると信号保持能力）を示す指標で，T_2値が長いほど信号は強い（水など）．短いTEを設定すると，T_2の影響が少ないため，T_2強調像はTEを長く設定する．
・T_2^*減衰：T_2緩和による減衰に加えて，静磁場の不均一性，局所的な磁化率の変化などによる影響を含めた減衰．

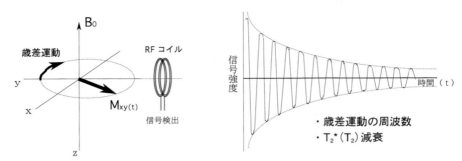

図 8-5 信号の検出と自由誘導減衰 (FID)

(表8-1).

E. エコー信号の検出

y 軸方向に置いた RF コイル（アンテナ）には電磁誘導により電流が発生して NMR 信号が検出できる．M_0 を倒した直後の信号強度（M_{xy}）は位相が揃って最大であるが，歳差運動周波数で回転している間に，次第に位相がバラバラになり指数関数的に減衰する（図8-5）．この信号を自由誘導減衰（FID）とよび，組織の T_2 値による減衰と，局所磁場の不均一性が加わった T_2^*（T_2 スター）があり，両者は $T_2^* \ll T_2$ である．

電磁誘導によりエコー信号を得るためには，RF コイルは B_0（z 軸）と平行方向に設置する必要がある．RF コイルを B_0（磁束）に対して垂直方向に設置した場合は，エコー信号は得られない．したがって，エコー信号を受信するために励起 RF パルス（90°や低フリップ角）を印加して横磁化（M_{xy}）成分を生成させる必要がある．エコー形成法には，収束用 180°パルスを用いたスピンエコー（SE）法と，傾斜磁場の極性を反転させるグラディエントエコー（GRE）法がある．

F. 位置情報の収集

プロトンの位置情報収集のために傾斜磁場を 3 軸方向に用いる．

①**スライス選択傾斜磁場**：RF パルス（周波数とバンド幅を調整）と同時に傾斜磁場を印加してスライス位置・厚さ・角度などを決定する．

②**位相エンコード傾斜磁場**：撮像途中に短時間傾斜磁場を印加してスピンに位相情報を与える．

③**周波数エンコード傾斜磁場**：エコー信号収集時に印加して，位置によって周波数情報を与える．

これら 3 つの傾斜磁場はどんな方向にも電気的に重ね合わせられるため，被検者を動かさなくても水平断面のほか，冠状・矢状断面あるいは斜位断面・曲面像も撮像可能である．

関連事項

MRI 装置の構成

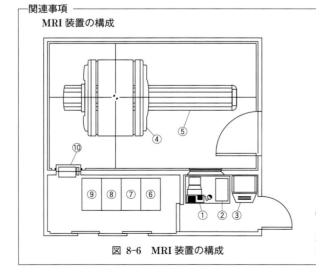

図 8-6 MRI 装置の構成

①撮影コンソール，②メインコンピュータ，③レーザーイメージャ，④MRI 本体（磁石部），⑤患者寝台，⑥傾斜磁場電源，⑦高周波（RF）電源，⑧測定制御，⑨冷凍機圧縮機，⑩RF フィルターパネル

2 MRI装置の構成

MRI装置は，①強力な磁場を発生させるための磁石（静磁場），②高周波数の電波を発生させる電気的装置（RF部），③傾斜磁場を発生させるグラディエント部，④RF部・グラディエント部・患者寝台などを制御するシステム制御部，⑤システム全体を制御し画像を再構成・表示させるコンピュータ部で構成されている．MR装置の設置例を図8-6に示す．

1. 静磁場用磁石

静磁場用磁石は，永久磁石，電導磁石（常電導磁石，超電導磁石）に分けられる．表8-2に特徴を示す．

静磁場強度：高磁場ほど信号強度は強く，高SN比の画像が得られる．ただし，化学シフトや動きによるアーチファクトなどが出やすい．磁場強度は0.1T～3.0Tの磁石が用いられている．

磁場強度：磁場（磁界）の強さをA/m（アンペア/メートル）で表し，単位面積当たりの磁束密度はT（テスラ），G（ガウス）で表す．1テスラの定義は「磁界方向に垂直な面1m^{2}に対して1Wb（ウェーバ）の磁束密度」で，1T＝1Wb/m^{2}が成り立つ．1T＝10,000ガウスである．

静磁場均一性：不均一な静磁場では画像歪みなどの原因になる．超電導磁石が最も均一性は良く数ppm（100万分の1）程度である．MRSでは10cmDSV（直径10cmの球容積）で0.1ppm以下の静磁場均一性が要求される．

シミング shimming：静磁場の磁場均一性を向上させる調整をシミングとよび，小さな金属片（鉄片）を用いたパッシブシミングと，複数の電磁石を使って調整するアクティブシミングがある．

磁場の時間的安定性：静磁場強度が変動すると画像ボケなどが生じる．

漏洩磁場：検査室内外の機器に影響を与えないように，MR装置や検査室に磁気シールドを施す．磁気シールドには，鉄板などの強磁性体でマグネットを取り囲むパッシブ磁気シールドと，静磁場コイルの外側に電磁石を設置して磁場を打ち消すアクティブ磁気シールドがある．立入制限区域の外側では漏えい磁場が0.5mT（5ガウスライン）未満に定められている．

開放性：被検者に対する圧迫感の軽減，MRIを用いたインターベンショナル（治療）などにおける空間確保および操作性が求められる．水平磁場（円筒型）に比べて，永久磁石に多い垂直磁場（オープン型）が適している．

A. 永久磁石

永久磁石（フェライト，鉄・ネオジウム・ホウ素：Fe-Nd-B，サマリウム・コバルト：Sm-Co）の利点は運転経費が安く，漏洩磁場が小さい．欠点としては磁石の温度依存性のため恒温化（装置）が必要で，低磁場強度に限られる．

B. 常電導磁石

常電導磁石には空心型と鉄心型がある．①磁場のON/OFFが可能，②消費電力が大きい，③コイルの発熱や温度特性のため冷却設備（冷却水など）が必要，④高精度な電流制御，⑤磁場強度低磁場装置に限られる．

C. 超電導磁石

超電導磁石（Nb・Ti合金やNb$_3$Sn化合物）は高磁場が得られる．超電導線材のニオブ・チタン合金は9.5°k（絶対温度から9.5°高い）まで冷やすと電気抵抗がなくなる．このコイルを液体ヘリウム（沸点4.2°k＝−269℃）に浸して超伝導状態を保っている．真空断熱容器（クライオスタット）からの液体ヘリウムの蒸発量を減らすために，冷凍圧縮機（コールドヘッド）を用いる（図8-7）．ゼロボイルオフ（液体ヘリウムの補充が不要）超伝導マグネットが普及している．

D. 高磁場の特徴（3T装置の登場）

高磁場装置では，①高いSN比，②静磁場B$_0$の不均一の影響，③RF磁場B$_1$の不均一の影響，④化学シフトの増加，⑤磁化率効果の増大，⑥比吸収率SARの増加，⑦T$_1$緩和時間の延長などが挙げられる．

特に腹部などでは3TではRF磁場B$_1$の不均一が問題となり，画像に感度むらを引き起こす．3T装置では共鳴周波数は128MHzとなり，周波数が高くなると体内浸透距離が減少するため，深部では励起角度の不揃いが生じて画像むらを引き起こす．また人体内における波長や電気的な干渉も加わって，信号強度のむらや局所SARの増大などを引き起こす．送信RFの振幅や位相を調整して，B$_1$分布のむらを補正する技術（マルチトラン

表 8-2 静磁場用磁石の特徴

	永久磁石	常電導磁石	超電導磁石
磁場強度[T]	～0.4	～0.4	0.3～3.0
磁場安定性	恒温装置	定電流制御	永久電流
特徴	低磁場 運転経費少ない 開放性大 漏洩磁場少ない 重量大 垂直磁場	低磁場 消費電力大 磁場の減磁が容易 漏洩磁場 空芯：大 鉄芯：小 重量 空芯：軽い 鉄芯：重い	高磁場強度 高S/N 短時間撮像 電力消費小 磁場安定性良い 漏洩磁場大 化学シフト 水平磁場

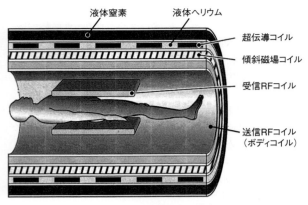

図 8-7　超電導磁石の構造

スミットなど）が開発されている.

2. 傾斜磁場コイル

3組（x, y, z）のコイルによって，位置に比例して直線的に変化する傾斜（勾配）磁場を作る．この傾斜磁場により，スライス断面を励起したり，受信 MR 信号に位置情報を与える．傾斜磁場コイルの性能として，①**ピーク強度**（強い傾斜磁場強度，mT/m）：強いほど薄いスライス厚，小さい FOV の設定が可能になる．通常は 10～80 mT/m 程度．②**スルーレート**（slew rate：立ち上がりと立ち下がり時間，mT/m/s）：速いほど高速撮影が可能．通常は 10～120 mT/m/s 程度．③広い範囲での傾斜磁場の直線性などが挙げられる．

傾斜磁場はコイルに機械的な振動が生じて**騒音**が発生する（フレミングの左手の法則）．また傾斜磁場による磁場の変化は，近くの金属に磁場を打ち消す方向に起電力を発生させる．この誘発された電流を**渦電流**（eddy currents）とよび傾斜磁場に対して拮抗する磁場が発生する．

3. RF コイル

RF コイルは高周波磁場（RF）を送信する．次いで，人体からの微弱な MR 信号を検出（受信）するアンテナの役割を担う．性能項目として，高い SN 比，感度領域の均一性，操作性などが挙げられる．撮影部位に応じて頭部，頸部，腹部，脊椎，膝，顎関節，乳房用などの専用コイルがある．一般的に RF コイルの直径を大きくすると広い撮影範囲が得られるが，ノイズ領域も広がるため SN 比は低下する．

A. ボリュームコイル

ソレノイドコイルのほか，サドル（鞍）型やバードケージ（鳥籠）型などがあり，RF の送信と受信ができる．撮像領域を取り囲む形状で感度領域内は均一磁場である．全身用や頭部用，手足用コイルとして用いられる．垂直磁場方式（永久磁石）はソレノイドコイルを用いる．

B. サーフェイス（表面）コイル

円形あるいは矩形で，受信用として用いられる．撮影部位に密着させることができ，感度範囲は狭いが，高 SN 比で高分解能である．欠点としては受信感度が不均一で，受信範囲はコイルの直径程度と狭い．たとえば，直径 10 cm のコイルでは撮像領域も 10 cm で，深さは 5 cm 程度である．

C. クアドラチャ（QD）コイル

2 つのコイルを直交して配置して，同時に MR 信号を受信して位相補正を行って合成する．SN 比は最大 $\sqrt{2}$ 倍に向上する．

D. フェーズドアレイコイル

複数の独立したコイルで構成され，各々のコイルからの信号を受信して 1 つの画像を再構成する．使用目的は①撮像領域 FOV を拡大して，高 SN 比の画像を得る．脊椎，腹部・骨盤，胸部用コイルに使用される，②撮像時間の短縮目的でパラレルイメージング（技術）に用いる．k-空間充填方法（SMASH）やフーリエ変換後の画像処理（SENSE）で折り返しアーチファクトを展開（補正）する．

4. RF システム（高周波回路）

励起用 RF パルス波形を作る送信部と，受信した MR 信号を増幅，A/D 変換を行う受信部で構成される．
①中心周波数の調整：共鳴周波数を調整する．
②トランスミッタ：RF パルスを生成する．
③**RF レシーバ**：受信コイルからの信号を処理する．多くの装置は複数のレシーバを備えている．

5. その他

A. コンピュータ制御装置

RF パルスの送受信の制御，傾斜磁場の極性切り替えや強さの調整，これらの動作タイミングの調整（シーケンス制御）を行い，MR 信号を画像処理装置に送る．

B. 画像処理表示装置

MR 画像を再構成してモニタ表示する．また濃淡調節，画像の拡大，ROI 設定などの統計処理，三次元処理や立体的観察などを行う．

C. 患者用寝台

非磁性体の材質でできており，被検者の固定や位置決めなどが円滑に行えるように工夫されている．

D. 造影剤自動注入装置（インジェクタ）

非磁性体の超音波モータが採用されている．造影剤と生理食塩水を注入するために，デュアルシリンジを備えた装置がある．注入速度や圧力，注入量，混入比率，注入タイミング等の制御を行う．

3 MRIの撮像原理

MRIでは位置情報を得るために，場所によって磁場が直線的に変化する傾斜磁場［mT/m］を用いる．すなわち共鳴周波数が直線的に変化［kHz/m］することになり，磁場の強い位置では周波数が高くなり，位相がより進むことになる．逆の傾斜磁場では周波数は低く，位相が遅れる．

$$\omega_0 \pm \omega' = \gamma \times \{B_0 \pm (Gx + Gy + Gz)'\}$$

3組の傾斜磁場コイルを組み合わせて，スライス選択傾斜磁場（Gz），位相エンコード傾斜磁場（Gy），周波数エンコード傾斜磁場（Gx）を逐次3軸方向にかけて，収集したエコー信号をk空間に配置して2次元フーリエ変換を行ってMR画像を再構成する．

1. スライス選択傾斜磁場

身体の1軸方向（z軸）に傾斜磁場（Gz）をかけると，位置によってわずかに共鳴周波数が異なる．各断面に応じた共鳴周波数のRFパルスを照射すると，その断面内にあるプロトンのみが共鳴する．厚みのあるスライスを共鳴（励起）させるためには，幅を持ったRFパルスを照射する必要があり，選択励起パルス（**周波数帯域幅，バンド幅：BW**）とよばれている．スライス厚はスライス選択傾斜磁場強度（Gz）と送信バンド幅（BW）で決まる（図8-8）．

$$スライス厚［cm］= \frac{送信バンド幅［Hz］}{傾斜磁場強度［Hz/cm］}$$

スライス厚を薄くするためには，狭いバンド幅，あるいは強い傾斜磁場を用いる．また，理想的な方形のスライス信号を得るためには，無限の長さのシンク関数のRFパルスを用いる必要がある．

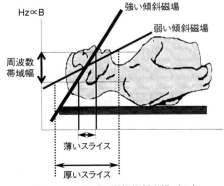

図8-8 スライス選択傾斜磁場（Gz）

2. 周波数エンコード傾斜磁場

スライス選択の後，傾斜磁場がかかっていない状態では，スピンは同じ歳差運動周波数で回転する．この状態でMR信号を取り出すと，位置に関係なく同じ周波数のエコー信号が得られる．そこで，エコー信号検出時に傾斜磁場（Gx）をかけると，x軸に沿った位置に応じて歳差運動周波数が異なり，受信した周波数から位置情報が得られる（図8-9）．**読み取り**（read out）**傾斜磁場**ともよばれる．

撮像領域（FOV）は受信バンド幅と周波数エンコード傾斜磁場強度で決まる．

$$FOV［cm］= \frac{受信バンド幅［Hz］}{傾斜磁場強度［Hz/cm］}$$

小さいFOVで撮像するためには，受信バンド幅を狭くする，あるいは強い傾斜磁場を用いる．

3. 位相エンコード傾斜磁場

MR信号を受信する前に，傾斜磁場（Gy）をy軸方向に極短時間かける．磁石中心からの距離に応じて磁場の

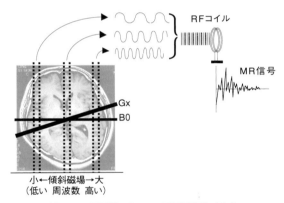

図8-9 周波数エンコード傾斜磁場（Gx）

関連事項

- **超伝（電）導状態**：臨界温度，臨界電流密度，臨界磁場の3条件が揃うと，超伝導状態となり導体の電気抵抗がゼロになり永久電流が得られる．
- **クエンチング**：超伝導状態が破れる状態をいい，コイルは超伝導状態を脱して抵抗が発生する．コイルの発熱により液体ヘリウムは急激に気化する．ヘリウムガスにより撮影室内が酸素欠乏状態になるため，酸素モニタにより常に監視し，強制排気設備を備えている．
- **傾斜磁場コイル**：2個のコイルに反対方向に電流を流すことによって得られる．つまり静磁場強度を強める方向と弱める方向に働き，中央部は直線的に磁場が変化する．
- **渦電流**（eddy current）：傾斜磁場の切替えによって生じる誘導電流で，理想的な磁場の印加ができない．誘導体として電線，RFコイル，シムコイル，断熱容器，人体などがある．
- **電波シールド（ファラデーシールド）**：MR撮影室を銅板で囲んで，RFの漏えいを防ぐ．また逆に外部からのRFの混入を防ぐ．

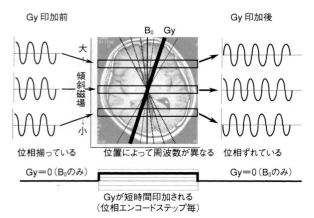

図 8-10　位相エンコード傾斜磁場（Gy）

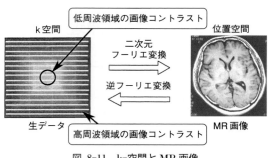

図 8-11　k-空間と MR 画像

強さが異なるため，位相変化が MR 信号に付加される（図 8-10）．これを位相エンコード傾斜磁場といい，**位相エンコードステップ数だけ傾斜磁場の強さを変えて繰り返して印加する**．

位相エンコードにより FOV の両端で位相が，最大 360°（±180°）ずれるように印加するため，FOV を小さくするためには，強い傾斜磁場強度，あるいは印加時間を長くする．FOV を小さくすると FOV の外側にある対象物（位相が±180°を超える）は折り返しアーチファクトとして現れる．

4. k-空間（k-space）

位相エンコードステップ毎に得られた MR 信号を格納するスペースを k-空間という（図 8-11）．k-空間の中心ラインは位相エンコード傾斜磁場のないエコー信号を，そして傾斜磁場の強い信号を順に上段のライン（行）に保管し，極性を逆にした傾斜磁場の信号を下段のラインに格納していく．k-空間をフーリエ変換すると MR 画像が得られる．k-空間の中心部データは低周波数成分（低分解能：粗い構造）の情報，周辺部は高周波数成分（高分解能：細い構造）の画像コントラストを表す．

5. k-空間軌跡（充填法）

k-空間の縦軸は位相エンコード軸に対応し，位相エンコード傾斜磁場がプラス方向（マイナス）に印加されると，k-空間の上方向（下方向）に移動する．上下方向の移動量は傾斜磁場強度に比例する．

k-空間の横軸は周波数エンコードに対応し，プラス（＋）の傾斜磁場では左→右方向にエコー信号を格納する．逆にマイナス（－）の傾斜磁場では右→左に格納する．

90°RF 励起パルスはプロトンの位相が揃って横磁化が形成されるため，k-空間の 0 点（中心）に移動する．また，位相を再収束させる 180°パルスは，k-空間の 0 点を点対称の位置に移動する（図8-12）．

6. エコー信号の形成

MR 信号の収集方法は，横緩和現象によって位相がずれていくスピンに収束用 180°パルスを印加してスピンエコーを形成させる方法と，傾斜磁場の極性を反転させてグラディエントエコーを形成させる方法に分けられる．

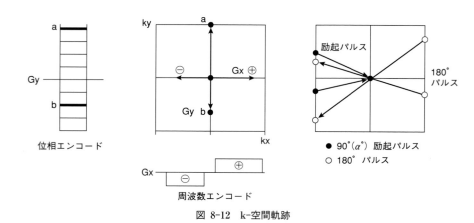

図 8-12　k-空間軌跡

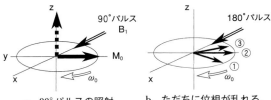
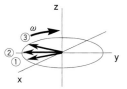
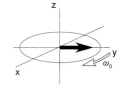

図 8-13 スピンエコーの形成原理

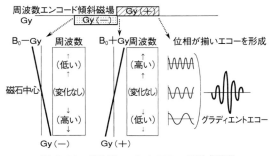

図 8-14 グラディエントエコーの形成原理

A. スピンエコーの形成

磁場中に置かれたプロトン（磁化ベクトル M_0）は歳差運動周波数 ω_0 で回転している．そこに 90°パルスを照射したとする（図8-13）．

a. 時間 t＝0：90°パルス照射直後の M_0 は 90°倒れて y軸に揃っている（歳差運動周波数による回転も同時に行っている）．

b. t＝TE/2：速く回転するスピン①と遅いスピン③のため，位相はずれてくる．このタイミングで収束用 180°パルスを照射すると，スピンは x軸を中心に 180°反転する．

c. その結果，遅いスピン③が先頭に，逆に速いスピン①は最後尾になって回転する．

d. さらに TE/2 時間の後，すなわち t＝TE の時間でスピンのベクトルが完全に揃い強いエコー（スピンエコー）を形成する．このとき強い誘導電流が RF コイルに形成される．

スピンの位相は時間 t＝TE に揃うが，次の周回からは徐々にずれてくる．少しの時間の後，再び 180°パルスを照射すると，2 番目のスピンエコーが形成される（マルチエコー法）．

B. グラディエントエコーの形成

周波数エンコード傾斜磁場によって，磁石中心から離れるほど中心周波数より低く，反対側は高い周波数になり，時間経過とともに位相のずれは大きくなる．傾斜磁場の極性（＋/－）を反転させると，今度は周波数の高低が逆になり，傾斜磁場の大きさ（＋/－の面積）が同じになったとき，全てのスピンの位相が揃って強いエコー（グラディエントエコー）が形成される（図8-14）．

4 MRIの撮像シーケンス（パルスシーケンス）

MR信号を得るためにRFパルス，傾斜磁場，信号収集のタイミングなどを時系列として表現したものをパルスシーケンスとよぶ．パルスシーケンスにより画像コントラストや画質が決定される．

1. 撮像条件とSN比
A. 撮像パラメータ

MRIのコントラストやSN比を決める因子には，組織パラメータと，撮像パラメータがある．

- 組織パラメータ　　プロトン密度（pd）
　　　　　　　　　　T_1緩和時間（T_1）
　　　　　　　　　　T_2緩和時間（T_2），T_2スター（T_2^*）
　　　　　　　　　　流れの速さ（v）など．
- 撮像パラメータ　　繰り返し時間（TR）
　　　　　　　　　　エコー時間（TE）
　　　　　　　　　　反転時間（TI）
　　　　　　　　　　画像加算回数
　　　　　　　　　　スライス厚
　　　　　　　　　　マトリックス数
　　　　　　　　　　　（画素サイズ，FOV）など．

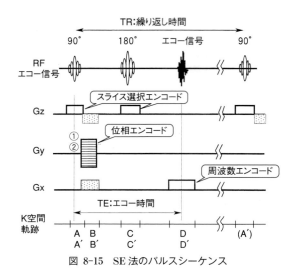

図8-15　SE法のパルスシーケンス

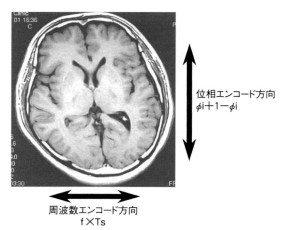

図8-16　二次元MR画像

B. SN比（信号対雑音比）

基本的にSN比は，高い静磁場強度，感度の高いRFコイルを使い，強い信号が得られるシーケンスを用いる．あるいは撮像時間をかけて雑音を減らす方法がある．SN比は一般的に次式による．

$$\text{SN 比} \propto k \times \text{ボクセルサイズ} \times \frac{\sqrt{NEX} \times \sqrt{Np}}{\sqrt{受信バンド幅}}$$

定数kは静磁場強度B_0に比例する．**ボクセルサイズ**はプロトンの総数に比例する．***NEX***は画像加算回数（励起回数）で収集データを2倍に増やすと信号は2倍になるが，雑音が$\sqrt{2}$倍に増加するため，SN比は$2/\sqrt{2} = \sqrt{2}$倍になる．**受信バンド幅**は小さくすると雑音が減りSN比は向上する．Npは位相円エンコードステップ数で加算回数と同様に平方根（二乗根）に比例する．ただし，位相エンコード数を2倍にすると，ボクセルサイズはFOVp/Np=1/2となるため，SN比は$1/2 \times \sqrt{2} = 1/\sqrt{2}$倍に低下する．

2. スピンエコー（SE）法

最も標準的な撮像法でT_1，T_2，pd強調像が撮影でき，ほとんどの検査部位に使用される．SE法は90°励起パルスと収束用180°パルスに加えて，傾斜磁場を三次元的にかけてスピンエコーを形成する．

A. パルスシーケンス

スライス選択傾斜磁場（Gz）と励起RFパルス（90°）を同時に印加する．次に位相エンコード傾斜磁場（Gy）を画像マトリックス数に合わせて傾斜磁場強度のステップ数を設定して，1ステップ毎にエコー信号を収集する．したがって，TR間隔で位相エンコードのステップ数を繰り返す．エコー信号が得られるタイミング（TE）に合わせて周波数エンコード傾斜磁場（Gx）が印加される．

励起90°パルスから次の90°パルスまでの時間を**繰り返し時間（TR）**とよぶ．励起90°パルスからエコー信号までの時間を**エコー時間（TE）**とよび，収束用180°パルスはその中間（TE/2）のタイミングに印加される（図8-15）．

実際のパルスシーケンスでは，スライス断面内の位相

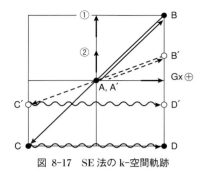

図 8-17　SE 法の k-空間軌跡

表 8-3　SE 法の TR・TE と画像コントラスト

TR（msec）	TE（msec）	画像コントラスト
短い（500 前後）	短い（10 前後）	T_1 強調像
長い（2,000〜）	短い（10 前後）	プロトン強調像
長い（2,000〜）	長い（100 前後）	T_2 強調像

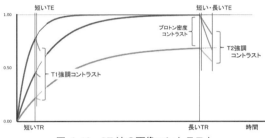

図 8-18　SE 法の画像コントラスト

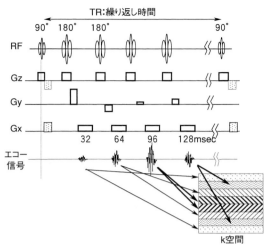

実効 TE＝96 msec，ETL＝4，エコー間隔＝32 msec

図 8-19　高速 SE 法のパルスシーケンス

を揃えるために，補償用傾斜磁場（図中，網掛け部 Gz，Gx）を印加している．

Gy と Gx により MR 画像上の位置情報が位相と周波数の形で付与され，得られた信号（k-空間）をフーリエ変換すると二次元画像が得られる（図 8-16）．

B．SE 法の k-空間軌跡

SE 法の k-空間軌跡を図 8-15，図 8-17 で説明する．90°励起パルスにより k-空間軌道は 0 点（中心）A に戻る（図 8-12）．次に，位相エンコード①と周波数エンコード（＋）が同時に印加されるため k-空間の上段右端 B に移動し，180°パルスによって 0 点を対称に反対側 C に移動する．エコー信号の収集時に周波数エンコード（＋）が印加され k-空間の下段行を（C→D）にエコー信号を格納する．

TR のあと，再び励起 90°パルスにより 0 点 A′ に戻り，次に位相エンコード②と Gx が同時に印加され B′ の位置に，180°パルスで反対側 C′ に移動し，Gx（＋）でエコー信号を（C′→D′）に格納する．この操作を位相エンコードステップ数だけ繰り返して，k-空間の全てのラインにデータを格納する．

C．SE 法の画像コントラスト

SE 法では TR と TE の設定によりプロトン密度強調像，T_1 強調像，T_2 強調像が得られる（表 8-3）．

T_1 強調像は，TR を組織の T_1 値とほぼ同じ 300〜600 msec に設定し，TE は T_2 に影響されないように短い値（10 msec 前後）に設定する（図 8-18）．

T_2 強調像は，TR を組織の T_1 に影響されないように 2,000 msec（T_1 値の 3 倍）以上，TE は組織の T_2 と同じ程度（通常 80〜120 msec）に設定する．

プロトン密度強調像は，組織の緩和時間に影響されないように，TR は T_2 強調像と同様に長く，TE は T_1 強調像と同様に短い値に設定する．

3．高速スピンエコー（高速 SE）法

SE 法では 1 回の励起パルスごとに一つの位相エンコード傾斜磁場を印加して，k-空間を 1 ラインずつ格納していく．高速 SE 法は 1 回の励起 90°パルスの後に，複数の収束用 180°パルスを繰り返して印加してエコー列（エコーライン）を形成する．それぞれのエコーには異なる大きさの位相エンコードが印加されており，k-空間の異なる複数ラインを格納する（図 8-19）．

高速 SE では，k-空間の中央部に格納したタイミングが**実効 TE** となり画像コントラストを決める．実効 TE から離れたエコー信号は k 空間の端に配置される．90°パルスの後に収集される複数のエコー数（または，180°収束パルス数）を ETL（エコートレインレングス）とよび，撮像時間は 1/ETL に短縮される．

高速 SE 法の画像は複数の TE が混在するため，SE 法に比べて画像コントラストは低下する．特に，ETL を

大きく設定すると，①TEの長い減衰した信号を含むため，ぼけ（blurring）が生じる，②TEの長い信号はT₂値の長い組織の信号が反映されるため，**T₂ filtering 効果**が生じる．③多数のRFパルスを付加するため脂肪のスピン－スピン相互作用（J-coupling）の影響が減少され，T₂値延長効果により脂肪が高信号になる．また，繰り返しRFパルスによるMT効果によって，水成分の信号が低信号になる．この2つの影響によって脂肪が相対的に高信号に描出される．④繰り返し付加される180°収束RFパルスにより磁場の不均一性が補正されるため，磁化率アーチファクトの影響は少ない．

エコートレインを前後2分割して，2つのk-空間に割り当てると**マルチエコー法（2つの実効TE）**ができる．

4. 反転回復（IR：インバージョンリカバリー）法
A. パルスシーケンス
まず180°反転パルスにより縦磁化Mzを（+M₀から-M₀）に反転させ，次いで反転時間（TI）後に，SE法と同じパルスシーケンスを実行してエコーを形成する．その後プロトンの縦磁化の回復を待って，再び180°反転パルスを印加する．IR法では180°反転パルスと次の180°反転パルスまでの時間がTRで，反転パルスから90°パルスまでを**反転時間（TI）**とよぶ．TEはSE法と同じく，90°パルスからエコー信号までである．

IR法は，縦緩和の回復がSEに比べ2倍となるため縦緩和（T₁）を強調した撮像法である．長いTRを設定する必要があり撮像時間が長い．通常は，高速SE法を併用した高速IR法（ETL＝16～20など）を用いる．

B. IR法の画像コントラスト
IR法における画像コントラストは図8-20のようになる．特徴として，良好なT₁コントラストが得られること，もう一つは組織の縦磁化が0になる時間（null point）にTIを設定すると，その組織の信号が抑制できる．

T₁強調像は，TR＝3,000 msec 以上，TI＝400～600 msec，TE＝20 msec 前後で撮像する．

①**STIR（短TI反転回復法）**：T₁強調像で脂肪信号を抑制する撮像法（脂肪抑制T₁強調像）である．脂肪のT₁値は比較的短い（200 ms）ため，1.5 T装置ではTI（反転時間）を140 ms前後（200 ms×0.693）に設定する（図8-20）．STIRでは脂肪以外の組織もMz成分が0に近くなるため，画像全体のSN比は低い．STIRは1.5 TではTR＝3,000 ms以上，TI＝140 ms，TE＝20 ms前後で撮像する．

②**FLAIR（液体抑制反転回復法）**：脳脊髄液（CSF）の信号を抑制したT₂強調像である．水や脳脊髄液のT₁値は長い（3,000 ms）ため，1.5 TではTIを2,000 ms前後（3,000 ms×0.693）に設定すると，CSFの信号を抑制したT₂強調像またはプロトン密度強調像を得ることができる（図8-20）．脳脊髄液に近傍する梗塞巣や脱髄巣の描出に有用である．FLAIRはTR＝10,000 ms，TI＝2,000 ms，TE＝100 ms前後で撮像する．

5. グラディエントエコー（GRE，GE）法
GRE法は，SE法の収束用180°パルスの代わりに，周波数エンコード傾斜磁場の極性を反転させることにより，エコーを形成する（図8-14）．また励起パルスは，90°より小さい角度（α°たとえば30°）を使用するため，縦磁化の回復が早く，短いTRの設定が可能で高速撮像ができる．GRE法は磁場の不均一性の影響を受けるため，T₂*強調像である．

磁化率の違いにより，微小出血や血管腫の診断に有用である．高速撮像や造影ダイナミック検査，MRA（MR血管像），SWI（磁化率強調像），三次元撮像などに利用される．

6. エコープラナーイメージング（EPI）法
EPI法は，ブリップ（blip gradient）とよばれる位相エンコード傾斜磁場を掛けて，k-空間ライン（行）を順次変える．同時に周波数エンコード傾斜磁場の極性を高速に反転させて，エコー信号をk-空間に連続的に格納する．超高速撮像法で100 msec以下でのスキャンが可能である．一気にk-空間全てのデータを収集するため非常に広い受信バンド幅（BW）を用いる．このため，EPIのSN比は低い．

化学シフトによるアーチファクトは，位相誤差が位相エンコード方向に蓄積されるため，位相方向に大きくずれた位置（FOVの1/2～1/3）に現れる．このため脂肪抑制法の併用は必須である．N ハーフゴースト（N/2 ghost）アーチファクトは，渦電流や傾斜磁場・静磁場の不均一に起因して位相方向に現れる．高速SE法と同じく，**脂肪の高信号化，ぼけ（blurring）やT₂ filtering 効果**が生じる．

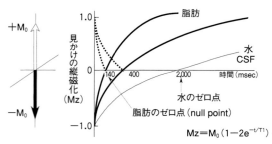

図8-20　IR法の信号強度

拡散強調画像（d-MRI）や灌流画像（p-MRI），機能画像（f-MRI）などに利用される．
- シングルショット EPI：1つの励起パルスで k-空間の全てを格納する．
- マルチショット EPI：何回かの励起パルスに分割して k-空間を埋める．

7. MR アンジオグラフィ（MRA）

inflow 効果を利用した time of flight（TOF）法と，血流スピンの位相変化を利用した phase contrast（PC）・phase shift（PS）法がある．それぞれ二次元撮像と三次元撮像法がある．造影剤を用いずに血管情報が得られるが，TOF では乱流や血流速度により描出能が低下するため，造影剤併用 MRA も行われる．

A．TOF（time of flight）法

スライス外からスライス断面にプロトンが流入，あるいは流出することにより生じる信号増強あるいは信号消失効果を検出する．

撮像は GRE 法を用いて，短い TR で RF パルスを繰り返し印加する．静止部は縦緩和が回復する前に次の RF パルスを繰り返し受けることになり，低信号となる（M_0'：定常状態）．これに対して血管内には RF パルスを受けていない新鮮な血液（M_0）が流入してくるため，血液は静止部より高信号に描出される（図 8-21）．

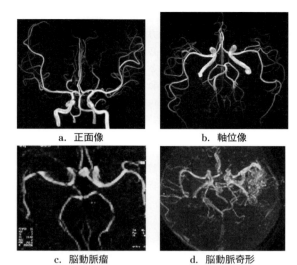

a．正面像　　　　　　b．軸位像

c．脳動脈瘤　　　　　d．脳動脈奇形

図 8-23　脳血管の MRA

最も高信号に描出される流速は（スライス厚）/（TR）である．それ以上の流速になると次第に信号は低下し，流速＝2×（スライス厚）/TE で無信号（フローボイド）となる（図 8-22）．

前飽和（空間的プレサチュレーション）パルスを設定して，動脈像あるいは静脈像を得ることができる．たとえば頭頸部の場合は，頭頂側に前飽和パルスを設定すると静脈の信号が消えて動脈像が得られる．胸側に設定すると，逆に動脈の信号が消えて静脈像が得られる．腹部や下肢では，この反対となる（図 8-23）．

B．PC（phase contrast）法

スライス面内を移動するプロトンを検出する．

傾斜磁場が印加されている面をプロトンが移動すると，位置により異なった強さの磁場を受けながら移動する．傾斜磁場の極性を途中で切り替えると，傾斜磁場の（＋）と（－）の面積が異なる（図 8-24 では⊖の面積が大きい）．一方，静止部は傾斜磁場（＋）と（－）は同じ強さで同じ時間受けることになり，傾斜磁場の前後で位相のずれは生じない．その結果，移動組織と静止組織は異なる位相となる．この累積された位相のずれ（phase shift 効果）を検出する（図 8-24）．撮像は極性が逆（＋，－）

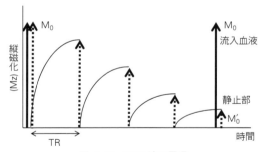

図 8-21　TOF 法の原理

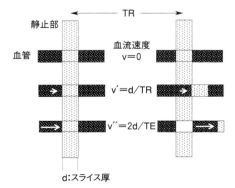

図 8-22　血流速度と TR の関係

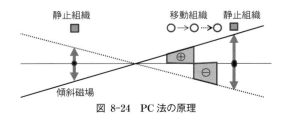

図 8-24　PC 法の原理

で大きさが同じ双極傾斜磁場 bipolar gradient を用いて収集する．さらに，三次元方向の流れの情報を得るためには 3 方向のデータ収集が必要である（撮像時間）．双極傾斜磁場の強さを変えることにより流速の測定や強調が可能である．この傾斜磁場を速度エンコーディング（VENC：velocity encoding）とよび，流速値を設定する．

8. 脂肪抑制法

脂肪抑制は脂肪組織の確認（出血と脂肪など），Gd-造影像のコントラスト向上，背景信号やアーチファクトの抑制などの目的で使用する．

A. STIR 法

T_1 緩和時間の差を利用した方法で，静磁場の不均一性や磁化率の影響が少ない．脂肪は必ず抑制できるが，脂肪に近い T_1 値の組織も抑制されるため，SN 比の低い画像になる．また，長い TR を用いるため高速 SE 法を併用する．

B. CHESS（組織選択的抑制）法

水と脂肪の共鳴周波数の差を利用した方法で，脂肪組織のみを選択的に抑制できる．脂肪と水の共鳴周波数は 3.5 ppm 異なるため，脂肪の周波数に合わせた CHESS（前飽和）パルスを印加すると，脂肪の信号が抑制される．3.5 ppm の化学シフト量は，1.5 T では 224 Hz，3.0 T では 448 Hz に相当する．SE 法のほか様々な撮像シーケンスと併用することができるが，高磁場で高い静磁場均一性が要求される．

C. 位相差（Dixon）法

1.5 T では水と脂肪の共鳴周波数差が 224 Hz のため，4.46 ms（＝1/224）で脂肪のスピンが一周遅れることになる．TE＝4.46 ms では〔水＋脂肪〕の信号が得られ in phase 像，半分の時間 TE＝2.23 ms ではの脂肪のスピンが半周遅れた逆位相となり〔水－脂肪〕の信号で opposed phase 像または out-of phase 像とよぶ．

脂肪と水を同等に含む組織は opposed phase 像で無信号（低信号），in phase 像で高信号に描出される．脂肪を含まない組織は両画像の信号強度は同じである．また画像の演算（加算・減算）により水画像や脂肪画像を作成することができる．

D. 二項パルス（binominal pulse）法

水と脂肪の位相差を利用して，励起 RF パルスを分割して印加することにより脂肪信号を抑制する．

9. パラレルイメージング

複数のコイルチャンネル（フェーズドアレイコイル）を用いることにより，位相エンコードステップ数を減らして撮像時間を短縮する技術．位相エンコード数を間引くことにより折り返しが生じるため，画像の再構成法にSENSE 系と SMASH 系がある．撮像時間の最大短縮率は 1/コイル数で，この短縮率をパラレルイメージングファクタ（reduction factor，SENSE factor など）とよぶ．撮像時間は，たとえば 4 つのコイルを用いた場合は最大 1/4 まで位相エンコード数を減らすことができる．

- SENSE 系：間引いて格納した k-空間をフーリエ変換後に，各コイルの空間的な感度マップを用いて画像データ上で折り返しを展開する．
- SMASH 系：間引いた k-空間の位相エンコード列（ライン）を，収集したデータで k-空間を合成補間してフーリエ変換することにより折り返しのない画像を得る．

10. MT パルス（磁化移動パルス）

MRI は自由水（水や脂肪）を画像化しているが，人体には高分子に結合した結合水も含まれている．結合水のスペクトルは非常に広く，共鳴周波数から離れた周波数の RF パルスを照射すると，結合水の磁化が自由水に転移して自由水の信号も低下する．この現象を磁化移動効果（MT 効果）とよび，MT パルスによる信号の低下は脳実質や筋肉・軟部組織で大きく，血液や CSF・脂肪では少ない．頭部 MRA では脳実質の信号を抑制して，血管描出能の向上に用いられる．

11. 撮像シーケンスと撮像時間

TR：繰り返し時間，Np：位相エンコードステップ数，Np'：第 2 位相エンコードステップ数，NEX：画像加算回数，ETL：エコートレインレングス，PF：パラレルイメージングファクタ

(1) SE 法，IR 法，GRE 法
撮像時間＝TR×Np×NEX

(2) 高速 SE 法
$$撮像時間 = TR \times \frac{Np}{ETL} \times NEX$$

(3) 3D 撮像法
撮像時間＝TR×Np×Np'×NEX

(4) パラレルイメージング法（高速 SE 法併用）
$$撮像時間 = TR \times \frac{Np}{ETL \times PF} \times NEX$$

12. 拡散強調画像（DWI, diffusion MRI）

DWI は拡散（水分子のブラウン運動）を強調した画像である．水分子の運動が小さい領域は高信号に描出される．撮影は拡散の度合いを検出する一対の傾斜磁場（MPG）を印加する（図．参照）．MPG の強さを b 値（b-value，b-factor）といい，単位は sec/mm^2 である．b 値は MPG の強度 G・印加時間 δ・間隔 Δ で決まり，

b 値＝$\gamma^2 \cdot G^2 \cdot \delta^2 (\Delta - \delta/3)$ である．γ は磁気回転比

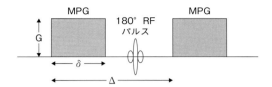

2 つの異なる b 値で撮影して見かけの拡散係数（ADC）を計算する．通常，元画像は MPG を印加しない脂肪抑制 T_2 強調像（b 値＝0）を用いる．DWI では T_2 緩和（高信号に描出：T_2 shine-through）や血流による灌流などの影響が含まれるため「みかけの ADC」という．b 値が大きいほど拡散がより強調される．主に急性期脳梗塞に用いられる．

MPG を 6 軸以上に印加して拡散を検出した画像を DTI（**拡散テンソル画像**）といい，白質繊維の走行を描出した画像 DDT が得られる．

13. 灌流強調画像（PWI, perfusion MRI）

撮像手技は，①造影剤投与による磁化率効果を利用する，②流入血液を RF 標識する，③ BOLD 効果で脳活動の微小循環を捉える方法がある．一般的には，Gd-造影剤を急速注入して，T_2^* 強調像を連続撮影して時間濃度曲線（TDC）を解析することによって，CBV（平均脳血液容積），MTT（平均脳血液通過時間）を求める．急性期脳梗塞に用いられる．

14. 脳賦活化強調画像（functional MRI）

脳機能 MRI とも呼ばれ，BOLD 効果を利用して血液中の酸化・還元ヘモグロビンの濃度に依存した信号強度の変化を検出する．酸化ヘモグロビンは反磁性体で信号強度は変化しないが，還元ヘモグロビンは常磁性体で磁化率効果のため信号が低下する．脳局所の賦活領域は酸化ヘモグロビンが相対的に増加するため，T_2^* 強調画像で信号強度が上昇する．

fMRI では運動（指タッピング等），言語（しりとり等），視覚，聴覚などの皮質野を同定することができる．

5 アーチファクト

アーチファクトには，MRI の撮像原理，装置の異常，被検者（患者）に由来するものに分けられる．
(1) 撮像原理に由来するアーチファクト
　①折り返し
　②化学（ケミカル）シフト，第2の化学シフト
　③磁化率
　④データ打ち切り
　⑤クロストーク
　⑥部分体積（パーシャルボリューム）など
(2) 装置の異常に由来するアーチファクト
　① RF 混入による RF ジッパー
　②静磁場の不均一
　③傾斜磁場の直線性など
(3) 被検者（患者）に由来するアーチファクト
　①モーション（動き）
　②マジックアングル（魔法角）など

1. 折り返し

折り返しアーチファクトは小さな FOV を設定した場合，位相エンコード方向に FOV 外の組織が視野内に折り返して，画像が重なって映る（図 8-25）．対策は位相エンコード方向の撮像領域を広げる位相過剰サンプリング法を用いるが，同じ分解能を得るためには撮像時間の延長を伴う．

2. 化学（ケミカル）シフト

水と脂肪の共鳴周波数が 3.5 ppm 異なることにより生じるアーチファクトで，高磁場装置で大きく出現する．化学シフトの周波数差は CS［Hz］＝$\gamma \times B_0 \times$［ppm］で，磁気回転比 γ，静磁場強度 B_0，［ppm］（歳差運動周波数の差：10^{-6} 単位）に比例する．

1.0 T 装置では 42.58［MHz/T］×1.0［T］×3.5［ppm］＝149［Hz］，0.5 T では 74.5 Hz，1.5 T では約 224 Hz，3 T では約 450 Hz となる．たとえば，MR 画像の受信バンド幅（BW）を 16 KHz，画素数を 256 とすると，1 画素当たりの BW＝$16 \times 10^3/256$＝62.5［Hz/pixel］となり，化学シフトが 149 Hz では 149/62.5＝2.4 画素，224 Hz では 3.6 画素，450 Hz では 7.2 画素ずれることになる．その結果，水と脂肪組織の境界で，周波数エンコード方向に高信号と無信号が帯状に現れる．

EPI では位相エンコード方向に顕著に現れる（FOV の数分の1）．

3. 磁化率，磁性体によるアーチファクト

磁性体により静磁場が不均一となり無信号や低信号，画像歪みなどが起きる．また，強磁性体では離れたスライスに異常信号を生じることもある．人体内外の金属（下着，ネックレス，義歯など）やアイシャドーなども原因となる（図 8-26）．

対策は着脱可能なものはすべて取り外す．着脱不能な場合は，スライス断面や位相エンコード方向を調整する．また，EPI や GRE 法よりも SE 法・高速 SE 法を用いる．撮像パラメータでは，TE を短く，スライス厚を薄く，ピクセルサイズを小さく，受信バンド幅を広くするなどで抑制できる．

4. データ打ち切り（トランケーション）

強い信号差のある境界に発生する縞状アーチファクトで，リンジングアーチファクト，Gibbs アーチファクトともいう．マトリックス数を増加（128 → 256 → 512）させることにより抑制されるが，撮像時間も延長する．

5. クロストーク

隣り合うスライス間の RF の干渉で生じるアーチファクトで，SN 比が低下する．スライス選択に用いる RF パ

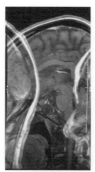
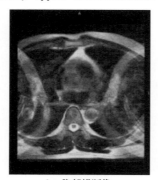

a．頭部矢状断　　　　b．胸部横断像
図 8-25　折り返しアーチファクト

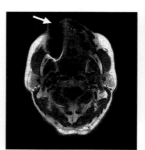
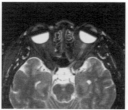

a．頭部横断像　　　　b．頭部横断像
図 8-26　磁化率アーチファクト

ルスの形状が完全な矩形（スライス厚と一致）でないため，隣接するスライスの一部も励起してしまう現象．スライス間隔（slice gap）が小さいと干渉が大きくなるため，通常はスライス厚に対して20〜30%のスライス間隔を設定する．また，スライス断面が交差する撮像では無信号（低信号）に描出される．

6．モーション（動きによる）

患者の体動・呼吸・嚥下，血液・脳脊髄液の脈動，心拍動，消化管の蠕動運動などが原因で起きる．モーションアーチファクトはMR画像上，位相エンコード方向に現れる．

抑制法としては，①動きを止める（検査前の説明，息止め，抑制帯による固定，鎮静剤投与など），②動くものの信号を抑制する（空間的に前飽和RFパルスを設定，画像加算回数を増やすなど），③動きに同期して撮像する（呼吸同期法，心電図・脈波同期法），④スライス外から流入する血流の信号を抑制する（スライスの前後に前飽和RFパルスを設定する），⑤動きによる位相のずれを傾斜磁場により補償する（GMN，FCなど）．

図8-27はスライス断面に流入する血流によるアーチファクトで，位相エンコード方向にアーチファクト（矢印）が観察される．通常は，スライス断面の前後に前飽和パルスを設定して動静脈によるアーチファクトを除去している．

7．マジックアングル（魔法角）

静磁場に対して55°の角度をマジック角とよび，この方向に靱帯や腱があると高信号に描出される現象である．TEの短いT_1強調像やプロトン密度像で顕著に現れる．TEの長いT_2強調像では信号変化はみられない．

関連事項

マルチエコー法：1回のTR内に，複数の異なったエコー時間（TE）の画像を得る方法である．SE法で180°パルスによりエコー信号を形成させた後，再び収束用180°パルスを照射すると2番目のエコー信号を形成させることができる．180°パルスを次々と印加して第三，第四のエコー信号を形成することもできる．通常は，プロトン密度強調像とT_2強調像を1回のスキャンで撮影する．収集するエコー（TE）毎に複数のk空間に格納する．

マルチスライス法：TR時間内で，エコー信号を収集した後の残りの時間は，縦緩和を待つだけの時間になる．この待ち時間を利用して，別のスライスを撮像する方法で，撮像時間を延ばすことなく，同時（1回のTR内）に多数のスライスを得ることができる．k空間はスライス数と同じ数を用意し格納する．

フローボイド：血液あるいは脳脊髄液の流れのために起きる信号消失．

プレサチュレーションパルス：RF励起パルスの前に，空間領域に，あるいは特定の周波数を印加する前飽和RFパルスのこと．TOFで動静脈の区別，動きによるアーチファクト抑制，脂肪抑制像を得るために使用する．

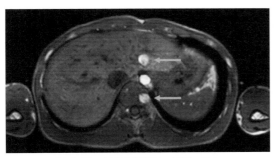

図8-27　血流によるアーチファクト

6 MRIの造影剤と検査

1. MRI造影剤
造影剤は，組織の緩和時間を変化させることにより信号強度が変化し，病変の検出，病巣の進展範囲の把握などを容易にする．

A. 陽性造影剤と陰性造影剤
常磁性体のガドリニウム（Gd）製剤は，周囲のプロトンの緩和時間を短縮し，T_1強調像で高信号になる陽性造影剤である．造影剤濃度と信号強度の関係は比例関係でなく，高濃度になると$T_2（T_2^*）$短縮効果のため陰性造影剤となる（図8-28）．経口剤のクエン酸鉄アンモニウムは通常，陽性造影剤として用いる．

超常磁性を示す酸化鉄粒子は，局所磁場の揺動によって$T_2（T_2^*）$短縮効果を生じ，T_2強調像で低信号になる陰性造影剤である．経口剤の塩化マンガン四水和物は，陰性造影剤として用いる．

B. 血管内投与造影剤
1) **細胞外液性造影剤**
静脈注入後，血管内と細胞外液に分布する造影剤をいう．Gdにキレート剤を結合させた薬剤（Gd-DTPAなど）で，イオン性と非イオン性がある．造影剤は静脈投与されると，血液脳関門以外では血管から細胞間質に浸潤して，腎より尿中排泄される．有用性は
・病変部と周辺組織との境界が明瞭になる
・病巣の進展範囲，内部構造が明瞭になる
・病変検出能が高くなる（転移性脳腫瘍など）
・病期診断の可能性（脳梗塞など）
・良悪性の質的診断

2) **組織特異性造影剤**
超常磁性酸化鉄粒子（SPIO）はT_2強調像で陰性造影剤として用いられる．肝臓や脾臓の細網内皮系（クッパー細胞）にSPIOが貪食される結果，正常部の信号強度が低下する．一般に肝細胞がんや転移性腫瘍などの腫瘍病巣にはクッパー細胞を含まないため，SPIOを摂り込まず信号強度の低下はない．その結果，正常部に比べて腫瘍部が相対的に高信号に描出される．有用性としては
・転移性肝がんの検出能が向上する．
・良性と悪性腫瘍の鑑別診断が可能である．
細網内皮系に摂り込まれたSPIOは分解され，生体内で利用される．生体の鉄は消化管粘膜の落屑に含まれて排泄される．

3) **ガドキセト酸ナトリウム（Gd-EOB DTPA）**
Gd-EOB DTPAは細胞外液性造影剤であるGd-DTPAと，組織特異性の性質をもつEOB（エトキシベンジル基）からなり，T_1強調像で陽性造影剤として使用される．投与直後のダイナミック撮像（動脈相，門脈相，平衡相）の造影パターンによる質的診断の情報が得られる［血流の情報］．肝細胞造影相（投与後20〜30分）では脂溶性側鎖であるEOBが血管内から細胞間隙に分布した後，肝細胞に特異的に摂り込まれて強いコントラストが得られる［肝細胞機能の情報］．病変の肝細胞機能が評価できるため，腫瘍の質的診断に用いられている．排泄経路は尿中と胆汁中である．

C. 経口消化管造影剤
1) **クエン酸鉄アンモニウム**は，経口投与により消化管をT_1強調像で高信号に描出する．消化管内腔の同定を容易にして，消化管と周囲臓器やリンパ節などとの識別に役立つ．また，高濃度ではT_2強調像で低信号となり陰性造影剤として用いる．

2) Mn（マンガン）を含む**塩化マンガン四水和物**は経口投与により，T_2強調像では胃や十二指腸内の消化液の信号を抑制して，明瞭なMRCP像を得る．なお，T_1強調像では陽性造影剤の効果を示す．

D. MRI用造影剤と安全性
MRI用造影剤は投与量が少なく，比較的安全な薬剤である．X線用造影剤と同じように副作用は発生するが，大部分は軽傷でX線用造影剤と比べると頻度は低い．

Gd系-造影剤で特に問題なるのは腎性全身性繊維症NSFで，投与前には腎障害の有無を推定糸球体濾過率eGFRで確認する．Gd-造影剤で禁忌・原則禁忌・慎重に扱う例を示す．

1) 禁忌（投与をしてはならない）患者：Gd造影剤に対し過敏症の既往のある患者
2) 原則禁忌として扱う患者（投与しないが原則，特に必要な場合は慎重に投与する）：
①気管支喘息の患者，
②重篤な腎障害のある患者，
③重篤な肝障害のある患者，
④一般状態の強度に悪い患者．
3) 慎重に投与する患者：
①アレルギー体質，②痙攣，てんかん及びその素質

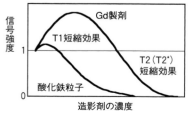

図8-28 造影剤濃度と信号強度

のある患者，③高齢者，④幼児，小児，低出生体重児，新生児，乳児，⑤妊婦，⑥授乳婦
4) 重大な副作用：①ショック，②アナフィラキシー，③痙攣発作，④腎性全身性線維症 NSF．

2. MRI 検査の準備

MR 装置には低磁場から高磁場まで多数の種類があり，その撮像法を画一的に考えるのは難しい．また，疾患，臓器ごとに工夫が必要で NMR 現象および MRI の撮像原理を理解しておく必要がある．

A. 検査をはじめる前に

1) **強い磁気を用いた検査**：磁性体を身につけていないか，手術用クリップや人工関節の置換術がなされていないか，確認が必要である．2012 年 10 月から条件付き MRI 対応の植込み型電気的デバイス（ペースメーカ，除細動器など）が使用可能となっている．

2) **検査中の音**：事前に "コンコンと連続音" がすることを説明する．

3) **動きが苦手**：動きによるアーチファクトを防ぐために，しっかり固定する．また体を動かさないように説明する．

B. RF コイルの選択

全身にわたって専用コイルが用意されており，頭部，頸部，心臓，乳房，腹部，軀幹部，肩関節，膝関節，顎関節用などを適時使い分ける．

C. 位置決め画像および撮像部位の設定

撮像部位の中心部を設定して，位置決め用スキャン（3 軸方向が望ましい）を行い，本スキャンのスライス厚・枚数・間隔・角度などを決める．
撮像部位によっては前飽和パルスの設定や位相エンコード方向の確認などが必要である．

D. 撮像パラメータの設定

MRI の信号強度は，プロトン密度，T_1 緩和時間，T_2 緩和時間および流れなどによる組織固有なパラメータと，TR や TE などの撮像パラメータにより変化する．

1) **パルスシーケンス**

SE 法が最も基本的なシーケンスであるが，特に T_2 強調像では高速 SE 法を用いる．必要に応じて GRE, IR, EPI を用いる．また検査部位・目的によって脂肪抑制法や FLAIR 法などを併用する．

2) **その他のパラメータ設定**

①スライス厚と加算回数：SN 比の高い画像を得ようと，スライス厚を厚く設定すると空間分解能が低下する．加算回数を増やすと，撮像時間が延長する．またスライス間隔（gap）を小さくすると隣接スライスとのクロストークにより SN 比が低下するが，間隔を大きく設定すると情報の欠落が生じる．

②FOV と位相エンコード：位相エンコード数を減らすと撮像時間は短縮されるが，空間分解能の低下，トランケーションアーチファクトが生じる．FOV を小さくしすぎると折り返しアーチファクトが生じる．撮像部位によっては位相エンコード数を減らして**長方形（rectangular）FOV** として，撮像時間の短縮を図る．

③動きの抑制：腹部領域では呼吸同期法や呼吸停止による高速撮像法など．胸部および心臓領域では心電図同期法や呼吸同期法による撮像を行う．脊椎領域では，口腔部や心臓・大血管部，腹壁部などの動く部分に前飽和パルスを空間的に印加して信号を抑制する．あるいは表面コイルを用いて，動く部位を受信感度領域から外すなどの方法がある．

④MR 造影剤：Gd 製剤は通常の使用量では T_1 強調像で高信号となる．脳実質は血液脳関門 BBB があるため，正常では造影されない．脳腫瘍・出血・脳梗塞など血液脳関門が破綻した部位では造影され，腫瘍性病変が疑われるときは造影 MRI は必須である．ただし，下垂体・松果体・脈絡叢・鼻腔などは正常でも造影される．

⑤組織の T_1, T_2 値の概要を表 8-4 に示す．脳脊髄液や囊胞液のように自由に動く水の T_1, T_2 値は長い．脂肪組織の T_1, T_2 値は比較的短い（☞表 8-1）．

⑥頭蓋内出血の赤血球内ヘモグロビン鉄の経時的な変化を表 8-5 に示す．亜急性期では前・後期とも T_1 強調像で高信号に描出される（表 8-4）．

表 8-4 組織の T_1, T_2 値と信号強度

T_2wi ＼ T_1wi	長い T_1（低信号）	中間	短い T_1（高信号）
長い T_2（高信号）	水，脳脊髄液 病変部 浮腫		赤血球外メトヘモグロビン
中間		灰白質 筋肉 オキシヘモグロビン 脳白質	
短い T_2（低信号）	空気，骨皮質 デオキシヘモグロビン ヘモジデリン 線維化，腱		脂肪 蛋白性溶液 赤血球内メトヘモグロビン 常磁性物質 （Gd 製剤など）

表 8-5 頭蓋内出血時期のヘモグロビン鉄の変化

～数時間	赤血球内オキシヘモグロビン（反磁性体）
～数日	赤血球内デオキシヘモグロビン（常磁性体）
数日	赤血球内メトヘモグロビン（常磁性体）
～数ヵ月	赤血球外メトヘモグロビン（常磁性体）
数ヵ月	貪食細胞内ヘモジデリン（常磁性体）

7 MRI 検査の実際

1. 頭 部

頭部はモーションアーチファクトが比較的少ない部位で、頭部専用コイルを用いる。疾患別あるいは目的別に撮像プロトコルが決めてある。検査にあたっては、患者に対する十分な説明（検査時間，検査中の音，体動，造影剤の使用の有無など）と，正しいポジショニングと固定が大切である。

A. 基準線

一般的な基準線として，前交連（上縁）と後交連（下縁）を結んだ前後交連線（AC-PC）が用いられている。X線CTと比較が必要なときはOMライン（眼窩と橋の下端を結ぶラインがほぼ一致する）を用いる（図8-29a）。

B. 位置決め

投光器により正中線，左右，上下を正確に位置決めを行い，頭部がRFコイルの中心および磁石の中心にくるように，高さを合わせる。

C. 撮像シーケンス

SE法，高速SE法，FLAIR法を組み合わせて，横断面，矢状断面，前額断面などのT_1, T_2強調像などを撮像する（図8-29）。

①T_1強調像では脳脊髄液（脳室，くも膜下腔）・骨皮質は低信号，白質は灰白質より若干高信号に，皮下脂肪・下垂体後葉は高信号に描出される。

②T_2強調像では脳脊髄液や多くの病変は高信号，白質は灰白質より低信号に，骨皮質・石灰化・慢性期血腫は低信号に描出される。

③FLAIRは脳脊髄液の信号を抑制したT_2強調像で，白質と灰白質はT_2強調像と同じコントラストを示す。FLAIRにより脳脊髄液に隣接する脱髄巣・梗塞巣・くも膜下出血が明瞭に描出できる。TRの延長に伴い高速SE法を併用した高速IR法やEPI法で撮像する。

④造影MRI：腫瘍，炎症性疾患，脳梗塞などに用いられ，SE法やGRE法によるT_1強調像を撮像する（図8-30）。下垂体腺腫にはGd-造影剤によるダイナミックMRIを行う。

⑤MRA：TOF法で良好な画像が得られ，頸部から頭蓋内血管までの中枢神経系のほとんどを描出できる。造影剤を用いたダイナミックMRAは，血流の乱流などの影響が少なく，短時間で広い範囲の情報が得られる。

⑥拡散強調MRI（DWI, d-MRI）：急性期脳梗塞や嚢胞性病変に用いる。完全な脳梗塞部を描出する。

⑦灌流MRI（PWI, p-MRI）：造影剤を用いる方法と，RFパルスによるプロトンを標識する方法がある。急性期脳梗塞の治療方針の決定などに利用される。

⑧脳機能MRI（f-MRI）：脳の活動状態を画像化するもので，酸化ヘモグロビン（反磁性体）と還元ヘモグロビン（常磁性体）の含有率変化をBOLD法によって描出する。

D. MR画像

①頭部解剖：横断像，矢状断面像（図8-31）

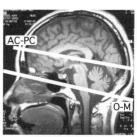

a. 基準線（AC-PC, OM）

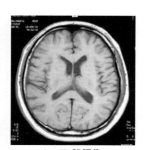

b. T_1強調像

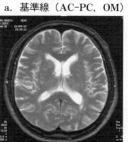

c. T_2強調像

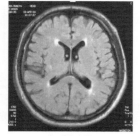

d. FLAIR

図 8-29 頭部基準線とMRI

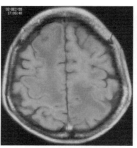

a. T_1強調像（投与前）

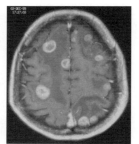

b. 造影T_1強調像

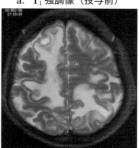

c. T_2強調像（投与前）

図 8-30 Gd-造影剤投与前後のMRI（転移性脳腫瘍）

②頭部で撮像される画像

頭部 MRI を図 8-32 に示す．a は白質＜灰白質で T_2 強調のコントラストを示し，脳脊髄液が低信号（抑制）に描出されているため FLAIR である．b は白質＜灰白質で，脳脊髄液が高信号であるため T_2 強調像である．c は白質＞灰白質のコントラストで，脳脊髄液が低信号で T_1 強調像である．d は白質＞灰白質のコントラストを示し，脳血管や病巣部の信号が増強されているため，Gd-造影 T_1 強調像である．

③ MRA と DWI（拡散強調像）

図 8-33 に頭部正面 MRA，図 8-34 に頸部 MRA を示す．図 8-35 に急性期脳梗塞の拡散強調像と MRA を示す．a．拡散強調像は急性期脳血管障害で，梗塞部位を高信号に描出することができる．画像コントラストは白質＜灰白質で T_2 強調像と同様である．b．MRA で閉塞している血管は右中大脳動脈である．

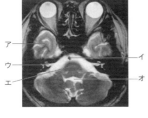

a．T_2 強調像

ア．側頭葉　イ．脳底動脈
ウ．内耳道　エ．橋
オ．第4脳室

b．T_1 強調像

A．シルビウス裂
B．大脳脚　C．側頭葉
D．小脳

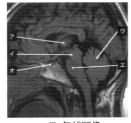

c．T_1 矢状断像

ア．視床　イ．脳梁膝部　ウ．小脳　エ．橋　オ．下垂体

図 8-31　頭部 MRI の解剖

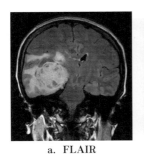

a．FLAIR

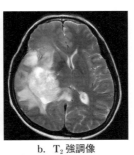

b．T_2 強調像

c．T_1 強調像　　d．造影 T_1 強調像

図 8-32　頭部 MRI のシーケンス（髄膜腫）

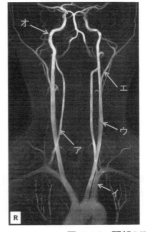

A．脳底動脈
B．前大脳動脈
C．中大脳動脈
D．内頸動脈
E．椎骨動脈

図 8-33　頭部 MRA

ア．椎骨動脈
イ．鎖骨下動脈
ウ．総頸動脈
エ．外頸動脈
オ．内頸動脈

図 8-34　頸部 MRA

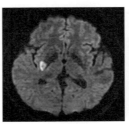

a．拡散強調像

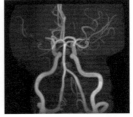

b．MRA（前後投影像）

図 8-35　頭部 MRA と拡散強調像（急性期脳梗塞）

2. 胸部

呼吸による動きや心拍動による心臓・大血管からの血流アーチファクトなどの影響が大きい部位である．呼吸の影響を抑えるには呼吸同期法や呼吸停止法を行う．心拍動には心電図同期法や脈波同期法を用いる．血管からのフローアーチファクトを抑制するために空間前飽和パルスや flow compensation（動きによる位相ずれを補正する傾斜磁場）を併用する．撮像は SE 法，高速 SE 法，GRE 法が用いられる．GRE 法では撮像時間が短く，呼吸停止下での撮像が可能である．

コイルはボディ（体幹）コイル（フェーズドアレイコイル）を主に用いるが，心臓用コイルや脊椎用コイル，表面コイルなども用いる．

心電図同期や呼吸同期法を併用するときは，これらのケーブルが手足の皮膚に直接触れないように，またケーブルがループを形成しないよう注意が必要である．

3. 上腹部

呼吸による動きや血液の流れによる影響を受ける．できるだけ動きの少ない画像を得ることが重要で，呼吸同期法や呼吸停止を行う．コイルはボディコイル（フェーズドアレイコイル）を用いる．

①肝実質は，T_1 強調像では筋肉や脾臓に比べ高信号に描出される．T_2 強調像では脾臓や腎臓が高信号に，肝は低信号に描出されるが，筋肉より軽度高信号である（図 8-36）．

②肝の病変（腫瘍，炎症，梗塞，壊死など）は，一般に T_1 強調像で軽度低信号，T_2 強調像で軽度高信号に描出される．

③液体が主成分の病変（囊胞や海綿状血管腫など）は T_2 強調像で高信号に描出される．

④脂肪を伴う病変（脂肪肝など）は T_1 強調像で高信号に描出される．図 8-37 に超音波画像と脂肪信号を抑制した撮像法（DIXON 法）を示す．水と脂肪プロトンでは歳差運動周波数に 3.5 ppm 差があり，(b) out-of phase（opposed phase）像は水と脂肪の位相が 180°逆方向に向いたタイミング（1.5 T で TE＝2.2 ms）で，(c) in phase では水と脂肪の位相が揃った画像（1.5 T で TE＝4.4 ms）である．信号強度は out-of phase は（水－脂肪），in phase は（水＋脂肪）の画像となる．(b) の矢印部は肝実質に比べて低信号を示し，(c) は肝実質と同等信号のため，腫瘍は脂肪成分によるものである．

⑤造影 MRI

・Gd-造影剤が分布した領域は T_1 強調像で高信号に描出される．急速注入によるダイナミック MRI は血行動態に基づく腫瘍性病変の診断に用いられる．

図 8-38b. に Gd-DTPA 造影後の脂肪抑制を併用した T_1 強調像を示す．膵体部レベルの横断像で大動脈，下大静脈，肝内血管および左腎臓が高信号に描出されている．また膵尾部に低信号域が観察される．

図 8-39 に Gd-EOB DTPA 造影像を示す．造影直後の動脈相 (b) では，通常の細胞外液性 Gd 造影剤と同じく血管内と細胞外液に分布（大動脈，下大静脈，肝細胞癌の血流）している．EOB は肝細胞に特異的に集積するため肝細胞を有しない腫瘍は，造影 15 分後 (c) の肝細胞相では低信号（黒く抜ける）に描出されている．正常肝実質部は T_1 短縮効果により，高信号に描出される．

・SPIO は取り込まれた局所の磁場を不均一にするため，クッパー細胞が存在する正常部位は T_2（T_2^*）強

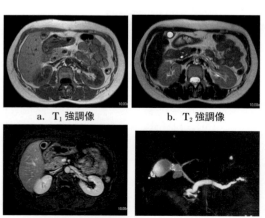

a. T_1 強調像　　b. T_2 強調像

c. Gd-造影剤後（T_1 強調像）　　d. MRCP

図 8-36　上腹部の MRI

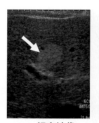

a. 超音波像

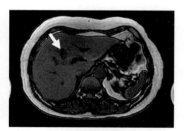

b. GRE 法 T_1 強調
out-of phase 像（opposed phase 像）

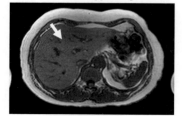

c. GRE 法 T_1 強調
in phase 像

図 8-37　肝臓の US と MRI（脂肪を主成分とする腫瘍）

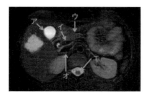

a. T₂強調像

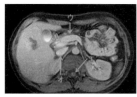

b. Gd-DTPA造影 T₁強調像（平衡相）

ア．胆嚢
イ．門脈
ウ．膵体部
エ．脊髄
オ．下大動脈

図 8-38　上腹部のT₂強調像とGd-造影像

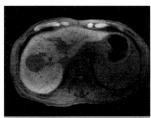

a. 造影前
脂肪抑制 T₁強調像

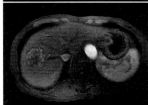

b. 造影動脈相
脂肪抑制 T₁強調像

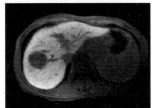

c. 造影15分後
脂肪抑制 T₁強調像

図 8-39　Gd-EOB DTPA造影（肝細胞がん）

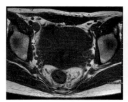

a. 女性：T₁強調像　　b. 女性：T₂強調像

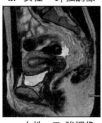

c. 女性：T₂強調像

図 8-40　女性骨盤のMRI（横断像，矢状断像）

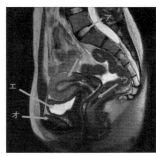

ア．椎間板
イ．子宮体部
ウ．直腸
エ．膀胱
オ．恥骨

図 8-41　骨盤（女性）のT₂矢状断像

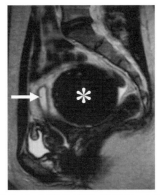

図 8-42　骨盤 T₂強調（矢状断：女性）
＊：子宮筋腫，矢印：子宮内膜

調像で低信号に描出され，クッパー細胞の存在しない病変部位は相対的に高信号に描出される．

⑥ MRCP（胆道膵管MR画像）：非常に強いT₂強調像（heavy T₂WI）を用いて水成分（胆汁，膵液）によって満たされた胆道，膵管を描出する．実質臓器はほとんど信号を示さない（図8-36d）．消化管用陰性造影剤（塩化マンガン四水和物）を経口飲用し，胃十二指腸の消化液を無信号にすることにより明瞭なMRCPを描出する方法もある．

特徴として非侵襲的，高画質で高コントラスト，閉塞部の上下流部を描出できる，安全性（X線被ばく，造影剤不要，合併症がない），確実な描出，検査要員は技師のみで実施できるなどの利点がある．

4．骨　盤

呼吸や心拍の影響が少なく，MRIに適した部位である．より高画質の画像を得るために，腸管の蠕動運動抑制に副交感神経遮断剤を投与したり，腹部を腹帯で圧迫して

動きによるアーチファクトの軽減を図る．

MRIは組織のコントラスト分解能が高く，任意の断面が撮像でき CT に比べて有用である．妊娠可能年齢女性の検査も可能である．病変により，脂肪抑制や造影 MRI を行う．

女性骨盤部は T_1 強調像では，均一な中等度信号で，層構造を示さない（図 8-40a）．T_2 強調像では子宮体部は，内膜が高信号，junctional zone は低信号，外層筋層が中等度の 3 層構造を示す（図 8-40b, c, 図 8-41）．

図 8-42 に子宮筋腫（＊印）をもつ女性骨盤部の T_2 強調矢状断像を示す．矢印は子宮筋腫によって前方に変位した子宮内膜で高信号に，その下側に膀胱（尿）がより高信号に描出されている．

男性骨盤部の T_2 強調像矢状断像と横断像を図 8-43 に示す．矢印で囲まれた均一な高信号域は膀胱（尿）である．

5. 脊椎・脊髄

脊椎系は造影剤を用いずに，骨髄，椎間板，脊髄などが評価でき，横断面のほか矢状断面も撮像できる．RFコイルは頸椎，胸椎，腰椎用の表面コイルを使用して，高い SN 比で高分解能画像が得られる．脊椎用フェーズドアレイコイルは脊椎全体をカバーできる．

① T_1 強調像では，椎体は脂肪髄を含むため比較的高信号に描出され，また加齢により高くなる．椎間板は椎体よりも低信号に．脊髄は中程度であるが脳脊髄液（CSF）は低信号を示すため明瞭に区別できる（図 8-44a）．

② T_2 強調像では，CSF は T_2 値が長いため脊髄に比べ高信号に描出される．椎体は中～低信号，椎間板は高信号に描出される（図 8-44b）．

③ 腫瘍性疾患（髄内腫瘍，硬膜内髄外腫瘍，硬膜外腫瘍など）には造影 MRI を行う．

④ MR ミエログラフィ：CSF などの水成分の T_2 値が長いことを利用して，非常に強い T_2 強調像（heavy T_2WI）を撮像する（図 8-44c）．椎間板ヘルニア，神経線維腫症，嚢胞性病変の観察に有用である．

図 8-45 に頸部の T_2 強調矢状断像を示す．延髄，軸椎，脊髄腔，椎体静脈，椎間板（髄核），および橋，小脳などが観察できる．

図 8-46 に腰椎部の T_2 強調矢状断像を示す．椎間板，脳脊髄液，前縦靱帯，後縦靱帯，硬膜外脂肪組織が観察できる．

6. 骨軟部・乳房

軟部組織のコントラスト分解能が優れているため，軟骨，靱帯，腱，骨髄などが描出できる．横断面以外の任意の断面も撮像できる．ただし，撮像部位を磁石中心に設定するのが困難なことが多いことや，磁場不均一の影響を受けやすいため，ポジショニング，コイルの設定など注意が必要である．

サーフェイスコイルのほか，肩，膝用など専用コイルを用いることにより，高分解能の画像が得られる．

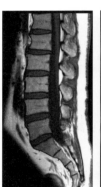 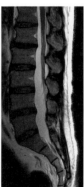 

a. T_1 強調像　　b. T_2 強調像　　c. MR ミエログラフィ

図 8-44　脊椎 MRI（矢状断像，冠状断像）

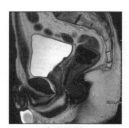 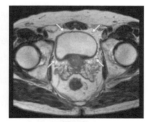

矢状断像　　　　　　横断像

図 8-43　骨盤 T_2 強調像（男性）

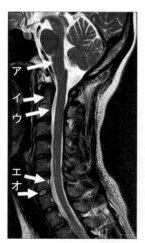

図 8-45　頸椎部 T_2 強調矢状断
ア．延髄　イ．軸椎　ウ．脊髄腔　エ．椎体静脈　オ．椎間板

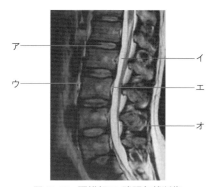

図 8-46 腰椎部 T₂ 強調矢状断像
ア．椎間板　イ．脊髄液　ウ．前縦靱帯　エ．後縦靱帯
オ．硬膜外脂肪組織

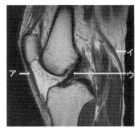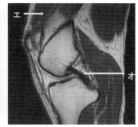

図 8-47 膝関節部矢状断像
ア．膝蓋靱帯　イ．小伏在静脈　ウ．前十字靱帯
エ．大腿四頭筋　オ．後十字靱帯

骨皮質，靱帯，腱などは T₁，T₂ 強調像ともに低信号に描出される．

図 8-47 に膝関節のプロトン密度強調矢状断像を示す．膝蓋靱帯，小伏在静脈，前十字靱帯，大腿四頭筋，後十字靱帯，ほかに膝蓋骨，膝蓋下脂肪体，大腿骨，脛骨などが観察される．

図 8-48 に乳房専用コイルで撮影した同一断面の MR 像を示す．乳房専用受信コイルによる撮影は腹臥位で乳房を下垂した体位で行う．心血管の血流や心拍・呼吸によるアーチファクトを避けるため，位相エンコードは左右方向に設定する．

T₁ 強調像では脂肪が高信号に，水成分は低信号．T₂ 強調像では水成分は高信号に，また高速 SE 法では脂肪が高信号に描出されるため脂肪抑制法を併用する．Gd-造影像は脂肪抑制法あるいは造影前後のサブトラクション法を用いる．心血管や肺動脈は造影剤により高信号に描出される（図 8-48C）．

7．MRS（MR スペクトロスコピー）

MRS は共鳴周波数を正確に測定して，核種の化学的結合形態を測定する．化学シフトをスペクトル（波形）として観察するため，静磁場強度は 1.5 T 以上が望ましく，高磁場ほど有用性が高い．また，静磁場均一性が

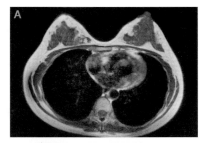
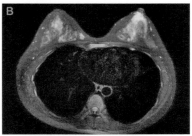
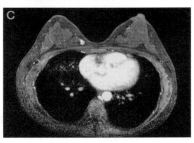

図 8-48 乳房の横断像
A．T₁ 強調像　B．T₂ 強調像（脂肪抑制）
C．Gd-造影 T₁ 強調像（脂肪抑制）腫瘤

0.1 ppm などの性能が要求される．静磁場強度の周波数で正規化して 10^{-6} の単位（ppm）で表すため，静磁場強度に関係なく化学シフト量 ppm は同一である．スペクトルは横軸に共鳴周波数の差（ppm）を示し，慣例的に高い周波数を左側に，低い周波数を右側に表示する．

臨床では ¹H を対象にした MRS が多く，プロトン

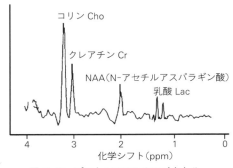

図 8-49 プロトン MRS のスペクトル

MRSとよばれる．信号強度が非常に低い代謝物を対象とするため，水や脂肪の信号を十分に抑制する必要がある．プロトンMRSは基準物質としてTMS（テトラメチルシラン）を0ppmに表示し，そこからの周波数差（ppm）をスペクトル表示する．水のピークは4.7ppm離れた位置になる．

プロトンMRSを図8-49に示す．乳酸Lac（1.3ppm），NAA（2.0ppm），クレアチンCr（3.0ppm），コリンCho（3.2ppm）にピークがみられる．

人体で観察できる分子には，^{1}H-MRS（水，脂質，乳酸，NAA，Cr，Cho，Ins），^{31}P-MRS（ATP，ADP，PCr，Pi，Ps，NADH），^{13}C（糖，脂質，アミノ酸），^{19}F（薬物），^{23}Na（Naイオン）などがある．

MRIの安全性

MRIは強力な磁場と高周波を用いた検査で，他の検査とは違う危険性がある．静磁場の力学的作用，傾斜磁場の変動による神経刺激，RFによる発熱，装着金属類の影響，超電導磁石のクエンチング，傾斜磁場の騒音，被検者の状態など多くの項目で注意が必要である．

1. 検査前のチェック項目
①付帯している医療器具は支障ないか．磁性体や金属部品の装着（ペースメーカなど）．体内金属の可能性（手術，事故，職業など）
②妊娠の可能性
③閉所恐怖症
④全身状態（体温調節機能，自発呼吸）
⑤薬物アレルギー（造影剤など）およびアレルギー性疾患

安全に対するJISの取扱説明（抜粋）

妊娠している患者：全身用RFコイルによる撮像はSARレベルから通常操作モードのみが許されている．

体内深部温度が上昇している患者：体内深部温度が39.5℃を超える患者は撮像できず，39.0℃を超える患者は通常操作モードだけ撮像が許容されている．

2. 磁場による危険性

磁石に引き寄せられた磁性体は飛んでいき，非常に危険である．MRI用の非磁性材料を用いたもの以外は，検査室に持ち込んではならない．医療器具（ストレッチャ，車椅子，点滴スタンド，酸素ボンベなど）や台車，ワゴンなどがある．その他，ポケット内のハサミ，ボールペン，また磁気カード類（クレジット・キャッシュカードなど）や腕時計などは使用できなくなる．

【禁忌症例】心臓ペースメーカ装置者，除細動器植込み者，人工内耳手術者，眼窩内や肺野内に金属片のある場合．

【条件付きMRI対応植込み型デバイス】ある一定の条件下でMRIを安全に施行できる「条件付きMRI対応植込み型デバイス」が認可されている（2012年10月1日以降）．心臓ペースメーカ，除細動器，神経刺激装置，人工内耳，冠動脈等用ステント，脳動脈瘤手術用クリップなど．ただし，撮影にあたっては機種ごとに静磁場強度，SAR，dB/dt，空間傾斜磁場，撮像範囲の制限などが異なっているため，細心の注意が必要である．

添付文書に「MRI検査禁忌」と記載されていない人工心臓弁は問題ないとされている．

3. 危険な出力に対する保護 （JIS Z4951：2012）

A. 操作モード
MRI装置の3つの磁場（静磁場，傾斜磁場，高周波磁場），騒音について，患者および医療職員等の生体影響の上限を3つの操作モードに分けて規定されている．
①**通常操作モード**：患者に生理学的ストレスを引き起こす可能性のある値を出力しないMR装置．
②**第一次水準管理操作モード**：1つ以上の出力が患者に医療管理を必要とする生理学的ストレスを引き起こす可能性のある値に達するMR装置．
③**第二次水準管理操作モード**：1つ以上の出力が患者に受容できないリスクを与える可能性のある値に達し，倫理的承認を必要とするMR装置．

B. 静磁場に関する保護
MR装置の静磁場強度は操作モードにより規定されている．
①通常操作モードは3T以下の静磁場．
②第一次水準管理操作モードは3Tを超えて4T以下．
③第二次水準管理操作モードは4Tを超える静磁場．
また，静磁場中での動きによって引き起こされる患者およびMR作業従事者のめまい，吐き気などの生理学的影響を最小にしなければならない．実際は，漏洩磁場中を動くことによるdB/dtが問題となる．

C. RFエネルギーに関する保護
RF照射によって高周波エネルギーが人体で熱に変わり体温が上昇する．

「温度の上限値」患者の深部体温の上昇を，パルスシーケンス・パラメータおよびRF出力の制限によって，表8-6の値以下に制限している．

表8-6 温度の上限値 [℃]

操作モード	体内深部温度	局所組織温度	深部温度上昇の上限
通　　常	39	39	0.5
第一次水準管理	40	40	1
第二次水準管理	>40	>40	>1

「SARの上限値」MR装置では患者属性登録時に体重を入力することにより，比吸収率（SAR，W/kg）を計算して安全基準をチェックするようになっている．ただし，第二次水準管理操作モードに関わる上限値はなく，これらの責務は使用を認可した施設の倫理委員会にある．表8-7にボリューム送信コイルの場合のSARの上限値を示す．

局所送信コイルのSAR上限値は通常操作モードでは頭部・体幹部10W/kg，四肢20W/kg，第一次水準管理ではそれぞれ20，40W/kgに規定されている．

表 8-7　SARの上限値（ボリューム送信コイル）
[W/kg]

操作モード	全身SAR 全身	身体部分SAR 照射を受ける部分	頭部SAR 頭部
通常	2	2〜10	3.2
第一次水準管理	4	4〜10	3.2
第二次水準管理	>4	>(4〜10)	>3.2

D．傾斜磁場システムによる過度の低周波磁場変化

　傾斜磁場システムが生成する低周波磁場変化は，患者の心臓への刺激（期外収縮，不整脈の誘発）または末梢神経の刺激（PNS）をもたらす．MR装置は各操作モードで心臓への刺激の防止，末梢神経の刺激に関連する上限値が示されている．

E．その他の項目

　「立入制限区域」0.5 mTを超える漏洩磁場，または電磁干渉レベルについて定めている．

　「騒音の基準」等価騒音レベルが99 dB［A］を超える場合，患者に聴力保護が必要である．また，MR装置は接近可能な場所で，140 dBより高いピーク音圧レベル（LP）の騒音を生じてはならない．

4．クエンチングへの対応

　超電導磁石で超伝導状態が途切れた場合，静磁場コイルの電気抵抗による発熱が生じ，液体ヘリウムが蒸発する（沸騰蒸散）．通常，液体ヘリウムは室外へ強制排気されるが，室内に漏れたときには操作室や検査室のドアや窓を開放にする．もし，検査室内に人がいる場合は，ヘリウムガスは空気より軽いため頭を低くして避難する．緊急事態の対処法を確立しておく必要がある．

　「冷媒の取扱」室温（20 ℃）では1 ℓの液体ヘリウムから約750 ℓのヘリウムガスが発生する．このため，MR室のドアは外開きあるいはスライド式とする．

　液体ヘリウム・液体窒素の取扱には凍傷の危険がある．また，ヘリウムガス・窒素ガスが漏れると窒息の危険がある（労働安全衛生法では酸素濃度18％未満を酸素欠乏状態）．容器表面での酸素凝縮の危険があり，火災を引き起こす可能性もある．

5．MRI日常点検

　診断用磁気共鳴装置の日常点検に用いるファントムについて，JISに規定されている．

点検項目と定義

1) SN比：画像信号と雑音の比．
2) 均一性：関心領域内の画素強度変化の割合．
3) スライス厚：スライスプロファイルの半値幅．
4) 幾何学的ひずみ（歪）：実寸法に対する画像上で測定された寸法と実寸法の差の割合．
5) 空間分解能：画像上で測定用のスリット幅を識別できる能力．
6) ゴーストアーチファクト

関連事項

比吸収率（SAR）

　RFパルスなどによって物体に吸収される単位質量当たりの高周波電力［(J/S)/Kg＝W/Kg］．半径rの球体（電気伝導度σ）の場合，SARは静磁場強度B_0とフリップ角$\alpha°$の2乗に比例する．

$$SAR \propto \sigma \times r^2 \times B_0^2 \times \alpha^2 \times D$$

　Dはシーケンス中のRFパルスの割合（量）である．
　体重の少ない乳幼児などでは，体重当たりのエネルギー吸収が大きくなるため注意が必要である．

9 超音波画像診断装置

1. 概要

超音波画像診断装置は，パルスエコー法（距離計測）を利用した医用機器である．通常のヒトの可聴音域は約20〜20,000 Hzとされ，一般的にこれより高い周波数域の音を超音波という．医用画像検査では約2 MHzから20 MHz程度を扱い，診断領域や検査目的に応じ，適切な周波数の超音波を用いて検査を行う．生体作用には，音響エネルギーの吸収による加熱作用（熱的作用）と放射圧や振動による機械的な作用（非熱的作用）とがある．合理的に達成可能な限り（As low as reasonably achievable）低出力と短い照射時間で，臨床情報を得ることが求められる（ALARAの原則）．超音波出力の安全性に関する指標は，熱的作用に関する指標TI（Thermal index）と非熱的作用に関する指標MI（Mechanical index）がある．

2. 撮影原理

A. 超音波の伝播と作用

媒質中の波動の広がり（振動）を伝播といい，音波が伝播する領域を音場という．超音波は，音場内を平面波（近距離音場）から球面波（遠距離音場）に変化して拡散伝播する．この音場を図8-50に示す．

平面振動子では，振動子の口径が小さくなると指向角が大きくなることから，超音波は拡散しやすくなる．また，周波数が低いと波長が長いことから指向角が大きくなり拡散しやすくなる．音の伝播する速度は，媒質に依存し，波長はその媒質固有の音速により決定される（3章2 波の性質を参照☞ p.97）．超音波は縦波（疎密波）の性質をもち，媒質の密度が高くなるほど音速は向上し振幅が弱まる（吸収）．また，不均一な物体を含む場合は反射および散乱が発生する．

音速や密度の異なる媒質の境界では，超音波の反射，散乱および屈折が発生する．超音波の反射と透過の強度や割合は音響インピーダンスの差に依存する．音響インピーダンスは物質密度と物質固有の音速との積で示される．反射は音響インピーダンスの差が大きいほど強く，音響インピーダンスの差がわずかである場合は，透過の割合が大きくなる（11式-5；☞ p.297）．

超音波が媒質内を伝播する過程で吸収，散乱，反射などの作用により超音波は減衰するが，診断用周波数では生体軟部組織を1 cm進む，あるいは周波数が1 MHz上がるたびに1 dB減衰し減衰量が増加する．超音波の減衰は距離と周波数に依存する（11式-7；☞ p.297）．

周波数が高いほど減衰は大きくなる．これを周波数依存減衰という．

B. パルス波とパルスエコー法

超音波画像診断装置で断層像を得るためには，短い持続時間で間隔をおいて繰り返すパルス波（バースト波）を用いる．パルス波が続いている時間をパルス持続時間（パルス幅）という．また，パルス波とパルス波の間隔はパルス間隔，あるいはパルス繰り返し周期（PRT）といい，パルス波が1秒間に何回繰り返されるかをパルス繰り返し周波数（PRF）という（図8-51）．パルス波は生体内で音響インピーダンスの異なる境界面で反射される．このことから，反射体と反射体の距離を分離して表示する能力（距離分解能）に深く関係する．

図8-52にパルス幅と反射波を示す．近接した2つの反射体からの反射波は，波1の後部と反射体2からの反射波2の前部が重なることで分離できない．分離するにはパルス幅が短い反射波で実現できる．図8-53にパル

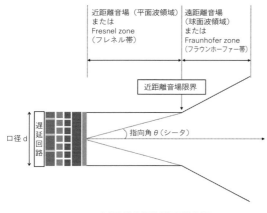

図 8-50　近距離音場と遠距離音場

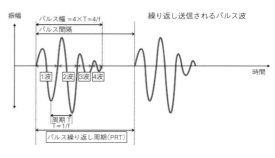

図 8-51　パルス波

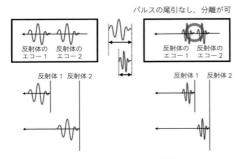

図 8-52 パルス幅と反射波

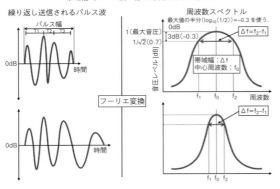

図 8-53 パルス幅と帯域幅

ス幅と帯域幅の関係を示す．最大音圧の周波数を中心周波数として，最大音圧の $1/\sqrt{2}$ を帯域幅とする．

3. 超音波画像診断装置の構成
A. システム構成

超音波画像診断装置の構成例を図 8-54 に示す．

制御回路（タイミング・コントロール回路）下で，送信回路は超音波の発射制御を行い，受信回路では，プローブ（探触子）からの受信信号を増幅し，検波処理を行う．プローブは，対象部位を探すために医療従事者が手にもつ機器である（4. プローブの構造と走査方式を参照）．ドプラ法の機能を用いる場合は，信号処理回路とし

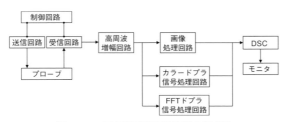

図 8-54 超音波画像診断装置の構成例

て，FFT ドプラ処理回路やカラードプラ処理回路を介し信号の周波数分析を行い，その画像信号を画像処理回路（DSC：Digital scan converter）でディジタル信号に変換する画素に濃度情報を割り当て，モニタ表示用の信号へ変換する．画像の記録保存には，ハードコピーとしてサーマルプリンタや熱転写式のカラープリンタなどによる記録する方法や，ディジタル記録として医用画像保存システム（PACS）などに出力し記録保存や管理をする方法がある．

4. プローブの構造と走査方式
A. 構　造

プローブ内部は音響レンズ，音響整合層，振動子，制動材（バッキング材）および電極で構成される（図 8-55）．

1）音響レンズ

音波集束を行い，スライス方向の分解能の改善をはかる．集束材にはシリコンゴム（音速：約 1,000 m/s）を利用する．

2）音響整合層

マッチング層ともいう．振動子が発する超音波を効率良く利用されるように，圧電素子と音響レンズおよび生体組織との中間の音響インピーダンスをもつ物質が用いられる．

3）振動子

振動子には圧電素子が用いられる．圧電素子は，電圧を加えると電気振動により駆動周波数の超音波を発生する（逆圧電効果）．また，反射波により機械振動し電圧に変換する（圧電効果）．主な圧電素子としては，結晶構造が圧電効果を生み出す圧電セラミックス（PZT），高分子圧電材料（PVDF）がある．電子走査方式の圧電素子

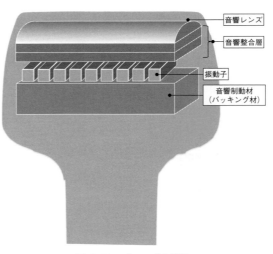

図 8-55 プローブの構造

図 8-56 圧電素子の配列

は 0.1〜1 mm 程度の短冊状に分割されており，電極を介してパルス電圧をかけて送波する．

圧電素子の配列は直線状に配列を行うリニアアレイ，格子状に配列を行うマトリクスアレイ，同心円状に素子を配列するアニュラアレイなどがある（図 8-56）．

4) **音響制動材（バッキング材）**

圧電振動子の後方部に位置して，支えと振動を抑え後方の音波吸収とパルス幅を短くする働きがある．

B. 走査方式

走査方式には手動走査方式，機械走査方式および電子走査方式がある．なかでもコンベックス型（オフセットセクタ型），リニア型，セクタ型の電子走査方式プローブが主に利用される．また，疾患や観察部位に特化した形状の専用プローブがある．一般的な電子走査方式のプローブの外観形状を図 8-57，走査例を図 8-58 に示す．機械走査方式はモーターなどにより振動子自体を回転させるあるいはプローブを機械的に移動させる．電子走査方式には，駆動素子を超音波の送受信ごとに電子スイッチの切り替えにより駆動させるスイッチドアレイ方式と遅延回路により時間差で素子を駆動させるフェーズドアレイ方式がある．プローブの形状の違いにより，素子配列や視野範囲が異なり，周波数も異なることから診断領域や検査目的に応じ，プローブを選択する．

C. 分解能

超音波診断装置の性能を示す空間分解能として，近距離音場内での進行方向を基準に距離分解能（ビーム方向，縦方向の分解能），方位分解能（走査方向，横方向の分解能），スライス分解能（スライス幅，スライス方向の分解能）がある（図 8-59）．

高周波（短波長）では，距離分解能は向上するが減衰により遠距離部分の抽出能は低下する．

距離分解能は，超音波ビーム方向に並ぶ 2 点の最小距離である．距離分解能はパルス幅で決まる．改善には波数を一定とする時，短波長（高周波）にする（11 式-12）．方位分解能は，超音波ビームと直角に並ぶ 2 点の最小距離である．方位分解能はビーム幅で決まる（11 式-13）．

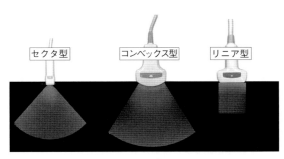

図 8-57 電子走査方式プローブの外観

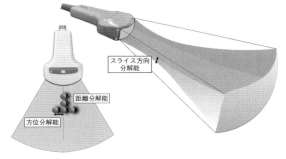

図 8-59 空間分解能

図 8-58 走査

10 画像表示モードと臨床的活用

1. 画像表示モード

パルスエコー法により，体内からの反射波を計測し，Aモード法，Bモード法，およびMモード法で表示する．

A. Aモード法（Amplitude）

反射波の振幅（強度）を表示する．横軸に時間（深さ），縦軸に反射強度をとり反射エコーの深さと強さの情報を得るものでBモード法やMモード法はこの手法を基本として表示を行っている．

B. Bモード法（Brightness）

反射波の強度を輝度の明暗に変換しリアルタイムで断層像を表示する．1秒間に表示する断層像の枚数は視野深度や走査線数，送信フォーカス段数などに依存する（12 超音波検査の実際を参照）．

C. Mモード法（Motion）

輝度変換し得られた走査線を時間軸上に表示することで動きのある反射体の時間的変化情報を得る．

2. 臨床的活用

A. ドプラ法

血液内の赤血球の循環に伴うドプラ効果を利用し，血流の流れる方向や流量，時間変化を表す方法として，連続波ドプラ法（CW mode, Continuous Wave Doppler mode），パルスドプラ法（PW mode, Pulsed Wave Doppler mode）および血流イメージング法（Color doppler imaging/Color flow mapping）などがある．また循環器領域では，血流イメージング法と同様にドプラ偏移周波数を検出し組織の動きの速度をカラー表示する組織ドプラ法（Tissue doppler imaging）が活用されている．ドプラ法に関する式を11式15～19に示す．

連続波ドプラ法は連続波を用いて任意のビームライン上の血流速度をスペクトル表示する．プローブを送信部と受信部を分け連続的に送受信を行うことで，パルスドプラ法ではエイリアシングにより評価できないような高速血流の測定に利用されるが，検出された血流がビームライン上のどこからのものかは特定できない．

パルスドプラ法や血流イメージング法は，パルス波を用いて任意の部位の血流速度や方向の時間変化をスペクトル表示する．血流速度がパルス繰り返し周波数で制限される最大検出ドプラ偏移周波数を超えた場合，上限を超えた周波数成分が反対側に折り返して出現し表示される．これをエイリアシング（折り返し現象）という．

血流イメージング法は，Bモード法による断層像に重ねて血流の平均流速や方向，分散およびパワーの情報を組み合わせるもので，カラードプラ法の流速表示では流れの方向を色別（黄，赤から青，青緑）で示す．カラードプラ法は，検出可能な平均流速の上限（V_{max}）を調整することができるが，V_{max}を超える平均流速の血流に対してはエイリアシングが生じ正確なカラー表示が得られない．また，石灰化などが測定範囲に含まれると点滅モザイク状のカラーノイズのアーチファクトとして表示されることがある．

ドプラ偏移を加算処理することで血流を検出する方法をパワードプラ法またはパワー表示という．パワードプラ法は，そのドプラ信号の強さを同系色（黄，橙色から赤）で示す表示法が一般的であるが，使用装置により異なる場合がある．また，低速血流でも明るく表示するため，カラードプラ法よりも優れた血流検出感度を有する．

B. ハーモニックイメージング法

生体組織内の超音波の伝播により発生した高調波成分を利用して画像化するTHI（Tissue harmonic imaging），と超音波造影剤を経静脈的に投与して超音波造影剤からの高調波成分を利用して画像化するCHI（Contrast harmonic imaging）がある．高調波成分の抽出法として，フィルタ法，位相反転法などがある．

高調波は，入射した超音波ビームの音圧が高い範囲で発生することから，THIでは，中心軸よりも音圧の低いサイドローブによるアーチファクトが低減される（12.2.2. 参照）．

またCHIにより造影超音波検査では，詳細な血流情報や造影剤の臓器への取り込みを観察することができる．2019年現在，ペルフルブタンガスをリン脂質により覆ったマイクロバブル製剤の超音波造影剤としての保険適応は肝腫瘤性病変と乳房腫瘤性病変となっている．

C. エラストグラフィ（弾性イメージング法）

エラストグラフィとは，組織の硬さの情報を可視化する手法で，組織の歪みを利用するStrain elastgraphyや高音圧のバースト波を入射させて組織の変形に伴い発生するせん断波を利用するShear wave elastgraphyなどがある．

D. 3Dイメージング，4Dイメージング

Bモード法に代表される断層画像に奥行きの情報を加え立体の情報表示を行うものを3Dイメージングといい，3D画像構築を行う．3Dイメージングに時間変化の情報を加えたものを4Dイメージングといい，立体的な画像情報をより良く観察するために様々な表示法がある．

11 超音波分野における関係式

1. 物理的性質や超音波画像診断装置に関するもの

音速 c, 体積弾性率 k, 密度 ρ とすると:

$$c = \sqrt{\frac{k}{\rho}} \qquad \cdots\cdots (式\text{-}1)$$

音速 c, 波長 λ, 周波数 f, 周期 T とすると:

$$f = \frac{1}{T} \qquad \cdots\cdots (式\text{-}2)$$

$$c = f \times \lambda \qquad \cdots\cdots (式\text{-}3)$$

音速 c, 音響インピーダンス Z, 密度 ρ とすると:

$$Z = \rho \times c \qquad \cdots\cdots (式\text{-}4)$$

音圧の反射率 Rp, 媒質1の音響インピーダンス Z_1, 媒質2の音響インピーダンス Z_2 とすると:

$$Rp = \frac{Z_2 - Z_1}{Z_2 + Z_1} \qquad \cdots\cdots (式\text{-}5)$$

スネルの法則:

媒質1における音速 c_1, 入射角 θ_1, 媒質2における音速 c_2, 屈折角 θ_2 とすると

$$\frac{\sin\theta_1}{C_1} = \frac{\sin\theta_2}{C_2} \qquad \cdots\cdots (式\text{-}6)$$

診断用の周波数を有する超音波が媒質内を伝播する際の減衰量は:

減衰量 (dB) = 減衰率 (dB/cm・MHz) × 通過距離 (cm) × 周波数 (MHz) ……（式-7）

ビーム幅 D, 走査線数 N, 全素子数 n, 同時駆動素子数 m, エレメントピッチ d とすると:

$$D = m \times d \qquad \cdots\cdots (式\text{-}8)$$
$$N = (n - m) + 1 \qquad \cdots\cdots (式\text{-}9)$$

フレームレート R, 1枚の超音波画像を得る時間 T, 走査線数 N, 音速 c, 診断距離 D, パルス繰り返し周波数 PRF とすると:

$$R = \frac{1}{T} \quad T = N \times \frac{2D}{c} \qquad \cdots\cdots (式\text{-}10)$$

パルス繰り返し周波数 PRF, パルス繰り返し周期 t とすると

$$PRF = \frac{1}{t} \qquad \cdots\cdots (式\text{-}11)$$

距離分解能 Δx, 方位分解能 Δy, ビーム幅 d, 口径 D, 振動子からの距離 X, 波長 λ, 波数 n とすると:

$$\Delta x = \frac{n\lambda}{2} \qquad \cdots\cdots (式\text{-}12)$$

$$\Delta y = \frac{d}{2} \fallingdotseq \frac{1.22\lambda}{D} \times X \qquad \cdots\cdots (式\text{-}13)$$

グレーティングローブの発生する条件は, エレメントピッチ d, 波長 λ, メインローブの走査角度 θ_M とすると:

$$\frac{\lambda}{1 + \sin\theta_M} \leq d \qquad \cdots\cdots (式\text{-}14)$$

2. ドプラ法に関するもの

ドプラ偏移周波数 f_d, 音速 c, 血流速度 V, ビームの入射角度 θ, 参照周波数 f_0 とすると:

$$f_d = \frac{2V\cos\theta}{c} \times f_0 \qquad \cdots\cdots (式\text{-}15)$$

パルスドプラ法におけるドプラ偏移周波数の最高検出周波数とパルス繰り返し周波数 PRF の関係は:

$$最高検出周波数 = \pm\frac{PRF}{2} \qquad \cdots\cdots (式\text{-}16)$$

エイリアシングが発生する条件は:

$$f_d > \pm\frac{PRF}{2} \qquad \cdots\cdots (式\text{-}17)$$

パルスドプラ法における最大検出可能速度 V_{max}, 最大視野深度 D_{max} は:

$$V_{max} = \frac{c \times PRF}{4 \times \cos\theta \times f_0} \qquad \cdots\cdots (式\text{-}18)$$

$$D_{max} = \frac{c}{2 \times PRF} \qquad \cdots\cdots (式\text{-}19)$$

12 超音波検査の実際

1. Bモード法における画像の調整

Bモード法における画像の調整パラメータとして，ゲイン，STC，ダイナミックレンジ，フレームレートなどがある．使用装置により搭載されているパラメータや機能の組み合わせは異なる．検査時には適宜調整を行う．

A. ゲイン
画像全体の感度を調整する機能をゲインという．ゲインを上げると画像全体が明るく表示されるため，コントラスト分解能に影響する．

B. フォーカス
評価対象を明瞭に観察できる画像を形成するための機能をフォーカスといい，方位分解能に影響する．超音波の送受信のタイミングを遅延回路により調整しフォーカス点を形成する電子フォーカスは，フォーカスの位置を移動させ，目的の位置に任意に合わせることができる．また，フォーカス点の数を増やし，より広い範囲を明瞭に観察するために，送信多段フォーカスが用いられることもある．送信多段フォーカスは，送信フォーカス点の深度を変え，同一方向に複数回の超音波の送受信を行い，合成処理を施すため，処理回数に応じて，フレームレートが低下し，時間分解能に影響することでリアルタイム性が低下する．この他，受信信号からフォーカス点を形成する方法に可変口径法や焦点距離を動的に変えるダイナミックフォーカス法などがある．なお，ダイナミックフォーカス法は，時間経過に応じてフォーカス点が変化するため，フレームレートには影響しない．

C. STC（Sensitivity time control）
距離による減衰を補正する機能をSTCといい，TGC（Time gain compensation）ともいう．STCは，深さごとのゲインを調整する．STCを上げると，その深さに対応した部分が明るく表示されるため，コントラスト分解能に影響する．

D. ダイナミックレンジ
グレースケールの階調に対して，どの範囲の信号を表示させるかを調整する機能をダイナミックレンジといい，コントラスト分解能に影響する．通常dB（デシベル）で表す．ダイナミックレンジを大きくした場合，広い範囲の信号をモニタに表示することができるため，輝度差が少ない画像になる．ダイナミックレンジを小さくすると，狭い範囲の信号を大きな輝度差としてモニタに表示するため，白と黒のコントラストの強い画像になる．

E. フレームレート
単位はフレーム/秒で表し，単位時間当たりにBモード法で得られる音響的断面像の枚数を指す（11式-10）．

F. 視野深度とズーム機能，スキャン幅
評価対象ごとに適正な診断距離があるため，評価対象の位置に応じて視野深度を調整する．評価対象の大きさが小さい場合は，ズーム機能を活用することで観察がしやすくなる．また，スキャン幅を狭くすることで表示範囲を狭くし，リアルタイム性を上げることができる．

2. 検査環境とモニタの調整

検査時には，室内をやや暗くした方がモニタを観察しやすくなる．検査環境に応じて表示モニタのブライトネスやコントラストを必要に応じて調整する．

3. アーチファクト・特徴的サインと画像評価法

超音波は，異なる音響インピーダンスをもつ媒質境界面では反射，散乱および屈折が発生する．また，媒質を伝播する過程で減衰する．これらは，超音波検査時にアーチファクトとして画像に虚像をもたらすこともあるが，診断の手がかりとなる特徴的サインとなることも多い．画像観察時には，評価対象に対して適切に画像調整を行った上で，被検者の体位変換，プローブの切り替え，圧迫の加減や走査方向などを変化させ，再現性があるかどうか確認しながら，検査を行う必要がある．

多重反射によるアーチファクトは，ビーム軸上にある2点で発生するものと体表面で起きるものがある．体表面付近で強反射体があった場合，反射が多重に発生し，観察対象に強反射体のアーチファクトが重なることがあり，多重反射による出現した偽像の間隔が狭く胆嚢結石の存在を示すサインとしてコメットサイン（コメット様エコー）がある．多重反射は胸壁や腹壁により生じる場合が多く，心臓や胆嚢，膀胱あるいは内部に液体を含む囊胞や臓器で出現しやすい．

横隔膜に代表されるような強い反射面の存在により，その面を境に線対称の虚像を伴うことを鏡面現象（ミラーイメージ）という（図8-60）．また，プローブの走査方向によっては虚像のみが出現し実像が表示されないことがある．これをミラージュ現象（蜃気楼）という．

対象物と周辺組織との音速が関係したアーチファクトとして，外側陰影（側方陰影）がある．外側陰影は，対象物が球状あるいは円柱状などの境界がなめらかである場合に，その側方で臨界角を超えた反射や屈折などの影響を受けて構造物の輪郭に欠損や輝度が低い帯が発生する現象である．外側陰影は腫瘍性病変に対して観察できることがあり，観察対象の良悪性の鑑別を行う上で画像診断においてその存在の有無を評価することがある．肝

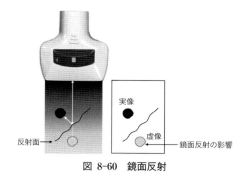

図 8-60 鏡面反射

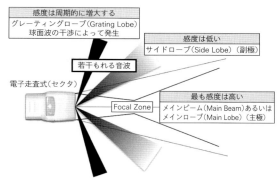

図 8-61 各ローブの位置関係

腫瘤性病変では，肝細胞癌で観察されることがあり，肝血管腫では観察されにくい．

対象物や周辺組織の減衰に関連して起こる現象として，音響陰影と音響増強がある．音響陰影は，評価対象の減衰が周辺組織より大きい場合に起こる現象である．また，音響増強は，評価対象の減衰が周辺組織より小さい場合に起こる現象である．これらは生体内では観察対象の後方に認められることがあり，画像診断においては，その存在の有無や輝度の明暗を周辺組織と比較することで後方エコーに変化があるか確認し観察対象の性状や鑑別評価のポイントとなる．観察対象の後方が無エコー帯として表示される音響陰影は後方エコー消失といい，生体では一部の結石や骨，消化管ガスなどの音響インピーダンスが周辺組織と大きく異なる対象の後方に認められる．また，観察対象の後方の輝度が低い帯として表示される現象を後方エコー減弱という．観察対象の後方の輝度が高い帯として表示される現象を後方エコー増強といい，生体では一部の悪性腫瘍や嚢胞，胆嚢などの後方に認められる．

観察対象の内部構造の均一性の違いにより，画像上，観察対象の内部輝度（エコーレベル）が変化してみえることがある．画像診断では病変の有無，良悪性の鑑別，組織型の推定などの特徴的サインとしていることも多い．例えば，肝右葉実質と右腎実質のエコーレベルを対比した際，正常例ではほぼ輝度差がなく同等であることが多いが，肝実質のエコーレベルが上昇して見える場合は脂肪肝が疑われる（肝腎コントラスト陽性，肝腎コントラスト増強）．また，観察対象のエコーレベルに比して辺縁境界部のエコーレベルが変化してみえることもある．

プローブから放射される超音波を音圧の高低で分類したものに，メインローブ（Main lobe）（主極），サイドローブ（Side lobe）（副極），およびグレーティングローブ（Grating lobe）がある（図8-61）．メインローブは中心軸上で音圧が最も高く，画像形成に最も寄与する．サイドローブは，中心軸から外れた音圧の低いものを指すことから，通常は画像形成への影響は小さいが，サイドローブからの反射強度がメインローブのものと同等となるなどの特殊な状況下では実像に虚像が表示されることがある．生体ではサイドローブが消化管等で強く反射することにより，胆のう，膀胱などの無エコー域に重なり表示される．

グレーティングローブは，球面波の干渉によって発生するものでメインローブの走査角度や干渉した波面の波長，および素子間隔（エレメントピッチ）などに依存する（11式-14）．グレーティングローブからの反射強度が本来は視野外にある像を視野内に虚像として表示する．

4. 検査法

上腹部検査は通常，深吸気にて行うことが多いが，検査部位や走査方向により呼吸の調整を行い，必要に応じて被検者の体位変換を行う．プローブをスライド走査により多方向から目的の部位を観察するほか，扇動走査や振り子走査，回転走査を加え，適切な圧迫操作により観察を行う．なお，食事による胆嚢の収縮，消化管ガスの発生や胃内の食物残渣が原因で観察不良となることがあるため，上腹部検査前には検査当日は絶食とするなどの食事制限が必要である．また，内視鏡検査や消化管造影検査時の送気が上腹部検査時の観察の妨げになるため，同日にこれらの検査を行う場合は，先に超音波検査を行うほうがよい．

膵臓の観察は消化管ガスの存在により膵臓の描出が困難な場合もあり，被検者を坐位あるいは仰臥位の状態で心窩部横走査により観察することで肝左葉外側区が音響窓（アコーステックウインドウ）となり膵臓が描出されやすくなる．さらに，左肋間から脾臓を音響窓とする経脾走査により，膵尾部を観察する方法がある．また，脱気水の飲用で胃を音響窓として観察を行う方法がある．腎尿路・骨盤腔の検査は，膀胱に尿を溜めた状態で検査を行うことで膀胱壁や膀胱内部の評価をしやすくする．また尿が溜まった状態の膀胱を音響窓として，子宮・卵

巣や前立腺などの観察を行う．
　観察対象の評価方法は，検査部位により多様である．例えば，乳房腫瘤性病変では良悪性の鑑別の際，Bモード法で腫瘤の存在位置，最大面における縦横の大きさとその比率（縦横比），腫瘤の形状，境界，辺縁の評価，エコーレベルや後方エコーの評価を行う．加えて，ドプラ法や図 8-62 のようなエラストグラフィ，あるいは造影超音波所見による付加所見なども鑑別の参考にすることがある．

---関連事項---

IVUS（Intravascular ultrasound）
　カテーテルの先端に超音波探触子を装着し，血管断面の超音波画像を得る．通常の血管造影では得られにくい血管内の血栓やその性状の評価が可能．

ESWL（Extracorporeal shock wave lithotripsy）
　開腹手術を行わず，被検者の体外から超音波による衝撃波を照射し結石を破砕する手技．尿路系結石，胆道系結石などの治療に用いられる．

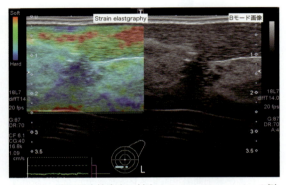

図 8-62　乳房腫瘤性病変に対する Strain elastgraphy の例

13 眼底検査法

　眼底検査とは網膜，脈絡膜，視神経乳頭からなるいわゆる"眼底"を対象とした検査を意味し，眼科診療においてはきわめて一般的な検査である．本検査はしばしば人間ドックをはじめとするスクリーニング検査の中にも組み込まれており，眼底の写真撮影を放射線技師が行い，その写真をもとに眼科医が診断を行うといった状況も少なくなく，眼底撮影を行う者の役割は大きい．

1. 眼底検査の目的

　網膜血管は，全身の血管の状態を把握する一つの目安となるため，動脈硬化，高血圧，糖尿病といった全身疾患のスクリーニングや重症度評価に利用される．また，これらの全身疾患は眼底にも網膜症を生じうるため，そのスクリーニングや病期の判定においても眼底検査は重要である．さらに加齢黄斑変性，網膜静脈閉塞症，網膜動脈閉塞症といった他の眼底疾患のスクリーニングや，視神経乳頭の陥凹を評価することにより緑内障の発見にも有用である．

2. 眼底撮影の実際

　眼科における眼底検査ではしばしば散瞳剤の点眼により瞳孔を散大したうえで眼底周辺部までの観察を行う．眼球の状態によっては散瞳剤の使用により急性緑内障発作を誘発する危険があり，眼科医による検査をうけることなく散瞳を行うことは禁忌であることから，診療放射線技師の場合は散瞳剤が不要で，暗順応下での自然な散瞳を利用して撮影を行う無散瞳型の眼底写真撮影装置を使用する．

　被検者の頭部をカメラのひたい受けとあご受けで固定して撮影する．内部固視標を見つめてもらい，眼底を映し出したモニターを見ながら，ピント合わせ用のスプリット輝線などを利用して光軸・作動距離を調節する．どうしても鮮明な画像が得られない場合は角膜混濁，散瞳不良（加齢，糖尿病などによる），白内障，硝子体混濁，硝子体出血などが原因である可能性がある．また無散瞳カメラでの撮影時のアーチファクトとしては光軸ずれにより写真の周辺に三日月状の光が入る場合や，カメラの前後のずれ，睫毛などで光路が妨げられることによるフレアなどがあり，またカメラを引きすぎると全体が暗く写る．被検者の協力がなければよい写真を撮ることができないため，撮影中はまばたきをしないよう声かけなどを行い，被検者に対する配慮を忘れないようにする．基本として，片眼ずつ両眼の撮影を行う．また視神経の撮影が目的である場合は網膜撮影用の光量では視神経の陥凹が評価しにくいため，光量を何段階か下げることが必要になる．

3. 眼底所見のポイント（☞図8-63〜8-66）

1) 視神経乳頭は黄斑の鼻側にあり，黄斑部の中心に中心窩がある．
2) 網膜の動静脈は，乳頭からでて主に4方向（耳側の上・下，鼻側の上・下）に分岐し伴走する．一般的に動脈より静脈が太く（口径比＝2：3），動脈の色調は酸素飽和度が高い分，鮮やかな赤色を呈し，静脈の色はやや暗い．
3) 高血圧性変化：網膜動脈（細動脈）の狭細・口径不同，白斑（硬性，軟性），出血，網膜浮腫，乳頭浮腫など．
4) 動脈硬化性変化：動静脈交叉現象，血中反射の亢進，銅線動脈，銀線動脈など．
5) 糖尿病性変化（糖尿病網膜症）：毛細血管瘤，点状出血，斑状出血，白斑（硬性，軟性），網膜浮腫，網膜新生血管，乳頭新生血管，網膜前出血，硝子体出血，牽引性網膜剝離など．
6) その他の所見：Roth斑（中央が白色の出血，白血病網膜症や貧血網膜症などでみられる），cherry red spot

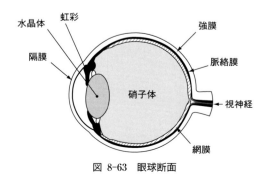

図8-63　眼球断面

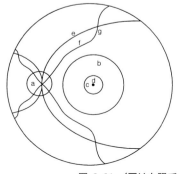

a. 視神経乳頭，b. 黄斑部，c. 中心窩，d. 中心小窩，e. 網膜動脈（または静脈），f. 網膜静脈（または動脈），g. 動静脈交叉部

図8-64　（図は左眼である）

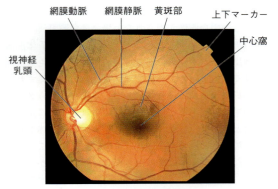

図 8-65 正常眼底

図 8-66 糖尿病網膜症

（後極部網膜が蒼白で中心窩のみが暗赤色を呈する，網膜中心動脈閉塞症などでみられる）など．

4. 眼底カメラの構造と原理

眼底カメラは一般のカメラと構造，原理が異なる．無散瞳型眼底カメラでは直径 4 mm 程度の瞳孔から照明し観察・撮影する都合上，眼底照明系の光学軸と観察撮影系の光学軸，この 2 軸ができる限り近いことが望ましい．そのため，眼底カメラでは有孔（穴あき）ミラーを用いることにより，二つの光学軸を眼底に導いている．照明はリング状スリットを通すことにより，瞳孔上にリング光束をつくり，眼底の反射光は照明光のないリング光束の中央部分を通過して眼底カメラに戻り，フィルム面へと導かれる．光学配置図を（図 8-67）に示す．

無散瞳型眼底カメラでは，暗順応を利用した自然散瞳の状態で，眩しさを感じない赤外線で眼底を照明し，赤外線に感度のある CCD カメラで眼底を映し出したモニターを見ながら標準を合わせ，ストロボランプにより可視光線を発光して撮影する仕組みのものが多い．このため無散瞳型は撮影時には薄暗い部屋や暗室で十分に自然散瞳する必要があり，連続撮影には不向きであるが，近年ではデジタル映像を用いたものが一般的になり，連続撮影も可能となってきている．また撮影範囲は後極部のみで撮影画角は 45 度程度である．

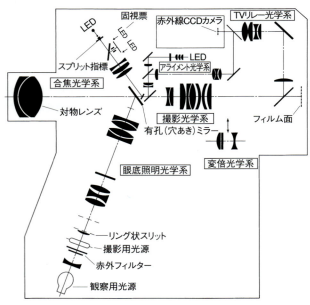

図 8-67 トプコン社製無散瞳眼底カメラの光学配置図

9章 画像工学

● 杜下淳次（1, 5-11）
● 西谷源展（2-4）

　本章では，画像工学内容を含む．画像工学では，主に画像形成の原理と画像評価に関して出題されている．なかでも近年主流となったデジタル画像に関する問題が多い．一方，医用画像情報学では，デジタル画像全体を理解するための基礎的な知識，画像処理技術，画像評価法，そして医療で用いられる画像や病院情報システムから画像表示システムなどの出題がなされている．現在でも一部で使用されているアナログX線写真に関する問題も出題されているので注意が必要である．

1 アナログX線画像

　X線フィルムだけを用いて撮影する場合，適切な写真濃度を得るには多くのX線量が必要である．そこで，まずX線を増感紙（蛍光体）で吸収させ，増感紙から発光した光がX線フィルムを露光する方法を用いる（図9-1）．近年，ほぼ完全にデジタルX線画像に変わったが，1世紀近くの歴史と実績をもつ増感紙―フィルム系によるX線画像の形成過程を理解することはデジタル画像の理解にも役立つことと，国家試験の対象となっていることからあえてその概要を述べる．

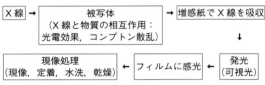

図 9-1　増感紙―フィルム系の画像形成の流れ

1. 増感紙―フィルム系の構造

　図9-2に増感紙―フィルム系の構造を示す．X線フィルムの前面と後面に増感紙を配置し，X線フィルムベース（厚さ180μm程度，材質：ポリエチレン・テレフタレート（PET）など）の両面に乳剤を塗布したX線フィルムの例を示している．増感紙とX線フィルムは，カセッテ（材質：アルミニウムまたはカーボンファイバー強化プラスチック（CFRP））のなかに収められ，その裏面には，後方散乱X線を防ぐ目的で薄い鉛箔（約150μm）が貼られている．また，増感紙とX線フィルムの密着性を高めるためにスポンジを用いている．

　X線フィルムは，用途に応じて，異なったフィルムコントラストや感度をもつ製品が発売されてきた．両面乳剤フィルムのほかに，高い鮮鋭度が要求されるマンモグラフィでは片面乳剤フィルムを使用してきた．このほかに，デンタル撮影用のフィルム（咬翼型や咬合型）では増感紙を使わず両面乳剤が主流であったが，これもデジタルX線システムに置き換わりつつある．

2. フィルム乳剤

　写真乳剤（以下，乳剤）は，感光性をもつハロゲン化銀の微細な結晶（～数μm，形状には，球状粒子や平板状粒子がある）をゼラチン中に分散させている．ハロゲン化銀には，臭化銀（AgBr），塩化銀（AgCl），フッ化銀（AgF），ヨウ化銀（AgI）などがあり，医療用のX線フィルムでは，臭化銀に微量のヨウ化銀を含んだヨウ臭化銀（AgBr・I）が用いられてきた．平板状粒子は，入射光の散乱を減少させ，さらに表面積が大きいのでオルソフィルムにおける分光増感では光の吸収量が増加して高感度化が可能で，クロスオーバー光の減少とあわせて鮮鋭度の向上にもつながる．

3. フィルムの分光感度（感色性）と安全光（図9-3）

　フィルムは，どのような波長の光に感光性を示すかにより分類され，レギュラークロマチック（以下，レギュラー），オルソクロマチック（以下，オルソ），パンクロマチック（以下，パンクロ）に分類される．レギュラーはCaWO$_4$の増感紙と組み合わせて直接撮影用フィルムとして用いられる．オルソは，酸硫化ガドリニウム・テルビウムに代表される希土類蛍光体と組み合わせるフィルムとして利用でき，シアニン色素系の分光増感色素を加えて感光波長域を広げている（分光増感）．

　フィルムは，暗室での作業性を高める目的で用いられ安全光（セーフライト），フィルムの分光感度と極力重ならないようにしている．レギュラーは橙赤色，オルソは暗赤色の安全光が使用される．

4. X線フィルムの取り扱いと保存

　X線フィルムは，①圧力をかけない（折り曲げると黒

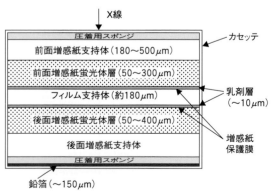

図 9-2　増感紙―フィルム系の構造概略図

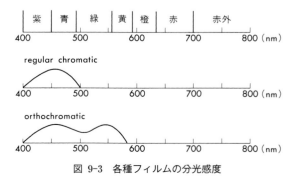

図 9-3　各種フィルムの分光感度

化や白色の瘢痕（クニックマーク）出現），②湿った手で扱わない，③安全光の下で扱う，④高温・多湿を避けて保管（特に開封後），⑤光，放射線，薬品などの影響をさけるように保管，などの注意が必要である．

5. X線画像用の蛍光体と増感紙

表9-1にX線画像用として用いる主な蛍光体を示す．増感紙—フィルム系では，希土類蛍光体の一種である酸硫化ガドリニウム・テルビウムとオルソを組み合わせたシステムが主流である．酸硫化ガドリニウム・テルビウムやヨウ化セシウム・ナトリウムなどの蛍光体は，間接変換型FPDの検出器として用いられており，鮮鋭度を向上させるために柱状構造の結晶も採用している．

6. 増感紙に求められる性能

増感紙は，数10keVのX線エネルギーを数eVの可視光に変換する媒体として用いられ，増感紙から発光した可視光がX線フィルムを感光させる．

増感紙を用いることにより以下のような効果が期待できる．

- X線フィルムだけの撮影より大幅に患者被ばく線量を軽減できる．
- 短時間撮影が可能となり，被写体の動きによるボケを低減できる．
- X線管の負荷を軽減できる．
- X線フィルムのみと比べてX線写真のコントラストを高める．

また，増感紙に求められる主な性能には以下の4つが挙げられる．

- 高いX線吸収効率
- 高い発光効率
- 増感紙表面への高い光回収率

- 増感紙からの発光スペクトルがフィルムの分光感度と一致すること

増感紙のX線吸収効率は，前面と後面の2枚の増感紙合わせて，タングステン酸カルシウムでは35〜70％，酸硫化ガドリニウム・テルビウムでは40〜80％程度である（管電圧80kV，被写体なし）．酸硫化ガドリニウム・テルビウムの発光効率は約13％程度で，タングステン酸

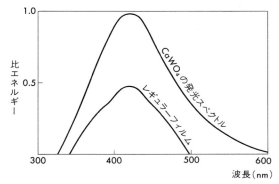

図 9-4 レギュラーフィルムの分光感度と$CaWO_4$の発光スペクトル

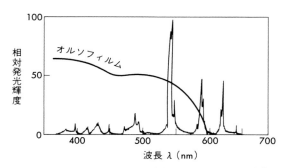

図 9-5 オルソフィルムの分光感度と$Gd_2O_2S：Tb$の発光スペクトル

表 9-1 X線画像で使用する主な蛍光体

用途	蛍光体名	組成	発光ピーク波長（nm）	発光色	組み合わせるフィルムの種類
増感紙	酸硫化ガドリニウム・テルビウム	$Gd_2O_2S：Tb$	545	緑	オルソクロマチック
	タングステン酸カルシウム	$CaWO_4$	425	青	レギュラー
	酸臭化ランタン・テルビウム	$LaOBr：Tb$	380, 420, 440	青白	レギュラー
	酸臭化ランタン・ツリウム	$LaOBr：Tm$	360, 460	青	レギュラー
	フッ化塩化バリウム・ユーロピウム	$BaFCl：Eu$	385	紫	レギュラー
	硫酸バリウム・ユーロピウム	$BaSO_4：Eu$	375	紫	レギュラー
輝尽性蛍光体（CR）	フッ化臭化バリウム・ユーロピウム	$BaFBr(I)：Eu$	390	紫	
	臭化ルビジウム・タリウム	$RbBr：Tl$	360	紫	
	フッ化ヨウ化バリウム・ユーロピウム	$BaFI：Eu$	410	紫	
FPD（間接変換型）	酸硫化ガドリニウム・テルビウム	$Gd_2O_2S：Tb$	545	緑	
	ヨウ化セシウム・タリウム	$CsI：Tl$	540	緑	
I.I. 入力蛍光面	ヨウ化セシウム・ナトリウム	$CsI：Na$	420	青	
I.I. 出力蛍光面	硫化亜鉛カドミウム・銀	$(Zn, Cd)S：Ag$	530-560	黄緑	

注：輝尽性蛍光体については輝尽発光のピーク波長を示す．
CR：コンピューテッド・ラジオグラフィ，FPD：フラット・パネル・ディテクタ

カルシウムの約5％と比べて高い．また，増感紙表面への光回収率はできるだけ高いことが望ましい．

7. 増感紙の構成などが画質に影響する因子

　X線フィルムの鮮鋭度は，増感紙と比べて非常に高い．増感紙を構成する蛍光体の粒子径や形状と厚み，密度や蛍光体層の構造，発光波長，保護膜の厚さ，支持体の反射率，蛍光体層や保護膜の着色など多くの因子が，増感紙でのX線の散乱，増感紙内で発光した光の拡散に影響し，鮮鋭度を変化させる．増感紙―フィルム系では，前面（または後面）の増感紙で発光した光が，前面（または後面）のフィルム乳剤を感光させるだけではなく，支持体を透過して反対側のフィルム乳剤を感光したり（クロスオーバー光），もう一度反射して反対側のフィルム乳剤を感光させる．このような現象はX線写真の鮮鋭度の低下につながり，これをクロスオーバー効果という．

　増感紙の蛍光体粒子の大きさや形状，配列などの構造は粒状性に影響を及ぼし，これを増感紙の構造モトルという．このほかにも，増感紙の発光効率，蛍光体層の厚さ，支持体の反射率，蛍光体層や保護膜の着色などが粒状性に影響する．

8. 増感紙の取り扱い

　増感紙は，X線フィルムの接触による傷や磨耗，保護膜の剥離など物理的な要因で劣化するほか，X線フィルムによる傷や増感紙クリーナーなどの化学的な汚染により劣化する．

　このほか，高温多湿を避ける，増感紙に付着した手の油やゴミなどの汚れを落とすために，専用のクリーナーで，傷をつけないように丁寧に拭く，増感紙に傷をつけないように注意する．

9. 各種コントラスト

　増感紙―フィルム系で撮影を行ったとき，現像処理後，写真上に現れる写真濃度の差を"写真コントラスト"という．一方，被写体を透過し増感紙―フィルム系に入射するX線のコントラストは"被写体コントラスト，または，X線コントラスト"という．フィルムの特性曲線（H&D曲線）から求めたガンマやグラジェントなどは"フィルムコントラスト"という（☞ p.316，入出力変換特性）．被写体コントラストが，フィルムコントラストで増幅されて，写真コントラストとなる．このとき，フィルムコントラストの値が1より大きければ，被写体コントラストを増加させる働きがあるが，フィルムコントラストの値が1より小さいときには被写体コントラストを小さな写真コントラストで表すことになる．

　被写体コントラストに影響する主な因子は，被写体を構成する物質の原子番号やX線のエネルギー（X線管に付加したフィルタの材質や厚さも含む）などの減弱係数に関係する因子，被写体の厚さ，密度，放射線受光系に入射する散乱X線の影響，などがある．一方，フィルムコントラストは，フィルムの種類や現像処理条件（温度，時間，液の種類，液の疲労状態など）の違いの影響を受ける．

2 現像処理

1. 潜像の形成

フィルム上のハロゲン化銀にX線や増感紙からの蛍光が照射されると，潜像が形成される．潜像は感光核を中心にして形成され，潜像をもつハロゲン化銀の集まりを現像核とよんでいる．潜像は可視できないために現像によって可視像として見ることができるようにする．可視像とするには次の工程の現像処理を経て行われる．

撮影⇨現像➡定着➡水洗・乾燥

2. 現像液

撮影によってできた潜像を可視像とするために現像を行う．撮影によって生じた現像核（潜像）をもったハロゲン化銀が現像により還元され画像を形成する金属となる．これに使用されるのが現像液とよばれるもので，主に4つの成分から構成されている．これらの成分は写真の用途などによって組み合わせや使用量が異なっている．

現像液の4成分

1) 現像主薬

有機還元剤が使用され，多くはベンゼンの誘導体でベンゼン核にOH基（水酸基），NH_2（アミノ基）をオルソまたパラの位置に2個以上もっており，化学構造によって特性が異なってくる．Ag^+（銀イオン）を画像形成する金属のAg（銀）に変化させる役割をする．

2) 酸化防止剤（保恒剤）

還元剤である現像主薬は水中や空気中の酸素によって酸化されやすい．それを防止するのに酸化防止剤として亜硫酸塩を使用する．亜硫酸塩は酸化して現像作用を失った現像主薬の酸化生成物に作用して現像能力を回復させる働き（保恒作用）も有する．

3) 現像促進剤

現像液は一般にはアルカリ性で行われる．アルカリ性により現像主薬は活性化される．X線フィルムの現像にはpH 10～11程度で行われ，自動現像機ではさらに高いpHの強アルカリ性の薬品が使用されている．

4) 抑制剤

現像作用が強くなるとフィルムにかぶりが生ずるようになる．これを抑制するために抑制剤を使用する．抑制剤にはBr^-（臭素イオン）を使用することが多く，臭素イオンはハロゲン化銀粒子に吸着して現像主薬に対して障壁となる．その他，有機抑制剤は強力な抑制作用を示すものとして使用される．

表 9-2 主な現像薬品名

	薬品名
現像主薬	メトール（硫酸Nメチルパラアミノフェノール） ハイドロキノン（1・4ヒドロキシベンゼン） フェニドン（1-フェニル3-ピラゾリドン） パラフェニレンジアミン パラアミノフェノール ピロガロール
酸化防止剤	亜硫酸ナトリウム　Na_2SO_3 亜硫酸水素ナトリウム　$NaHSO_3$ 二亜硫酸ナトリウム　$Na_2S_2O_5$ 亜硫酸カリウム　K_2SO_3 二亜硫酸カリウム　$K_2S_2O_5$
促進剤	水酸化ナトリウム　$NaOH$ 水酸化カリウム　KOH 炭酸ナトリウム　Na_2CO_3 メタホウ酸ナトリウム　$NaBO_2$ リン酸三ナトリウム　Na_3PO_4
抑制剤	臭化カリウム　KBr 5-メチル-ベンゾトリアゾール 5-ニトロ-インダゾール

5) その他4成分以外のもの

自動現像機に使用される現像液にはその他に短時間・高温現像処理を行うために，硬膜剤としてアルデヒド化合物，有機抑制剤，硬水軟化剤，凍結防止剤，銀スラッジ防止剤などが添加されている．

3. 定着液

定着とは現像によって画像を形成する金属銀となったものと，未感光でそのまま残っているハロゲン化銀を分離する工程で，未感光のハロゲン化銀のみを可溶性の銀化合物に変化させ除去する．これに使用するのが定着液である．定着主薬は主にチオ硫酸塩が使用される．定着液は主薬のみで可能であるが，一般には酸性硬膜定着液が使用されている．以下は酸性硬膜定着液の成分と役割である．

1) 定着主薬

定着主薬としては，チオ硫酸ナトリウムやチオ硫酸アンモニウムが使用されている．その他にシアン化カリウムや硫青酸カリウムも使用できるが，毒性が強く一般には使用していない．チオ硫酸アンモニウムは定着時間も早く，迅速定着液や自動現像機で使用されている．

2) 保恒剤

定着液はpH 5～6の酸性で行われる．アルカリ性で行われた現像を酸性にすることで速やかに現像の進行を止めることができる．しかし，酸性にすることで主薬のチオ硫酸塩は分解する．これを防止するために保恒剤として亜硫酸塩を使用する．亜硫酸塩としては現像液で使用したものと同じ亜硫酸ナトリウムなどが使用できる．

3) 酸性剤

酸性剤としては有機酸である酢酸が使用される．定着

液は pH3.5 以下では主薬が分解する．pH6.0 以上では硬膜剤が分解して水酸化アルミニウムの沈殿を生ずる．そのために比較的弱い有機酸によって pH4.2〜5.5 程度に調整して使用される．

4) pH 調整剤（pH 緩衝剤）

酸性状態を調整するために弱いアルカリ剤を使用する．メタホウ酸ナトリウムなどが使用されている．これらは pH の急激な変化を防ぐ緩衝剤としても作用し，定着作用，硬膜作用，定着液の保存性がよくなる．

5) 硬膜剤

現像を終えたフィルム上のゼラチン層は軟化して傷つきやすくなっている．これを硬くするために硬膜剤を使用する．硬膜剤にはカリミョウバンが一般に使用され，pH4 程度で最も硬膜作用が強くなる．

4. 水洗・乾燥

定着を完了したフィルムには，定着液の成分が残っており，定着液成分に含まれる S（硫黄）は画像を形成する金属銀と化合して硫化銀（Ag₂S）となり変色の原因となる．これを十分に水洗して取り除く．水洗後に乾燥して X 線写真が完成する．X 線フィルムの保存は高温，多湿な保存環境や画像に有害なガス（硫化水素やアンモニアなど）を避けて保存する．

5. 自動現像機

湿式写真の処理は現像に始まって，最終の乾燥までの工程を経て 1 枚の完成された写真画像となる．X 線フィルムの処理の場合，この工程の所要時間は約 1 時間 30 分程度である．

従来はこの現像から乾燥までの工程を手作業で行っていたが，処理枚数の増加とともに工程の自動化，迅速化が行われるようになった．

1) 構造

図 9-6 に示すような構造のものが一般的な自動現像機で，フィルム挿入部に続く現像部，定着部，水洗部の 3 つの槽と乾燥部および駆動部から構成されている．

フィルム挿入部分にある対向ローラーでフィルム検出

表 9-3 主な定着薬品名

	薬品名	化学式
主薬	チオ硫酸ナトリウム チオ硫酸アンモニウム シアン化カリウム（毒性） 硫青酸アンモニウム（毒性）	Na₂S₂O₃·5H₂O (NH₄)₂S₂O₃ KCN NH₄SCN
保恒剤	亜硫酸ナトリウム	Na₂SO₄
酸性剤	酢酸	CH₃COOH
pH 調整剤	メタホウ酸ナトリウム ホウ酸	NaBO₂ H₃BO₃
硬膜剤	カリミョウバン	KAl(SO₄)₂·12H₂O

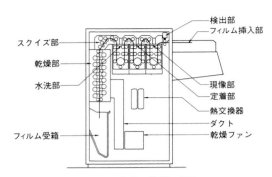

図 9-6　自動現像機の構造

や，同時に 2 枚以上挿入された時の検出を行っている．

現像，定着，水洗の 3 つの槽にはフィルム搬送ラックがセットされ，各槽間および乾燥部にフィルムを送るのにクロスオーバーラックが，乾燥部に入る前に水切りをするためにスクイズラックがそれぞれセットされている．

その他，自動現像機には処理温度を一定にするための熱交換器，補充ポンプ，乾燥ファンが取り付けられている．補充液タンクは自動現像機内に収納されるようになっているが，大量に処理する場合は，別に大容量タンクやケミカルミキサーを設置している．

フィルムの挿入は，操作者が 1 枚ずつ挿入する方法とオートフィーダにより自動的に挿入する方法がある．

2) 性　能

自動現像機は X 線写真のデジタル化により乾式処理が普及増大しており，販売されている機種も少なくなっている．処理時間は 120 秒，90 秒，60 秒などの切り替えできるものがあり，処理時間も 30〜45 秒まで短縮されている．フィルムの処理枚数は 60 秒処理で四つ切り 200 枚／時間程度である．

3) 処理液

現像液，定着液はともに補充液として補充ポンプにより必要量を供給している．

現像液：フェニドン-ハイドロキノンを主薬としており，保恒剤（酸化防止剤）の亜硫酸ナトリウム，促進剤の水酸化カリウム，水酸化ナトリウム，メタホウ酸ナトリウム，炭酸ナトリウムなどが加えられている．高温処理のため硬膜剤としてアルデヒド化合物が添加され，さらに有機抑制剤，硬水軟化剤，銀スラッジ防止剤も含まれている．

一般に自動現像機用の現像液は補充液であるために，主薬量が多く，pH 値も高い強力現像液である．このため現像を初めて行うときに現像能力を適正にするためにスターターを必要とする．

定着液：チオ硫酸アンモニウムを主剤として迅速酸性硬膜定着液で，特に硬膜性が強くされている．

3 ドライイメージャ（ドライプリンタ）

従来の湿式現像処理は，現像液や定着液の廃棄物を排出する．このために廃棄物を排出しないドライイメージャが実用化されるようになった．現在までに医用画像に使用されているドライイメージング方式を表9-4に示す．多く使用されているのは，サーマルヘッド方式の直接感熱発色方式とレーザ露光銀塩熱現像方式である．

1. サーマルヘッド方式
A. 熱転写方式

サーマルヘッドによってインクリボンを過熱して，フィルム上に記録する方式である．インクの転写方式によって，溶融型と昇華型に分けられる．サーマルヘッドの発熱量を制御することにより画像記録の濃度階調を調整している．この方式では，転写した後のインクリボンが画像のネガとして残り，機密保持や廃材の処理に注意が必要である．

B. 直接感熱発色方式

感熱フィルムに含まれる染料を熱により発色させて画像形成をする．この方式に使用される直接感熱発色方式用フィルムを図9-7に示す．

塩基性染料前駆体を内包した熱応答性マイクロカプセル（直径1μm以下）をサーマルヘッドで加熱すると，カプセル周囲にある酸性顕色剤がカプセル内に侵入して発色する．加熱後に温度がガラス転移温度以下になると顕色剤はカプセルに侵入できなくなる．サーマルヘッドの発熱量を精密に調整することによって，マイクロカプセルの発色濃度を変化させ高濃度分解能の記録ができる．熱応答性マイクロカプセルの発色原理を図9-8に示す．

この方式では銀塩を使用せず，廃材も発生しない．また，フィルムは感光性がないため取り扱いが容易である．イメージャは小型化でき処理枚数が少ない場合に適している．その他，一部では有機銀塩を用いた直接感熱発色方式による画像記録方式も採用されている．

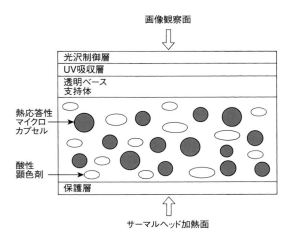

図 9-7 直接感熱発色方式用フィルムの構成

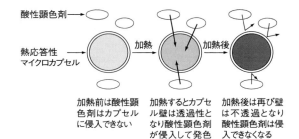

図 9-8 熱応答性カプセルの発色原理

2. レーザヒートモード方式（熱剥離方式）

この方式による画像形成原理を図9-9に示す．レーザ感知層に高エネルギーのレーザ光を照射することにより，ピールシートとカーボン層が接着する．ピールシートを剥がすことによって画像が形成される．画像であるカーボン層はこのままでは機械的強度が弱く，保護膜をラミネートする．高鮮鋭度の画像を得ることができ，保存性もよい．一方でピールシートがネガとなり，廃材をともなうので注意が必要となる．

3. レーザ露光銀塩熱現像方式

この方式に適用されるフィルムの要素は，①光センサ

表 9-4 医用画像のドライ記録方式

方　式	画像形成方式	フィルム	廃材の排出
サーマルヘッド方式	直接感熱発色方式	熱応答性マイクロカプセル 有機銀塩	なし
（熱転写方式）	溶融型，昇華型	インクリボン＋フィルム	あり
レーザヒートモード方式（熱剥離方式）	レーザ光＋剥離＋ラミネート	レーザ感知層／カーボン層＋ラミネートフィルム	あり
レーザ露光銀塩熱現像方式	レーザ光＋熱現像	ハロゲン化銀／有機銀塩	なし

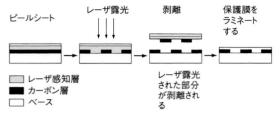

図 9-9 熱剥離方式の原理

ーとなるハロゲン化銀，②銀イオンの供給源となる非感光性銀塩である有機銀塩のステアリン酸銀など，③銀イオンを潜像中心まで運ぶ調色剤となるフタル酸化合物など，④潜像中心に運ばれた銀イオンを還元するビスフェノール化合物など，⑤かぶりを防止する有機ハロゲン化合物である．これらをバインダーとなるポリビニルブチラールやスチレン—ブタジエンコーポリマーに分散させ，支持体上に塗布したものである．

A．露光

フィルムへの露光はレーザイメージャと同じである．すなわち CT や MRI の出力信号を，補間処理，階調処理して，フレームメモリー蓄積する．これらの信号に濃度補正を加えた後に D/A 変換して，レーザ変調信号によってレーザ露光を行う．

B．熱現像

レーザ露光により，潜像中心がハロゲン化銀にできるのは，従来の X 線フィルムと同様である．現像処理工程が従来とは異なり，熱現像は 120 ℃前後に加熱することで行われる．熱現像のメカニズムを図 9-10 に示す．①レーザ露光でハロゲン化銀上に潜像中心が形成される．②これに熱を加えることにより，非感光性銀塩の Ag^+ が調色剤によって，潜像中心に運ばれる．③潜像中心に運ばれた Ag^+ をビスフェノール化合物などで還元して，画像を形成する銀となる．従来の湿式現像は化学現像であるのに対し，乾式の熱現像は物理現像である．

C．フィルムの保管等

この方式では，画像ができあがったフィルムにフィルムの構成要素が残ったままとなるので，その後に加熱したり，光露光するとかぶりの原因となる．常温ではかぶり防止剤によって抑制されている．25 ℃以下の冷暗所での保管では 15 年で約 10 ％程度の濃度増加がみられる．

レーザ露光銀塩熱現像方式は大量のフィルム処理に利用されている．

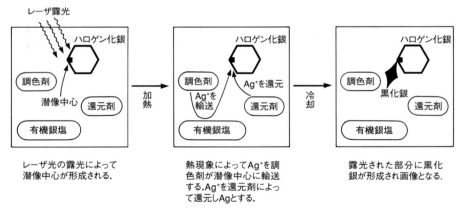

図 9-10 レーザ露光銀塩熱現像方式の原理

4 写真における諸効果

1. 露光に関する効果

1) アルバート効果 Albert effect
コロジオン乳剤を閃光に当て，濃硝酸に浸漬したのち乾燥して拡散光を当てると画像が反転する現象．

2) ウィラール効果 Villard effect
X線を照射した後，拡散光にて再露光すると画像が反転する現象．

3) クライデン効果 Clyden effect
1) と同じように最初閃光を与え，後に拡散光にて再露光すると画像が反転する．

4) ソラリゼーション solarization
過度の露光によって写真濃度が減少し，画像が反転する現象．

5) サバチェ効果 Sabattier effect
現像を開始し，その直後に画像に拡散光を与え，さらに現像を続けると画像が反転する現象．

6) irradiation と halation
irradiation は乳剤中の懸濁物質で散乱され，点像が大きな点像となる．halation は乳剤中で散乱された光がフィルムベース後面で反射し，円形の黒化となって現れる現象．

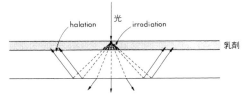

図 9-11　irradiation と halation

7) 間欠効果 intermittency effect
露光を間欠的に何回も繰り返し，露光時間の合計が t となった場合，一度に t 時間連続露光を行った場合よりも写真濃度が小さくなる現象．

8) 相反則（Bunsen-Roscoe の相反則）
光の強度を I とし，露光時間を t とした場合の写真効果 E は，$E=It$ となり，効果は強度と時間の積に比例する．

9) 相反則不軌（Schwarzschild の法則）
前法則で光の強度 I が非常に弱かったり強かったりすると，この法則は成立せず，$E=It^p$ となる．p は常数で $p=0.5〜1.1$ の間を変化する．

2. 潜像に関する効果

1) ハーシェル効果 Herschel effect
最初に弱い散光にて露光し，その後赤および赤外光によって再露光を与えると画像が反転する現象．

2) 潜像退行
光化学反応によってできた Ag^+ と Br^- が再び結合して AgBr となる現象で，露光後の時間とともに黒化度が減少する．

3) ベクレル効果 Becquerel effect
青感性乳剤にあらかじめカブリ露光を与え，その後に乳剤の固有感度域より長波長の光で露光すると，前の露光によって生じた潜像が強化される．一種の分光増感現象である．

3. 露光以外の効果

1) スタチック Static マーク（静電気放電マーク）
空気が乾燥したときに，フィルム膜面どうしが触れ合ったときなどに生じる樹枝状の放電マークがでる現象．

2) ラッセル効果 Russel effect
研磨した金属面に乳剤が触れると潜像を形成する現象で一種の偽写真効果である．

3) 隣接効果 adjacency effect
図 9-12 のように，高濃度部の境界で写真濃度がさらに大きくなり，低濃度部では，逆に小さくなる現象．Eberhard 効果，Saum 効果や，Kostinsky 効果，Rand 効果，直径効果は乳剤層自身によるものとしてこの中に含まれている．

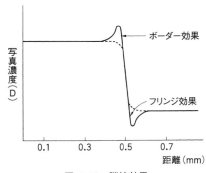

図 9-12　隣接効果

4) 偽写真効果 pseudo photographic effect
光のみでなく，他の物質で潜像が生じる現象でこれらの物質には，過酸化水素，第１亜砒酸ナトリウム，塩化スズ（Ⅱ）などがある．

5) 圧力効果
露光前に写真乳剤への圧力によって，圧力の加わった部分が減感したり，潜像が形成されたりする現象．
露光後は逆に増感される．X線フィルムによくみられるクニックマークはこの効果による．

5 画像のデジタル化

X線検出器で検出した画像信号（アナログ）は"標本化 sampling"と"量子化 quantization"の2つの過程を経てデジタル化される（analog-to-digital 変換（A/D 変換，ADC））．

デジタル画像の最小の単位を"ピクセル（画素）"とよぶ．CT などのように，ピクセルが深さ方向に厚みをもつとき，これを"ボクセル"といい，体軸断面内（XY平面）と体軸方向（Z軸）の空間分解能がほぼ等しい等方性データを等方ボクセルという．ピクセルは，デジタル化される前の信号に対応した値をもち，これをピクセル値という．1枚の画像に含まれるピクセルの数を"マトリクスサイズ"といい，横方向と縦方向のピクセル数を用いて表現する（例：マトリクスサイズが 2048×2048 とは，横方向，縦方向それぞれ 2048 のピクセルから1枚の画像を構成することを示す）．マトリクスサイズは，1ピクセルの大きさを示すものではないことに注意する．

1. 標本化

画像の標本化とは一定間隔（標本点）で画像を読み取ることであり，標本点の間隔を"標本化間隔（サンプリング間隔またはサンプリングピッチ）"という．標本化間隔が小さいほど細かなパターンを読み取ることができる．標本化間隔は空間分解能を表現している．多くの医用画像で使われている標本化間隔は 100～200 μm 程度であり，小さいものでも 50 μm 程度（マンモグラフィなどで使用）で，空間分解能は増感紙―フィルム系より劣る．

どの程度の間隔で標本化をすればよいのかについての目安を与えてくれるのが，"標本化定理（サンプリング定理）"である．1次元で表すと，標本化する前のアナログ信号のもつ最高の空間周波数が U[cycles/mm]のとき，標本化間隔 Δx[mm] は，

$$\Delta x \leq \frac{1}{(2U)} \tag{9.1}$$

で求められる．例えば，画像に含まれる最高の空間周波数が 5 cycles/mm のとき，0.1 mm 以下の標本化間隔でデジタル化すれば，標本化する前の画像を忠実に再現できる．また，$\frac{1}{\Delta x}$ はサンプリング周波数，$\frac{1}{2\Delta x}$ を"ナイキスト（Nyquist）周波数"とよぶ．標本化定理で求まる標本化間隔よりも大きな間隔で標本化すると（アンダーサンプリング），ナイキスト周波数よりも高い空間周波数成分が低い空間周波数成分と重なる現象が

起こり，これを"エリアシング aliasing"という．エリアシングを防ぐためには，標本化定理を満足するような十分に細かな標本間隔で標本化する，あるいは標本化する前のアナログ信号に低域通過フィルタ（ローパスフィルタまたはアンチ・エリアスフィルタという）を作用させる．

標本化は点で行われるのではなく，実際にはある面積に含まれるデータが読み取られる．これをサンプリング・アパチャ（開口）という．サンプリング・アパチャの大きさや形状は，空間分解能やノイズ特性などの画質に影響を与える．これを"アパチャ効果"という．

表 9-5 標本化のまとめ

	標本化間隔	
	小さい ←→	大きい
空間分解能	高い ←→	低い
ピクセルサイズ	小さい ←→	大きい
マトリクスサイズ	大きい ←→	小さい
画像データ量	多い ←→	少ない

2. 量子化

標本化は，アナログ画像信号（連続的に変化する輝度または濃度情報）を整数の値に置き換える操作である．量子化後の値は，各ピクセルの値である．量子化した画像信号は，最小から最大の信号までを何段階の表現するか（階調数，またはグレースケールの数）を決定する．階調数を 2^n で表現したときに，その"べき数"を用いて n ビットと表す．たとえば，1024 階調は，2^{10} であるので 10 ビットと表現する．ビット数が大きいほど，各ピクセルで表現できる階調数が多いことに対応する．多くのデジタル X 線画像システムでは，10 ビット以上を用いている．量子化する前の信号と，量子化した後の信号の差を

表 9-6 量子化のまとめ

	ビット数	
	小さい ←→	大きい
階調数	少ない ←→	多い
濃度分解能	低い ←→	高い
量子化誤差	多い ←→	少ない
画像データ量	少ない ←→	多い

関連事項

空間周波数

単位時間あたりに繰り返す波の数（cycles/sec）は周波数である．この概念を画像に応用したものを空間周波数とよび，単位長さあたりに繰り返すパターンの数を表す（正弦波では cycles/mm または c/mm，矩形波では line pairs/mm または LP/mm）．空間周波数領域と実空間領域は，フーリエ変換の関係で表され，空間周波数の「低い・高い」は，実空間領域では物の大きさの「大・小」に対応する．

"量子化誤差"といい，ビット数が大きいほど，量子化間隔が小さくなるために誤差は少ない．

3. デジタル画像のデータ量

画像データ量はマトリクスサイズを i×j，ビット数を n ビットとすると，i×j×n から計算できる．つまり，画像データ量はマトリクスサイズや量子化で設定したビット数（階調数）の影響を受ける．

例：マトリクスサイズが 2048×2048，ビット数が 10 ビットの場合

画像データ量 = 2048×2048×10 = 41943040（ビット）
　　　　　　 = 5242880（バイト）
　　　　　　 = 5120（キロバイト）
　　　　　　 = 5（メガバイト）

となる．このとき 1 バイトは 8 ビット，1 キロバイトは 1024 バイト，1 メガバイトは 1024 キロバイトで換算する．

ここで注意したいのは，ビット数が 8 ビット以下は 1 バイト，9 ビット以上 16 ビット以下は 2 バイトとして扱う場合が多い．つまり上の例では 10 ビットなので，これを 2 バイトとして計算すると，

画像データ量 = 2048×2048×2 バイト = 8388608（バイト）
　　　　　　 = 8192（キロバイト）
　　　　　　 = 8（メガバイト）

となる．このようにして求めた画像データ量に，画像の情報を書き込んだヘッダーを加えたものが画像ファイル容量である．

4. デジタル画像データの圧縮

画像データの圧縮とは画像データ量を少なくすることであり，デジタル画像の保管の効率を高めることや，画像の転送を高速化するために役立つ．画像の圧縮には圧縮する前の状態に完全に戻すことができる"可逆圧縮"と，圧縮する前の状態に完全に戻すことができない"非可逆圧縮"に分類できる．可逆圧縮は，1/2 から 1/3 程度の圧縮率で，非可逆圧縮はこれよりも高い圧縮率（JPEG では 1/10 程度，wavelet 圧縮では 1/100 程度）が可能である．非可逆圧縮では画像の詳細なデータが失われるので，圧縮率は圧縮した画像を元に戻したときに必要な画質を考慮して決める．静止画の医用画像では JPEG 圧縮や，wavelet 圧縮などが用いられている．

JPEG 圧縮では，離散的コサイン変換（DCT）によって空間周波数に変換され，量子化テーブルにより画像情報を多く含んだ低い空間周波数成分を残し，これとエントロピー符号化（代表的なものにハフマン符号化）を行って圧縮画像を得る．JPEG 圧縮には，可逆圧縮と非可逆圧縮があるが主に非可逆圧縮が使われる．一方，動画に対する圧縮法には MPEG 圧縮がよく用いられる．

デジタルX線画像

1. X線TVシステム

透視画像を実現させるためのX線TVシステムは，当初，イメージ・インテンシファイアを利用していたので，image intensifier-television system；I.I.-TVシステムとよばれた（図9-13）．

被写体を透過しI.I.に入射したX線は，入力蛍光面で可視光に変換，光電面で光電子に変換，加速・集束されて出力蛍光面で再び可視光に変換される．このとき，可視光の輝度は数百倍から千倍程度に増幅される（変換係数）．I.I.の出力蛍光面に映し出された可視光像は，光学系を通り，撮像デバイス（CCDカメラが主流）で読み取る．

最近ではI.I.に代わり，平面X線検出器（FPD）を搭載したデジタルのシステムへと移行し，トモシンセシスが実現できるシステムも普及している．これらのシステムは，デジタルによる透視（digital fluorography；DF）に用いるだけではなく，静止画の撮影や，digital subtraction angiography（DSA）にも利用される．FPDは，I.I.よりも省スペースで，しかも画像に歪みがない ことや撮像視野が大きい利点がある．

2. コンピューテッド・ラジオグラフィ（CR）システム

輝尽性蛍光体をX線検出器に用いたデジタルX線装置をCRという．CRシステムの構成を図9-14に示す．輝尽性蛍光体には主にフッ化ハロゲン化バリウム（BaFX：Eu，XはCl，Br，Iなどで，たとえばBaFBr(I)：Eu，BaFBr：Euなど）が用いられる．これらの輝尽性蛍光体は吸収したX線量に比例したエネルギーを蓄え，レーザ光による外部刺激を与えるとそのエネルギーを輝尽発光光として放出する．輝尽性蛍光体のダイナミックレンジ（X線収録幅）は1万倍（1×10^4倍）程度と広く，かつ，吸収したX線量と輝尽発光光との入出力関係は直線的である．輝尽発光光は集光ガイドで集められ，時系列に変化するアナログ電気信号として読み取られる．図9-14は，片面集光方式の模式図を示しているが，ノイズ低減のために両面から輝尽発光光を読み取る方式（両面集光方式）も実現している．読み取られたアナログ電気信号は，信号増幅とA/D変換が行われてデジタル画像信号となる．なお，この方式を最初に実現したメーカでは，輝尽性蛍光板によるX線検出器をイメージングプレート（IP）とよんでいる．

CRは，増感紙—フィルム系で撮影対象となる単純X線撮影，造影X線検査，特殊撮影（拡大撮影やステレオ

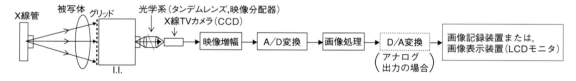

```
イメージインテンシファイア（I.I.）：
  I.I. 入力窓：金属（Ti, Al） ……………………………… 従来のガラス窓と比べてX線吸収や散乱が少ない
  I.I. 入力蛍光面：CsI：Na ……………………………… 柱状結晶構造（感度を保ちつつ光の散乱減らす）
  光電面：バイアルカリ合金（K₂SbCs など） ………………………………… 可視光から光電子に変換
  加速電極：集束電極および陽極による電子レンズ作用 ………………………………… 光電子の加速と集束
  I.I. 出力蛍光面：（Zn, Cd）S：Ag …………………………………………………… 再度，可視光に変換

光学系：
  タンデムレンズ ………………………………………… I.I. 出力蛍光面とX線TVカメラの視野サイズを補正
  映像分配器（ハーフミラー） ………………………………………… シネカメラなどで撮影するときに使用
  オートアイリス，NDフィルタ
         ……………… X線TVカメラのダイナミックレンジに収まる入射光量を調整（ハレーション防止）
注：I.I. 出力窓からCCDに光ファイバーで接続するシステムではタンデムレンズや映像分配器は用いない
```

図9-13　I.I.-TVシステムの構成概略図

---関連事項---

CCD（Charge Coupled Device）

電荷結合素子であるCCDは光電変換デバイスの一種として光学像をその強弱に応じた信号電荷（電圧）へと変換する．CCDは多画素化，高感度化，ダイナミックレンジの向上，ノイズの低減化，小型化など性能の向上が著しい．従来から使われてきた撮像管と比べて，残像特性に優れ，歪がない，ダイナミックレンジが広い（3桁程度），地磁気の影響を受けにくい，経年変化が少ない，機械的強度が高い，などの優れた点がある．

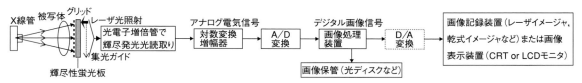

図 9-14 CR システムの構成概略図

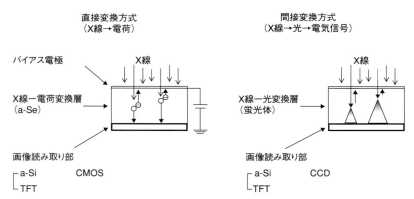

図 9-15 FPD：直接変換方式と間接変換方式

撮影）などすべての静止画像の撮像が可能で，さらに，DSA やエネルギー差分画像などにも適応可能である．しかし，動画の撮影はできない．またデジタル画像なので，感度と収録幅と階調を調整して適切な濃度（あるいは輝度）の画像として表示できるほか，階調処理や鮮鋭化処理（ボケマスク処理）など様々な画像処理が行える．

3. 平面検出器（フラット・パネル・ディテクタ：FPD）

CR も平面でX線を検出するが，FPD とは，X線検出器に非晶質セレン（アモルファスセレン，a-Se）や，蛍光体（ここでは酸硫化ガドリニウム・テルビウム Gd_2O_2S：Tb またはヨウ化セシウム・タリウム CsI：Tl）などの平面型のX線検出器を用いたデジタルX線画像システムである．a-Se はX線から直接電気信号に変換する方式（直接変換方式）であり，X線を蛍光体で可視光に変換して電気信号に変える間接変換方式と区別している（図 9-15）．直接変換方式ではX線が吸収されると正孔・電子対を発生してこれを電気信号として読み取るため，光に変換しないことから間接変換方式と比べて解像特性が優れている．どちらの変換方式においても電気信号は A/D 変換器によってデジタル画像信号となり，様々な画像処理が行われて出力される．FPD は，CR と同様に静止画を撮像できるだけではなく，動画も撮像できるシステムや，可搬型も普及しつつある．

4. デジタルX線画像の利点

デジタルX線画像の主な利点には次のような内容がある．

- ほぼリアルタイムな画像表示が可能（モニター出力の場合，現像処理不要）
- 画像の通信・複製が容易である（PACS, 遠隔診断など）
- 画像の保管・管理が効率的である（画像圧縮技術の利用，PACS など）
- 被ばく低減の可能性がある
- 各種の画像処理が可能である（見やすくするための処理，定量的な情報を得るための処理など）

―関連事項―
コンピュータ支援診断（CAD）
CAD とは，コンピュータが画像を解析して得られた定量的で客観的な情報に基づいて，病変の候補陰影を検出して示したり，その病変候補陰影の良悪性の判別を行い，それらの情報を医師に提示し，医師が第2の意見として利用する医師による診断をいう（コンピュータによる自動診断ではないことに注意）．マンモグラフィにおける微小石灰化や腫瘤陰影を検出する CAD システムや胸部X線写真における肺結節状陰影を検出する CAD システムが，米国で承認されて使われている．他の部位や，CT，MRI，超音波などのモダリティにおいても盛んに研究開発が進められており，診断の正確度，再現性の向上，生産性向上などが期待されている．

7 入出力変換特性

　入出力変換特性とは，システムの入力と出力の関係を示すもので，増感紙—フィルム系では，"特性曲線"あるいは"Hurter & Driffield（H & D）曲線"とよぶ．フィルムの特性曲線は，横軸に相対X線量（または相対露光量）の常用対数をとり，縦軸は，フィルムの写真濃度をとって表し（図9-16左），base＋fogの写真濃度（両面乳剤フィルムで約0.2前後）やフィルムコントラスト〔ガンマ，グラジェント（G）〕，ダイナミックレンジ（X線収録幅）などの情報を含んでいる．平均グラジェント（$\overline{G}$）は，base＋fog に0.25を加えた写真濃度から，base＋fog に2.0を加えた写真濃度域におけるグラジェントの平均と定義される．ダイナミックレンジは，システムが収録可能なX線量幅または露光量幅のことで，写真学では，特性曲線の直線部に相当するX線量幅を"ラチチュード"と定義して用いている．X線フィルムのダイナミックレンジは，数百倍程度（フィルムの種類により変化）であったが，この幅は増感紙や，デジタルX線システムにおけるX線の検出器である輝尽性蛍光体，フラットパネルディテクタの検出器のダイナミックレンジより狭い（輝尽性蛍光体では1万倍程度）．
　フィルムの特性曲線ではS字型（シグモイド型）の形状であったが，デジタルシステムでは，X線入力に対するピクセル値の関係はほぼ直線で表され，必要に応じて画像を出力するときに階調を自由に変更させている．

1. デジタル系の特性曲線

　デジタル系では目的に応じてシステム全体あるいは各構成部の特性曲線（入出力変換特性）を測定する．主な曲線には，相対X線量とピクセル値との関係を示す"デジタル特性曲線"がある．これはフィルムの特性曲線と同様の目的に用いることができるので，デジタル系の画質評価には重要な入出力変換特性である．デジタル特性曲線は，フィルムの特性曲線のように相対X線量の常用対数をとってプロットして直線となるシステムと，常用対数をとらずに直線で示されるシステムがある．
　このほか，システム全体の入出力変換特性をオーバーオール特性曲線とよぶ．

2. 特性曲線の測定法

　特性曲線の測定を広義で"センシトメトリ"とよぶ．これにはX線を用いて測定する"X線センシトメトリ"と，X線を用いないで増感紙からの発光スペクトルに近い光源を利用した測定（"光センシトメトリ"）に分類で

関連事項

グラジェント
　グラジェントは"階調度"，平均グラジェントは"平均階調度"ともいう．
　グラジェント（G）は，$G = dD/d\log RE$，すなわち特性曲線の1次微分から求める．
　グラジェント曲線（図9-16右）は，通常，写真濃度を横軸にとり，縦軸にグラジェントをプロットする．

写真濃度（光学濃度 optical density；OD）
　写真濃度は，フィルムなどの黒化濃度を表すもので，フィルムに入射した光量をI，フィルムを透過した光量をIo，透過率をTとすると，写真濃度（OD）は以下のように計算できる．
$$OD = \log_{10}(1/T) = \log_{10}(I/Io)$$
　一例として，透過率が10%，1%，0.1%のフィルムの写真濃度は，それぞれ1.0，2.0，3.0である．また，5%のフィルムの写真濃度は1.3である（OD=$\log_{10}(100/5)$=$\log_{10} 20 = \log_{10} 2 + \log_{10} 10 = 0.3 + 1.0 = 1.3$）．写真濃度の測定には，測定器の構造の違いから拡散光濃度計と平行光濃度計に分類でき，たいていの場合，写真濃度といえば拡散光濃度計で測定したものをさす．平行光濃度計はマイクロデンシトメータとよばれ，拡散光濃度計では測定が困難な微小な面積の写真濃度を測定できることから，増感紙—フィルム系でのMTFの測定や，粒状度の測定（rms粒状度やウィナースペクトル）にも用いられる．同じフィルムでも，拡散光濃度計より平行光濃度計のほうが高い値を示し，平行光濃度を拡散高濃度で徐した値を"Qファクタ"という．

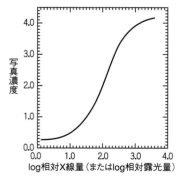 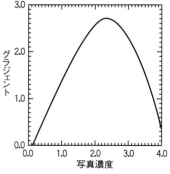

図 9-16　フィルムの特性曲線とそのグラジェント曲線の一例

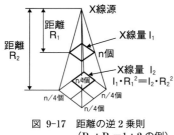

図 9-17 距離の逆 2 乗則
（$R_1:R_2=1:2$ の例）

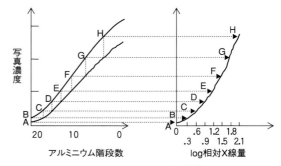

図 9-18 bootstrap 法の概略図

きる.

X線センシトメトリは，X線強度を変化させる（撮影時間は一定）"強度スケール法"と，撮影時間を変化させる（X線強度は一定）"タイムスケール法"とに分類できる．強度スケール法には，距離の逆 2 乗則（図 9-17）により撮影距離を変化させて特性曲線の横軸である相対X線量を決定する"距離法"と，アルミニウム階段などのX線吸収物質を利用し，2 つの異なる露光条件で撮影を行って得られた 2 つの濃度曲線を作図して，1 本の特性曲線を得る"bootstrap法"（ブートストラップ法）がある．

タイムスケール法では，撮影時間を大幅に変化させると相反則不軌が問題となることが知られており，フィルムの特性曲線の測定には注意する必要があった．一方，デジタル撮像系では，X線検出器にフィルムを使用しないために，相反則不軌は問題とならずタイムスケール法による測定も役立つ．

光センシトメトリは，増感紙―フィルム系で撮影していた時代には，自動現像機の日常管理のために使われていたが，フィルムを使用しないデジタル系では使われることはない．

┌─ 関連事項 ─────────────────────

相反則不軌

露光する光の照度を E，露光時間を t とすると，現像後の黒化濃度（D）が以下の式で表されるとき，これを"相反則"または"ブンゼン・ロスコーの法則"という．

$$D=f(E \times t)$$

一方，露光する光の強度が変化したときに，この関係が成り立たないことを"相反則不軌"という．

散乱X線の発生と除去

散乱X線の発生を減らす手法：被写体を透過したX線（全透過X線）は，被写体との相互作用を起こさなかった直接X線と，被写体内で散乱したX線（散乱X線）に分類

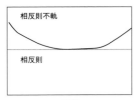

同じ写真濃度を得るのに必要な露光量（log Et）

できる．診断領域で用いるX線エネルギーの範囲における散乱X線はコンプトン散乱が原因である．散乱X線の発生を少なくするには，被写体の厚さを薄くする（圧迫撮影），照射野を小さくする，X線エネルギーを低くして相対的にコンプトン散乱の発生を少なくする，などの方法がある．

発生した散乱X線が放射線受光系に入射するのを少なくする方法：被写体から発生した散乱X線が放射線受光系に入射するのを減らすためには，散乱X線除去格子（グリッド）を用いる方法が一般的である．このほかにも，被写体と放射線受光系との距離を離して（エアーギャップ），被写体で発生した散乱X線の一部を放射線受光系に入射する量を幾何学的に減らす（グレーデル効果）手法がある．

液晶ディスプレイ装置

デジタル画像の時代になり，画像をフィルムに表示するのではなく，電子的な画像表示装置（液晶ディスプレイ装置 liquid crystal display，LCD）に表示するようになった．LCD の日常の管理には写真濃度の測定ではなく，輝度（cd/m^2）の測定が必要となる．また，LCD の階調は cathode ray tube（CRT）で採用されていたガンマ 2.2 ではなくグレースケール標準表示関数（grayscale standard display function；GSDF）が用いられている．なお，CRT は現在製造されていない．

8 鮮鋭度（解像特性）

鮮鋭度とは，画像のシャープさの程度を表す用語である．過去には並列細線テストパターンを撮影し，識別可能な解像限界の細線の幅（d）を目視で測定し，1/(2d) から求められる"解像力"で評価する手法などが用いられてきた．しかし現在は，レスポンス関数，すなわち modulation transfer function（MTF）による評価が主流である．MTF を用いれば，直列結合した各構成部の MTF の積から総合的な MTF を求めることができることも利点である．

1. 広がり関数（図9-19）

ある撮像システムに，デルタ関数を入力したとき，ボケない理想的なシステムでは，入力と同じデルタ関数が出力される．しかし，現実のシステムでは，システムのもつ解像度により広がって出力される．フィルムの場合，この広がりをマイクロデンシトメータで測定したものを点像濃度分布とよび，各写真濃度を X 線強度に変換したあと，点像を2次元の関数で表したものを点像広がり関数（point spread function；PSF，または点像強度分布）という．

PSF が原点において回転対称な場合（等方的）には，これを1次元で表すことが可能で，これを線広がり関数（line spread function；LSF，または線像強度分布）という．PSF と LSF の関係は次式で示される．

$$LSF(x) = \int_{-\infty}^{\infty} PSF(x, y)\, dy \qquad (9.2)$$

PSF はピンホールをあけた金属を撮影して得られる．

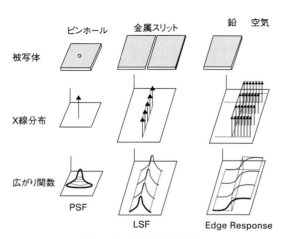

図 9-19　各種広がり関数

一方，LSF は十分に幅の狭い金属スリットを用いて測定する．このほかにも，金属片（エッジ）を撮影して求めたエッジ像の写真濃度分布を X 線強度に変換したものをエッジ応答関数（edge response 関数）といい，これを微分すれば LSF が求められる．これらの広がり関数はそれ自体でシステムの解像特性を示すが，空間周波数領域での特性を詳しく知るためにレスポンス関数で評価を行っている．

図 9-20 に相対的に鮮鋭な撮像システムと非鮮鋭な撮像システムで測定した LSF を最大強度で1に正規化した様子を示す．鮮鋭な撮像システムでは LSF の広がりが少ない．LSF のピーク付近は主に高い空間周波数成分の解像特性を反映し，LSF の裾野部分は主に低い空間周波数成分を反映している．

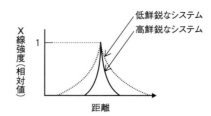

図 9-20　鮮鋭なシステムと非鮮鋭なシステムの LSF

2. レスポンス関数と MTF

PSF を2次元フーリエ変換したものを光学伝達関数（optical transfer function；OTF）という．OTF は複素関数で，その絶対値を MTF，位相成分を phase transfer function（PTF）という．多くのアナログ画像撮像システムは等方的（PSF では原点において回転対称，LSF では左右対称）であり，位相成分はゼロと考えられるので PTF は考慮せず，MTF で評価を行う．

MTF には2つの定義がある．ひとつは広がり関数のフーリエ変換で求められる OTF の絶対値から求めるもので，もうひとつは，いろいろな空間周波数をもつ正弦波形のコントラストの変調による定義である．前者はスリット像から広がり関数 LSF を測定するので"スリット法"とよばれている．後者は正弦波形の代わりにいろいろな空間周波数をもつ矩形波テストパターンを用いてまず矩形波レスポンス関数を求め，コルトマンの補正式で正弦波レスポンス関数（MTF）に変換する手法で，これを"矩形波チャート法"とよんでいる．矩形波チャート法では，各空間周波数でのコントラストを測定することからコントラスト法ともいわれる．

図 9-19 の右に示しているように，金属板を撮影して得られたエッジ像を X 線の強度分布にしたものをエッジレスポンスという．このエッジレスポンスを微分すると LSF を求めることができ，これをフーリエ変換して

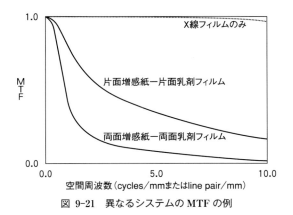

図 9-21 異なるシステムの MTF の例

MTF を求める方法をエッジ法という.

デジタルのX線システムが主流となったいま，エリアシングエラーを含まないプリサンプリング MTF（プリサンプルド MTF）を求める必要があり，IEC 規格でもスリット法とエッジ法を推奨している.

MTF による解像特性の評価の概念を理解するために，図 9-21 に，異なった解像特性をもつ増感紙—フィルム系の MTF を示す．横軸は空間周波数で，縦軸は MTF の値である（空間周波数がゼロのとき 1 となるように正規化している）．ボケない理想的なシステムでは MTF は 1 を示し，値が小さいほど解像特性が劣ることを意味する．増感紙—フィルム系におけるボケの主な原因は，増感紙内での光の拡散であった．CR や間接変換型 FPD などの蛍光体を用いたデジタルX線システムでも，X線検出器内での光の拡散が鮮鋭度を劣化させるために，一部のシステムでは，X線検出器に柱状結晶構造の蛍光体を用いている．

3. MTF の測定法

スリット法，エッジ法，矩形波チャート法が知られている．デジタル系の MTF の測定（プリサンプルド MTF

関連事項

重畳積分（重ね合わせ積分）

画像形成の過程は，画像システムへの入力分布 $i(x)$ と，広がり関数 $h(x)$ がわかれば，両者の重畳積分から，出力分布 $o(x)$ を知ることができる.

$$o(x)=\int_{-\infty}^{\infty} i(x')\,h(x-x')dx' = i(x) * h(x)$$

ここで，＊は重畳積分の記号を示しており，この式は 1 次元で示している．また，2 つの関数の重畳積分のフーリエ変換は，それぞれの関数のフーリエ変換の積となる重要な性質がある.

$$O(u) = F(u) \cdot H(u)$$

ここで，$O(u)$，$F(u)$，$H(u)$ は，それぞれ，$o(x)$，$f(x)$，$h(x)$ のフーリエ変換.

入力分布と，広がり関数の重畳積分から，出力分布が求まる概念図を下図に示す．

[線形システムのインパルス応答　（画像がボケるシステムの一例）]

[任意の入力: $i(x)$ に対する出力: $o(x)$]

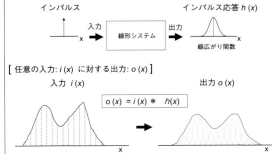

また，入力分布と，広がり関数の数値が与えられたときには，対向する要素の積和演算から，出力分布を計算できる．単純な矩形入力と広がり関数の数値が与えられている場合の計算例を右上図に示す．この例では，入力分布 $i(x)$ を固定し，広がり関数 $h(x)$ を左から右へと移動させながら積和演算を行っている．たとえば，①では，$i(x)$ が 1 で，$h(x)$ の対向する要素は 0.2 だけである．そこで，この 2 つの数値の積算の結果（0.2）を，広がり関数の中心（広がり関数の灰色で示した位置）と同じ位置の出力 $o(x)$ に書き入

れる．この作業を⑨まで繰り返すと出力分布 $o(x)$ が求まる．

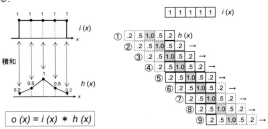

線形性と位置不変性

レスポンス関数（MTF）を適応するには，"線形性" と "位置不変性" の条件を満たす必要がある．線形性とは，システムの入力と出力の関係をリニアスケールでプロットしたときに直線で表されることをいい，多くの画像システムでは非線形である．たとえば，増感紙—フィルム系で，X線が増感紙で蛍光に変換される過程は線形であるが，フィルムを黒化して写真濃度となる過程は非線形である．そこで，線形性を満たすために特性曲線を利用して写真濃度から相対X線強度に変換する操作を行う．このような操作を "系の線形化" あるいは "有効露光量変換" という．一方，位置不変性とは，画像面上の位置に依存せず一定の性質を示すことで，これを定常性ともいう．デジタル撮像系における線形性は，増感紙—フィルム系と同様に系の線形化を行うことで満たされる．しかし，位置不変性については離散的にデータをもつことから厳密には成立しない．

CTF（contrast transfer function）

CTF は，MTF に，システムのコントラストを乗算したもので，この場合，空間周波数とX線量の関数である．一方，MTF は空間周波数のみの関数である．

図 9-22 スリット法による MTF 測定

またはプリサンプリング MTF という）では，スリット像やエッジ像を撮像し，それらのデジタル値で取り出して MTF を計算する．一方，矩形波テストパターンを用いる矩形波チャート法は，増感紙フィルム系の MTF 測定で，わが国やヨーロッパで良く利用されてきた．最近では，デジタル画像の解像度を簡便に評価する目的で用いるが，MTF の測定に用いることほとんどみられない．本書では，デジタル画像の MTF の測定の概念とスリット法による MTF 測定について以下に示す．

スリット法（図 9-22）は，十分に幅の狭い金属スリット（10 マイクロメータ程度）を用いて LSF を求め，フーリエ変換により MTF を求める方法である．デジタル系の MTF の測定では，金属スリットを画素の配列に対してわずかに角度をつけて（〜2 度）撮影し，細かなサンプリング間隔の LSF を合成する手法が用いられる．図 9-22 では，マイクロデンシトメータで走査すると書いているが，デジタル画像の MTF 測定にはマイクロデンシトメータは使用しない．この方法では，①撮影に用いる金属スリットの幅，②トランケーションエラー，③エリアシングエラーなどが測定の正確度と再現性に影響を与える．ここでトランケーションエラーを回避するために，2 つの異なる撮影条件でスリット像を撮影して（基準露光と，基準露光の 4〜5 倍の露光量（倍数露光））これらを合成し，さらに，それ以遠の LSF を指数関数などで近似する方法（倍数露光法と指数関数近似）がある．エリアシングエラーは LSF からデータを読み取る間隔が離散的で，かつ十分に細かくないことが原因で起こる（標本化定理を参照）．増感紙―フィルム系ではエリアシングエラーが発生しないように十分に細かな標本化間隔（5〜10 μm）を設定するが，デジタル系では，標本化間隔が必ずしも十分に小さくないのでエリアシングエラーが問題となる．そこで，エリアシングエラーを含まないプリサンプリング MTF を用いて解像特性を測定している．

―関連事項―
プリサンプリング MTF（またはプリサンプルド MTF）
プリサンプリング MTF はデジタル系に固有な MTF で，デジタル系の解像特性の劣化の主な原因となる X 線検出器のボケと，サンプリングアパチャによるボケを含んだ MTF である．デジタル系では A/D 変換後に得られるデータから MTF を求めると，エリアシングエラーの影響を含み，画像データをサンプリングする位置によって MTF の値が変化し，1 本の MTF で示せない．そこで，デジタル化する前の MTF，すなわち，プリサンプリング MTF で評価している．

9 粒状性（ノイズ特性）

X線を均一に照射しても，X線画像上は均一な画像ではなく写真濃度または輝度のバラツキが現れる．これを粒状（雑音またはノイズともいう）という．X線画像の粒状性は，低コントラストな物質の検出能に影響する（図9-23）ので重要な画質特性である．

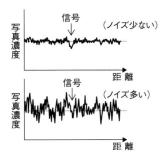

図9-23 ノイズの少ない場合と多い場合の写真濃度分布
ノイズが多いときには微小なコントラストはノイズに埋もれてしまう．

これまで多用されてきた増感紙—フィルム系では，X線写真の粒状性は放射線写真モトルとよばれ，最も大きく影響するのが，X線量子モトル（〜60%以上）である．X線量子モトルは低い空間周波数領域で支配的なノイズである．一方，X線フィルムの粒状性は高い空間周波数領域で支配的なノイズである（図9-24・25）．増感紙の構造モトルは，増感紙の蛍光体の粒子径や形状，配列などの構造が関係するノイズをいう．

X線量子モトルのウィナースペクトル $WSq(u)$ は，システムの解像特性（MTF），コントラスト（G），単位面積あたりに吸収した平均のX線光子数（n）の影響を受け，X線フィルムのつまり非線形システムでは近似的に下式で示される．

$$WSq(u) \approx \frac{(\log_{10} e \cdot G)^2 \cdot MTF^2(u)}{n} \quad (9.3)$$

デジタル撮像系でも，増感紙—フィルム系と同様にX線量子モトルが支配的であり，このほかにも，X線検出

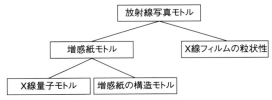

図9-24 増感紙—フィルム系におけるノイズの原因の分類

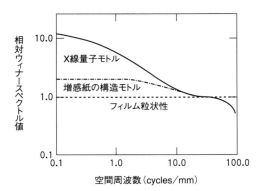

図9-25 増感紙—フィルム系によるノイズの構成

器の構造ノイズ，電気ノイズ，A/D変換における量子化ノイズ，画像表示系のノイズなどがある．輝尽性蛍光体をX線検出器に用いたCRでは輝尽発光光の量子ノイズ（光量子ノイズ）も影響する．

1. 粒状度の測定

粒状度は，X線を均一に照射して得たピクセル値（増感紙—フィルム系では写真濃度）の変動の程度を調べるrms（root meansquare）粒状度や，空間周波数領域での解析を行うウィナースペクトル（またはノイズパワースペクトルともいう）で評価される．どちらの測定も，写真濃度やデジタル値の傾き（バックグラウンド・トレンド）がない測定試料を用いる必要がある．もしもバックグラウンド・トレンドがある場合には，トレンドを除去する工夫が必要である．rms粒状度やウィナースペクトルは，値が小さいほどノイズが少なく粒状性が優れていることを示す．rms粒状度やウィナースペクトルの測定に用いる画像データは，増感紙フィルム系ではマイクロデンシトメータで黒化したフィルムを操作して得たが，デジタル画像では，マイクロデンシトメータは使用せずA/D変換後のピクセル値を用いる．しかし，ピクセル値は，システムごとに任意に設定できるため，相互比較をするときに注意が必要である．そこで，ピクセル値で求めたデジタルウィナースペクトルから，相対X線強度に変換したウィナースペクトルに換算して用いる．

rms粒状度は，画像の変動を標準偏差から求める．

$$RMS = \sqrt{\frac{\sum_{i=1}^{n}(D_i - \bar{D})^2}{(n-1)}} \quad (9.4)$$

ここで，n は濃度データの数，D_i は各濃度データ，$\bar{D}$ は n 個の濃度データの平均である．

ウィナースペクトルは，空間周波数領域におけるノイズの解析が可能である．ウィナースペクトルの測定は，自己相関関数をフーリエ変換して求める方法や，ノイズ

の変動分を直接フーリエ変換して求める方法（下式）があり，主に後者を用いている．

$$WS(u) = \lim_{X \to \infty} \frac{1}{X} \overline{|F(u)|^2}$$

$$F(u) = \int_{-\infty}^{\infty} \Delta f(x) e^{-j2\pi u x} dx \quad (9.5)$$

ここで，X は測定試料の長さ，u は空間周波数で，$\Delta f(x)$ は画像の分布からその平均値を差し引いた変動データを示す．図9-26に，2つの異なったノイズ特性をもったシステムのウィナースペクトルを示す．

なお，rms粒状度とウィナースペクトル $WS(u)$ には以下の関係があり，ウィナースペクトルの面積が分散（rms粒状度の二乗）に対応することが知られている．

$$\sigma^2 = \int_{-\infty}^{\infty} WS(u) du = 2\int_{0}^{\infty} WS(u) du \quad (9.6)$$

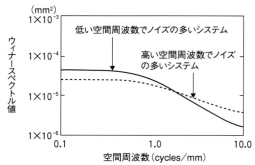

図 9-26　2つのシステムのウィナースペクトル

関連事項

DQE と NEQ

信号対雑音比（signal-to-noise ratio；SNR）の概念から導かれた画像の物理特性の評価法に，detective quantum efficiency（量子検出効率，DQE）や noise equivalent quanta（雑音等価量子数，NEQ）がある．

$$DQE = \frac{(SNR_{out})^2}{(SNR_{in})^2} = \frac{NEQ}{q_A}$$

ここで，SNR_{in} は撮像システムに入力したSNR，SNR_{out} は撮像システムから出力したSNRで，出力側のSNRの二乗はNEQと定義される．また，NEQを撮像システムに入射した単位面積あたりの光子数（q_A）で割ったものが，DQEとなる．DQEの値が高いほど特性は優れていることを示す．

NEQ は，ウィナースペクトル（WS）の逆数で表され，これは撮像システムの入出力特性（G）や，解像特性（MTF）で変調される．非線形システムでは

$$NEQ(u) = \frac{(\log_{10} e)^2 \cdot G^2 \cdot MTF^2(u)}{WS(u)}.$$

FPDなどの線形システムでは

$$NEQ(u) = \frac{MTF^2(u)}{WS_{\frac{\Delta E}{E}}}$$

と表現できる．NEQは，撮影線量と空間周波数の関数である．一方，DQEは空間周波数の関数であり，撮像システムに入射した単位面積あたりの光子数を考慮しているので撮影線量の影響は受けにくい．DQEは，撮像システムの検出器を対象とした総合的な画質特性の評価法と考えられている．しかし，一方では，同じDQEの値を示すシステムであっても表示系などの画像出力部分の特性の影響を受けるので最終的に出力した画像の評価は困難であることに注意する必要がある．

10 画像の主観的な評価

画像は最終的には人間が観察するので，観察者の視覚による画像評価も重要である．receiver operating characteristic（ROC）解析は，診断の正確さを評価するための手法の一つであり，現在のところ，最も信頼性の高い評価法として用いられている．このほかには，強制選択肢法（alternative forced choice；AFC法），バーガー・ローズファントムを用いたコントラスト・ディテールダイアフラム（CDダイアフラム）による評価法や，一対比較法，ハウレットチャート法，ランドルト環を用いた評価法などもある．

1. 両正規分布と ROC 曲線

病変を検出する立場から画像に含まれる正常構造を"雑音"とし，病変部の陰影を"信号"と考える．観察者の雑音に対する反応と，雑音＋信号に対する反応は，それぞれ独立した正規分布になると仮定されており，図9-27，図9-28のようになる．横軸は病変の有無の判定基準軸で，縦軸は確率密度を示す．観察者の判定基準を変えることで，雑音＋信号に対して正しく信号があると判定した確率（true positive fraction；TPF）や雑音に対して，正しく信号がないと判定した確率（false positive fraction；FPF）を求めることができ（☞関連事項），これをプロットしたものがROC曲線である．ここで，観察者の判断基準をカテゴリに分類（通常，5段階）して観察実験を行う方法を"評定確信度法"，連続的な判定基準に応じたスコアを使う手法を"連続確信度法"という．

ROC曲線の一例を図9-28に示す．横軸は正常構造を間違って病変と判定した確率（誤報確率FPF）で，縦軸は病変を正しく病変があると判定した確率（TPF，または的中確率）をとる．別の表現では，縦軸はsensitivity（感度），横軸は1－特異度（specificity）となる．ROC曲線は左上に近づくほど特性が優れていることを示す．ROC曲線の評価は，ROC曲線下の面積（AUC）を用いて評価する（最大値は1.0）．目的によっては，あるFPF

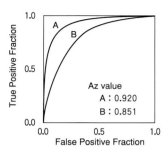

図 9-28 ROC 曲線の一例（Az は ROC 曲線下の面積）

でのTPF（またはあるTPFでのFPF）の値で比較することもある．ROC曲線は，観察者の診断の正確さや，異なる撮像システムの病変検出能の評価，撮像法の違いの評価，コンピュータ支援診断（CAD）の性能の評価などにも用いられる．

ROC解析は，観察試料の作成，観察者の学習（十分なトレーニング），観察実験，ROC曲線の作成（含むカーブフィッティング），評価（AUCなど）および有意差の検定の手順で行う．

ROC解析では観察試料の作成または選択が重要で，観察者の学習を十分に行う必要がある．また，統計的な変動を少なくするためには，観察試料枚数，観察者数，観察回数を多くする．

2. LROC と FROC

ROCでは病変（信号）のありなしだけを問題にしたが，LROCでは，病変の位置の検出まで考慮している．また，1枚の試料に含まれる病変の数は1つであることや，縦軸横軸はROC曲線と同じである．一方，FROCは1枚の試料のなかに複数個の病変を含んだものを対象とできる．そしてFROC曲線の縦軸はTPFであるが，横軸にはFPFではなく，1画像あたりのFP数で表し，CADシステムの性能評価の目的に利用される．

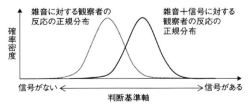

図 9-27 雑音と信号＋雑音に対する観察者の反応の正規分布

関連事項

刺激─反応行列

観察者に対する刺激として，雑音＋信号または雑音のみを与えたときに，観察者の反応は以下のように分類できる．これを刺激─反応行列という．ROC曲線では，観察実験におけるTrue PositiveとFalse Positiveの割合を求めてプロットしている．

	観察者の反応	
	信号あり	信号なし
雑音＋信号（病変）	True Positive, TP (Sensitivity, 感度)(的中確率) $P(S\|s)$	False Negative, FN $P(N\|s)$
雑音（正常）	False Positive, FP (誤報確率) $P(S\|n)$	True Negative, TN (Specificity, 特異度) $P(N\|n)$

11 デジタル画像処理

1. 階調処理

階調処理とは，増感紙—フィルム系でたとえると，異なった形状や感度をもった特性曲線のX線フィルムを使って撮影することに相当する．代表的な階調処理には，ガンマ補正や，白黒反転処理，ウィンドイング処理（図9-29）がある．これらは，液晶ディスプレイ（LCD）などの表示装置で画像を観察するときに用いられる．ウィンドイング処理は，ある特定のピクセル値（ウィンドウレベル）を中心に，あるピクセル値の範囲（ウィンドウ幅）を表示して，関心領域のコントラストを高める目的で使用される．ウィンドウ幅の範囲外のピクセル値をもつ領域は，黒または白で塗りつぶされる．この処理は，比較的簡単であるが，その効果が大きいために頻繁に用いられている．

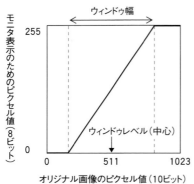

図 9-29 ウィンドイングの概念

2. 空間フィルタリングと空間周波数フィルタリング

画像処理におけるフィルタリングには，実空間領域でピクセル値を直接操作する"空間フィルタリング"と，画像を一度空間周波数領域に変換し（フーリエ変換），空間周波数領域で操作を行う"空間周波数フィルタリング"がある．後者では，フィルタリングの後，フーリエ逆変換によって実空間領域の画像に変換する．空間フィルタリングと空間周波数フィルタリングは同じ結果が得られる．

3. 空間フィルタリング

処理前の原画像 f(x, y) のなかの注目するピクセル（図9-30，点線の枠内の灰色）と，そのピクセルを中心とした局所領域（図中，点線の枠内）に対して，様々な

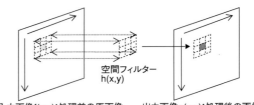

図 9-30 空間フィルタリングの概念

重みをつけた空間フィルタ（または演算子）との積和演算を行い，その合計を注目するピクセル値に置き換える（原画像と空間フィルタとの重畳積分）．この操作を画像の左上から右下までの全体について行う．この手法は，実空間領域に分布するピクセル値そのものを操作することから空間フィルタリングとよんでいる．実空間領域におけるこの重畳積分の操作は，空間周波数領域では，原画像のフーリエスペクトルと，空間フィルタをフーリエ変換した結果との掛け算で行うことが可能である（☞空間周波数フィルタリング）．

代表的な空間フィルタの例を以下に示す．

平滑化フィルタ：画像のスムージングにより雑音低減効果があるが鮮鋭度も低下する

- 移動平均フィルタ：平滑化フィルタの一種で単純平均を出力する．雑音除去効果があるがボケる．
- 加重平均フィルタ：平滑化フィルタの一種．局所領域に含まれるピクセルのなかで注目するピクセルに近いほど重み係数を大きく，移動平均フィルタよりボケが少ない．
- ガウシャンフィルタ：加重平均フィルタとしてガウス分布型の重み係数を利用．
- メディアンフィルタ：局所領域のピクセル値のヒストグラムから中央値（メディアン値）を求めて出力する．画像のボケを抑えながら，画像にスパイク状の雑音（ごま塩雑音）があれば除去できる．

関連事項

ヒストグラム

画像におけるヒストグラムとは，各階調（ピクセル値）ごとに，その画像に含まれるピクセル数を調べたものである．これを利用した画像処理のひとつにヒストグラムの平滑化（histogram equalization）がある．ヒストグラムの平滑化では，あるピクセル値の範囲に偏って分布したヒストグラムを大きな範囲に広げることで，全体としてコントラスト強調した画像が得られる．

2値画像

2値画像とは，様々な写真濃度（ピクセル値）をもつ原画像を白と黒（0と1）の2階調で表現した画像である．複数の階調の画像から2値画像に変換する操作を2値化といい，閾値処理で行われる．2値化した画像は，領域を分割するためのラベリングなどの処理に活用される．

鮮鋭化フィルタ：撮像の過程や，平滑化などでボケた画像（高い空間周波数成分が弱められている）を見やすくするための処理法

- **ラプラシアン（Laplacian）フィルタ**：ボケた画像の2次微分を求め，これをボケた画像から差し引く操作．

エッジ強調フィルタ：画像のエッジ成分を強調する目的で使用される．

- **ソーベル（Sobel）フィルタ**：ある注目したピクセルを中心とした近傍領域の微分に対する重み係数を変え，注目したピクセルに近いほど微分に寄与する割合が大きい．X方向とY方向のエッジ成分のベクトル和からエッジ成分の強さ（$g(x, y)$）とエッジの方向（θ）が求まる．

$$g(x, y) = \sqrt{g_x(x, y)^2 + g_y(x, y)^2}$$
$$\theta = \tan^{-1} \frac{g_y(x, y)}{g_x(x, y)} \quad (9.7)$$

4. 空間周波数フィルタリング

空間周波数フィルタリングは，処理前の原画像$f(x, y)$をフーリエ変換して空間周波数領域に変換し（$F(u, v)$），次に，空間フィルタをフーリエ変換した，いわゆる，空間周波数フィルタ（$H(u, v)$）との積を求める．最後にその結果（$G(u, v)$）をフーリエ逆変換すれば処理画像$g(x, y)$が得られる．

$$G(u, v) = F(u, v) \times H(u, v) \quad (9.8)$$

空間周波数フィルタも，空間フィルタと同様に様々なものがある．代表的な空間周波数フィルタには，低域通過フィルタ（low pass filter），高域通過フィルタ（high pass filter），帯域通過フィルタ（band pass filter）などがある．

また，画像のもつ信号と雑音の統計的な性質を利用して画像の復元（ボケなどにより劣化した画像を劣化の少ない本来の画像に戻す）をするために用いられるものの一例にウィナー（Wiener）フィルタがある．

5. 画像間演算（DSAなどの差分像技術）

画像間演算の代表例にはDSAがある．これは，造影剤の入る前の画像（マスク像）と造影剤注入後の画像（ライブ像）との差分（サブトラクション）を行って正常構造を消し，血管陰影だけを画像化するものであり，差分画像をほぼリアルタイムにモニタ上に表示できることからinterventional radiology（IVR）では不可欠な画像である．

DSAは，基本として造影剤注入前後に撮影した画像が必要である．造影剤注入後の撮影のタイミングが異なる2枚の画像を工夫して差分像を得る手法や，被写体の周りをX線管とI.I.を回転させながらDSA画像を得る手法（回転DSA）も開発されている．

このほか，同じ被写体に対して低エネルギーのX線と，高エネルギーのX線で撮影した2枚の画像に加重をつけて差分画像を得る技術は，エネルギー・サブトラクション（エネルギー差分法）とよばれており，胸部X線写真では，肋骨や脊椎などの骨陰影を消去した軟部組織画像（肺陰影の観察に優れる）や，軟部組織を消去した骨画像（骨陰影の観察に優れる）などを作ることも，一部のCRやFPDなどで実用化されている．エネルギー・サブトラクションは，ごく短い時間間隔で2つの異なるエネルギーのX線により2枚の画像を撮影してサブトラクション画像を得る手法（two shot法）と，2枚のX線検出器（CRでは2枚の輝尽性蛍光板）の間に，銅のフィルタを配置して，前面で相対的に低エネルギーの画像，後面で相対的に高エネルギーの画像を得る手法（one shot法）がある．one shot法では，フィルタ後面のX線量が少なくなるのでノイズの問題がある．エネルギー差が大きいのはtwo shot法であるが，ごく短い時間間隔でエネルギーの異なるX線を放射する装置が必要である．

6. ボケマスク処理（アンシャープマスキングまたは非鮮鋭マスク処理ともいう）（図9-31）

画像の鮮鋭化（画像に含まれる比較的高い空間周波数成分のコントラストを増加させる）を目的とし，デジタル画像では頻繁に用いられる処理である．

$$g(x, y) = f(x, y) + k \cdot \{f(x, y) - f_{US}(x, y)\} \quad (9.9)$$

$$f_{US}(x, y) = \frac{1}{mn} \sum_{j=1}^{n} \sum_{i=1}^{m} f(x_i, y_i) \quad (9.10)$$

$g(x, y)$：出力画像，$f(x, y)$：入力画像（原画像），k：重

関連事項

代表的な空間フィルタの一例（3×3）

移動平均　　　　　　加重平均　　　　　ラプラシアンフィルタ

$$h = \frac{1}{9}\begin{bmatrix} 1 & 1 & 1 \\ 1 & 1 & 1 \\ 1 & 1 & 1 \end{bmatrix} \quad h = \frac{1}{16}\begin{bmatrix} 1 & 2 & 1 \\ 2 & 4 & 2 \\ 1 & 2 & 1 \end{bmatrix} \quad h = \begin{bmatrix} 0 & 1 & 0 \\ 1 & -4 & 1 \\ 0 & 1 & 0 \end{bmatrix}$$

ソーベルフィルタ

x方向　　　　　　　　y方向

$$h_x = \begin{bmatrix} -1 & 0 & 1 \\ -2 & 0 & 2 \\ -1 & 0 & 1 \end{bmatrix} \quad h_y = \begin{bmatrix} -1 & -2 & -1 \\ 0 & 0 & 0 \\ 1 & 2 & 1 \end{bmatrix}$$

加算平均による雑音の低減

画像の信号対雑音比（S/N比）の改善：画像信号の統計的な性質からM枚の画像を加算平均すると，雑音成分は$\frac{1}{\sqrt{M}}$倍減少し，S/N比は$\sqrt{M}$倍高くなる．

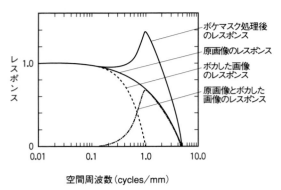

図 9-31 ボケマスク処理の様子（空間周波数領域）

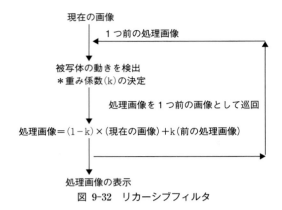

図 9-32 リカーシブフィルタ

み係数（強調係数ともいう），$fus(x, y)$：ある局所領域（$m×n$，マスクサイズという）の平均によりボカした画像．

　用いるマスクサイズ（$m×n$）の大きさにより強調する空間周波数が変化し，大きなマスクサイズほど低い空間周波数成分が強調される．これとは逆に，小さなマスクサイズではより高い空間周波数成分が強調される．強調の度合いは重み係数で変化する．重み係数はすべてのピクセル値に同じ係数を用いる線形な処理や，重み係数をピクセル値で変化させる非線形な処理がある．ボケマスク処理は，ある空間周波数を中心として画像の鮮鋭化の効果がある一方で画像に含まれるノイズも強調される．非線形な処理ではX線量の少ない領域で重み係数を小さく，X線量の多い領域で重み係数を大きくすることで，X線量の少ない領域でのノイズの強調を抑えながら，X線量の多い領域で陰影のコントラストを強調する狙いがある．

7．リカーシブフィルタ（図 9-32）

　透視画像に対する残像効果によるノイズ低減効果を達成する手法のひとつにリカーシブフィルタ（巡回型フィルタ recursive filter）がある．被写体の動きが大きいときは，残像の少ない画像が望ましいのでkの値を小さく設定し（最新の画像の重みは，それ以前の画像の重みより相対的に大きい），残像の少ない画像を得る．一方，被写体の動きが少ないときには，残像はあまり気にならないのでkの値を大きく設定（最新の画像の重みはそれ以前の画像の重みより相対的に小さい）することで，ノイズの低減による S/N 比の向上が図れる．

関連事項
　ダイナミックレンジ圧縮（DR 圧縮）
　DR 圧縮は，関心領域の信号のコントラストを保ちながら，広い診断可検域（写真濃度が低すぎたり高すぎて視認できなかった部分をみやすい濃度域に変換するための処理）で，CR の画像処理の1つとして使用されている．

10章 医療画像情報学

●田畑慶人（1〜3）
●石垣陸太（4）

　本章の内容は，診療放射線技師国家試験出題基準「医用画像情報学」の以下の範囲と対応している．

診療放射線技師国家試験出題基準「医用画像情報学」と本章の構成との関係

大項目	中項目	小項目	10章：医療画像情報学
1．医用画像情報の基礎	A．情報の表現	（省略）	1．論理代数と情報の表現
	B．論理回路	（省略）	2．論理回路
	C．医用画像の基礎	（省略）	
	D．コンピュータの基礎	（省略）	3．コンピュータの基礎
3．医療情報	A．基本事項	a．標準化〈DICOM,HL7,IHE〉 b．ICDコード c．セキュリティ d．電子保存	4．医療情報
	B．システム	a．病院情報システム b．放射線情報システム c．医用画像保存・通信システム d．画像表示システム e．検像システム f．遠隔画像診断	
	C．品質管理	a．画像表示モニタ	

1 論理代数と情報の表現

1. 論理代数（ブール代数）

論理代数は論理式を変形，簡素化するための代数であり，演算から導かれる緒定理を以下に示す．これら緒定理を用いることによって，より簡単な論理回路を構成することができる．

1) 基本の定理

〈論理積（AND）〉
① $0 \cdot 0 = 0$
② $0 \cdot 1 = 0$
③ $1 \cdot 0 = 0$
④ $1 \cdot 1 = 1$

〈論理和（OR）〉
⑤ $0 + 0 = 0$
⑥ $0 + 1 = 1$
⑦ $1 + 0 = 1$
⑧ $1 + 1 = 1$

2) 基本関係式
① $0 \cdot X = 0$
② $0 + X = X$
③ $1 \cdot X = X$
④ $1 + X = 1$
⑤ $X \cdot X = X$
⑥ $X + X = X$

3) 交換の定理
① $X \cdot Y = Y \cdot X$
② $X + Y = Y + X$

4) 結合の定理
① $X \cdot Y \cdot Z = X \cdot (Y \cdot Z),\ (X \cdot Y) \cdot Z,\ Y \cdot (Z \cdot X)$
② $X + Y + Z = X + (Y + Z),\ (X + Y) + Z,\ Y + (Z + X)$

5) 分配の定理
① $X \cdot (Y + Z) = X \cdot Y + X \cdot Z$
② $X + (Y \cdot Z) = (X + Y) \cdot (X + Z)$

6) 否定の定理
① $\overline{\overline{X}} = X$
② $X \cdot \overline{X} = 0$
③ $X + \overline{X} = 1$

7) ド・モルガンの定理
① $\overline{X \cdot Y} = \overline{X} + \overline{Y}$ （NAND）
② $\overline{X + Y} = \overline{X} \cdot \overline{Y}$ （NOR）

8) 吸収の定理
① $X + X \cdot Y = X$
② $X \cdot (X + Y) = X$

2. 情報の表現

基数変換

2進数，10進数，16進数など基数間の変換を行う．

1.1 整数

（例題1） 2進数「11011」を10進数に変換せよ
（2進数→10進数変換）

$$「11011」= \underline{1} \times 2^4 + \underline{1} \times 2^3 + \underline{0} \times 2^2 + \underline{1} \times 2^1 + \underline{1} \times 2^0$$
$$= 16 + 8 + 0 + 2 + 1 = 「27」（10進数）$$

（例題2） 10進数「35」を2進数に変換せよ
（10進数→2進数変換）

手順1：35を2で割る→17余り$\underline{1}$
手順2：17を2で割る→8余り$\underline{1}$
手順3：8を2で割る→4余り$\underline{0}$
手順4：4を2で割る→2余り$\underline{0}$
手順5：2を2で割る→1余り$\underline{0}$
手順6：1を2で割る→0余り$\underline{1}$（商が0になるまで）
手順7：手順1―手順6の余りの数値を逆に並べる→「100011」（2進数）

1.2 小数

（例題1） 2進数「0.11101」を10進数に変換せよ
（2進数→10進数変換）

$$「0.11101」= \underline{1} \times 2^{-1} + \underline{1} \times 2^{-2} + \underline{1} \times 2^{-3} + \underline{0} \times 2^{-4} + \underline{1} \times 2^{-5}$$
$$= 0.5 + 0.25 + 0.125 + 0 + 0.03125 = 「0.90625」（10進数）$$

（例題2） 10進数「0.375」を2進数に変換せよ
（10進数→2進数変換）

手順1：0.375を2倍する→$\underline{0}$.75
手順2：0.75を2倍する→$\underline{1}$.5
手順3：小数部分（0.5）を2倍する→$\underline{1}$（整数になるまで）
手順4：手順1―手順3の下線部を小数点以下に並べる→「0.011」（2進数）

2 論理回路

デジタル量（1，0など）を用いて，数値演算や制御などの操作を行わせる電子回路を論理回路とよぶ．いま，2個以上の入力信号に対しての，出力の取り出し方には多くの種類が考えられ，これを"組み合わせ論理回路"というが，この基本回路に次のものがある．説明を簡略にするため，2変数とするが，実際には2以上n個の変数に対して適用される．

1. 論理積（AND）回路

2つの変数 X_1, X_2 とその関数 Y が，$Y=X_1 \cdot X_2$ となるような論理操作を電気的に行わせる回路である．図10-1はその電気回路で，入力端子 X_1, X_2 の両方に $+V_B$ 以上の正のパルス信号が入ったときには，D_1, D_2 ともに不導通となるため，$+V_B$ と V_0 は同一電位となり，V_0 に正の信号が出るが，X_1, X_2 の両者または，いずれかが0のときには D_1 または D_2 を通じて電流が流れるため，抵抗 R で電圧降下が起こり，V_0 は0となる．これをまとめると表10-1に示す真理値となり，先の関数式を満足することになる．

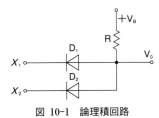

図 10-1 論理積回路

表 10-1 論理積の真理値表

X_1	X_2	Y
0	0	0
0	1	0
1	0	0
1	1	1

2. 論理和（OR）回路

変数 X_1, X_2 のいずれかが1になれば，出力の関数 Y が1になる論理操作で，$Y=X_1+X_2$ で表される．これの電気回路は図10-2で示され，入力端子 X_1, X_2 がいずれも0であれば，出力 V_0 は接地電位となり0であるが，X_1, X_2 の両者もしくはいずれかの端子に正電圧の信号が入れば D_1 または D_2 は導通となり，抵抗 R の電圧降下に相当する正電圧が出力される．これをまとめると表10-2の真理値となる．

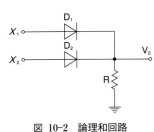

図 10-2 論理和回路

表 10-2 論理和の真理値表

X_1	X_2	Y
0	0	0
0	1	1
1	0	1
1	1	1

3. 否定（NOT）回路

1変数の関数で，入力 X が0のとき出力関数 Y が1となり，逆に X が1のとき Y は0，すなわち $Y=\overline{X}$ の論理操作である．真理値表は表10-3に示す．

表 10-3 NOT の真理値表

X	Y
0	1
1	0

4. NAND 回路

論理積（AND）回路と否定（NOT）回路の組み合わせ回路で，NAND回路とよび，真理値は表10-1を否定し全く逆となる．論理式は $Y=\overline{X_1 \cdot X_2}$ となり表10-4に示すように，X_1, X_2 がともに1のときにのみ Y は0となり，その他はすべて Y は1となる．

表 10-4 NAND の真理値表

X_1	X_2	Y
0	0	1
0	1	1
1	0	1
1	1	0

5. NOR 回路

論理和（OR）回路と否定（NOT）回路の組み合わせ回路で，NOR回路とよび，真理値は表10-2を否定しOR回路の全く逆となる．論理式は $Y=\overline{X_1+X_2}$ となり表10-5に示すように，X_1, X_2 がともに0のときにのみ出力 Y は1となり，その他はすべて Y は0となる．

表 10-5 NOR の真理値表

X_1	X_2	Y
0	0	1
0	1	0
1	0	0
1	1	0

6. 排他的論理和（Ex-OR）回路

入力が一致したときは0，不一致のときは1を与える回路で，Ex(clusive)-OR回路とよび，論理式は $Y=X_1 \oplus X_2 = X_1 \overline{X_2} + \overline{X_1} X_2$ となる．表10-6に示すように，X_1 と X_2 がともに0または1のとき出力 Y は0となり，X_1 と X_2 が異なるとき出力は1となる．

表 10-6　Ex-OR の真理値表

X_1	X_2	Y
0	0	0
0	1	1
1	0	1
1	1	0

7. 排他的論理和否定（Ex-NOR）回路

排他的論理和（Ex-OR）回路と否定（NOT）回路の組み合わせ回路で，Ex(clusive)-NOR 回路とよぶ．回路入力が一致したときは 1，不一致のときは 0 を与える回路で，真理値は表 10-6 を否定し Ex-OR 回路の全く逆となる．論理式は $Y=\overline{X_1 \oplus X_2}=X_1 X_2+\overline{X_1}\overline{X_2}$ となり表 10-7 に示すように，X_1 と X_2 がともに 0 または 1 のとき出力 Y は 1 となり，X_1 と X_2 が異なるとき出力は 0 となる．

表 10-7　Ex-NOR の真理値表

X_1	X_2	Y
0	0	1
0	1	0
1	0	0
1	1	1

これらの論理回路は実際には記号で表すことが多く，これを図 10-3 に示す．NOT 回路，NAND 回路，NOR 回路および Ex-NOR 回路は出力端子に○印を付して，否定を表すこととしている．

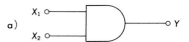
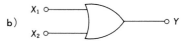
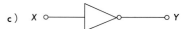

図 10-3　論理回路の記号
a) AND, b) OR, c) NOT, d) NAND, e) NOR, f) Ex-OR, g) Ex-NOR

本範囲の国家試験問題を例題として示す．
例題：論理回路を図 10-4 に示す．論理式はどれか．

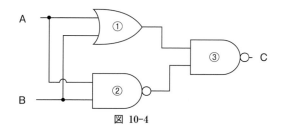

図 10-4

この組み合わせ論理回路を構成する各基本回路に①〜③の番号を割り振ると，①②での論理式は　① OR 回路：$A+B$　② NAND 回路：$\overline{A \cdot B}$ となる．③の論理式は，①と②を入力として C を出力する NAND 回路であるから，$C=\overline{(A+B) \cdot (\overline{A \cdot B})}$ と表現できる．また，論理式：$C=\overline{(A+B) \cdot (\overline{A \cdot B})}$ の真理値表は表 10-8 のようになる．

真理値表から，例題の論理回路は排他的論理和否定（Ex-NOR）回路と等価な回路であることがわかる．このことは，$C=\overline{(A+B) \cdot (\overline{A \cdot B})}=\overline{A+B}+A \cdot B=\overline{A} \cdot \overline{B}+A \cdot B$ からもわかる．

表 10-8　$C=\overline{(A+B) \cdot (\overline{A \cdot B})}$ の真理値表

A	B	$A+B$	$A \cdot B$	$\overline{A \cdot B}$	$(A+B) \cdot (\overline{A \cdot B})$	$C=\overline{(A+B) \cdot (\overline{A \cdot B})}$
0	0	0	0	1	0	1
0	1	1	0	1	1	0
1	0	1	0	1	1	0
1	1	1	1	0	0	1

3 コンピュータの基礎

1. ハードウェア構成
A. 基本構成要素
コンピュータはハードウェアとソフトウェアに大別できる．コンピュータのハードウェアは，入力・出力・記憶・制御・演算の機能をもつ，入力装置・出力装置・記憶装置・制御装置・演算装置から構成されている．

図10-5にハードウェア構成の概観を示す．

1) 入力装置
キーボード，マウス，イメージスキャナー，マイクなどがある．

2) 出力装置
液晶ディスプレイ（LCD；Liquid Crystal Display），プリンタ，スピーカなどがある．

3) 中央処理装置（CPU；Central Processing Unit）
制御と演算の両機能をもつ装置である．主記憶装置より読み込んだデータをもとに，他の装置の制御や加減算などの演算を行う．

4) 記憶装置
データを格納する装置で，主記憶装置と補助記憶装置に分類される．

①主記憶装置：メインメモリ（または，メモリ）ともよばれ，入力装置，補助記憶装置からのデータを記憶し，CPUとデータのやり取りを行う．半導体メモリのRAM（Random Access Memory）で構成されている．RAMは，電源供給がなくなると記憶内容が消去される（この性質を「揮発性」という）．なお，半導体メモリはRAMとROM（Read Only Memory）に分類でき，ROMは，電源供給がなくなっても記憶内容が消えない（この性質を「不揮発性」という）．

②補助記憶装置：主記憶装置よりも大量データを保有する機能をもつ．磁気を利用した磁気ディスク装置，半導体メモリを利用した装置（SSD），レーザ光を利用したDVD装置などがある．

B. インタフェース
コンピュータとスマートフォンの接続など，装置と装置の接続部分をインタフェースという．接続口の形状やデータ転送方法によりUSBやRS232-Cなどのインタフェースがある．

2. ソフトウェアの役割
ソフトウェアには，基本ソフトウェアといわれるオペレーティングシステムと，アプリケーションソフトウェア（アプリケーションやアプリともいう）がある．

オペレーティングシステム（基本ソフトウェア）の役割は，ユーザがハードウェアの細かな仕様などを考えず，コンピュータを容易に利用できる環境を提供することである．マウスなどで操作可能なGUI（Graphical User Interface）の提供，アプリ開発環境の提供，コンピュータの資源（例：記憶装置の容量など）を管理する機能提供などがある．主な資源管理機能を表10-9に示す．

アプリケーションソフトウェアは，ユーザの利用したい内容に合わせて用意されたソフトウェアである．たとえば，文書作成するためのソフトウェア，表計算するためのソフトウェア，発表資料などを作成するソフトウェア，画像処理をするためのソフトウェアなどが挙げられる．

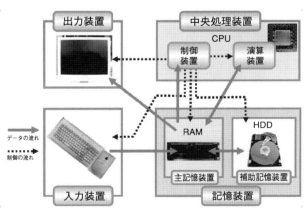

図10-5 コンピュータの5大装置（5大機能）

表 10-9　主な資源管理機能

資源管理機能	内容
プロセス管理 （タスク管理ともいう）	起動しているプロセス※がCPUを有効利用するために，プロセスの状況から制御管理する機能
ファイル管理	ファイルの保存やファイルアクセスの制御・管理する機能
記憶管理 （メモリ管理ともいう）	主記憶装置の限定された容量を有効利用するための管理・制御する機能
入出力管理	CPUと入出力装置とのデータのやり取りを管理する機能

※「プロセス」とは，コンピュータ内部で実際に処理されているプログラムのことをさす．

3．コンピュータネットワーク

インターネットは，TCP/IPプロトコルを標準とした国際的な広域コンピュータネットワークである．利用者はパソコンやスマートフォンを使い，必要なデータを提供場所（コンピュータ）から取得する．

1）プロトコル

コンピュータ間のデータ通信を行うためには，通信に利用するケーブルの仕様・通信手順・データ形式などの通信規約を決める必要がある．その通信規約はプロトコルとよばれ，インターネット上では様々なプロトコルが利用されている．

2）OSI参照モデル

ISO（国際標準化機構）により制定された公開型ネットワーク構造の規格モデルである．階層構造を採用し，下位層から順に，①物理層，②データリンク層，③ネットワーク層，④トランスポート層，⑤セッション層，⑥プレゼンテーション層，⑦アプリケーション層となっている．この参照モデル自体は実装されず，プロトコルの仕様を構築する（又は，理解する）ために利用される．

3）TCP/IP

TCP/IPプロトコルは階層構造をもつプロトコルである．最下位層から順に，ネットワークインタフェース層，インターネット層，トランスポート層，アプリケーション層となっている．ネットワークインタフェース層は，伝送方法・ケーブルの形状などを取り決める．Ethernet（イーサネット）などの規格が相当する．インターネット層は，コンピュータを識別するためのIPアドレスを割振り，IPアドレスを利用して送信先への経路選択しデータを送り届ける．IP（インターネットプロトコル）が利用される．トランスポート層は，データ送受信の信頼性を取り決める．TCPやUDPなどがあり，高い信頼性を確保しながらデータの送受信を行う場合はTCPが利用される．最上位層であるアプリケーション層は，様々な通信アプリケーションを提供する．ウェブ閲覧に関連するHTTP，メール受信に関連するPOP，メール送信に関するSMTP，IPアドレスとドメイン名との対応を管理するDNSなどがある．

4）IPアドレス［IPv4の場合］（なお，v4はversion 4を示す）

IPv4のIPアドレスは32 bitの数字列である．32 bitを8 bitずつ4つに区切り，区切りごとの数値を10進数で表示する．たとえば，172.18.14.100のように表現される．

IPアドレスにはインターネットに直接接続する機器に利用されるグローバルアドレスと，直接接続しない機器に利用されるプライベートアドレスがある．

IPアドレスは，コンピュータが属しているネットワークを示すネットワーク部（または，ネットワークアドレスという）とコンピュータ自身を示すホスト部（または，ホストアドレスという）から構成される．IPアドレスからネットワークアドレスを調べるためにネットマスクが利用される．

インターネットの普及によりネットワークに接続するコンピュータの台数が急激に増加したことからIPv4のIPアドレスの枯渇が問題となり，IPアドレスの長さが128 bitのIPv6も利用されている．

5）ネットワークの規模

コンピュータネットワークの規模により様々なよび方がある．学内LAN・院内LANなど，学校や企業などのように比較的限られた距離の範囲内で構成されるコンピュータネットワークをLAN（Local Area Network）という．LANにおけるコンピュータ間の接続形態（トポロジー）としてバス型・スター型・リング型などがある．一方，電話網など通信回線を利用して，地理的に分散しているコンピュータやLAN同士を接続した広域コンピュータネットワークをWAN（Wide Area Network）という．

4 医療情報

　医療分野の情報化（IT化）の方向は「医療・健康・介護・福祉分野の情報化グランドデザイン」（厚生労働省平成19年3月27日）で示された．

　この取り組みには，健診情報・診療情報を医療機関等に提供することで質の高いサービスを受けたい国民と費用対効果の高いITの導入により，質の高いサービスを提供したい医療機関とのバランスが求められる．

1. 病院情報システム（HIS, Hospital Information System）

　HISは各部門の情報の統合，病院全体の経営，人事などの運用を支援する．HISには医事会計システム，オーダエントリシステム（オーダリングシステム），電子カルテシステム，経営管理システム等がある．

　部門システムには放射線情報システム，臨床検査システム，病理システム，薬剤システム，手術システム，看護支援システム，物流システム，給食システム等がある．これらは連携して医療情報を処理する．

A. 医事会計システム
　医事会計システムとは診療報酬額を算出して診療報酬請求書（レセプト）を請求するシステムである．医療機関では診療を行い，その費用を診療報酬額として審査支払機関に請求する．

B. オーダエントリシステム
　処方や検査の依頼を効率的に行うためのシステムである．主にオーダの発生源は医師（依頼医）であり，入力作業から始まる．

C. 放射線情報システム（RIS, Radiology Information System）
　RISは画像検査部門における業務システムである．機能には検査依頼の処理，検査予約管理，検査業務支援，会計情報入力，薬品・物品管理，画像管理，各種統計などがある．また，RISには画像診断報告書の作成管理も含まれ，医用画像保存・通信システム（後述）に包含して画像と連携した利用が増えている．

2. 医用画像保存・通信システム（PACS, Picture Archiving and Communication System）

　CT，MRI，超音波，X線などの医用画像を電子化された状態で保管管理する．さらに画像表示システムから検索・表示する通信機能を有していることで，医用画像の電子保存と共有を実現したシステムである．

3. HIS-RIS-モダリティ-PACSにおける情報の流れ

　医用画像はPACSに送信される．同時に検査完了情報をRISに伝える．画像診断医は画像表示システムを用いてPACSより目的の医用画像を検索・表示して画像診断報告書を作成する．この画像診断報告書は医師（依頼医）に送信される．複数ベンダによるシステム構築では，この間の情報伝達は標準規格HL7，DICOMで行われる．

4. 施設間連携システム

　異なる特徴をもつ医療機関で患者情報を共有して，お互いの機能を連携する．これにより場所と時間の課題を解決して，医療サービスの効率化を図る情報システムである．

A. 遠隔画像診断（テレラジオロジー）
　専門医のいない医療機関から専門医が常駐する医療機関に画像を伝送して，読影依頼するシステムである．システム構築にあたっては転送時間（緊急度）と画質，標準規格適用およびコストの問題がある．

B. 地域医療連携システム
　遠隔医療は専門医との連携であるが，地域医療連携システムは，他医療機関間との連携である．かかりつけ医と地域中核病院のネットワークはその典型例であり，病診連携システムとよぶ．

5. 電子カルテシステム（EMR, Electronic Medical Record）

　電子カルテシステムは，医療機関内において，診療録等の診療情報を電子的に取得，あるいは入力して保存，追加更新できるシステムをいう．患者のさまざまな情報（アレルギー，血液型，病歴，家族歴，診察記録，手術記録，検査結果の記録など）を電子的に一元管理し，必要な記録の電子保存を行うことにより，医療従事者が常に患者の医療情報を統合的にかつ長期に情報共有することができる．

6. ASP，SaaSシステム

　医療情報システムの実現形態として，医療機関ごとにシステム構築を行うのではなく，サービス提供事業者が医療機関の外部に処理あるいは蓄積のためのITリソースをおいて，各医療機関が必要なときに利用する形態が存在する．ASP（Application Service Provider），SaaS（Software as a Service）とよばれているサービスである．

7. 標準化

　施設内における複合システムの構築，他施設間との情報共有するシステムの実現には，マルチベンダによる相

互接続および明確な運用ルールを確保する．医療情報の標準化は，用語・コードと様式に分かれる．相手に伝える言葉と伝える手段（会話，メールなど）の関係と同じである．医療情報システムの代表的な様式の標準規格として，DICOM，HL7 が挙げられる．

8. DICOM（Digital Imaging and Communications in Medicine）規格が提供する主なサービス

DICOM 規格が提供する画像の標準的通信などのサービス形態は，サービスクラスと名づけられ厳密に記述されている．主なサービスクラスの概要を図 10-6 に示す．

1) 画像の伝送保存（Storage）

モダリティから PACS への保存を目的とした画像伝送に用いられる．送り手がサービスを利用する側となり（SCU，Service Class User），受け手がサービスを提供する側（SCP，Service Class Provider）となって，画像情報を伝送する．

2) 画像の問い合わせと検索（Q/R，Query/Retrieve）

画像表示システム，処理装置（3D 処理，CAD 処理などのワークステーション）から保存装置にある画像を呼び出すサービスである．この場合，表示装置が SCU，保存装置が SCP となる．まず必要なデータの一覧情報を得るために「検索キー」を送る．保存装置は検索結果のデータリストを返す．SCU は，結果よりデータを選択して，その UID（Unique ID：世界中で一意的になる）を指定することにより保存装置から取得する．

3) 検査予定情報のモダリティによる取得（MW，Modality Worklist）

モダリティが画像情報を収集しようとするときに必要な患者基本情報や検査情報を RIS から呼び出すことができれば，画像取得時に再度患者情報，検査条件を入力する手間が省け，かつ誤入力も防ぐことができる．モダリティワークリストはそれを実現するサービスである．モダリティは RIS に対してその日のモダリティの検査リストを要求し，検査室に到着した患者に対応する検査リストの中から，当該患者情報などを取り込んで準備し，即座にモダリティでの撮影を開始することができる．

4) モダリティの撮影進行中や完了の状態の通知（MPPS，Modality Performed Procedure Step）

モダリティの撮影開始，撮影完了，画像生成，物品や薬剤の使用，請求や品質管理に関する情報を PACS や RIS に伝えるサービスである．これを日本語でモダリティ実行手続き段階とよぶ．これを業務で利用することで「どのタイミングでアクションを起こせばよいか」を判断できる．特に RIS は実施済み入力，読影レポート作成業務のリストにいつ画像が準備できたかを載せればよいか等の的確な管理をすることができる．

5) 可搬メディア（可搬型媒体）による情報交換（Interchange Media Storage）

CD-R，DVD-R，USB メモリなどの可搬型媒体への格納などサービス提供のための具体的なフォーマットが定められている．本 DICOM 規格の適用をさらに具体的に仕様化した IHE PDI（Portable Data for Imaging）に基づく可搬型媒体が多くの医療機関で利用されている．

6) グレースケールモニタ表示状態（Grayscale Softcopy Presentation State Storage）

モニタの表示状態は画像診断に影響を与えることから「画像表示モニタの品質管理」は重要である．品質維持のため Gray Scale Display Function（GSDF）に基づく標準表示モニタにより人の画像コントラスト認識の一貫性を確保する．医療機関では GSDF への準拠も含めたモニタの品質管理が求められている（医用画像表示用モニタの品質管理に関するガイドライン：JESRA X-0093-2010）．

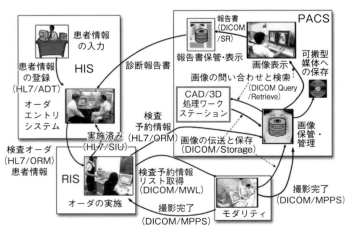

図 10-6 主なサービスクラスの概要

9. HL7 規格

DICOM のような通信手続きに相当する部分はなく，メッセージの内容とアプリケーション間でのメッセージ交換の形式を規定している．この層は ISO-OSI（Open System Interconnect）の応用層（アプリケーション層，第7層）に相当するため HL7 と名づけられた．

10. IHE 統合プロファイル

医療における共通した情報のフロー，内容（コンテンツ）や共有基盤，セキュリティ基盤などを抽出してモデル化し，業務シナリオごとに標準規格を用いた解決例として記述したもの（仕様）となっている．

11. 電子保存のセキュリティ

1) 機密性（Confidentiality）秘匿性，秘密性，情報を知る権限を持つ人のみに情報が伝わる．
2) 完全性（Integrity）データ改ざん（真正性）がないこと．
3) 可用性（Availability）（見読性の保証，利用できることを担保する）に分けて検討されている．

12. 安全管理に関するガイドライン

1) 保存義務のある情報の真正性が確保されていること．故意または過失による虚偽入力，書き換え，消去および混同を防止すること，作成の責任の所在を明確にすること，記録の確定を明確に行うことが要求される．
2) 保存義務のある情報の見読性が確保されていること．情報の内容を必要に応じて肉眼で見読可能な状態に容易にできること，情報の内容を必要に応じて直ちに書面に表示できること．
3) 保存義務のある情報の保存性が確保されていること．法令に定める保存期間内，復元可能な状態で保存することが満たす．

13. ICD コード

医療機関では ICD コード（約 14,000 分類）と呼称される．WHO（世界保健機関）より勧告された統計分類であり，これを用いることで保健医療福祉分野の統計（疾病，傷害及び死因）を国際比較できる．日本では明治 33 年（1900 年）から利用を開始した．日本では統計法に基づき「疾病，傷害及び死因の統計分類」と定められており，10 年毎に WHO から改定が発表される．異なる国や地域や異なる時点での集計データの記録・分析・比較を行えることから，がん登録や電子カルテに連動させて（情報コード）広く利用される．なお，ICD は医学用語集との位置付けではない．コーディング（分類項目に振り分け）には死因コーディングと疾病コーディングがある．死因コーディングには厳格なルールがある．一方，疾病コーディングではガイドラインが設けられる．このガイドラインでは，ある病態（状態）について，医療関係者と接触した期間をエピソードとしてコーディングを行う．

14. 検像システム

従来は画像発生装置から PACS に送信した．近年は画像発生装置から検像システムを経て PACS に送信する．役割としては画像確認，再検査指示，画像順序編集，濃度の初期状態を調整等である．

11章 放射線計測学

●山田勝彦

　古くは長さを計るのに物指しがあり，重さを計るのに天秤があったが，目分量や手ごたえで長さや重さの概数を知ることも，我々の日常生活では可能である．しかし，人間の五感に全くふれない放射線の量やエネルギーを知るには，正確な計測器に頼る方法以外に知る手段はない．それだけに放射線測定は放射線を扱う者にとっては重要な課題である．

　放射線計測学の学問領域もかなり広い範囲にわたっているが，主として放射線医学で必要とされる範囲に絞ってみると，大きく2つの領域に分けることができる．1つはX，γ線を対象とした線量の計測であり，他の1つは放射性同位元素を対象とした，放射能の計測である．まず，前者の線量の計測には電離箱を中心として各種線量計の原理と，それぞれの特性を理解することが必要である．特に最近では半導体を利用した線量計も普及しているため，これらの原理や特性を理解することも大切である．一方，計測学では単位系を十分に理解しておくことが大切で，国家試験の出題確率も極めて高い．Gy，Bq，Svなどを含めて放射線単位の定義と意味をよく理解しておくことが重要である．そして，放射線治療とも関連して，吸収線量測定も大切な事項である．

　一方，放射能（Bq）や放射線エネルギーの計測においても各種計数管や計数装置の原理と特性を十分理解しておかなければならない．特にどの放射線を計測するにはどのような計数装置を使えばよいかといった勉強は最も理解を深めるのに効果的であろう．また，放射能の計測に特有な問題として，計数の統計処理がある．計数の統計誤差を忘れては放射能計測はできないため，これも非常によく出題されている．15節に中性子の測定を述べたが，現在，医療界ではBNCTなどごく一部しか中性子は使用されていないため，ほとんど出題はされていないが，将来は出題対象となろう．18節の環境測定は放射線管理技術とも関連して国家試験でも非常に大切な項である．なお，計測学では計算問題も多く出題されるため，計測に必要な計算例題を19節に書き添えたので，計算方法を十分に理解してほしい．

　放射線計測の原則は放射線単位を正しく定義に従って再現することから始まり，校正などの問題も含めて高い測定精度の維持と，適切な測定器を正しく選んで正しく使うことにある．

1 放射線の単位と用語

1. **照射線量**（exposure）；X [Ckg^{-1}]

    $X=dQ/dm$ で表し，dQ は dm なる質量をもった空気の容積要素中で，光子によって生じた全電子が空気中で完全に静止するまでに空気中に生じた正負いずれかの符号のイオンがもつ全電荷量の絶対値である．そして SI 単位は [Ckg^{-1}] である．照射線量の旧単位には R（レントゲン）が用いられたが，旧単位との間には，1R= 2.58×10^{-4} Ckg^{-1} の関係がある．照射線量の使用は光子（X，γ 線）にのみ限定され，測定技術上の問題から数 keV～数 MeV の光子エネルギーに使用が限定される．記号は照射線量 X [Ckg^{-1}]，照射線量率 $\dot{X}$ [Ckg^{-1}s^{-1} または Akg^{-1}] で表される．また，エネルギーフルエンス Ψ との間に次の関係がある．ただし，(μ_{en}/ρ) は空気の質量エネルギー吸収係数，e は電子の電気素量または電荷素量（1.6×10^{-19} C），W_{air} は空気の W 値（33.97 eV）である．なお，対象放射線は光子（X 線，γ 線）のみであり，物質は空気に適用される．

    $$X=\Psi(\mu_{en}/\rho)(e/W_{air})$$

2. **吸収線量**（absorbed dose）；D [Jkg^{-1}]

    $D=dE/dm$ で表し，dE は dm なる質量をもった物質が放射線を吸収したエネルギー量である．吸収線量の SI 単位はグレイ（Gy）[Jkg^{-1}] が用いられる．吸収線量の旧単位にはラド（rad）が用いられたが，旧単位との間には，1 Gy=100 rad の関係がある．この単位はあらゆる物質，あらゆる放射線に適用され，記号は吸収線量 D [Jkg^{-1}]，吸収線量率 $\dot{D}$ [Jkg^{-1}s^{-1} または Wkg^{-1}] で表す（☞ p. 345）．

3. **線量当量**（dose equivalent）；H [Jkg^{-1}]

    $H=DQ$ で表し，D は吸収線量 [Gy]，Q は線質係数で放射線の種類とエネルギーによって変化し，LET と一定の相関関係がある．LET が大きい程 Q も大きくなり，一般に α 線は 10，速中性子は 5，X，γ，β 線，電子線は大体 1 に近い．そして SI 単位にはシーベルト（Sv）[Jkg^{-1}] が用いられる．旧単位にはレム（rem）が用いられたが，旧単位との間には，1 Sv=100 rem の関係がある．線量当量は放射線防護領域に用いられる単位であり，これは測定量として用いられるが，防護量として実効線量，等価線量がある（☞ p. 474）．実測可能な量として，1 cm 線量当量，3 mm 線量当量，70 μm 線量当量がある．

4. **カーマ**（kerma）；K [Jkg^{-1}]

    $K=dE_{tr}/dm$ で表し，dE_{tr} は物質の容積要素の質量 dm 中に非荷電放射線によって放出された，全荷電粒子の初期運動エネルギーの総和．したがって，X 線，γ 線，中性子線の非荷電放射線に使用が限定され，あらゆる物質に適用される．エネルギー E の非荷電放射線に対して，エネルギーフルエンス Ψ，フルエンス Φ とするとき，$K=\Psi(\mu_{tr}/\rho)=\Phi[E(\mu_{tr}/\rho)]$ の関係があり，$[E(\mu_{tr}/\rho)]$ をカーマ因子という．ただし，(μ_{tr}/ρ) は質量エネルギー転移係数である．記号は K [Jkg^{-1}] で表し，単位に Gy が用いられる．またカーマ率は $\dot{K}$ [Jkg^{-1}s^{-1} 又は Wkg^{-1}] で表す．

5. **空気カーマ**（air kerma）；K_{air} [Jkg^{-1}]

    対象物質を空気に限定したカーマであり，照射線量に代わって用いられるようになった．照射線量と同様に対象放射線を光子（X，γ）としたとき，二次電子平衡の成立する条件下においては，空気カーマ K_{air} と照射線量 X の間には近似的に次の関係が成立する．$K_{air}=X$[C/kg]・$W_{air}=33.97X$ [Gy]

    照射線量と空気カーマの区別を厳密に考えるなら，空気カーマが光子の作る二次電子の運動エネルギー全てを含むことに対して，照射線量では二次電子が阻止 X 線を放射したときのエネルギーは含まない点にある．そこで，空気カーマを照射線量の概念により近づけるために，**空気衝突カーマ**の用語が使われることがある．空気カーマの SI 単位は Gy [Jkg^{-1}]，空気カーマ率は Gy/s [Jkg^{-1}s^{-1} または Wkg^{-1}] である．

6. **シーマ**（cema）；C [Jkg^{-1}]

    $C=dE_c/dm$ で表し，dE_c は dm なる質量をもつ物質中で，二次電子を除いた荷電粒子の衝突損失エネルギーである．シーマの SI 単位は Gy [Jkg^{-1}] であり，対象放射線は荷電粒子線に限定されるが，物質は限定されず全ての物質に適用される．荷電粒子線のフルエンスを Φ [m^{-2}] とし，質量衝突阻止能を S_{el}/ρ [Jm^{2}kg^{-1}] としたとき，$C=\Phi(S_{el}/\rho)$ の関係がある．

7. **フルエンス**（fluence）；Φ [m^{-2}]

    $\Phi=dN/da$ で表し，dN は断面積 da の球に入り込む全放射線粒子数である．中性子の粒子束を表すのによく用いられ，記号はフルエンス Φ [m^{-2}]，また時間率は束密度（fluence rate）とよび ϕ [m^{-2}s^{-1}] で表す．

8. **エネルギーフルエンス**（energy fluence）；Ψ [Jm^{-2}]

    $\Psi=dE_{fl}/da$ で表し，dE_{fl} は断面積 da の球に入り込む全放射線エネルギーの総和である．放射線が吸収される

以前の場の強さを表す単位で，記号はエネルギーフルエンス $\Psi[\mathrm{Jm}^{-2}]$，また時間率はエネルギー束密度（energy fluence rate）$\psi[\mathrm{Jm}^{-2}\mathrm{s}^{-1}$ 又は $\mathrm{Wm}^{-2}]$ で表す．また，フルエンス Φ とエネルギーフルエンス Ψ とは，放射線エネルギーを E とするとき，$\Psi = E\Phi$ の関係となる．

9. 質量減弱係数；$\mu/\rho\,[\mathrm{m}^2\mathrm{kg}^{-1}]$

非荷電電離放射線が物質に入射した時，吸収，散乱によって単位質量当たり減弱される割合を示す定数である．X，γ 線に対しては，$\dfrac{\mu}{\rho} = \dfrac{1}{\rho N}\dfrac{dN}{dl}$ で表され，dN/N は密度 ρ の物質中を長さ dl の距離で，X，γ 線エネルギーが減弱される割合である．また，X，γ 線の減弱過程については，$(\mu/\rho) = (\tau/\rho) + (\sigma_c/\rho) + (\sigma_{coh}/\rho) + (\kappa/\rho)$，で表され，$\tau$ は光電効果，σ_c はコンプトン効果，σ_{coh} は干渉性散乱，κ は電子対生成による減弱係数を示す．

一方，中性子に関しては，衝突断面積 σ で表すことが多く，この場合の減弱係数は，$\mu/\rho = N_A\sigma/M$，によって表される．そこで，N_A はアボガドロ数，M はターゲット物質のグラム分子，σ は中性子の吸収と散乱を含めた全衝突断面積である．

10. 質量エネルギー転移係数；$\mu_{tr}/\rho\,[\mathrm{m}^2\mathrm{kg}^{-1}]$

カーマ単位に対応する係数で，$\dfrac{\mu_{tr}}{\rho} = \dfrac{1}{\rho E}\dfrac{dE_{tr}}{dl}$ で表され，dE_{tr}/E は密度 ρ の物質中で距離 dl を非荷電放射線が通過するとき，物質との相互作用の結果，放出された2次荷電粒子の運動エネルギーの割合である．したがって，相互作用の過程からみれば，$\mu_{tr}/\rho = (\tau_a/\rho) + (\sigma_{ca}/\rho) + (\kappa_a/\rho)$ で表される．そこで，$\tau_a/\rho = (\tau/\rho)(1-\delta/h\nu)$ で示され，光電効果による平均光電子運動エネルギーに相当する．ただし，δ は光電子運動エネルギーが特性 X 線として放射される平均エネルギー，また $\sigma_{ca}/\rho = \sigma_c E_e/\rho h\nu$ で示され，E_e はコンプトン反跳電子の平均運動エネルギー．さらに，$\kappa_a/\rho = (\kappa/\rho)(1-2m_0c^2/h\nu)$ で示され，電子対生成による陰陽電子運動エネルギーに相当する．ただし，m_0c^2 は電子静止エネルギーで $0.51\,\mathrm{MeV}$ である．結局，物質との相互作用の結果，放出されたすべての2次電子エネルギーを対象とした相互係数に相当する．そして，放射線のエネルギーを E，フルエンスを Φ，エネルギーフルエンスを Ψ としたとき，カーマ K とは，$K = \Psi \cdot (\mu_{tr}/\rho) = E \cdot \Phi \cdot (\mu_{tr}/\rho)$ の関係がある．

11. 質量エネルギー吸収係数；$\mu_{en}/\rho\,[\mathrm{m}^2\mathrm{kg}^{-1}]$

非荷電放射線が物質との相互作用の結果，放出される2次電子はすべて物質中で吸収されることはなく，一部は阻止 X 線を放射して物質外に散逸する．この散逸エネルギーを補正した吸収係数が質量エネルギー吸収係数である．したがって，質量エネルギー転移係数 (μ_{tr}/ρ) とは $\dfrac{\mu_{en}}{\rho} = \dfrac{\mu_{tr}}{\rho}(1-g)$ の関係で表される．ただし，g は物質中の二次電子が阻止 X 線として放射されるエネルギー割合である．したがって，低エネルギー光子が低原子番号物質に吸収されるときには，阻止 X 線の発生が無視できるから，$\mu_{en}/\rho \fallingdotseq \mu_{tr}/\rho$ となり，高エネルギー光子が高原子番号物質に吸収されるときには阻止 X 線の放射確率が増し，$\mu_{en}/\rho < \mu_{tr}/\rho$ となる．さらに吸収線量 D とは放射線エネルギーを E，フルエンスを Φ，エネルギーフルエンスを Ψ としたとき，$D = \Psi \cdot (\mu_{en}/\rho) = E \cdot \Phi \cdot (\mu_{en}/\rho)$ の関係がある．

12. 全質量阻止能；$S/\rho\,[\mathrm{Jm}^2\mathrm{kg}^{-1}]$

物質中で荷電粒子線が単位長さ当たりエネルギーを失う割合を線阻止能 S とよび，単位質量当たりの質量阻止能 S/ρ は

$$\dfrac{S}{\rho} = \dfrac{1}{\rho}\dfrac{dE}{dl} = \dfrac{1}{\rho}\left(\dfrac{dE}{dl}\right)_{coll} + \dfrac{1}{\rho}\left(\dfrac{dE}{dl}\right)_{rad}$$ で示される．

そこで，dE は密度 ρ の物質中で荷電粒子が距離 dl で失うエネルギーであり，$(dE/dl)_{coll}$ は衝突損失，$(dE/dl)_{rad}$ は放射損失によるものである．両者には，$\dfrac{(dE/dl)_{rad}}{(dE/dl)_{coll}} \fallingdotseq \dfrac{EZ}{800}$ の関係がある．ただし，E は荷電粒子エネルギー（MeV），Z は対象物質の原子番号である．

13. 線エネルギー付与（LET）；$L_\Delta\,[\mathrm{Jm}^{-1}]$

荷電粒子線が物質中で単位長さ当たり物質に付与するエネルギーの割合を LET とよび，阻止能とよく似ているが，失うエネルギーと付与されるエネルギーの意味で異なり，主として前者は物理学領域で，後者は生物学領域で用いられる．そこで，$L_\Delta = (dE/dl)_\Delta$ で示され，dE は一定エネルギー Δ 以下のエネルギーをもった荷電粒

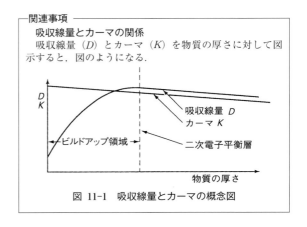

――関連事項――
吸収線量とカーマの関係
吸収線量 (D) とカーマ (K) を物質の厚さに対して図示すると，図のようになる．

図 11-1　吸収線量とカーマの概念図

子が衝突損失によって物質に付与するエネルギーであり，Δ は一般に eV で示される．したがって，L_∞ は衝突阻止能と等しくなる．

14. 1イオン対生成に必要な平均エネルギー；$W[eV]$

$W = E/N$，E は物質中で放射線吸収により，N 個のイオン対を生成するに必要な平均エネルギーである．したがって W には電離エネルギーの他に励起エネルギーなども含まれ，これらの平均エネルギーであるから，W にイオン対数を乗ずることによって，物質中の吸収エネルギーが求められる．W 値は放射線の種類と物質の種類で変化するが，放射線エネルギーには変化がなく一定である．空気の W 値，$W_{air} = 33.97\,eV$ は重要な値である．

15. 空気カーマ率定数；$\Gamma_\delta[m^2 J kg^{-1}]$

$\Gamma_\delta = \dfrac{l^2 K_\delta}{A}$，$\delta$ 以上のエネルギーの光子に対して，$A[Bq]$ の放射能線源から $l[m]$ の距離での空気カーマ率 [Gy/s] を定める．この場合，線源の自己吸収や長さ l に沿っての吸収は考えない．また，線源寸法は点線源とし，放射される光子の中には γ 線はもとより，線源から放射される特性X線や阻止X線も含んでいる．したがって，SI 単位は $[m^2 GyBq^{-1}s^{-1}]$ となる．実際には有効数字の関係から $[\mu Gy \cdot m^2 \cdot MBq^{-1} \cdot h^{-1}]$ などが用いられ，1 cm 線量当量にも換算するため，1 cm 線量当量率定数 $[\mu Sv \cdot m^2 \cdot MBq^{-1} \cdot h^{-1}]$ も計算されている．

16. 放射能；$A[s^{-1}]$

放射能の SI 単位はベクレル $Bq[s^{-1}]$ で，1 秒間当たりの核崩壊数で表す．従来から使われてきた単位，キュリー［Ci］とは $1\,Ci = 3.7 \times 10^{10}\,Bq$ の関係がある．

17. 壊変定数；$\lambda[s^{-1}]$

放射性物質の単位時間あたりの壊変数 dN/dt は，そのときの放射性核種の数 N に比例する．その比例定数を壊変定数（崩壊定数）λ という．$dN/dt = \lambda \cdot N$

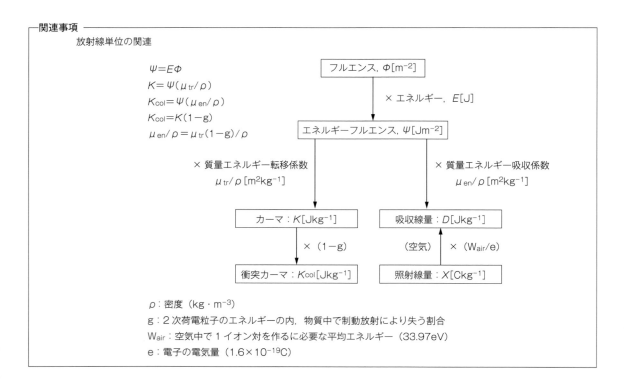

関連事項 — 放射線単位の関連

2 照射線量の測定

1. 自由空気電離箱 free-air chamber

1) 使用目的
照射線量の定義に基づいて、電離体積（長さの測定）とその中で電離した電荷量（クーロン量）の測定から、正確な照射線量を計測する絶対測定器で、わが国では産業技術総合研究所に基準器が設置されている。

2) 電離箱の構成
自由空気電離箱は平行平板形で、X線の入射、出射窓には壁はない。したがって、自由空気と呼ばれる。①高圧電極：イオン対収集のため負の高電圧（約100 V/cm）を加える。②集電極：電離されたイオン対を集め電位計に接続し、零位法（常に零電位で測定）で電離電荷量を測定する。③保護電極：集電極の周りに配置し、接地することにより高圧電極と集電極間の電気力線を垂直にすることで正確な有効電離体積 V が設定できるとともに、2次電子平衡の維持、高圧漏洩電流を減少させることができる。④保護電線：高圧電極と保護電極間に等間隔に金属線を張り、各線間を分圧抵抗で結ぶことにより、両極間の電界強度を均等にする。⑤X線入射絞り：入射X線束を所定の入射面積に制限するため重金属（タングステン合金）で作る。入射絞り前面がこの測定器の測定点となる。

3) 測定原理
有効電離体積 $V[\mathrm{m}^3]$＝入射絞り断面積 $A[\mathrm{m}^2]$×集電極の長さ $L[\mathrm{m}]$。この有効電離体積中の電離電荷量 $Q[\mathrm{C}]$ を零位法により測定する。測定点は入射絞り前面。

4) 照射線量の算出
$$X = \frac{Q[\mathrm{C}]}{A \cdot L[\mathrm{m}^3]} \cdot \frac{1}{1.293 [\mathrm{kg/m^3}]} \cdot \left(\frac{101.3}{p[\mathrm{kPa}]} \cdot \frac{273+t[\mathrm{℃}]}{273} \right) \; [\mathrm{C/kg}] \quad (11.1)$$

$A \cdot L$ は有効電離体積、Q は収集電荷量、t は測定時の温度 [℃]、p は気圧 [kPa] である。$Q[\mathrm{C}]$ に変わって $I[\mathrm{A}]$ を用いれば照射線量率 [C/kg·s] が求められる。

5) 飽和特性
高圧電極の印加電圧が低いと、イオン対は完全に収集されず再結合を起こすため、線量計は飽和電圧（プラトー領域）で動作させる必要がある。極板間電圧に対する電離電流の曲線を飽和特性という（☞関連事項）。

2. 空洞電離箱 cavity chamber
空洞電離箱は理想的には空気を固体に圧縮したような

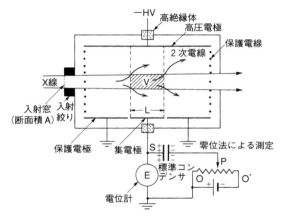

図 11-2 自由空気電離箱の構造

関連事項

気体電離と収集イオン対数
たとえば、図11-2のような構造の平行平板電離箱で、印加電圧を変えながら収集イオン対数を測定すると図11-3

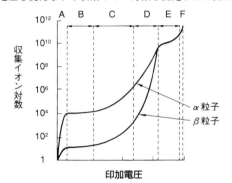

図 11-3 気体中での収集イオン対数

のような曲線が得られる。Aは電離されたイオン対が完全に収集されない**再結合領域**。Bは1次電離で生じたイオン対が完全に収集される**電離箱領域**。Cは1次電離に比例したガス増幅の行われる**比例計数領域**。Dはガス増幅により比例性の失われる**境界領域**。Eは1次電離と無関係に一定のイオン対数となる**GM計数領域**。Fは**連続放電領域**である。この中でBは電離箱、Cは比例計数管、EはGM計数管として使用され、A、D、F領域は使用できない。

トレーサビリティー tracerbility
産業技術総合研究所の保有する標準器を1次標準電離箱とよび、これと正しく校正されたいくつかの線量計を2次標準線量計として国内の各地に配置する。各施設は2次標準と校正しながら日常業務を行うが、施設内の基準器をリファレンス線量計とよぶ。そこでこのような1次標準器を基準とした校正システム系を測定のトレーサビリティーとよぶ。また、日常使用する線量計をフィールド線量計という。正しい測定はトレーサビリティーにのった測定器を使用しなければならない。

壁をもつ電離箱と考えればよい．形状は円筒形が多く，そのため指頭形電離箱，**ファーマ形電離箱**ともよぶ．また形式には，①電離電流を増幅して線量率（C/kg·min）を指示する線量率計形，②電離電流を積分コンデンサに充電して積算線量（C/kg）を指示する積算計形がある．

1) 電離箱壁の必要条件

①壁材料：電離箱の壁に使用する材料は空気と同一組成をもつ固体材料が望ましいが，固体空気は得られないため，X線吸収過程から考えて実効原子番号が空気と等価な材料を用いる．これを**空気等価物質**とよび，これには黒鉛，ポリスチレン，アクリル樹脂，ナイロン，ベークライトなどが用いられる．導電性のないものには内面に炭素微粒粉（アクワダック）などを塗布し，外側電極とする．また中心電極の材料も壁材料と同じく，空気等価材料が必要である．これらの壁材料は空気の実効原子番号より大きくなるほど，エネルギー依存性は増大する．

②壁の厚さ：2次電子平衡を達成するに必要な壁の厚さ（平衡厚とよぶ）にする．平衡厚は光子により放出された2次電子の最大飛程におよそ等しい．したがってX線エネルギーによって平衡厚は変わる．^{60}Co γ線で約400～500 mg/cm^2，4 MeV X線で1 g/cm^2（密度1とすればそれぞれ4～5 mm，1 cmとなる）程度である．そこで種々のエネルギーに対応するため，あらかじめ比較的薄い壁厚の空洞電離箱に作っておき，これに平衡厚に相当するキャップをかぶせて使用することがある．このキャップを**ビルドアップキャップ**という．

2) 線量率の測定

外側電極に負の高電圧を，そして中心電極に正電圧を印加して，中心電極に電子を収集するようにする．中心電極の周囲には保護電極（ガードリングとよぶ）を設け

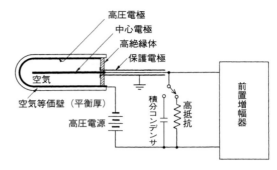

図 11-5 空洞電離箱の構成

これを接地することにより，高圧電極からの漏洩電流を減少させる．電離箱内で生じたイオン対は1イオン対につきe（$1.6×10^{-19}$ C）の電荷量を運び，外部回路の高抵抗を通じて電離電流が流れ，これを増幅する．

①電離電流の大きさ

電離箱の有効容積をv[m^3]とし，$\dot{X}$[C/kg·s]のX線が照射されると，外部回路に流れる電離電流i[A]は

$$i = v\rho_{(t,p)}\dot{X} \text{[A]} \tag{11.2}$$

ただし，$\rho_{(t,p)}$は大気の温度t，気圧pにおける空気密度であり，標準状態（0℃，1気圧）での空気密度は1.293（kg/m^3）であるから，$\rho_{(t,p)}$は

$$\rho_{(t,p)} = 1.293\left(\frac{p\text{[kPa]}}{101.3} \cdot \frac{273}{273+t\text{[℃]}}\right)$$

により補正する．このように電離電流は照射線量率と電離体積に比例するため，線量率に応じて体積を調整するとともに，外部回路の高抵抗の切替えによっても感度の調整を行うことができる．

②電離電流の増幅

初段増幅は入力インピーダンスの高いことが必要で，絶縁ゲート（MOS）形FETを用いたICが使用される．増幅回路には**負帰還**をかけることが必要で，負帰還により，入力と出力間で増幅の直線性がよくなり，時定数も短くなる利点がある．

3) 積算線量の測定

一定時間，線量計にX線照射を行い，その間の時間積分線量を**積算線量**という．線量率が一定の場合には，積算線量をX線照射時間で除すことによって平均線量率を求めることもできる．低線量率X線や短時間照射時のX線測定には，積算線量を測定することは都合がよく，これには積分コンデンサが用いられる．

図 11-5のように外部回路に接続した高抵抗の代わりに，積分用コンデンサCに切替えると，電離電流をこのコンデンサに充電することによって積算線量が測定できる．コンデンサの端子電圧は，$V = Q/C = It/C$となり，電離電流IとX線照射時間tに比例して増加する．この

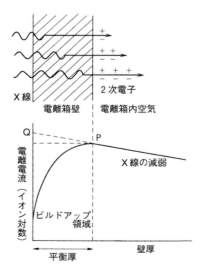

図 11-4 電離箱壁によるビルドアップ

電圧を増幅して計器で指示させれば積算線量が測定できる．多くの測定器では外部回路で高抵抗と，このような積分コンデンサの接続を切替えることによって，線量率と積算線量の両者が測定できるようにしている．

3. コンデンサ電離箱 condenser chamber

空洞電離箱は外側電極と中心電極の2極が空気をはさんで高絶縁されているため，一種の空気コンデンサと考えられる．この電離箱にあらかじめ V_0 の電圧を充電して，電離箱にのみX線照射すると，内部で発生したイオン対により充電電荷量は消失して電圧は V に降下する．電離箱の静電容量を $C[\mathrm{F}]$ とすると，この時，イオン対の運んだ電荷量 ΔQ は，$\Delta Q = C(V_0 - V)$ クーロンとなり，電離箱の有効容積 v がわかっていると，照射X線量 X は次式で求められる．

$$X = \Delta Q/(v \cdot \rho_{(t,p)}) = C(V_0 - V)/(v \cdot \rho_{(t,p)}) \quad [\mathrm{C/kg}]$$

ただし，$\rho_{(t,p)}$ は大気の気温 t，気圧 p での空気密度である．

通常は電圧を測定するための電位計も静電容量をもっているから，真の電圧 $(V_0 - V)$ の測定はできない．いま電離箱の静電容量を C，電位計の静電容量を C_e として，V_0 に充電した電離箱をX線照射後，V_0 に充電された電位計に接続し，測定した結果，そのときの電圧が V_f であったとすると，照射線量 X は次式で示される．

$$X = \frac{(V_0 - V_f)(C + C_e)}{v \cdot \rho_{(t,p)}} \quad [\mathrm{C/kg}] \quad (11.3)$$

これより，$(V_0 - V_f)$ を測定すれば照射線量 X が求められることになる．

コンデンサ電離箱の感度を単位照射線量当たりの電圧降下の大小で表すと，電離箱自体の感度 S は電離箱の変化電圧 $V = \Delta Q/C$，そのときの照射線量 $X = \Delta Q/v \cdot \rho_{(t,p)}$ であるから，

$$S = V/X = v \cdot \rho_{(t,p)}/C \quad (11.4)$$

また電位計と組み合わせたときの感度 S は次式となる．

$$S = v \cdot \rho_{(t,p)}/(C + C_e) \quad (11.5)$$

したがって，感度を大きくするには電離箱容積を増し，静電容量を小さくすることが必要である．このためVictoreen 社の R-meter とよばれるコンデンサ形電離箱では電離箱の柄の部分（ステム）に静電容量をもたせ，これと電離箱を接続することによって電離箱全体の静電容量を調整している．

低線量測定用としては，被ばく線量測定などに用いられるポケット照射線量計がある．

4. 平行平板形電離箱 parallel plate chamber

図11-6に示すように高圧電極と集電極が平行平板になった構造の線量計を，平行平板形電離箱または**フラット形**，**シャロー形**などとよぶ．電極間隔は極めて小さいため，プラスチック板などの支持体にはめ込み，入射面（前壁）も極めて薄くする．一例として，前壁に0.03 mmポリエチレンを用い，電極間隔が1～1.5 mmのものがある．この電離箱は前壁の薄いことが特徴であるから，物質表面や境界面吸収線量の測定をはじめ，低エネルギー光子や電子線測定に用いられる．乳房撮影領域のX線量測定に近年多く用いられている．乳房撮影では被ばく線量を平均乳腺線量として求めている．これには入射窓厚 0.7 mg/cm² の金属化ポリエステル膜が使用されエネルギー依存性も 10～40 keV にて ±5% で，電離体積 6 cm³ のものが使用されている．

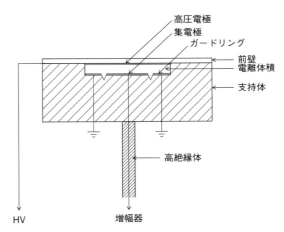

図 11-6 平行平板形（フラット形）電離箱

関連事項

実効原子番号

放射線で用いる実効原子番号はX線吸収的に等価であることを意味する．したがって光電吸収領域（低エネルギー）の実効原子番号 $\overline{Z}\tau$ は次式で示される．

$$\overline{Z}\tau = \sqrt[2.94]{\alpha_1 Z_1^{2.94} + \alpha_2 Z_2^{2.94} + \cdots} \quad (11.6)$$

また電子対生成の吸収領域（高エネルギー）では次式となる．

$$\overline{Z}\kappa = \alpha_1 Z_1 + \alpha_2 Z_2 + \cdots \quad (11.7)$$

α_1, α_2 は構成元素 Z_1, Z_2 に属する電子数の全電子数に対する割合である．

ステム効果

空洞電離箱の柄の部分（ステム）には前置増幅器が挿入されることがある．また前置増幅器がなくても中心電極に接続されている導線と外壁の間に中空な部分が存在すると，電離箱以外に，このステム部分でも電離を起こし，指示値に誤差を与える．これを**ステム効果**というが，この影響を除くには，線束を絞ってこの部分を照射しないか，厚い鉛板などで包んでおく必要がある．電離箱の形式によりステム効果に大小があるから，事前に調べておくとよい．

3 線量計の校正と補正

1. 校正係数

測定値を M, 正しい値を X とするとき, この測定器の校正係数 K は, $X=K \cdot M$ の関係がある. 通常, K には測定条件によって変動するような係数, たとえば大気補正係数などは含めず, これらは別の補正係数として取り扱う. 校正係数を求めるときは, 標準測定器と被測定器を同時照射し, 標準測定器から正しい標準測定値を求め, $K=$(標準測定値／測定値) として求める. 正しい線量を求めるためには校正係数 K の他に次のような補正をしなければならない.

2. 温度気圧補正係数（大気補正係数）

照射線量が一定の場合, 空洞電離箱の感度は空洞内に存在する空気の原子数に比例する. 空気を構成する原子数は, ボイル・シャルルの法則によって, 気圧に比例し絶対温度に反比例するから, この空気原子数, 言い換えれば空気密度の変動に対する補正をしなければならない.

一般に使用する空洞電離箱では, 一定の大気条件 (t_1℃, p_1 kPa) で校正された校正係数 K_s をもっている. この線量計を他の大気条件 (t_2℃, p_2 kPa) で使用するときには, 当然ながら電離箱内の空気原子数, 言い換えれば空気密度は変化しているから, 校正時と測定時の空気密度の変化分の補正が必要である. そこでこの補正係数を温度気圧補正係数または大気補正係数 k_1 とよび, 次式となる. 大気補正係数は空気密度補正係数とも称される.

$$k_1 = \frac{273+t_2}{273+t_1} \cdot \frac{p_1}{p_2} \tag{11.8}$$

そこで, 測定値を M とすると, これらの補正をした正しい線量 X は次式となる.

$$X = K_s \cdot k_1 \cdot M \tag{11.9}$$

温度気圧補正係数 k_1 は測定値に乗じて正しい線量値を得るが, 気密形の空洞電離箱で外部から空気の流入, 流出のない場合は考慮しなくてよい（気密形でないものを開放形ともいう）.

湿度の影響については湿度が増すと, 感度の若干減少する傾向があるが通常は無視してよい.

3. イオン再結合補正係数

電離箱内で生じたイオン対は再結合することがある. 再結合は次の条件で起こりやすい. ①電離箱の電界強度 (V/cm)：印加電圧が低く, 電極間距離が大きいとき. ②線量率（C/kg·s）：線量率が大きいとき. ③電離箱の形状：平行平板形, 円筒形, 球形などによって変わる. ④連続放射線とパルス放射線：パルス放射線が大きい. イオン再結合の種類には α 線のような電離密度の高い荷電粒子線で起こる**初期再結合**（柱状再結合ともいう）と X, γ 線などで起こる**一般再結合**（体積再結合ともいう）がある. そしてイオン再結合が増加すると, 電離箱でのイオン収集効率は低下し, 両者は互いに逆比例の関係にある.

イオン再結合の補正には Boag の理論式の他に, **2 点電圧法**という簡単な方法がある. これは電離箱の通常使用している電圧 (V_1) での指示値 M_1 と, これより低い印加電圧 (V_2) にすることにより, イオン再結合が起こりやすくして, このときの指示値 M_2 を用いて計算により求める方法である. V_2 の値は V_1 の 1/2〜1/3 程度がよいとされている.

4. 極性効果補正係数

電離箱線量計の2つの電極に加える印加電圧の極性によって指示値が変化する現象である. 円筒形電離箱ではこの効果は少なく無視できるが, 平行平板形では考慮しなければならない. これは電離箱内に発生する電子線や二次電子が集電極や絶縁物中で止められる結果, 指示値が変化する現象で, 電子線では入射する電子が直接に関与し, X, γ 線では光電効果やコンプトン効果で発生する二次電子が原因となる. この現象は極性を変えた2回の測定値の平均値を求めることで補正ができる.

5. 方向依存性補正係数

測定器に対する X 線入射方向により, 感度の異なることを**方向依存性**という. 空洞電離箱では軸方向に対して直角に X 線を入射して使うことが多いが, 最大感度を 100% として, 指示値の低下を百分率で円形グラフで表すことが多い. 方向依存性は空洞電離箱の場合, 外側電極, 中心電極の形状によって変わる. 測定器校正時の条件以外の方向で照射するとき, また, 散乱 X 線のように多方向から入射するときに補正を必要とする.

6. エネルギー依存性補正係数

正確に測定された同一の X 線量で, 光子エネルギーを順次変えて測定器に照射したとき, 測定器の指示値が変化する現象を**エネルギー依存性**という. 空洞電離箱の場合, 電離箱壁材料が空気の実効原子番号と相違することに起因し, 原子番号が空気のそれより大きくなるほど, エネルギー依存性は大きくなる. 一般には, 低エネルギー部の光電効果領域で感度が上昇する傾向となる.

4

吸収線量の測定

1. ブラッグ・グレイ（Bragg-Gray）の空洞原理

吸収物質中に電離気体を満たした壁のない微小な空洞を想定する．この空洞の大きさは，これを横切る荷電粒子の数や分布が，この空洞の挿入によって変わらないくらい微小であることが必要条件となる．空洞内気体中で電離によって生じた電荷量を J_g[C/kg]，空洞内気体に対する吸収物質の質量阻止能比を $S_g{}^m$，気体中で1イオン対生成に必要な平均エネルギーを W(J/イオン対)とすると，物質中の吸収線量 D_m は次式となる．

$$D_m = J_g \cdot W_g \cdot S_g{}^m \quad [\text{Gy}] \quad (11.10)$$

$(J_g \cdot W_g)$ は空洞気体の吸収線量[Gy]であり，これに気体の質量阻止能 S_g と物質の質量阻止能 S_m の比 $(S_m/S_g)S_g{}^m$ を乗じて，物質中の吸収線量 D_m に変換するものである．

また，微小空洞中の吸収線量は電子のフルエンス Φ[m^{-2}]がわかれば，質量阻止能 S[J·m^2·kg^{-1}]との積により，空洞中の吸収線量[Gy]が求められる．

この原理はあらゆる放射線，物質に適用でき，荷電粒子平衡の成立しないビルドアップ領域，物質表面，異なる物質の境界面などの吸収線量が測定できる．

2. 外挿形電離箱による測定

ブラッグ・グレイの空洞原理に基づいた吸収線量測定器である．図11-7のように，電離体積を可変にして，横軸に電離体積を，縦軸に単位質量当たりの電離量を目盛ったグラフを書き，グラフ上で電離体積を0に外挿して電離体積が零での電離量 $[J_g]$ を求める．この J_g の値は体積無限小での電離電流であるから，ブラッグ・グレイの空洞原理を満足する．いずれにしても実験室系の測定器であり，このように，無限小電離体積での測定ができるから，表面吸収線量や物質内の境界面なども含め，空洞電離箱では測定できない位置での吸収線量が測定でき

る．また，電離体積を変化させる代わりに，電離体積中の空気密度を変える方法もある．

3. 照射線量に校正された空洞電離箱による測定

電離箱の壁材料には空気等価材料を用い，また壁厚は測定する光子エネルギーに適応した平衡厚を有し，かつ標準電離箱と校正された空洞電離箱を用いる．吸収物質中にこの空洞電離箱を挿入し照射線量を測定する．測定値を M[C/kg]とすると，吸収線量 D は次式となる．

$$D = MKk_1k_d \left[33.97 \frac{(\mu_{en}/\rho)_{med}}{(\mu_{en}/\rho)_{air}} \right] [\text{Gy}] \quad (11.11)$$

ここで，K；空洞電離箱の校正係数，k_1；温度気圧補正係数，k_d；置換係数（displacement factor），(μ_{en}/ρ)；質量エネルギー吸収係数を示す．そこで

$$f_{med} = 33.97 \frac{(\mu_{en}/\rho)_{med}}{(\mu_{en}/\rho)_{air}} \quad (11.12)$$

とおくとこの場合の f_{med} を吸収線量変換係数とよび，この値は光子エネルギーと物質の種類により変化する．f_{med} がわかっていると，これを測定器指示値に乗じ，校正係数ならびに k_1, k_d の補正係数をさらに乗ずることにより吸収線量[Gy]が測定できる．k_d は特に大きな容積の電離箱を用いない限り，通常は1として取り扱ってもよい．この方法は照射線量の適用領域である数MeV以下のX，γ線のみに適用できる．

4. 高エネルギー光子線の測定

放射線治療における吸収線量測定は，日本医学物理学会の定めた「水吸収線量の標準計測法12」に従い，水の吸収線量測定を基本にしている．現在では，主として ^{60}Coγ線と，電子加速装置から発生する高エネルギーX線が使用されているが，両者を総称して高エネルギー光子線とよぶ．ここで規定する水吸収線量計測法は，水深10cm（校正深）の吸収線量（校正点吸収線量）を測定し，この値から深部量百分率曲線を用いて，計算により各水深の吸収線量を求める手法をとる．そこで，校正点吸収線量 D_c は次式により求められる．

$$D_c = M \cdot N_{DW} \cdot k_Q \quad (11.13)$$

そこで M は必要な補正を施したリファレンス線量計の指示値，N_{DW} は水吸収線量校正定数，k_Q は線質変換係数である．水吸収線量校正定数は ^{60}Coγ線を基準線質として与えられているため，これ以外の高エネルギーX線に対しては線質変換係数を乗じて補正する．線質変換係数は線質指標 $TPR_{20,10}$ によって評価された線質に対応して各種線量計に値が提供されている．ただし，$TPR_{20,10}$ は，(TPR_{20}/TPR_{10}) の比によって表す線質評価法である．

そして，線量計の指示値 M に対する補正は次式の各補正項目について行われる．

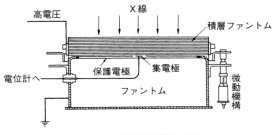

図 11-7 外挿形電離箱の構造

$$M = M_{raw} \cdot k_{TP} \cdot k_{pol} \cdot k_s \cdot k_{elec} \quad (11.14)$$

そこで M_{raw} は3回以上の測定により得たリファレンス線量計の平均表示値，k_{TP} は温度気圧補正係数，k_{pol} は極性効果補正係数，k_s はイオン再結合補正係数，k_{elec} は電位計校正定数である．温度気圧補正係数は基準温度気圧を 22.0 ℃，101.3 kPa としている（☞補正係数は p.334）．また極性効果補正係数は電離箱の印加電圧を正負に切り替えたときの測定値の和を，2で除することにより求める．極性効果については p.334 を参照．イオン再結合についても p.334 を参照．電位計校正定数は電離箱と電位計を別個に校正した場合に，電位計の指示値からクーロン［C］の真値への校正定数で，電離箱と電位計を一体で校正した場合には，この係数は 1.0 となる．

なお校正時の電離箱の測定点は円筒型電離箱線量計の幾何学的中心である．

5．高エネルギー電子線の測定

高エネルギー電子線は 3〜25 MeV のエネルギーの電子線に適用され，基本的には高エネルギー光子線測定に用いた，式 (11.13)(11.14) によって水中での吸収線量測定を行う．ただし，使用するリファレンス線量計は，平均入射エネルギー 10 MeV 未満では平行平板形電離箱線量計（シャロー形）を，10 MeV 以上ではファーマ形電離箱線量計の使用も可能である．また，校正深は $(0.6R_{50}-0.1)$ cm によって求め，この位置での校正点吸収線量を測定する．ただし，R_{50} は線量半価深（水の深部吸収線量曲線が最大値の 0.5 になる深さ）である．

また，電離箱の測定点は，校正点吸収線量の測定では，円筒型は幾何学的中心から 0.5 r 線源側に移動した点，平行平板型では電離箱前壁となるが，その他の測定では，電離箱の幾何学的中心より線源側に表 11-1 に示す距離だけ変位させなければならない．ただし，r は円筒形および球形電離箱の半径である．

表 11-1 電離箱線量計の実効中心

線質	円柱形および球形	平行平板形
^{60}Co γ線	0.6 r	空洞内前壁
高エネルギーX線	0.6 r	空洞内前壁
高エネルギー電子線	0.5 r	空洞内前壁

r は電離箱内半径

6．その他の吸収線量測定器

1）熱量計（カロリメータ）

物質に吸収された放射線エネルギーの大部分は最後には熱エネルギーとなる．これによる物質の温度上昇を検出して，吸収線量またはエネルギーフルエンスを測定する．吸収物質にはX線，γ線に対しては鉛が，電子線に対してはアルミニウムまたはカーボンが用いられる．また，温度の検出には，熱電対やサーミスタが用いられる．

いま水に 1 Gy の吸収エネルギーがあった場合，その温度上昇は次のようになる．

$$1\,\text{Gy} = 1\,[\text{J/kg}] = 2.4 \times 10^{-4}\,[\text{cal/g}]$$

水の比熱は1であるから，1 Gy の吸収エネルギーは 2.4×10^{-4} ℃の温度上昇となる．温度変化は少ないため，熱量計の構造は外界と完全に断熱するか，周囲の壁を吸収体と同じ程度の温度まで加熱して熱平衡を保つ工夫がされる．

熱量計はあらゆる放射線に適用でき，吸収線量の絶対測定ができる．ただし，大線量の測定は可能であるが，小線量測定はできない．

2）化学線量計

化学線量計は後述するが（☞p.349），代表的なものは鉄線量計とセリウム線量計である．いずれも水の吸収線量が絶対測定できる．G値の精度がよければ，吸光度の測定から吸収線量が計算できるから，特に鉄線量計は2次標準測定器ともよばれ，大線量の標準測定に適している．

関連事項

SI 単位

放射線単位にも国際単位系（Le Systéme International d'Unités）を用いるように，勧告されている．国際単位系のことを SI 単位とよぶ．

SI 単位は，長さにメートル［m］，質量にキログラム［kg］，時間に秒［s］，電流にアンペア［A］，温度にケルビン［K］，物質量にモル［mol］，光度にカンデラ［cd］の合計7つの基本単位と平面角［rad］，立体角［sr］の2つの補助単位から構成され，すべての単位はこれらの組み合わせで作られる．これを組立単位という．また，単位には表 11-2 の接頭記号をつけて数値を表す．接頭記号は二重に使ってはいけない（たとえば mμ など）．

ガフクロミックフィルム（ラジオクロミックフィルム）

化学反応を用いて2次元の放射線線量分布の測定を行うフィルムで，ジアゾ系物質が放射線により破壊され，青色に着色する．現像を必要としない．診断・治療のエネルギー領域で使用されている．

表 11-2

名称	記号	倍数	名称	記号	倍数
エクザ	E	10^{18}	アト	a	10^{-18}
ペタ	P	10^{15}	フェムト	f	10^{-15}
テラ	T	10^{12}	ピコ	p	10^{-12}
ギガ	G	10^{9}	ナノ	n	10^{-9}
メガ	M	10^{6}	マイクロ	μ	10^{-6}
キロ	k	10^{3}	ミリ	m	10^{-3}
ヘクト	h	10^{2}	センチ	c	10^{-2}
デカ	da	10	デシ	d	10^{-1}

5 固体線量計

 固体に放射線を照射して,放射線の量を検出する主なものにつぎの種類がある.①蛍光ガラス線量計,②熱ルミネセンス線量計,③光刺激蛍光線量計,④半導体式線量計,⑤MOSFET線量計.

1. 蛍光ガラス線量計：PLD

 1) 測定原理：銀活性燐酸塩ガラスに放射線照射すると,安定な蛍光中心が生成し,このガラスは蛍光体的な性質をもつようになる.このガラスに紫外線または窒素ガスレーザ光を照射すると,615 nm に極大値をもつ橙色の蛍光を発する.この現象を RPL（radio photoluminescence）という.RPL 光量とガラスの吸収線量は比例するため,RPL 光を光電子増倍管やフォトダイオード等の光センサーで測定することにより,素子の吸収線量が測定できる.また電離箱線量計と校正することにより照射線量の測定もできる.そこでこの測定器をPLD（photoluminescence dosimeter）ともいう.

 2) 測定方法：開発当初は刺激光に紫外線が使用されたが,ガラスの汚れなどの表面状態により測定値が大きく変動する難点のためあまり使用されなくなったが,現在では窒素ガスレーザ光刺激法により高精度の測定ができるようになった.これの測定原理を図11-8に示す.

 放射線照射されたガラスにパルス幅数 ns の窒素ガスレーザ光を照射すると,時間経過と共に図に示すような蛍光量の減衰がみられる.すなわち,最初にガラスの汚れによる発光（F_d）が観測され,次に RPL 発光（RPL），そして時間によってあまり変化しない発光としてプレドーズ（F_{pre}）が観測される.なおプレドーズは放射線照射以前にすでにガラスに蓄積されていた蛍光中心による発光である.そこで,F_d はすでに減衰し,RPL の発光が残っている状態での時間幅 T_1 で測定した蛍光量と,F_{pre} のみの発光が持続している時間 T_2 での蛍光量をそれぞれ測定する.時間幅 T_2 の蛍光量から T_1 での F_{pre} に補正して,時間幅 T_1 の蛍光量から補正された F_{pre} を減算すると,RPL のみの蛍光量が求められる.この操作を約 50 ms 間隔で数 10 回繰り返して平均値を求めることによって,ガラスの汚れやプレドーズの除かれた,かなり高精度の測定結果が得られる.

 3) 特性：①熱処理；400 ℃,30 分程度の熱処理（アニーリング）により RPL は消失し繰り返し反復使用ができる.②蛍光のビルドアップ；放射線照射後も蛍光の若干の増加が持続する（室温で 24 時間放置すると約15%増加）.しかし,RPL 測定の前に 70 ℃,30 分程度の熱処理をすると,ビルドアップは停止して安定した測定ができる.③測定線量；低線量（数 μGy）から高線量（数 10 Gy）まで測定のダイナミックレンジが広く,高感度である.④退行現象（フェーディング）は小さい.⑤線量率依存性は少ない.⑥エネルギー依存性；ガラスの実効原子番号は 10.9 であり,エネルギー依存性は若干あるが,付加フイルタの使用により減少できる.

 4) 使用目的：①放射線治療時の深部線量測定,②組織内線量分布の測定,③被ばく線量の測定,④環境放射線の測定.

2. 熱ルミネセンス線量計：TLD

 1) 測定原理：LiF のような結晶に放射線を照射すると,図11-9 に示すように価電子帯で電離,励起が起こるが,このうち,励起電子は伝導帯を通じて捕獲中心に入る.捕獲中心の深さ（エネルギー；E）,すなわち E が大きいと,励起電子は常温では外に出ることはできないが,熱,光などで E 以上のエネルギーを与えると,電子は捕獲中心から放出され,価電子帯の正孔と再結合するとき,可視光線を放射する.この現象を熱ルミネセンス（thermoluminescence）という.通常,捕獲電子の放出には熱エネルギーが使われるため,電子の放出確率 P は

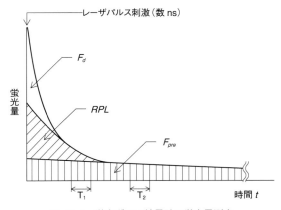

図 11-8 蛍光ガラス線量計の蛍光量測定

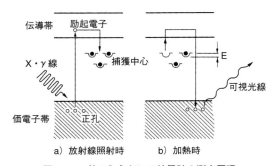

図 11-9 熱ルミネセンス線量計の測定原理

次式となる．
$$P = \nu e^{-(E/kT)} \quad (11.15)$$
ただし，ν は定数，E は加える熱エネルギー，k はボルツマン定数，T は絶対温度である．

捕獲電子数は照射線量に比例し，さらに捕獲電子数は発光光量に比例するため，この発光量を光電子増倍管やフォトダイオード等の光センサーで測定することにより，照射線量を推定することができる．このような線量計を熱ルミネセンス線量計または略称して **TLD** という．

2) 素子の種類：$CaF_2(Dy)$，$CaSO_4(Tm)$，$Mg_2SiO_4(Tb)$，$MgB_4O_7(Tb)$（比較的高感度素子），LiF，$Li_2B_4O_7(Cu)$，$BeO(Na)$（低原子番号で組織等価素子）．

3) 特性：①熱処理（アニーリング）：照射後の素子を昇温し，熱エネルギーを与えることによって，捕獲中心の電子を全部放出すると，素子は元の状態に復帰するため，繰り返し使用することができる．積算線量の測定器である．②測定線量域は数 μGy～10^2 Gy 程度．③エネルギー依存性は素子の種類によって異なり，低原子番号の LiF，BeO などは依存性は非常に少なく，補正することなく組織等価線量計として使用できる．④退行現象，線量率依存性ともに少ない．⑤素子によっては光の影響を受け，測定値が変動するものがある．⑥ BeO などのある種の素子は機械的刺激の影響を受ける．

4) グロー曲線 glow curve：放射線照射後の素子を昇温速度（℃/min）を一定にして加熱していき，このときの発光強度を縦軸に，加熱温度を横軸に目盛ったグラフをグロー曲線という．これによって素子の性質や必要な加熱温度を知ることができる．グロー曲線の最大値は $CaSO_4$ で約 100 ℃，LiF で約 200 ℃，CaF_2 で約 250 ℃であるから，線量測定に必要な加熱温度はおよそ 300～400 ℃程度である．

5) 使用目的：①放射線治療時の深部線量測定，②組織内線量分布の測定，③被ばく線量の測定，④環境放射線の測定．

3. 光刺激ルミネセンス線量計：OSLD

1) 測定原理：TLD が加熱による熱発光であるのに対して，光エネルギーで刺激することにより，放射線照射により捕獲中心に捕捉された電子を放出させる方式の線量計である．これを OSLD (optically stimulated luminescence dosimeter) ともいう．素子には酸化アルミニウムに若干の炭素を添加した（Al_2O_3：C）が用いられる．

TLD では刺激に使う熱と発光する光とは物理的性質が全く異なるために，両者の分離は比較的簡単であるが，OSLD では刺激光（532 mm）と発光（420 mm）とが同じ光であり，しかも両者の波長が同程度であるため，両者が互いに相互影響して発光量の正確な測定が困難となる．そこで両者の分離手法として，次のような方法が用いられる．

① Pulsed OSL 法：高速でスイッチングできる緑色（532 nm）の強いレーザ光を使用し，この光を素子に短パルス（4 kHz）で照射し，素子の発光量を測定するが，レーザ光の照射中は光電子増倍管の動作を停止して，刺激光が入射しないようにする．② Prompt OSL 法：光源と光電子増倍管の間に素子の発光（420 nm）のみを透過し，緑色の刺激光はすべて吸収するような光学フィルタを使って，両者の分離をする．

2) 特性：①感度が高く（10 μGy～），低線量から高線量まで線量測定範囲が広い．②フェーディングが少なく，長期間の集積線量が測定できる．③エネルギー依存性は比較的小さい．④線量は素子が保存し再測定も可能で何回もくり返し測定でき測定精度も高い．⑤使用中は遮光状態で使用し，線量測定後は明るい光を照射（光アニーリング）すると線量情報は消失して再び使用できる．

3) 使用目的：被ばく線量の測定

4. 半導体式線量計

1) 測定原理：面接合型半導体に電流の流れない方向の逆電圧を印加すると，キャリヤの存在しない空乏層ができる．この領域はちょうど電離箱の電離領域に相当し，ここに放射線が入射すると電子―正孔対が生成する．この電子―正孔対は外部回路に電離電流として流れるため，この電流の観測から放射線の検出ができる．

半導体検出器（☞ p.355）は本来パルス計測器であって，計数率［cps］を測定して放射能［Bq］を求める目的に使用される．しかも，ある種のものでは検出器を冷却しなければならない等の不便さがある．そこで冷却することもなく，比較的安価で，しかも製法も簡単な pn 接合形 Si 半導体が，半導体式ポケット線量計（☞ p.363）として被ばく線量測定用に使用される．ポケットに挿入できるように小型軽量に作られ，デジタル表示で直読できる便利さがある．

2) 特性：①比較的高感度（1 μSv～）である．②小型軽量で直読できる．③エネルギー依存性も比較的小さい．

5. MOSFET 線量計

MOSFET（Metal Oxide Semiconductor Field Effect Transistor）は電界効果トランジスタ（FET）の一種で，FET のゲートがシリコン基盤から絶縁されているため，ゲートに電荷が蓄積され，この電圧が一定のしきい値を超えると，ソース，ドレインに電流が流れるようになる（☞ p.164 FET）．これに放射線照射をすると，しきい値電圧の変化が放射線吸収線量に比例する性質があり，これを利用した線量計を MOSFET 線量計とよぶ．有感体積が 1 mm^3 以下と小さく，高い位置分解能を有するため，定位放射線治療や IMRT 等の線量計として放射線治療領域で有効に使用される．

化学線量計

水溶液に放射線照射すると，まず水が放射線分解され，H・，OH・などの遊離基（free radical）を生ずる．この遊離基が溶液に種々の化学変化を与える．化学変化の収量を測定して，水溶液への放射線吸収エネルギーを推定するものを化学線量計という．化学線量計の収量は G 値（G-value）で表し，これは放射線吸収エネルギー 1 J 当たりに生成あるいは変換される分子数を [mol] で表したもので，以前は〔分子数/100 eV〕で定義した．いま，化学的な反応生成物 x に対する G 値を $G(x)$ とすると，$G(x) = n(x)/\overline{E}$ によって示される．$n(x)$ は与えた平均エネルギー $\overline{E}$ [J] によって生じた化学反応量 [mol] である．そこで両者の定義の換算をすると，吸収エネルギー 100 eV 当たりの G 値を $G'(x)$ としたとき，次式により $G(x)$ [mol J^{-1}] に換算できる．

$$G(x) = G'(x) \frac{1}{10^2 \times 1.6 \times 10^{-19}} \cdot \frac{1}{6.02 \times 10^{23}}$$
$$= 0.104 \times 10^{-6} G'(x) \quad (11.16)$$

現在，化学線量計で代表的なものは，硫酸第 1 鉄水溶液の Fe^{2+} が Fe^{3+} に酸化される反応を使った鉄線量計と，硫酸第 2 セリウム水溶液の Ce^{4+} が Ce^{3+} に還元される反応を使ったセリウム線量計がある．

1. 鉄線量計の原理

フリッケ線量計（Fricke dosimeter）ともいわれ，これは約 10^{-3} モルの硫酸第 1 鉄水溶液を高純度の蒸留水で調製し，これに硫酸を加えて 0.8 N の硫酸酸性液とする．この溶液に放射線照射すると次の反応が起こる．

$$\left.\begin{array}{ll}(1) & H_2O \rightsquigarrow H\cdot + OH\cdot \\ (2) & Fe^{2+} + OH\cdot \rightarrow Fe^{3+} + OH^- \\ (3) & H\cdot + O_2 \rightarrow HO_2 \\ (4) & Fe^{2+} + HO_2 \rightarrow Fe^{3+} + HO_2^- \\ (5) & HO_2^- + H^+ \rightarrow H_2O_2 \\ (6) & Fe^{2+} + H_2O_2 \rightarrow Fe^{3+} + OH^- + OH\cdot \end{array}\right\} \quad (11.17)$$

水の放射線分解により生成した H・，OH・などの遊離基が媒介となって，OH・によって 1 個，H・によって 3 個，H_2O_2 によって 2 個の Fe^{2+} が酸化され Fe^{3+} となる．この結果，^{60}Co γ 線に対して $G(Fe^{3+}) = 15.5(100 eV)^{-1} = 1.61 \mu mol J^{-1}$ となる．この反応は溶存酸素が十分あった場合（酸素飽和）であるが，溶存酸素のない状態（窒素飽和）にすると(3)式の反応が進まず，$G(Fe^{3+}) \fallingdotseq 8.1$ と約 1/2 になる．

2. 吸収線量の算出

放射線照射による Fe^{3+} の増加量 q [mol/m^3] が測定できると次式から吸収線量を算出することができる．

$$D[Gy] = \frac{q[mol/m^3]}{G[mol/J]} \cdot \frac{1}{\rho[kg/m^3]} = \frac{q}{G\rho} [J/kg]$$
$$(11.18)$$

ただし，G は Fe^{3+} の G 値，ρ は水溶液の密度である．

q の測定は分光光度計を用いる．Fe^{3+} イオンは 304 nm の紫外線を特に強く吸収するため，分光光度計の波長目盛を 304 nm に設定して，吸光度を測定し，これを Fe^{3+} の分子吸光係数で除せば q [mol/m^3] の値がわかる．

3. セリウム線量計

約 0.004 mol の硫酸第 2 セリウム溶液を高純度の蒸留水で調整し，硫酸を加えて 0.8 N の硫酸酸性液とする．放射線照射による反応式はつぎのようになる．

$$\left.\begin{array}{ll}(1) & H\cdot + O_2 \rightarrow HO_2 \\ (2) & Ce^{4+} + H\cdot \rightarrow Ce^{3+} + H^+ \\ (3) & Ce^{4+} + HO_2 \rightarrow Ce^{3+} + H^+ + O_2 \\ (4) & Ce^{3+} + OH\cdot \rightarrow Ce^{4+} + OH^- \\ (5) & Ce^{4+} + H_2O_2 \rightarrow Ce^{3+} + H^+ + HO_2 \end{array}\right\} \quad (11.19)$$

この結果，H・によって 1 個，H_2O_2 で 2 個の Ce^{4+} が Ce^{3+} に還元され，反対に OH・によって 1 個酸化されるため，$G(Ce^{3+}) = 2.34$ となる．セリウム線量計は G 値が低いが，溶存酸素の影響を受けない．

4. 化学線量計の特性

①一般に化学線量計は大線量の測定に適し，水の吸収線量が精度よく測定できる（鉄～500 Gy，セリウム～10 kGy）．②2 次標準測定器としての価値がある．③線量率依存性は少ない．④温度依存性はあまりない．⑤ G 値の大きいものほど感度は高い．⑥測定法が面倒のため日常の測定には適さず，線量計の校正目的などに使用する．

関連事項

その他の化学線量計
1. ベンゼン-水線量計：ベンゼン飽和水溶液を用い，フェノールの生成量を測定．
2. メチレンブルー水溶液：水溶液の脱色を比色計で測定．
3. クロロホルム-BCP：水溶液の変色を比色計で測定する．
4. プラスチックフィルム：フィルムの脱色を比色計で測定する．
5. 亜酸化窒素：N_2O ガスに照射し，$N_2 + O_2$ ガスの圧力変化を測定する．

7 GM 計数管

1. 測定原理

金属またはガラス円筒を陰極とし，この中にタングステン細線などの芯線を張り陽極とする．封入ガスはアルゴン，ヘリウム（希ガス，不活性ガスという）を主体とし，持続放電の消滅気体（クエンチングガス）として有機多原子ガス（アルコール，メタンなど），またはハロゲンガス（塩素，臭素など）を使用．約 1 kV/cm で中心線近傍に電子なだれが起こり，ガス増幅率は最大となる．したがって出力パルスは放射線の種類やエネルギーと無関係に一定波高となる．したがって，放射線のエネルギー分析はできない．このパルスを増幅，波形整形して，スケーラで計数するか，または計数率計で計数率の測定をする．

2. 持続放電の消去法と寿命

電子なだれの起こった後，陽イオンはゆっくりと外側陰極に移動するが，管壁に衝突して 2 次電子を放出し，これが原因で再び電子なだれを起こしパルスを発生する．この現象が繰り返されるため，これを持続放電という．持続放電の消去には，次の方法がある．①外部消滅法：外部高抵抗による電圧降下で管電圧を低下させ放電を止める．これは分解時間が長く，あまり使用されない．②内部消滅法：有機ガス（クエンチングガス）使用．アルゴン陽イオンをアルコール分子と価電交換させ，持続放電の原因となる 2 次電子エネルギーを吸収して，アルコールの解離エネルギーに費し，放電を止める．寿命はアルコール分子数で決まり，約 $10^8 \sim 10^{10}$ カウント．一方，ハロゲンガス消滅形では原理上寿命はなく，使用電圧も低い．

3. プラトー plateau

横軸に印加電圧，縦軸に計数率をとった計数率特性における平坦部をいう．印加電圧 100 V 当たりの計数率の変化（％）（JIS では 1 V 当たりの％で表示する）をプラトーの傾斜といい，約 5 ％以下が良好とされる．アルコ

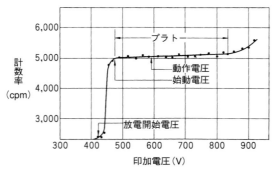

図 11-10 ハロゲン消滅形 GM 計数管の計数率特性

ール消滅型に比べ，ハロゲン消滅型の方がプラトーの傾斜はやや大きく，プラトー長も短い．曲線の立ち上がり部を放電開始電圧，プラトー開始部を始動電圧といい，GM 管の動作電圧はプラトー下端より約 1/3 に設定する（アルコール消滅型で約 1000 V，ハロゲン消滅型で約 500 V）（図 11-10）．

4. 分解時間

図 11-11 で τ_d を不感時間，τ_r を回復時間，τ を分解時間という．一般の GM 管の分解時間は数 100 μs．したがって，$1/\tau$ [cps] 以上は計数できず，これに近い高計数率では窒息現象を起こし，計数率は急に低下する．分解時間は 2 線源法，オッシロスコープ法により測定できる．

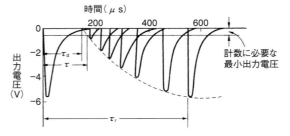

図 11-11 GM 計数管の出力パルス

5. 計数の数え落とし補正

高計数率となり，分解時間内に入った信号は数え落とされるため，次式で補正する．

$$\text{正しい計数率} \quad n_0 = \frac{n}{1-n\tau} \tag{11.20}$$

n：測定計数率 [cps]　τ：分解時間 [s]

数え落し率＝$n\tau$，1 秒間の数を落とし＝$n_0 n\tau$．$n\tau < 0.2$ 程度でこの式は成立する．

6. 測定対象と使用目的

GM 管は β 線に対して 100 ％近い計数効率（ハロゲン消滅形では 70～80 ％となる）を示すが，X，γ 線では 1 ％以下となる．使用目的は核種の計数率を測定することより，放射能（Bq）を決定する．また X，γ，β 線のサーベイメータ，モニタとして使用する．エネルギーの測定はできないため核種の決定は不可能である．また低エネルギー β 線の測定には，2π，4π 形ガスフロー計数管を用い，Q ガス（ヘリウム 99 ％＋イソブタン 1 ％）を流して測定する．

関連事項

2 線源法

GM 計数管の数え落としを利用して計数管の分解時間を測定する方法．適当な数え落としを起こさせる程度の線源 2 個を用意し，別々に測定した計数率を n_1, n_2 とし，2 個同時に測定した計数率を n_{12}，自然計数率を n_b とすると，分解時間 τ は近似的に次式で与えられる．

$$\tau = \frac{n_1 + n_2 - n_{12} - n_b}{n_{12}^2 - n_1^2 - n_2^2} \text{ [s]} \tag{11.21}$$

8 比例計数管

1. ガス増幅

計数管に放射線が入射すると，まず1次電離が起こる．1次電離とは，β線では，その飛跡に沿って作られるイオン対であり，X, γ線では光電効果やコンプトン効果で発生した光電子，コンプトン電子の飛跡に沿って作られるイオン対である．計数管の印加電圧が増すと，これらのイオン対は電界から運動エネルギーを得て，電子は次々と2次電離を起こし，イオン対数はねずみ算的に増大する．これを**ガス増幅**という．いま1個の1次電子がガス増幅によってn個の電子群を作るとする．一方，これらの電離，励起過程では光子（紫外線）が放出され，この光子はさらに電離を起こし管全体が電離で充満する．これを**電子なだれ**という．1個の電子で光電子が放出される確率をγとすると，1つの電子群ではγn，さらにγn^2個と2次的な電子なだれを伴い，全電子数は次式となる．

$$M = n + \gamma n^2 + \gamma^2 n^3 + \cdots = \frac{n}{1 - \gamma n} \quad (11.22)$$

このMをガス増幅率という．$\gamma n \ll 1$では$M = n$となり，2次電子数は1次電子数に比例する．この状態で使う計数管を比例計数管という．γnが1に近づくとMは無限大となり，これはGM計数管領域となる．

2. 測定原理と構造

形状は円筒形のものと図11-12に示す4π形のガスフロー計数管や中央から上半分を用いた2π形がある．半球または球形の外側電極に対し，細線をリング状にして集電極とする．ガス増幅率は印加電圧の上昇とともに増すが，ガス増幅によって生じた2次電子数が，1次電子数に比例する領域（$M = n$）に印加電圧を設定する．計数管にはガスを流しながら使用するが，比例計数管に最適なガスとして，PRガス（90%アルゴン＋10%メタン）がある．分解時間はGM計数管より短く，数μsと約1/100になる．出力パルスは前置増幅，比例増幅器を経て波高分析した後，計数する．GM計数管と違って出力パルス高は1次電離数に比例するため，入射放射線のエネルギー分析ができる．

3. 計数率特性（α, βプラトー）

α, β線を放射する試料を比例計数管で測定し，印加電圧に対する計数率の関係を求めると，図11-13が得られる．同じ印加電圧ではα線はβ線に比べて，1次電離数が飛躍的に大きいため，出力パルスも大きい．いま計数器の波高選別レベルをV_0とすると（V_0以下のパルスは計数されない），印加電圧の低い間はαパルスのみが計数されβパルスはV_0以下にある．印加電圧が高くなると，αとβパルスがともにV_0を超えて計数される．この原理から，α線とβ線の分離測定ができる．

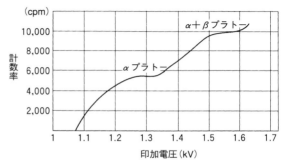

図11-13 α, β試料によるガスフロー計数管の計数率特性

4. 測定対象と使用目的

α線，低エネルギーβ線（^{3}H, ^{14}Cなど），遅速中性子の絶対測定（Bq数の定量）に用いる．α, β線は管内ですべてのエネルギーを消費する．中性子はBF$_3$ガスを封入し，^{10}B$(n, \alpha)^7$Liの核反応で生じたαとLi核の電離を利用する．これをBF$_3$計数管という．

計数率をnとすると線源の放射能Sは次式となる．

$$S = n \frac{1}{G \cdot f_s \cdot f_b} \quad (11.23)$$

Gは幾何効率（4πは1，2πは0.5），f_sは線源の自己吸収係数（☞ p.359），f_bは線源支持台の後方散乱係数（☞ p.359）である．

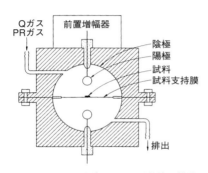

図11-12 4π形ガスフロー計数管の構造

関連事項

印加電圧とガス増幅率

円筒形の比例計数管では，ガス増幅率Mは次式で示される．

$$M = k\left[\frac{V}{\log(b/a)} \cdot pa\right] \cdots (\text{Rossi, Staub による}) \quad (11.24)$$

Vは印加電圧，a, bは中心線半径，陰極半径，pはガス圧力である．すなわち，Mはガス圧，印加電圧にほぼ比例する．

9 シンチレーション検出器

1. 測定器の原理と構成

図11-14にシンチレーション検出器の構成をブロック図で示す．放射線がシンチレータ（蛍光体）に入射すると，1光子または1電離粒子が吸収されるごとに瞬間的な発光をする．この光が光電子増倍管の光電面に達すると，光電子を放出し，さらにダイノード（☞図11-15）で次々と2次電子増倍される．そして，陽極に達したときには大きな電子流となって1つの電気パルスを作る．パルス高はシンチレータでの放射線吸収エネルギーに比例するため，放射線エネルギーをパルス高から知ることができる．出力パルスは計数器で計数率の測定をするとともに，波高分析することによりエネルギースペクトル計測ができる．

2. シンチレータの種類と測定対象

シンチレーション検出器はシンチレータの種類を変えることによって，種々の放射線の測定ができる．

1) 無機シンチレータ

無機シンチレータは一般に実効原子番号と密度が高く，X，γ線をはじめ種々の放射線の測定に適している．また，各シンチレータの（ ）内の物質を活性化物質という．

NaI(Tl)：γ線の測定に最も適している．潮解性があるため，一面をガラス窓とし，他はAlで作ったケースに密封し，内面に光反射をよくするため，MgOが塗布してある．発光量はγ線に対して最も大きく，形状は円柱状であるが，中央に試験管挿入用の穴をあけた井戸形（ウェル形）もあり，RI試料測定によく用いられる．

CsI(Tl)：γ線測定に用いられるが，NaIよりも発光量は少ない．潮解性はないため，ケースに封入する必要はない．ゆえにα線測定もできる．

ZnS(Ag)：粉末であり，発光量は非常に大きいが，光透明度が悪いため，厚い結晶は作れない．したがってγ線には不適．しかし光電子増倍管入射面に薄く塗布するとα線測定には適している．したがって，ルサイトなどの含水素物質と組み合せて速中性子による反跳陽子の測定に用いる（ホニヤックボタン）．この他，**LiI(Eu)** は ^{6}Li(n, α)^{3}H 反応により熱中性子測定に用いられる．

BGO(Bi$_4$Ge$_3$O$_{12}$)，**GSO**(Gd$_2$SiO$_5$)：PETなどの検出器に用いX，γ線計測に使われる．

2) 有機シンチレータ

有機シンチレータは実効原子番号が低く，密度も1に近いため，γ線測定には適さない．しかし阻止X線の発生効率が低いためβ線，α線の測定にはよい．また無機に比べて蛍光減衰時間の短い特徴がある．アントラセンは代表的で，この他にスチルベン，ターフェニルなどがある．

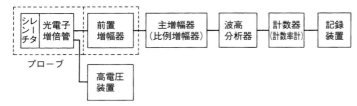

図11-14 シンチレーションカウンタの構成図

表11-3 シンチレータの種類と特性

シンチレータ	密度(g/cm³)	実効原子番号	最大発光波長(nm)	発光量(相対値)	光減衰時間(μs)	用途など
NaI（Tl）	3.67	50	410	210	0.25	γ線感度特に大 潮解性あり
CsI（Tl）	4.51	54	white	55	1.1	α線，γ線 潮解性なし
KI（Tl）	3.13	49	410	〜50	1.0	γ線
LiI（Eu）	4.06	52	blue-green	74	1.4	中性子線
ZnS（Ag）	4.10	27	450	200	0.04〜0.1 40〜100	α線，透明度悪い 中性子線(B, Liと併用)
BGO	7.3	74	480	20	0.3	PET装置などに使用
GSO	6.7	59	430	40	0.06	〃
アントラセン	1.25	5.8	445	100	0.032	α線，β線 昇華性あり
スチルベン	1.16	5.7	410	73	0.007	α線，β線
プラスチック	1.06	5.7		52	0.002	α線，β線
液体	0.87	5.6	360〜430	50	≤ 0.003	α線，弱エネルギーβ線

3） プラスチックシンチレータ

低原子番号のため，γ線には適さず，α，β線測定用で，蛍光減衰時間も短く，時間分解能は高い．加工が容易で大容積のものが作れる．大容積である特徴を利用してヒューマンカウンタに使ってγ線を検出することがあるが，γ線のエネルギー弁別はできない．プラスチックにポリスチレン，ポリビニールトルエンを使い，この中にターフェニル（第１溶質），POPOP（第２溶質）などを入れる．

4） 液体シンチレータ

低エネルギーβ線（^{3}H，^{14}C など）やα線測定に適す．トルエン，キシレンなどの溶媒にターフェニル，PPO（2phenyl-5 diphenyl oxazole）などを第１溶質として，POPOP を第２溶質として溶かす（☞ p.354）．

3．光電子増倍管

フォトマルチプライヤ（photomultiplier）：PMT といい，図11-15に示すように主として光電陰極（光電面），ダイノード，陽極から構成される．光電面（Sb-Cs 合金）に光が入射することによって光電子が放出され，これが集束電極を通ってダイノード（二次電子放出電極）に当たる．ダイノードは２次電子放射現象によって，１個の電子につき数個の２次電子を放出する．この数を２次電子放出能といい，δ とすると n 段のダイノードによって電子増倍率 M は $M=\delta^n$ となる．たとえば，δ＝4，n＝10 とすると $M=4^{10}≒10^6$ の増幅率となる．δ はダイノードの印加電圧が増すほど大きくなり，M は印加電圧によって調節できる．通常 M は $10^5〜10^8$ 倍位になる．増倍された電子流は陽極から電気信号として取り出す．一般にダイノードは10段，印加電圧は 1000 V 程度であるから，ダイノード１段の電圧は約 100 V となる．ダイノードの配列により，円形集束型，直線集束型，ブラインド型などがある．

4．波高分析器

パルスハイトアナライザ（pulse height analyzer）：PHA といい，高さの異なるパルスを選別して，同一パルス高のみを計数回路に送る働きをする．２台の波高選別器（discriminator）と逆同時計数回路を組み合わせたものが最初の基本形で，図11-16のように下限ディスクリレベル V（V）と上限ディスクリレベル $V+\Delta V$ の間に入ったパルスのみが次段の計数回路に送られる．ΔV を**ウインド幅**（window width）または**チャネル幅**（channel width）といい，また V をレベル電圧という．これを**シングルチャネル波高分析器**という．

一方，波高選別器を（n+1）個用い，１つのチャネルの上限が１段上のチャネルの下限になるようにして，それぞれに逆同時回路と計数回路を接ぎ，レベル全体を n 個に分割することによって，n チャネルの波高分析器ができる．これを積み重ね方式のマルチチャネル波高分析器という．現在は波高-時間変換器を用いて，すべての波高をクロックパルス数の時間に変換し，電子計算機のメモリコアに記録し，整理する方式の**マルチチャネル波高分析器**が用いられる．これを**ウイルキンソン方式**という．これを用いることによりシングルチャネルに比べて短時間で測定できると同時に，短半減期核種の分析も可能となる．現在，2000〜8000 チャネル程度がよく使用されている．

5．計数回路

パルスを計数する方式には，10 進計数管を使用する方式と 10 進計数回路を使用する方式がある．計数管としては，①デカトロン，② E1T などがあるが，高速計数

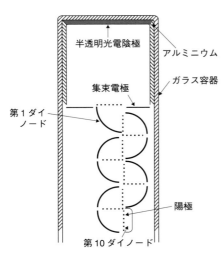

図 11-15 光電子増倍管の構造

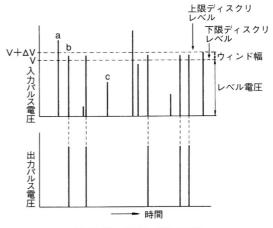

図 11-16 波高分析器の原理

ができないことと，動作が安定しないため現在は用いられない．10進計数回路はフリップフロップ回路（双安定マルチバイブレータ）で2進計数し，これに適当な帰還回路を設けることで10進計数回路を構成する．出力は表示放電管（nixie tube）などで表示する．回路はほとんど集積回路になっている．

この他，計数率計（レートメータ）でcpsまたはcpmを直接指示するものがある．これはCR回路にパルスを入れ，コンデンサの充電電圧を電圧計で測定する方式で，サーベイメータなどに用いられる．

6. 液体シンチレーションカウンタ

これは ^{14}C（156 keV β），^{3}H（18 keV β）のような低エネルギー β 線および α 線放射体の試料測定に用いる．RI試料と蛍光体を溶解することによって，試料の自己吸収や計数管窓などの吸収がない状態で測定でき，エネルギー分析も可能である．

1） 測定原理

一例としてつぎのような溶媒，溶質とRI試料を混合する．

溶媒：トルエン，キシレン，ジオキサン，ナフタレンなど
第1溶質：第1蛍光体として働き，PPO，TPなど
第2溶質：第2蛍光体として働き，POPOPなど
RI試料：^{14}C，^{3}H など

試料から放射された β 線は第1蛍光体を刺激して紫外線（330～380 nm）を放射する．この波長は光電子増倍管の感度域と適合しないため，この紫外線で第2蛍光体を刺激して長波長光（約440 nm）を放射させ，光電子増倍管で受光する．この意味で第2溶質であるPOPOPを**波長シフタ**という．

測定機構は図11-17に示すように，試料の中の2次蛍光体の光を2本の光電子増倍管で受光し，波高分析器を経て，**同時計数回路**にパルスを送る．この理由は測定対象が低エネルギー β 線のため，パルス高も低く光電子増倍管からの雑音と区別できないため，試料からの発光のみを2本の光電子増倍管で同時に受光することにより，同時刻に発生する確率の少ない雑音が排除できる．さらに光電子増倍管をフリーザに入れて冷却することで，雑音の発生確率を減少させる．それでも2本の光電子増倍管から同時に発生した雑音を**偶発同時計数**という．

2） クエンチング quenching

液体シンチレーションカウンタは 4π 計数ができ，測定効率も非常に高いが，着色した試料などでは測定効率の低下することがある．これをクエンチングといい，原因に次のものがある．①色クエンチング：黄，赤色などに着色した試料は蛍光を吸収し，計数効率が低下する．②化学的クエンチング：蛍光体分子が励起する以前に，特定の化学基がこのエネルギーを吸収して，発光に結びつかない場合，計数効率が低下する．その他，酸素クエンチング，濃度クエンチングがある．クエンチングの補正法には，①内部標準線源法，②外部標準線源法，③チャネル比法，④外部標準線源チャネル比法がある．

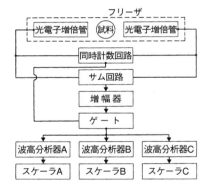

図 11-17 液体シンチレーションカウンタの構成

関連事項

微分計測法と積分計測法

試料計測を行う場合，最も単純な γ 線放射核種である ^{137}Cs を例にとると，NaI（Tl）蛍光体では図11-18のような γ 線スペクトルを示す．試料の放射能が十分あるときには，波高分析器のウインド幅を光電ピークのエネルギー幅に合致させることによって，コンプトン散乱や他の核種の影響も受けずに，良い状態で試料計測ができる．これを微分計測法とよぶ．一方，試料の放射能が非常に微弱なときには波高分析器を除き，波高選別器（ディスクリミネータ）のみとして，全スペクトルを計数することがある．これを積分計測法とよぶ．

微分計測法を利用して数種類の核種を同時に体内に投与し，同時に体外計測する場合，それぞれの γ 線エネルギーの光電ピークにウインド幅を設定することにより，各核種ごとに分離した多核種計測ができる．

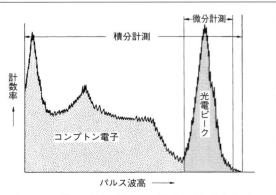

図 11-18 ^{137}Cs γ 線スペクトル（微分計測と積分計測）

10 半導体検出器

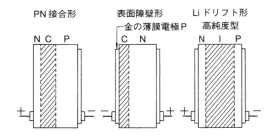

図 11-20 半導体検出器の種類と構造
N：N形半導体，P：P形半導体，C：空乏層，I：真性半導体領域

1. 測定原理

シリコンやゲルマニウムなどを用いたN形半導体とP形半導体を面接合し，逆電圧を印加すると図11-19のように，正電極に電子が，負電極に正孔が引き寄せられ，中央に**空乏層**ができる．空乏層に放射線が入射すると，電子と正孔の対（キャリアという）が生成し，電界により電子は正電極へ，正孔は負電極に移動することにより電荷が運ばれ，外部回路に放射線エネルギーに比例したパルス電流が流れる．放射線粒子が吸収されるごとにパルスを生じるから，計数率の測定と同時に放射線エネルギーの測定ができる．

空乏層の中で1個の電子，正孔対を生成するに要するエネルギーは，シリコンで約3.6 eV，ゲルマニウムで約2.9 eVであるから，これは気体中で1イオン対を生成するに要する平均エネルギー $W(W_{air}=33.97\,\text{eV})$ の約1/10となり，非常に検出効率が高い．また固体中での電子，正孔の移動度は同程度であり，高分解能の検出器となる（気体中では陽イオンの移動速度は電子に比べて遅い）．

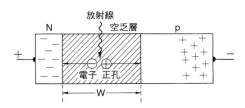

図 11-19 半導体検出器の測定原理

2. 半導体検出器の種類

半導体材料としては，シリコン（$Z=14$）とゲルマニウム（$Z=32$）を用い，さらに製法により次の4種類に分類できるが，この他常温で使える半導体として，CdTe, HgI$_2$, GaAs などの化合物半導体検出器がある．また，CdZnTe（**CZT 検出器**ともいう）を電子冷却で使用する検出器が開発され，比較的エネルギー分解能も良好である．

1) **PN 接合形**：高純度のP形シリコンの表面にリンのような不純物を拡散させ，薄いN形層を形成する．またN形シリコンにガリウムなどを拡散させると薄いP形層ができる．これらをPN接合形という．これに逆電圧を加えると，図11-20のように接合面をはさんで空乏層ができる．比較的製法が簡単なため，β線測定や，被ばく線量測定器，サーベイメータなどに用いている．

2) **表面障壁形（サーフェスバリヤ形）**：N形シリコンの表面を酸化させP形とし，その表面にニッケル，金などの金属を薄く蒸着して電極としたものである．これもPN接合形と同程度の空乏層厚しかとれないため，用途も類似している．しかし入射面がPN接合型に比べて非常に薄いため，α線の測定に適している．PN接合形と表面障壁形は，逆電圧を印加したときにのみ空乏層は形成され，その厚さは電界に依存する．いずれも冷却の必要はない．

3) **リチウムドリフト形（PIN 形）**：PN接合部にLiイオンを拡散させることによって空乏層〔この場合は真性半導体領域（I層）という〕を約1cm以上に広げることができる．真性半導体領域は電界がなくても形成されているため，逆電圧は電荷収集のために印加する．I層が広いためX，γ線の測定に適している．I層を維持するために使用時，保存時ともに液体窒素で冷却する必要がある．

4) **高純度形（HP 形）**：高純度のGeを用いることにより，Liを拡散させることなしに真性半導体領域が作れるようになった．したがって，冷却は使用時のみで保存時は不要となる．X，γ線測定に好適．

5) **Si と Ge**：半導体材料にはSiとGeが用いられるが，Geの方が高原子番号であるため，γ線の検出にはゲルマニウムが適している．

6) **冷却**：半導体検出器は雑音を減少させるため，液体窒素（−195.8℃）で冷却する必要があるが，Ge(Li)，Si(Li)が使用中，保存中ともに冷却しなければならないのに対して，高純度Geは使用中のみ冷却すればよい．検出器の冷却は液体窒素タンクの上部にコールドフィンガを通して前置増幅器とともに冷却する．

3. 半導体検出器の特徴

①エネルギー分解能が極めて高い．②高感度である．③検出器の種類により，α，β，γ線が測定できる．④エネルギーに対する比例性がよい．⑤検出部が小形である．また欠点としては，リチウムドリフト形，高純度形では液体窒素で冷却する必要があり，持ち運びが不便である．

11 X線エネルギーの測定

1. X線エネルギーに影響する因子と測定法

X線管から発生する連続X線のエネルギーは主として，次の因子で変化する．①管電圧，②固有フィルタおよび付加フィルタ，③管電圧波形，④陽極物質の種類．

そして，これらのX線エネルギー測定法には，①X線スペクトル測定法，②減弱曲線測定から得られる半価層，実効エネルギー測定法，③特性X線発生のしきい値測定法などがある．

2. X線スペクトルの測定

現在，最も高い精度で測定できるのは，高純度形Ge半導体検出器であり，Geの吸収スペクトルからストリッピング法などにより，フルエンスのスペクトルに補正する必要がある．この他，最近CdZnTe(CZT)検出器も使われるようになったが，Ge半導体検出器よりもエネルギー分解能は若干低下する．

3. 減弱曲線の測定

減弱曲線測定法は細い線束（narrow beam）による方法と広い線束（broad beam）による方法がある．図11-21に示すように細い線束にして，フィルタを線量計から離すと，フィルタからの散乱線は線量計に入射しない．反対に線束を広くして，フィルタを近づけると，散乱線が線量計に入射するため，減弱曲線の傾斜は違ってくる．このように測定の幾何学的配置（①線束の断面積，②フィルタの位置）によって測定値が異なり，線量計に散乱線が入射するほど，減弱曲線は上に移動し，半価層も大きくなる．測定用フィルタには，AlまたはCuが使用される．一般にX線エネルギーを測定する場合には細い線束にして，フィルタと線量計間距離を離すことが必要である（図11-21，AL$_1$）．

1) 減弱曲線の書き方と意味

横軸にフィルタ厚 (x)，縦軸に $\log_{10}(I/I_0)$ を目盛る．I_0 はフィルタ零での線量率，I はフィルタ透過後の線量率である．いま単一波長X線を考えると，フィルタでのX線吸収は $I=I_0 e^{-\mu x}$ に従うから，縦，横軸の関係は次式となる．

$$\log_{10}\frac{I}{I_0}=-0.4343\mu x, \quad \log_e\frac{I}{I_0}=-\mu x \quad (11.25)$$

μ：フィルタの線減弱係数

したがって勾配が -0.4343μ の直線となる．

2) 半価層および均等度

図11-21のように $(I_1/I_0)=1/2$ のフィルタ厚を第1半価層 (h_1)，さらに $(I_2/I_1)=1/2$ のフィルタ厚を第2半価層 (h_2) といい，2mmCu HVLなどと表す．半価層が大きいほど透過力の大きいX線である．また，遮蔽計算などのために，1/10に減少する厚さとして1/10価層を用いることもある．

h_1/h_2 を均等度 HC といい，減弱曲線の直線性を表示する．連続X線では $h_2>h_1$ となり，$HC<1$ となる．また，単一波長X線では $HC=1$ となる．

3) 実効エネルギーの算出

第1半価層 $(h_1 \text{cm})$ から $\mu h=0.693$ の関係により実効減弱係数 (μ_{eff}) を求め，さらにフィルタ材料の密度 ρ で除することによって，質量減弱係数 (μ_{eff}/ρ) を得る．X線光子エネルギーと質量減弱係数の関係曲線から，該当する光子エネルギーを求める．これが**実効エネルギー**である．実効エネルギーはその連続X線と同じ半価層をもつ単一エネルギーX線のエネルギー値と表現できる．

また実効エネルギー[keV]から $\lambda_{\text{eff}}=1.24/\text{keV}$（デュエン・ハントの式）により実効波長 λ_{eff} [nm]を求めることができる．実効波長とは連続X線と同じ半価層を有する単一X線の波長と定義できる．また，（実効エネルギー／最大エネルギー）を**線質指標 QI** という．

4. 特性X線のしきい値測定

一つの元素からの特性X線の発生は，入射放射線のエネルギーがその元素の吸収端エネルギーを超えたときから始まる．しかもそのエネルギー値は元素固有値である．そこで，Ge半導体検出器などで特性X線を測定しながら，X線管の管電圧を下げていき，特性X線発生のしきい値を測定することにより，管電圧すなわち連続X線の最大エネルギーを知ることができる．30keV(Sn=29.2keV)程度から，115keV(U=115.6keV)まで測定でき，ちょうど診断領域X線の最大エネルギー測定に都合がよい．

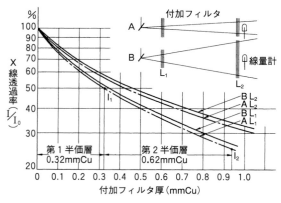

図 11-21 X線減弱曲線（照射野とフィルタ位置との違い）

12
γ線エネルギーの測定

γ線エネルギーはスペクトル分布の測定から求めることが多い．スペクトル測定には，高純度形Ge半導体検出器，CdZnTe半導体検出器，NaI(Tl)シンチレーション検出器がよく用いられ，この中でも半導体検出器は非常に正確に測定できる．一方NaIによる測定には多くの問題点が存在するため，これを中心に述べる．

NaI(Tl)シンチレーション検出器による測定

測定結果を図11-22に示す．^{137}Csγ線（662 keV）がNaI(Tl)結晶に吸収されると，光電効果，コンプトン効果を起こす．図のA領域は光電子による発光のパルス，C領域はコンプトン電子による発光パルスである．そこでBを光電ピーク，Dをコンプトンエッジ，Eを後方散乱ピークといい，Fは^{137}Csの崩壊生成物である^{137m}BaのK特性X線による発光ピークである．また，1.02 MeV以上の高エネルギーγ線になると，電子対生成も起こるため，これの陰陽電子による発光ピークも現れる．さらにこの他に，エスケープピークやサムピークなども現れるから，スペクトル分布図の解析は面倒なことが多い．

1) **光電ピーク photo peak**：光子エネルギーをEとすると，光電効果による光電子エネルギーは$(E-\varphi)$となる．φは軌道電子結合エネルギーであるが，このエネルギーはオージェ電子または特性X線として放出される．さらにこの特性X線が光電効果を起こし，さきの光電子と同時発光した場合，ほぼEに近いエネルギーの発光パルスとなる．これを光電効果による全吸収ピークといい，γ線エネルギーを代表する．

2) **コンプトンエッジ Compton edge**：コンプトン効果では，反跳電子が発光に寄与するが，散乱角180°で反跳電子エネルギーは最大（E_{max}）となり，散乱角0°まで連続分布する．光子エネルギーをEとするとき，E_{max}は次式で示される．

$$E_{max}=\frac{2E^2}{2E+m_0c^2} \qquad (11.26)$$

m_0c^2は電子の静止エネルギー（0.51 MeV）であり，^{137}Csγ線（662 keV）を例にとると，$E_{max}=480$ keVとなり，480 keV～0まで連続分布する．E_{max}の位置をコンプトンエッジという．

3) **電子対生成ピーク pair production peak**：電子対生成では，陰陽電子の運動エネルギーが発光に寄与する．陰陽電子の運動エネルギーは入射γ線エネルギーをEとすると$E-2m_0c^2$の単一エネルギーとなるが，$2m_0c^2$は後に物質消滅により2本のγ線エネルギーとなる．これが光電効果を起こし，先の陰陽電子と同時発光すると，Eに相当した発光パルスとなる．これを電子対生成による全吸収ピークといい，γ線エネルギーを代表する．

4) **後方散乱ピーク back scattering peak**：線源とシンチレータが比較的離れていると，試料台などで180°散乱した散乱γ線が，シンチレータに入射し，これが光電効果を起こすと，1つの発光ピークをつくる．これを後方散乱ピークという．入射γ線エネルギーをE，180°散乱のγ線エネルギーをE'とすると，E'は次式で示される．

$$E'=\frac{E \cdot m_0c^2}{2E+m_0c^2} \qquad (11.27)$$

上式から^{137}Csγ線（662 keV）の後方散乱ピークは180 keVとなる．

5) **サムピーク sum peak**：一崩壊で2本以上のγ線を放出するような核種では，これらのγ線が同時にシンチレータに入射して光電効果を起こすと，エネルギーの和に相当したピーク（^{60}Coでは1.17＋1.33＝2.5 MeV）をつくる．これをサムピークという．

6) **エスケープピーク escape peak**：電子対生成ピークは陰陽電子の運動エネルギーと，物質消滅で生じた2本のγ線の光電子エネルギーの和として観測されるが，1本のγ線のみが光電効果を起こしたときには，$(E-0.51)$ MeVに，また2本とも検出器から逃げたときには，$(E-1.02)$ MeVにそれぞれピークをつくる．前者をシングルエスケープピーク，後者をダブルエスケープピークという．エスケープピークは光電吸収に伴う特性X線発生に際しても観測される．

7) **エネルギー分解能**：光電ピークなどは分解能が悪いほど，幅が広くなる．ピーク高の1/2でのエネルギー幅（ΔE_p）を半値幅（**FWHM**）とよび，$(\Delta E_p/E_p \times 100)$％をエネルギー分解能という．分解能は，①シンチレータの大きさ，②光電子増倍管，③試料の幾何学的配置，④試料の放射能，⑤シンチレータと光電子増倍管の接合などによって影響する．

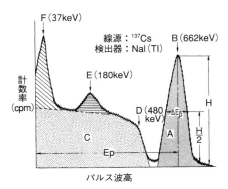

図11-22 NaI(Tl)シンチレータによる^{137}Csγ線エネルギースペクトル

13 α, β線エネルギーの測定

1. α線エネルギーの測定

α線は単一エネルギーであるから，エネルギースペクトルの測定から求めることが多い．これらの測定器には，次のものがある．

1) グリッド付パルス電離箱（フリッシュ電離箱）

α線の阻止能は大きいため，電離箱中で多くのイオン対を生成し，大きな電気パルスを作って計数管として動作させることができる．しかし，イオン対の発生位置によって，電子と陽イオンの運ぶ電気量が異なるため，図11-23のようにグリッドを挿入し，グリッドと集電極間から出力を得るようにすると，イオン対の発生位置に関係なく電子の運ぶ電気量が一定となり，α線エネルギーに比例したパルスが計測できる．分解能は数％と比較的よい．

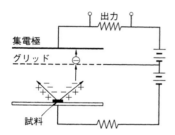

図 11-23 グリッド付パルス電離箱の原理

2) 半導体検出器

Si 表面障壁形を用いる．分解能は1％以下と非常に優れている（☞ p.355 半導体検出器）．

3) シンチレーション検出器

無機シンチレータとしては，ZnS(Ag)，CsI(Tl) を用い，プラスチックシンチレータ，液体シンチレータなどが使用できるが，分解能は10％前後と比較的悪い（☞ p.352 シンチレーション検出器）．

4) 比例計数管

ガスフロー形比例計数管を用いて試料を計数管内に入れて測定する（☞ p.351 比例計数管）．

2. β線エネルギーの測定

β線は連続エネルギー分布を持つため，エネルギースペクトル測定の他に，吸収測定法によるβ線最大エネルギーの測定がよく用いられる．

1) β線吸収測定法

端窓形GM計数管の前にAl，プラスチックなどの吸収板を置き，図11-24のような吸収曲線を測定する．β

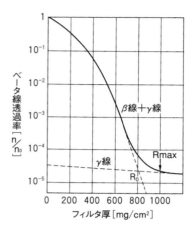

図 11-24 β線吸収曲線

線には阻止X線やγ線を伴うことが多いから，これを分離して外挿飛程（R_0）を求める．飛程終端近くでは計数率も低く，誤差も大きいため，飛程を正確に求めるには，①フェザー（Feather）法，②ハーレイ（Harley）法を用いるとよい．飛程（R_0）が計測されると，次式によりAl中でのβ線最大エネルギーがわかる．

$$R_0(\text{g/cm}^2) = 0.407 E^{1.38} \quad (0.15 < E < 0.8) \quad (11.28)$$
$$R_0(\text{g/cm}^2) = 0.542 E - 0.133 \quad (0.8 < E < 3) \quad (11.29)$$

ただし，E はβ線最大エネルギー（MeV）である．

2) エネルギースペクトルの測定

β線の測定では阻止X線の発生を減少させるために，検出器の原子番号が小さいことが必要条件となる．スペクトルが測定できるものとしては，①Si半導体検出器，②有機シンチレーション検出器，③液体シンチレーション検出器などがある．

関連事項

電子線の水中飛程

β線も電子線も物理的には同じであるが，ベータトロンや直線加速器から放射される電子線は放射線治療の目的から水中飛程で表すことが多い．加速器からの電子線エネルギーをE[MeV]，水中での実用飛程をR_p[cm]とすると，

$$R_p = 0.52 E - 0.3 \text{ [cm]}$$

の関係があり，簡単には，MeV単位での数値の約1/2[cm] と考えればよい．

[g/cm²] 単位

β線，電子線と物質の相互作用は単位質量中の電子数で決まり，この値は低原子番号物質では物質の原子番号に影響されないため，飛程やフィルタ厚は[g/cm²]で表すことが多い．該当する物質の密度 ρ で除することによって，cmに換算できる．[g/cm²]/ρ[g/cm³] = cm

飛跡検出器

個々の荷電粒子の飛跡を利用した検出器で，霧箱，泡箱，放電箱，原子核乾板，固体飛跡検出器（エッチピット）などがある．

14 放射能の絶対測定と相対測定

放射性核種から放出される α, β, γ 線の計数率 [cps] を正確に測定し，崩壊図から崩壊率 [dps] を推定し，放射能 [Bq] を求めることを絶対測定という．また標準線源との比較測定から放射能 [Bq] を求めることを相対測定という．

1. 絶対測定

1) 端窓形 GM 計数管による方法（定位立体測定法）

β 線放射試料を端窓形 GM 計数管で計数率 n[cps] を測定する．試料から全空間に放射される β 線の正しい計数率 S[cps] を求めるためには，次の補正項が必要である．

① G（幾何学的条件による補正係数）：点線源とした場合，線源から絞りまでの距離を d，絞りの半径を r とすると，次式となる．

$$G = \frac{1}{2}\left[1 - \frac{d}{\sqrt{d^2+r^2}}\right] \quad (11.30)$$

面線源ではさらに複雑な補正を必要とする．

② f_w（計数管の窓および空気による補正係数）：該当する β 線エネルギーに対する吸収率を実測する．

③ f_b（線源支持台による後方散乱補正係数）：通常は β 線飛程以上の飽和散乱厚（無限厚）での散乱率を求める．

④ f_s（線源の自己吸収補正係数）：線源厚を S, β 線に対する線源の吸収係数を μ とすると，次式となる．

$$f_s = \frac{1}{\mu s}(1 - e^{-\mu s}) \quad (11.31)$$

⑤ f_τ（計数管の分解時間に対する補正係数）：数え落としに対する補正係数で，分解時間を τ，計数率を n とすると，$f_\tau = 1 - n\tau$ となる．

⑥ ε_β（計数管の内部計数効率）：計数管に入射した β 粒子数のうち何％が吸収され，パルスとなるかの割合．高エネルギーでない限り，β 線では $\varepsilon_\beta \fallingdotseq 1$ としてよい．

⑦ f_m（多重計数の補正係数）：放電の内部消去が十分行われないことに起因する計数の増加率で，計数管が古くなると大きくなる．

以上の補正項がわかれば，測定計数率 n から正しい計数率 S(cps) は次式となる．

$$S = n/(G \cdot f_w \cdot f_b \cdot f_s \cdot f_\tau \cdot \varepsilon_\beta \cdot f_m) \quad (11.32)$$

2) 2π，4π 形ガスフロー GM 計数管による方法

2π 形ガスフローであれば $G = 1/2$ となるが，4π 形では $G = 1$ となる．また線源は計数管内に入れるため，$f_w = 1$ となり，線源および支持台を工夫することにより，f_b，f_s も 1 とすることができる．したがって端窓形に比べてはるかに高精度の計測ができる（☞ p.351 参照）．

3) β-γ 同時計数法

β 崩壊に際して，β 線と同時に γ 線を放出する核種の絶対測定に適用できる．試料に対して β 線検出器（GM 計数管など）と γ 線検出器（NaI シンチレーション検出器など）を相対して配置し，その出力は同時計数回路にも接続する．そして，β 線のみの計数率 n_β，γ 線のみの計数率 n_γ，同時計数したときの計数率 $n_{\beta\gamma}$ の三者について自然計数率を差し引いた正味計数率を計測する．いま，β 検出器の計数効率を η_β，γ 線検出器の計数効率を η_γ として，試料の崩壊率を N とすると，次の関係が成立する．

$$n_\beta = \eta_\beta N, \quad n_\gamma = \eta_\gamma N, \quad n_{\beta\gamma} = \eta_\beta \cdot \eta_\gamma \cdot N$$

さらに，この 3 式から次式が成立する．

$$N = n_\beta \cdot n_\gamma / n_{\beta\gamma} \quad (11.33)$$

この関係から，β, γ 検出器の計数効率，η_β, η_γ の値が全く不明であっても試料の崩壊率 [dps]，すなわち放射能 [Bq] が求められる．同様に 1 崩壊で 2 本の γ 線を放出する核種では γ-γ 同時計数法もある．

4) 液体シンチレーション計数法

p.354 で説明したように，シンチレータ溶液と放射能試料を混合して，試料から放出される β 線または α 線によってシンチレータ溶液が発光するため，幾何学的にも 4π 計測ができる．弱エネルギー β 線や α 線は飛程が短いため，必ず発光するが，クエンチングの補正を行わなければならない．特に，α 線に対しては 100% の計数効率を得ることができる．

2. 相対測定

試料と同核種の標準線源を用い，線源を同一形状に調整し，同じ幾何学的配置で，標準線源の計数率 n_s [cps]，試料の計数率 n_x [cps]，自然計数 n_b [cps] を計測する．標準線源の放射能を A_s [Bq] とすると，試料の放射能 A_x [Bq] は次式となる．

$$A_x = \frac{n_x - n_b}{n_s - n_b} \cdot A_s \quad (11.34)$$

この方法は β 線に限らず，シンチレーション検出器などを用いて，γ 放射核種の定量も比較的簡単に，しかも精度よく計測できる．

関連事項

ウェル形電離箱（キュリーメータ）

核医学検査などの分野で，日常業務として比較的簡単に放射能の定量を行うのに，ウェル形電離箱が用いられる．これは電離箱の中央に試験管挿入用の穴をあけ，試験管内試料からの放射線を 4π 状に電離箱で測定する構造となっている．電離箱の出力は平均電離電流として取り出し，増幅後，放射能が直読できる．数 100 MBq 程度の一般的な計数管では直接測定できないような，比較的数量の大きい放射能の概数測定ができる．（☞ p.387 図 12-12）

15 中性子の測定

中性子は電荷を持たず，陽子とほぼ等しい質量を持つ非荷電放射線であり，原子核外に放出された中性子は，$(n \rightarrow p + \beta^- + \nu + 78\,\text{keV})$ にしたがって半減期約 12 分で崩壊する．中性子と物質の相互作用には，①弾性散乱，②非弾性散乱，③捕獲反応，④荷電粒子放出反応，⑤核分裂，⑥蒸発過程などがあり，これらのエネルギー損失過程を利用して，中性子測定が行われる．

1. BF$_3$ 計数管

中性子を硼素（^{10}B）に照射すると，^{10}B$(n, \alpha)^7$Li 反応が起こり，中性子の運動エネルギーは α 粒子と ^{7}Li 核の運動エネルギーにそれぞれの質量に反比例して分配される．中性子は直接電離作用はないが，α 粒子と ^{7}Li 核は重荷電粒子として大きな電離作用を有するため，この電離量を検出する．通常，濃縮 BF$_3$ ガスを比例計数管の中に 10 数 cmHg で封入し，このガス中で発生した α 粒子と ^{7}Li 核の作るイオン対を比例計数管領域の印加電圧で収集し，計数率を測定する．この反応断面積は中性子エネルギー E に対して，$1/\sqrt{E}$，いい換えれば $1/v$ （v：中性子速度）に比例し（これを $1/v$ 法則という），その領域がかなり広いという特徴があり，熱中性子の測定に適している．これを **BF$_3$ 計数管** という．

2. 硼素内張り形計数管

BF$_3$ ガスの代わりに，固体の ^{10}B を比例計数管の内面に張り，計数管内にはアルゴンなどの電離ガスを封入する．中性子が外側から照射されると，^{10}B$(n, \alpha)^7$Li 反応で生じた α 粒子，Li 核が管内で電離を起こし，このイオン対を比例計数管で検出する．

一方，固体の ^{10}B を内張りした電離箱を用いることもある．この場合はイオン対を平均電流として検出するため，できるだけ硼素塗布面の表面積を大きくする工夫がされる．また中性子に混在する γ 線線量を補正するため，図 11-25 に示すような γ 線補償形電離箱を用いることがある．これは中性子による電離電流 $(I_\alpha + I_\gamma)$ が AB 電極間を流れるのに対して，γ 線による電離 (I_γ) は AB 間と BC 間で生じ，しかも B 電極に流入する電離電流は方向が互いに逆となり，I_γ の電流のみは相殺される．したがって，γ 線量を除いた中性子のみの測定ができる．

3. ^{10}B 半導体検出器

Si 表面障壁形半導体検出器の入射表面に ^{10}B を塗布するか，蒸着することによって，^{10}B の (n, α) 反応で放出された α 粒子と ^{7}Li 核の電離量を検出する．表面障壁型は入射表面が極めて薄く，重荷電粒子の検出に適していると共に，受感層も薄いため，γ 線をほとんど検出しない特徴もある．

4. ロングカウンタ

^{10}B$(n, \alpha)^7$Li 反応の断面積は，$1/\sqrt{E}$ に比例して減少するため，高速中性子に対しては感度は悪くなる．そこで，前述の BF$_3$ 計数管の周りをパラフィン層で覆うことによって，高速中性子はこのパラフィン層で減速され，反応断面積を増す．また遅い中性子に対する散乱を防ぎ，計数効率を上げるために，入射面に穴をあけることによって，広い中性子エネルギー範囲にわたって感度を均一にできる．このように広いエネルギー領域にわたって測定できることから，**ロングカウンタ** とよばれる（図 11-26）．

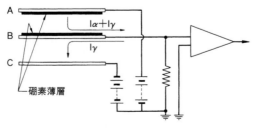

図 11-25 γ 線補償形電離箱

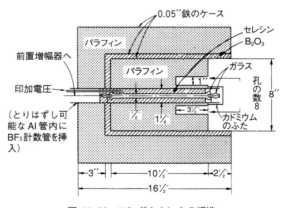

図 11-26 ロングカウンタの構造
(Phys. ReV. vol 72 より引用)

5. 反跳陽子計数管

エネルギー E_n の高速中性子が，中性子質量を 1 としたときの相対質量 M の原子核に弾性衝突した場合，入射中性子の方向に対して θ 方向に散乱される反跳原子核の運動エネルギー E はおよそ次式となる．

$$E = \frac{4M}{(M+1)^2} E_n \cos^2\theta \quad (11.35)$$

θ が同じであれば，M の小さいほど E は大きくなるため，軽い原子核に衝突するほど，中性子は多くの運動エネルギーを反跳原子核に渡し，中性子のエネルギー損失は大きくなる．いま標的原子を水素とすると，反跳される陽子の運動エネルギー E_p は次式となる．

$$E_p = E_n \cos^2\theta \tag{11.36}$$

$\theta=0°$ であれば，中性子の運動エネルギーは反跳陽子にすべて伝達され，反跳陽子は電離によりエネルギーを失うため，この電離電荷を測定することによって，中性子の測定ができる．これを**反跳陽子計数管**という．

必要とする水素原子は固体の場合には，含水素物質としてパラフィン，ポリエチレンなどを，また気体としては水素ガスが直接用いられる．しかし水素ガスは固体に比べて阻止能が小さいため，反跳陽子の運動エネルギーが十分消費されない欠点もある．反跳陽子の生ずる電離電荷は比例計数管などで測定される．

6. ³He 計数管

³H の崩壊生成物である ³He に中性子を照射すると次の反応が起こる．

$$^3\text{He} + n \rightarrow {}^3\text{H} + p + 765\,\text{keV} \tag{11.37}$$

反応生成物である，³H と p に中性子の運動エネルギーが分配され，これらの作る電離電荷を測定する．計数管内に ³He ガスを封入して，比例計数管や表面障壁形半導体検出器で計測する．

7. シンチレーション検出器

1) **LiI シンチレータ**

Li 原子核は中性子に対して，$^6\text{Li}(n, \alpha)^3\text{H}$ の反応が起こり，反応生成物である α 粒子と ³H 核の運動エネルギーでシンチレータを発光させる．これは熱中性子に対して高い検出効率を有しているが，γ 線に対してもかなり感度を持ち，バックグラウンドの大きくなることが欠点である．

2) **ホニャックボタン Hornyak button**

ZnS(Ag) の粒子をルサイトと混合して，パラフィンとサンドイッチに重ね合わせたシンチレータで，パラフィン中の水素原子に高速中性子が衝突し，散乱された反跳陽子により，ZnS(Ag) が発光することを利用したものである．形は円筒状で，ZnS(Ag) が重荷電粒子に対して感度が高いため，速中性子測定には広く使用される．

8. 放射化による検出器

中性子を特定の元素に照射すると，中性子捕獲反応によって放射化され，放射性同位元素となる．そこで生成された放射性核種の放射能を測定することによって，照射した中性子の線束強度やエネルギーを求める方法である．

生成核種の放射能は中性子束密度と放射化断面積の大きいほど強くなるため，検出器物質としては次のような条件が必要である．①放射化断面積（バーン，1 b = 10^{-28}m^2）の大きいこと，②1 種類の放射線を出すもの，③半減期が適当であること，などである．半減期が長いと放射化するに必要な時間が長くなり，短いと計測するまでに減衰してしまう欠点がある．代表的な検出器物質として次のものがある．

1) **インジウム（In）**

中性子に対する核反応式は次式で表される．

$$^{115}\text{In} + n \rightarrow {}^{116}\text{In} + \gamma \tag{11.38}$$

¹¹⁶In は放射性核種となり，半減期 54 分で β^- 崩壊をして ¹¹⁶Sn の準安定状態を経て，さらに半減期 13 秒で基底状態に移る．このとき放出される β 線もしくは γ 線を計測して，中性子束密度を測定する．¹¹⁵In は放射化断面積が大きく，特に 1.4 eV で 27,000 バーンに達する共鳴吸収がある．

2) **カドミウム（Cd）**

Cd は ¹⁰⁶Cd から ¹¹⁶Cd まで 8 種類の安定同位体があって，放射化は複雑であるが，平均して熱中性子に対して，2,520 バーンと放射化断面積が非常に大きいため，重要な物質である．

9. その他の検出器

1) **核分裂計数管**

²³⁵U に熱中性子を照射すると，$^{235}\text{U}(n, f)$ の反応により，核分裂が起こり多数の核分裂片（fission product）を生ずる．核分裂片 f のほとんどは放射性核種であり，これから放出される重荷電粒子を計数管で計測し，熱中性子の測定を行う．この他，$^{239}\text{Pu}(n, f)$ や $^{238}\text{U}(n, f)$ 反応などもこれらの目的に利用される．

2) **半導体検出器**

中性子は非荷電放射線であるため，結局は重荷電粒子や α，β 線の直接電離放射線にエネルギーを転換して，これを比例計数管やシンチレーション計数管で測定する方法が採られる．そこでこれらの計数管に代わって，シリコン表面障壁形半導体検出器が荷電粒子の検出に利用される．

関連事項

アルベド線量計

中性子の被ばく線量測定器の一種で，厚さ 1 mm 程度のカドミウム板の前後面に適当な TLD 素子を張合わせて人体に装着すると，前面の素子では入射中性子を測定し，後面の素子で人体から反射してきた中性子（アルベド中性子）を測定する．中性子のエネルギー分布の不明な環境での測定に役立つ．

16 計数の統計処理

放射性同位元素の核崩壊はランダム現象であり，崩壊の時間間隔は全く不規則である．したがって放射能の小さい試料を短時間で計測すると，測定器の精度が良好であっても計測値はばらつく．そこで統計的処理が必要となる．

1. 標準偏差の定義と意味

同じ測定を何回か繰り返すと，測定値はばらつくが，いま測定回数を N，それぞれの測定値を $x_1, x_2 \cdots\cdots x_N$，測定値の N 回の平均値を $\bar{x}$ とすると，標準偏差 σ は次式となる．

$$\sigma = \sqrt{\sum_{i=1}^{N}(\bar{x}-x_i)^2/(N-1)} \quad (11.39)$$

そこで，$\bar{x} \pm \sigma$ と表した場合は，全計測回数のうち，68%が $\bar{x}+\sigma$ から $\bar{x}-\sigma$ の範囲内に入ると判断すればよい．そこで，σ とその確率（信頼度）は次のようになる．

	σ	2σ	3σ	1.645σ	1.96σ	0.675σ
確率	0.683	0.955	0.997	0.900	0.950	0.500
用語	標準誤差			90%誤差	95%誤差	確率誤差

次に1回の計測 n からは近似的に，$n \pm \sigma \fallingdotseq n \pm \sqrt{n}$ となり，放射線計測では一般にこの方法が用いられる．相対誤差（標準誤差）で表す場合には，$\sqrt{n}/n = 1/\sqrt{n}$ として%で表示することが多い．$n \pm \sqrt{n}$ の意味は $(n+\sqrt{n})$ から $(n-\sqrt{n})$ の範囲内に平均値 $\bar{x}$ の存在する確率が68%であると考えればよい．

2. 放射線計測における標準偏差の計算

1) 計数の標準偏差

計数を n とするとき，その標準偏差は $\sqrt{n}$ となり，$n \pm \sqrt{n}$ として表す．
また相対誤差は，

$$\frac{\sqrt{n}}{n} \times 100 = \frac{1}{\sqrt{n}} \times 100 [\%] \quad (11.40)$$

2) 計数率の標準偏差

t 秒間に n カウントでその計数率を R としたとき，その標準偏差は

$$\sqrt{\frac{n}{t}} \text{ または，} \sqrt{\frac{R}{t}} \text{ となり，} R \pm \sqrt{\frac{R}{t}} \text{ として表す．}$$

また相対誤差は
$$1/\sqrt{n} \times 100 (\%)$$

3) 自然計数を差し引くときの標準偏差

試料の計数 n を t 秒間で測定したときの計数率を R，また自然計数 n_b を t_b 秒間で測定したときの計数率を R_b とすると，自然計数を差し引いた正味計数率 $(R-R_b)$ に対する標準偏差は

$$\sqrt{\frac{R}{t}+\frac{R_b}{t_b}} \quad (11.41)$$

もし，$t = t_b$ で測定すると，

$$\sqrt{\frac{R+R_b}{t}} \text{ または，} \frac{\sqrt{n+n_b}}{t} \quad (11.42)$$

4) 計数率計による測定の標準偏差

時定数 cr 秒の計数率計で R [cps] を得たとすると，これは $2cr$ 秒間の測定を行なったと考えればよい．したがって R [cps] に対する標準偏差は

$$\sqrt{\frac{R}{2cr}}, \text{ また相対誤差は } \frac{1}{\sqrt{2crR}} \times 100 [\%] \quad (11.43)$$

5) 最適測定時間と標準偏差の選定

試料と自然計数の計数率を R_s, R_b とし，それぞれの測定時間を t_s, t_b としたとき，

$$\frac{t_s}{t_b} = \sqrt{\frac{R_s}{R_b}} \quad (11.44)$$

の条件にすると，①あらかじめ，(R_s-R_b) の標準偏差が与えられているならば，(t_s+t_b) の時間を最小にして測定することができる．②あらかじめ (t_s+t_b) の全測定時間が与えられているならば，(R_s-R_b) に対する標準偏差は最小にすることができる．

関連事項

標準偏差の和差積商公式

2つの測定値 A, B に対する標準偏差を σ_A, σ_B としたとき2数の和差積商に対する公式は次式となる．

$$\left.\begin{array}{l}(A \pm B) \pm \sqrt{\sigma_A^2 + \sigma_B^2} \cdots\cdots\cdots 和, 差 \\ AB \pm AB\sqrt{\left(\frac{\sigma_A}{A}\right)^2 + \left(\frac{\sigma_B}{B}\right)^2} \cdots\cdots 積 \\ \frac{A}{B} \pm \frac{A}{B}\sqrt{\left(\frac{\sigma_A}{A}\right)^2 + \left(\frac{\sigma_B}{B}\right)^2} \cdots\cdots 商 \end{array}\right\} \quad (11.45)$$

核崩壊のランダム現象とポアソン分布

核崩壊は時間的に全くランダムに起こり，この現象はポアソン分布に従う．いま多数回の測定の平均値を m とするとき，個々の測定値 n の現れる確率 p は次式となる．

$$p(n) = \frac{m^n}{n!}e^{-m} \quad (11.46)$$

これをポアソン分布という．
ここで，m が大きくなると近似的に次式となり，これを**ガウス分布（正規分布）** とよぶ．

$$p(n) = \frac{1}{\sqrt{2\pi}\cdot\sigma}exp\left(-\frac{(m-n)^2}{2\sigma^2}\right) \quad (11.47)$$

17 被ばく線量測定器

体外被ばくによる線量は実効線量（H_{1cm}）で測定しなければならない．そこで実効線量は次式で示される．

$$H_{1cm} = D f_{1cm} \tag{11.48}$$

D は自由空気中の空気カーマ（Gy）f_{1cm} は 1 cm 線量当量換算係数である．中性子に対してはフルエンスに，それぞれのエネルギーに該当する線量当量換算係数を乗じて 1 cm 線量当量を算出する．また，内部被ばくについてはホールボディカウンタ（全身放射能計測装置）にて，微量な放射性物質の量を全身的に測定し，実効線量係数（mSv/Bq）から内部被ばく線量を求める（☞ p.505）．

1. ポケット照射線量計

コンデンサ電離箱の原理（☞ p.343）に基づくもので，検電器と電離箱を一体として，充電器のみ切り離したものを PD 形ポケット照射線量計といい，いつでも任意に線量を読むことができる．また，検電器と充電器を一体として，電離箱のみを別にしたものを PC 形ポケット照射線量計といい，測定は検電器のところへ行かなければ線量値はわからない．また，一度検電すると，以後の電荷は消失し，再充電しなければならない．

測定線量は 0.1〜3 mSv 程度で，他の被ばく線量測定器に比べると，エネルギー依存性は最も小さい．1 日の積算測定ができるが，長時間携行すると充電電荷が自然漏洩し，指示値が増しプラス誤差となる．また機械的衝撃や湿気に弱く，誤差を生じやすい．

2. 半導体式ポケット線量計

冷却を必要としない PN 接合形 Si や，PIN 形フォトダイオードを使った半導体検出器がポケット式の被ばく線量測定器である．1 cm 線量当量がデジタル表示でいつでも直読でき，小型軽量である．感度は電離箱に比べて Si が固体であり，かつ密度も高いため，小容積でも非常に高感度が得られる．一般用では 1〜9,999 μSv が測定でき，特殊なものでは 0.01 μSv と環境レベルの測定できるものもある．エネルギー特性は 20 keV〜3 MeV の範囲で ±30% 以内であり，電源にはコイン電池が用いられる．また，中性子用もある．電磁シールドがされていない古い機種では携帯電話やトランシーバ，電子レンジ等で誤作動するために注意が必要である．

3. 蛍光ガラス線量計（PLD）

測定原理は p.347 参照．蛍光ガラス線量計を被ばく線量測定器に使用することについては，JIS Z-4314 で規定され，測定対象は実効エネルギー 10 keV〜3 MeV の X, γ 線の 1 cm 線量当量，3 mm 線量当量および 70 μm 線量当量と，最大エネルギー 0.5〜3 MeV β 線の 70 μm 線量当量である．素子には銀活性燐酸ガラスが使われるが，若干エネルギー依存性があるため，素子を入れるホルダにはエネルギー特性改善用のフィルタが装着される．また，フェーディングは少ないため，長期間の集積線量の測定ができるとともに，素子は熱処理によって反復再使用ができる．比較的感度も高く，10 μSv 程度から測定ができ，窒素ガスレーザによる測定装置が開発されてからは，広く使用されるようになった．

4. 熱ルミネセンス線量計（TLD）

測定原理は p.347 参照．TLD を被ばく線量測定器に使用することについては，JIS Z-4320 で規定され，測定対象は 15 keV〜3 MeV 光子の 1 cm 線量当量と 3 mm 線量当量，最大エネルギー 0.5〜3 MeV β 線の 70 μm 線量当量である．素子には種々の種類があるが，高感度でエネルギー依存性が少なく，フェーディングの少ないものが好ましい．このような素子を使うことにより，比較的長期間の集積線量の測定ができる．TLD も PLD と同様に熱処理をすることにより，反復再使用ができる．高感度素子では 1 μSv 程度からの測定ができる．特に小型に成形できるために，水晶体の被ばく線量やリングバッジとして手指の被ばく線量測定に使用されている．

5. 光刺激ルミネセンス線量計（OSLD）

測定原理は p.348 参照．この線量計は現在では JIS 規定されていないが，測定対象は PLD や TLD とほぼ同様と考えればよい．素子には酸化アルミニウムを使うが，ホルダにはエネルギー特性を改善するために銅と錫のフィルタを用いる．また，TLD のような熱処理をしなくても，強い光照射による光学的アニーリングにより繰り返し反復使用も可能である．フェーディングも小さいため，比較的長期間の集積線量が測定でき，測定可能な最小線量も 10 μSv 程度から可能である．

6. DIS 線量計

DIS（Direct Ion Storage）線量計は，電荷を蓄積できる不揮発メモリー素子（MOS FET トランジスタ）を電離箱として動作するようにしたものである．基本的には MOS FET 線量計の計測原理（☞ p.348）によるが，これを被ばく線量測定用として改良したものである．MOSFET のゲートを露出した状態にして，これをフローティングゲートという．そこで，この素子全体を内面を導電性にした容器で囲むことにより，フローティング

ゲートと器壁との間で電離箱が形成される．あらかじめソースとフローティングゲート間に高電圧を印加して，フローティングゲートに正電荷を蓄積しておく（初期化）．この状態で放射線照射をすると容器内の空気が電離され，発生した二次電子はフローティングゲートに収集される．その結果，フローティングゲートの正電荷は相殺されるため減少し，ソース，ドレイン間に流れる電流が制御される．この測定器には別途，デジタルメモリーを内蔵した読み取り装置があり，これに放射線照射前のドレイン電流の初期値をメモリーしておき，照射後の電流値との差として照射線量を求める．フローティングゲートの絶縁性は極めて高いため，放射線照射後の蓄積電荷は全く消失せず，繰り返し何度も測定することも可能である．そして再びフローティングゲートに高電圧を印加することにより初期化され，次の測定が繰り返しできる．DIS線量計の検出器と読み取り装置は別になっているため，読み取り装置1台に対して，多数個の検出器が使用でき，読み取り装置で初期化するため，検出器には電源は不要となる．またこの線量計は電離箱として動作するため，エネルギー依存性が極めて良好であると共に，個人被ばく線量の測定では1 cm 線量当量 3 mm 線量当量並びに70 μm 線量当量が測定でき，感度も1 μSv を最高感度とし，線量測定範囲も広い．

7．フィルムバッジ

被ばく線量測定用として長年にわたり使用された，堅牢で機械的強度もあり，被ばく量がフィルム上の黒化量として残存するために記録保存も可能であった．しかし，フィルムを現像処理することによる廃棄物の発生や，近年の医療用フィルム使用量の減少で測定に使用するバッジ用フィルムの供給も困難になっている．また，測定線量域も 100 μSv 〜700 mSv と PLD や OSLD に比較して狭いなど種々の性能面で劣り使用されなくなっている．線質の測定に種々のフィルタを使用することなどの原理は PLD や OSLD にそのまま使用されている．

8．個体飛跡検出器（エッチピット法）

X, γ線と中性子線が混在する施設では中性子線による被ばく線量も測定評価が必要となる．これには CR-39 と呼ばれるアリルジグリコールカーボネイト（allyl diglycol carbonate）：ADC が用いられる．ADC に重荷電粒子が入射すると飛跡に沿って放射線損傷を生じる．この損傷を水酸化ナトリウムや水酸化カリウム溶液を用いてエッチング（化学的に腐食）を行うと損傷部位は円錐状に拡大する．これをエッチピット（etch pit）という．このエッチピットを顕微鏡で観察して，単位面積当たりの数を求めると入射粒子数（フルエンス）が分かる．中性子フルエンスより線量当量を求める．中性子はエネルギーによって熱中性子と速中性子に大きく分類できる．熱中性子はホウ素との（n, α）反応による α 粒子を用い，速中性子は水素との（n, p）反応による反跳陽子を用いる．熱中性子には窒化ホウ素，速中性子には高密度ポリエチレンをラジエータ及びコンバータとして用い荷電粒子である α 粒子，陽子に変換して測定している．

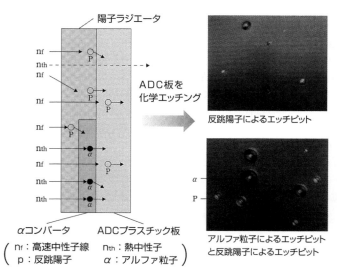

図 11-27 個体飛跡検出器による中性子の測定
〔長瀬ランダウア㈱カタログより引用〕

9. 警報計（アラームメータ）

放射線の緊急作業に従事したり，高線量区域で作業を行うときに放射線被ばく管理のために装着するもので，あらかじめ，一定線量または一定線量率に設定しておき，設定値になれば警報を発する機構になっている．前者は被ばく線量の積算値で警報し，後者は線量率の高い区域に来たときに警報する．電離箱式，GM管式と半導体式があり，電池を内蔵し携帯に便利なよう，小形軽量に作られている．

10. 被ばく線量測定器の特性の相互比較

8種類の被ばく線量測定器の特性比較を表11-4に示す．

表 11-4 被ばく線量測定器の特性比較

	フィルムバッジ	PD形ポケット線量計	PC形ポケット電離箱	蛍光ガラス線量計	TLD	OSLD	半導体式線量計	DIS
測定下限値 H_{1cm} [μSv]	γ線で100 X線で≧100	10	10	10	1	10	1	1
線量測定範囲 H_{1cm} [μSv]	X線用 100～7,000 γ線用 100μSv～700mSv	10～1,000 20～2,000 50～5,000	10～500 250～25,000 500～50,000	10μSv～30Sv	1μSv～100Sv	10μSv～10Sv	0.01～99.99 1～9,999μSv	1～1,000μSv
エネルギー特性	大	小	小	中	中	中	中	小
線量記録の保存性	有	無	無	有	無	有	無	有
着用中の自己監視	不可	可	不可	不可	不可	不可	可	不可
機械的堅牢さ	大	小	小	中	中	中	中	中
湿度の影響	大	大	大	小	中	中	中	中
フェーディング	中	大	大	小	中	小	小	小
繰返し反復使用	不可	可	可	可	可	可	可	可
使用期間	中期	短期（1日）	短期（1日）	長期	中期	長期	短期	中期
方向依存性	大	小	小	中	小	中	中	小
その他の特性	現像を必要とし，線量算出が複雑	機械的衝撃で指示値が変化		測定精度は比較的高い	素子の種類が多い	測定精度は比較的高い	μSv単位のデジタル表示	測定精度が良好

18 放射線環境測定器

放射線の環境測定器は大きく分類して，①外部放射線測定器，②空気中濃度測定器，③水中濃度測定器，④表面汚染密度測定器がある．

1. 外部放射線測定器（サーベイメータ）

外部放射線には，X線，γ線，β線，中性子線が測定対象となる．これらを測定するサーベイメータの種類は，電離箱式，GM管式，半導体式，シンチレーション式，比例計数管式がある．これらの詳細を表11-5に示す．

X線，γ線に対しては，①電離箱式，②GM管式，③半導体式，④シンチレーション式が用いられるが，表11-6にも示す通り，エネルギー依存性は①が最もよく，③②④の順に悪くなる反面，検出感度は④③②①の順に悪くなる．測定単位は本来電離箱式が $\mu C/kg \cdot h$ を表示し，他の測定器は cpm を測定するものであるが，最近のサーベイメータはすべて $\mu Sv/h$ または mSv/h が直読で

きるように改良されている．NaI(Tl) シンチレーションサーベイもエネルギー補償型は 5〜10 keV から測定でき環境レベルの放射線も測定できる．半導体式は最近開発されたもので，X，γ線用には PN 接合形，β，α線用には表面障壁形の Si 半導体検出器が用いられ，小型軽量で，測定値はデジタル表示される．

β線に対しては，①GM管式，②半導体式，③プラスチックシンチレーション式が用いられるが，ほとんど①②が使用されている．β線の外部被ばくの場合，人体の表皮層（約 $7 mg/cm^2$）を経た後のβ線量すなわち $H_{70}\mu m$ を測定するようにする．

中性子線に対しては，①BF_3計数管式，②Hurst形比例計数管式，③シンチレーション式，④レムカウンタなどが主として用いられる．

BF_3計数管は比例計数管内に BF_3 ガスを封入し，$^{10}B(n, \alpha)^7Li$ 反応の α 粒子と ^7Li 核を，波高選別器を通して計測する．熱中性子に対する反応断面積は大きいが，速中性子に対しては計数管をパラフィンで覆い，減速させて測定する．そしてこれらの切替えができるようになっている．

Hurst形比例計数管は比例計数管の壁の一部をポリエ

表 11-5 サーベイメータの種類と使用目的

種類	検出部	対象となる放射線
GM管形サーベイメータ	端窓形GM管 横窓形GM管 円筒形GM管	X線，γ線，β線
BF_3計数管形サーベイメータ	BF_3計数管	速中性子，熱中性子
比例計数管形サーベイメータ	ガスフロー比例計数管	α線，β線，γ線
	Hurst形比例計数管	速中性子
シンチレーション形サーベイメータ	NaI(Tl) シンチレータ	γ線
	プラスチックシンチレータ	β線
	プラスチック ZnS(Ag)＋アクリル樹脂，LiI シンチレータ	速中性子，熱中性子
	ZnS(Ag)，CsI(Tl) シンチレータ	α線，CsI(Tl) は X，γ線も可
電離箱形サーベイメータ	電離箱	X線，γ線，（α，β線）
半導体式サーベイメータ	PN接合形 Si 半導体検出器	X線，γ線
	表面障壁形 Si 半導体検出器	β線，α線

表 11-6 サーベイメータ特性の相互比較

特性 \ 放射線測定器	電離箱形サーベイメータ	GM管形サーベイメータ	半導体式サーベイメータ	シンチレーション形サーベイメータ	比例計数管形サーベイメータ
エネルギー特性	良好	電離箱より劣る	電離箱より劣る	GM管形より劣る	GM管形と同等
線量直線性	良好	電離箱より劣る	良好	最も悪い	GM管形と同等
最低検出線量（率）	$0.03 \mu C/kg \cdot h$	数 nC/kg・h 程度	$1 \mu Sv/h$	BG 程度	$10 n/cm^2 \cdot s$ 程度
方向依存性	良好	電離箱より劣る	同左	同左	同左
線量率特性	良好	高い線量率は不可	良好	GM管形より悪い	GM管形と同等
特記事項	低線量率の測定に可	線量率測定にはあまりむかない	小型軽量でデジタル表示	線量率測定には不向 環境放射線の測定可	中性子粒子束密度測定用に可

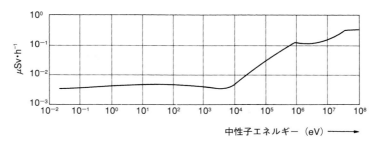

図 11-28　中性子エネルギーと線量当量率の関係

チレンまたはパラフィンとし，内部はメタンガスを封入する．その結果，低エネルギー中性子はメタンガスと薄いポリエチレン層から，また高エネルギー中性子は厚いポリエチレン層から反跳陽子を放出するため，エネルギー特性が一様となる特徴がある．

シンチレーション式は中性子の検出できるシンチレータを選ぶことによって可能となる．

　a）ZnS(Ag)と含水素物質を組み合わせたものは**ホニャックボタン**ともよばれ，速中性子に高感度でγ線に対して感度は低い．

　b）ZnS(Ag)と硼素を混合したプラスチックの組み合わせ．

　c）プラスチックシンチレータ

　d）LiI(Eu)シンチレータ

レムカウンタは中性子エネルギーに対する線量当量が図 11-28 のように変化するため，計数管のエネルギー特性をこれに近似させたものである．したがって，中性子エネルギーを知ることなく，線量当量率（μSv/h）が直読できる．

2. 空気中濃度測定器

放射性物質取扱作業室などから排出される空気は放射能汚染していることが多い．これらの放射性物質は，①粒子状のものと，②ガス状のものに大別できる．一方測定方法も，①汚染空気を沪紙などを通過させて，放射性物質の試料採取をしてから試料測定するサンプリング方式と，②空気を流しながら連続計測していく，モニタ方式に大別できる．

1）サンプリング方式

試料の採取方法には次のような方法がある．

　a）粒子状放射性物質（^{60}Co，U，Pu など）：沪紙に吸着させる．

　b）気体状放射性物質（^{131}I，^{35}S，^{133}Xe など）：活性炭含浸沪紙，活性炭カートリッジなどに吸着させる．また ^{3}H，^{14}C などを直接ガス状で測定する方式もある．

　c）水蒸気状放射性物質（^{3}H など）：シリカゲルに吸着させるか，コールドトラップを通して冷却凝縮し，液体状にする．

このようにしてサンプリングした試料は核種の放射線エネルギーと放射能に応じて，① GM 計数管，② NaI(Tl) シンチレーション検出器，③液体シンチレーション検出器，④半導体検出器，⑤ 2π，4π 形ガスフロー比例計数管などで計測する．

また直接にガス状で測定する場合には，ガス捕集用電離箱を用いる．この電離箱は大きな内容積（1l 以上）をもち，この中に放射性気体を吸入封入して電離電流の測定をする．この他，いったん容器にガスを捕集し，これを GM 計数管，NaI(Tl) シンチレーション検出器などで測定する方法もある．

2）モニタ方式

放射性物質を含んだ空気を直接に，計数装置に流しながらモニタする方法で，ダストモニタなどがある．これは沪紙集塵器と検出器を組み合わせた構成で，①長尺の沪紙を移動しながら，連続的に測定する方法と，②沪紙は固定して，積算値を連続的に測定する方法がある．これの一例を図 11-29 に示す．検出器としては，β 放射核

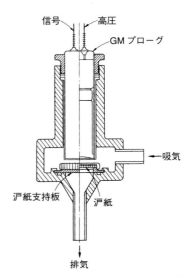

図 11-29　固定沪紙式ダストモニタの構造
（作業環境測定ガイドブックより引用）

種に対しては GM 計数管が，α 放射核種には ZnS(Ag) シンチレーション検出器が用いられる．またプルトニウムにはシリコン半導体検出器が用いられる．

3. 水中濃度測定器

水中濃度も空気中濃度の測定と同様に，試料水をサンプリングする方式と，水モニタで連続的に水中濃度を直接に計測する方式がある．

1) サンプリング方式

一般には作業室からの排水はいったん貯留槽に入れ，濃度限度以下となったことを確認して排水するため，貯留槽の水をサンプリングする．試料水はそのまま液浸形計数管で測定する方法は簡単で便利である．濃度の薄い場合は試料水を濃縮し，残渣を測定する場合がある．このときは濃縮工程中に気化や飛散，水蒸気として蒸発するものもあるから，十分注意しなければならない．

試料の測定は空気中濃度の測定と全く同じような計数装置を用いればよい．また直接に試料水を計測する場合には，液浸形の GM 計数管またはシンチレーション検出器が用いられる．端窓形 GM 計数管の場合，たとえば ^{14}C β 線の検出限界は約 25 Bq/ml，またプラスチックシンチレータでは約 1 Bq/ml となる．γ 放射体に対しては，横窓形の液浸 GM 計数管や NaI(Tl) シンチレータが用いられ，NaI(Tl) で ^{99m}Tc の γ 線を測定すると，約 0.01 Bq/ml が検出限界となる．

2) モニタ方式

図 11-30 に水モニタの一例を示す．プラスチックシンチレータであれば，水に不溶であるため直接水に接することができるため，図のように下から上方へ試料水を流しながら連続的に測定する．検出感度を増すためシンチレータの面積を大きくするとともに，大口径の光電子増倍管を使用する．2 本の検出器を用い逆同時計数回路に接ぐことにより試料以外の計数が除去でき，自然計数などを減少させることができる．

4. 表面汚染密度測定器

1) スミヤ法

スミヤ沪紙（汚染測定面直径 25 mm）で汚染表面をふき取り，この沪紙を検出器が汚染されないようにラップフィルムなどで覆って測定する．測定器は β 放射核では GM 計数管またはガスフロー（Q ガス）計数管を用い，試料数の多いときはサンプルチェンジャーを用いて自動計測する．α 放射核では ZnS(Ag) シンチレーション検出器，ガスフロー（PR ガス）計数管で計測する．

スミヤ法による汚染表面密度の評価は式 11.49 で行う．

$$A = \frac{N}{\varepsilon_1 \times F \times S \times \varepsilon_2} \qquad (11.49)$$

A：放射能表面密度〔Bq/cm^2〕
N：正味計数率〔sec^{-1}〕
ε_1：検出器のふきとり効率
　〔プラスチック等 0.5，それ以外 0.1〕
S：ふきとり面積〔cm^2〕一般には 100 cm^2
ε_2：沪紙の線源効率（β 線 0.4 MeV 以上で 0.5，0.15～0.4 未満で 0.1）

スミヤ法以外の試料採取法に，ガムドペーパ法やテストサーフィス法がある．

2) サーベイ法

汚染表面を直接にサーベイメータで測定する方法である．広い床面積を短時間に測定する目的で，手押式台車にサーベイメータを搭載したフロアモニタもある．サーベイメータとしては，GM 管式，シンチレーション式が用いられる．

3) ハンド・フット・クロスモニタ（HFC モニタ）

両手，両足，衣服の汚染を独立に測定し，あらかじめ設定した表面密度限界を超えたときに警報を発する機構となり，汚染検査室に設置する．

α 線専用：ガスフロー形
α，(βγ) 両用：ガスフロー形と βγ 専用 GM 計数管

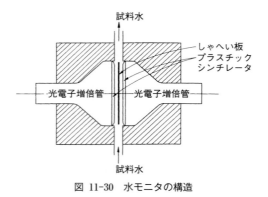

図 11-30　水モニタの構造

関連事項
β 線の吸収線量測定

GM 計数管またはシンチレーションサーベイメータで測定した計数率から，吸収線量率〔μGy/h〕を計算すると，次式のようになる．

$$I = \frac{3.2 \cdot n \cdot E \cdot \mu \cdot \exp\{-\mu(7-t)\}}{\eta \cdot S} \qquad (11.50)$$

ただし，I：吸収線量率〔μGy/h〕
　　　　S：検出器の有効入射面積〔cm^2〕
　　　　n：検出器の測定計数率〔cpm〕
　　　　E：β 線の最大エネルギー〔MeV〕
　　　　η：検出器の計数効率
　　　　μ：β 線の吸収係数〔cm^2/mg〕
　　　　t：検出器入射窓の厚さ〔mg/cm^2〕

19 測定に必要な計算例題

11章 放射線計測学

〔例題1〕

X線入射窓の断面積 $6\,cm^2$，集電極の長さ $5\,cm$ の自由空気電離箱を使用して，X線量の標準測定を行ったところ，集電極に接続された標準コンデンサに，1秒間当たり，$7\times 10^{-9}\,C$ の電離電荷が収集された．X線入射窓前面におけるX線量率は何 $[Ckg^{-1}min^{-1}]$ となるか．ただし，測定時の気圧は $96\,kPa$，気温は $25\,°C$ であった．

(☞ p.341)

〔解　説〕

式 11.1 を用いて計算するとよい．1秒間当たり $7\times 10^{-9}\,C$ は $7\times 10^{-9}\,A$ の電離電流と表現してもよい．求めるのは1分間当たりの $[Ckg^{-1}]$ であるから 60 倍するとともに，計算に当たっては単位次元に注意しなければならない．また，空気体積は大気条件によって変わるため，気圧，温度の補正をしなければならない．

$$\dot{X} = \frac{7\times 10^{-9}[C/s]}{6\times 5\times 10^{-6}[m^3]} \times \frac{1}{1.293[kg/m^3]} \times 60[s/min]$$
$$\times \left(\frac{101.3[kPa]}{96[kPa]} \times \frac{273+25[°C]}{273[°C]}\right)$$
$$= 1.25\times 10^{-2}[Ckg^{-1}min^{-1}]$$

〔例題2〕

電離体積 $5\,cm^3$ の空洞電離箱に線量率 $300\,\mu C/kg\cdot s$ のX線を照射すると，外部回路に流れる電離電流は何Aとなるか．ただし，測定時の大気圧は $95.7\,kPa$，気温は $30\,°C$ とする．また，$105\,kPa$，$5\,°C$ の大気条件で同じX線を測定すると，電離電流は何倍となるか．

(☞ p.342)

〔解　説〕

式 11.2 を用いて計算するが，空気密度 $\rho_{(t,p)}$ は温度 $t\,°C$，気圧 $p\,[kPa]$ のときの値を用いなければならない．標準状態での値は，$1.293\,[kg/m^3]$ であるから，$t\,°C$，$p\,[kPa]$ のときの密度 $\rho_{(t,p)}$ は，$1.293\times (p/101.3)(273/273+t)$ となる．計算に当たっては SI 単位系で行わなければならない．そこで，電流 $[A]$ は $[C/s]$ であるから電離電流 I は次のようになる．

$$I = 5\times 10^{-6}[m^3] \times 1.293 \times \left(\frac{95.7}{101.3} \cdot \frac{273}{273+30}\right)[kg/m^3]$$
$$\times 300\times 10^{-6}[C/kg\cdot s] = 1.65\times 10^{-9}[A]$$

一方，大気条件が変わると，電離箱内の空気原子数，言い換えれば空気密度はボイル・シャルルの法則にしたがって，気圧に比例し，絶対温度に反比例するため，空気密度に比例して電離電流も増減する．したがって電離電流の変化率は次のようになる．

$$\frac{\rho_{(5,105)}}{\rho_{(30,95.7)}} = \frac{273+30}{273+5} \cdot \frac{105}{95.7} = 1.2$$

電離電流は 1.2 倍となる．

〔例題3〕

$107.7\,kPa$，$5\,°C$ の大気条件のもとで標準電離箱と校正して，校正係数 1.13 のA線量計がある．一方，校正係数不明なB線量計を校正するため，両線量計を同一X線束の中で同時測定したところ，A線量計は $6\,mC/kg\cdot min$，B線量計は $6.5\,mC/kg\cdot min$ を指示した．B線量計の校正係数はいくらか．ただし，校正時の大気条件は $98\,kPa$，$18\,°C$ であった．

(☞ p.344)

〔解　説〕

校正係数 K は，真値 $= K\times$ 測定値 の関係があるから，この場合，A線量計の真値 $\dot{X}_0$ を求めればよい．A線量計の校正係数 K_0 を求めたときの大気条件といまの大気条件は異なるから，この差の補正が必要である．したがって，

$$\dot{X}_0 = 6[mC/kg\cdot min] \times 1.13 \times \left(\frac{107.7}{98} \times \frac{273+18}{273+5}\right)$$
$$= 7.8[mC/kg\cdot min]$$

したがって，B線量計の校正係数 K は

$$K = \dot{X}_0/\text{B線量計指示値} = 7.8/6.5 = 1.2$$

〔例題4〕

照射線量 $1\,C/kg$ を空気に照射したとき，空気の吸収線量は何 Gy となるか．ただし，$W_{air} = 33.97\,eV$ とする．

(☞ p.338)

〔解　説〕

$1\,C/kg$ の照射によって空気 $1\,kg$ に生成するイオン対数を求め，これに W_{air} を乗ずると空気 $1\,kg$ 当たりの吸収エネルギーが eV 単位で求められるから，これを J 単位に換算すると Gy が得られる．

1 イオン対は $1.6\times 10^{-19}\,C$ の電気量を運ぶから，空気 $1\,kg$ 中に生成するイオン対数は $1\,C/1.6\times 10^{-19}\,C$ となり，これに W_{air} を乗ずると $[eV/kg]$ 単位の吸収エネルギーが求められる．eV から J への換算は $1\,eV = 1.6\times 10^{-19}\,J$ となる．したがって，吸収線量 D は次のように計算できる．

$$D = \frac{1[C/kg]}{1.6\times 10^{-19}[C]} \times 33.97[eV] \times 1.6\times 10^{-19}[J/eV]$$
$$= 33.97[J/kg] = 33.97[Gy]$$

〔例題5〕
　分解時間 240μs の GM 計数管で試料測定したところ，4.8×10^4 cpm の計数率が得られた．GM 計数管の数え落とし補正をすると，正しい計数率は何 cpm か．
(☞ p.350)

〔解　説〕
　GM 計数管の数え落とし補正は式 11.20 を用いる．すなわち，正しい計数率 n_0 は，$n_0 = n/(1-n\tau)$，ただし，n は計数率，τ は分解時間である．この計算の場合，n, τ の次元を秒もしくは分に統一しておくことを忘れぬようにする．いま，分に統一すると，

$$n_0 = \frac{4.8 \times 10^4 [\text{cpm}]}{1 - 4.8 \times 10^4 [\text{cpm}] \times 240 \times 10^{-6}/60 [\text{min}]}$$
$$= \frac{4.8 \times 10^4}{1 - 0.192} = 5.9 \times 10^4 [\text{cpm}]$$

〔例題6〕
　^{32}P，3.7 MBq の標準線源を用いて，GM 計数管による β 線測定から，相対測定法によって未知核種の定量がしたい．標準源線を計測すると 800 cpm であり，未知試料を同じ幾何学的配置で計測すると，1050 cpm であった．自然計数を 30 cpm として，未知試料の放射能 [Bq] を求めよ．
(☞ p.359)

〔解　説〕
　式 11.34 を用いて計算すればよい．未知試料の放射能 A_x [Bq] は，

$$A_x = \frac{1050 - 30 [\text{cpm}]}{800 - 30 [\text{cpm}]} \times 3.7 \times 10^6 = 4.90 [\text{MBq}]$$

〔例題7〕
　GM 計数管で β 線試料測定を行い，試料を 3 分間計測して 132 cpm を得た．また，正味計数率を求めるために自然計数を計測したところ，1 分 30 秒間の計数が 45 カウントであった．この試料の正味計数率とその標準偏差はいくらか．また，相対誤差は何%か．
(☞ p.362)

〔解　説〕
　計数率に対する標準偏差 σ_R は，$\sigma_R = \sqrt{n}/t$ であり，σ_1, σ_2 の差の標準偏差 σ_{12} は，$\sigma_{12} = \sqrt{\sigma_1^2 + \sigma_2^2}$ で求められる．いま，試料の計数を n，計数時間を t，計数率を R とし，自然計数の計数を n_b，計数時間を t_b，計数率を R_b とすると，正味の計数率 R_0 は，$R_0 = R - R_b$ であり，これに対する標準偏差 σ_0 は，先の関係から

$$\sigma_0 = \sqrt{\left(\frac{\sqrt{n}}{t}\right)^2 + \left(\frac{\sqrt{n_b}}{t_b}\right)^2} = \sqrt{\frac{R}{t} + \frac{R_b}{t_b}}$$

　そこで，$R = 132$ cpm，$t = 3$ min，$R_b = 45/1.5 = 30$ cpm，$t_b = 1.5$ min であるから，

$$\sigma_0 = \sqrt{\frac{132}{3} + \frac{30}{1.5}} = \sqrt{44 + 20} = 8 [\text{cpm}]$$

　一方，$R_0 = 132 - 30 = 102$ [cpm] であるから，正味計数率とその標準偏差は 102 ± 8 cpm となる．
　また，相対誤差は $(8/102) \times 100 = 7.8$ [%] となる．

〔例題8〕
　時定数 5 秒の計数率計で放射能試料を計数したところ 250 cps が得られた．この計数率に対する標準偏差と相対誤差を求めよ．
(☞ p.362)

〔解　説〕
　計数率計で計測した場合，計測時間は不明である．しかし，計数率計の時定数 cr 秒が明らかな場合には，時定数の 2 倍の時間，すなわち，$2cr$ 秒間で計数されたものと考えればよい．したがって，計数率計の指示値を R cps とすると，$2crR$ カウントを $2cr$ 秒間計数して，R cps が得られたものと解釈すると，次式から σ が得られる．

$$\sigma = \frac{\sqrt{n}}{t} = \frac{\sqrt{2crR}}{2cr} = \frac{\sqrt{2 \times 5 \times 250}}{2 \times 5 [\text{s}]} = \frac{\sqrt{2,500}}{10}$$
$$= 5 [\text{cps}]$$

したがって，計数率と標準偏差は 250 ± 5 cps
　さらに，相対誤差は $(5/250) \times 100 = 2$ [%] となる．

〔例題9〕
　ある放射能試料を GM 計数管で計測したところ，正味の計数が 10 分間の測定で 4800 カウント，自然計数は 20 分間の測定で 400 カウントであった．この試料の全計測時間を 60 分間としたとき，正味の計数率の誤差を最小とするためには，試料の計測時間 t と自然計数の計測時間 t_b はそれぞれ何分間とすればよいか．
(☞ p.362)

〔解　説〕
　式 11.44 を用いて $t_b/t = \sqrt{R_b/R}$ の条件を満せば，正味の計数率の誤差は最小となる．ただし，この場合の R は自然計数率を含んだ試料の総計数率であることに注意しなければならない．

$R = (4800/10) + (400/20) = 500$ cpm
$R_b = (400/20) = 20$ cpm
$$\frac{t_b}{t} = \sqrt{\frac{R_b}{R}} = \sqrt{\frac{20}{500}} = \frac{1}{5}$$

全計測時間 60 分を，この時間比に配分すると
$t = 50$ 分　$t_b = 10$ 分

12章 核医学検査技術学

●松本圭一 (1-20)
●遠藤啓吾 (21)

　核医学検査は放射性同位元素で標識された化合物（放射性医薬品）を体内に投与して，体内から放出されるγ線を体外計測することで，生体臓器の様々な機能と代謝を定量化することができるため，放射能分布（形態情報）のみならず機能情報をも画像化することができる，唯一無二の検査法である．また，核医学の一つに位置づけられる RI 内用療法は，β線やα線を放出する放射性同位元素で標識された放射性医薬品を用いることで，体内から病巣を選択的に放射線照射できる特記すべき特徴を有している．近年では治療（therapeutics）と診断（diagnostics）を融合した Theranostics が注目されつつあり，今後益々発展する学問分野である．平成 30 年 3 月に閣議決定された「がん対策推進基本計画（第 3 期）」では RI 内用療法の推進が明記されており，我が国のがん医療としても飛躍的に均てん化が進む分野でもある．

　しかしながら，核医学検査技術学を理解するためには，核薬学，医用物理工学，核医学の基礎となる放射化学，放射性薬品化学，放射線物理学，放射線計測学，画像工学，医用画像情報学，生体機能解析学，生理学，分子生物学などの数多くの知識を必要とする．

　平成 32 年版の診療放射線技師国家試験出題基準では，①放射性医薬品，②核医学測定装置，③核医学検査技術，④核医学データ解析，および⑤臨床核医学検査の 5 項目が大項目とされているが，小項目は多岐にわたり，過去 5 年間の国家試験の出題傾向を見ても幅広い知識が問われている．

　本書は国家試験に重点を置いたものであるが，歴史的な放射性医薬品も一部掲載してある．核医学を支える放射性医薬品，測定機器および画像処理技術の進歩は日進月歩であるが，ライセンス取得後に核医学検査業務の担当とならなくても，診療放射線技師の基礎知識として本書が参考となるならば，非常に幸甚に思う．

1 診療放射線技師の役割と義務

1. 核医学検査従事者としての役割

医療は，医師を中心として診療放射線技師，薬剤師，看護師などの医療従事者との連携の上に成り立っているが，多くの施設では核医学部門に専任の医師，薬剤師，看護師がいない場合が多く，核医学診療に関わる業務のほとんどを診療放射線技師が担務することとなり，自ずと責任が課せられることになる．

また，専任のスタッフがいたとしても，核医学診療においては業務の分担が医療スタッフ間で必ずしも明確ではなく，施設ごとに異なっている．各医療スタッフの専門性を十分に活用して医療スタッフ各自がチームとして目的と情報を共有し，積極的に各医療スタッフの専門性に委ねつつ，医療スタッフ間の連携および補完を行い，被検者や家族とともに質の高い医療を実現させることが重要である．また診療放射線技師は，放射線画像検査業務の専門家として放射線検査等に関する説明や相談および画像診断における読影の補助を行うことも重要である．

2. 放射線安全管理

核医学診療に関わる診療放射線技師は放射線取扱に関する専門家であることに加えて，核医学検査従事者として特異的な役割を有している．
- 放射性医薬品の受領，保管，使用，廃棄の詳細な記録を作成する
- ジェネレータの溶出日時，総液量，放射能の管理を行う
- 放射性物質の保管および遮へいが関連法規に従っていることを確認する
- 人，装置，環境への放射能汚染を防止する
- 放射能汚染が起こった場合は適切な処置を行う
- 被検者および医療スタッフへの放射線被ばく低減対策を行う
- 検査装置や関連機器の日常点検，定期点検および保守管理を行う

核医学検査を安全に実施するために，放射性医薬品およびそれによって汚染された物の取り扱いには十分注意する必要がある．また，核医学診療を行う医療機関における放射性同位元素の利用は基本的に医療法施行規則によって規制されるが，放射性医薬品以外の放射性同位元素の利用，すなわちサイクロトロンを設置してポジトロン放射性薬剤を院内製造した場合には，医療法施行規則と放射性同位元素等の規制に関する法律（RI等規制法）の両方で規制される．加えて核医学診療に携わる診療放射線技師は，放射線業務従事者であるため電離放射線障害防止規則の規制をうける（☞ p. 498）．

1) **被ばく低減対策**：医療従事者の被ばく低減は，外部放射線防護三原則（遮へい，距離，時間）を利用し，取り扱いに際しては外部被ばく，内部被ばくともに十分注意する．特にポジトロン放射性薬剤は，1 cm 線量当量率定数がその他の放射性医薬品（シングルフォトン放射性医薬品）と比較して大きいため十分な被ばく低減措置を行う必要がある．

2) **放射性医薬品の保管**：インビボ放射性医薬品は入荷された日に使用する場合がほとんどであるが，保管を必要とする放射性医薬品では貯蔵室または貯蔵箱に保管する．冷蔵庫での保管がほとんどであるが，放射性医薬品によっては冷凍保管が必要な場合もある．

3) **放射性廃棄物の管理**：固体廃棄物については区分（可燃物，難燃物，不燃物，フィルタなど）に従い保管廃棄室に一時保管し，(公社)日本アイソトープ協会に集荷を委託する．PET 廃棄物に関しては 2004 年に規制緩和が行われ，^{11}C，^{13}N，^{15}O，^{18}F の 4 核種については他の核種（廃棄物）の混入を防止して 7 日間以上一時保管すれば一般の医療廃棄物として取り扱うことが可能である（☞ p. 510）．

4) **管理区域内の測定**：管理区域内は放射線量の測定（1ヵ月を超えない期間ごとに1回），汚染状況の測定（1ヵ月を超えない期間ごとに1回），排水および排気はその都度（連続して排水や排気する場合は連続して），法的規制値を担保していることを測定し，記録を 5 年間保管しなければならない（☞ p. 493）．

3. 感染予防

核医学診療では，放射性医薬品を投与する検査が主体である．放射性医薬品の投与は管理区域内で主に医師が行うが，被検者血液からの感染予防や放射性同位元素の汚染拡大を防止するために放射性医薬品を取り扱う場所をポリエチレンろ紙で被覆する．採血を伴う検査では診療放射線技師が血液を取り扱うことも少なくないため，プラスチック手袋などを装着して感染予防に努めなければならない．

また放射性医薬品を投与された被検者のオムツ，尿パック等の感染性廃棄物は，環境省からの通知（環廃産発第 040316001 号）や放射線関連学会が作成したガイドラインを参考にして適正に処理しなければならない．放射線取扱に関する専門家である診療放射線技師の役割は，放射性医薬品を投与した被検者の感染性廃棄物を管理区域内の廃棄物収納箱に保管し，一定期間保管後に廃棄物収納箱を放射線測定器で測定して，バックグランドレベルであることを確認および記録して廃棄することである．

2 放射性医薬品

　放射性医薬品とは，薬機法（医薬品，医療機器等の品質，有効性及び安全性の確保等に関する法律）に規定されている医薬品の中で放射線を放出するものをいい，放射性医薬品基準に収載されている．核医学検査に用いられる放射性医薬品は，診断用と治療用に大別され，前者は単光子を放出するシングルフォトン放射性医薬品と陽電子を放出するポジトロン放射性薬剤に分類される．

1. シングルフォトン放射性医薬品

A. 放射性医薬品の特徴

　1）**放射性である**：α線やβ線放出核種は物質透過性が弱いため内用治療に，γ線や特性X線放出核種は体外測定や試料測定に用いられる．短半減期，かつβ線を放出しない（noβ）核種は大量投与できるため，少ない被ばく線量で豊富な情報が得られる．

　2）**減衰する**：核種により異なる半減期で減衰し，比放射能が低下するため，放射性医薬品として使用できる有効期限がある．体外測定の場合，放射性同位元素を投与してから検査終了に要する時間×0.7程度の半減期を有する核種が適当といわれる．使用にあたっては，検定日時（assay date），放射能濃度，有効期限および比放射能などに注意する．

　3）**薬理作用をもたない**：一般に無担体（キャリアフリー）か，それに近い状態であり比放射能が高い．化学薬品としての量は極めて微量（37 MBqあたりの重量は10^{-9}〜10^{-14} g）であるため，副作用の頻度は極めて稀である．

　4）**化学的安定性が高い**：放射線による分解がなく，医薬品としての化学的安定性が高い．また放射化学的純度（標識率）も高い．

　5）**臓器親和性**：目的とする臓器や組織に特異的集積または親和性を有する放射性医薬品が使用される．内用療法に用いる放射性医薬品は，臓器特異性のほかに，一定時間留まる核種が望ましい．

　6）**トレーサー（追跡子）**：標識された物質が非標識物質と全く同様な物理的および化学的性質を有するものであれば，それをトレーサーとして生体内代謝の検索に使用することができる．

　7）**被ばく線量**：生体内に投与する場合には被検者の被ばくを最小限にする必要がある．したがって，シングルフォトン放射性医薬品では^{99m}Tcのようにβ線を放出せず，短半減期かつγ線エネルギーが適当（100〜200 keV）な核種が好んで用いられる．

　8）**保管と管理**：多くの放射性医薬品は種々の化合物が標識されたものであるため，冷蔵庫など冷暗所で保管する必要がある．また，被検者および医療従事者の放射線障害を防止するために，出納，貯蔵，廃棄，個人被ばくなどの記録が法律により義務づけられている．

B. 標識方法

　シングルフォトン放射性医薬品は短半減期であるため，半減期に対応する時間内に標識化合物を供給しなければならない．^{67}Ga，^{111}In，^{123}I，^{131}I，^{201}Tlなどは原子炉や大型サイクロトロンを用いて核種を製造し，これに化合物を標識して放射性医薬品販売業者から医療機関に供給される．^{99m}Tc標識化合物も放射性医薬品販売業者から供給可能であるが，ジェネレータと標識キットを準備しておけば医療機関内で標識化合物を調製することができ，緊急検査にも対応できる．ジェネレータは，放射平衡にある核種において，比較的半減期の長い親核種を，アルミナ（^{99}Mo/^{99m}Tcジェネレータ），イオン交換樹脂（^{81}Rb/^{81m}Krジェネレータ）などのカラムに吸着させておき，適当な溶媒で短半減期の娘核種のみを分離溶出する装置のことである．カラムに残された親核種は崩壊を続けるため，繰り返し娘核種を取り出すことができる．

^{99}Mo（65.94 時）— ^{99m}Tc（6.015 時）
^{81}Rb（4.576 時）— ^{81m}Kr（13.1 秒）
^{68}Ge（270.95 日）— ^{68}Ga（67.71 分）
^{62}Zn（9.186 時）— ^{62}Cu（9.673 分）
^{82}Sr（25.36 日）— ^{82}Rb（1.273 分）

^{99}Mo/^{99m}Tcジェネレータは^{99}Moと^{99m}Tcの放射平衡（過渡平衡）の関係から娘核種，すなわち^{99m}Tcの比放射能が最大となる時間は以下の式より約23時間となるため，1日に一回のミルキングが最も効率がよい．

$T_{max} = (1/\lambda_2 - \lambda_1) \times \ln(\lambda_2/\lambda_1)$

T_{max}：娘核種の原子数が最大となる時間
λ_1：親核種の崩壊定数
λ_2：娘核種の崩壊定数

　^{99m}Tcの標識反応は錯体生成反応であるため，次の条件等が重要である．

・ジェネレータからの溶出間隔
・調製に用いる過テクネチウム酸ナトリウムの液量
・標識時間
・標識温度
・浸盪
・標識の順序
・空気を混入させない

C. 品質管理

　放射性医薬品販売業者から供給される放射性医薬品は，製造元で調製や品質管理が行われる．一方，医療機関内

で製造および調製した ^{99m}Tc 標識放射性医薬品は，他の医薬品と同様，安全性と有効性を確保するため品質試験を各施設で行わなければならない．日本薬局方，放射性医薬品基準および各標識キットの添付文書に放射性医薬品の規格，品質試験法および保管方法が定められており，放射化学的純度試験を行わなければならない．

・ろ紙クロマトグラフ法，薄層クロマトグラフ法，電気泳動法

2. ポジトロン放射性薬剤

A. 放射性薬剤の特徴

ポジトロン放射性薬剤の特徴はシングルフォトン放射性医薬品と基本的に同じであるが，ポジトロン（陽電子）放出核種で標識されており，511 keV の消滅放射線を180度方向に2本放出する特徴を有する．ポジトロン放出核種は，超短半減期であるため医療機関内に設置した小型サイクロトロンで製造され，生体と関連の深い ^{11}C，^{13}N，^{15}O，^{18}F が臨床応用されている．放射性医薬品販売業者から放射性医薬品として供給される ^{18}F-FDG 以外は，医療機関内で核種の製造と合成が行われるためポジトロン放射性薬剤と呼称される．

B. 合成方法

ポジトロン放射性薬剤は超短半減期であるため，小型サイクロトロンによる核種の製造，有機標識合成および精製，注射剤などへの調製が迅速かつ正確に行われなければならない．特に標識合成では，一般の有機合成のように多くの合成過程や長時間の反応をかけることができないため，複雑な標識化合物を合成することができない．ポジトロン放射性薬剤の合成には，反応速度が速く，かつ高い放射化学的収率が望める反応（化学合成法やホットアトム反応）が用いられる．また，ポジトロン放射性薬剤の一連の製造工程では大量の放射能が取り扱われるため，作業者の被ばく防止，薬剤の安定供給などを考慮してホットセル内に設置した放射性医薬品合成設備を用いて薬剤合成が行われる．

C. 品質管理

ポジトロン放射性薬剤の製造，品質，使用方法などについては日本薬局方，放射性医薬品基準に記載されていないが，日本核医学会が定めた PET 薬剤に関する基準に示されている．ポジトロン放射性薬剤の製造および品質管理体制は，製造工程全体を統括する製造管理者，製造管理責任者および品質管理者で構成され，^{18}F-FDG では次の品質試験等が行われる．

・放射性核種の確認試験（放出ガンマ線エネルギー，半減期，pH），放射性核種純度試験，放射化学的純度試験，発熱性物質（エンドトキシン）試験，無菌試験

3. 放射性医薬品の集積

A. 集積機序と動態

主な放射性医薬品の集積機序を表 12-1 に示す．

表 12-1 主な放射性医薬品の集積機序

主な医薬品	集積機序
Na^{123}I	甲状腺ホルモン合成（前駆体）
^{201}TlCl	細胞膜の Na$^+$/K$^+$-ATPase
^{99m}Tc-MDP, ^{99m}Tc-HMDP	骨無機質の基本構成に化学的吸着
^{99m}Tc-フチン酸	貪食作用
^{18}F-FDG	エネルギー代謝
^{99m}Tc-MAA	毛細血管閉塞
^{133}Xe, ^{81m}Kr	単純拡散

B. 集積に影響する因子

放射性医薬品の体内分布や動態は疾患の状況，生理的な条件等の要因以外に様々な薬によっても変化する（表12-2）．放射性医薬品以外の薬（治療薬や診断薬）によって放射性医薬品の集積や薬物動態が変化する原因は，薬の薬理学的作用そのものや薬と放射性医薬品との物理化学的相互作用などであり，個人，投薬量，投薬数および薬と放射性医薬品との投与間隔などが複雑に関係している．

4. 放射性医薬品の副作用

シングルフォトン放射性医薬品における副作用の発現は 0.0013%（10万件あたり 1.3件）と報告されており，ヨード造影剤と比較しても極めて安全性が高い（約 1/1,000）．また ^{18}F-FDG の副作用も 0.022% と報告されており，シングルフォトン，ポジトロン放射性医薬品ともに重篤な副作用を発現しないことが大きな特徴である．この理由は，投与される薬剤量がマイクログラム以下であるためであり，X線検査に使用される造影剤の数万～100万分の1，MRI 検査に使用される造影剤の数千～10万分の1に相当する薬剤量である．

表 12-2 放射性医薬品の集積に影響する薬剤

^{99m}Tc-MDP, ^{99m}Tc-HMDP	
化学療法剤	腎集積増加
ヨード造影剤	胃・肝・脾集積増加
鉄含有製剤（MRI 造影剤など）	肝描出
アルミニウム含有製剤	骨集積低下，肝・腎集積増加
^{18}F-FDG	
抗がん剤	胸腺集積増加
顆粒球コロニー刺激因子製剤	骨髄集積増加
インスリン	骨格筋，軟部組織，肝臓集積増加
^{201}TlCl	
β遮断薬	運動負荷時血流欠損の減少
塩酸ドキソルビシン	心筋集積低下
^{123}I-MIBG（^{131}I-MIBG）	
抗うつ薬	褐色細胞腫集積低下
高血圧治療薬	褐色細胞腫集積低下
カルシウム拮抗薬	褐色細胞腫での滞留延長

3 主な放射性医薬品の特性と用途

12章 核医学検査技術学

核　種	半減期	主なエネルギー（MeV） β	主なエネルギー（MeV） γ	標　識　形	主　な　用　途
^{11}C	20.39 分	0.96	(β^+)		PET 検査
^{13}N	9.965 分	1.2	(β^+)		PET 検査
^{15}O	2.0373 分	1.73	(β^+)		PET 検査
^{18}F	109.771 分	0.63	(β^+)	^{18}F-FDG, ^{18}F-NaF	PET 検査
^{22}Na	2.6019 年	0.546	1.275, (β^+)		PET 装置の校正
^{51}Cr	27.7025 日	(no β)	0.320	^{51}Cr-赤血球　　　　　　^{51}Cr-障害赤血球	赤血球寿命測定, 循環血球量測定　脾シンチグラフィ
^{59}Fe	44.495 日	0.47, 0.27	1.10, 1.29		鉄代謝検査, 鉄吸収試験
^{57}Co	271.74 日	(no β)	0.122, 0.136		ガンマカメラの校正
^{58}Co	70.86 日	0.475	0.81, (β^+)	^{58}Co-ビタミン B$_{12}$	ビタミン B$_{12}$ 吸収試験
^{60}Co	5.2713 年	0.32	1.17, 1.33	^{60}Co-ビタミン B$_{12}$	ビタミン B$_{12}$ 吸収試験
^{62}Cu	9.673 分	1.75, 2.93	(β^+)	^{62}Cu-ATSM	PET 検査
^{67}Ga	3.2612 日	(no β)	0.093, 0.185	^{67}Ga-citrate	腫瘍シンチグラフィ
^{68}Ga	67.71 分	1.9	(β^+)	^{68}Ga-DOTA-TATE, ^{68}Ga-citrate	PET 検査
^{68}Ge	270.95 日	(no β)	(no γ)		(^{68}Ga の親核種）PET 装置の校正
^{81m}Kr	13.10 秒	(no β)	0.190		肺換気シンチグラフィ
^{81}Rb	4.576 時	1.02	0.45, (β^+)		^{81m}Kr の親核種
^{82}Rb	1.273 分	2.60, 3.38	(β^+)		PET 検査
^{89}Sr	50.53 日	1.49	(no γ)	^{89}SrCl$_3$	骨転移の治療
^{90}Sr	28.79 年	0.55	(no γ)		(^{90}Y の親核種)
^{90}Y	64.00 時	2.28	(no γ)	^{90}Y-抗 CD20 抗体	悪性リンパ腫の治療
^{99}Mo	65.94 時	1.21	0.74, 0.18		(^{99m}Tc の親核種)
^{99m}Tc	6.015 時	(no β)	0.14	^{99m}TcO$_4^-$	脳・甲状腺・唾液腺シンチグラフィ
				^{99m}Tc-MAA	肺血流シンチグラフィ
				^{99m}Tc-ガス	肺吸入シンチグラフィ
				^{99m}Tc-コロイド（スズ, 硫黄）	肝・脾・骨髄・リンパ腺シンチグラフィ
				^{99m}Tc-フチン酸	肝シンチグラフィ, センチネルリンパ節シンチグラフィ
				^{99m}Tc-GSA	肝シンチグラフィ
				^{99m}Tc-PMT	肝・胆道系シンチグラフィ
				^{99m}Tc-HSA (RBC)	心プールシンチグラフィ, RI アンギオグラフィ, センチネルリンパ節シンチグラフィ
				^{99m}Tc-MDP (HMDP)	骨シンチグラフィ
				^{99m}Tc-PYP	心筋梗塞シンチグラフィ
				^{99m}Tc-DMSA	腎シンチグラフィ（静態）
				^{99m}Tc-MAG3	腎シンチグラフィ（動態）
				^{99m}Tc-DTPA	腎シンチグラフィ（動態）
				^{99m}Tc-障害赤血球	脾シンチグラフィ
				^{99m}Tc-HMPAO	脳血流シンチグラフィ
				^{99m}Tc-ECD	脳血流シンチグラフィ
				^{99m}Tc-MIBI	心筋血流シンチグラフィ, 副甲状腺シンチグラフィ
				^{99m}Tc-テトロフォスミン	心筋血流シンチグラフィ

（アイソトープ手帳 11 版：日本アイソトープ協会より）

核　種	半減期	主なエネルギー（MeV） β	主なエネルギー（MeV） γ	標　識　形	主　な　用　途
^{111}In	2.8047 日	(no β)	0.17, 0.25	^{111}In-抗 CD20 抗体 ^{111}InCl$_3$ ^{111}In-DTPA ^{111}In-Pentetreotide	抗 CD20 抗体シンチグラフィ 骨髄シンチグラフィ 脳槽・脊髄腔シンチグラフィ ソマトスタチン受容体シンチグラフィ
^{123}I	13.2235 時	(no β)	0.159	Na^{123}I ^{123}I-IMP ^{123}I-イオマゼニル ^{123}I-FP-CIT ^{123}I-MIBG ^{123}I-BMIPP	甲状腺摂取率検査, 甲状腺シンチグラフィ 脳血流シンチグラフィ 脳神経受容体シンチグラフィ 脳ドパミン系神経伝達シンチグラフィ 心筋（交感神経機能）シンチグラフィ, 副腎髄質シンチグラフィ 心筋（脂肪酸代謝）シンチグラフィ
^{125}I	59.400 日	(no β)	0.035		各種インビトロ検査, 前立腺癌密封小線源治療
^{131}I	8.0207 日	0.61	0.364	Na^{131}I ^{131}I-アドステロール ^{131}I-MIBG	甲状腺疾患の治療 副腎皮質シンチグラフィ 褐色細胞腫の治療
^{133}Xe	5.2475 日	0.35	0.081		肺換気シンチグラフィ, 脳血流量の測定
^{201}Tl	72.912 時	(no β)	0.135, 0.167	^{201}TlCl	心筋血流, 腫瘍, 副甲状腺シンチグラフィ
^{223}Ra	11.43 日	(no β) 5.716 (α)	0.154, 0.270	^{223}Ra-dichloride	骨転移を有する去勢抵抗性前立腺癌の治療

※　①特に代表的な核種のみ掲載した．
　　②太字のものは国家試験に出題が予想される核種である．
　　③標識形の欄の省略名は次の通りである．

　　　　MAA：macroaggregated albumin　　　　　　DTPA：diethylenetriamine pentaacetic acid
　　　　GSA：galactosyl human serum albumin　　　HM PAO：hexamethyl propylene amine oxime
　　　　PMT：pyridoxyl-5-methyl tryptophan　　　　ECD：ethyl cysteinate dimer
　　　　HSA：human serum albumin　　　　　　　MIBI：hexakis methoxy isobuthyl isonitrile
　　　　RBC：red blood cell　　　　　　　　　　　IMP：N-isopropyl-p-iodoamphetamine
　　　　DMSA：dimercaptosuccinic acid　　　　　　MIBG：meta-iodobenzyl guanidine
　　　　MDP：methylen diphosphonate　　　　　　BMIPP：β-methyl iodophenyl pentadecanoic acid
　　　　HMDP：hydroxy methylen diphosphonate　　RISA：radioiode serum albumin
　　　　PYP：pyrophosphate　　　　　　　　　　　PVP：polyvinyl pirrolidone
　　　　MAG3：mercaptoacetyl-triglycine　　　　　FDG：fludeoxyglucose
　　　　DOTA-TATE：DOTA-octreotate　　　　　　ATSM：diacetyl-bis(N4-methylthiosemicarbazone)
　　　　FP-CIT：N-ω-fluoroethyl-2 beta-carbomethoxy-3 beta-(4-iodophenyl) nortropane

---

関連事項

有効半減期

生体内に投与された放射性医薬品が，実際に生体内で減衰する割合を示す有効半減期（T_{ef}）は，物理的半減期（T_p），生物学的半減期（T_b）より次式で与えられる．

$$1/T_{ef}=1/T_p+1/T_b$$

no β 核種と pure β 核種

生体内へ放射性同位元素を投与する時は，β 線を放出しない no β 核種が望ましい．よく用いられる no β 核種（崩壊形式：電子捕獲，核異性体転移），また逆に，β 線のみ放出する pure β（no γ）核種には次のものがある．

　no β 核種（^{51}Cr, ^{57}Co, ^{67}Ga, ^{75}Se, ^{81m}Kr, ^{85}Sr, ^{87m}Sr, ^{99m}Tc, ^{111}In, ^{111m}In, ^{123}I, ^{125}I, ^{131}Cs, ^{169}Yb, ^{197}Hg, ^{201}Tl）
　pure β 核種（^{3}H, ^{14}C, ^{32}P, ^{35}S, ^{45}Ca, ^{90}Sr）

4 核医学測定装置（ガンマカメラ）

ガンマカメラは，シンチレーションカメラまたはシンチカメラとも呼称される単結晶のNaI（Tl）シンチレーション検出器を用いた核医学画像診断装置の総称で，ガンマカメラを用いて体外から放射性医薬品の集積状態を測定し画像化することをシンチグラフィといい，静態（Static）画像，動態（Dynamic）画像，全身（Whole body）画像などに分類される．

1．装置の概要と構成

ガンマカメラの構成を図12-1に示す．初期のガンマカメラは円形のシンチレータも使用されたが，近年では有効視野が55 cm×45 cm程度の矩形のシンチレータを用いた装置が主流となっている．またシンチレータは厚くするほど感度が向上する反面，空間分解能が低下する特性を有しているため，近年では3/8インチ（0.95 cm）が主流となっている．単結晶のシンチレータに直径2～3インチの光電子増倍管を多数結合しているが，この間に，シンチレータの光を損失なく各光電子増倍管に導くためにライトガイドが配置されている．光電子増倍管は円形，六角形および正方形のものがあり，矩形のシンチレータを使用した場合には，正方形または六角形の光電子増倍管を用いることで隙間なく配置することができる．コリメータは核種や検査の目的に応じて交換することが可能であり，検出器は任意の角度で撮像できるように上下，回転移動できる．検出器の数は，全身撮像やSPECT撮像が行える汎用性の高い2検出器型が主流である．

2．コリメータの種類と性能

A．平行多孔型コリメータ

各種シンチグラフィおよびSPECT撮像ともに最も多用されるコリメータで，鉛などの重金属板に正六角形，正方形または円形の孔が平行（垂直）に多数あけてある（図12-2）．像の大きさが距離に無関係で歪みがない長所を有するが，コリメータと線源の距離が離れると空間分解能が劣化する．高エネルギー用，中エネルギー用，低エネルギー用などがあり，それぞれに高分解能型，汎用型，高感度型が用意されている．γ線エネルギーが高いほど透過力が強いため，高エネルギー用が最も隔壁が厚い．また高感度型ほど孔の径が大きく，逆に高分解能型は孔の径が小さく，かつ指向性を向上させるため隔壁も長い．

B．ファンビームコリメータ

主に頭部のSPECT撮像に用いられる焦線型コリメータで，X方向のみ集束した構造となっている（Y方向は平行孔）．拡大効果による空間分解能と感度の向上が期待でき，心臓専用のファンビームコリメータもある．

C．ピンホールコリメータ

鉛製の円錐形コリメータで，頂点に1個の孔がある．ピンホールカメラの原理で，コリメータからの距離により拡大または縮小ができ，近距離では拡大され解像力がよい．像が倒立画像になる特徴があり，心臓専用のマルチピンホールコリメータもある．

D．ダイバージングコリメータ

カメラの検出器サイズが小さかった時代に使われたコリメータで，有効視野より大きな臓器を縮小して撮像する．コンバージングコリメータとは逆に下方へ広がった形で孔があけられた多孔コリメータである．

E．スラントホールコリメータ

一定の角度（通常は30度）で斜方向に孔があけられた平行多孔型コリメータで，脳および心筋などの斜位撮像

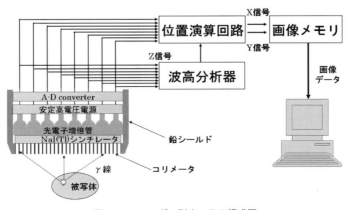

図12-1 アンガー形カメラの構成図

図 12-2　各種コリメータの構造

において被検者に密着して撮像できるために分解能がよい利点をもつ．

F．コンバージングコリメータ

少し小さい臓器（心臓など）を拡大して撮像する焦点型のコリメータで，ダイバージングコリメータとは逆に下方へ集束した形で孔のあけられた多孔コリメータである．

現在では，上記 A. から C. 以外のコリメータはあまり使用されない．

3．NaI（Tl）シンチレータ

使用されている NaI（Tl）シンチレータは閃光（シンチレーション）性能を上げるために僅かな Tl が添加されている．薄いため力学的衝撃に弱く，かつ急激な温度変化（1時間に3℃以上）により破損する．また広く普及しているシンチレータの厚さ（3/8 インチ）では，100〜200 keV のγ線エネルギーに対する光電吸収検出効率が 70〜100% となるため（140 keV では約 90%），この範囲内のγ線エネルギーが画像化に好適となる．

4．光電子増倍管

ガンマカメラを用いたイメージングの原理は，まずコリメータを通過したγ線がシンチレータとの相互作用により，その場所で閃光を発生する．光電子増倍管に入射した閃光は，光電子増倍管で 10^6 程度に増幅され出力信号を作る．この出力信号は入射した光の強さに比例しており，発光点に近い光電子増倍管ほど大きいパルス信号を生じる．光電子増倍管からの信号は，位置信号とエネルギー信号に分けられ，複数の光電子増倍管からの信号を電気的に判別した位置信号（X-Y 信号）およびエネルギー信号（Z 信号）により画像メモリに格納される．

5．信号処理と各種補正機構

入射したγ線のエネルギーと光電子増倍管の出力は線形にあるため，複数の光電子増倍管の出力を用いて信号処理が行われる．波高分析器を用いて，エネルギーウィンドで設定した範囲の出力信号のみを通過させ，特定のエネルギーのみのγ線で画像を形成する．位置信号を作る位置演算回路は，抵抗マトリックス方式が普及している．またエネルギー分析回路（波高分析器）を利用した散乱線補正が普及している．

フルデジタルカメラは，光電子増倍管の出力信号を直接アナログ—デジタル変換し位置演算などの信号処理をデジタル処理し，アナログカメラよりも経年変化の少ない安定した特性を有している．また，感度補正，画像直線性補正，エネルギー補正などが実時間で可能であり，アナログカメラよりも高性能である．

6．付属機器

近年のガンマカメラ装置には赤外線センサやタッチセンサが装備されており，被検者との接触を防止する安全面の機能も取り付けられている．また被検者を寝かせる寝台は，γ線の減弱を抑制するために，減弱係数が小さく，かつ耐荷重の高いカーボンファイバ製の素材が用いられる．このほかに，撮像中の被検者の負担を軽減する各種補助具として，被検者の頭部を固定するヘッドレストや挙上した腕を保持するアームレストがある．

7．性能評価

ガンマカメラは，固有均一性，空間分解能，固有空間

関連事項

核医学検査装置とコリメータ

ガンマカメラ ─┬─ ピンホールコリメータ
　　　　　　　└─ 多孔型コリメータ ─┬─ 平行多孔型コリメータ
　　　　　　　　　　　　　　　　　　├─ ファンビームコリメータ
　　　　　　　　　　　　　　　　　　├─ ダイバージングコリメータ
　　　　　　　　　　　　　　　　　　├─ スラントホールコリメータ
　　　　　　　　　　　　　　　　　　└─ コンバージングコリメータ

　─┬─ 低エネルギー用（〜160 keV 以下）
　　│　　（高分解能，汎用，高感度）
　　├─ 中エネルギー用（〜300 keV 以下）
　　│　　（高分解能，汎用，高感度）
　　└─ 高エネルギー用（〜450 keV 以下）
　　　　　（高分解能，汎用，高感度）

可動型シンチレーションカウンタ──フラットフィールド型コリメータ
　（レノグラムでは特に縦長の矩形フラットフィールド型コリメータ）

直線性,感度などの基本性能がよいことが望まれる.またこれらの性能に経年変化がないか定期的に性能評価を行い,適切な画像を診療に提供することが重要である.評価方法は,JESRA (Japanese Engineering Standards of Radiological Apparatus),IEC (International Electrotechnical Commission) および NEMA (National Electrical Manufacturers Association) などに規定されている.次の性能評価は基本的に収集時の計数率が20 kcps 以下,エネルギーウィンドウ幅15％で測定することが規定されている.

A. 均一性

均一性の評価は,コリメータを装着しない状態で測定する.^{99m}Tc を封入した点線源を有効視野 (useful field of view；UFOV) の最大径の5倍以上離れた位置に設置して,1画素あたりの計数が10キロカウント以上となる時間で収集を行う.評価は目視による確認,積分均一性および微分均一性にて行う.

2009年に設計認証済み放射性同位元素装備機器(表示付認証機器)として販売されたCo-57面線源を用いて,コリメータを装着した総合均一性を日常点検として実施している施設もある.

B. 空間分解能

空間分解能の評価は,コリメータを装着しないで測定する固有分解能と,コリメータを装着して測定する総合分解能がある.固有分解能は,1 mm 幅のスリットを30 mm 間隔で平行に配列した空間分解能用(スリット)ファントムを検出器面に設置し,^{99m}Tc を封入した点線源を UFOV の最大径の5倍以上離れた位置に配置する.収集時間は1キロカウント以上計測する時間とする.総合分解能は,各コリメータに対して測定し,低エネルギー用コリメータの場合には ^{99m}Tc,中エネルギー用コリメータの場合には ^{67}Ga,高エネルギー用コリメータの場合には ^{131}I を線源として用いる.各線源ともに長さ30 mm 以上で内径が1 mm 以下の線状線源とし,2本使用する.収集時間は,10キロカウント以上を計測する時間である.評価は,両者とも応答関数のプロファイル曲線から半値幅 (FWHM),1/10値幅 (FWTM) を算出して行う.

C. 感度

感度の測定はコリメータを装着して行い,各コリメータについて測定する.低,中,高エネルギー用コリメータの線源は総合分解能と同じである.線源は,厚さ5 mm 以下のアクリル容器に封入した面線源とし,計数率が30 kcps 以下となる放射能を封入する.視野全体で4メガカウント以上を計測する時間で収集する.評価は封入した面線源内の放射能量を用いて,単位放射能あたりの計数率 (cps/MBq) を算出する.

D. 固有空間直線性（画像歪）

固有空間直線性の評価は,コリメータを装着しないで測定する.^{99m}Tc を封入した点線源を UFOV の最大径の5倍以上離れた位置に設置し,かつ検出器面に固有空間分解能で用いたファントムと同様のスリットファントムを配置して測定する.1画素あたりの計数が1キロカウント以上となる時間で収集を行う.評価は,目視による評価もしばしば行われるが,定量的には空間微分直線性や絶対空間直線性にて行う.

E. 計数率特性

計数率特性の評価は,コリメータを装着しない状態で点線源を用いて測定する.銅吸収板を利用する方法が過去にあったが,現在では既知の放射線源の減衰を利用する方法が一般的である.点線源を UFOV の最大径の5倍以上離れた位置に設置して最高計数率を超える十分な放射能から核種の時間減衰を利用して測定する.観測計数率から,放射能と計数率の直線性,観測最高計数率および20％損失観測計数率を計算して性能評価する.

F. エネルギー分解能

エネルギー分解能は,コリメータを装着しない状態で点線源を用いて測定する.^{99m}Tc および ^{57}Co を封入した点線源を UFOV の最大径の5倍以上離れた位置に設置して測定を行い,マルチチャンネルアナライザを利用してエネルギー分解能を算出する.収集時間は,光電ピークの計数が10キロカウント以上となる時間とする.2種類の核種を用いる理由は,keV 対チャンネルの校正係数を算出し,正確なエネルギー分解能を評価するためである.近年のガンマカメラにおけるエネルギー分解能は8％程度である.

上記6項目のほかに複数ウィンドの画像のズレ,高計数率時の固有空間分解能および固有均一性,散乱体のある総合計数率特性,遮へい能力,全身画像の総合空間分解能などの評価項目がある.

5 核医学測定装置（SPECT装置）

　X線CTが光子の透過（トランスミッション；transmission）データを利用するのに対して，核医学では光子の放射（エミッション；emission）データを利用するのでECT（emission CT）とも呼称される．これは ^{99m}Tc, ^{123}I などのシングルフォトン核種を測定するSPECT（single photon emission tomography）装置と，ポジトロン核種（消滅放射線）を測定するPET（positron emission tomography）装置があり，両者とも画像再構成を行うことで断層像を得ることができる．

1. 装置の概要と種類

　放射性医薬品の入手が容易で測定装置も比較的簡単に作成できることから，1980年頃から普及した装置である．空間分解能が低く定量性に若干問題があるが，三次元的な画像を得ることができるため，今日では全ての臓器に対して欠かすことのできない検査装置である．得ようとする断層面（横断面）に直行した，360度（心臓の場合には180度）方向からの投影データを収集して，後述する画像再構成法および各種補正を用いて横断断層像を再構成する．

A. ガンマカメラ回転型SPECT装置

　検出器が回転する機能をもつガンマカメラで，ベッドの周囲からステップ回転または連続回転させることにより64～128方向（3度～6度程度ごと）の投影データを収集して，多数の横断，冠状断および矢状断層像を再構成することが可能である．この装置の利点は，①従来のガンマカメラとしての二次元（プラナー）画像に加えて三次元（SPECT）画像を撮像できること，②ガンマカメラ視野内にある臓器の連続した多層の横断像が同時に得られること，③この多断層像から冠状断面像，矢状断面像のほか，任意の角度の断層面像が得られること，などである．また動態（ダイナミック）SPECT収集，心電図同期収集，2核種またはそれ以上の多核種同時収集も可能である．検出器を増やすことで感度を向上させる（短時間収集する）ことができるため，3検出器型（三角型）の装置も販売されているが，全身収集も可能な汎用型（対向型）2検出器装置が主流である．この汎用型2検出器装置は，空間分解能劣化を抑制するために近接収集（楕円軌道収集）も可能である．コリメータは，ガンマカメラと同様に平行多孔型のコリメータが最も利用されているが，脳や心臓のSPECT撮像ではファンビームコリメータを用いることもしばしばある．

B. SPECT/CT装置

　2検出器型のSPECT装置にX線CT装置を結合した装置であり（図12-3），X線CT装置の検出器は多列である．同一寝台で撮像するため精度の高い融合（形態画像と機能画像）画像を作成できるが，SPECT収集時間はX線CTと比較して長いため，呼吸や体動によって位置ズレを少なくする工夫が必要である．また，X線CT画像を用いて減弱（吸収）補正を行えるが，CT値をSPECTで使用されるγ線エネルギーの線減弱係数に換算する必要がある．

2. 原理とデータ収集法

　検出器の空間分解能（得ようとする再構成画像の空間分解能）をR，投影データのサンプリング間隔（画素）をaとするとサンプリング理論より $a \leq R/2$ を満足する必要がある．画像信号の最大周波数（ナイキスト周波数）ν_{max}，投影データのサンプル数N，180度における投影数M，カメラの直径Dとすると，次の関係になる．

$N \geq D/a = 2D\nu_{max}$
$M \geq \pi D/2a = \pi D\nu_{max}$
$M = \pi N/2$

　ただし，上式は理想条件での関係であるため，臨床条件すなわち画素サイズ3～5mm（画像マトリクスサイズ：64×64または128×128），投影数64～128（360度）程度の収集でも，画質低下などの支障をきたすことは少ない．有限の有効視野をもつガンマカメラを使用してデータ収集を行うため，マトリックスサイズを大きくすると画素サイズが小さくなり高分解能な画像を得ることができる．しかし一画素あたりのカウント数が減少するので，信号対雑音（S/N）比が劣化する場合がある．また投影数が少ない場合，回転中心のズレがある場合およびSPECT撮像中に被検者の体動があると再構成画像に

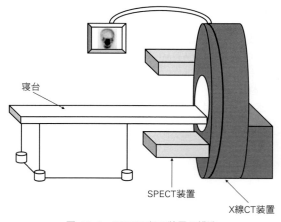

図12-3　SPECT/CT装置の構造

様々なアーチファクトを生じる．

シンチグラフィと同様にSPECT撮像においても，測定する核種のフォトピーク（光電ピーク）に対して15〜20％のエネルギーウィンド幅を設けて収集する．

3. 画像再構成法

画像再構成法は，解析的方法と逐次近似的手法に大別され，前者のフィルタ補正逆投影法（FBP法，重畳積分逆投影法），後者はOSEM法が実用化されている．OSEM法は短時間処理が可能であり，原理的に線状のアーチファクトが少なく（図12-4），後述の減弱，散乱線，分解能補正も画像再構成と同時に行うことができる特徴を有している．

収集した投影データは，一般に多くの統計雑音を含んでいるため画像再構成の前に平滑化処理が行われる．平滑化処理には雑音除去フィルタとしてバターワース（Butterworth）フィルタがあり広く用いられているが，尖鋭化と雑音除去を同時に行うためにウィナー（Wiener）フィルタなどが用いられることもある．

4. 各種補正法（減弱補正，散乱線補正，空間分解能補正）

減弱（吸収）補正とは，被写体内で生じる光子の減弱すなわち収集カウントの低下を補正する方法であり，均一吸収補正法（体内の減弱係数が一定と仮定して補正する）と不均一吸収補正法（体内の減弱係数分布を考慮して補正する）がある．前者にはSorenson法，Chang法，WBP法などがあり，後者には逐次近似Chang法やトランスミッション法などがある．トランスミッション法は，外部線源（^{153}Gd，^{241}Amなど）やX線CTを用いて行うため，体内の減弱係数分布を正確に測定する利点を有するが，被ばく線量増加に注意が必要である．

散乱線補正法とは，収集エネルギーウィンド内に混在するコンプトン散乱を除去する方法である．実用化されている手法には，①フォトピークとは別に散乱線ウィンドも設定し，そのデータに定数を乗算して散乱線成分を推定する方法（DEW法），②フォトピークの両側にサブウィンドを設定し，これから台形近似により散乱散成分を推定する方法（TEW法），③減弱補正に用いるトランスミッションデータから角度毎の散乱関数を求める方法（TDCS法）などがあるが，TEW法が最も利用されている．

空間分解能補正とは，コリメータと被写体の距離（回転半径）に依存する空間分解能の劣化を補正する方法であり，逐次近似画像再構成と同時に行う方法（collimator broad correction；CBR）と，逆フィルタを利用して補正する方法（frequency distance relation；FDR）がある．

5. 性能評価

SPECT装置の性能評価には，前述したガンマカメラの性能評価項目以外に次に示す項目などがNEMAで規定されている．

A. 回転中心のズレ

ガンマカメラを用いてSPECT撮像を行う場合には，各投影角度の投影データに対してX方向とY方向の回転中心位置を評価する必要がある．回転中心のズレを適切に補正することでリングアーチファクトを抑制できる．^{99m}Tcを封入した直径2mm以下の点線源を3個用いて，360度あたり8方向以上でSPECT撮像する．検出器の回転半径は200mmである．

B. SPECT画像の総合空間分解能

SPECT画像の総合空間分解能測定は散乱体の有無で測定する．散乱体なしは，^{99m}Tcを封入した直径2mm以下の点線源（散乱体ありの場合は線状線源）を3個用いて，360度あたり120方向以上でSPECT収集する．検出器の回転半径およびピクセルサイズは，それぞれ150mm±5mmと2.5mm以下である．

C. SPECT画像の総合容積感度

SPECT装置における回転軸の単位長さあたりの平均容積感度を測定する．^{99m}Tcを封入した直径20cmの円筒状ファントムを用いて，360度あたり120〜128方向でSPECT収集する．検出器の回転半径は150mm±5mmであり，収集時間は1方向あたり100キロカウント以上を計測する時間である．

上記3項目のほかに，検出器−検出器間の感度変化などが評価項目として規定されている．

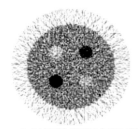
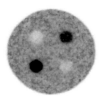

フィルタ補正逆投影法（FBP法）　　逐次近似法（OSEM法）

図12-4　同一投影データをフィルタ補正逆投影法と逐次近似法で画像再構成した画像の比較

6 核医学測定装置（PET 装置）

ポジトロン放出核種から放出される2本の消滅放射線を測定する専用の装置であり，陽電子断層撮影装置と呼称される．最近では SPECT/CT 装置と同様に，X線CT装置を結合した PET/CT 装置が普及している．PET 撮像は，ポジトロン放出核種がもつ物理的特性から SPECT 撮像に比較して感度，分解能，定量性が優れるが，いずれの核種も 511 keV の消滅放射線を放出するため SPECT 撮像のような2核種同時収集はできない．生体構成元素である炭素（^{11}C），窒素（^{13}N），酸素（^{15}O）などを用いるため生体内にある物質の代謝を純粋に測定可能であるが，超短半減期核種であるため施設内で製造する必要がある．施設内製造の場合には，医療機関内に医療用小型サイクロトロン，ホットラボ室，合成装置などの設備を用意する必要があり，かつ専門のスタッフが数多く必要になる．近年，^{18}F-FDG が販売されるようになり，サイクロトロンなどの設備を必要とせずに，腫瘍 PET 検査を中心とした PET 撮像が行えるようになってきている（☞ p. 405）．

1. 装置の概要と種類

β^+ 崩壊により核から放出された陽電子は，運動エネルギーを失うと組織中の陰電子と結合して消滅し，同時に1対（2本）の消滅放射線を放出する．1対（2本）の消滅放射線は，同時かつ反対方向（180度方向）に放出される．消滅放射線のエネルギーはエネルギー保存則により両者とも 511 keV であり，これを1対の検出器により同時計数することで信号処理を行っている．主流の PET 装置は，360度方向に数万個の小型検出器を配列し，各検出器と反対方向の複数の検出器とで同時計数することで高感度化を実現している（図12-5）．空間分解能は配列された小型シンチレータの寸法でほぼ決定されるため小型化による高分解能化が進められている．また長方形の小型シンチレータを円周上に配列するため，断層面の中心から離れるほど空間分解能が劣化する特徴を有している．

A. PET 装置

PET 装置は今日までに様々な種類の装置が作られてきた．カメラ対向型，検出器を六角配列した機種，より細かな投影データを得るためにゆすり運動（wobbling）する装置，リング型の単層，多層の装置など数多くあるが，現在では多層のリング型 PET 装置が主流である．また，SPECT 撮像も可能にするために少し厚い NaI（Tl）シンチレータを装備した対向型ガンマカメラによる SPECT/PET 兼用装置（ポジトロン CT 組み合わせ型 SPECT 装置）も販売されているが普及していない．

検出器には高エネルギーの光子に対して検出効率の高い（感度の高い）BGO シンチレータが広く用いられているが，近年では光の減衰時間の短い LSO，LYSO，GSO シンチレータが一般的になりつつあり，計数率特性の向上が図られている．

B. PET/CT 装置

^{18}F-FDG を用いた腫瘍 PET 検査を専ら行うために開発された装置であり，多層リング型 PET 装置に X 線 CT 装置が結合されている（図12-6）．SPECT/CT 装置と同様に，同一寝台で撮像するため精度の高い融合（形態画像と機能画像）画像を作成できるが，X 線 CT と比較して PET 収集時間が長いため，呼吸や体動によって位置ズレを少なくする工夫が必要である．また，X 線 CT 画像を用いて減弱（吸収）補正を行えるが，CT 値を 511 keV の線減弱係数に換算する必要があるだけでなく，高原子番号物質や水溶性ヨード造影剤によるアーチファ

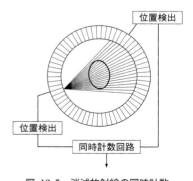

図 12-5 消滅放射線の同時計数
1個の検出器と反対側の複数検出器との間で同時計数し，投影データとする．

関連事項

PET 撮像における空間分解能の限界

β^+ 崩壊の陽電子放出核と消滅放射線の発生位置は陽電子の飛程分だけ離れている（ポジトロン飛程：最大飛程は ^{18}F で 2.4 mm，^{15}O で 8.2 mm）．また消滅放射線は厳密には 180 度から振れがあるため空間分解能には限界があり，検出器リング間距離が大きくなるほど，その影響は大きくなる．

TOF（time of flight）-PET

消滅放射線の検出器への到達時間差（TOF 情報）を測定する PET 装置である．光の減衰時間が短い LSO や LYSO シンチレータを実装した TOF-PET 装置は，個々の同時計数ごとに測定した TOF 情報から消滅放射線の放出位置を推測し，PET の実効的な感度を増加させることができる．TOF 情報を画像再構成に適用することで体格が大きい被検者ほど S/N 比が向上するが，空間分解能は向上しない．

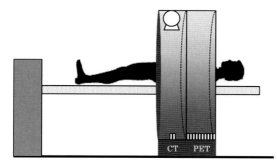

図 12-6　PET/CT 装置の構造

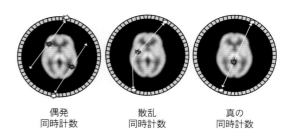

図 12-7　同時計数の種類

クトやトランケーションエラーなどに対する工夫が必要である．

C．PET/MRI 装置

MRI（magnetic resonance imaging）はX線CTと同様に解剖学的情報に富んだ画像であるが，特に脳や肝臓などの軟部組織のコントラストがX線CTよりも優れており，何よりX線による放射線被ばくがないことが大きな特徴である．PET装置の検出器に多用されている光電子増倍管は，MRI装置の高磁場中で動作できないが，光電子増倍管の代わりにアバランシェ・フォトダイオードやシリコン光電子増倍管などの半導体受光素子を用いたPET/MRI装置が実用化されている．PET/MRI装置は，PET/CT装置のように各装置を並列に配置する構造ではなく，MRI装置の傾斜磁場コイルと受信RFコイルとの間にPET検出器を配置した構造となっており，PETとMRIの同時撮像が可能である．同時撮像に加えて，ポジトロン放射性薬剤以外の放射線被ばくがないことが大きな利点であるが，MRI画像が放射線の吸収量を直接的に反映しないため減弱（吸収）補正が原理的に難しい欠点を有する．

2．原理とデータ収集法

PET装置は同時計数回路を用いるが，実際には5～10 ns（ns＝10^{-9}秒）程度の非常に短い時間内に検出された消滅放射線を「同時」と見なしてデータ収集する．このため，二次元（2D）収集と三次元（3D）収集で割合は異なるが，異なる2点でほぼ同時に発生した消滅放射線のそれぞれ一方を「同時」計数する偶発同時計数が測定される．また，1対の消滅放射線の片方または両方が体内でコンプトン散乱して，それらが同時に1対の検出器で同時計数される散乱同時計数も測定される．偶発同時計数と散乱同時計数は1対の検出器の直線上に実際の消滅放射線の放出位置が存在しないため，総同時計数からこれらを減算して真の同時計数を求める（図12-7）．真の同時計数は放射能に比例し，偶発同時計数は放射能

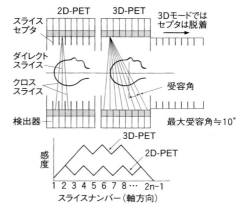

図 12-8　2D-PET および 3D-PET のリング間同時計数
nリングの装置では2n−1スライスの断層像が得られる．また3D収集ではセプタを用いないため中央部スライスの感度が高い．

の二乗に比例する．散乱同時計数は装置および被写体の大きさなどに依存する．

二次元収集では，同一リング内で同時計数して得るダイレクトスライスの断層像と，隣り合うリング間で同時計数して得るクロススライスの断層像が得られることから，n層の装置では2n−1スライスの断層像が得られる（図12-8）．ダイレクトスライスとクロススライスの感度比は，1対2である．二次元収集ではリング間にセプタ（スライスシールド）を装着して，他の層からの光子を遮断するため低感度だが散乱線成分が少なく定量性が高い．

三次元収集では，セプタを外して多層のリング間にわたる同時計数を測定するため高感度収集が可能（二次元収集の7～8倍）となる．しかし，偽りの同時計数（散乱同時計数および偶発同時計数）や計数損失が増加して定量性の劣化を生じやすく，かつ体軸方向の感度均一性も低い．一般に二次元収集よりも低い放射能で最高計数率となるため，高放射能投与には不向きな収集である．

3. 画像再構成法

二次元収集では，SPECT撮像と同様にフィルタ補正逆投影法や逐次近似法で画像再構成が行われる．三次元収集では傾斜サイノグラムを平行サイノグラムに並び変えるためSSRB（single slice rebinning）法，MSRB（multi slice rebinning）法およびFORE（Fourier rebinning）法を用いて二次元データに変換されたあと，二次元収集と同様な画像再構成が行われる．近年では，リストモード収集したデータから直接画像再構成する手法も実装されている．またPET撮像された投影データは，減弱，散乱同時計数補正の他に偶発同時計数補正が行われる．

4. 各種補正法

PET装置は数万個の小型シンチレータから構成されているため必ず検出器効率補正が行われ，定量性を重視して時間減衰補正，放射性崩壊補正および画素値を放射能に単位換算するクロスキャリブレーションなども行われる．

減弱（吸収）補正法は，X線CTまたは外部線源（^{68}Ge/^{68}Ga，^{137}Cs）にて行われる．PET撮像は同時計数で収集しているため，解析的に補正を行うことができる．

散乱同時計数補正は，①あらかじめ線線源を測定して散乱成分の応答関数を得ておき，投影データに重畳積分して減算する方法（コンボリューション），②511keVよりも低エネルギー側に設定したエネルギーウィンドウデータから散乱線成分を直接測定して減算する方法（DEW），③被写体内で1回散乱が起こると仮定したシミュレーションによる方法（SSS）などが提案されているが，SSS法が最も普及している．

偶発同時計数補正には，シングル計数率から減算する方法と遅延同時回路を用いた方法がある．

5. 性能評価

臨床検査で用いるPET装置も空間分解能と感度が重要視される基本性能であるが，PET装置は検出器の数が多いためガンマカメラと比較して経年変化が大きい．したがって，定期的に性能評価を行って性能の変動を把握することは適切な画像を診療に提供するために重要である．評価方法は，ガンマカメラと同様にJESRA，IECおよびNEMAなどで規定されている．わが国におけるPET/CT装置の性能評価項目は次の通りである．

・空間分解能
・計数率特性（散乱フラクション・計数損失・雑音等価計数）
・絶対感度
・計数損失および偶発同時計数補正の精度
・減弱・散乱補正の精度
・画像の位置合わせ精度

関連事項

リストモード収集
同時計数の事象を時系列で収集する方式であり，測定データには検出器番号（位置情報）と計測時間（時間情報）が記載されている．

入力関数
組織の生理学的機能画像（regional cerebral blood flow；rCBFなど）を算出するためには，組織中の放射能分布をSPECTやPET装置で収集するだけでなく，組織へ流入する血中の経時的放射能変化（入力関数）を測定する必要がある．入力関数は動脈採血により測定する．

7 試料測定装置

1. ウェル型シンチレーションカウンタ（ウェルカウンタ，ガンマカウンタ）

血液や尿などの試料を試験管に入れ，試料から放出されるγ線を測定する装置である．この装置は試料測定に最もよく利用されており，シンチレータは効率よくγ線を測定するために井戸型（ウェル型）の形状となっている（図12-9）．NaI（Tl）シンチレータを用いたウェル型シンチレーションカウンタが最も普及しており，シンチレータの周囲はバックグラウンドの影響を抑制するために鉛で遮へいされている．標準的なシンチレータ厚は2インチであり，シンチレータの直径は5cm程度である．1～3mLの液体をほぼ4π方向から測定できるため測定効率がよいが，高放射能の試料の場合には数え落としに注意が必要である．また大容量の試料を測定する場合には，計測されないγ線が増加するため幾何学的な構造（液量依存性）に十分注意が必要である．

多数の試料（50～500本）を自動的に測定するために，試験管を自動的に交換し測定するオートウェルシンチレーションカウンタ（オートウェルガンマカウンタ）も普及している．また複数の試料を複数のウェル型シンチレータで同時に測定するできる装置，循環血液量などを簡単に測定するプログラム化ウェル型シンチレーションカウンタ（ボルメトロン）や^{125}I-T$_3$レジン摂取率測定装置など専用の装置もある．

大試料カウンタ（アニマルカウンタ）は，採取した尿や糞便を一度に測定，または動物の臓器測定など比較的大きな試料用に作成されたガンマカウンタで，検出器にNaI（Tl）シンチレータまたは液体シンチレータを備えた試料測定器の一種類である．動物実験や高放射能測定用に調整された装置であり，付属の解析ソフトウェアも充実している．またマルチチャンネルアナライザも装備されており，複数の核種を同時に測定可能である．

2. 液体シンチレーションカウンタ

低エネルギーのβ線測定（^{3}H，^{14}C，^{35}Sなど）に用いる．トルエン，キシレンなどの溶媒に蛍光物質（PPOなど），閃光を光電子増倍管に適した波長にずらすための波長移動物質（POPOPなど）を溶かし，β線放射体を含んだ試料を混ぜて透明容器に入れて暗箱内で測定する．高感度の光電子増倍管を対向で用い，雑音消去のための同時計数回路をもつ．測定する試料には血液，尿，糞便，組織などが挙げられるが，クエンチング補正やシンチレータ作製などの必要があるためウェル型シンチレーションカウンタによるγ線測定と比較して煩雑なのが欠点である（☞ p.354）．

3. ガスフローカウンタ

密閉容器中の電極間に電離気体（PRガス，Qガスなど）を流しながら計測を行うβ線測定装置である．比例計数管が1個の2πカウンタと，2個の4πカウンタがある（☞ p.351）．

4. GM計数管式放射能測定装置

主にβ線試料を高効率に測定するための装置であるが，α線およびγ線も測定可能である．医療用では，サーベイメータ以外ほとんど用いられていない（☞ p.350）．

5. ラジオクロマトスキャナ

ペーパークロマトグラフィ，薄層クロマトグラフィで展開された試料（濾紙，薄層板など）を収集して，その放射能分布や放射能量を測定する装置である．β線にはガスフローカウンタ，γ線にはシンチレーションカウンタが用いられ，標識物質の検定などに広く行われている．

関連事項

放射化分析法
中性子・陽子・重陽子などを照射するとすべての元素が放射化されることを利用し，微量の分析を行う．放射化された試料の分析にはNaI（Tl）シンチレーション検出器のほかに，エネルギー分解能の高い半導体検出器も使われる．また，生体を照射する全身放射化分析も試みられている．

オートラジオグラフィ
あらかじめ生体内に放射性同位元素を投与し，それより得た放射性同位元素を含む試料，またはクロマトグラフィ，電気泳動などで処理された試料を写真乳剤膜に密着し，一定時間放置後現像して放射性同位元素の分布と放射能量を記録する方法をいう．肉眼的に測定するマクロオートラジオグラフィ（macro auto radiography），組織内分布などを顕微鏡的に測定するミクロオートラジオグラフィ（micro auto radiography）がある．

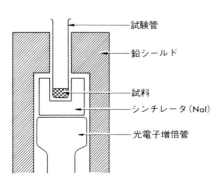

図 12-9 ウェル型シンチレーションカウンタの断面図

8 その他の測定装置

過去には甲状腺摂取率測定装置，レノグラム装置，局所脳血流測定装置，核聴診器などもあったが，いずれの装置も画像を描出することはできず，体外からの放射能測定のみを目的としている．これらの構成（図12-10）はほとんど同様であるが，使用する目的により検出器の数，表示法，コリメータなどに違いがある．現在では，ガンマカメラやSPECT装置を使用した手法が主流となっており，近年では半導体素子を検出器に用いた装置も普及し始めている．

1. ガンマプローブ

半導体検出器はエネルギー分解能が高い利点を有するが，感度が低い欠点がある．核医学分野では半導体素子を検出器に用いたガンマプローブ（術中プローブ）の普及が進んでおり，後述のセンチネルリンパ節シンチグラフィや副甲状腺の検出などに利用されている．術中プローブは片手で保持できるペン型が主流で，検出器にはCdTe，CdZnTe（テルル化亜鉛カドミウム）などの半導体素子が用いられている．プローブ先端の視野は1～1.5cm程度であり，目的部位に応じた様々なプローブが用意されている．

2. 半導体カメラ

NaI（Tl）シンチレータと光電子増倍管を光学結合した検出器は，入射放射線を一旦可視光に変えてから電気信号に変換するため検出効率の向上には限界がある．入射放射線を直接電気信号に変換できる半導体検出器は，放射線計測の分野で古くから利用されており，シリコン（Si）やゲルマニウム（Ge）半導体検出器がある（☞ p.355）．これらの半導体検出器は，入射した放射線を直接電気信号に変換するため放射線の光の損失が少なく，数eVの高いエネルギー分解能を有している一方で，液体窒素で冷却する必要があるため核医学検査での利用は難しい．

近年，常温で使用できる半導体検出器（CdTeやCdZnTe ☞ p.355）を搭載した半導体カメラと呼称される核医学測定装置（ガンマカメラ，SPECT装置，PET装置）が普及し始めている．NaI（Tl）シンチレータが約25eVのエネルギー損失で1個のシンチレーション光子を放出するのに対して，CdTeやCdZnTeでは約5eVで1対の電子と正孔を発生できるため，半導体カメラは高いエネルギー分解能を有している．この他にも，①1個の半導体素子で1画素の情報を検出するため，固有分解能が半導体素子の大きさで決定される（2～3mm），②①と同じ理由で計数率特性が良い，③位置演算が不要である，などシンチレーションカメラと比較して優れている点を有している．

実用化されているSPECT装置は，検出器にCdZnTeを用いた心臓検査用および全身用SPECT装置であり，140keVのγ線に対して5％程度のエネルギー分解能，数十Mcps以上の最高計数率を有しているが，総合空間分解能はほぼコリメータ幾何学的分解能そのもの，システム感度もコリメータの効率が支配的となっている．また，心臓検査用SPECT装置は特殊なコリメータ（フォーカスコリメータ）を用いるが，それ以外の構成はシンチレーションカメラとほぼ同じである．

シンチレーションカメラと比較して高いエネルギー分解能を有している半導体カメラは，散乱線の影響が少なく，SPECT装置の2核種同時収集にも適しているが，有効視野が半導体素子数に比例するため素子数の増加にともなって信号処理回路や素子感度の不均一性回路の規模もそれに比例して増加する．また，高エネルギーγ線の検出には不向きであり，研究開発が進められている．

3. ホールボディカウンタ（全身計測装置）

ヒューマンカウンタ（human counter）ともよばれる装置で，極微量の放射性同位元素を測定する装置である．

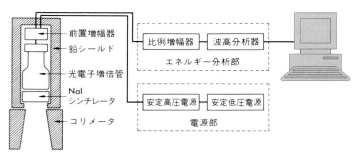

図 12-10　プローブ型シンチレーションカウンタの構成図

低（37 Bq〜37 kBq），中（3.7 kBq〜3.7 MBq），高レベル（1.85 kBq〜37 GBq）の三種類の装置があり，それぞれシンチレータの寸法が異なる．

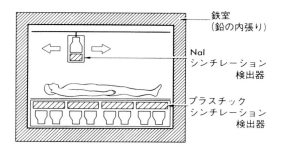

図 12-11　ホールボディカウンタ（ヒューマンカウンタ）の断面図

A．検出器

NaI（Tl）シンチレータを用いた装置または有機シンチレータ（プラスチックまたは液体シンチレータ）を用いた装置があり，これらを組み合わせた装置もある（図12-11 は某大学病院設置の装置）．

1）NaI（Tl）シンチレータ：直径3〜8インチ，厚さ3〜4インチのNaI（Tl）シンチレータを1〜4個用いて均一な感度が得られる配置にしてある．また，検出器にスリット型コリメータを付けて走査し，線走査ができるものもある．エネルギー分析が可能なので，未知核種の同定や数核種の同時測定ができる．

2）プラスチックおよび液体シンチレータ：比較的安価に大型のものが得られ，検出効率がよいので高感度である．プラスチックシンチレータを用いたものは，50×50×15 cm のものに 12.5 cm の光電子増倍管4本を対応させ，4組配列させた装置およびそれを上下に配置した装置などがある．液体シンチレータを用いたものは円筒状のタンクに液体シンチレータを満たしたもの（4π）および2πのものがある．

B．遮へい装置

天然あるいは人工のγ線による自然計数（バッググラウンド）を低減させるため，鉄や鉛などで検出器を遮へいする必要がある．高感度（低レベル）の装置では 20 cm 程度の鉄壁に 2〜3 mm の鉛で内張りした遮へい装置となっている．

C．臨床利用

ホールボディカウンタ（ヒューマンカウンタ）は原子爆弾，原子炉事故による体内被ばく量の測定などの保健物理的利用の目的で開発された．東京電力福島第一原子力発電所事故後，住民の体内に残存する放射性セシウム量の測定に使われている．

4．ドーズキャリブレータ（図 12-12）

ドーズキャリブレータは，検出器の形状はウェル型シンチレーションカウンタと同様に井戸型であり，キュリーメータや放射能測定装置と呼称される．電離箱式とプラスチックシンチレータ式に分類されるが，加圧ガス入りの電離箱式が最も普及している．電離箱内の電離電流値と放射能は比例関係にあるため，放射能の単位（Bqまたは Ci）で直読可能である．γ線などを放出する放射線源を注射筒やバイアル瓶に入れたまま電離箱の中央（ウェル）に挿入して放射能を測定する．定期的な校正を行えば数 kBq 以上の放射能を±2％程度の誤差範囲で測定でき，β線源専用の測定用の装置もある．ミルキングにおける放射能量の測定や適切な投与放射能量を決定するために必須の装置である．

> **関連事項**
> **全身計測装置（whole body counter）の臨床利用**
> 全身カリウム量測定：生体内のカリウム（^{39}K）の 0.012％は天然の ^{40}K（半減期 $1.3×10^9$ 年）が含まれており，^{40}K を測定することにより全身カリウム量を評価することができ，また間接的に筋肉量を評価することもできる．

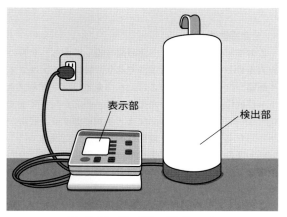

図 12-12　ドーズキャリブレータ

9 体外計測検査法

核医学検査は，目的に応じた放射性医薬品を投与して，生体内での体内分布，挙動および代謝を解析し，これら放射性医薬品の動態を決定する対象組織の生理学的定量指標（血流量，摂取率，代謝率，受容体量など）も算出することができる．

1. 摂取率測定

摂取率測定は，代謝基質などの放射性医薬品を用いて対象臓器の代謝機能の程度を評価する手法である．摂取率測定には，甲状腺摂取率測定（☞ p.392），腎摂取率測定，および SUV（☞ p.406）などがあり，全投与量に対する対象臓器の比率で計算される．

2. 動態測定法

動態測定法は，投与した放射性医薬品が血流にのって目的の臓器を通過する時間や排泄される状態を経時的に測定し，得られた時間放射能曲線から血流動態や排泄機能を診断する手法である．動態測定法には，局所脳血流測定（☞ p.390），心臓の駆出率（☞ p.395），ヘパトグラム（☞ p.399），レノグラム（☞ p.400）などがある．

一般に，撮像視野内に目的臓器が入るようにポジショニングを行い，投与と同時に収集を開始する．1 フレームあたりの収集時間を数秒〜数十秒に設定して，多数の動態画像を作成し，得られた画像に関心領域を設定して時間放射能曲線を得る．また，動態測定法における放射性医薬品の投与は，投与した放射性医薬品が血液で希釈されずに塊となって移動するボーラス投与法が行われる．

3. 全身撮像法

放射性医薬品投与後，一定時間経過してから，全身の放射能分布を画像化する手法であり，骨シンチグラフィや腫瘍シンチグラフィがこれに相当する．シングルフォトン放射性医薬品を用いた撮像では，頭部から下肢まで 10〜20 cm/分の速度でガンマカメラが移動する走査法が用いられる．ポジトロン放射性薬剤を用いた撮像では，寝台が多段階に移動して撮像を行い，得られた各寝台の画像をソフトウェア的につなぎ合わせて全身像を得ている．

このほかに，放射性同位元素取扱い者の内部被ばく検査や全身カリウム量測定など，体内に存在する微量の放射性同位元素を測定する手法もこれに相当する（☞ p.386）．

4. 2核種同時収集法

シングルフォトン放射性医薬品はポジトロン放射性薬剤と異なり，放出されるγ線のエネルギーが異なるため 2 核種同時収集法を行うことが可能である．例えば，^{201}TlCl と ^{123}I-BMIPP を投与することで，心筋血流像と心筋の脂肪酸代謝像を空間的・時間的同時に評価することができる．しかしながら，使用するガンマカメラのエネルギー分解能が有限であるため，^{201}Tl のエネルギーウィンドに ^{123}I の散乱線が，^{123}I のエネルギーウィンドには ^{201}Tl のγ線が混入する．2 核種同時収集法では両核種による相互干渉を低減するクロストーク補正が必須である．

5. 同期撮影法

同期収集には，心電図同期と呼吸同期がある．前者は心筋血流シンチグラフィや心プールシンチグラフィに用いられ，左室容積や駆出率などを算出することができる．後者は肺血流シンチグラフィや ^{18}F-FDG を用いた腫瘍 PET 検査に用いられ，呼吸位相の異なる画像を得ることができる．しかしながら，不安定な心電図や呼吸位相では測定データの信頼性が低くなるため注意が必要である．

6. 核医学データ解析

A. 画像処理

ガンマカメラ，SPECT 装置，PET 装置で得られた核医学画像は，収集系において放射性同位元素の壊変に伴うポアソン雑音が加わり，物体の形状や境界が不明瞭になる．特に X 線 CT 画像や MRI と比較して核医学画像には様々な要因により雑音や歪みが含まれるため，多種多様な画像処理が行われる．核医学画像の画像処理は，装置付属のデータ処理装置を用いて，次に示すデータ処理などを容易に行うことができる．

・平滑化，鮮鋭化フィルタ処理
・画像再構成や各種補正
・関心領域設定

関連事項

関心領域（region of interest；ROI）

画像中に設定したある特定の区域をいう．関心領域は，データ処理装置上で円形や矩形など任意に作成することができ，関心領域内の総カウント，画素数，平均値などを算出することができる．また，これら数値から放射性医薬品がどの程度集積したかを評価することにより，様々な臨床評価を行うことが可能である．

時間放射能曲線（time activity curve；TAC）

動態画像に関心領域を設定することで，横軸を経過時間，縦軸をカウント数にした時間放射能曲線を作成することができる．レノグラムや心放射図も時間放射能曲線の一種であり，カウントのバラツキを抑制するために様々な平滑化処理（最小自乗法，ガウスフィッティングなど）が施されることもしばしばある．

- サブトラクション（減算）処理
- バックグラウンド減算処理
- 輪郭抽出
- ヒストグラム
- 時間放射能曲線の作成
- 各種補正

またC言語などで作成した自作のプログラグをコンパイルすることで任意の画像処理も可能であり，無償の画像処理ソフトウェアも存在する．

B．フィルタ処理

核医学画像に行うフィルタ処理は，実空間上で処理を施す実空間フィルタと，周波数空間で処理する周波数フィルタに大別される．実空間フィルタは，さらに線形フィルタと非線形フィルタに分けられ，前者には加重移動平均フィルタや高域強調フィルタ，後者にはメディアン（中央値）フィルタやVフィルタ（エッジ保存と平滑化の両特性を兼備）などがある．SPECT画像に広く用いられる周波数空間フィルタには，Butterworthフィルタ（低域通過フィルタ）やWienerフィルタなどがあり，次に示す関数で表される（☞ p.381）．

Butterworthフィルタ　$B(f)=1/\{1+(f/fc)^{2n}\}$

Wienerフィルタ　$W(f)=M(f)/\{|M(f)|^2+Pn(f)/Ps(f)\}$

Butterworthフィルタにおけるfcは遮断周波数，nは次数であり，Wienerフィルタにおける$M(f)$はシステムの伝達関数，$Pn(f)$と$Ps(f)$は雑音と信号のパワースペクトルである．

C．画像表示

核医学画像の表示は，目的部の最高カウント（画素値）を100％で表示し，下限についてはバックグラウンドを考慮して，10％程度のカウント値を表示から除去することが多い．またX線CT画像やMRIと異なり，256階調の白黒（グレイスケール）表示だけでなく，カラー表示されることも多いが，カラー表示は僅かな集積の違いが色調によって強調される傾向にあり注意が必要である．

D．統計的機能解析

核医学画像を用いた精神疾患や神経変性疾患などの診断では，血流や代謝の変化が僅かであることが多いため，読影者の経験による正診率の相異，同一読影者での一致性，および病変の3次元的な広がりを把握することが困難である，などの問題を有する．この問題を克服する手法が統計的機能解析であり，アルツハイマー型認知症やレビー小体型認知症の診断では特徴的な画像所見を呈するため広く利用されている．統計的機能解析では，解剖学的標準化を行った後に，次に示すZスコアを全ての画素に対して計算する．

Zスコア＝（正常群の平均画素値−症例の画素値）/正常群の標準偏差

E．薬物動態解析

血流を反映して組織に分布する放射性医薬品，あるいは対象組織から洗い出される放射性医薬品の動態を経時的に測定し，関心領域内の時間放射能曲線から様々な生理的あるいは生化学的機能を定量的に評価する手法である．核医学検査では，体内に投与した放射性医薬品の挙動を追跡することで，分子レベルの機能評価が可能であるとされる．脳血流シンチグラフィや^{15}O標識ガスを用いた脳循環代謝測定に多用されている．

1）**平均通過時間**：トレーサーがある系における2点間の距離を移動する平均時間であり，領域内におけるトレーサーのおおよその存在時間の指標である．系内の平均通過時間（MTT），流量（F），およびトレーサーが拡散した容積（V）に次の関係が成り立つ．

$F=V/MTT$

平均通過時間（MTT）は時間放射能曲線の重心やArea over Height法などを用いて，流量（F）はHeight over area法やStewart-Hamilton法を用いて算出することができる．

2）**コンパートメントモデル解析**：トレーサーの動態を数学的に記述するために，トレーサーの挙動をいくつかのコンパートメントでモデル化して，コンパートメント間の転移を1次の微分方程式で記述する手法である．組織中に流入したトレーサーが化学的変化を起こさない場合には2-コンパートメントモデルが，組織内で代謝や受容体結合がある場合には3-コンパートメントモデルが用いられる．コンパートメントモデル解析を行うためには，動脈血の時間放射能曲線（入力関数）と，組織の時間放射能曲線を測定する必要がある（☞ p.388）．^{123}I-IMPを用いた局所脳血流量の測定は，入力関数（$Ca(t)$），組織の放射能濃度（$Ct(t)$），血液と組織間の移行速度定数（K1，k2）を用いた次に示す微分方程式から血流量を計算する（図12-13）．

$dCt(t)/dt=K1\times Ca(t)-k2\times Ct(t)$

3）**クリアランス法**：^{133}Xeを用いた脳血流量の測定にクリアランス法が用いられる．^{133}Xeの脳組織への取り込み率および洗い出し率は，真の血流量との間に高い直線性を持っているため，クリアランス（洗い出し）曲線の勾配から血流量を算出することができる．

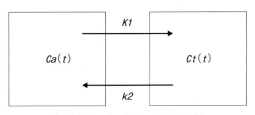

図12-13　コンパートメントモデル

10 脳神経シンチグラフィ

1. 脳血流シンチグラフィ

1) **検査理論**：脂溶性の薬剤を投与すると血液－脳関門（blood brain barrier；BBB）を通過するため，脳血流分布を画像化できる．この目的には，BBB を通過した後で脳組織にとどまる捕獲型薬剤（^{123}I-IMP，^{99m}Tc-HMPAO，^{99m}Tc-ECD）が用いられる．脳血管障害（脳虚血や脳梗塞），各種認知症，てんかんなどの診断に有効な情報を提供する（図 12-14）．

^{123}I-IMP：中性の脂溶性薬剤．投与後はまず肺に取り込まれ，その後徐々に動脈血中に流れ込み，脳へも摂取（化学的塞栓物質：初回循環で 90％以上）される．脳への集積は 20 分程度で平衡となり，その後は徐々に洗い出しがある．

^{99m}Tc-HMPAO：中性の脂溶性薬剤．BBB 通過後に水溶性となり脳内に留まる（初回循環で 70％程度）．投与時の分布が保持される特徴がある．

^{99m}Tc-ECD：中性の脂溶性薬剤．BBB 通過後に水溶性となり脳内に留まる（初回循環で 60％程度）．投与時の分布が保持される特徴がある．

2) **使用する放射性医薬品**：表 12-3 の通り．

3) **使用する装置**：SPECT 装置，平行多孔型コリメータまたはファンビーム型コリメータを使用．

4) **検査方法**：^{123}I-IMP：111 MBq 静注投与後 20～60 分は脳内にとどまるので，SPECT 装置では 20 分後から収集し，脳血流分布像を得る．投与直後からの収集することもある．投与 3 時間後の遅延像は本薬剤の分布容積を示す．

^{99m}Tc-HMPAO，^{99m}Tc-ECD：740 MBq を静注投与し，5 分後より収集する．両薬剤は脳組織からの洗い出しが少なく，再分布現象はほとんどないため，遅延像の意味は薄い．

5) **その他**：① ^{123}I-IMP では，放射性ヨウ素が甲状腺に摂取されるのを防止するために投与前日より数日間，非放射性ヨード剤による甲状腺ブロックを行う．② ^{99m}Tc-HMPAO は，使用前 24 時間以内に溶出を行ったジェネレータを使用し，溶出後 2 時間以内に標識する．また，標識後 5～30 分以内に投与する．

2. 局所脳血流量の測定

1) **検査理論**

拡散性薬剤：^{133}Xe などの不活性ガスを吸入すると肺から一部が血中に移行し，脂溶性により BBB を通過して脳組織に分布する．その後，脳血流量に応じて脳内から洗い出され，肺から呼気中に排泄されることから，脳内の消失速度（クリアランス曲線）により局所脳血流量（rCBF）が計算できる．

捕獲型薬剤：相対的な血流分布を示す定性画像の SPECT 値を，動脈採血した血中放射能濃度または体外計測による初回循環の入力関数を用いて，局所脳血流量に変換できる（定量画像）．動脈血中放射能濃度を入力関数に用いる方法としては，^{123}I-IMP による MS（microsphere）法，ARG（auto radiography）法，TLU（table look-up）法などがある．体外計測による入力関数を用いる方法としては，^{123}I-IMP による FU（fractional uptake）法，^{99m}Tc-HMPAO，^{99m}Tc-ECD によるパトラックプロット法があり，非侵襲的方法であるために多く利用されている．

2) **検査方法**

^{133}Xe によるクリアランス法：^{133}Xe ガスコントロールシステムを利用して，閉鎖回路で ^{133}Xe を数分間吸入，その後に室内空気に切り換えると脳内の ^{133}Xe が血流量に応じて洗い出される．脳循環血流測定装置または SPECT 装置による動態収集によりデータを収集し，局所のクリアランス曲線を作成する．これを Kanno-Lassen 法にて解析し，局所脳血流量を算出する．

^{123}I-IMP：^{123}I-IMP は高率に脳内に移行する一方で多少の洗い出しもある．簡便法としての種々の方法が提案

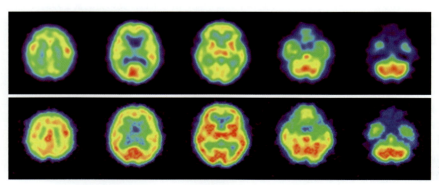

図 12-14　^{123}I-IMP による脳血流 SPECT 像
上段はアルツハイマー型認知症，下段は正常例

されているが，正確な局所脳血流量を算出するためにARG法または2-コンパートメントモデル解析（☞ p.389）が行われる．また脳組織への取り込みが良好であるため，アセタゾラミドを用いた負荷試験を行い，脳循環予備能を評価することも積極的に行われる．

^{99m}Tc-HMPAO，^{99m}Tc-ECDによるパトラックプロット法：大視野カメラで脳および大動脈弓部の投与直後から1秒ごと100秒間の時間放射能曲線を得る．大脳半球および大動脈弓部の時間放射能曲線より局所脳血流量を算出する．

3．脳神経受容体シンチグラフィ
1) 検査理論：^{123}I-IMZ（イオマゼニル）を投与するとてんかん罹患者におけるてんかん焦点の診断が可能となる．投与早期は脳血流に従い脳内に分布し，3時間後には中枢性ベンゾジアゼピン受容体への特異的結合を反映する．てんかん焦点部位は中枢性ベンゾジアゼピン受容体が少ないため集積低下として描出される．
2) 使用する放射性医薬品：表12-3の通り．
3) 使用する装置：SPECT装置，平行多孔型コリメータ，ファンビーム型コリメータを使用．

4．脳ドパミン系神経伝達シンチグラフィ
1) 検査理論：^{123}I-FP-CIT（イオフルパン）は中脳黒質線条体系におけるドパミン神経細胞の神経終末（前シナプス）に主に存在するドパミントランスポータに結合するため，シナプス前機能を評価できる．中脳黒質線条体のドパミン神経細胞の選択変性および脱落が病因と考えられているパーキンソン病，多系統萎縮症，進行性核上性麻痺などのパーキンソン症候群やレビー小体型認知症の診断を客観的に行うことが可能である．

2) 使用する放射性医薬品：表12-3の通り．
3) 使用する装置：SPECT装置，平行多孔型コリメータ，ファンビーム型コリメータを使用．

5．脳槽・脊髄腔シンチグラフィ
1) 検査理論：側脳室より分泌された脳脊髄液（cerebro spinal fluid；CSF）は，脊髄腔および脳底脳槽群を経て，矢状静脈洞，脊髄傍静脈などより吸収される．脊髄腔に薬剤を注入すると，それ以後の脳脊髄液の通過の状態（経路，速度）を観察できる．
2) 使用する放射性医薬品：表12-3の通りであるが，脊髄腔へ注入されるため，細菌，発熱物質の管理が特に肝要である．
3) 使用する機器：ガンマカメラ，SPECT装置
4) 検査方法：一般に，腰椎穿刺または大脳槽穿刺で本薬剤を脊髄腔へ注入し，経時的に撮像する．脊髄腔シンチグラフィ（RIミエロシンチグラフィ）では1時間後に撮像し，通過障害の有無などを観察する．X線ミエログラフィのように，造影剤が脊髄腔に長期間残存することがない．脳槽シンチグラフィ（システルノグラフィ）では3，6，24，48，72時間後に正面および側面より撮像して脳脊髄液の流通の速度および経路を観察する．例えば，交通性正常圧水頭症では，脳脊髄液の側脳室への逆流による側脳室描画が得られる．この検査は，①交通性水頭症，②非交通性水頭症，③正常圧水頭症，④脳脊髄液の耳鼻漏，⑤頭蓋内のう腫の髄液腔との交通の有無などの検索に行われる．
5) その他：①注入方法は，腰椎穿刺の他に直接脳室穿刺する方法もある．②脳脊髄液減少症ガイドライン2007では，この検査による本症の診断を推奨している．

表12-3 脳，脳槽・脊髄腔シンチグラフィに使用する放射性医薬品

臓器	核種	半減期	エネルギー(γ)	撮像開始時間	投与量	被ばく線量 (mGy/dose)		備考
脳	^{99m}Tc-HM PAO	6時	140 keV	10分	740 MBq	脳	5.0	脳血流分布製剤
	^{99m}Tc-ECD	6時	140 keV	10分	740 MBq	脳	3.8	脳血流分布製剤
	^{123}I-IMP	13時	159 keV	20分	111 MBq	脳	2.5	脳血流分布製剤
	^{123}I-IMZ	13時	159 keV	180分	167 MBq	脳	2.0	脳神経受容体製剤
	^{123}I-FP-CIT	13時	159 keV	180分	167 MBq	脳	0.1	ドパミン系節前機能製剤
	^{133}Xe	5.2日	81 keV	直後	555 MBq	脳	0.4	脳循環動態製剤
脳槽	^{111}In-DTPA	2.8日	171 keV，245 keV	経時的	37 MBq	脊髄索	30.0	

11 甲状腺・副甲状腺シンチグラフィ

　甲状腺シンチグラフィは，甲状腺に摂取される放射性医薬品を投与して甲状腺を画像化することが可能であるが，一般的には摂取率も同時に測定して甲状腺のヨード摂取率や甲状腺ホルモンの合成能を数値として評価する．

1. 甲状腺ヨード摂取率検査

1）検査理論

　甲状腺は血中のヨードイオン（I$^-$）を特異的に捕獲し，これを有機化して甲状腺ホルモンを合成し分泌する．食事により摂取されたヨードは短時間で一部は胃，大部分は腸管から血中に吸収され，この一部が甲状腺に摂取され残りは腎から排泄される．甲状腺に摂取されたヨードは有機化されサイログロブリンとして甲状腺内に貯蔵され，TSH の調節により甲状腺ホルモン（T$_3$，T$_4$）として血中に分泌される．この過程を観察するために放射性ヨードを投与して，甲状腺への摂取率から甲状腺機能を評価する．

2）検査方法

　使用する放射性医薬品は表 12-4 に示す．1 週間以上のヨード制限を実施した後，Na^{123}I カプセル（3.7 MBq）を経口投与し，ガンマカメラを用いて 3 時間後および 24 時間後に摂取率を測定する．低エネルギー高分解能コリメータまたはピンホールコリメータを用いて正面より拡大撮像し，測定する．

　①頸部ファントム（ORINS 型，IAEA 型）に 1 カプセルを入れて撮像し，矩形の関心領域を設定することにより投与量（S'cpm）とする．②被検者を仰臥位とし，ファントムと同条件で撮像して，甲状腺部に矩形の関心領域を設定することにより甲状腺摂取カウント（P'cpm）を得る．③それぞれの測定値にはバックグラウンドが含まれているので，補間型バックグラウンド減算法を用いて正味カウント（S, P）を計算し，次式により摂取率を得る．

　　　　甲状腺摂取率＝（P/S）×100 （％）

　正常値は，24 時間値で 10〜35％ であり，甲状腺機能亢進症では高値を，機能低下症では低値となる．

　ヨードの甲状腺への取り込みは生理的かつ特異的であり，特に低摂取率の場合や異所性甲状腺腫または甲状腺がんの転移巣検索では本剤を使用すべきである．

3）測定上の注意

　①前処置として，1 週間以上のヨード制限が不可欠であり，ヨード系造影剤，甲状腺ホルモン剤，抗甲状腺剤などを投与中は 2〜4 週以上の間隔が必要である．ヨード制限ができていれば摂取率は上昇型（3 時間値より 24 時間値が高値），不十分であれば下降型を示す．病的な場合（有機化障害）を除き下降型では診断的価値が少ない．②妊娠中および授乳中の被検者には行わないほうがよい．③甲状腺に摂取された以外の大半のヨードは腎より排泄されるので，甲状腺摂取率は腎機能にも影響をうける．④^{131}I は被ばく線量が多くなるため，甲状腺機能亢進症の ^{131}I 内用療法における投与量決定のための有効半減期算出，甲状腺がんにおける術後転移巣検索，以外は使用しない．

4）負荷試験

　a）過塩素酸カリウム，ロダンカリ負荷試験

　放射性ヨード投与 3〜24 時間後に過塩素酸カリウム，またはロダンカリ 1g を経口投与すると，その時点で有機化されていないヨードはすべて甲状腺外に放出されるため，有機化障害の診断に有用である．

　b）T$_3$ 抑制試験

　通常の摂取率測定を行った後，triiodothyronine（T$_3$）75μg/日を 1 週間投与し，改めて摂取率測定をする．前回比で 50％ 以上の摂取率の低下を有意とするが，バセドウ病やプランマー病では抑制されない．

5）その他

　①腫瘍は一般に欠損像として描画されるが，一部陽性像を示す場合もある．②甲状腺容積および重量の算出：バセドウ病の Na^{131}I 内用療法を行う場合には Allen-Goodwin の式が用いられる．

　　　甲状腺推定重量（g）＝0.323×S×〔(a+b)/2〕
　　　（S は甲状腺面積，a および b は左右両葉の長径）

2. 甲状腺 ^{99m}TcO$_4^-$ 摂取率検査

1）検査理論

　甲状腺は I$^-$ を摂取するのと同様に ^{99m}TcO$_4^-$ にも捕獲能を有する．本法ではヨード摂取率検査の 3 時間値に相当する捕獲能の評価はできるが，ホルモン合成能は評価できない．ヨード食，薬剤等の影響はあまりなく，核種の物理特性が優れることからスクリーニング検査として

関連事項

ヨード制限と甲状腺ブロック

　放射性ヨードを使用した甲状腺摂取率検査およびシンチグラフィなどにおいては食餌などのヨード制限の前処置が不可欠である．一方，甲状腺以外の臓器の検査に放射性ヨード標識化合物（^{123}I-IMP，^{131}I-MIBG，^{131}I-アドステロールなど）を使用する場合は，体内で代謝された遊離のヨードが甲状腺に集積し，甲状腺に無益な被ばくをさせる．これを防ぐ目的で，あらかじめ非放射性のヨード剤（ルゴール液，KI 錠）で甲状腺ブロック（検査前日より数日間）を行う．

12章 核医学検査技術学

表 12-4 甲状腺・副甲状腺シンチグラフィに使用する放射性医薬品

臓器	核　　種	半減期	エネルギー(γ)	撮像開始時間	投与量	被ばく線量 (mGy/dose)	備考
甲状腺	^{123}I (NaI)	13時	159 keV	180分, 1日	3.7 MBq	甲状腺 13.0	最適
	^{99m}TcO$_4^-$	6時	140 keV	30分	111 MBq	甲状腺 3.9	簡便. イオン補獲能のみ観察, 低摂取率の場合は像が悪い
副甲状腺	^{201}TlCl	73時	135, 167 keV	10分	74 MBq	甲状腺 16.3	
	^{99m}Tc-MIBI	6時	140 keV	10分, 180分	600 MBq	甲状腺 2.1	早期像と遅延像を撮像

有効である.

2) 検査方法

使用する放射性医薬品は表 12-4 に示す. ^{99m}TcO$_4^-$ を 111 MBq 静注投与し, ガンマカメラを用いて 30 分後に摂取率を測定する. 低エネルギー高分解能コリメータを用いて正面より撮像し, 測定する.

①投与前後のシリンジを頸部ファントム (ORINS 型, IAEA 型) に入れて収集し, 関心領域内のカウントの差を投与量 (S'cpm) とする. ②投与 30 分後に被検者を仰臥位とし, ファントムと同距離で撮像する. 甲状腺部に矩形の関心領域を設定することにより甲状腺摂取カウント (P'cpm) を得る. ③それぞれの測定値にはバックグラウンドが含まれているので, 補間型バックグラウンド減算法を用いて正味カウント (S, P) を計算し, 摂取率を得る. 正常値は 0.4～3.0% であり, 甲状腺機能亢進症では高値を, 機能低下症では低値となる.

3) その他

①未治療の甲状腺機能亢進症では 5% 以上の摂取率を示し, 正常群と区別できる. ②ヨード摂取率検査の 3 時間値と 24 時間値との間に良好な正相関がある. ③ヨード食, 薬剤などの影響は少なく, T$_3$ 抑制試験にも反応するので抗甲状腺剤投与中のバセドウ病の観察に優れ, 少ない被ばく線量で短時間に検査ができるという長所を有する.

3. 副甲状腺シンチグラフィ

副甲状腺シンチグラフィは 2 種類の放射性医薬品を用いることが多いが, 原発性副甲状腺機能亢進症や二次性副甲状腺機能亢進症による副甲状腺腫は ^{99m}Tc-MIBI のみで陽性描画することが可能であり, 術前検査として重視されている. 副甲状腺は通常 4 腺あり, 甲状腺の両葉上下極に位置している. 稀に胸腺や縦隔などの位置異常 (異所性副甲状腺腫) や 4 腺以上あることもある.

1) 検査原理

使用する放射性医薬品は表 12-4 に示す. ^{201}TlCl は心筋血流シンチグラフィ薬剤として知られるが, カリウムと同様な体内挙動を示すことから血流の豊富な臓器や組織に集積し, 本剤投与により過機能副甲状腺腫が描画できる. しかし, 甲状腺も合わせて描画されるため副甲状腺の腺腫の局在を診断する場合には, 甲状腺シンチグラフィを別途撮像してコンピュータ上で減算 (サブトラクション) 処理する必要がある.

2) 検査方法

^{201}TlCl/Na^{123}I 法：前処置として 1 週間以上のヨード制限が必要である. Na^{123}I カプセル (7.4 MBq) を投与して 3 時間後に甲状腺シンチグラフィと同様に撮像し, 引き続いて ^{201}TlCl (74 MBq) を投与して 5 分後から撮像をする. 得られた両画像をコンピュータ上で減算処理して腺腫の有無を診断する.

^{201}TlCl/^{99m}TcO$_4^-$ 法：^{201}TlCl (74 MBq) を投与して 5 分後から撮像をする. 引き続き ^{99m}TcO$_4^-$ (185 MBq) を投与して, 10 分後から甲状腺シンチグラフィと同様に撮像する. 得られた両画像をコンピュータ上で減算処理して腺腫の有無を診断する.

^{99m}Tc-MIBI 法：^{99m}Tc-MIBI は心筋血流製剤でもあるが, 過機能副甲状腺腫にも集積する. 本剤は受動拡散によって細胞内に取り込まれ, ミトコンドリアの膜電位に集積するためミトコンドリアの豊富な腫瘍細胞を陽性像として描出する. ^{99m}Tc-MIBI は甲状腺にも集積するが, 甲状腺に集積した ^{99m}Tc-MIBI は比較的早期に洗い出されるので, 投与約 10 分後の早期像と約 3 時間後の遅延像の比較により副甲状腺腫を診断できる.

関連事項

RI 内用療法

甲状腺機能亢進症の理想的な治療法である. また, 分化型腺がんは一般にヨード摂取を示さないが, 甲状腺全摘出術後の機能低下状態ではその 80% 以上の転移巣がヨード摂取を示すようになる. 転移巣の RI 内用療法は甲状腺のヨード摂取率や重量を考慮して Na^{131}I の投与量を決定する (☞ p.408). Na^{131}I 投与後は放射線治療病室で収容するが, 被検者から 1m 離れた距離で 30 μSv/hr 以下, 体内残留 Na^{131}I が 500 MBq 以下になれば退院することができる. ただし, 遠隔転移のない分化型甲状腺がんにおける甲状腺全摘手術後の残存甲状腺破壊 (アブレーション) 治療が目的で, Na^{131}I の投与量が 1,100 MBq 以下である場合には外来治療が可能である (☞ p.408).

12 肺シンチグラフィ

1. 検査理論

核医学における肺機能検査は，容易に肺局所の機能を知り得る利点がある．血流分布検査および換気（吸入）分布検査に分けられる．血流分布検査は，肺の毛細管より大きい放射性塞栓粒子を静注投与すると肺局所への血流量に比例して分布（微小塞栓を起こす）することによる．換気（吸入）分布検査は，放射性エアロゾル（aerosol）を吸入すると換気分布にほぼ比例して沈着することによる．また，放射性不活性ガスを静注投与すると血流分布，吸入すると換気分布を知ることができる．

2. 使用する放射性医薬品

表 12-5 の通り．

3. 使用する機器

ガンマカメラ，SPECT 装置．

4. 検査方法

1) **肺血流シンチグラフィ**：^{99m}Tc で標識した放射性の大凝集アルブミン（macroaggregated albumin；MAA）を用いる．静注投与後，一回循環で肺に微小栓塞を起こし，直後より撮像できる．肺塞栓症，肺腫などでは，血流分布の減少として陰性像（図 12-15）となる．MAA 粒子の代わりにアルブミンミクロスフェア（albumin micro sphere）を用いると，粒子の大きさが均一であるため定量的な検査が可能である．これらは重力効果を受けるために，注射時の体位に注意が必要である．

2) **肺換気（吸入）シンチグラフィ**：^{99m}Tc-ガスまたは ^{99m}Tc-エアロゾルを吸入させて実施する．^{99m}Tc-ガスは ^{99m}TcO$_4^-$ と炭素粒子を高温で標識して得られ，^{99m}Tc-エアロゾルは ^{99m}Tc-HSA などを超音波ネブライザで発生させて得られる．これらを吸入させると，正常者では換気分布に応じた均一な沈着をする．気道内に何らかの通過を妨げる部分（肺腫，気管支喘息など）があると，その部にこれらの薬剤が過剰沈着を起こすために陽性像を形成し，その末梢部分の放射能は低下する．肺血流シンチグラフィと組み合わせ，換気・血流比などを算出することにより診断価値が高まる．

3) **放射性不活性ガスによる肺機能検査**

血流分布：^{133}Xe（^{81m}Kr）注射液を1回静注後に呼吸停止した状態で撮像すると血流分布像が得られる．^{133}Xe 注射液の場合には，半減期が長いため引き続いて呼吸を始めると換気量に応じた洗い出し（wash out）像が得られる．^{133}Xe 注射液の場合には低エネルギー用高感度コリメータを用い，^{81m}Kr 注射液の場合には中エネルギー用コリメータを使用する．

換気分布：^{133}Xe（^{81m}Kr）ガスを吸入させ呼吸停止すると換気分布像が得られる．^{133}Xe 注射液の場合には，引き続き呼吸を始めると洗い出し像および洗い出し速度の情報を得られる（図 12-16）．

また，^{81m}Kr は ^{81}Rb を親核種としたジェネレータにより溶出可能である．ブドウ糖液で溶出すると注射液として，加湿した空気または酸素で溶出するとガスとして使用できるので，血流分布，換気分布，両者の画像化ができる．約2分毎にミルキングでき，かつ半減期が短いため繰り返し検査を行うことができる．また多方向からの撮像や SPECT 撮像のより情報量が増す．

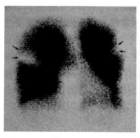

図 12-15 ^{99m}Tc-MAA による肺血流分布像
前面像：肺塞栓症により両側に楔形の血流欠損がみられる．

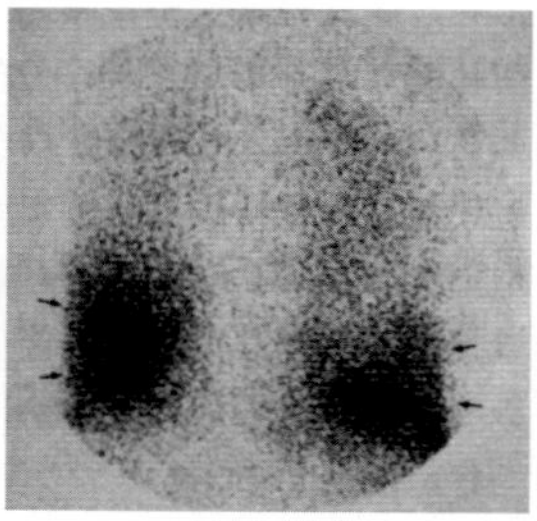

図 12-16 ^{133}Xe ガスによる肺換気機能検査
背面像：洗い出し像で，両側下肺に肺気腫による洗い出し遅れが認められる．

表 12-5 肺シンチグラフィに使用される放射性医薬品

臓器		核 種	半減期	エネルギー(γ)	撮像開始時間	投与量	被ばく線量 (mGy/dose)		備考
肺	血流	^{99m}Tc-MAA	6 時	140 keV	直後	185 MBq	肺	15	最もよく用いられる
	換気	^{99m}Tc-エアロゾル	6 時	140 keV	直後	185 MBq	肺	0.2	吸入シンチグラム
		^{99m}Tc-ガス	6 時	140 keV	直後	185 MBq	肺	0.2	吸入シンチグラム
		^{133}Xe	5.2 日	81 keV	直後	370 MBq	肺	0.9	ガス状
		^{81m}Kr	13 秒	190 keV	直後	370 MBq	肺	0.2	ジェネレータのため繰り返しできる

13 心機能・心筋シンチグラフィ

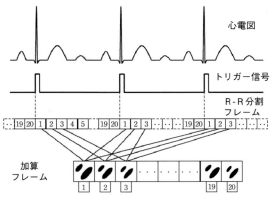

図 12-17 心拍同時心プールシンチグラフィにおける平衡時法の収集法

心臓のポンプ機能を評価する検査としての心プールシンチグラフィ，心拍（心電図）同期心プールシンチグラフィがあり，心筋の血流分布や代謝を画像化する検査として心筋シンチグラフィがある．近年では，心電図同期した心筋血流 SPECT 撮像で，心臓のポンプ機能と血流分布を同時に評価できる．心プール・心筋シンチグラフィで使用する放射性医薬品を表 12-6 に示す．

1. 心プールおよび心拍同期心プールシンチグラフィ

1) 検査理論：^{99m}Tc-RBC（赤血球），^{99m}Tc-HSA などの血管内へ留まる放射性医薬品を静注すると，心プールが血液プールとして描出される．末梢静脈より急速静注（ボーラス投与）すると，右心系→肺→左心系→大動脈と徐々に希釈されながら心大血管内腔を通過する．この状態を一定時間毎の像としてガンマカメラで収集すると，心大血管内腔の形態や血流動態を知ることができる．また，心拍同期心プールシンチグラフィにより心筋の壁運動が観察でき，心筋梗塞などにおける心臓のポンプ機能が定量的に評価できる．

2) 検査方法：心プールシンチグラフィにおける大血管系の初回循環（first pass；FP）法は，ガンマカメラを正面または斜位（右心では RAO，左心または胸部大動脈では LAO）に設置し，薬剤を肘静脈から急速静注（ボーラス投与）する．画像は 1 秒毎に 30〜60 フレーム収集して，短絡性心疾患，大動脈瘤などの循環障害や形態変化の評価を行う．

心拍同期心プールシンチグラフィは，静注 7 分後の平衡状態にて行うため平衡時法（multi gated acquisition；MUGA 法）とも呼称される．心電図の R 波をトリガー信号として，R-R 間隔を 20〜40 分割したフレームモード（300〜500 心拍収集）の収集を行う（図 12-17）．加算フレームから時間放射能曲線を作成して容積や駆出率（EF）の評価を行うことが可能である．

$$EF(\%) = \frac{拡張終期容積 - 収縮終期容積}{拡張終期容積} \times 100$$

また，平衡時に心拍（心電図）同期心プール SPECT 撮像を行い，QBS（quantitative gated blood pool SPECT）解析ソフトを用いることで，三次元的に右心室と左心室を分離して壁運動評価を行うこともできる．

3) その他：心のう貯留液は心プールと肺野の間に陰性像として，大動脈瘤は大血管が拡張した像として診断できる．また，心機能評価にはデータ処理を利用することにより位相解析など，種々の解析が利用されている．

2. 心筋血流シンチグラフィ

1) 検査理論：虚血性心疾患（心筋梗塞，狭心症など）における虚血部を陰性像として描出する．K（カリウム）イオンと同様の体内挙動を示す ^{201}TlCl や，これと類似の分布を示す ^{99m}Tc-MIBI（sestamibi）および ^{99m}Tc-テトロフォスミン（tetrofosmin）が利用される．^{201}TlCl は投与後の初回循環で心筋がもつ Na^+-K^+ ポンプにより

表 12-6 心機能・心筋シンチグラフィに使用される放射性医薬品

臓器	核種	半減期	エネルギー（γ）	撮像開始時間	投与量	被ばく線量 (mGy/dose)		備考
心	心プール	^{99m}Tc-HSA（または ^{99m}Tc-赤血球）	6 時	140 keV	5 分	740 MBq	心臓	12.8	
	心筋	^{201}TlCl	73 時	135 keV, 167 keV	5 分	74 MBq	心臓	12.8	虚血部陰性描出
		^{99m}Tc-MIBI	6 時	140 keV	60 分	740 MBq	心臓	6.8	虚血部陰性描出
		^{99m}Tc-テトロフォスミン	6 時	140 keV	60 分	740 MBq	心臓	2.9	虚血部陰性抽出
		^{123}I-BMIPP	13 時	159 keV	30 分	111 MBq	心臓	6.3	脂肪酸代謝イメージ
		^{123}I-MIBG	13 時	159 keV	30 分，180 分	111 MBq	心臓	2.0	交感神経機能イメージ
		^{99m}Tc-ピロリン酸（PYP）	6 時	140 keV	180 分	555 MBq	全身	1.8	梗塞部陽性描出

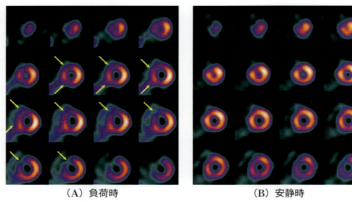

図 12-18 ^{201}TlCl による狭心症例の心筋 SPECT 短軸像（運動負荷（A）により左室の前壁・下壁に虚血が誘発されている）

冠動脈血流の 85％ が心筋細胞に移行（能動輸送）することから静注時の血流量に比例して心筋が描出され，虚血部は欠損となる．^{99m}Tc 製剤は脂溶性により心筋細胞に集積し，洗い出しが少なく心筋滞留が長い（投与時の血流分布が保持される）特徴がある．^{99m}Tc 製剤も ^{201}TlCl と同様に虚血部は欠損となる．また ^{201}TlCl および ^{99m}Tc 製剤ともに絶食で検査を行う．

2）検査方法

^{201}TlCl：投与 10 分後より SPECT 装置またはガンマカメラを用いて SPECT 撮像または正面，左前斜位，左側面方向より静態画像を撮像する．収集エネルギーウィンドは，^{201}TlCl のもつγ線（167 keV）に加えて ^{201}Hg に由来する X 線（69～80 keV）を設定する．^{201}TlCl の大きな特徴として再分布現象がある．また自転車エルゴメータやトレッドミルによる運動負荷，またはアデノシンやジピリダモールによる薬剤負荷を行った後に撮像（投与）した負荷画像（早期像）と，投与約 3 時間後の撮像した安静画像（遅延像）により虚血心筋や心筋生存能の評価ができる（図 12-18）．より精度の高い心筋生存能評価を行うために 24 時間後像を撮像することもある．SPECT 撮像したデータに対して画像再構成を行い，横断像から長軸垂直断層像，短軸断層像，長軸水平断層像を作成し診断する（図 12-19）．

^{99m}Tc 製剤：肝臓への集積が高いために投与後 30～60 分後に SPECT 撮像または正面，左前斜位，左側面方向より静態画像を撮像する．静注時の分布が長く保持されるため，負荷時と安静時の画像を個別に撮像する必要があるが，経皮的冠動脈形成術（percutaneous transluminalcoronary angioplasty；PTCA）や経皮的冠動脈インターベンション（percutaneous coronary intervention；PCI）などの治療前に本剤を投与しておき，治療後に SPECT 撮像することで治療前の血流分布を評価することも可能である（area at risk）．また ^{99m}Tc 製剤

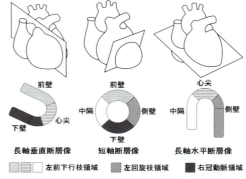

図 12-19 心筋血流および心筋代謝シンチグラフィにより得られる断層像

のもつ物理特性および ^{201}TlCl と比較して大量投与が可能であるため，^{201}TlCl よりも優れた画質を撮像することができる．SPECT 撮像したデータは ^{201}TlCl と同様に長軸垂直断層像，短軸断層像，長軸水平断層像を作成し診断する．

3）その他：①心臓の SPECT 撮像では，一般に 180 度収集が行われている．これには短時間で収集できる，画像コントラストが高いなどの利点があげられるが，不完全データを再構成するため 360 度収集と比較して画像が若干歪む欠点を有している．②画質改善の目的で，心臓専用のファンビームコリメータが利用されることもある．③ SPECT 画像および静態画像ともにサーカムファレンシャルプロファイル解析やブルズアイ（Bull's eye）解析が有用であり，負荷画像と安静画像を撮像して洗い出し（wash out）解析も広く実施されている．④ ^{99m}Tc 血流製剤における負荷時と安静時の評価は，薬剤を 2 回投与する必要があり 1 日法と 2 日法がある（2 日法は同程度の投与放射能量で行うが，1 日法では安静時と負荷時の投与量を調整する）．⑤ QGS（quantitative gated SPECT）などの心機能解析ソフトにより，心電図同期

心筋 SPECT 撮像を行うことで血流分布のみならず，左室容積，駆出率，壁肥厚の評価が可能である．心電図同期心筋 SPECT 撮像とは，MUGA 法と同様に心電図の R 波をトリガー信号として，R-R 間隔を 8〜16 分割にしたフレームモード（40〜60 心拍周期収集または 40〜60 秒/projection）の SPECT 撮像であり，心機能解析ソフトは短軸断層像から心筋の輪郭を抽出して心機能を解析するソフトウェアである．⑥ ^{99m}Tc 製剤は投与時に金属臭や金属味などの副作用を生じることがある．

3. 心筋脂肪酸代謝・交感神経シンチグラフィ

1) **検査理論**：正常心筋におけるエネルギー代謝は，安静空腹時には 75％が遊離脂肪酸の β 酸化，15％がブドウ糖，8％が乳酸による．食後および虚血時には好気的脂肪酸代謝が低下し，嫌気的ブドウ糖代謝が増加する．また，心筋は交感神経に富んだ臓器で，虚血性心疾患をはじめとする種々の心疾患をより早期に診断する目的で，^{123}I-BMIPP や ^{123}I-MIBG などによる心筋代謝シンチグラフィが行われる．

^{123}I-BMIPP：側鎖脂肪酸のため β 酸化されず心筋滞留時間が長いので，SPECT 撮像に適している．

^{123}I-MIBG：交感神経遮断剤と類似構造で，特異的摂取機構を介して交感神経終末に摂取される．

2) **検査方法**

^{123}I-BMIPP：化学的に安定しているので，甲状腺ブロックが不要である．2 時間以上の絶食を行った後に 111 MBq 投与し，30 分後から SPECT 撮像を行う（図 12-20）．心筋血流画像との離（ミスマッチ）を評価する目的で血流製剤との二核種同時収集も行われる場合もある．

^{123}I-MIBG：非放射性ヨード剤による甲状腺ブロックが必要である．111 MBq 投与して初期像として投与 15 分後から正面像および SPECT 撮像を行い，遅延像として 3 時間後に同様の撮像を行う．正面像では H/M（心筋/縦隔）比を算出し，SPECT 画像では洗い出し率を評価する．

3) **その他**

①心筋血流シンチグラフィとの二核種同時収集では，

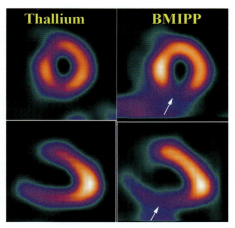

図 12-20 狭心症の血流像と脂肪酸代謝像
左の ^{201}TlCl ではほぼ正常であるが，右の ^{123}I-BMIPP 像では下壁に代謝低下（矢印）が認められる．（上段：短軸像，下段：垂直長軸像）

両核種によるクロストーク（相互干渉）補正が必要である（☞ p.388）．②ブドウ糖代謝の評価も重要であるため，PET 撮像にて検査が行われている．

4. 障害心筋シンチグラフィ

1) **検査理論**

急性心筋梗塞の発症初期（発症から 1〜3 日）において，心筋ミトコンドリア内にハイドロキシアパタイトの沈着が起こり，骨シンチグラフィ薬剤である ^{99m}Tc-ピロリン酸が集積することから梗塞部が陽性描画される．

2) **検査方法**

^{99m}Tc-ピロリン酸：骨シンチグラフィと同様で，投与 3 時間後に静態画像または SPECT 撮像（図 12-20）する．収集方法は，血流シンチグラフィと同様である．

3) **その他**

①両製剤ともに病変部を陽性描画するが，部位の同定には血流製剤との二核種同時収集が行われる．この場合にも両核種によるクロストーク（相互干渉）が問題となるため補正は必須である（☞ p.388）．② ^{99m}Tc-ピロリン酸では，陽性描画できる期間は発症後 2〜7 日である．

14 肝シンチグラフィ

肝シンチグラフィは，網内系細胞のコロイド貪食能を利用した形態的検査と，肝実質細胞のアシアロ糖蛋白受容体機能検査がある．

1. 肝シンチグラフィ

1) **検査理論**：血中のコロイド粒子は全身の網内系細胞に異物として貪食され，除去される．肝臓にある網内系細胞であるクッパー星細胞は中でも最大の除去能（正常では90%以上）をもつ．この目的に ^{99m}Tc-錫コロイドや ^{99m}Tc-フチン酸が用いられる．後者はそれ自身がコロイド粒子ではないが血中でCaイオンと結合しコロイド粒子となる．肝機能が低下すると脾臓や骨髄などにある網内系細胞が代償的に強く摂取するようになる．

2) **使用する放射性医薬品**：表12-7の通り．

3) **検査方法**：静注20分後からガンマカメラまたはSPECT装置を用いて，多方向像またはSPECT撮像を行う．多くの腫瘍は欠損像として，肝硬変などのびまん性疾患では肝の萎縮や腫大，分布の不整および脾や骨髄が描出される．限局性結節性過形成では腫瘍部が陽性像となることが知られる．

4) **その他**：① 1回の循環でほとんどが肝の網内系細胞に捕獲されることを利用して，肝の時間放射能曲線から肝血流量を算出できる．②本法は，X線CTやMRIの発達に伴い形態診断としてはあまり利用されなくなっている．

2. 肝受容体シンチグラフィ

1) **検査理論**：ヒトに限らずほ乳類の肝細胞にのみ存在するアシアロ糖蛋白受容体が，アシアロ糖蛋白を細胞内に特異的に取り込むことを原理とする．このため， ^{99m}Tc-GSA を投与すると急速に血中から除去され肝に集積することから，この集積の程度が肝臓の予備能を表すことが知られている．

2) **使用する放射性医薬品**：表12-7の通り．

3) **検査方法**：絶食後に ^{99m}Tc-GSA を 185 MBq 投与し，直後からガンマカメラを用いて20分間の動態画像を撮像し，肝予備能を定量する．その後，SPECT撮像を行い，肝内分布や機能性肝容積などを評価する．

4) **定量法**：肝予備能の定量にはコンパートメント解析もあるが，一般的には血中停滞率（HH_{15}）および肝摂取率（LHL_{15}）での評価が簡便である．

$$HH_{15} = H_{15}/H_3 \quad (正常：0.537 \pm 0.037)$$
$$LHL_{15} = L_{15}/(L_{15}+H_{15}) \quad (正常：0.914 \pm 0.017)$$

ただし，H_3 は3分における心臓のカウント，H_{15} は15分における心臓のカウント，L_{15} は15分における肝臓のカウントである（図12-21）．

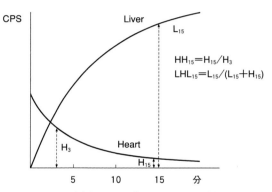

図 12-21 肝受容体シンチグラフィにおける簡易定量法

関連事項

脾シンチグラフィ

脾臓は肝臓と同様に異物貪食能をもつ網内系細胞に富んだ臓器であり，また赤血球の破壊臓器として知られる．放射性のコロイド粒子または標識障害赤血球を投与すると脾臓が描出できる．前者は肝臓と脾臓が描出され（肝・脾シンチグラフィ），後者は脾臓のみの描出ができる．後者の核種としては，^{99m}Tc または ^{51}Cr が用いられる．また，障害赤血球を評価するために被検者から採取した血液に対して熱処理（49〜50℃, 30〜40分）が行われる．

表 12-7 肝，肝・胆道，脾シンチグラフィに使用される放射性医薬品

臓器	核種	半減期	エネルギー(γ)	撮像開始時間	投与量	被ばく線量 (mGy/dose)		備考
肝	^{99m}Tc-スズコロイド	6時	140 keV	20分	111 MBq	肝臓	9.6	比較的脾の集積が高い
	^{99m}Tc-フチン酸	6時	140 keV	20分	111 MBq	肝臓	6.3	血中でコロイドとなる
	^{99m}Tc-GSA	6時	140 keV	0〜30分	185 MBq	肝臓	10.0	肝予備能の評価
肝・胆道	^{99m}Tc-PMT	6時	140 keV	0〜60分	185 MBq	胆のう	133.0	イメージングに最適
脾	^{99m}Tc-障害赤血球	6時	140 keV	20分	185 MBq	脾臓	103.6	最適
	^{99m}Tc-スズコロイド	6時	140 keV	20分	185 MBq	脾臓	2.0	肝も同時に描出される
	^{51}Cr-障害赤血球	27.7日	320 keV	60分	3.7 MBq	脾臓	70.0	3日後までは撮像できる

15 肝胆道シンチグラフィ，その他の消化器系検査

1. 肝胆道シンチグラフィ

1) **検査理論**：肝実質細胞の色素排泄能を利用して，過去には放射性の色素である ^{131}I-BSP などが放射性医薬品として用いられていたが，現在では同様に代謝される ^{99m}Tc-PMT が用いられる．経時的に撮像したシンチグラフィから胆汁うっ滞の鑑別，先天性胆道閉鎖症の鑑別，体質性黄疸の鑑別などができる．また，動態画像を収集することでヘパトグラム解析を行い，肝実質細胞機能（肝血流量，胆汁排泄率）を評価する．

2) **使用する放射性医薬品**：表 12-7 の通り．

3) **使用する機器**：ガンマカメラ．

4) **検査方法**：被検者を仰臥位とし，肝臓部を正面より撮像する．絶食後に 185 MBq の ^{99m}Tc-PMT を静注し投薬直後から 1 時間にわたりデータ収集を行う（15 秒/フレーム）．画像は 5，10，20，30，45，60 分と経時的に撮像する．胆汁排泄が遅い場合は 2～24 時間にも撮像する．

5) **ヘパトグラムの解析**：肝臓部に関心領域を設定して得られた時間放射能曲線（ヘパトグラム）から，図 12-22 のように解析する．片対数グラフのヘパトグラム（L）の下降脚を外挿して排泄曲線（P）を作成し，さらに L との差から肝摂取曲線（R）を得て，それぞれの半減時間を計算する．R から肝摂取係数 K_u（$0.693/T_{1/2}$），P から肝排泄係数 K_e（$0.693/T_{1/2}$）を求めて両機能を評価する．また，心臓の時間放射能曲線からも同様にして血中消失係数 K_d も求める．

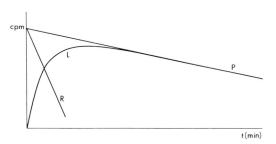

図 12-22 ヘパトグラムの解析図

2. 唾液腺シンチグラフィ

1) **検査理論**：唾液腺には耳下腺，顎下腺，舌下腺があり，その腺房細胞から唾液を産生し，分泌する．この上皮細胞は ^{99m}TcO$_4^-$ や Cl$^-$ などの陰イオンを摂取する作用があることから非侵襲的に描出できる．シェーグレン症候群やワルチン腫瘍の鑑別に有用である．

2) **使用する放射性医薬品**：^{99m}TcO$_4^-$．

3) **使用する機器**：ガンマカメラ．

4) **検査方法**：検査 1 時間前から絶食を行う．185 MBq の ^{99m}TcO$_4^-$ を静注後，正面より動態画像を収集する．形態評価のみの場合は 20 分後から正面，両側面像の撮像を行う．また，唾液の排泄機能を合わせて評価する場合はレモン汁などを負荷し，3 分後に同様に撮像する．

5) **その他**：①動態解析では，各唾液腺に関心領域を設定し時間放射能曲線を作成して解析する（シアログラム）．②腫瘍は一般に陰性像となるが，ワルチン腫瘍の場合には陽性像となる．

3. メッケル憩室シンチグラフィ

1) **検査理論**：メッケル憩室は，胎児期に存在する卵黄腸管が退化せずに憩室として残存したもので，そこから酸を分泌すると出血や腸閉塞の原因となる．^{99m}TcO$_4^-$ が胃の粘液産生細胞から摂取し，排泄されることを利用して異所性胃粘膜（メッケル憩室）の存在を描出する．

2) **使用する放射性医薬品**：^{99m}TcO$_4^-$．

3) **使用する機器**：ガンマカメラ．

4) **検査方法**：空腹時に 185 MBq の ^{99m}TcO$_4^-$ を静注後，正面から 5，10，20，30，40 分の撮像を行う．異所性胃粘膜が存在すると胃が描出される時間とほぼ同時期に陽性像として描出される．

4. 消化管出血シンチグラフィ

1) **使用する放射性医薬品**：^{99m}Tc-HSA または ^{99m}Tc-赤血球（RBC）．

2) **検査理論および方法**：^{99m}Tc-HSA または ^{99m}Tc-赤血球などの血管外に漏出しない放射線医薬品を静注後，経時的に撮像することにより間歇的な微量の出血を描出できる．0.05 mL/分以上の出血が検出できるとされるが，正確な位置同定や解剖的な位置関係の把握が難しい．撮像はガンマカメラを用いて投与後，10，20，30，60 分と行い，その後も出血が確認できるまで行う．微量の出血がある場合は，24 時間像で大腸が描出されることから判明する．

5. 蛋白漏出胃腸症の診断

1) **使用する放射性医薬品**：^{99m}Tc-HSA．

2) **検査理論および方法**：血漿蛋白であるアルブミンが胃腸管壁に異常漏出するもので，^{99m}Tc-HSA を投与して経時的に撮像することにより描出できる．撮像法は前項（消化管出血シンチグラフィ）と同様である．

16 腎シンチグラフィ

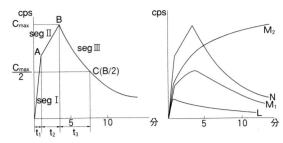

図 12-23　正常レノグラム　図 12-24　レノグラムの諸型

1) **検査理論**

核医学検査による腎機能検査は，総腎，分腎，局所腎で評価できる特徴がある．^{99m}Tc-DMSA を用いる静態シンチグラフィと ^{99m}Tc-MAG3 や ^{99m}Tc-DTPA を用いる動態シンチグラフィ（レノグラム）がある（表12-8）．^{99m}Tc-DMSA は腎皮質の尿細管で摂取され，長時間腎皮質に留まる．尿排泄が少なく，SPECT 撮像にも好適である．動態シンチグラフィは，有効腎血漿流量（effective renal plasma flow；ERPF）検査と糸球体濾過率（glomerular filtration rate；GFR）検査に大別され，使用する放射性医薬品も異なる．有効腎血漿流量検査では ^{99m}Tc-MAG3，糸球体濾過率検査では ^{99m}Tc-DTPA が使用される．前者は静注後速やかに尿細管細胞により摂取および分泌され，再吸収を受けずに尿中に排泄される．後述のレノグラム解析により有効腎血漿流量を評価できる．後者は静注後，糸球体より特異的に濾過されて尿中排泄され，一部は再循環する．本剤によるレノグラム解析により糸球体濾過率を評価できる．

2) **使用する放射性医薬品**：表12-8 の通り．
静態シンチグラフィ：^{99m}Tc-DMSA．
動態シンチグラフィ：^{99m}Tc-MAG3，^{99m}Tc-DTPA．

3) **使用する機器**：ガンマカメラ，SPECT 装置．

4) **検査方法**

a) **静態シンチグラフィ**：^{99m}Tc-DMSA を 185 MBq 静注投与し，2 時間後に背面および両斜位方向から撮像を行う．左右の摂取比から分腎機能も評価できる．SPECT 撮像を加えると情報が増すので臨床上の有用性は高い．

b) **動態シンチグラフィ**：検査前に排尿し，300 mL の水負荷（利尿）をする．腎摂取率を計算する場合は投与前後のシリンジ測定をしてその差を投与量とする．被検者を仰臥位とし，背面よりの撮像で，^{99m}Tc-MAG3 または ^{99m}Tc-DTPA を急速静注（ボーラス投与）後に 10 秒/フレームで 20 分間の収集を行う．動態画像は最初の動脈相は 10 秒毎で，その後は 1 分毎に画像化する．両腎臓部の関心領域内のカウントからバックグラウンド除去（適切な位置）を行い，時間放射能曲線（レノグラム）の解析を行う．

5) **レノグラムの解析**

a) **定性的評価**：正常のレノグラムは図12-23 のように 3 つの相に分けられる．第Ⅰ相（segⅠ）は血管相ともいわれ，腎へ供給される血液量を示す（t_1 は約 20 秒）．第Ⅱ相（segⅡ）は分泌相ともいわれ，腎血流量と尿細管機能を反映する（t_2 は 2～4 分）．第Ⅲ相（segⅢ）は排泄相ともいわれ，尿排泄機能を表すが，尿流量の影響を受ける（t_3 は 8 分以内）．レノグラムのパターンは，ほぼ 4 型に分類される（図12-24）．N 型は正常型，M1 型は機能低下型，M2 型は閉塞型，L 型は無機能型である．

b) **定量的評価**：体外測定による腎摂取率から簡易的に定量する方法が一般的に用いられる．はじめに投与前後の注射筒を測定することで正確な投与量を算出する．次に測定した両腎のカウント（1～2 分）に対して減弱補正を施し，投与量との比から腎摂取率を算出する方法で，^{99m}Tc-MAG3 および ^{99m}Tc-DTPA の両剤に適用されている．

^{99m}Tc-MAG3 は尿中以外への拡散が無視できることから血漿クリアランスを用いて定量する方法もある．これにはコンパートメントモデル解析や採血法が用いられている．

6) **その他**

①レノグラムは通常仰臥位で検査するが，座位でも実施されることがある．②尿流量が大きく関係するので，水負荷の方法など一定の方法で行うことが大切である．③腎血管性高血圧症を診断する目的でカプトプリル負荷試験が，器質的尿管狭窄や尿うっ滞を診断する目的でフロセミド負荷試験が行われる．

表 12-8　腎シンチグラフィに用いられる放射性医薬品

臓器	核　種	半減期	エネルギー(γ)	撮像開始時間	投与量	被ばく線量 (mGy/dose)		備　考
腎	^{99m}Tc-DMSA	6 時	140 keV	120 分	185 MBq	腎皮質	70.5	静態シンチグラムでは最良
	^{99m}Tc-MAG3	6 時	140 keV	直後	370 MBq	腎臓	1.0	動態シンチグラム
	^{99m}Tc-DTPA	6 時	140 keV	直後	370 MBq	腎臓	3.5	動態シンチグラム

17 骨・関節シンチグラフィ

1. 骨シンチグラフィ

1) **検査理論**：骨組織のうちの無機質の基本組成はハイドロキシアパタイト $Ca_{10}(PO_4)_6(OH)_2$ 結晶であり，これらの Ca^{2+}，PO_4^{3-}，OH^- イオンは結晶表面で容易にイオン交換される．骨シンチグラフィ薬剤のうち，放射性ストロンチウム（Sr^{2+}）は Ca^{2+} イオンと，放射性フッ素（F^-）は OH^- イオンとのイオン交換により骨に沈着するといわれる．^{99m}Tc-リン酸化合物は，骨の腫瘍，骨折，炎症性病変などに正常骨以上の強い集積（骨芽細胞機能を反映）をみる．これは血流量の増加，骨形成能の亢進などにより，病変部の骨表面に化学的吸着されると考えられている．転移性骨腫瘍では他の検査に比べて早期に診断し得て，特に有用である．その他，原発性骨腫，代謝性骨疾患，骨髄炎，骨折，副甲状腺機能亢進症，パジェット病，石灰化病変などにも集積する．

2) **使用する放射性医薬品**：表12-9の通りであるが，^{99m}Tc-HMDP，^{99m}Tc-MDP が多用されている．

3) **使用する機器**：ガンマカメラ，SPECT装置．

4) **検査方法**
^{99m}Tc-リン酸化合物：リン酸化合物として，フォスフォン酸（^{99m}Tc-HMDP，^{99m}Tc-MDP など）が多用される．静注投与3時間後より全身撮像（10～20cm/分）するが，全身SPECT撮像することで情報量が増す．
^{18}F$^-$：^{18}F-fluoride，NaF（フッ化ナトリウム）と呼称される．PET装置により1時間後に撮像する．サイクロトロンで生成する必要があるので，利用できる施設が限られる．

いずれの骨シンチグラフィ薬剤の場合も投与した約50％が尿より排泄されるため，骨盤領域の検査では検査直前の排尿が必要である．

2. 関節シンチグラフィ

1) **検査理論**：種々の放射性標識物質が活動的な炎症病変部に集積する．その理由は明らかではないが，血管壁通過性の増加に関係すると考えられる．主に多発性関節リウマチの早期診断，経過観察に用いられる．^{99m}TcO$_4^-$ が使われるが，^{99m}Tc-リン酸化合物でも関節部における骨端部の炎症像として診断できる．

2) **使用する放射性医薬品**：表12-9の通り．

3) **使用する機器**：ガンマカメラ．

4) **検査方法**
^{99m}TcO$_4^-$：静注投与30分後より撮像する．関節の炎症性病変が陽性像として示され，X線像よりも早期に診断が可能である．病巣の治癒とともに集積が低下するため，病巣の活動性の判断や治療効果判定に有効である．
^{99m}Tc-リン酸化合物：骨シンチグラフィと同様に行う．炎症のある関節の骨端部で集積が増加する．^{99m}TcO$_4^-$ に比べて，バックグラウンドが低いのが特徴である．

表 12-9 骨・関節シンチグラフィに用いられる放射線医薬品

臓器	核種	半減期	エネルギー(γ)	撮像開始時間	投与量	被ばく線量 (mGy/dose)	備考
骨	^{99m}Tc-MDP	6時	140 keV	180分	740 MBq	骨 9.2	最適
	^{99m}Tc-HMDP	6時	140 keV	180分	740 MBq	骨 10.2	
	^{18}F-NaF	110分	(β^+)	60分	370 MBq	骨 22.2	サイクロトロンが必要
関節	^{99m}TcO$_4^-$	6時	140 keV	30分	370 MBq	赤色骨髄 1.7	
	^{99m}Tc-リン酸化合物	6時	140 keV	180分	740 MBq	赤色骨髄 6.6	間接的方法だが像が良い
骨髄	^{111}InCl$_3$	2.8日	171 keV，245 keV	2日	74 MBq	肝 72.4	多用される

関連事項

骨髄シンチグラフィ
放射性の鉄または放射性のコロイド粒子を使用する方法がある．前者は骨髄造血の活性に応じて鉄が集まることを，後者は骨髄網内系細胞の異物貪食能を利用している．骨髄造血機能と骨髄網内系機能は，正常者では並行するが，罹患者では異なる場合がある．放射性鉄の使用が望ましいが，撮像に適当な放射性鉄がないため，これと類似の分布をもつ ^{111}InCl$_3$（塩化インジウム）を投与して48時間後に撮像する．

乳がん，前立腺がんの骨転移治療
乳がんおよび前立腺の骨転移による疼痛緩和のために ^{89}Sr による内用療法が行われている．最大投与量は141 MBq であり，^{89}Sr の退出基準が 200 MBq/回であるため外来治療が可能である（☞ p.408）．

去勢抵抗性前立腺がんの骨転移治療
去勢抵抗性前立腺がんとは，男性ホルモンの分泌を抑制する治療を実施しても病状が悪化する前立腺がんである．骨転移のある去勢抵抗性前立腺がんの罹患者に対して生存期間を延長するために，塩化ラジウムの α 線による内用療法が行われている（☞ p.408）．

18 副腎シンチグラフィ，RI アンギオグラフィ

1. 副腎シンチグラフィ

副腎シンチグラフィには，副腎皮質シンチグラフィと副腎髄質シンチグラフィがある．

1) **検査原理**

   副腎皮質シンチグラフィ：放射性同位元素で標識したコレステロールを投与すると副腎皮質ホルモンの前駆物質としてコレステロールと同様に副腎皮質に集積する．^{131}I-アドステロールを用いて種々の副腎疾患，特に原発性アルドステロン症，クッシング症候群などの診断に有用である．

   副腎髄質シンチグラフィ：グアニジン誘導体でノルエピネフィリンと生理的に同等な ^{123}I-MIBG を投与すると，カテコールアミン産生細胞に摂取され貯蔵されることにより副腎髄質が描画できる．心筋，唾液腺，肝，脾，膀胱などが描出されるが，正常の副腎はほとんど描出されない．褐色細胞腫，神経芽細胞腫などの診断に有効であり，陽性像として描出される．

2) **使用する放射性医薬品**：表 12-10 の通り．

3) **使用する機器**：ガンマカメラ，SPECT 装置．

4) **検査方法**

   副腎皮質シンチグラフィ：^{131}I-アドステロールを 18.5 MBq 静脈投与し，7日後に腹臥位にて後面像を撮像する．正常では右副腎が左副腎より後方に位置し，肝のバックグラウンドの影響もあってやや高濃度に描出される．原発性アルドステロン症の腺腫側診断にはデキサメサゾン抑制試験が行われる．

   副腎髄質シンチグラフィ：^{123}I-MIBG を 111 MBq 静脈投与し，投与後6時間後と24時間後に，全身像または腹臥位にて後面像を撮像する．

5) **その他**：①両剤とも放射性ヨード製剤なので非放射性のヨード剤による甲状腺ブロックが必要である．②^{131}I-アドステロールは溶剤としてエタノールが含まれるので，投与時の副作用（一過性の顔面紅潮や動悸）に注意が必要である．

2. RI アンギオグラフィ

1) **検査理論**：^{99m}Tc などの比較的大量投与が可能な核種をヨード造影剤の代わりに投与して，血流の経路，形態，速度を知る．X線検査に比べて分解能は劣るが，被検者の負担が少なく（静注のみ），ヨード過敏症や小児などでも少ない被ばくで簡便に行える．

2) **使用する機器**：ガンマカメラ．

3) **検査方法**

   動脈造影（RI アンギオグラフィ）：^{99m}Tc-赤血球（RBC），または ^{99m}Tc-HSA がよく用いられる．^{99m}Tc-RBC では，テクネ標識用ピロリン酸を静注して30分後に ^{99m}TcO$_4^-$ を静注投与すると，生体内で赤血球と標識できる．急速静注すると初期の動脈相（一定時間ごとの連続イメージ）が観察でき，5分後の平衡時には血液プール像が観察できる．動脈の走行異常（動脈瘤，蛇行，閉塞，短絡など）や，腫の性状の診断に用いられる．

   静脈造影（RI ベノグラフィ）：^{99m}Tc-MAA を末梢静脈から投与すると再循環なく造影できる．下肢では駆血して投与すると深部静脈が，駆血を解除して投与すると浅在静脈の走行がわかる．血栓症の診断に有用で，^{99m}Tc-MAA を用いているため同時に肺塞栓症の合併の有無も診断できる．また右→左短絡がなければ動脈系が描出されないため短絡の診断に利用されることもある．

   血栓シンチグラフィ：上述の方法の他，さらに特異的な陽性描出法として動脈血栓や心室内血栓の評価には ^{111}In-血小板，^{67}Ga-フィブリノーゲン，静脈血栓には ^{67}Ga（または ^{131}I）-フィブリノーゲンも用いられる．

関連事項

褐色細胞腫および神経芽細胞腫

褐色細胞腫および神経芽細胞腫は ^{123}I-MIBG を特異的に集積するため，転移巣も高率に集積する．^{123}I-MIBG を用いた副腎髄質シンチグラフィによって転移巣を確認したあと，3.7〜11.1 GBq の ^{131}I-MIBG を数回に分けて投与する内用療法が「神経内分泌腫瘍に対する ^{131}I-MIBG 内照射療法の適正使用ガイドライン」を基にして行われている．

表 12-10　副腎，血管シンチグラフィに用いられる放射性医薬品

臓器	核種	半減期	エネルギー（γ）	撮像開始時間	投与量	被ばく線量（mGy/dose）	備考
副腎	^{131}I-アドステロール	8日	364 keV	1週	18.5 MBq	副腎 791.2	副腎摂取率が高い
	^{123}I-MIBG	13時	159 keV	6時，24時	111 MBq	副腎 1.9	褐色細胞腫の特異的診断薬
血管	^{99m}Tc-赤血球	6時	140 keV	直後	740 MBq	全身 5.0	
	^{99m}Tc-HSA	6時	140 keV	直後	740 MBq	全身 3.0	多用される
	^{99m}Tc-MAA	6時	140 keV	直後	185 MBq	全身 1.0	静脈造影で有用

19 腫瘍シンチグラフィ

1. 腫瘍シンチグラフィ

1) 検査理論

各臓器のシンチグラフィにおいて，その多くは腫瘍が陰性像（space occupying lesion；SOL）として描出される．しかし腫瘍親和性放射性医薬品を使用すると陽性描出が可能となり，次の利点をもつ．①陰性描出に比べて病変の見逃しが少ない．②病変の位置と広がりが観察できる．③多くの臓器にまたがる転移部を観察できる．

放射性医薬品としては，悪性腫瘍特異性が高く，しかも集積が腫瘍/正常組織比の高いものが望ましい．多くの薬剤が検討されていたが，^{18}F-FDG の普及に伴って検査数が少なくなってきている．

2) 使用する放射性医薬品：表12-11の通り．
3) 使用する機器：ガンマカメラ，SPECT装置．
4) 検査方法

^{67}Ga-citrate（クエン酸ガリウム）：74 MBq を静注投与し，48～72 時間後に全身または SPECT 撮像する（図12-24）．種々の悪性腫瘍の診断に，多く使用されている．サルコイドーシス（sarcoidosis），悪性リンパ腫（lymphoma），結核などの炎症性病変（inflammation），悪性黒色腫（melanoma）の診断に特に優れ（頭文字を取って SLIM を呼称される），甲状腺未分化がん，肺がん，原発性肝がん，上顎がんなどの診断にも有効である．^{67}Ga は主に3つのγ線を放出するため，93 keV，185 keV および300 keV すべてのエネルギーに対して収集エネルギーウィンドを設定する．また ^{67}Ga は投与早期には尿中に，その後は消化管から排泄されるので，検査（撮像）前日に下剤投与または浣腸などの前処置が必要である．

^{201}TlCl（塩化タリウム）：74 MBq を静注投与し，10分後に全身または SPECT 撮像する．脳腫瘍，甲状腺がん，肺がん，軟部腫瘍，縦隔腫瘍および副甲状腺腫瘍の検索に用いられる（図12-25）．

5) その他：腫瘍の特異的検査法として，腫瘍細胞に対するモノクロナル抗体を標識した抗体シンチグラフィも研究されている．

2. ソマトスタチン受容体シンチグラフィ

1) 検査理論：ソマトスタチンは，視床下部，膵臓，消化管などに分布するペプチドホルモンであり，ソマトスタチン受容体を介して神経伝達物質として作用したり，膵臓におけるインスリンやグルカゴンなどのホルモン分泌を抑制したりする作用をもっている．神経内分泌腫瘍に多く発現するソマトスタチン受容体に結合する放射性医薬品を投与することで，ソマトスタチン受容体が発現している部位を陽性描出できる．

2) 使用する放射性医薬品：表12-11の通り．
3) 使用する機器：ガンマカメラ，SPECT装置．
4) 検査方法

^{111}In-pentetreotide（インジウムペンテトレオチド）：111 MBq を静注投与し，4時間後と24時間後に全身ま

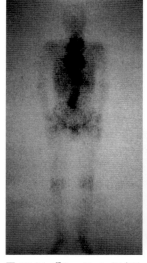

図12-24　^{67}Ga-citrate による全身像
悪性リンパ腫（頸部，胸部，腹部）に強い集積がある．

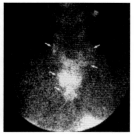

図12-25　^{201}Tl による腫瘍シンチグラフィ
^{201}TlCl による頸胸部像（甲状腺癌転移部への集積）

表12-11　腫瘍シンチグラフィに使用される放射性医薬品

臓器	核種	半減期	エネルギー(γ)	撮像開始時間	投与量	被ばく線量 (mGy/dose)	備考
腫瘍親和性核種	^{67}Ga-citrate	78時	93 keV，185 keV，300 keV	2日	74 MBq	全身　5.2	
	^{201}TlCl	73時	135 keV，167 keV	10分	74 MBq	全身　3.4	投与後10分で撮像できる
	^{99m}TcO$_4^-$	6時	140 keV	10分	740 MBq	脳　1.5	脳腫瘍など
	^{111}In-pentetreotide	2.8日	171 keV，245 keV	240分，1日	111 MBq	膵臓　6.7	

表 12-12　センチネルリンパ節シンチグラフィに使用される放射性医薬品

臓器	核　種	半減期	エネルギー(γ)	投与量	粒子径
センチネルリンパ節	^{99m}Tc-HSA	6時	140 keV	4 MBq/箇所	2～3 nm
	^{99m}Tc-HSA-D	6時	140 keV	4 MBq/箇所	4～14 nm
	^{99m}Tc-スズコロイド	6時	140 keV	40 MBq/箇所	400～5000 nm
	^{99m}Tc-フチン酸	6時	140 keV	40 MBq/箇所	200～1000 nm

たは SPECT 撮像する．^{111}In は 2 つの γ 線を放出するため，171 keV，245 keV の 2 つのエネルギーに対して収集エネルギーウィンドを設定する．カルチノイド，ガストリノーマ，インスリノーマなどの検索に用いられる．

　5）その他：神経内分泌腫瘍であってもソマトスタチン受容体を発現していない場合は検出できない．また，インスリノーマはソマトスタチン受容体の発現が他の神経内分泌腫瘍と比較して少ないため検出できない場合がある．

3．センチネルリンパ節シンチグラフィ

　1）**検査理論**：リンパ節シンチグラフィの 1 種で，近年注目されている検査である．本シンチグラフィは，領域リンパ節に転移のない症例を特定できるため，各症例に見合ったリンパ節郭清範囲の決定が可能になり，手術侵襲低減により患者の QOL（quality of life）が向上する．放射性のコロイド粒子または放射性の非コロイド粒子を皮下または皮内に投与すると，その領域内のリンパ節およびリンパ管が描出される．センチネルリンパ節とは，腫瘍から放出された腫瘍細胞が最初に流れ込むリンパ節のことであり，センチネルリンパ節シンチグラフィを術前に行うことで，がん細胞の浸潤（リンパ節転移）および適切なリンパ節郭清範囲を決定することができる．センチネルリンパ節シンチグラフィに使用する放射性医薬品は一定時間リンパ節にとどまる必要があるため，80～200 nm が適した粒子径になる．頭頸部がん，乳がん，消化器がん，悪性黒色腫などのセンチネルリンパ節診断に優れている．

　2）**使用する放射性医薬品**：表 12-12 の通り．

　3）**使用する機器**：ガンマカメラ，半導体カメラ，ガンマプローブ．

　4）**検査方法**

　乳がん，悪性黒色腫におけるセンチネルリンパ節シンチグラフィ：^{99m}Tc-HSA または ^{99m}Tc-HSA-D では，投与直後からガンマカメラを用いて動態画像を撮像する．^{99m}Tc-フチン酸（^{99m}Tc-スズコロイド）では投与 1 時間後，4 時間後，24 時間後の撮像をガンマカメラにて行う．

　5）**その他**

①放射性医薬品の投与時における疼痛を抑制するため局所麻酔剤（リドカイン製剤）を用いる．

②リンパ節に移行する放射性医薬品は極めて微量であるため十分な収集時間で撮像する．

③注射部位は放射能が高いため，鉛板などで遮へいする．

④集積部位の同定用に，放射能マーカ（点線源）を体表面に設置すると診断が容易になる．

⑤解剖学的な位置情報が必須であるため SPECT/CT 装置での撮像が有効である（☞ p.380）．

⑥術中にガンマプローブ（☞ p.386）により放射活性を有するリンパ節を同定することが可能である．

関連事項

腫瘍性描出核種

腫瘍親和性放射性医薬品のことをいう．種々の悪性腫瘍に対して ^{67}Ga-citrate，^{201}TlCl などを用いた腫瘍シンチグラフィが行われるが，この他に骨腫瘍に対しては ^{99m}Tc-リン酸化合物など（^{32}P も骨腫瘍親和性があるが β 線核種であるためシンチグラフィを得ることはできない）が使用される．また種々の悪性腫瘍に対するモノクロナル抗体を ^{111}In，^{131}I で標識した抗体シンチグラフィも検討されている．

難治性 β 細胞悪性リンパ腫

悪性リンパ腫は放射線に対する感受性が高いため，放射線による治療は有効である．悪性リンパ腫のうち B 細胞性非ホジキンリンパ腫は，免疫学的に CD20 抗原の発現が認められる．悪性リンパ腫の治療薬でもある抗 CD20 モノクロナル抗体（リツキシマブ）に ^{90}Y を標識した ^{90}Y 標識抗 CD20 抗体が保険収載され，難治性 B 細胞悪性リンパ腫の治療に大変有効である．ただし，この内用療法では，投与前に ^{111}In 標識抗 CD20 抗体を用いて全身の体内分布を画像化し，骨髄集積や肝・脾臓に著明な高集積がないことを確認する必要がある（☞ p.408）．

20 PET 検査

サイクロトロンにより生成された超短半減期ポジトロン放出核種と PET 装置を用いて撮像する検査で、サイクロトロン核医学と呼称されることもある。本検査の特徴は次の点にある。

① ^{11}C（炭素），^{13}N（窒素），^{15}O（酸素），^{18}F（フッ素）の標識化合物，^{15}O に限っては酸素（^{15}O$_2$）としてそのまま用いる。^{11}C，^{13}N，^{15}O は生体構成元素そのものであることから，知りたい物質の代謝を断層像として観察できる（生体のオートラジオグラフィ）。② PET 装置により陽電子から放出される消滅放射線を同時計測して撮像するために，感度および定量性の高い画像が得られる。③ 使用する核種が超短半減期であるために被検者の被ばく線量が少なく，^{18}F 以外の標識化合物では同日に繰り返し検査が可能である。

PET 検査を実施するためには，PET 装置のほかに医療用小型サイクロトロン，ホットラボ室，合成装置など数多くの設備の必要があるが，^{18}F-FDG については放射性医薬品販売業者から購入可能であるため PET 装置さえあれば検査を実施することができる。医療機関内で ^{18}F-FDG を合成した場合には，放射性核種純度試験，放射化学的純度試験，エンドトキシン試験，無菌試験などの品質検定を行う必要がある（☞ p.374）。また，簡便に実施する目的でジェネレータ（^{68}Ge/^{68}Ga，^{62}Zn/^{62}Cu，^{82}Sr/^{82}Rb など）から溶出した核種を標識化合物として用いる検討も進められている。

1. 腫瘍ブドウ糖代謝測定

1) **検査理論**：一般に悪性度の高い腫瘍ほどブドウ糖代謝が亢進しているため，^{18}F-FDG（^{18}F-フルオロデオキシグルコース）を用いることで良性腫瘍と悪性腫瘍の鑑別や病変の広がりなどを診断することができる。本剤は 2002 年に保険収載され，近年では本剤による腫瘍 PET 検査が飛躍的に普及している。

2) **使用する放射性薬剤**：放射性医薬品基準フルデオキシグルコース（^{18}F）注射液，または施設内で合成した ^{18}F-FDG を用いる。施設内で合成する場合には，「ポジトロン核医学利用専門委員会が成熟技術として認定した放射性薬剤の基準（2009 年改定）」や「院内製造された FDG を用いて PET 検査を行うためのガイドライン」に掲載されている ^{18}F-FDG を用いる。

3) **使用する機器**：PET 装置，PET/CT 装置，PET/MR 装置，SPECT/PET 兼用装置。

4) **検査方法**：被検者の体重や収集方法を考慮して ^{18}F-FDG の投与量を決定し，静脈投与約 1 時間後よりエミッションおよびトランスミッションスキャンを行い，全身像または局所像を撮像する。PET/CT 装置では，エミッションスキャンの直前に X 線 CT 撮影を行う。腫瘍部位およびその転移部位が陽性像として描画（図 12-26）できる。また，腫瘍への集積は ^{18}F-FDG 静注後の経過時間とともに上昇することもあるため，投与 2～3 時間後に遅延像を追加撮像することもある。

^{18}F-FDG の集積は，血糖値の影響を顕著に受けるため薬剤投与前に 4 時間以上の絶食が必要であり，投与直前に採血を行って血糖値（150 mg/dL 以下が望ましい）を測定する。また，投与後は筋肉の動きを抑制するために安静にする。

投与した ^{18}F-FDG の約 20% は尿路系から排泄されるため撮像直前の排尿が必須であり，軟部組織の集積を抑

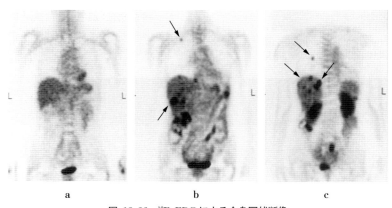

図 12-26　^{18}F-FDG による全身冠状断像
a：正常像
b, c：大腸がんの術後例で，肺内および肝内に多発性の転移が描出されている

制するために薬剤投与後の待機時間に飲水させることもある．

5) **生理的集積**：^{18}F-FDG は全身のブドウ糖代謝が亢進している部位に集積するため，腫瘍以外の臓器や正常組織にも集積する．主な生理的集積部位は，脳，口腔，口蓋扁桃，心筋，肝臓，乳腺，腸管，骨格筋などであり，小児では胸腺に，女性では月経周期により子宮内膜や卵巣にも集積する．また，両側鎖骨上窩から傍錐体領域に多く存在する褐色脂肪組織に集積することもある．

6) **保険収載された適応疾患**：PET 装置で保険収載されている疾患は，てんかん，虚血性心疾患，心サルコイドーシスおよび早期胃がんを除く全ての悪性腫瘍である．一方，PET/CT 装置では，てんかんと早期胃がんを除く全ての悪性腫瘍が保険収載されている．

7) **重ね合わせ画像**：PET/CT 装置を用いることで，ブドウ糖代謝画像と形態画像を正確に重ね合わせた画像を容易に得ることができ，診断精度や確信度が向上する（図 12-27）．MRI は組織コントラストが高いため，頭頸部や婦人科系の悪性腫瘍に PET/MR 装置が有用性である．また，乳房専用 PET 装置は造影 MRI と同程度の診断精度を有しているため，乳がん診療の有効な画像診断技術として期待されている．

8) **その他**：PET/CT 装置は PET と X 線 CT のスキャン時間が大きく異なるため，呼吸運動によって横隔膜付近で位置ズレが生じ，多様なアーチファクトを描出することがある．X 線 CT 撮影時の呼吸状態を工夫することでアーチファクトを低減できる．

^{18}F-FDG の集積度合いは，描出された腫瘍に関心領域を設定して標準摂取率（standardized uptake value；SUV）を算出し評価する．

$$\mathrm{SUV} = \frac{\text{関心領域内の PET 値 (Bq/mL)}}{\{\text{投与放射能 (Bq)}/\text{体重 (g)}\}}$$

正確な SUV を算出するためには，薬剤投与前に体重測定を行う必要がある．

腫瘍では血流，アミノ酸，核酸などの代謝が豊富であることから，^{13}N-アンモニア，^{11}C-メチオニン，^{18}F-FACBC，^{18}F-チロシン，^{18}F-チミジン，^{11}C-コリンなども研究されている．また低酸素腫瘍の研究も，^{18}F-FMISO，^{62}Cu-ATSM などを用いて行われている．

2. 脳循環代謝測定

1) **検査理論**：^{15}O で標識した CO_2, O_2, CO ガスを吸入させることにより脳の血流量，酸素摂取率，酸素消費量および血液量を測定することができ，他の画像診断では得ることのできない唯一無二の生態情報を画像化できる．^{15}O で標識した CO_2, O_2, CO ガスを用いた脳循環代謝測定は保険収載されており，脳梗塞などの脳血管障害や脳腫瘍における治療（手術適応）に役立てられている（図 12-29）．

2) **使用する放射性薬剤**：放射性同位元素の半減期が約 2 分と短いため，施設内で合成する必要がある．

3) **使用する機器**：PET 装置，PET/CT 装置．

4) **検査方法**：脳内の放射能が平衡状態に達してからエミッションスキャンを開始する steady-state 法と，ガス吸入直後よりエミッションスキャンを開始する

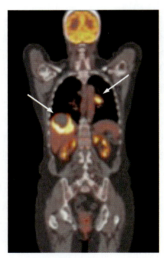

図 12-27 PET/CT 装置による重ね合わせ画像（肺がんの肝転移）

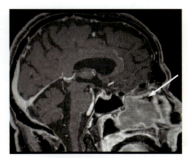 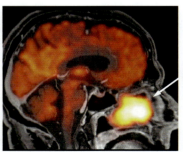

図 12-28 PET/MR 装置による MR 画像（左側）と重ね合わせ画像（右側）

12章　核医学検査技術学

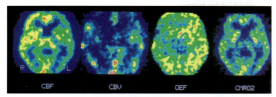

図 12-29　左内頸動脈閉塞症例の脳酸素代謝画像
脳血流（CBF）画像で左脳半球の血流低下に対し，酸素摂取率（OEF）が増加して酸素消費量（CMRO$_2$）が保たれている．

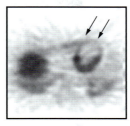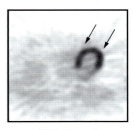

図 12-30　虚血性心疾患症例の心筋血流とブドウ糖代謝画像
心筋血流（^{13}N-NH$_3$）画像で前壁中隔の血流低下に対し，ブドウ糖代謝（^{18}F-FDG）が増加して心筋生存能が保たれている．

autoradiography 法がある．両者とも動脈血液中放射能濃度，ヘモグロビンおよび血中酸素分圧の測定が必要である．

5）その他：steady-state 法の測定値は被検者の呼吸変動に大きく影響するため，呼吸の管理が重要である．また，検査終了まで約 1 時間半必要であるため被検者に苦痛を与えない頭部の固定が重要であり，かつトランスミッションスキャンまたは減弱補正用の X 線 CT 撮影は検査終了直前にも行うほうが望ましい．X 線 CT や MR では得ることできない脳の循環代謝機能を測定できるが，^{15}O の半減期が約 2 分と短いため施設内にサイクロトロン設備が必要であり，さらに動脈採血などの検査手順が煩雑であるため，限られた施設のみでしか検査を実施していない．

3. 脳アミロイドβ沈着測定

1）検査理論：アルツハイマー型認知症は脳内にアミロイドβが沈着することを発端として発症すると考えられているため，本認知症の早期診断にアミロイドβの沈着が必要条件とされている．放射性医薬品合成設備は薬機法で承認されているが，2022 年 1 月現在保険収載はされていない．

2）使用する放射性薬剤：^{18}F-Florbetapir，^{18}F-Flutemetamol，^{18}F-Florbetaben

3）使用する機器：PET 装置，PET/CT 装置．

4）検査方法：「アミロイド PET イメージング剤合成装置の適正使用ガイドライン」を基にして，①適切な被検者に，②適切な薬剤を用いて，③適切に撮像し，④適切に読影する必要がある．^{18}F-Florbetapir は 370 MBq を静脈投与し，投与 50 後より 20 分間（または 10 分間）エミッションスキャンを行う．^{18}F-Flutemetamol は 185 MBq を静脈投与し，投与 90 後より 30 分間（または 20 分間）エミッションスキャンを行う．^{18}F-Florbetaben は 300 MBq を静脈投与し，90 分後より 20 分間エミッションスキャンを行う．また，PET/CT 装置ではエミッションスキャンの直前に X 線 CT 撮影を行う．

5）その他：アルツハイマー型認知症の被検者は脳内に薬剤が集積するが，他の認知機能障害の被検者や認知機能が正常な高齢者にも薬剤が集積することがあるため，

アルツハイマー型認知症の診断は他の関連する検査結果や臨床症状等に基にして総合的に判断する．

4. 心筋血流・代謝測定

1）検査理論：^{13}N で標識した NH$_3$ は心筋細胞内でグルタミン酸シンターゼの働きによってグルタミンに代謝される．血中クリアランスが早いため，良質な心筋血流画像を得ることができ，^{18}F-FDG と組み合わせることで，虚血部位を明瞭に画像化することができる（図 12-30）．他の検査で判断がつかない虚血性心疾患の診断を目的として保険収載されているが，^{13}N の半減期が約 10 分と短いため，^{15}O と同様に限られた施設のみでしか検査を実施できない．

2）使用する放射性薬剤：放射性同位元素の半減期が約 10 分と短いため施設内で合成する必要がある．

3）使用する機器：PET 装置，PET/CT 装置．

4）検査方法：被検者の体重や収集方法を考慮して ^{13}N-NH$_3$ の投与量を決定し，投与直後より 20 分間経時的なエミッションスキャンを行う．トランスミッションスキャンまたは減弱補正用の X 線 CT 撮影は薬剤投与前に行う．

5. 脳腫瘍アミノ酸輸送測定

脳腫瘍細胞はアミノ酸代謝が亢進している．^{18}F-Fluciclovine はアミノ酸輸送体を介して細胞内に取り込まれる集積機序を持つため，静注 10 分後以降に 10 分間エミッションスキャンを行うことで，脳腫瘍のアミノ酸代謝を測定することができる．初発の悪性神経膠腫が疑われる被検者に対して有効であり，MRI を用いた腫瘍摘出範囲決定の補助に用いられる．

6. その他

この他にも種々の臓器で PET 装置を用いた研究が進められており，近年では遺伝子発現，創薬や薬効評価などの分子イメージング研究に大いに利用されている．

21 放射性同位元素（RI）内用療法

放射性同位元素内用療法，RI 内用療法あるいは内照射療法，核医学治療ともよばれる．一般的な放射線治療は，放射線を外から病変部に照射する外照射なのに対し，RI 内用療法は投与した RI による内部被ばくを利用した治療法である．β 線あるいは α 線を放出する RI を大量に投与し，その放射線障害作用により治す．

1940 年原子炉が開発され放射性ヨウ素が産生さるようになると，放射性ヨウ素が甲状腺に特異的に集まることが確かめられすぐ治療に応用された．それ以来現在に至るもなお ^{131}I は甲状腺疾患の治療に欠かせない．また ^{131}I 以外の治療用 RI も開発され，^{89}Sr（ストロンチウム），^{90}Y（イットリウム），^{223}Ra（ラジウム），^{177}Lu（ルテチウム）も使用されるようになった（表 12-13）．

RI 内用療法では強い放射線障害作用を有する RI を大量に投与するため，公衆および患者家族・病院職員の安全性に配慮し，場合によっては放射線治療病室に入院しなければならない．放射線管理が特に重要となるが，その担当者は診療放射線技師で，患者・患者の家族，病院職員への説明とともに患者の生活，患者の使用物の取扱い，排泄物の処理などにも習熟しなければならない．

1. バセドウ病の ^{131}I 治療

甲状腺機能亢進症を呈するバセドウ病の治療には，薬物療法，手術（外科的治療）と ^{131}I による RI 内用療法の 3 つが行われ，それぞれに一長一短がある．わが国では薬物療法が主だが，米国ではまず ^{131}I 治療がされる．

^{131}I 治療は ^{131}I を含むカプセルを経口投与するだけの簡単な治療である（図 12-31）．^{131}I の甲状腺への取り込み（甲状腺 ^{131}I 摂取率）をより高くするために，治療 7～10 日前から治療後 3 日間ヨウ素制限が必要となる．

^{131}I による甲状腺の吸収線量は以下の式で求められる．

甲状腺吸収線量＝
定数×^{131}I 投与量×甲状腺摂取率×有効半減期/甲状腺重量

甲状腺 ^{131}I 摂取率は 392 頁に書かれている方法で求められるが，健常人の基準値 10～35％（24 時間値）に比し，^{131}I 治療を行うバセドウ病患者では 60％以上の高値を示す．^{131}I の有効半減期は 7 日程度である．上記式から分かるように，甲状腺重量の多い患者つまり甲状腺の腫大した患者では，より多い ^{131}I 投与量が必要となる．

治療にあたっては甲状腺吸収線量として 60 Gy 以上必要であるが，その正確な計算は難しい．実際には 185 MBq（5 mCi）～370 MBq（10 mCi）程度の投与量のことが多く，外来治療可能である．

2. 甲状腺癌の ^{131}I 治療

分化型甲状腺癌は一般的に手術により予後は良好である．しかし稀に肺，骨などに遠隔転移することがあり，転移部に ^{131}I が集積する患者では ^{131}I 治療の良い適応となる（図 12-32）．3.7 GBq（100 mCi）以上投与することが多く，次に述べる放射線治療病室への数日間の入院が必要となる．

遠隔転移のない分化型甲状腺癌で甲状腺全摘出術後の残存甲状腺癌破壊治療（アブレーションという）の場合，^{131}I 1,110 MBq（30 mCi）投与まで外来治療できる．

3. 退出基準

ICRP の勧告を踏まえ，放射線管理区域から患者を退出させる基準（以下「退出基準」という）が策定され，公衆および患者の家族（介護者）の被ばくに係る安全性を担保している．また放射線治療病室からの退出にあたっては，退出時の日時，測定した線量などを記録し，2 年間保存しなければならない．放射線治療病室の設置・運営には多額の費用を要するため，わが国では放射線治療病室の絶対数が不足しており，外来あるいは一般病棟で使用できる RI 治療薬の開発が望まれる．

公衆については 1 年間につき 1 mSv，介護者については患者・介護者双方に便益があることから 1 件あたり 5 mSv として退出基準（投与量または体内残留放射能量 MBq）が決められた（表 12-14）．この数量以上の RI を服用した患者は，公衆の安全を守るため放射線治療病室に入院しなければならない．^{89}Sr，^{90}Y，^{223}Ra は外来治療可能である．

4. ^{90}Y 標識抗体による悪性リンパ腫治療

B 細胞悪性リンパ腫は CD20 抗原陽性である．CD20 抗原に対する抗体（リツキサン）は，投与されると体内で CD20 抗原と結合し，悪性リンパ腫治療に効果を発揮する（☞ p.56）．^{90}Y で標識した抗 CD20 抗体もまた

表 12-13　治療に用いる RI と病気

	物理的半減期	放射線	エネルギー(MeV)	ガンマ線(MeV)	飛程（平均 mm）	対象となる主な病気
^{131}I	8 日	β, γ	0.6	0.364	0.8	バセドウ病・甲状腺癌
^{89}Sr	50 日	β	1.5	—	2.4	骨転移による疼痛緩和
^{90}Y	64 時間	β	2.3	—	5.3	悪性リンパ腫
^{177}Lu	6.6 日	β, γ	0.5	0.208	0.23	ソマトスタチン受容体陽性の神経内分泌腫瘍
^{223}Ra	11 日	α, γ	5.7	0.269	<0.01	骨転移のある去勢抵抗性前立腺癌

表 12-14　RI 内用療法の退出基準

核種	基準放射線量（MBq）
^{131}I*	500　　*
^{131}I*	1,110　　**　甲状腺癌アブレーション治療
^{90}Y	1,184
^{89}Sr	200
^{223}Ra	12.1

*あるいは患者の体表面から 1 m の点における 1 cm 線量当量率が 30 μSv/時以下
**甲状腺は全摘出されており，服用した ^{131}I は甲状腺にほとんど集積せず体内から速やかに排泄される．

CD20 抗原と結合し，治療効果を発揮する．ただ ^{90}Y は純 β 線放出核種なので画像化できない．そこで治療 1 週間前に ^{111}In で標識した同じ抗 CD20 抗体を投与してその体内分布を撮影し，治療効果，副作用発現の有無を前もって検査する．

5. 多発性骨転移を有する患者の ^{89}Sr，^{223}Ra 治療

前立腺癌，乳癌などでは骨転移を有する患者が多く，末期に耐え難い疼痛をきたす．骨シンチグラフィ陽性の骨転移部位には ^{89}Sr あるいは ^{223}Ra も集積することを利用して，^{89}Sr あるいは ^{89}Sr による RI 内用療法が行われる．Sr，Ra は Ca と同じアルカリ土類金属に分類され，よく似た体内挙動を示す．^{89}Sr は骨転移による疾痛の緩和を目的としたものである．

前立腺癌は男性ホルモンによって増えるので，抗男性ホルモン剤によるホルモン療法がよく効く（☞ p.51 関連事項　ホルモンと癌）．しかし，ホルモン療法の効果が徐々に無くなり，腫瘍が増殖してきた場合を「去勢抵抗性前立腺癌」という．去勢抵抗性前立腺癌では，患者の 80％は骨転移をきたし，その予後も良くない．そのような骨転移を有する去勢抵抗性前立腺癌に対する ^{223}Ra 治療（商品名ゾーフィゴ）は，患者の生命予後を改善するとして注目されている．^{223}Ra　3.3 MBq（体重 60 kg）を 4 週間間隔で最大 6 回まで静脈内投与する．^{223}Ra は骨転移巣に取りこまれ，近接する腫瘍細胞に DNA 二重切断などを誘発し，抗腫瘍効果をもたらす．

^{223}Ra の放出する α 線は，飛程が短く，高 LET 作用を示すことから，高い治療効果を示す．外来治療できる．

6. ソマトスタチン受容体陽性の神経内分泌腫瘍に対する ^{177}Lu 治療（☞ p.42）

膵臓あるいは消化管などから発生する神経内分泌腫瘍は，原発巣が小さく，手術により軽快することが多い．しかし，肝臓や肺に転移することがあり，その場合には予後は悪い．^{111}In ソマトストチン誘導体シンチグラフィ（商品名オクトレオスキャン）で腫瘍が陽性を示した手術不能例あるいは多発性転移例を対象に，^{177}Lu ソマトストチン誘導体（商品名ルタテラ）7.4 GBq 投与して治療する．腎臓への被ばくを低減するために，^{177}Lu 製剤投与 30 分前にアミノ酸製剤を投与する．この治療を 8 週間間隔で最大 4 回繰り返す．^{111}In ソマトストチン誘導体シンチグラフィにおいて腫瘍に取りこみがなく陰性の患者は，この治療の対象とならない．

図 12-31　バセドウ病に対する ^{131}I 治療
甲状腺 ^{123}I シンチグラム

甲状腺機能亢進症を呈した患者の甲状腺 ^{123}I シンチグラムでは，甲状腺ヨウ素摂取率 83％（24 時間値．健常人では 10～35％）と非常な高値を示す．外来において ^{131}I　370 MBq 入りのカプセルを経口投与して治療された．腫大していた甲状腺は ^{131}I 治療 2 カ月後には縮小した．

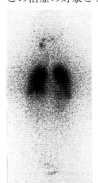 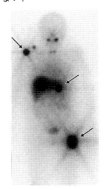

図 12-32　^{131}I 全身シンチグラム
左：甲状腺癌肺転移　　右：多発性骨転移．
甲状腺癌転移部に ^{131}I の強い集積があり，いずれの症例も ^{131}I 治療の良い適応である．

関連事項

セラノスティクス（Theranostics）
セラノスティクスは治療（Therapy）と診断（Dignostics）を融合した造語．イメージングを利用して患者個々の病態を正確にとらえ，患者に最も適切な治療を行って無駄な医療を省き，最も効果的な治療を的確に進める．甲状腺の診断には副作用の少ない ^{123}I を，治療には β 線を放出する ^{131}I を大量に投与する RI 内用療法が行われてきた．

神経内分泌腫瘍の他，褐色細胞腫では ^{123}I-MIBG と ^{131}I-MIBG が，前立腺癌では ^{68}Ga-PSMA と ^{177}Lu-PSMA が有効である．

いずれも画像診断には γ 線放出核種を，治療には β 線あるいは α 線放出核種を使用する．

13章 放射線治療技術学

- 霜村康平, 矢野慎輔 (1, 5-16)
- 渡邊祐司, 矢野慎輔 (2-4, 20)
- 渡邊祐司, 河村 正 (17)
- 安井啓祐, 河村 正 (18)
- 秋田和彦, 河村 正 (19)

　放射線治療の理想は, 腫瘍細胞のみに放射線を照射し, 正常細胞には放射線を照射しないことである. 実際には, ある程度のマージンを見込んでプランニング・ターゲット・ボリューム (planning target volume; PTV) が設定される. 近年の技術向上により, IMRT, IGRT などが臨床に導入され腫瘍に線量を集中して照射できる技術が確立された. 放射線治療を理解するには, この章以外の放射線物理学・放射線計測学・放射線生物学・機器工学など, 多くの知識・技術を必要とする.

　国家試験の出題基準として現行の教育および医療水準を踏まえて平成26年9月に新たに基準改定された. この内容は平成32年から適応されるものの, 平成24年版の基準を基本としつつも新出題基準も参考とされている. 新たに追加された項目として

- 定位放射線照射・水吸収線量の擾乱補正係数・重粒子線の吸収線量計測法と線量計算・密封小線源の線量計算アルゴリズム・画像誘導小線源治療・高線量率密封小線源治療・低線量率密封小線源治療・緩和的照射 (緊急照射含む) などが追加された.

同時にこれまでの出題基準から削除されているもの, 整理統合されているものもあり現行の内容に推移していることがうかがえる.

　基本的な項目では, 基礎的には, 次の項目に分類される.
- 放射線治療機器と治療に必要なその他の装置・器具 (リニアック・サイクロトロン・シンクロトロン・マルチリーフコリメータ・高線量率RALS・治療計画装置など)
- 吸収線量の評価に関すること (水吸収線量の標準計測法12・出力線量測定・PDD・TPR・出力係数・MU計算・線量計算アルゴリズム・線量評価点・DVHなど)
- 放射線治療の概念・総論に関すること (腫瘍と放射線感受性・正常組織の耐容線量・放射線治療可能比・時間的線量配分・分割照射法・根治照射・緩和照射など)
- 実際の放射線治療と照射法に関すること (各臓器腫瘍の放射線治療・有害事象・直列臓器・並列臓器など)

また, 最近では次のような項目が出題されるようになっている.
- 高精度放射線治療に関すること (定位放射線照射・強度変調放射線治療・画像誘導放射線治療・画像誘導小線源治療と臨床例など)
- 重粒子線・陽子線治療に関すること (医療用シンクロトロンによる陽子線・炭素イオン線による治療, 拡大ブラッグピークなど)
- 放射線治療のQAに関すること (線量・エネルギー・平坦度・線量計算に必要な各係数の管理)

　上記の項目について, 別々に学習するだけでなく, これらの項目についての互いの関連性を注目しながら学習する必要がある. 出題傾向にも, これらの関連性について問う問題がみられる.

1 診療放射線技師の役割と義務

1. 医療倫理

放射線治療に携わる診療放射線技師の目的は，放射線を患者に照射してがんを治療することにある．人体への放射線の照射が法的に正当化されるのは医師，医師に指示された診療放射線技師に限定されている．

1) 医師に指示された正確な線量を患者に投与する．
2) 医師に指示された位置・範囲に，正確に（再現性良く）放射線を照射する．

上記の二項目が最低限度の役割である．そのためには，放射線の吸収線量を正確に測定するための放射線計測学，ファントム内または患者体内での線量・線量分布計算に関する技術，実際に放射線治療を行うための治療装置の特性および性能管理に関することなど多くの技術を習得していなければならない．

もちろん，このほかにも放射線治療に関する医学的な知識，放射線生物学，治療関連機器に対する機器工学など多くの知識・技術を必要とする．

次に，放射線治療に携わる診療放射線技師の義務について考えてみよう．

1) われわれの役割を忠実に行う義務
2) 医療現場で働く医療人としての守秘義務（特に，病名の患者本人への告知などの問題に注意）
3) 放射線施設の安全性の確保（RI等規制法，医療法などの関係法令）についての義務
4) 放射線治療関連機器の品質管理を行う義務

などである．これらの義務を遂行するために必要な基礎的な知識・技術について，学ばなければならない．

2. チーム医療

放射線治療は，定位照射などの特別な治療法を除くと，10回から35回の分割照射を行うことになる．したがって，治療期間は2週間から2ヵ月にもなることがあり，患者の理解と協力がなければ治療を遂行することができない．治療を行う医師・技師・看護師などのスタッフは，治療中の個々の患者を観察し，何か問題があれば，それを察知して，少しでも解決できるように連携し，チーム医療を行う必要がある．

治療中の患者は，毎日あるいは週に一度の放射線治療医の診察を受けるが，患者に毎日接するのは，技師・看護師である．治療中の患者の変化をいち早く察知し，患者が本音を話しやすい環境を作り上げていくことが大切である．

治療に携わるスタッフは，情報共有を密に行い，でき

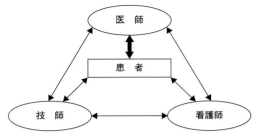

図 13-1 放射線治療におけるスタッフの連携
（スタッフ間の連絡が重要）

るだけ同じメンバーが望ましい．またローテーションをする場合でも申し送りをしっかり行い，ローテーション間隔は長いほうが望ましい．

3. 放射線安全管理

危険な放射線を安全なレベルで取り扱って管理することが，技師の役割であり，義務である．

A. 放射線施設・医療スタッフに対する安全管理

RI等規制法・医療法・労働安全衛生基本法などの法律による放射線施設の安全性の確保とその業務に携わる者および一般大衆に対する安全性の確保が目的である（詳しくは，14章医療安全管理学を参照）．

B. 患者（ここでは，放射線治療を受ける患者）に対するリスクマネージメントとよばれる安全管理

患者に危害を与えるような事故を想定してその事故を回避するために行う安全管理である．

想定される事故の例を示す．

1) 治療台からの患者の転落
2) シャドートレイからの鉛ブロックの落下
3) ガントリ回転による患者とガントリ本体の接触
4) 投与線量計算ミスによる過照射
5) 線量計算コンピュータへのデータ入力ミスによる過照射

このほかにも多くのリスクファクターが想定できる．このような様々なリスクに対して，それを回避できるような方法を常に考えておく必要がある．思いがけない出来事「インシデント」に対し適切な処理が行われないとアクシデントにつながる可能性がある．再発防止，情報の把握・分析のための報告書をインシデントレポートという．インシデントレポートは個人を責めたり，責任を負わせるためのものではない．

医療事故防止の具体的手法としてSHELLモデル（S: Software, H: Hardware, E: Environment, L: Liveware）があり，当事者を中心として周辺の取り巻く環境，要素を解析することで治療全般のシステムデザインを見直す手法である．事故防止の方法としてPDCAサイクル（P: Plan, D: Do, C: Check, A: Act）によって，継続的な対策と質の向上を図る手法がある．

2 放射線治療学総論

1. 悪性腫瘍の治療法

現在その有効性が確立されている悪性腫瘍の治療法としては，手術療法，抗がん剤による化学療法，放射線療法の3つがある．

手術療法は腫瘍を生体から離断して，残った個体を救うことを目的としている．完全に腫瘍を切除できれば，その治癒率は高いが，切除による形態的，機能的欠損があり，あくまでも局所療法である．

抗がん剤による化学療法は，腫瘍細胞に有害な薬剤を原則として全身投与する（血管造影のカテーテルを使用して腫瘍に選択的に投与することもある）．腫瘍細胞は体内のどこにあっても薬剤によって障害されるのでその作用範囲は最も広い．しかし腫瘍細胞も元来人の細胞から生じたもので，正常細胞との間の薬剤感受性の差が少なく，大量に与えれば正常組織への障害が強くなる．したがって，白血病などの一部の腫瘍を除くと化学療法のみの根治は難しい．

放射線療法は両者の中間の性質をもっており，照射範囲をある程度に限定しなければ全身障害が大きく，局所的療法である点は手術療法に類似している．しかし，その作用において，腫瘍と正常組織の感受性の差を利用している点では，化学療法に類似している．

わが国では急速な高齢化が進んでおり，平均寿命の高齢化による癌好発年齢層の増加が癌発生率を高めているといわれている．放射線療法は手術不可症例，高齢によ

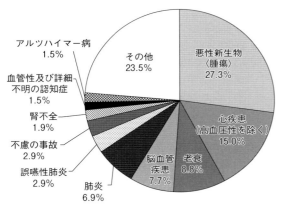

図 13-2 がんの統計：死因の構成割合

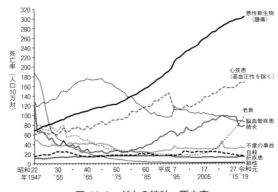

図 13-3 がんの統計：死亡率

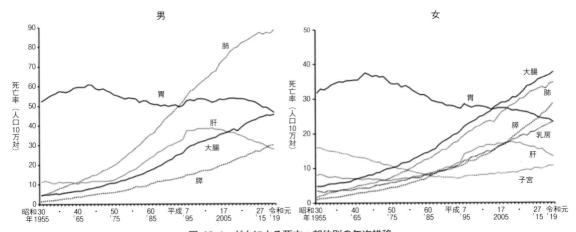

図 13-4 がんによる死亡：部位別の年次推移

注1）大腸の悪性新生物〈腫瘍〉は，結腸の悪性新生物〈腫瘍〉と直腸S状結腸移行部及び直腸の悪性新生物〈腫瘍〉を示す．ただし，昭和42年までは直腸肛門部の悪性新生物を含む．
2）平成6年以前の子宮の悪性新生物〈腫瘍〉は胎盤を含む．
3）子宮の悪性新生物〈腫瘍〉の死亡率については，女性人口10万に対する率である．

(2019年厚生労働省人口動態統計より)

る手術適応なしの限局性腫瘍の症例においても比較的浸潤が低いため適応が可能であり今後注目されている．

放射線療法の利点は，組織または器官を形態的，機能的に温存しながら，悪性腫瘍を治療できる点にある．

例えば，喉頭がんの放射線治療，乳がんの温存術後の乳房温存治療などがそうである．

もちろん，この3つの療法は，それぞれに特徴があり腫瘍の種類や進展度，患者の全身状態，治療後の患者のQOLなどを考慮して，いずれかを選択し，または組み合わせて使用される．これらを組み合わせた放射線化学療法も効果を発揮している．

また，最近では免疫療法，遺伝子治療，分子標的治療などの研究が進められている．

2. がんの統計（図13-2, 13-3, 13-4）

厚生労働省が発表2019年度の統計指標では，死因の第1位は悪性新生物，第2位は心疾患，第3位は老衰，第4位は脳血管疾患，第5位は肺炎であった（図13-2, 13-3）．死者の3.6人に1人が「がん」が原因で死亡，また老衰の死亡率が前年とくらべ急上昇し脳血管障害を抜いて3位になった（図13-3）．がんの死亡数は，男性で肺がんが第1位，女性では大腸がんが第1位，男女合計で第1位は肺がん，第2位は大腸がんであった（図13-4）．減少傾向を示したのは胃がんと肝がん，増加傾向を示したのは肺がん・大腸がん・膵がんであった．5年相対生存率とは，「がん」と診断されて治療でどのくらい生命を長らえるかを示す指標であり，皮膚がん・乳がん（女性）・子宮がん・前立腺がん・甲状腺がんで高い．

3. 線量効果関係と治療比

線量と腫瘍細胞消失率，正常組織の傷害および治癒率の関係を模式的に示すと，図13-5のようになる．すなわち，しきい値以下の低線量域では全く効果がみられず，線量の増加とともに治癒率が高くなるが，あまり大量になるとかえって治癒率が低下する．前節で述べたように腫瘍の治癒には，腫瘍細胞に対する放射線の破壊作用だけでなく，間質細胞による免疫反応や修復過程が重要で過線量になると正常組織の傷害が強く，かえって治癒率

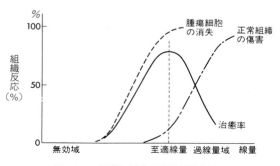

図 13-5　腫瘍に対する線量効果曲線

が低下するものと考えられる．このように放射線治療には，腫瘍の種類，進展度など多くの因子によって決まる至適線量がある．

放射線治療は，腫瘍に対する選択的障害を目的としているが，正常組織への作用も無視できない．したがって腫瘍を治癒させることができるかどうかは，腫瘍の放射線感受性のみで決まるものではなく，次式の治療比によって定まる．

$$治療比 = \frac{正常組織の耐容線量}{腫瘍致死線量}$$

　　　治療比 >1 の場合　　治療可能
　　　治療比 <1 の場合　　治療不能

正常組織の耐容線量とは，局所的な障害はもちろん，全身的なそれも含み，例えば広範に照射するほど耐容量は低下する．治療比は，次に述べるような腫瘍や宿主の生物学的要因に支配されるが，その他に線量分布や時間因子などの技術的な因子によっても変化し，治療比をいかに良くするかが，治療技術に課された使命である．

4. 腫瘍因子

「がん」の名称は混乱を来しやすいが，一般的にひらがなの「がん」は悪性腫瘍全体を示すときに用いられ，漢字の「癌」は上皮細胞から発生する「がん」に限定するときに用いられ，「癌腫」と表記すれば上皮性がんを意味する．

「がん」は血液がんと固形がんに大別され，血液がんは血液をつくる臓器である骨髄やリンパ節から発生する「がん」で塊を作らず血液や骨髄に広がる．白血病，悪性リンパ腫，多発性骨髄腫などである．

固形がんは上皮性がん（癌腫）と非上皮性がん（肉腫）に分類され，上皮性がんは扁平上皮・腺上皮・移行上皮などの上皮構成細胞から発生する「がん」で「癌腫」といい，通常は発生臓器名＋がん（癌）と表記する．胃がん，乳がん，肺がん，大腸がんなどである．非上皮性がんは骨や筋肉や結合織などの非上皮性細胞から生じる「がん」で「肉腫」といい，通常は発生母地や構成成分によって骨肉腫・軟骨肉腫・平滑筋肉腫・脂肪肉腫・線維肉腫・血管肉腫などと呼ばれる．

治癒可能性に関係する因子の中で腫瘍自体の性質によるものは次の通りである．

A. 腫瘍の放射線感受性

腫瘍の放射線感受性は，組織型および分化度によって大きく異なる．がんの病理組織型では一般的に扁平上皮癌は腺癌よりも放射線感受性が高く，非上皮性がん（肉腫）は上皮性がん（癌腫）よりも放射線抵抗性（放射線感受性が低い）である．「がん」の組織型は発生母地の組織に由来するので，扁平上皮・腺上皮・移行上皮の分布に従ってそれぞれ扁平上皮癌・腺癌・移行上皮癌が発生

する．扁平上皮は頭部側から足側にむかって皮膚，口腔から食道，子宮頸部・腟，肛門から皮膚に分布し，腺上皮は主に腹部消化管・臓器に分布し，唾液腺や甲状腺や乳腺などのように＿＿＿腺と命名されている組織に存在する．移行上皮は腎盂—尿管—膀胱の尿路系に分布する．肺は上皮が混在していて腺癌・扁平上皮癌・小細胞癌・大細胞癌の順に発生頻度が高い．

臨床的に各組織から発生するがんの放射線感受性は，精上皮腫＞悪性リンパ腫＞未分化がん＞扁平上皮がん＞分化型腺がん＞骨肉腫＞黒色腫の順で，骨肉腫や黒色腫では放射線による根治は困難である．上記の順位にみられるように，正常組織としての放射線感受性の高い生殖腺や造血組織，リンパ系から発生した悪性腫瘍は放射線感受性が高く，感受性の低い骨，筋，結合織などから発生した腫瘍は放射線感受性が低い．また，同じ上皮性悪性腫瘍であるがんについてみると，分化度の低いものほど感受性が高い傾向がある（☞ p.83）．未分化がんは一般的に放射線感受性が高いといわれているが，例外的に甲状腺の未分化がんは放射線抵抗性である．

B．腫瘍の発育形式

腫瘍の局所的な発育形式には，限局性に表在性腫瘍を作るもの，周囲組織内に深く浸潤し潰瘍を形成するものおよび中間型がある．舌や喉頭などのがんでは，限局型は治癒率が高いが，浸潤型，潰瘍型では治癒したかにみえても再発をきたすことが多く，予後が不良である．

C．進展度：TNM分類と病期分類

放射線治療は局所療法であり，照射範囲が広いほど正常組織の耐容量が低下するので，腫瘍の解剖学的な広がり，すなわち進展度が大きいほど治療が困難になる．進展度を表すには，原発腫瘍の大きさ（T），所属リンパ節への転移の状態（N），および遠隔転移の有無（M）を組み合わせた TNM 分類が使用され，またこれを基本として各腫瘍において病期（stage）分類が行われる（表 13-2）．TNM 分類の内容は各腫瘍の種類によって異なり，例えば舌がんについての TNM 分類および病期分類は表

表 13-1　舌がんの進展度分類（UICC, 2002）

〔TNM分類〕
T：原発腫瘍
　T1：最大径 2 cm 以下
　T2：2 cm 以上 4 cm 以下
　T3：最大径 4 cm 以上
　T4：隣接臓器への進展
N：所属リンパ節
　N0：リンパ節をふれない
　N1：単発同側 3 cm までのリンパ節
　N2：単発，多発，両側の 3〜6 cm 以下のリンパ節
　N3：6 cm を超えるリンパ節
M：遠隔転移
　M0：遠隔転移なし
　M1：遠隔転移あり

〔病期分類〕
第Ⅰ期：	T1	N0	M0
第Ⅱ期：	T2	N0	M0
第Ⅲ期：	T3	N0	M0
	T1〜T3	N1	M0
第Ⅳ期：	T4	N0〜N3	M0
	T1〜T3	N2, N3	M0
			M1

13-1 の通りで，病期によって，治癒率には大きな差がある．注意すべきなのは，TNM 分類が適応されない腫瘍があることである．悪性脳腫瘍（膠芽腫），縦隔腫瘍，白血病・多発性骨髄腫・悪性リンパ腫などの血液リンパ疾患などでは TNM 分類は用いられない．

TNM 分類には 6 つの原則がある（表 13-3）．TNM 分類には，①組織学的な確証が必須，②治療前臨床的分類（cTNM）と術後病理組織学的分類（pTNM）の 2 種類ある．cTNM は治療前に得られた肉眼的所見や画像診断に基づいた分類で，pTNM は治療前に得られた情報に基礎をおくものであるが手術後の病理組織学的所見によりに補足修正を加えた分類である．③病期分類の決定は T・N・M が決定されてそれに基づいて病期に分類，④迷った場合は低い分類を選択する（T2 か T3 か迷う場合は T2 とする），⑤同時性多発癌の場合は最も進展度の高い病巣を選択，⑥病期分類と TNM 分類には亜分類がある（T1b，N2a，stageIA など）．

表 13-2　TNM 分類

T（tumor）：原発腫瘍の局所の広がり
　・TX　　原発腫瘍の評価が不可能
　・T0　　原発腫瘍を認めない
　・Tis　　上皮内癌
　・T1〜T4　腫瘍の大きさ・浸潤の程度で臓器毎
N（node）：所属リンパ節転移の有無と広がり
　・NX　　所属リンパ節の評価が不可能
　・N0　　所属リンパ節に転移なし
　・N1〜N3　所属リンパ節転移あり　臓器毎に分類
M（metastasis）：遠隔転移の有無
　・MX　　遠隔転移の評価が不可能
　・M0　　遠隔転移なし
　・M1　　遠隔転移あり

表 13-3　TNM 分類の 6 つの原則

1. 組織学的な確証が必須．確証がない症例は区別して記録する．
2. 2 通りの分類
　a）臨床分類（治療前臨床的分類）cTNM
　b）病理学的分類（術後病理組織学的分類）pTNM
3. 病期分類の決定：T，N，M，が決定され，それに基づき病期に分ける．
　TNM 分類と病期分類はいったん決定されると変更してはならない．
4. 迷ったら低い分類を選択：T2 or T3?　→　T2，T2a or T2b?　→　T2a
5. 同時性多発癌の場合は，最も進展度の高い病巣を選択
6. 病期分類・T，N，M，には亜分類がある

T（tumor）分類は原発腫瘍の局所の広がりの項目で，管腔臓器（食道，胃，大腸，膀胱など）の場合には臓器の壁への浸潤の深さにより区分されている（表13-2）．実質臓器（肝臓，肺，乳腺，前立腺など）の場合には腫瘍の大きさや部位・広がりにより区分されている．TXとは原発腫瘍の評価が不可能な場合，T0とは原発腫瘍を認めない場合，Tisとは上皮内癌（早期がんの状態）の場合，T1-4は上記の分類となる．

N（node）分類は所属リンパ節転移の有無と広がりの項目で，NXとは所属リンパ節転移の評価が不可能な場合，N0とは所属リンパ節に転移がない場合，N1-3は所属リンパ節転移があり，リンパ節の所属群によって決定される．

M（metastasis）分類は遠隔転移の有無の項目で，MXとは遠隔転移の評価が不可能な場合，M0とは遠隔転移のない場合，M1とは遠隔転移あり．M分類には2以上は無い．

病期分類はステージ（stage）分類と呼ばれ，T・N・Mによって決定される．肺癌，前立腺癌，舌癌，胃癌などのがんの種類ごとに規定されている．通常はⅠ～Ⅳ期の4つに分類されるが，注意すべきは0期の存在があること．Tisの場合にはN0M0であり病期（stage）0期である．また通常T1N0M0はⅠ期で，M1があれば必ずⅣ期である．Ⅱ期とⅢ期は癌の種類によってさまざまで，亜分類は大文字のA, Bで表記する．

4. 宿主因子（腫瘍の発育環境）

A. 局所的条件

1) **腫瘍の発生部位**：同じ扁平上皮がんである舌がん，子宮頸がんと食道がんを比較すると，放射線による治癒率は前二者では高く，後者では低い．一般に筋肉や結合組織の豊富な部位に発生した腫瘍は治療成績が良好で，間質反応および修復機転が起こりやすいためと考えられる．一方，食道にはその構造上，周囲組織に浸潤しがんが進行しやすい性質がある．それは食道の最外層である外膜が，胃や小腸などの漿膜と異なり薄い疎性結合織なのでがんが容易に外膜を越えて浸潤するからである．また胃がんなどで放射線治療が成功しにくいのは，周囲に肝，膵，脾，腎，小腸など放射線耐容線量の小さい臓器が存在し，腫瘍致死に必要な線量投与が困難なためである．このように腫瘍の発生部位は治癒可能性に大きく影響し，適応の決定に際して重要である．

2) **血液循環**：放射線の生物作用は酸素濃度に依存するので，壊死巣や瘢痕に生じた腫瘍は放射線に対する感受性が低い．また術後照射は，手術による血行障害が残っている場合が多く，放射線効果の面からは不利である．

3) **再発腫瘍**：照射野内に再発した腫瘍を再び放射線によって根治させることは困難な場合が多い．初回照射

表13-4 患者の全身状態
（ECOGのPS:Performance Status）

PS score	定　義
0	全く問題なく活動できる．発病前と同じ日常生活が制限無く行える．
1	肉体的に激しい活動は制限されるが，歩行可能で軽作業や座っての作業は行うことができる．
2	歩行可能で自分の身の回りのことはすべて可能だが作業はできない．日中の50％以上はベッド外で過ごす．
3	限られた身の回りのことしかできない．日中の50％以上をベッドか椅子で過ごす．
4	全く動けない．自分の身の回りのことは全くできない．完全にベッドか椅子で過ごす．

を生きのびた耐性細胞出現も考えられるが，一般に照射後の組織には線維化，毛細血管障害による血行障害と耐容量低下がみられるので，これらの状態が再発腫瘍の難治性の原因となる．したがって，放射線によって腫瘍を根治させるには一度のチャンスしかなく，計画された照射は，万難を排して完遂する必要がある．

B. 全身的条件

間質反応や照射後の修復には，全身的な栄養状態や免疫機能が重要であり，栄養状態不良，感染の合併などがあると治療効果はよくない．また酸素効果の面から，貧血があると十分な酸素が供給されず，放射線の作用が阻害される．治療中には，全身状態の管理が重要である．治療の適応を決定する際に患者の全身状態の指標（表13-4）を考慮に入れる．

5. 放射線治療の種類と対象疾患

腫瘍の放射線感受性（表13-5），進展度，部位などを考慮して，放射線治療・手術療法・化学療法などの治療法の選択を行う．放射線治療を行うのであれば，根治照射・準根治照射を行うのか緩和照射を行うのかによって照射法・照射野や総線量・分割線量が異なる．

A. 根治的放射線治療

放射線治療は白血病や皮膚悪性リンパ腫での全身照射を除き原則的に局所治療法である．根治的放射線治療は，放射線抵抗性ではないかつ局所に限局した「がん」が対象となる．この治療法には放射線治療単独で実施する場合と化学療法を併用する場合がある．

1) **放射線治療単独**

放射線治療を単独で根治照射に用いる疾患は，限局した早期がんが適応である．早期の頭頸部がん・食道がん・肺がん・子宮頸がんが対象で，良好な治療成績を得ている．また，低リスク前立腺がんや一部の低悪性度リンパ腫も対象となる（表13-6）．

早期がんであれば手術も選択肢に挙がるが，手術を行うと大きな侵襲や機能喪失を伴うため，機能温存の観点

表 13-5 腫瘍の放射線感受性

	放射線感受性の高い腫瘍	highly radiosensitive tumor
高↑	精上皮腫	pure seminoma
	Wilms 腫瘍	Wilms tumor
	未分化胚腫瘍	dysgerminoma
	悪性リンパ腫	Hodgkin's disease histrocytic lymphoma lymphocytic lymphoma
放射線感受性	未分化がん	anaplastic carcinoma
	髄芽腫	medulloblastoma
	松果体部胚芽腫	germinoma
	放射線感受性の中程度な腫瘍	tumor of limited sensitivity
	扁平上皮がん	squamous cell carcinoma
	基底細胞がん	basal cell carcinoma
	一部の腺がん	adenocarcinoma
	放射線抵抗性腫瘍	radioresistant tumor
	腺がん	adenocarcinoma
	線維肉腫	fibrosarcoma
	骨肉腫	osteosarcoma
低	悪性黒色腫	malignant melanoma

から放射線治療単独に優位性がある．

2) **化学療法併用放射線治療**

放射線治療単独では制御が困難ながんで，局所で進行しているがんが対象で，遠隔転移の可能性の高いがんが対象となる．局所進行している頭頸部がん・食道がん・肺がん・膵がん・子宮頸がん・肛門がんなどである（表13-7）．病理組織型としては扁平上皮がんが多く，抗がん剤としてシスプラチンが併用されることが多い．また肺がんの中では小細胞肺癌では積極的に化学療法を併用し加速多分割照射を行う．脳腫瘍の中では脳胚細胞腫や髄芽腫などでは化学療法の併用により放射線の総線量を減少させることができる．

化学療法併用の目的は，化学療法により①放射線治療の効果を増強できる，②微小な遠隔転移の抑制である．化学療法を併用する時期は，一般的に同時併用する同時化学放射線療法（CCRT：concurrent chemoradiotherapy）が高い局所制御効果を得られる．しかし周囲の正常組織への障害が強くなり，また患者の負担が高くなり治療に対するコンプライアンス（許容度）の低下をきたし，治療を完遂できなくなることがある．

一方で，根治放射線治療の対象外となるのは放射線抵抗性の「がん」や遠隔転移を有している場合である．

B．**放射線治療と手術の併用**

手術と放射線治療を併用するのは，手術単独では治癒切除が不確実ながんの場合である．手術と併用する時期によって，術前照射・術中照射・術後照射に分類される．

1) **術前照射**（表 13-8）

術前照射の目的はがん病巣および周囲組織に浸潤している腫瘍細胞の量を減少させることである．これにより，①手術時切除断端のがん細胞陰性化を得られやすくなる，②切除不能あるいは切除可能かどうか境界にある腫瘍を切除可能にする，③手術中の操作による腫瘍細胞の散布を防止し遠隔転移を制御することができると考えられている．術前照射として放射線治療単独だけでなく，化学放射線療法としても実施される．

適応となる「がん」は，肺尖部肺がん（パンコースト腫瘍），食道がん，膵がん，直腸がんなどに施行される．

2) **術中照射**

手術で腫瘍部を露出し，電子線で直接に腫瘍部位に照射する治療法である．膵がんが代表的な適応疾患で，胃がんのリンパ節転移に対しても行われた．元来は，外部照射の場合には小腸が照射範囲に含まれ有害事象のリスクが高くなるが，術中照射では小腸を照射野の外によけて患部に直接電子線を照射できるのが特徴である．しかし，現在ではほとんど行われなくなった．

3) **術後照射**（表 13-9）

手術で切除しきれずに癌組織が残存していたり，断端が腫瘍細胞陽性であった場合や領域内の再発を予防する目的で放射線治療が追加される．これを術後照射という．

表 13-6 放射線治療単独による根治的放射線治療の適応疾患

根治的放射線治療：放射線単独
1. 限局した早期がん：頭頸部がん，食道がん，肺がん，子宮頸がん
2. 低リスク前立腺がん
3. 低悪性度悪性リンパ腫

表 13-7 化学療法併用による根治的放射線治療の適応疾患

根治的放射線治療：化学療法併用の目的と適応疾患
目的：①放射線治療の効果増強　②微小転移の抑制
適応：局所進行型の扁平上皮がん，小細胞癌，悪性リンパ腫など
1. 頭頸部がん
2. 肺がん
3. 食道がん
4. 膵がん
5. 子宮頸がん
6. 肛門がん
7. 髄芽腫・脳胚細胞腫

表 13-8 手術と放射線治療の併用：術前照射

術前照射の目的と適応疾患
作用：がん病巣および周囲組織へ浸潤しているがん細胞量の減少
目的：①手術時切除断端のがん細胞陰性化を得られやすくする
②切除不能・切除境界病変を切除可能にする
③術中操作によるがん細胞散布を防止し遠隔転移を制御する
適応：1. 肺尖部肺がん（パンコースト腫瘍）
2. 食道がん
3. 膵がん
4. 直腸がん

表 13-9 手術と放射線治療の併用：術後照射

術後照射の目的と適応疾患
目的：① 手術で切除しきれずに残存したがん細胞の制御
　　　② 切除断端が陽性のがんの制御
　　　③ 領域内の再発を予防
適応：1. 乳がんの乳房温存術後の全乳房照射
　　　2. 頭頸部がん
　　　3. 食道がん
　　　4. 肺がん
　　　5. 髄芽腫
　　　6. 膠芽腫

代表的なのは，乳がんの乳房温存手術を行った場合で，進行度に関わらず，術後に術側の全乳房照射を行う．頭頸部がん・肺がん・食道がんなどでも施行される．脳腫瘍の中の膠芽腫では腫瘍をできるだけ切除後に化学放射線治療を行うが，再発率も高く腫瘍制御が困難な腫瘍である．髄芽腫では術後すみやかに放射線治療を行う．

C. 緩和照射（表 13-10）

がん本体や遠隔転移によって引き起こされる症状や苦痛を緩和することを目的に行う放射線治療で，がんの根治は目指さない．対症的放射線照射とも呼ばれ，がんやその遠隔転移が原因となる疼痛・気道閉塞・食道閉塞・上大静脈症候群・骨転移による麻痺・多発脳転移による神経症状・がんからの出血などが適応である．

この中で緊急に照射を必要とする逼迫した状況は，骨転移による脊髄圧迫・上大静脈症候群・気道閉塞・脳転移による脳ヘルニアや出血などである．

表 13-10 緩和照射と緊急照射の適応

緩和照射の適応
　1. がんによる疼痛
　2. 骨転移による疼痛・麻痺
　3. 気道閉塞
　4. 食道閉塞
　5. 上大静脈症候群
　6. 多発脳転移
　7. 腫瘍出血
緊急照射
　1. 骨転移による脊髄圧迫
　2. 上大静脈症候群
　3. 気道閉塞
　4. 脳転移による脳ヘルニア・出血

D. 予防照射（表 13-11）

手術や抗がん剤などの治療で制御されたがんが再発や転移のリスクを有する場合に，再発・転移の予防を目的に行う放射線治療である．限局型小細胞肺がんの治療後に脳転移を予防する目的で全脳予防照射が行われる．また，小児白血病でも全脳予防照射がかつて行われたが現在ではほとんど行われていない．領域リンパ節の予防照射では，乳がんの乳房温存術後にリンパ節がわずかに転移陽性であった場合にその領域である腋窩リンパ節領域だけでなく隣接する鎖骨上リンパ節領域も含めた照射が行われる．

E. 放射線治療が通常適応のない腫瘍

1）放射線感受性が低く，手術可能な腫瘍：骨肉腫，筋肉肉腫，線維肉腫などの分化型肉腫や黒色腫などで，手術による治癒率も低い．現在では重粒子線治療が保険適応として認められている．

2）放射線治療が，ほとんど価値のない腫瘍：胃，腸など腹部消化管のがん，腎がん，肝や肺への転移．最近では腎がん，転移性肺がん，転移性肝がんが体幹部定位放射線治療の保険適応として認められている．

6. 治療効果判定（表 13-12）

固形がんの治療効果の判定は RECISTv1.1 に基づいて，奏効率を用いて判定する．

表 13-11 予防照射の部位と適応

予防照射の部位と適応
　1. 全脳照射：限局型小細胞肺がん，小児白血病
　2. 領域リンパ節：乳がん

表 13-12 奏効率（効果判定基準）

奏効率（%）＝（CR＋PR）/全症例数×100	
CR（Complete Response）	すべての病変の100%縮小（消失）が4週間以上持続
PR（Partial Response）	病変の50%縮小が4週間以上持続
SD（Stable Disease）	病変の縮小率が30%未満，または20%以内の増加で二次的病変が増悪せず，新規病変の出現のない状態が4週間以上持続
PD（Progressive Disease）	最も縮小した時点から25%以上の増大または新病巣の出現

重要項目

1. **放射線治療の特徴**
　・局所療法である．
　・機能や形態の温存治療が可能である．
　・化学療法との併用が効果的である．
　・高齢者に対する根治的治療ができる．
2. **放射線治療の目的・治療方針**
　・根治治療
　・緩和治療（姑息治療）
　・予防的治療
3. **TNM 分類について**
　T：原発腫瘍の大きさ
　N：所属リンパ節への転移の状態
　M：遠隔転移の有無
　・上記の分類を組み合わせた腫瘍の進展度による病期（stage）の決定
　M因子が1であれば予後が悪く，T1N1M1 は T2N2M0 よりも病期が進んでいる．
4. **腫瘍の放射線感受性**
　・表 13-5 を参照

3 集学的治療

悪性腫瘍の治療法には，手術，薬物療法，放射線療法，免疫療法，温熱療法など，いろいろあるが，単独で行うことは少なく，これらを組み合わせて治療を計画する．この中で薬剤療法の進歩はめざましく，従来の抗がん剤を用いた抗がん剤だけでなく分子標的薬や免疫チェックポイント製剤の発展は切除不能な進行がんに対しても有効な治療法として注目されている（表13-13）．これらの治療法を直列的または並列的に行う集学的な治療により「がん」の制御が行われている．大切なことは，病期や患者の状態に適した治療法をタイミング良く行うことである．

表 13-13 薬剤療法の進歩
1. 抗がん剤
   ・細胞分裂を阻害する抗がん剤
   ・DNA・RNA 合成を抑制する抗がん剤
2. 分子標的薬：増殖因子，受容体をターゲット
   ・モノクローナル抗体：…マブ（-mab）
   ・低分子標的薬：…ニブ（-nib）
3. ホルモン療法：抗アンドロゲン（前立腺癌），抗エストロゲン（乳癌）
4. 疫療法：免疫チェックポイント阻害薬（オプジーボなど）

1. 化学療法との併用（化学放射線療法 chemoradiation therapy）

悪性腫瘍の抗がん剤療法は腫瘍治療の大きな柱であり，抗腫瘍性をもった種々の化学物質や抗生物質が開発されているので化学療法とも呼ぶ．これらの抗がん剤は，①DNA・RNA 合成を抑制する，②細胞分裂を阻害する作用によってがん細胞を死滅させる．この作用はがん細胞だけでなく生理的に恒常的に分裂している正常細胞（造血細胞，毛母細胞，消化管粘膜上皮など）にもダメージを与える．これら抗がん剤と放射線を併用する目的は，局所制御を放射線が担当し，全身への転移を薬剤で制圧する場合と，薬剤の動脈内注入などで両者とも局所治療を目的とする場合がある．ただし，抗がん剤，放射線とも類似の副作用があり，局所的には粘膜反応の増強などがあり，併用には慎重な考慮が必要である．

抗がん剤の種類として，アルキル化剤（エンドキサンなど），代謝拮抗剤（5-FU など），プラチナ製剤（シスプラチンなど），微小血管阻害剤（タキソテールなど）などが挙げられ，合成阻害作用や増感作用をもつ（表13-12）．併用する時期として，抗がん剤と放射線治療を同時期に併用するコンカレント法（CCRT：Concurrent

表 13-14 抗がん剤の種類
1. アルキル化剤：DNA と結合しアルキル化，細胞周期に関係なく作用する
   ①ナイトロジェンマスタード系：シクロフォスファミド，メルファラン
   ②ニトロソウレア系：ACNU，BCNU，CCNU
   ③そのほか：ブスルファン，プロカルバジン
2. プラチナ製剤：DNA 鎖内の G-G・G-A 架橋
   ①シスプラチン，カルボプラチン，オキサリプラチン
3. 代謝拮抗剤：DNA 合成阻害
   ①メソトレキセート　葉酸代謝拮抗薬
   ②5FU（フルオロウラシル）ピリミジンのウラシル・チミジン類似体
   ③チミジル酸合成酵素（TS）阻害剤：TS-1
   ④ピリミジンアナログ：シタラビン（AraC），ゲムシタビン
4. トポイソメラーゼ阻害剤：DNA の複製・転写のために2本鎖 DNA をほどく酵素の阻害
   ①トポイソメラーゼⅠ阻害剤：イリノテカン，カンプトテシン
   ②アントラサイクリン系（トポイソメラーゼⅡ阻害剤）：ダウノマイシン，ドキソルビシン，エピルビシン
   ③エピポドフィロトキシン系（トポイソメラーゼⅡ阻害剤）：エトポシド
5. 微小管重合阻害薬：細胞分裂阻害
   ①ビンカアルカロイド系：植物由来　ビンブラスチン，ビンクリスチン，ビンデシン
   ②タキサン系：パクリタキセル，ドセタキシル
6. 抗腫瘍性抗生剤：DNA/RNA 合成阻害
   マイトマイシン C，ブレオマイシン，ダウノルビシン，ドキソルビシン，エピルビシン

ChemoRadioTherapy），いずれかを先行させ連続併用するシーケンシャル法，交互法などの時間的なタイミングで効果を高めることが腫瘍に応じて選択される．

CCRT は強力ながん制御力を発揮するので，局所進行性の頭頸部がん・肺がん・食道がん・膵がん・子宮頸がん・肛門がんなどで実施される（表13-7参照）．反面，患者への負担が大きく治療に対する許容度の低下をきたし，治療を中途で中止せざるを得ないことがある．

頭頸部腫瘍・食道がんに対しては，少量の抗がん剤を連日投与し投与後に放射線療法を実施する同時併用が行われる．食道がんについては 60 Gy，頭頸部がんについては 66〜70 Gy を投与する．

子宮頸がん・肺がんなどについては，放射線療法の期間中に化学療法を併用する（連日投与ではない）同時化学放射線療法（CCRT）がとられる．

2. ホルモン剤との併用

悪性腫瘍の中には，その発育がホルモンに依存しているものがある．前立腺がんでは男性ホルモンががん増殖と強く関連している．このため抗男性ホルモン療法はがん縮小効果が高く，①精巣摘出術，②抗アンドロゲン薬（アンドロゲン受容体に結合して男性ホルモンであるアンドロゲンの作用阻害）投与，③LH-RH アゴニスト剤

表 13-15　ホルモン療法

1. 前立腺がん
　・精巣摘除術
　・抗アンドロゲン薬
　・LH-RH アゴニスト
　・エストロゲン剤
2. 乳がん
　・抗エストロゲン薬
　・LH-RH アゴニスト（閉経前）
　・アロマターゼ阻害薬（閉経後）
　・プロゲステロン薬

（商品名リュープリン，ゾラデックス）・GnRH 受容体アンタゴニスト（ゴナックス），④女性ホルモン（抗エストロゲン剤）投与するなどがあり，これにより前立腺がんは原発巣と転移巣ともに著しく縮小する（表 13-15）．併用時期は放射線治療前に抗アンドロゲン剤を投与して前立腺がんの原発巣の縮小を待って放射線を組み合わせることがある．

　乳がんでは，がん細胞が女性ホルモン（エストロゲン・プロゲステロン）に感受性がありがん細胞の増殖と強い関連を有しているタイプとそうでないタイプに分けられる．生検や手術組織でエストロゲン受容体とプロゲステロン受容体の有無を調べ，どちらかが陽性であれば術後ホルモン療法を行う．現在では術前ホルモン療法も積極的に行われている．ホルモン療法には，①抗エストロゲン薬（タモキシフェン：商品名ノルバデックス），②LH-RH アゴニスト製剤商品名リュープリン，ゾラデックス），③アロマターゼ阻害薬（商品名アリミデックス，アロマシン）④プロゲステロン薬などがある（表 13-15）．閉経前に使用するのは①②，閉経後には①③を用いる．

3. 分子標的治療薬

　分子標的薬はがん細胞に特異的に発現する特定の分子を標的としているため，正常細胞への影響が小さく重篤な副作用が少ないことが特徴である．標的分子には増殖因子・その受容体・細胞内シグナル伝達系・血管新生因子・細胞周期調節タンパクなどがあり，がん細胞の増殖・浸潤・転移に関わっている分子の働きを阻害することでがんの増殖を制御する薬剤である．分子標的薬は抗がん剤に比しがん細胞の特異性が高く，正常細胞には影響せずに安全かつ効果が高い治療法として注目されている．

　分子標的薬にはモノクローナル抗体と低分子化合物の2種類がある．前者は免疫グロブリンで，薬剤名の語尾に「—mab（マブ）」と表記する．また，その抗体がマウス由来なら-omab，キメラ抗体なら-ximab，ヒト化抗体なら-zumab，キメラ/ヒト化なら-xizumab，完全ヒト抗体なら-umab と表記する（表 13-16）．低分子化合物には，増殖因子受容体に関連したチロシンキナーゼ阻害剤は語

表 13-16　分子標的薬：モノクローナル抗体の種類

モノクローナル抗体	本体	対象疾患
①リツキシマブ（rituximab）	抗 CD20 抗体	B 細胞性悪性リンパ腫
②セツキシマブ（cetuximab）	抗 EGFR 抗体	大腸がん　頭頸部がん
③トラスツズマブ（trastuzumab）	抗 HER 2 抗体	乳がん
④ベバシズマブ（bevacizumab）	抗 VEGF 抗体	大腸がん，非小細胞肺がん，乳がん
⑤ペルツズマブ（pertuzumab）	抗 HER 2 抗体	再発乳がん
⑥パニツムマブ（panitumumab）	ヒト型抗 EGFR 抗体	大腸がん，直腸がん
⑦オファツムマブ（ofatumumab）	ヒト型抗 CD20 抗体	BCL・BCL 白血病

マウス抗体：-omab
キメラ抗体：-ximab
ヒト化抗体：-zumab
ヒト型抗体：-umab

尾に「—nib（ニブ）」と表記する．プロテアソーム阻害剤は—mib（ミブ），mTOR 阻害剤は—limus（リムス）と表す（表 13-17）．

表 13-17　分子標的薬：低分子化合物

低分子化合物
A) チロシンキナーゼ阻害剤（TKI）：増殖因子受容体に関連したチロシンキナーゼに結合しその活性を阻害
　・イマチニブ（imatinib 商品名グリベック）：Bcr-Abl-TKI 阻害剤　白血病，GIST
　・ゲフィチニブ（gefitinib，商品名イレッサ）：EGFR-TKI 阻害剤　EGFR 遺伝子変異陽性の非小細胞肺がん
　・エルロチニブ（erlotinib 商品名タルセバ）：EGFR-TKI 阻害剤　EGFR 遺伝子変異陽性の非小細胞肺がん
　・ダサチニブ（dasatinib 商品名スプリセル）：Bcr-Abl-TKI 阻害剤　白血病
　・スニチニブ（sunitinib 商品名スーテント）：PDGFR・VEGFR-TKI 阻害剤　GIST，腎がん
　・ラパチニブ（lapatinib 商品名タイケルブ）：EGFR/HER2-TKI 阻害剤　HER2 過剰発現乳がん
　・ニロチニブ（nilotinib 商品名タシグナ）：Bcr-Abl-TKI 阻害剤　白血病
　・クリゾチニブ（crizotinib 商品名ザーコリ）：ALK-TKI 阻害剤　ALK 融合遺伝子陽性の非小細胞性肺がん
　・ソラフェニブ（sorafenib 商品名ネクサバール）：Raf/PDGFR・KIT-TKI 阻害剤　腎がん，肝がん
　・アファチニブ（afatinib 商品名ジオトリフ）：EGFR-TKI 阻害剤　非小細胞肺がん
B) プロテアソーム阻害剤：プロテアソームを阻害することで異常なタンパク蓄積がおこり細胞死が誘導される
　・ボルテゾミブ（bortezomib 商品名ベルケイド）：多発性骨髄腫
C) mTOR 阻害剤：細胞の増殖や血管新生に関わる物質 mTOR に対する阻害剤
　・エベロリムス（everolimus 商品名アフィニトール）：腎細胞癌，膵神経内分泌腫瘍
　・テムシロリムス（temsirolimus 商品名トーリセル）：腎細胞がん

現状では，これらの多く分子標的薬の保険適応が切除不能な進行がん（ステージⅣ）に限定されている．

4. 手術との併用

手術と放射線との併用は，古くから行われてきたが，その有用性はすべての疾患で確立されているわけではない．特に根治手術後の術後照射については，疾患ごとにその効果が再評価されつつある．

A. 手術・放射線を別の部位に

1) 原発巣を放射線，転移巣を手術：舌がんなどでは原発巣には抑圧率の高い小線源治療が，頸部リンパ節は郭清手術が使用される．

2) 原発巣を手術，転移巣を放射線：この組み合わせは多く，睾丸腫瘍では，摘出後に転移の可能性の高い患側骨盤リンパ節・傍大動脈リンパ節に対して放射線によって治療する．

B. 手術・放射線を同一部位に

1) **術後照射**：根治手術後であれば，顕微鏡的な残存腫瘍細胞が目的であり，不完全手術（部分切除術）であれば放射線単独療法と同じ線量が必要である．前者の場合，腫瘍組織によっても異なるが，大体 45～50 Gy，後者の場合は，60～66 Gy 程度投与する．

2) **術前照射**：手術前に照射して，原発巣を縮小させて，手術適応を拡大するとともに，周囲のリンパ節転移を制圧して再発を防止する．さらに原発部の腫瘍細胞をあらかじめ弱らせて，手術の散布による遠隔転移を防ぐ．食道がん・直腸がん・下咽頭がん・膀胱がんなどで使用されることがある．30～40 Gy を照射する．

3) **術中照射**：手術中に腫瘍を露出し，電子線を用いて膵臓がん・膀胱がん・胃がんなど，X線を用いて骨肉腫などに対し大量照射する．

5. 温熱療法 hyperthermia

温熱の細胞に対する効果は，血流が悪く低栄養，低pH の細胞，分裂周期のS期にある細胞に対して強い．温熱と放射線を併用することで効果を高める（☞ p.93 放射線生物）．

加温法は，電磁波，超音波などで，腫瘍を加温し，腫瘍内温度を 42～43 ℃，30 分以上保つことが望ましい．表在性腫瘍では，超音波が，深在性腫瘍では，主としてRF マイクロ波が用いられる．熱耐性ができるため 2～3 日あける．

4 時間的線量配分

放射線治療では照射線量の分割回数，1回線量，総線量，総治療期間によってがん・正常組織に及ぼす影響が異なる．放射線の生物作用の多くは，時間の経過とともにある程度回復する．1回の線量が少なく，期間が長くなるにつれて，がんの再増殖のリスクが高まる．照射間隔が回復に必要十分な時間を設定すれば正常組織の晩期障害のリスクを減じることができる．1回の線量を大きくすればがんの制御力が向上する．このようにさまざまな分割照射の方法があり，分割照射の種類と目的，及び異なる分割方法で同等の治療効果を得るための理論と計算について解説する．

1. 種々な分割照射（図13-6）

1) 単純分割法（通常分割照射）：慣用的に用いられてきた方式で，1回2Gy前後の線量を週5回，総線量60～70Gyを照射する．

2) 多（過）分割照射法：1日多数回の分割照射である．1回線量を少なくして（1/2強で約1.2Gy），6時間以上の間隔をあけて1日2～3回照射する．正常組織の回復のため6時間以上の照射間隔をあける必要がある．1日2回では1.2Gy程度を照射する．総治療期間は通常分割照射（単純分割法）を越えないようにする．晩発性障害を抑えながら多くの線量を照射できる特徴がある．4Rすべての適応があり，晩期反応系の正常組織には回復（repair/recovery），腫瘍には再増殖（repopulation）による悪影響の回避・効果的な照射間隔を用いて再分布（redistribution）を効率よく発現・照射回数が多く毎回の照射で主に酸素化細胞が死滅し再酸素化（reoxygenation）が頻回に起こる．

3) 加速多（過）分割照射法：小細胞肺癌や頭頸部扁平上皮癌のように総治療期間が30日を越えるとがんの再増殖のリスクが急速に高まるため，それを防ぐ目的で総治療期間を短くする照射法（加速照射）が開発された．現在ではこの加速照射と多分割照射を組み合わせた加速多分割照射が小細胞肺癌や頭頸部扁平上皮癌で行われている．1回1.5Gy，1日2回の照射で，総線量45Gy/30回/3週が小細胞肺癌の標準照射法となっている．

4) 寡分割照射（大量照射法）：1回大線量（～10Gy）で分割回数は少なくして照射する方法である．腫瘍に対する作用は大きい．この照射方法は以下の場面で使い分けられている．

①姑息的緩和照射で骨転移の疼痛緩和などに用いられ，1回3～4Gy，総線量20～30Gyの照射や，1回8Gyのみの単回照射などの照射がある．

②根治照射であればがんに大線量を集中させる照射法を選択するが，周辺正常組織の線量を低減する必要があるので定位放射線照射や強度変調放射線治療IMRTなどの高精度放射線治療を行う．

③放射線抵抗性の腫瘍（悪性黒色腫，脊索腫，骨肉腫など）に試みられていたが，現在では重粒子線治療の適応となっている．

5) 分離照射法（split course irradiation）：照射期間中に1～3週間程度の一定の休止期間をおく方式で，化学療法との交替併用に用いられる．休止期間中に正常組織の回復が期待できかつ腫瘍制御の可能性を再評価できる．しかし，治療期間が延長し休止期でがんの再増殖のリスクが高まるので放射線治療単独の治療としては推奨されない．

不均等分割照射法：酸素の供給されている細胞には1回大量照射が効果的であり，低酸素細胞には回復が少ないため小量照射が有利な点を利用し，間をあけて大線量を，その間には小線量を連日照射する方法である．

2. 分割照射のがんと正常組織に対する影響：生物学的等価線量 BED

放射線の生物学的効果に影響を与える因子としては，1回線量・総線量・分割回数・全照射期間などの因子がある．線量-細胞生存率曲線のLQモデル（linear-quadratic model）から得られる α/β 値から導き出される生物学的等価線量（BED：Biological Effective Doseあるいは Biological Equivalent Dose）は，分割照射による細胞生存率への影響を考慮した指標である．急性反応系組織・腫瘍組織と晩発反応系組織に対する影響を別々に評価可能である（☞ p.81）．BEDの求め方は，

$$BED = D \times \left(1 + \frac{d}{\alpha/\beta}\right)$$

となる．

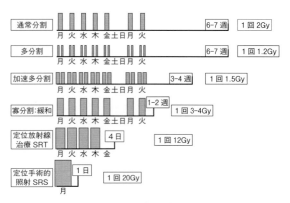

図 13-6 分割照射の種類

総線量 D＝nd，1回線量 d，分割回数 n

急性反応系組織（皮膚・粘膜など）・腫瘍組織については α/β 値がおおよそ10Gy程度なので，$\alpha/\beta=10$ を代入して BED_{10} を求める．晩発反応系組織（脊髄・肺・脳・腎など）については α/β 値がおおよそ3Gy程度とされているので，$\alpha/\beta=3$ を代入して BED_3 を求める．このようにしてがんに対する効果 BED_{10} と晩期反応系の正常組織に対する影響 BED_3 を異なる分割照射のプロトコール間で比較することが可能となる．

また，このBEDの数式を用いて，ある分割照射のプロトコールの総線量Dを"1回線量2Gyの通常分割照射に換算した場合の総線量"を以下の数式で計算できる．これを2Gy等価線量換算値（EQD_2）という．

$$EQD_2 = D \times \frac{(d+\alpha/\beta)}{(2+\alpha/\beta)}$$

しかし，BEDには問題点がある．この指標に総治療期間に関する因子が組み込まれていないことである．同じ分割照射であっても，休止などによる総治療期間の延長した場合には，がんの再増殖のリスクが高まる．そこで，総治療期間の因子をBEDに組み込んだ補正式（cBED）が考案されている．cBEDにはさまざまな数式が提案されているが，重要なことはcBEDはがんの再増殖のリスクに関する補正なので，がんに対する効果 BED_{10} だけに適用される．晩期反応系の正常組織に対する影響である BED_3 には用いられない．

補正式例1：$cBED = BED_{10} - K \times (T - T_{delay})$

T：総治療期間，T_{delay}：たとえば28 days

補正式例2：$cBED = BED_{10} - 0.693 \left(\frac{T - T_{k0}}{T_{eff}} \right)$

T：総治療期間，T_{k0}：14 days（再増殖），T_{eff}：doubling time

3. BEDの実計算と比較方法

〈計算例1〉

1日・1回・2Gyを30回照射するときのBEDを計算すると急性反応系組織に対しては $\alpha/\beta=10$ として

$BED_{10} = nd(1+d/(\alpha/\beta)) = 60(1+2/10) = 72 Gy_{10}$

晩発反応系組織に対しては $\alpha/\beta=3$ として

$BED_3 = nd(1+d/(\alpha/\beta)) = 60(1+2/3) = 100 Gy_3$

一方，1日・2回・1.2Gyを60回照射する時のBEDは急性反応系組織に対しては $\alpha/\beta=10$ として

$BED_{10} = nd(1+d/(\alpha/\beta)) = 72(1+1.2/10) = 80.6 Gy_{10}$

晩発反応系組織に対しては $\alpha/\beta=3$ として

$BED_3 = nd(1+d/(\alpha/\beta)) = 72(1+1.2/3) = 100.8 Gy_3$

となり晩発反応系組織に対して同じ100 Gyであるにも関わらず急性反応系組織には72 Gyから80.6 Gyへと多くの線量を投与できることを示している（多分割照射が有利であることを示している）．

〈計算例2〉

1日・1回・2Gyを20回照射したときとほぼ同等の効果となるには1日・1回・3Gyを何回照射するべきか？

1日・1回・2Gyを20回40Gyを照射するとき急性反応系組織に対しては $\alpha/\beta=10$ として

$BED_{10} = nd(1+d/(\alpha/\beta)) = 40(1+2/10) = 48 Gy_{10}$

1日・3Gyをn回照射した時のBEDは $48 Gy_{10}$

$BED_{10} = 3n(1+3/10) = 48 Gy_{10}$ より n＝12回となる．

したがって，3Gyを12回36Gyを照射することになる．

ただし晩発反応系組織に対して考慮すると，

1日・2Gyでは $BED_3 = 40(1+2/3) = 66.7 Gy_3$ となり

1日・3Gyでは $3n(1+3/3) = 66.7 Gy_3$ より n＝11.1回となる．

よって放射線治療では晩発反応系組織をできる限り抑制したうえで最大限の腫瘍線量を投与することを考える．晩発系組織に対する線量を優先するので，3Gyを11回33Gyを照射することになる．

5 各種放射線とその特徴

放射線治療においては，目的に応じて種々の電離放射線が使用されているが，X線，γ線など電荷も質量ももたない電磁波と，粒子線に2大別される．粒子線としては，電子線，陽子線，重粒子線，中性子線などが使用されている．ここでは，放射線治療の実際面からみた放射線治療装置の特色を述べる．

1. 表在性の腫瘍に対する治療
A. 表在治療X線装置

管電圧10～100kV程度のX線治療装置により，限界線ともよばれる軟X線を用いて，皮膚疾患や皮膚がんなどの表層の治療を行う．最近では表在X線はあまり行われなくなり，電子線を用いた治療が一般的となっている．

B. 高エネルギー電子線治療装置

加速器によって得られる電子線は，エネルギーによって異なるが，およそ皮膚面より2～6cmの深さの腫瘍を治療するのに，適している．また加速エネルギーによって定まる一定の深さ以上では，急に線量が減少する性質をもっている．水または軟部組織内での飛程は，ほぼエネルギー（MeV）値の半分の距離（MeV/2）cmで，80%線量の深さは，ほぼエネルギー（MeV）値の1/3（MeV/3）cm程度である．高エネルギー電子線の治療上での利点は，①エネルギーによって定まる一定の深さまでほぼ均等に照射できる．②腫瘍領域より深いところでは，線量が急激に減少するので，腫瘍背後の正常組織の線量が少ない．の2点である．しかし，線量低下が急激であるため，高エネルギーX線の場合と異なり，骨や空気など密度の異なる物質を通過する照射では，深部線量に対して密度補正など注意を必要とする．表在性の病巣に対し，低エネルギー電子線にてボーラスを組み合わせ，皮下の浅い領域を治療する場合がある．

2. 深在性の腫瘍に対する治療
A. 高エネルギーX線

1MeV以上のX線を高エネルギーX線という．低エネルギーのX線と比べるとLETが小さくRBEも0.85程度と生物学的効果はむしろ少ない．高エネルギーX線の治療上での利点は，次のような物理的な特性によるものである．

1) 深部線量が高く，比較的簡単な照射術式でも皮膚障害なしに，深在性腫瘍に大線量を与えられる．
2) 2次電子のbuild-upのために最大線量が深部に移動し皮膚保護効果がある．
3) エネルギー吸収の大部分がコンプトン効果によって起こるので，原子番号の差による吸収差がみられず，骨などの高原子番号物質の背後でも線量の減少が少ない．
4) 高エネルギーになるほど，散乱線の方向が前方に向かい，側方散乱が少なくなり等線量曲線の前面が平坦になる（ビームの形状がよい）．

高エネルギー放射線治療装置は急速に普及したが，装置および放射線防護の費用が高い．また，皮膚より深い皮下組織に強い線維化などの障害がみられることがあるので，照射法の注意が必要である．低LETであるため，低酸素状態の腫瘍に対する作用は弱い．

高エネルギーX線治療装置には，直線加速器（リニアック），マイクロトロン，ベータトロンなどがある．

3. 高LET放射線

重粒子線，陽子線，α線などの荷電粒子は，質量が大きいため物体内を直進し，加速エネルギーによって決まる一定の深さで，Braggピークを作って吸収線量が急に大きくなるという線量分布上の利点がある．さらにピーク部ではLETが高くなり，OERは低いため，低酸素状態の腫瘍細胞に対しても作用が大きい（☞ p. 90）．

医療用重粒子加速装置としては，サイクロトロン，シンクロトロン，シンクロサイクロトロンなどがある．

速中性子線は，生体内の水素の核を反跳して陽子線を発生させる．しかし深部百分率曲線は，Braggピークをもたず，速中性子出力が小さいため普及していない．

熱中性子を用いた放射線治療として熱中性子捕獲療法（BNCT）が注目されている．

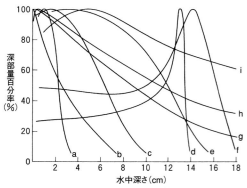

図13-7 種々の放射線による深部量百分率曲線の比較
a. 6MeV 電子線，10×10 cm²
b. 120kV．HVL 2.0mmAl，X線，10×10 cm²
c. 20MeV 電子線，10×10 cm²
d. 100MeV，陽子線
e. 30MeV 電子線，10×10 cm²
f. 70MeV，π⁻中間子，2.5cmφ
g. 速中性子，9.5×9.5 cm²，SSD 120 cm
h. ⁶⁰Co，10×10 cm²，SSD 80 cm
i. 22MV，X線，10×10 cm²，SSD 70 cm

直線加速装置

1. 直線形加速装置（リニアック）

　直線形加速装置（リニアック）は，電子を4～20 MeVに直線的に加速して，高エネルギーの電子線またはX線として取り出し治療に用いる装置で，現在最も広く普及している放射線治療装置である．

A. リニアックの構成

　リニアックは主に次のようなものから構成されている．電子銃・加速管・マイクロ波発生装置・ビーム偏向電磁石・ターゲット部・フラットニングフィルタ・モニタ線量計・コリメータ・イオンポンプなどである（図13-5）．

　加速される電子は二極管または三極管電子銃のフィラメントから加速管の入口にうちこまれる．またマイクロ波発生装置ではマグネトロンやクライストロンによって約3000 MHzのマイクロ波が作られている（マグネトロンは安価であるが低出力2 MW，短寿命であり，クライストロンは高価であるが高出力5～7 MW，長寿命である）．このマイクロ波は，導波管により加速管内に導かれ，加速管内に高周波電界が形成される．この加速電界によって電子が直線的に加速される．加速方式には，進行波方式と定在波方式があるが，医療用加速器としては定在波方式のほうが多くみられる．加速された電子は集束マグネットなどにより細いビームとして加速管出口に導かれ，電子ビームはベンディング（偏向）マグネットによって，約90°または270°偏向させられてターゲット部に入る．最近では，270°偏向マグネットが多く採用されているようである．加速された電子ビームのエネルギーに多少のばらつきがあってもターゲット上の一点に偏向集束できるため多く採用されている．また電子銃・加速管・ベンディングマグネット内のダクトは，10^{-7}～10^{-8} mmHgの真空状態となっている．この真空状態を維持するために24時間イオンポンプが作動している．

　加速された電子をスキャッタリングフォイル（Alなどの薄い板状の散乱体）に当てて散乱させ，高エネルギー電子線を得る．またはターゲットに衝突させて制動放射の高エネルギーX線を，パルス放射線として得る．

　ターゲットの材質としては，高原子番号のものが発生効率が良いが，8 MV以上のX線ではターゲット内やその周囲の金属から（γ, n）核反応の起こる確率が高くなるため中性子の発生が問題となる．X線出力では，3～5 Gy/min 焦点は2～3 mmで半影も小さい．現在，使用されているターゲット材質としてはAu，Wなどが多い．

　ターゲットで発生したX線そのままでは，照射野内の線量分布は中央で高く，辺縁で低いので，主軸に沿う線量を減少させ照射野内線量分布を均等化するため，円錐形の金属性の吸収体が用いられる．これは，フラットニングフィルタ（イコライザ）とよばれる．これにより照射野内の平坦度・対称度などが2～3％以下になるように設計されている．最近では定位照射などにフラットニングフィルタを使用しない（FFFモード）高線量率を出力する装置がある．FFFモードを搭載した治療装置では，線量率が従来の装置と比較して最大4倍の照射が可能となり，時間短縮や患者負担の軽減，線量分布の改善などに寄与している．

　その下部には線量をモニタする線量計があり，リニアックの出力積算線量を制御したり，リニアック自身へのフィードバック制御をかけて出力を安定化させたりしている．モニタ線量計には開放型と密封型チェンバーがあるが，最近は密封型チェンバーが多く採用されている．

　モニタ線量計を透過したX線は適切な形状の照射野に整形するため，コリメータにより絞られる．コリメータには上下2段のモノブロックコリメータと40～120対のリーフをもつマルチリーフコリメータが装備されている．電子線照射の場合には，照射筒（ツーブス）を取り付けて照射する．

B. リニアックの仕様・性能

　現在使用されている医療用リニアックの仕様としては，1～3種類の高エネルギーX線を，4～20 MeVの中から5～7種類の高エネルギー電子線を利用できる装置がある．出力はアイソセンターの位置で，X線ではエネルギーによっても異なるが，約2～6 Gy/min（フラットニングフィルタなしで24 Gy/min）電子線では約2～10 Gy/min程度である．X線の照射野の大きさはアイソセンター面で40×40 cm，X線焦点の大きさは2～3 mm以下と小さく，照射野内の平坦度・対称度は約3％以内，ターゲット～アイソセンター間距離（回転半径）は100 cmのものが多い．

重要項目

リニアックの構成
- 電子銃（フィラメント加熱による電子源）
- 加速管（高周波電界による電子の加速・高真空）
- クライストロン・マグネトロン（マイクロ波の発生）
- サイラトロン（パルス状の高電圧を発生させる真空管）
- 導波管（RF波を加速管まで伝える）
- ビーム偏向マグネット（加速電子ビームを偏向する）
- ターゲット（加速電子を金属にあててX線を発生）
- フラットニング・フィルタ（X線強度分布を平坦化）
- モニタ線量計（線量をコントロールする線量計）
- モノブロック・コリメータ（X線束を矩形に整形して絞る）
- マルチリーフ・コリメータ（X線束を病巣の形状に適した形に整形する）

リニアックの構成

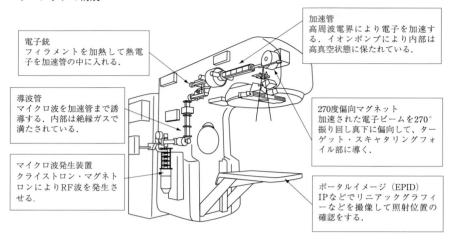

リニアック・ヘッド部の構成

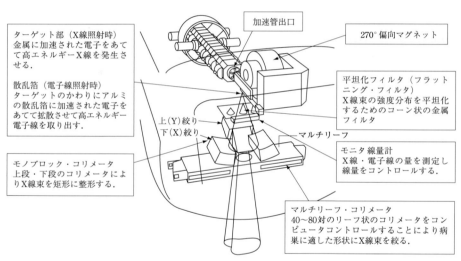

図 13-8 リニアックの構造図

リニアック自体の安定性・性能などは非常に良くなってきており，装置間での差は少なくなりつつある．むしろ放射線治療を行う上でのコンピュータ・ネットワーク上での操作性や柔軟性などが問題になる．

2. 直線加速装置以外の照射装置
A. RI遠隔照射装置

γ線を放出する密封放射性物質 ^{60}Co，^{137}Cs などを線源として利用する遠隔照射装置である．構造が簡単で，安定性が良いため古くから用いられてきた放射線治療装置であるが，最近は線源の交換・廃棄の問題や，そのγ線のエネルギーが低いため，リニアックなどの放射線発生装置に置き換えられてきている．

B. 円形加速器

円形加速器には，ベータトロン，マイクロトロンが古くには使用されてきたが，直線加速器に置き変わった．

重要項目
1. 高エネルギーX線治療の特徴
   - ビルドアップ領域が存在するため，皮膚線量を低く抑えることができる（皮膚保護効果）．
   - 深部に多くの線量を投与できる．
   - 骨などの後方にもある程度線量を投与できる．
2. 高エネルギー電子線治療の特徴
   - 最大飛程はエネルギー値（MeV）のおよそ半分の距離（cm）
   - 80％線量（治療域）の深さはエネルギー値（MeV）の約1/3の距離（cm）
   - 表在性腫瘍など（皮膚・リンパ節など）の治療に用いられる．

7 高精度放射線治療装置 (IMRT, 定位放射線治療装置)

1. 高精度放射線治療

A. IMRT (intensity modulated radiotherapy)

強度変調放射線治療は標的容積の三次元形状にフィットした線量分布や標的容積内に任意の線量分布を作成することのできる照射方法である．

IMRTを行うには，リニアック本体と多分割コリメータ（マルチリーフコリメータ）とIMRTのソフトウェアを装備した治療計画装置などが必要となる．

治療計画コンピュータには，標的容積，リスク臓器，照射方向，線量などのデータを入力し，インバース・プランニングにより照射法の最適化が行われて線量計算がなされ，治療計画が決定される．線量計算は線量制約に基づきターゲット，リスク臓器のDVHが目標をクリアするまで繰り返し計算が行われる．

計算されたIMRT治療計画が治療装置で実際に正確に機械が制御され，計算結果通りの線量および線量分布が得られるかどうかを，照射が行われる前に事前に線量検証する必要がある．

実際のIMRTを行う具体的な方法としては，いくつかの方法が採用されている．

ガントリ角度とマルチリーフで形成される照射野を組み合わせて固定多門照射の繰り返しを行うステップアンドシュート (step and shoot) 法と，マルチリーフコリメータの各リーフのコリメータをスリット状にしてダイナミックに変形しながら移動するスライディングウィンドウ (sliding widow) 法，治療計画装置で計算された線量強弱に合わせてフィルタを作成しガントリーヘッド部に装着する方法などがある．

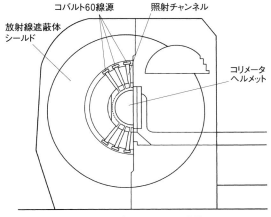

図13-9 ガンマユニット本体

B. 回転IMRT (VMAT)

VMAT (Volumetric modurated arc therapy) はガントリが回転しながらMLCがダイナミックに移動し，回転速度，出力を調整しながら照射を行う回転IMRT法である．最近では固定多門IMRT法からVMATへ多くが移行している．ガントリを1回転あるいは数回転で照射を行い，固定多門と比較して治療時間の大幅な短縮が可能となる．一方，ガントリ回転精度，線量精度，MLCの位置制御精度など高度な装置管理が必要となる．

C. 原体照射法CRT (conformal radiotherapy)

原体照射法はガントリのいろいろな方向から標的容積の形状にあった照射野で，一般的には回転照射を行う．しかし，ガントリの回転はCT画像と同一の平面内（コプラナー）であるため，線量集中には限界があった．ノンコプラナー法はビームがCT画像平面とは無関係に，三次元的に入射する方法で，通常，治療台を回転軸まわりに回転させて行う（肺・肝の定位照射法）．

ノンコプラナーな原体照射を行うには，ライナック本体，マルチリーフコリメータ，三次元治療計画装置が必要となる．次に記載するリニアックを用いた定位照射では，ノンコプラナー原体照射法が多く用いられる．

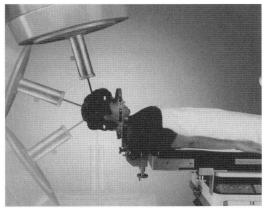

図13-10 X-knifeによるSRS（カタログより引用）

2. 定位放射線治療装置

従来，脳神経外科の領域でステレオタクティック・フレームを用いた手術が行われてきたが，X線ビームを外科手術のメスのように一点に集光させることで腫瘍組織を破壊する放射線治療装置を定位放射線治療装置という．リニアックの細いX線ビームが照射される．X線をアーク状に様々な方向から照射することができるため病巣だけに高線量を投与でき，周囲の正常組織には，わずかな線量に抑えることができる．

1回の照射により治療を完結する方法を定位放射線手術 (SRS; stereotactic radiation surgery) とよび，何回かに分割して治療を行う方法を定位放射線治療 (SRT;

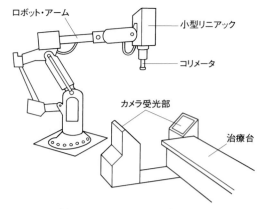

図 13-11　Cyber-knife システム

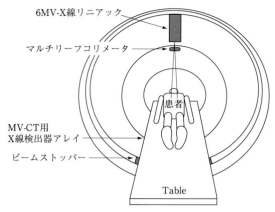

図 13-12　トモセラピー模式図

stereotactic radiation therapy）とよぶ．

現在，利用されているものには，コバルト 60 放射線源を利用するガンマナイフ（γ-knife），リニアックの X 線を用いた X-ナイフ（X-knife），サイバーナイフ（cyber-knife），マイクロマルチリーフコリメータを用いたリニアックシステムなどのシステムがある．

A. ガンマナイフ（ガンマユニット）

ガンマナイフは，^{60}Co 密封線源を用いた遠隔治療装置であり，線源を格納した本体・治療台・コリメータヘルメット・治療計画コンピュータシステム・ステレオタクティックフレームなどで構成されている．

半球状の線源格納容器には 1 個，約 1.11 TBq の ^{60}Co 線源が同心円状に 201 個並んでいて，全体で約 223 TBq（約 6000 Ci）にもなる．201 個の ^{60}Co 線源のビームは一点に焦点を結ぶように配置されていて，その固定された焦点に患部の位置を合わせて照射を行う（図 13-9）．

患者側のコリメータヘルメットには，焦点での大きさが 4〜18 mm の数種類があり，病巣に適した大きさのヘルメットを選択する．また 201 個の個々のビームの穴を調整し，線量分布の形状を変化させることができる．

B. リニアックを用いた定位照射システム

放射線治療装置リニアックの X 線を約 1 cm から 3 cm のツーブス状の専用コリメータで細いビーム状にして，一点に集光していろいろな方向から照射することにより，病巣に高線量を与える照射法として X-ナイフ（X-knife）がある（図 13-10）．標的容積座標は，1 mm 以内の高い位置精度で固定され照射される．最近では，頭頸部および体幹部の SRT に対して厚さ約 2〜3 mm のマイクロマルチリーフコリメータを内蔵した高精度リニアックが主流となっている．

C. サイバーナイフ（cyber-knife）

サイバーナイフは，全重量はわずか 130 kg の 6 MV 小型・軽量リニアックを 6 軸の自由度をもつ（関節をもつ）ロボットアームの先端に取り付けて，多方向からの細いビームを組み合わせ定位放射線治療を行う．また照射室内に 2 組の X 線透視撮影装置が設置されており各照射方向からの透視像と CT 画像から再構成されたビームズ・アイ（beam's eye）での DRR 画像を比較認識することで，標的容積の位置を確認して照射し，治療中の患者位置自動補正が可能．最近では MLC を組み合わせたシステムが導入され，頭頸部のみならず，体幹部の SRS が可能となった（図 13-11）．

定位放射線治療は，血管造影・CT・MRI などの画像データを利用して，標的容積の座標と大きさ（範囲）を的確に決定し，治療計画を正確に再現できるシステムである．照合では 1 mm 以内の高精度が要求され，照射中にその精度を維持する必要がある．また照射される範囲が小さいため，線量を正確に測定するためには，電離体積の微小な線量計を用いた，精度の高い測定技術が必要である．

3. 画像誘導放射線治療（IGRT）

治療装置が高精度化する中で，治療装置に付属した何

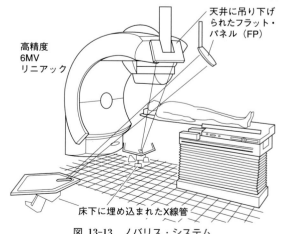

図 13-13　ノバリス・システム

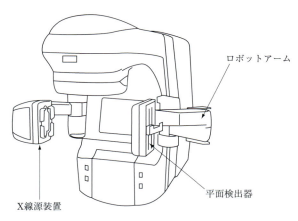

図 13-14 kV-撮影可能なリニアック

らかの画像モダリティシステムを用いることにより治療位置精度や効率を向上させるための画像誘導支援システム（IGRT：image guided radiation therapy）が普及している．高精度な自動化されたシステムにより，迅速化，省力化，人為的ミスの排除，照合画像の管理に貢献している．最近では照射前の照合だけでなく，照射中も位置制御やモニタリングを行うシステムも開発されている．また赤外線マーカーを利用することで呼吸波形を観察したり，同期して照射を行うなどの高精度放射線治療が行われている．例として，画像システムとしてはkVレベルのX線画像撮影システム，コーンビームを用いたkV-CT画像システム，MV-CT画像システム，超音波システム，透視システム，呼吸同期システムなど種々の機能を有する機器が搭載されたシステム化が進んでいる．代表的なIGRT装置を次に示す．

A．トモセラピー

6MVのX線リニアックをCT装置のように回転させながらX線を照射するIMRT専用装置である．治療台の動きとマルチリーフコリメータを組み合わせて腫瘍にX線を集中させて照射することができる．メガボルテージCT（MV-CT）を利用した照合が可能（図13-12）．

B．ノバリス・システム

リニアック治療室内の床下に埋め込まれた2組のkVレベルのX線管とFP（フラット・パネル）によるX線像により，照射位置を確認できる．赤外線カメラで位置を制御し，6軸方向（前後・左右・上下・チルト・ロール・ピッチ方向）のセットアップ・エラーを計算し寝台位置を自動修正することができる高精度放射線治療専用装置（Exac Trackシステム）である（図13-13）．

C．リニアックを用いたIGRT（image guided radiotherapy）システム

リニアック装置本体に照合装置を組み合わせ，リニアック本体に1組あるいは2組のkVレベルのX線管とフラットパネルを取り付け，正面・側面の2方向からのX線像を得ることにより位置を確認できる．また，これを体の周囲で1回転させてコーンビームCT（kV-CT・MVCT）を撮影することにより，三次元的に臓器照合を行い，より正確な位置決めをすることができる．位置修正は治療寝台を6軸方向で自動修正する機能を有するものもある．このシステムの例としてOBI（On Board Imager）がある（図13-14）．

適応的放射線治療（adaptive radiation therapy）

RV-CBCTは骨照合だけではなく，臓器の照合，腫瘍の縮小あるいは増大を3次元的に評価できる．毎回の治療の際に臓器位置変動および標的容積とリスク臓器との位置関係を治療計画に反映し，毎回の照射において最適な照射計画を適応することで，線量効果を高めることに貢献できる新しい治療技術として期待されている．

関連事項

IMRT・定位照射法などは，高精度放射線治療であり，装置の高い幾何学的位置精度と同時に治療時の位置照合精度（±1mm以内）が要求される．リニアックに装備された，IGRT装置の位置照合の方法を次に挙げる．

1) kV-X線装置によるコーンビームCT（CBCT）
低エネルギーX線によるCBCT画像と治療計画装置で用いたCT画像を重ね合わせて，その位置誤差を求める．

2) MV-X線によるコーンビームCT（CBCT）
EPIDによるMV-X線によるCBCT画像と治療計画装置で用いたCT画像を重ね合わせ，位置誤差を求める．

3) kV-X線の正面・側面の2方向撮影による照合
低エネルギーX線像は，高コントラストで照合しやすく，X線像と治療計画で作成されたDRR画像を比較照合する．

4) MV-X線の正面・側面の2方向撮影による照合
EPIDで撮影されたMV-X線画像と治療計画で作成されたDRR画像を比較照合する．

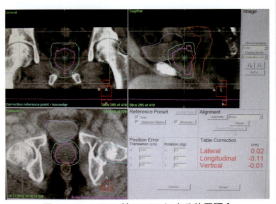

図 13-15 kV-X線CBCTによる位置照合
（骨構造による照合）

8 治療計画装置

　根治療法を目的とする場合，原発・転移巣のすべてに，根治線量を与える必要がある．種々の画像診断・手術所見を考慮して標的容積（GTV，CTV，PTV）を決定する．

　放射線治療を行うには，放射線治療装置だけでなく，治療に最適な照射野・照射法・線量分布などを決定するための治療計画装置が必要である．良い治療結果を得るためには，良い治療計画がなされなければならないことはいうまでもない．

1. 照準用X線装置（X線シミュレータ）

　外部照射の場合，表在性腫瘍を除くと体表面から体内の腫瘍に線束を照準して照射しなければならない．治療計画に際しては，照射時と同じ体位で照射野を決定する必要がある．また，X線束の拡大などによる誤差を避けるため照射装置と同じ焦点—回転中心間距離で，各方向からの透視・撮影が可能で，照射野トリミングなどの可能な照準用X線装置（X線シミュレータ）が使用される

図 13-16　X線シミュレータ
X線管・フラットパネル・光学ポインター寝台などで構成される

（図 13-16）．この装置によって，腫瘍部のX線像・CT・MRIなどの画像などを参考にして照射野を決定する．1門照射・対向2門照射などの計画に使用されることが多い．治療計画では多くがCTシミュレータに移行しているが，四肢や軟部組織，表在性の組織に対する治療計画では，X線シミュレータの利点としての視認性が高い点が活かされる．

2. X線CT装置を利用した照準治療計画（CTシミュレータ）

　線量分布などを3次元的に把握するために，CT・MR画像を用いた病巣部の横断像が用いられる．MR画像の場合は病巣の描出能がよいが，磁場の歪による画像の歪に注意がいるため，多くはCT画像が用いられる．また，CT値と電子密度との間にある程度の相関関係があるため，これにより組織・臓器の密度補正が可能となることからCT画像からの情報は必要である．CT画像とMR画像あるいはPET画像の重ね合わせ（フュージョン）により精度高く腫瘍位置を特定することが可能となった．CTシミュレータの機能としては，①寝台位置精度が高いこと，②寝台が治療天板と同様の平板構造であること，③位置を特定できるレーザーシステムを備えていること，④固定具等を使用するため大口径であることが望ましい．CT画像を用いて治療計画を行い，照射野を決定し，再度，患者の体表面にレーザー投光器にてマーキングできる照準専用X線CT装置（CTシミュレータ）も利用されている．また一般診断用CT装置を利用して，患者の体表面にCT撮影時に仮の3点（正面・両側面）をマーキングしておき，後日治療計画した標的容積の中心座標と仮の3点座標（多くの場合0，0，0）の差を治療台上で移動させて，放射線治療装置でマーキングする方法も行われている．この場合は仮の3点を示すレーザーの交点が，CT画像の中心に一致している必要があり，常にチェックしておくことが重要である．このように，CT画像を利用した治療計画は，多門照射・接線照射・斜入対向2門などの場合や三次元的な線量評価をする場合に欠かせない．現在ではX線シミュレータからCTシミュレータへ多くは移行している．

3. 放射線治療計画システム

　CT画像データから得られた情報をもとに，患者の体輪郭や，腫瘍，周辺臓器の位置・輪郭を登録することで3次元的な病巣像と周辺臓器との関係を把握することができる．治療計画システムにはあらかじめ照射に用いる治療装置のビームデータが登録されている．腫瘍の体表からの深さにより，ビームデータから計算された深部百分率，TMRを利用して，腫瘍線量が計算され照射に必

要なモニタユニット（MU）が算出される．線量分布の計算は，等線量分布曲線を断層画像に表示し3次元的な線量の広がりを把握することができ腫瘍および周辺臓器への線量を確認することができる．照射範囲やビーム方向を調整し，理想的な線量分布が得られるまで，何度でも試行錯誤することが可能で，各プランをDVH等で線量評価することで最適な照射方法を選択することができ

る．この目的で治療計画システムやソフトが多く開発されている（図13-14）．特に肺組織などの不均等物質の補正なども線量計算用コンピュータにより，人体の構造に応じた線量分布をリアルに再現する計算精度を有するシステム，アルゴリズムが出現している．アルゴリズムには多重散乱やX線の散乱を乱数により実際の相互作用を再現するモンテカルロ法などがある．

図 13-17　治療計画装置
コンピュータ本体・計画モニタ端末・輪郭入力端末
病院 HIS 端末・治療情報 RIS 端末などで構成される

―重要項目―

1. 様々な治療の容積の大小関係
   GTV＜CTV＜PTV＜TV＜IV
   PTV＝CTV＜ITV＋(IM＋SM)，ITV＝CTV＋IM
   IM：Internal margin　腫瘍の生理的な変化や動きを考慮した内部マージン
   SM：setup margin　照射時のセットアップにおける許容マージン
   ITV：Internal target volume　腫瘍の動きを考慮したCTVの大きさ

2. 放射線治療計画時にCT画像が利用される理由
   ・体輪郭の描出に優れている（画像の歪みが少ない）．
   ・薄いスライスが利用できて，腫瘍の立体的な描出ができる．
   ・CT値のデータは，電子密度と一定の関係があるため不均質組織に対する密度補正計算が可能である．
   ・作成した線量分布曲線をCT画像に重ね合わせて表示できる．

―関連事項―

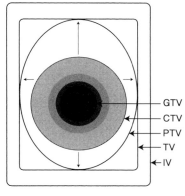

1. 肉眼的腫瘍体積　gross tumor volume（GTV）
   触知できたり視認できる腫瘍の拡がりや部位の体積
2. 臨床標的体積　clinical target volume（CTV）
   GTVに微視的な腫の拡がりを加えた体積
3. 計画標的体積　planning target volume（PTV）
   腫瘍の生理的な変化や動き（呼吸性，拍動，ぜん動）を考慮した内部マージン（IM；internal margin）と照射位置セットアップ時の許容マージン（SM；setup margin）を加えた体積
   PTV＝CTV＋(IM＋SM)
4. 治療体積　treated volume（TV）
   治療の目的を達成するために適していると考えられる線量で囲まれる体積
5. 照射体積　irradiated volume（IV）
   正常組織の耐容線量に関連して有意であると考えられる線量を受ける体積

図 13-18　治療体積の定義

9 放射線治療の補助器具・装置

1. 照射野・照射位置確認のための器具・装置

いかに緻密な治療計画がなされようとも，その計画が忠実に再現・実行されなければ，全く意味のないものとなる．

A. リニアックグラフィーなどの重複撮影

照射開始に先だって目的とする部分が照射野内に確実に含まれているかを，確認する必要がある．このために治療装置自体による二重曝射撮影（実際の照射野で一度撮影後，照射野を開いて再度二重撮影する方法）でリニアックグラフィーやコバルトグラフィーが行われる．リニアックグラフィーに使用されるカセッテは特別で，増感紙の前面にある薄い金属箔（鉛・銅箔）によって，高エネルギーX線が当たると二次電子が放出される．この二次電子によって増感紙の蛍光物質が光ることでフィルムが感光する．このため，金属箔増感紙ともいわれる．カセッテを用いる撮影ではCRを用いた撮影がほとんどを占める．

B. ポータル・イメージング装置

ポータル・イメージングシステムは照射範囲を確認する照合装置としてFilm系，CRシステムから移行され，治療装置に標準装備されることが多くなった．フラットパネルを利用し，高エネルギーX線に高い感度をもち低線量でのポータル画像を即座に表示できる機能をもち，照射野内の映像を常に監視できるモニタリングも可能である．複雑な照射法（3D原体照射・IMRT・定位放射線治療など）が普及するにつれて，即座に照射野の確認が可能なシステム化，治療計画画像との重ね合わせ，線量分布評価等の機能追加の導入が進んでいる．

なお，このポータル・イメージング装置はEPID（electric portal imaging device）とよばれる．

2. 不整形照射野の作成のための器具・装置

A. シャドートレイと鉛ブロック

治療装置の絞り機構（モノブロック）によって得られる照射野は，一般的には矩形であり，目的とする腫瘍の形状は必ずしも単純な形ではない．正常組織への無用な照射を避けるため，照射口部にシャドートレイをとりつけ，この上に鉛やタングステンなどのブロックを置いて不整形照射野を作る．

B. 低融点合金を利用したブロック

複雑な形状のブロックを容易に作成できるために考え出された方法で，アイソセンターでの照準写真の上にブロックの形状を書きこみ，それをトレースすることでシャドートレイの位置にある発泡スチロールがブロックの形状に切り抜かれる．切り抜かれたスチロールの中に溶かした低融点合金（約70℃）を流し込むと，複雑な形をしたブロックを作成できる．ただし，原子番号が低いためX線透過率が大きく，使用には十分注意が必要である．

C. 多重分割コリメータ（マルチリーフコリメータ）

モノブロック機構の下に付加される場合が多く，絞り片を短冊形の多片絞りにして，種々の形状の照射野を得ることのできるコリメータをマルチリーフコリメータという．このコリメータは，40～120対のリーフ状となっていて，それぞれのリーフはコンピュータによって制御されるのが，特徴である．最近では極小照射野にも対応できる．厚みがわずか数mmのマイクロマルチリーフコリメータが用いられる場合がある．Aのシャドートレイ・鉛ブロックの組み合わせは，操作の危険性，煩雑性の点から，自動で遠隔制御が可能なマルチリーフコリメータにほとんど移行している．特にIMRTやラジオサージェリーなどの特殊な照射野制御にはマルチリーフコリメータのダイナミック（照射中に移動）機能が欠かせない．

3. 線量分布を改善するための器具・装置

A. ウェッジ・フィルタ（wedge filter）（図13-19）

ウェッジ・フィルタは楔形断面をもつ鉛・鉄・タングステンなどの金属性フィルタで，10cm深さでの等線量曲線が水平面となす角度で，その角度が表される．決してフィルタ自体の角度を表現しているものではない．接線照射・直交二門照射などの場合に，線量分布が均一になるように，また線量分布を改善するために使用される．エネルギー毎に線量透過度が異なるので，同じ30°のウェッジ・フィルタでも，4MV，10MV用などエネルギー毎に深部線量が異なるため注意が必要である．金属製フィルタは重量が重いため操作上の危険が伴うので注意が必要である．また設定角度ごとにガントリ部の付け替

図13-19　ウェッジ・フィルタ

えが必要となり手間がかかるためダイナミック・ウェッジに多くの施設が移行しつつある.

B. ダイナミック・ウェッジ（dynamic wedge）

上段絞りを照射中に動かすことで，ウェッジ・フィルタを用いたのと同じような線量分布を得ることができる．このようなウェッジのことをダイナミック・ウェッジ（dynamic wedge）という．照射中に機械的な移動と線量調整があるため上段絞りの位置移動精度と線量精度が重要である．室内における取付け作業は不要となり，自動で制御されるため安全性が高まった．

4. 様々なポインタ

患者のポジショニングに用いられるポインタには，種々があり，患者の側面に合わせるサイドポインタ，線束の入射点を示すセンタービームと照射野の枠，ガントリを角度づけした時に現れる真上からのフロントポインタなどを用いて，患者の位置づけを行う．これらのポインタはアイソセンターで交わるように設置されている．レーザーシステムは，機械的な位置中心（アイソセンター）と合致しているか定期的に確認が必要である．

5. 患者の固定具

患者の固定具には，頭頸部の固定用具（シェル）（図13-20）や患者の上肢を一定の位置に支持する（上腕支持固定具）（図13-21），吸引式固定具などがある．シェルは熱可塑性のプラスチック樹脂でできており，70～80℃のお湯に2～3分間浸して置くと軟らかくなり，少し冷ましてから患者の頭頸部の上に被せて形をつくり，温度が下がると硬くなる．シェルを使う利点は，頭頸部の固定が個々の患者に容易にできる上，照射野・センターなどをシェル上に書くことができ，患者の顔・頭部・頸部などにマーキングをしなくてすむことである．短所は，シェルが2mm程度の厚みをもっており，高エネルギーX線治療の特徴である皮膚の保護効果が少し失われるため，皮膚反応が強くでることである．上腕支持固定具は，乳がんの接線照射・腹部の多門照射などにおいて再現性の向上と照射ビームの線束との重複を避けるために上肢を挙上する必要がある場合に使用される．吸引式固定具は，発泡性の微小ビーズがエアーバックの中に封入されており，吸引することで体の形状や体位に沿った形状で，容易に固定ができることである．また繰り返し使用することができ，容易に個人の姿様に調整することができ，密度が低いため，線量吸収がわずかに抑えられる長所がある．固定具には治療時間中に，患者が苦痛ない姿勢で体位を保持できること，位置再現性が高く治療中も継続維持できること，衛生的に対応できることが求められる．

6. 線量・線量分布などの測定器

日常の線量および線量分布の測定には次のような測定器が使用される．

A. リファレンス線量計

個々の施設における標準線量計で，照射線量・吸収線量の測定，出力モニターの校正に使用される．電離容積は内径6mm，長さ25mm程度の円筒形電離箱で，年に一度は国内の標準線量計で校正されることが望ましい．

B. フィールド線量計

線量分布や患者に装着して入射線量・射出線量を測定したりするもので，検出部が小さく，線質および方向依存性が少ないことが望ましい．電離箱チェンバー・TLD素子・半導体線量計などが利用される（図13-22）．

TLD（熱ルミネセンス線量計）：LiFなどの素子をファントム内に多数個埋めて線量分布を測定したりする．小型であるが，素子間の感度のばらつきが多い．

半導体検出器：多少の線質依存性があるものの，検出部が小型堅牢で空間分解能に優れている．

C. 平行平板形線量計（図13-23）

表面線量，build-up領域など2次電子平衡が成り立たない場所などでは，円筒形線量計では測定できないので，電極間距離が小さく壁材による吸収の少ない平行平板形電離箱を使用する（電子線の測定に用いられる）．

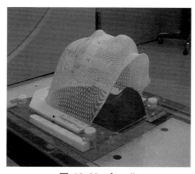

図 13-20　シェル

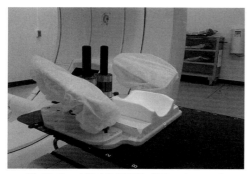

図 13-21　上腕支持固定具（Wing Support）

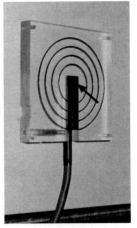

図 13-22　0.6 cm³ イオンチェンバー　図 13-23　平行平板線量計

D. フィルム法
写真フィルムは線質・方向依存性が強い欠点があるが、出力の変動に左右されず、空間分解能が優れているため、線量分布の把握には極めて便利である。黒化度を自動的に測定して、特性曲線から線量に変換して等線量曲線を作成する装置などがある。現像を必要とする湿式フィルムに対し、最近では現像を必要としないラジオクロミックフィルムが普及しつつある。

E. 2次元・3次元検出器
最近では2次元平面あるいは円柱状、3次元的に電離箱線量計や半導体線量計を多数配列させ線量分布、3次元線量分布を容易に検出する器具が普及している。治療計画で作成された2次元線量分布あるいは3次元線量分布と重ね合わせることで線量評価をすることが可能である。また日常の品質管理器具として出力線量、平坦度、対称性などを管理することができる。

7. ファントム
直接人体内で線量分布を測定することは困難であるので、放射線の吸収、散乱について人体と等価な物質で作ったファントム内で測定される。ファントムの材質は、実効原子番号および電子密度の点で、できるだけ人体に近いことが望ましい。

A. 水ファントム
光子線における吸収線量、出力線量や線質の測定には基準ファントムとして水が使用されている。

人体組織に近い組成で、簡単に得られるものとして最も広く使用されている。通常はアクリル樹脂製の水槽で、50×50×50 cm³ 程度の大きさの水槽が測定に用いられる。放射線のビームデータを取得するための三次元水ファントムは、水槽内に設置された線量計により水中を三次元的にスキャンニングすることで線量分布を測定する。

B. 固体ファントム
現在ではMixDPファントム、タフウォーター・ファントム、ソリッド（Solid）・ファントムなどが水等価ファントムとして広く用いられている。

C. 人体ファントム
組織等価物質で等身大の人体模型を作り、その中に人骨および肺等価物質（コルクなど）を埋めこんだもので、2～3 cmの厚みの積層構造となっており、内部に線量計を挿入したり、フィルムをはさむことができる。また動態時の線量測定や線量分布を解析するために臓器の体動（呼吸波形）を模して動くファントムも使用されている。

10 密封小線源治療装置

放射性物質を金属容器内に密封したものを密封小線源といい，これを腫瘍に接触させるか，腫瘍内に刺入して治療を行う．

1. β線源

放射性物質から放出されるβ線のエネルギーは低く，組織内飛程は数mm程度で，ごく表在性の皮膚疾患や，眼疾患の治療に使用される．

^{90}Sr照射器具：^{90}Srは^{90}Yと放射平衡にあり，^{90}Srは28年の半減期で0.546 MeVまでのβ線を，^{90}Yは64時間の半減期で2.280 MeVのβ線を放出する．185～3,700 MBq（5～100 mCi）を，円盤状，管状，および針状の線源として，皮膚や眼疾患などに使用される．

2. γ線源

γ線源としては種々の核種が利用されているが，その半減期，壊変形式やエネルギーなどに注意すること（表13-18）．

A. コバルト管，コバルト針

^{60}Coはβ線エネルギーが低いので，通常ステンレス鋼製の容器で吸収される．1.17 MeVと1.33 MeVのγ線を放出する．エネルギーが高いので遮へいが困難である．

B. セシウム管，セシウム針

^{137}Csは原子炉の核分裂生成物として生じ，固形にして白金イリジウム合金に封入したものである．^{60}Coと比較するとγ線エネルギーが低く防御が容易で，また半減期もかなり長い．低線量率腔内照射（子宮頸がんなど）に用いられる．現在ではあまり使われなくなってきている．

C. ^{192}Ir線源

^{192}Ir線源はヘアピン・ワイヤーの形状で主に口腔内腫瘍・舌がんの低線量組織内治療に用いられる．また，リモート・アフターローディング（RALS）法を採用することで高線量率組織内照射や子宮・食道・気管支・胆管などのがんに対して高線量率腔内照射に使用される．いずれも，一時的挿入である．

D. 永久挿入用線源（^{125}I・^{198}Au）

最近，^{125}Iのシード線源が前立腺腫瘍の永久挿入用線源として用いられる．^{125}Iシード線源（13.1 MBq）60～80個程度を前立腺内に超音波ガイド下で永久的に挿入する．エネルギーが27 keVと非常に低く遮へいが容易なため，2～3日の短期入院ですみ社会復帰が早いのが特徴である．また^{198}Au粒子（グレイン）も口腔がんや中咽頭腫瘍などに対する永久挿入治療で使われている．

3. 密封小線源の取扱い方法

密封小線源として使用されるRIは外部照射用線源に比べると少量ではあるが，身近に取り扱うので職員の放射線被ばくが問題で，放射線防護上の注意が必要であり，使用しないときは必ず所定の貯蔵容器に入れて貯蔵する．また糸通しなどの作業は，遮へい作業台の中で行う必要がある．金属容器に封入されているので放射能汚染はないはずであるが，亀裂や腐食があるとRI自体がもれる場合があるので，定期的にスミア・テストをする必要がある．なお，高温の加熱や重金属塩消毒などは行ってはならない．

4. 高線量率腔内照射装置（リモート・アフター・ローディング・システム RALS）

密封小線源治療時の被ばくを避けるため，あらかじめアプリケータ（照射器具）を患部に装着し，後で線源を遠隔操作により挿入する後装填法（アフター・ローディング法）を行う装置である．図13-24に示すように線源は十分な遮へい能力のある線源格納容器に収納されており，細いワイヤーを遠隔操作によってガイドチューブを経てアプリケータに挿入する．操作者の被ばくがないのが最大の特徴で，線源も370 GBq（10 Ci）と大きく，数分で治療を終わることが可能である．したがって，患者を長時間治療病室に隔離する必要がなく，疾患の種類によっては極めて有用である．線源としては，^{60}Coが使用されていたが，最近では^{192}Irが多く用いられている．線源の直径が1 mm程度と小さいので，組織内照射にも利用されている．

治療装置本体は，^{192}Irの線源1個（約10 Ci，370 GBq）を装備し，線源貯蔵容器（タングステン合金），線源移送システム，模擬線源と本線源を各チャンネルに導くためのインデクサから構成されている．

表13-18 密封小線源治療に利用される核種

核種	半減期	壊変	利用線源	エネルギー（MeV）	使用方法
^{90}Sr	28.8年	β^-	β線	0.546・2.28	眼瞼腫瘍など（表在性の腫瘍）
^{60}Co	5.27年	β^-	γ線	1.17・1.33	高線量率RALS
^{192}Ir	74.2日	β^-	γ線	0.35・0.469	高線量率RALS・Irヘアピン・Irワイヤーなどによる低線量率小線源治療
^{125}I	59.4日	EC	γ(x)線	0.027・0.035	27 keV低エネルギーX線による前立腺がん永久挿入小線源治療
^{198}Au	2.7日	β^-	γ線	0.41	Auグレイン永久挿入小線源治療

図 13-24　マイクロセレクトロン HDR
（NUCLETRON 社のカタログより）

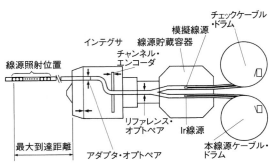

図 13-25　線源駆動部の模式図

　まず，本線源が移送される前に，模擬線源のチェックケーブルが，各チャネルのアプリケータ内に移送され移送経路に異常がないかを確認して，本線源が移送される．線源の移送は，ステッピングモータにより移送ドラムの送りだしまたは引き戻しにより行われる．移送距離は線源がある基準点を通過したときからシフトエンコーダによって，計測される．そして，どのチャンネルのアプリケータを選択するかは，インデクサというチャンネルセレクタにより，各アプリケータに誘導される（図13-25）．
　線量や線量分布は，どれだけの放射能をもつ線源を，どの場所に，どれだけの停留時間を設定するかにより決定される．
　また，線源を設定し，線源位置の情報を得るために，2方向（正面，側面など）からの透視・撮影が可能なX線透視撮影装置が必要となる（図13-26）．最近ではCT画像やMRI画像を利用することで，3次元的な臓器の位置，形状を把握する画像誘導小線源治療（IGBT）が発展してきている．これまではA点処方が用いられてきたが，IGBTの導入により患者の病状や臓器大きさを3次元的に把握することが可能となり，形状に合わせた線量処方が行われる可能性がある．IGBT の発展により局

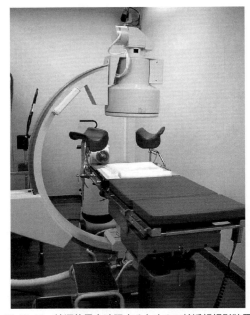

図 13-26　線源位置を確認するためのX線透視撮影装置

所制御率の向上と有害事象の低減を目指せることが期待されている．

関連事項

^{125}I 前立腺シード小線源治療

　患者は高位砕石位で，麻酔下にて経直腸超音波装置を用いて，超音波ガイド下で経会陰部より穿刺され，^{125}I の密封小線源（13.1 MBq）が 50〜80 個挿入される．低線量率組織内照射法であり，初期の前立腺がんの治療である．
　次のような特徴がある（☞ p.451）．
・入院期間が 2〜3 日間であり早い社会復帰が可能．
・超音波ガイド下での穿刺で比較的低侵襲性な手技．
・γ線エネルギーが 27 keV と低いので術者への被ばくが少ない．
・シード線源は膀胱内に脱落する恐れがあり，1〜2 日間病室にて蓄尿する．
・血流により，肺への異所性移動がある．

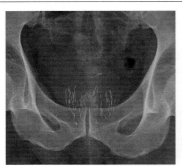

図 13-27　前立腺に穿刺された ^{125}I 線源
（膀胱内に脱落線源あり）

11 放射線治療の保守管理

1. 放射線治療における保守管理の意義

放射線治療における放射線の線量は非常に大きく，致死的な線量を取扱っていることを忘れてはならない．そして，その膨大な線量を，的確に腫瘍に照射しなければならない．そのためには，各装置における一定の精度や治療技術の一定の水準が保たれていなければならない．

治療装置が正常に作動しているか否かは，放射線の治療効果および障害発生に大きく影響する．また重大な故障による事故を未然に防止するには，装置の構造および特性をよく知った上で，周辺機器を含めて日常の保守・管理を怠らないように努めなければならない．

2. 放射線治療機器の保守管理（QA；quality assurance）

A. 放射線発生装置について

1) **出力測定**：リニアックなどの放射線発生装置の場合は，少なくとも週1回以上の出力線量測定を行い，モニタ線量計を校正または補正する必要がある．

2) **照射野**：フィルム法などによって①光学照射野とX線照射野のずれ，②照射野の大きさの表示値の誤差，③照射野中心とアイソセンタのずれ，④照射野内の平坦度などを定期的に点検して常にその性能を保証しなければならない（図13-28b）．

3) **発生エネルギー**：標準計測法に基づき高エネルギーX線については，$TPR_{20,10}$法による線質指標によりエネルギーのチェックを行い，治療計画装置に登録された値に変化がないことを確認する．電子線では線量半価深によりエネルギー・チェックを行う．

4) **幾何学的精度**：ガントリ本体の回転精度，コリメータ，治療台などの回転中心の精度など機械的な回転部分の精度チェックなどを行う（図13-28a）．

5) **その他の装置**：サイドポインタ，フロントポインタなどの各種ポインタに誤差がないかをチェックし照射の再現性を維持する．

B. 照準装置（シミュレータ）について

1) **X線シミュレータ**
- 放射線治療装置と同じ幾何学的条件（焦点—回転中心間距離が等しい）であることの確認
- 本体回転中心精度の確認
- 回転中心とサイドポインタ・センタービームの一致性（精度）
- 光学的照射野とX線照射野の一致性（精度）
- 照射野サイズの表示の精度

などについての確認と精度保証を行う．

2) **CTシミュレータ**
- レーザー投光器の交わる中心と画像の中心の一致性
- ベッド送りの再現性
- CT値（相対電子密度との関係），CT値密度変換テーブルの維持やCT画像の歪みなどについての確認と精度保証を行う．

C. 治療計画装置について
- 治療計画装置に登録されているデータの確認（PDD，OCRデータ，各種ウェッジ係数，出力係数）
- 線量計算方法の確認と計算精度

などについての確認と精度保証を行う．

D. 線量計（フィールド線量計）
- 線量計自身の内部チェック機能を備えた物が多くあり，一定の期間ごとに行う．
- 外部標準線量との比較による線量計の校正を行う（年に1度，指定機関において線量計の校正を受ける）．

また，ラジオサージェリー・IMRTなどの高精度放射線治療を行うには，さらに高い精度を保証できなければならない．

このように一定の治療成績を得るためには，普段の保守管理を行うことにより治療精度を保証する必要がある．

3. 放射線治療におけるQA

良好な放射線治療（治療効果がよく，障害が少ない）を行うためには，各装置における一定の精度・治療技術の一定の水準が，保たれるべきである．

そのためには，適切なQA（Quality Assurance）品質保証をする必要がある．日本放射線腫瘍学会の保守管理マニュアルは，装置に対する管理項目と許容誤差・点検頻度を定めている．

4. 放射線治療装置（リニアックなど）

A. 始業前

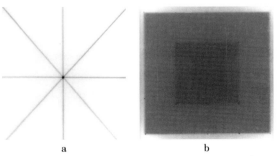

図13-28 回転中心（左）と照射野（右）の確認写真
コリメータをスリット状にし，ガントリ角度0°，90°，225°から照射して，回転中心精度を確認．また，X線照射野と光学的照射野の一致精度の確認をしている．

線量チェック　使用中のX線線量　±3（％）
　　　　　　　　使用中の電子線線量　±4（％）
　幾何学的チェック　距離計確認
　　　　　　　　　　各アイソセンター指示点確認
B.　毎週
　線量モニタの校正　X線出力線量　±2（％）
　　　　　　　　　　電子線出力線量　±3（％）
C.　毎月
　平坦度・対称性（簡単な測定）
　　　　　　　　X線　　±1.03
　　　　　　　　電子線　±1.05
　電子線の深部線量・線量比　±3（％）
　光学照射野とX線照射野の一致精度
　　　　　　　　±2mm 以内
　照射野表示（数値の一致精度）
　　　　　　　　±2mm 以内
　治療台の垂直上下およびアイソセントリック回転
　　　　　　　　±2mm 以内

D.　半年
　線量の再現性と直線性　X線　±0.5（％）2（％）
　　　　　　　　　　　　電子線　±0.5（％）3（％）
　X線の深部線量又は線量比　　±2（％）
　1日の線量安定性　　　X線　　±2（％）
　　　　　　　　　　　　電子線　±3（％）
　平坦度・対称性（精密な測定）
　　　　　　　　　　　　X線　　±1.06
　　　　　　　　　　　　電子線　15mm
　アイソセンターからのビーム軸の変位　±2mm
E.　1年
　架台角度依存性　　　±3（％）
　運動照射中の安定性　±2（％）
　深部線量曲線　　　　±2（％）
　出力係数　　　　　　±2（％）
　フィールド線量計……線量計の校正
　温度計の校正　　　　±0.5℃
　気圧計の校正　　　　±0.5kPa

重要項目

水吸収線量標準計測法 12 の重要事項
　高エネルギーX線
　1) 測定は水ファントム・ファーマ形電離箱線量計を用いる
　2) 照射野の大きさは 10×10cm
　3) 校正深は，水中 10cm の深さ（10 gcm^{-2}）
　4) ファーマ形電離箱の幾何学的中心を校正深に設定する
　5) 線質指標は $TPR_{20,10}$ で表される
　6) 線質変換係数は，線量計の種類と $TPR_{20,10}$ で決定される

　高エネルギー電子線
　1) 測定は原則として水ファントム・平行平板形電離箱線量計を用いる
　2) 照射野の大きさは 10×10cm
　3) 校正深は R_{50}（深部線量半価深）で決定される
　　　　校正深 $(d_c)=0.6 R_{50}-0.1$（gcm^{-2}）
　4) 平行平板形電離箱線量計の空洞内前壁を校正深に設定する
　5) 線質指標は R_{50} で表される
　6) 線質指標 R_{50} は I_{50}（深部電離量半価深）で決定される
　　　　$R_{50}=1.029 I_{50}-0.06$（gcm^{-2}）
　　　　ただし $I_{50} \leq 10$ gcm^{-2}
　7) 深部量百分率の決定には水／空気平均制限衝突阻止能比が必要となる

12 出力線量の測定法

病巣部への正確な線量を投与するためには，①放射線治療装置からの出力線量を正確に測定すること，②ファントム内の任意の位置に線量を投与すること，③患者の体内の病巣位置に適切な線量分布にて腫瘍線量を投与すること，以上3つの条件が可能でなければならない．そこで，まずリニアックなどの放射線治療装置から放射される出力線量の測定法について述べる．いろいろな定数・係数については，11章放射線計測学（☞ p.337）を参照していただきたい．また測定の基本は標準測定法（12法）に準ずる．

1. 高エネルギーX線の出力線量の測定法

高エネルギーX線の出力線量の測定法には，SSDを一定にする方法（SSD法）とSTDを一定にする方法（STD法）とがあるが，最近では主にSTD法で測定されることが多い（図13-29, 13-30）．

出力線量を測定するには，校正深（水中10 cm）で行い，校正深水吸収線量を測定する．その後，PDDまたはTMRによって，基準深での出力線量を計算しなければならない．放射線のエネルギーとそのビーム軸上の線量最大深の一例を表に示す（表13-19）．

照射野の大きさは10 cm×10 cmで，線量計は医療用線量標準センターで校正を受けたリファレンス（基準）線量計（ファーマ形線量計・円筒形電離箱線量計）を使用し，前述したような幾何学的配置にて水中10 cmの校正深で測定し，得られた測定値 M_{raw} に必要な補正を施して，次式によりその位置での水吸収線量 $D(d_c, A)$（Gy）を求める．

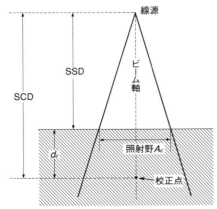

図 13-29 SSDを一定にした照射法の校正深吸収
線量測定のための幾何学的配置（d_c は校正深，10 cm）

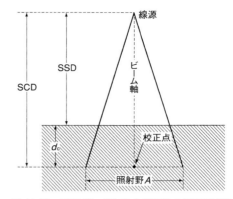

図 13-30 STDを一定にした照射法の校正深吸収
線量測定のための幾何学的配置図（d_c は校正深，10 cm）
ここで，STD＝SCD＝SSD＋d_c

表 13-19 ビーム軸上の線量最大深 d_{max} の参考値

放射線の線質	水中の深さ (cm)
^{60}Co-γ 線	0.5
4MV-X線	1.0
6MV-X線	1.5
8MV-X線	2.0
10MV-X線	2.5
15MV-X線	3.0
20MV-X線	4.0
30MV-X線	5.0

$$M = M_{raw} \cdot k_{TP} \cdot k_{pol} \cdot k_s \cdot k_{elec} \quad (C)$$

ここで，
M_{raw}：3回以上の測定により得られた平均値
k_{TP}：温度気圧補正係数
k_{pol}：極性効果補正係数
k_s：イオン再結合補正係数
k_{elec}：電位計校正定数（電離箱と電位計を一体として校正した線量計は1.0）

$$D(d_c, A) = M \cdot N_{D,W} \cdot k_Q$$

ここで，
$D(d_c, A)$：校正深吸収線量（Gy）
$N_{D,W}$：水吸収線量校正定数（$=N_c \cdot k_{D,X}$）
k_Q：線質変換係数（線質指標 $TPR_{20,10}$ によって決定される）

電位計の設定によっては中には内部に校正定数や吸収線量変換係数などの定数を記憶でき，補正を加えた値を表示するものがあるので，測定対象の単位・補正値が選択されているか注意する必要がある．また放射線発生装置から放射される放射線は，ほとんどがパルス放射線であるため，その施設での条件下で，イオン再結合補正係数を2点電圧法やBoagの式などにより，求めておく必

要がある．

2. 高エネルギー電子線の出力線量の測定法

高エネルギー電子線の出力線量の測定は，SSD 法によって，その校正深において行われる．線量計は校正された平行平板形電離箱線量計またはファーマ形線量計などが使用される．平行平板形線量計は壁による吸収が少なく電子線の測定に適しているが，集電極電圧の正負による極性効果があるので，正負双方の印加電圧について測定し，平均の指示値を求める必要がある．

校正深は，$d_c = 0.6 R_{50} - 0.1\,\mathrm{gcm}^{-2}$，$R_{50}$ は深部線量曲線が 50％になる深さである．

3. 高線量率小線源治療 RALS における出力線量測定

$^{60}\mathrm{Co}$・$^{192}\mathrm{Ir}$ などの高線量率小線源治療装置での出力線量の測定法には，

① ウエル形線量計による測定
② ファーマ形線量計と測定用ジグを用いるサンドウイッチ法

などがある．これらの方法で照射線量率を測定することにより，ある日時における線源の放射能の量（GBq または Ci）を求めることができる．

表 13-20 外部放射線治療における吸収線量標準測定法 12 の要約

		X，γ線	電子線	
エネルギー		$^{60}\mathrm{Co} \sim 50\,\mathrm{MV}$	$2 \sim 10\,\mathrm{MeV}$	$10 \sim 50\,\mathrm{MeV}$
線量計校正	リファレンス電離箱線量計	ファーマ形電離箱線量計	平行平板形電離箱線量計	平行平板形電離箱線量計，ファーマ形電離箱線量計
	医療用線量標準センター，校正場	$^{60}\mathrm{Co}\gamma$ 線（空中）またはリニアック X 線場（ファントム中）	$^{60}\mathrm{Co}\gamma$ 線（空中）またはリニアック X 線場（ファントム中）	$^{60}\mathrm{Co}\gamma$ 線（空中）またはリニアック X 線場（ファントム中）
	照射野	$A = 10\,\mathrm{cm} \times 10\,\mathrm{cm}$	$A = 10\,\mathrm{cm} \times 10\,\mathrm{cm}$	$A = 10\,\mathrm{cm} \times 10\,\mathrm{cm}$
	電離箱の実効中心	円筒幾何学的中心	電極間中心	電極間中心（平行平板形），円筒幾何学的中心（ファーマ形）
	コバルト校正定数 水吸収線量校正定数 校正定数比（$N_{D,W}/N_c$）	N_c（または $N_{c,X}$） $N_{D,W}$ $k_{D,X}$	N_c（または $N_{c,X}$） $N_{D,W}$ $k_{D,X}$	N_c（または $N_{c,X}$） $N_{D,W}$ $k_{D,X}$
治療装置校正点測定	線質	$TPR_{20,10}$ 法	R_{50} 法， $R_{50} = 1.029 I_{50}$ $\quad - 0.06\,\mathrm{gcm}^{-2}$ $(I_{50} \leq 10\,\mathrm{gcm}^{-2})$	R_{50} 法， $R_{50} = 1.029 I_{50}$ $\quad - 0.06\,\mathrm{gcm}^{-2}$ $(I_{50} \leq 10\,\mathrm{gcm}^{-2})$ $R_{50} = 1.059 I_{50}$ $\quad - 0.37\,\mathrm{gcm}^{-2}$ $(I_{50} > 10\,\mathrm{gcm}^{-2})$
	ファントム	水ファントム	水ファントム	水ファントム（水等価ファントム）
	照射野	$A = 10\,\mathrm{cm} \times 10\,\mathrm{cm}$ または $A_0 = 10\,\mathrm{cm} \times 10\,\mathrm{cm}$	$A_0 = 10\,\mathrm{cm} \times 10\,\mathrm{cm}$	$A_0 = 10\,\mathrm{cm} \times 10\,\mathrm{cm}$ （$20\,\mathrm{cm} \times 20\,\mathrm{cm}$）
	校正深	$d_c = 10\,\mathrm{gcm}^{-2}$	$d_c = 0.6 R_{50} - 0.1\,\mathrm{gcm}^{-2}$	$d_c = 0.6 R_{50} - 0.1\,\mathrm{gcm}^{-2}$
	電離箱の基準点	円筒幾何学的中心	空洞内前壁	空洞内前壁（平行平板形），$0.5 r_{cyl}$ 前方（ファーマ形）
	校正点線量 （$M = M_{raw} k_{TP} k_{pol} k_s k_{elec}$） 線質変換係数	$D_c = M N_{D,W} k_Q$ （$M = M_{raw} k_{TP} k_{pol} k_s k_{elec}$） k_Q	$D_c = M N_{D,W} k_Q$ （$M = M_{raw} k_{TP} k_{pol} k_s k_{elec}$） k_Q	$D_c = M N_{D,W} k_Q$ k_Q
出力	基準点 照射野 出力（基準点吸収線量）	最大深 $A = 10\,\mathrm{cm} \times 10\,\mathrm{cm}$ または $A_0 = 10\,\mathrm{cm} \times 10\,\mathrm{cm}$ $D_r(A) = D_c / TMR_c$ または $D_r(A_0) = 100 D_c / PDD_c$	最大深 $A_0 = 10\,\mathrm{cm} \times 10\,\mathrm{cm}$ または $D_r(A_0) = 100 D_c / PDD_c$	最大深 $A_0 = 10\,\mathrm{cm} \times 10\,\mathrm{cm}$ または（$20\,\mathrm{cm} \times 20\,\mathrm{cm}$） $D_r(A_0) = 100 D_c / PDD_c$
深部線量	任意深，任意照射野	$D(d, A) = D_r(A)$ $\quad \cdot OPF \cdot TMR_d$ または $D(d, A_0) = D_r(A_0)$ $\quad \cdot OPF \cdot TMR_d / 100$	$D(d, A_0) = D_r(A_0)$ $OPF \cdot TMR_d / 100$	$D(d, A_0) = D_r(A_0)$ $\quad \cdot OPF \cdot TMR_d / 100$
深部量比	線量計	各種線量計（円筒形電離箱，平行平板形電離箱，フイルム等）	各種線量計（平行平板形電離箱，半導体検出器，フイルム等）	各種線量計（平行平板形電離箱，半導体検出器，フイルム等）
	電離箱実効中心（変位）	円筒形（$0.6 r_{cyl}$ 前方），平行平板形（空洞内前壁）	平行平板形（空洞内前壁）	平行平板形（空洞内前壁）
	深部量比（PDD，TMR）	電離量比と同じ	電離量比に制限質量衝突阻止能比を考慮	電離量比に制限質量衝突阻止能比を考慮

（標準測定法 12 に準ずる）

13 線量計算に必要な因子

1. 深部量百分率

吸収体内で，線錐中心軸に沿った任意の深さ d における吸収線量 $D(d)$ の基準深 d_r での吸収線量 $D(d_r)$ に対する百分率を，深部量百分率 PDD（percent depth dose）という．

$$PDD = D(d)/D(d_r) \times 100$$

この場合，線源―表面間距離（source skin distance；SSD）は一定であるので，吸収体内での線量の減少は，線源からの距離の延長，吸収体による吸収と散乱付加によって規定される．1次線についてのみ考えると，

$$D_{(d)} = D_0 \cdot e^{-\mu d} \left(\frac{f}{f+d}\right)^2 \quad \begin{array}{l} f = SSD \\ \mu = 線減弱係数 \end{array}$$

で表される．付加される散乱線の量は，照射される容積と相関し，照射野が大きいほど多くなる．

すなわち深部量百分率は，①放射線のエネルギーが高いほど，②線源表面間距離が遠いほど，③照射野が広いほど高くなる．照射野については，面積が同じでも形が変わると散乱付加量が変化するので，極端に細長い照射野などでは補正が必要である．

高エネルギーX線やγ線などでは，物体との相互作用によって生ずる2次電子の飛程が大きいため，電子のbuild-up現象がみられ，最大線量点が皮下の深部に移動し，皮膚保護効果がみられる（図13-31）．

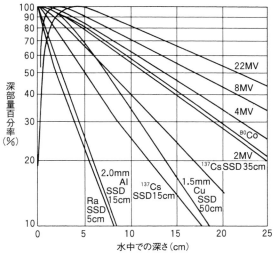

図 13-31　種々のエネルギーのX線に対する深部量百分率曲線

2. 組織空中線量比 TAR および組織最大線量比 TMR

運動照射などの場合には，SSDが照射方向によって絶えず変化するので，深部量百分率で病巣線量を計算することは困難である．深部線量の別の表現法として，吸収体内の回転軸上での吸収線量 $D(d)$ と，同じ位置での吸収体のない場合の空中線量 $D(d_a)$ との比を用いる組織空中線量比（tissue air ratio；TAR）がある．

$$TAR(d) = D(d)/D(d_r)$$

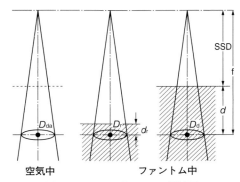

図 13-32　TAR と TMR の説明図

一方，d_a の代わりに，その場所で得られる吸収体の最大線量 $D(d_r)$ を使用した場合は，組織最大線量比（tissuemaximum ratio；TMR）とよぶ（図13-32）．

$$TMR(d) = D(d)/D(d_r)$$

TMRは線源表面間距離を無限大にした時の深部量百分率に相当し，相互に換算できる．したがって，TMRは，①放射線のエネルギー，②照射野の大きさに依存するが，線源―中心間距離によっては変化しない．

よって，あるエネルギーのX線（例えば10 MV の X線）の任意の深さ d での TMR は，深さ d と照射野 A との関数で表される．TMR (d, A) のように表記される．

3. 出力係数（照射野係数）$OPF_r (A)$

基準深での出力線量は，照射野の大きさに依存する．照射野が大きくなると，照射体積が増えるため深部線量も大きくなる．いま基準の照射野（多くは，10 cm×10 cm）における基準深での線量に対する任意の照射野における基準深での線量の比を出力係数（または照射野係数）という．

$$OPF_r(A) = D(d_r, A)/D(d_r, A=10\times10)$$

また，照射野は，5×5，8×8，12×12，などの正方形の照射野について，測定して係数を求めるが，実際の治療に使用する照射野は，矩形であったり，不整形の照射野であったりする．したがって，実際の照射野を等価正方形照射野に変換する必要がある．これらの変換には，A/P法やルートA法などがある．ここでは，A/P法について述べる．矩形または不整形照射の周囲長を P，面積を

A とすると, 等価正方形照射野 Ac は次式で表される.
$$Ac = 4 \times (A/P)$$

4. トレイ係数($F\text{st}$)

シャドウトレイなどを使用して, 照射野の一部を鉛ブロックなどで遮へいして不整形照射野にする場合などでは, シャドウトレイによるX線の吸収を考慮する必要がある. 校正深における照射野 A の吸収線量に対するシャドウトレイを使用した場合の吸収線量の比をトレイ係数 $F\text{st}$ という.
$$F\text{st} = D_r\text{st}(d_r, A)/D(d_r, A)$$

一般的には照射野 $10\,\text{cm} \times 10\,\text{cm}$ にて測定されることが多いが, 極端に小さい照射野や大きい照射野では, 少し異なることがあるので, それぞれ測定するのが望ましい.

5. くさび係数($F\text{w}$)

ウェッジ・フィルタ(wedge filter)を使用する場合には, ウェッジ・フィルタによる吸収を考慮する必要がある.
くさび係数 $F\text{w}$ は, 次式で示される.
$$F\text{w} = D\text{w}(d_r, A)/D(d_r, A)$$

一般的には照射野 $10\,\text{cm} \times 10\,\text{cm}$ にて測定されることが多いが, 極端に小さい照射野や大きい照射野では, 少し異なることがあるので, それぞれ測定するのが望ましい.

6. モニタ単位(MU)の計算方法

モニタ単位(MU ; monitor unit)とは, 医療用電子加速装置に取りつけられたモニタ線量計の値で投与線量の制御に用いられる.
$$MU = \frac{Dt}{TPR(d, A) \cdot OPFr(A) \cdot F\text{st} \cdot F\text{w}}$$

で計算される. ただし, Dt は腫瘍線量(cGy)で実際には, $1\,MU = 1\,(\text{cGy})$ ではない場合が多く, ある一定のMU値(例えば200 MU)に対する $10\,\text{cm} \times 10\,\text{cm}$, 基準深での吸収線量(cGy)を測定して, 1 cGy当たりの MU 値を計算して, 補正する必要がある.
しかし, 多くの場合は, リニアックのモニタ線量計は, $1\,MU = 1\,\text{cGy}$ となるように校正されている.

7. 手計算による計算例

上顎洞がんの直交2門照射の設定で, 計算例を示す.
[計算例]
○X線エネルギー 4 MV
SAD 100 cm 45度 wedge filter 使用
1門あたり 100 cGy(前方, 側方)
照射野ごく一部を鉛ブロックにて遮へい

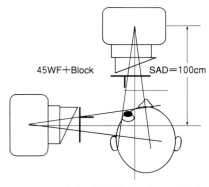

図 13-33 直交2門照射(45度WF使用)

(水晶体ブロックのためトレイ使用)
200 MU で出力線量(基準深, $10\,\text{cm} \times 10\,\text{cm}$)が 190(cGy)であるものとする(図 13-33).
○前方からの照射
・照射野: $9\,\text{cm} \times 8\,\text{cm}$
・病巣中心までの深さ: 4.5 cm
・$TPR(4.5\,\text{cm}, 9 \times 8) = 0.928$
・$Fs(9 \times 8) = 0.989$
・トレイ係数 = 0.880
・くさび係数 = 0.520(4 MV, 45度WF)
MU 値は
$MU = 100/(0.928 \times 0.989 \times 0.88 \times 0.52)$
$\quad\quad = 100/0.420$
$\quad\quad = 238$ となる.
リニアックのモニタ線量計は, $1\,MU = 1\,\text{cGy}$ となるように校正されているものとする.
○側方からの照射
同様にして, 側方からの照射についての計算を行うと,
・照射野: $9\,\text{cm} \times 9\,\text{cm}$
・病巣中心までの深さ: 4.0 cm
・$TPR(4.0\,\text{cm}, 9 \times 9) = 0.942$
・$Fs(9 \times 9) = 0.993$
・トレイ係数 = 0.880
・くさび係数 = 0.520
$MU = 100/(0.942 \times 0.993 \times 0.88 \times 0.52)$
$\quad\quad = 100/0.428 = 233.6$ となる.
中心軸上での線量計算は, 手計算もしくは表計算を用いても簡易的に計算することができる. また治療計画装置では, 三次元的に考慮した MU 値の計算を行う.
いずれにしても, これらの係数が, 正しくデータとして入力されていて, 正しい MU 計算が可能となるので, 正しい値が登録されているか, 確認しておく必要がある.
また, 肺などの密度の異なった組織がある場合には, その密度補正(組織厚みの補正)を行う必要がある.

14 投与線量の空間分布

1. 等線量曲線 isodose curve

吸収体内の吸収線量の等しい点を結んだ曲線を等線量曲線という．通常，吸収線量最大点を100として表示され，体内での線量分布を評価するのに最も重要である．等線量曲線はTLD，フィルム法などで得られる．フィルム法では，現像条件を一定に保つこと，線量―黒化度曲線の作成，均一な密着性の確保など，実際は極めて繁雑である．最近では，三次元スキャナーを装備した水ファントムを使用してデータ収集を行い，コンピュータによる等線量曲線を作成することが多い．収集データとしては，中心軸上のデータである PDD と線束のプロファイルのデータである OCR（軸外線量比：off center ratio）を各エネルギー，照射野ごとに収集する（図13-34，13-35）．

低エネルギーX線では側方散乱が多いため主線束外に散乱する放射線が多く，線束周辺部での深部線量が減少するため，等線量曲線が尖った形となるが，高エネルギーX線になるほど平坦化する（図13-36）．

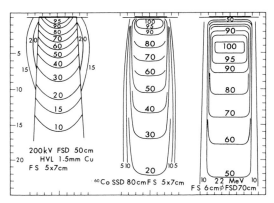

図13-36　種々のエネルギーのX線に対する等線量曲線

2. 不均質物質（組織）に対する線量補正

深部量百分率や TPR は，水など均質で比重1.0の吸収体に対するもので，骨，肺などを含む人体にそのまま適応することはできない．これらの不均質な組織の影響は，深部量百分率と当該組織の吸収線量の両面で現れる．組織の吸収線量については，組織の密度により吸収線量が異なるが，高エネルギーX線では骨に対する影響が少ない．深部量百分率については，1 cmの骨を通過すると，200 kV のX線では約15％，^{60}Co の γ 線では約3.5％の減少がみられる．逆に，肺などの低密度組織を通過して照射する場合には，高エネルギーX線でも補正が必要となる．CTなどで肺を通過する長さを計測して，CT値と電子密度の曲線から実効厚みを計算して補正する．

不均一組織に対する補正計算法には，べき乗 TAR 補正法，実効長 TAR 補正法，EqTAR 補正法などがあり，数点の計算点においては手計算も可能であるが，線量分布曲線においては，コンピュータによる計算が不可欠となる．また，コンピュータによる線量分布計算法には，ペンシルビーム法，入力フルエンスモデル，散乱線カーネルモデル，コンボリューション法，スーパーポジション法，モンテカルロ法など様々な計算モデルがある．

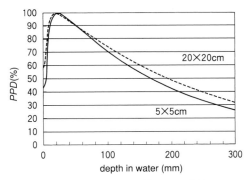

図13-34　10 MV　X線　PDD 曲線

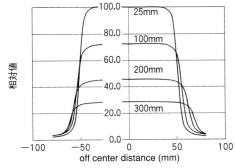

図13-35　10 MV　X線　OCR 曲線（10×10 cm）

関連事項
1. PDD に影響を与える因子
   X線エネルギー・照射野・組織深さ・SSD（距離）
2. TMR に影響を与える因子
   X線エネルギー・照射野・組織深さ
   SSD（距離）には依存しない．
3. PDD と TMR は一定の関係があり，PDD から TMR を計算にて求めることができる．

15 放射線治療の実際の流れ

1. 治療目的の決定

A. 適応の有無

腫瘍の治癒可能性の節で述べたように，腫瘍および宿主の両面について治療適応の有無を評価する．

腫瘍については，組織分類，分化度，発育形式，進展度などが重要である．放射線感受性のあまり低いもの，原発腫瘍があまり大きいものなどは放射線による根治は困難である．また所属リンパ節や遠隔転移は，それ自体で放射線治療の禁忌とはならないが，広範に存在する場合は，作用範囲の広い化学療法に主体をおくべきである．

B. 根治療法と緩和（姑息・対症）療法

腫瘍に対する根治療法とは，原発腫瘍および転移巣に対して腫瘍致死線量を与え，完全に治癒させることを目的とする．頭頸部腫瘍，子宮頸部がん，皮膚がん，限局リンパ腫，前立腺がん，食道がんなどがこの適応となる．

緩和療法には，患者の疼痛や麻痺などの苦痛を和らげる対症療法と腫瘍の縮小により延命（気道確保，血流確保）をはかることを目的とする姑息療法があり，たとえ腫瘍が存在してもこれが苦痛の原因，痛みなどでなければ，治療の対象とならない．

2. 患者への説明と同意

まず最初に，医師による患者への治療法についての説明と同意（インフォームド・コンセント）がなされなければならない．個々の患者は，病気であるという身体的な問題以外に，多種多様な悩みをかかえている．治療に際しては，患者への十分な事前説明を行うことが社会的にも求められておりインフォームドコンセントとして情報を開示する必要がある．放射線治療による副作用，治療にかかる費用などの経済的な問題，社会的な地位・仕事にかかわる問題や不安などに対応し，他の治療法（外科的療法，内科的療法，照射法，別施設の情報）について比較説明し，最終的には患者が治療を受けることを同意される必要がある．照射を行うにはタイミングが重要であり時間的猶予との兼ね合いがあるが，患者はセカンドオピニオンとして他の治療法を比較し選択する権利がある．これらの説明には，十分な時間をかける必要がある．

3. 標的容積（target volume）と線量の決定

根治療法を目的とする場合，原発，転移巣のすべてに根治線量を与える必要がある．種々の画像診断，手術所見や細胞レベルでの転移，浸潤の程度についての統計資料を含めて標的線量を決定する．標的容積は治療中終始一定の場合もあるが，腫瘍の縮小につれて正常組織の耐容線量を考慮して縮小する場合も多い．治療線量の決定には，腫瘍の放射線感受性，治療容積，周囲正常組織の状態などを考慮し決定するが，治療中の腫瘍の放射線に対する反応や副作用の状態によって変更することもある．

4. 放射線治療のための治療計画

患者の同意が得られれば，各種画像データ，臨床検査データなどの情報を基に，放射線を照射しなければならないターゲット・ボリューム（標的容積）を決定するために治療計画を行う．照射時の患者の体位は，治療計画時における体位と同じでなければならない．したがって，あまり不自然な体位は患者の負担や再現性の低下となるため，望ましくない．

治療計画を行うには，主に，X線シミュレータを用いる場合と，CTを用いる場合がある．特にCTを用いた治療計画では，ターゲット・ボリュームだけでなく，照射したくない臓器（リスクオーガン）などの輪郭を入力

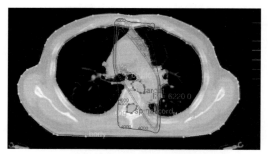

図 13-37 食道がん治療時の線量分布図
（前後対向二門 40 Gy＋斜入二門 20 Gy）

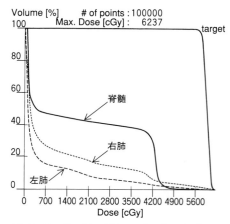

図 13-38 ドーズ・ボリューム・ヒストグラム
（DVH）治療計画の評価

することにより，ターゲットに集中した照射方向を容易に計画できるので，三次元的な治療計画をする場合には，CTを用いたシミュレーションが望ましい．治療計画で考慮される因子としては，次のようなものがある．

①外部照射法か小線源治療法のどちらか？
②外部照射での放射線の種類とエネルギー（X線，電子線），照射野の大きさ，照射方向，照射門数など
③外部照射での一門あたりの投与線量，1回の投与線量，治療回数，投与される総線量など
④小線源治療では，治療部位に適したアプリケータ（照射器具）の選択，線源の位置とポイント数など
⑤小線源治療での，1回の投与線量，治療回数など

まず，CT画像などにより，治療部位の患者データを取得し，治療計画コンピュータを用いて，上記の因子などを決定して，治療計画を行う．

治療計画を基に線量分布を計算し，各断面における線量分布の確認とドーズ・ボリューム・ヒストグラム（DVH）（図13-38）を評価し，最適な治療計画を作成する．次に，治療計画された照射法で，線量を投与するために総線量，1回線量，照射回数などを入力し，線量計算（MU値の計算）を行う．

5. 照射の準備と確認

患者を治療台の上で，治療体位に整位し患者の体表面のマーカーをもとにポジショニングして，計画されたアイソセンター，照射野，照射方向を設定する．患者のポジショニングには，センタービーム以外に，側方からのサイドポインタや上からのフロントポインタ，照射野のエッジなど，いろいろなポインタを参考にする．

照射の確認のために，リニアックグラフィーを撮影しポータルイメージにより照射野の確認を行う．X線照準写真や治療計画コンピュータで作成されるBEV（Beam's Eye View）方向の画像（DRR）と比較される（図13-36，13-37）．

6. 患者への照射

照射野の確認がなされて，実際の照射が行われることになる．放射線治療は，10～30回の分割照射が行われることが多いので，一定の期間ごとに，照射野の確認としてリニアックグラフィーの撮影による再現性評価がなされることが望ましい．

7. 治療の記録と保存

治療期間中も医師による診察が，継続して行われる．また照射終了後の診察（経過観察・フォローアップ）が非常に重要である．悪性腫瘍の治癒の判定は，腫瘍の種類にもよるが3～10年後まで経過を観察する必要がある．また放射線による晩発障害も長い潜伏期をもっている．照射野と線量，再発や障害の発生の関係を後になって明らかにできないようでは治療術式の進歩はありえない．また治療カルテ，照準フィルム，線量分布図などのデータも10年間以上保存されるべきである．

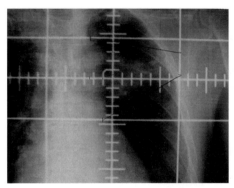

図 13-39 X線シミュレータによる照準フィルム

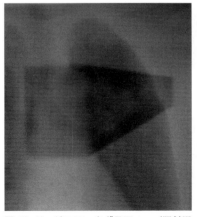

図 13-40 リニアックグラフィー（照射野は鉛ブロックにより整形されている）

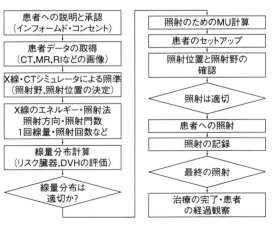

図 13-41 外部照射における放射線治療の流れ図

16 外部照射術式と線量分布

　線源と腫瘍の相対位置を固定したままで照射する固定照射法と，両者の関係を移動しながら照射する運動照射法に大別される．放射線治療においては，腫瘍部に集中して照射し，周囲正常組織への線量をできるだけ少なくすることが必要であり，そのために種々の照射術式が用いられる．

1. 固定照射法
A. 1門照射法

　比較的，表在性の腫瘍に対しては，腫瘍に最も近い1方向からだけ照射することにより，腫瘍致死線量を与えることができる．軟X線，高エネルギー電子線，X線などが用いられるが，高エネルギーX線を用いる場合は病巣より深部の障害を考慮する必要がある（図13-42）．

　皮膚がんなどでは，ボーラス（bolus 放射線治療補助具）を使用した4 MeV 電子線照射や，頸部リンパ節，鎖骨窩リンパ節に対する4 MV のX線による前方1門照射，腰椎や胸椎の骨転移に対する10 MV のX線による後方1門照射などがある．

　皮膚面が不規則な凹凸をなす場合や斜入射の場合には腫瘍に達するまでの深さが異なり，線量分布の乱れを生ずる．皮膚面に組織等価のボーラスを置くことによって補正できるが，高エネルギーX線ではその皮膚保護効果が失われるので皮膚面に密着させず，補償フィルタ（compensating filter）を使用する．ボーラスを使用する場合は，むしろ皮膚面に線量を与えたい場合に使用する．

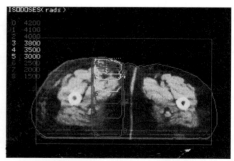

図 13-42　前方1門照射法
（右鼠径部表在リンパ節）

B. 対向2門照射法

　前後，左右など180°反対方向から照射する方法で，照準が容易であり，かつ再現性がよい．患部の厚さおよび線質によって線量分布が変わるが，高エネルギーX線では，10～20 cm の厚さの範囲ではほぼ均等に照射される．欠点としては，斜入，射出部が重なるため高エネルギーX線の皮膚保護効果が失われることがある（図13-43）．特に治療台に仰臥のまま前後方向の照射を行う場合には材質によって後方からの散乱線で皮膚障害をきたす場合があるので，マイラなど薄い材質が使用される．頭頸部，肺，縦隔，腹部などいろいろな部位の照射に使用される．

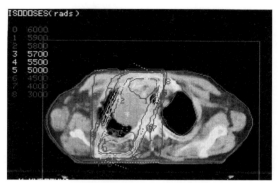

図 13-43　前後対向2門＋斜入対向2門
（右肺がんに対する治療）

C. 非対向2門照射

　線錐中心軸が180°以内の角度で交差する2門照射で，体軸から偏心して存在する腫瘍に使用される．

　1）接線照射法：腫瘍が体表面に広く存在し深部の照射を避けたい臓器がある場合に使用される．例えば，乳

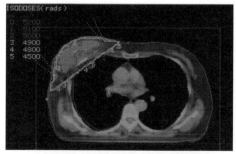

図 13-44　接線照射法（非対向2門）
（右乳がん温存術後照射）

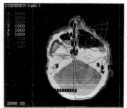
a　上顎がん

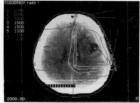
b　脳腫瘍（術後）

図 13-45　直交2門照射法（ウェッジフィルタ使用）

がんの接線照射などが，その例である（図13-44）．線量分布改善のためウェッジ・フィルタ（wedge filter）を組み合わせることがある．

2）　直交2門照射：脳腫瘍，上顎がんなどの照射に用いられる．ほとんどは30°もしくは45°のウェッジフィルタを使用して線量分布を改善する（図13-45）．

3）　その他の非対向2門照射：2門の照射角度が120～150°の角度の2門照射であり，頸部食道がん，下咽頭がんのブースト照射として，使用される（図13-46）．

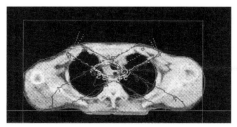

図 13-46　頸部食道へのブースト照射
120°非対向2門照射（WF使用）

D.　3門以上の多門照射

1）　3門照射法：やや偏心した部位の照射に使われる．例えば，膀胱がん，直腸がんの術後再発，食道がんのブースト照射などである（図13-47）．

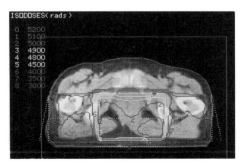

図 13-47　3門照射法（直腸がん術後再発）

2）　4門照射法：体幹部の中央にある腫瘍などに使用される．例えば，前立腺がん，傍大動脈リンパ節に対する照射などである（図13-48）．

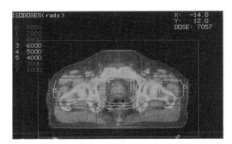

図 13-48　直交4門照射法（前立腺がん）

2.　運動照射法

A.　回転照射法

腫瘍を含む平面内で，病巣を中心として360度回転しながら照射する方法で，体軸中心部にある腫瘍の治療に適している．等線量分布曲線は同心円状となる．胸部食道がん，脳下垂体腫瘍などに使用される（図13-49）．回転中心部の線量は多門照射の延長として計算され，5°～10°ごとのTPRの平均により計算できる．回転照射時の線量分布は，照射野の幅，線質に大きく依存し，患者の輪郭によっても多少変化する．

B.　振子照射法

回転照射の1部の角度を回転または往復運動する方法で，振子角度，照射野の幅により様々な線量分布が得られる．振子角度が小さくなると線量最大点は回転軸から離れていく（図13-50）．

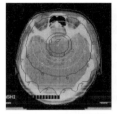
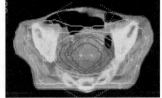

図 13-49　回転照射法　　図 13-50　振子照射法

C.　その他の高精度照射法

1）　原体照射法：回転する線源からみた病巣の形に合わせて，マルチリーフコリメータにより自動的に照射野の大きさや形を変化させて，いろいろな方向から集中して照射する方法である．

2）　定位的集光照射法：脳定位用固定具を頭部に固定して病巣部に細い線束を集中させて照射する．多門（60～100門）照射を行う方法や，多方向のアーク照射（振子照射）をする方法などがある．頭蓋内の小さな病巣（約3cm以下）に対して行われる．脳動静脈奇形，転移性脳腫瘍，聴神経腫瘍などが対象となる．

また，最近では頭頸部や体幹部に対するSRTなどの高精度放射線治療も行われる．

ブルーバッグ，Vac-Lockなどの発泡ビーズの吸引式専用固定具を使用し，呼吸同期または呼吸停止法により，肺・肝に対する体幹部定位照射が行われる．

3）　IMRT：強度変調放射線治療・前立腺がん・頭頸部がんなどの治療に用いられている．

詳しくは，前述の「高精度放射線治療装置」の項（☞p.427）を参照のこと．

17 放射線療法 (Radiation Therapy；RT)

悪性腫瘍の放射線治療は，外科手術，抗癌剤による化学療法とともに癌治療の3本柱のひとつとして，広く行われている．腫瘍の放射線感受性は組織型により異なり，放射線高感受性の組織から発生した腫瘍の感受性は高い．小児腫瘍は放射線感受性が高い．また同じ組織型では未〜低分化であるほど感受性が高い．

治療効果は RECIST ガイドラインで，有害事象は有害事象共通用語規準（CTCAE）で評価する．治療後の経過観察は慎重に行い，再発・再燃や有害事象に適切に対応する．

抗がん剤と放射線治療との併用療法（化学放射線療法）は CRT；Chemo-Radiation Therapy と省略する．

1. 脳腫瘍（表13-21）

組織学的悪性度分類では Grade2 低悪性（星細胞腫），Grade3 中悪性（退形成性星細胞腫），Grade4 高悪性（膠芽腫）に分ける．腫瘍摘出後，Grade2 は多門照射や原体照射で 45〜54 Gy/25〜30 回照射する．Grade3 は Grade4 に準じて治療する．Grade4 は可及的切除後強度変調放射線治療（IMRT）で拡大局所照射野にて 60 Gy 照射と同時に，テモダール（TMZ）を投与する CRT を行う．悪性神経膠腫 Grade3〜4 に，ホウ素中性子捕捉療法（BNCT）が検討されている．髄膜腫，神経鞘腫（聴神経腫瘍）や下垂体腺腫，頭蓋咽頭腫などの良性腫瘍では可及的腫瘍摘出後に，再発防止のために，50 Gy 程度の限局照射を行う．

転移性脳腫瘍では，多発性の場合は左右対向2門で全脳照射 30 Gy/10 回が標準である．長期予後が期待される場合は，水晶体を遮蔽し，1回線量を減らす．直径3 cm 以下，3個までの場合は定位放射線照射（STI）を行う．定位手術的照射（SRS）では，腫瘍辺縁線量 18〜25 Gy/回で照射し，全脳照射併用では減量する．大きな単発腫瘍では腫瘍摘出後に術後 SRT あるいは 30 Gy/10 回全脳照射をする．

2. 頭頸部腫瘍（表13-22）

扁平上皮癌が多く，喫煙，飲酒が関与する．中高年男性に多い．摂食・構音・発声などの機能があり，機能・形態の温存という放射線治療の特徴を生かし，QOL 向上を図る．頭頸部や食道の扁平上皮癌では癌細胞の加速再増殖にて，全治療期間が延長すると局所制御が低下する．

A. 口腔内がん

T1〜2N0 では放射線治療単独で高い局所制御が得られる．深部方向に進展する場合は手術する．初診時頸部リンパ節転移陽性の場合は切除が標準であるが，喉頭癌や舌癌では原発巣は放射線治療，頸部リンパ節転移は郭清をすることがある．密封小線源治療や電子線治療などが可能な部位である．

1）舌癌：口腔癌の半分を占める．不良歯牙の慢性的刺激が原因で，舌辺縁に多い．T1〜2 はセシウム（^{137}Cs）

表 13-21 頭部腫瘍の放射線治療

腫瘍	悪性度	好発年齢	治療方針	治療成績
膠芽腫	高悪性	成人高齢	摘出術後に CRT	不良
髄芽腫	悪性	小児若年者	摘出術後に CRT 全脳全脊髄	5生率 60%
脳胚腫	悪性	小児若年者	CRT，全脳室・全脳照射±全脊髄	10生率 90%以上
脳転移	悪性	成人	多発は全脳照射，数個まで SRS/SRT	
聴神経腫瘍	良性	成人	SRS/SRT	良い
下垂体腺腫	良性	成人	手術が 1st，SRS/SRT	良い
脳 AVM	良性	若年者，成人	手術が 1st，nidus に SRS/SRT	良い

AVM：動静脈奇形

表 13-22 頭頸部悪性腫瘍の放射線治療

腫瘍	組織型	関連要因	治療方針	治療成績
上顎洞癌	扁平上皮癌	慢性副鼻腔炎，喫煙	手術＋CRT，ウェッジ・直交2門，IMRT	5生率 40〜70%
舌癌	扁平上皮癌	虫歯・詰め物・不良歯牙の慢性刺激	手術 or 小線源 Ir-192	5生率 80〜93%
上咽頭癌	扁平上皮癌	EB ウイルス	CRT，全頸部・左右対向2門/IMRT	良好
中咽頭癌	扁平上皮癌	パピローマウイルス	早期/小線源，進行/CRT/多分割	良好
下咽頭癌	扁平上皮癌	喫煙，飲酒	早期/放治単独，進行/CRT/IMRT	5生率 I/II期 70%
喉頭癌	扁平上皮癌	喫煙	早期/放治単独，5*6cm 最小照射野，左右2門ウェッジ 進行/CRT/IMRT，加速多分割	5生率 65〜70%
甲状腺癌	腺癌		手術，転移には I-131 内用療法	良好

やイリジウム（^{192}Ir）による低線量率組織内照射60 Gy/7〜8日で根治できる．高線量率RALSも行われる．頸部リンパ節転移は郭清する．局所制御率はT1 90%，T2 60%である．

　2）口腔底がん：しばしば顎下腺管開口部付近に発生する．進行例ではリンパ節転移が多い．放射線による根治を目指す．

　3）頰粘膜がん：白板症と関連する．臼後部の癌は高悪性度である．T1は手術，唇交連に及ぶT2は放射線治療，筋層浸潤のあるT3〜4は術後照射を行う．

　4）歯肉がん：下顎歯肉が多い．臼歯部が半数以上である．T2までの外向性腫瘍は放射線治療単独で，骨破壊を伴えば手術する．

B．咽頭がん

　1）上咽頭がん：未〜低分化扁平上皮癌が多く，放射線感受性が高い．EBウィルスと関連する．頭蓋底に進展しやすく，解剖学的に手術困難である．シスプラチンによるCRTを行う．初診時すでに頸部リンパ節転移陽性が多いが，予後良好で，5年生存率はⅢ期60〜85%，遠隔転移なしⅣa〜b期30〜70%である．

　2）中咽頭がん：早期は手術，進行期はCRTを行う．5年生存率は良好で，Ⅲ〜Ⅳ期40〜60%である．ヒトパピローマウイルス（HPV）陽性群は放射線感受性が高く，予後が良い．

　3）下咽頭がん：喫煙，飲酒が危険因子で，食道癌の合併が多い．中高年男性に多いが，輪状軟骨後部は女性が圧倒的に多く，鉄欠乏性貧血との関連が示唆される．早期がんは放射線治療単独，進行癌はCRTまたは術前・術後照射を行う．5年生存率はⅠ期30〜65%，Ⅱ期30〜55%，遠隔転移なしⅣa〜b期5〜30%で，予後はあまり良くない．

C．喉頭がん

　扁平上皮癌が大部分で，60歳以降の喫煙男性に多い．約70%が声門癌で，声門下癌は稀である．放射線療法では発声などの機能や形態は温存される．4〜6 MV X線を用いる．10 MV X線はエネルギーが高く不適切である．シェル固定し，左右対向二門で照射する．ウェッジフィルタにて線量分布を改善する．治療期間が延長すると，加速再増殖のため治療成績が下がる．声帯外浸潤の強いT2を除く声門癌T1〜2ではリンパ節転移は稀で，頸部リンパ節の予防照射は行わない．放射線治療単独，5×5〜6×6 cmの限局照射野で，通常分割にて60〜66 Gy/30〜33回照射する．それ以外の喉頭癌では，頸部リンパ節への予防照射として広い照射野で40〜45 Gy後，脊髄を避けて局所照射を行い，60〜70 Gy照射する．頸部リンパ節転移陽性では頸部郭清を行う．局所進行癌は喉頭全摘術が標準であるが，最近，CRTにて局所制御率が向上しており，喉頭温存と遠隔転移の抑制が期待できる．声門癌と声門上癌では多少異なるが，放射線治療単独の局所制御率はⅠ期80〜90%以上である．再発した場合は喉頭全摘術で救済される．喉頭癌全体では5年生存率65〜70%である．

D．上顎がん

　整容性を重視した手術・放射線治療・抗癌薬動注の三者併用療法が標準である．浅側頭動脈に挿入したカテーテルから抗がん剤を動注しながら照射する．セルジンガー法による超選択的動注の併用もある．シェルで固定し，4〜6 MV X線で照射する．マウスピースで舌を下方に圧排し，照射野から避ける．開洞術後の洞内は軟膏ガーゼで充填する．45°ウェッジフィルタを用いた直交二門照射が標準であるが，IMRTにより線量分布が改善する．三者併用療法では通常分割で50 Gy/25回照射する．根治目的には65 Gy以上必要である．5年局所制御率は約40〜70%である．

　早期有害反応は皮膚炎と口腔粘膜炎で，化学療法併用により増強する．晩期には白内障，緑内障，放射線網膜症，角膜炎，視神経障害，脳壊死，骨壊死，涙液分泌不全による乾燥性角結膜炎などがある．健側の視神経の線量に注意する．

3．肺がん（表13-23）

　高齢化に伴い，患者数が増加している．診断時に進行していることが多い．放射線治療や化学療法に低〜中等度感受性の非小細胞肺癌（NSCLC）と高感受性の小細胞肺癌（SCLC）に分ける．約80%が非小細胞肺癌で，組織学的には腺癌，扁平上皮癌，大細胞癌などである．喫煙と関連のある扁平上皮癌や小細胞癌は肺門部中枢に，腺癌は末梢に多い．

　臨床病期は非小細胞肺癌ではTNM分類を用いる．小細胞肺癌は限局型（LD）と進展型（ED）に分ける．なお，病期分類は治療前に行い，変更しない．決定に迷う場合は病期の早い方に分類する．

　非小細胞肺癌では，早期（5 cm以下）で，切除不能な場合は放射線治療単独で行う．多門照射を用いる．肺野にある場合は体幹部定位放射線治療（SBRT）を行う．

表13-23　肺癌の放射線治療

腫瘍	組織型	病期分類	治療方針	治療成績
非小細胞肺癌	腺＞扁平＞（小）＞大細胞	TNM分類	早期（5 cm以下）/手術・放治単独・SBRT 進行/CRT	不良・5生率20〜40%
小細胞癌	小細胞癌	VA分類：限局型・進展型	限局型/CRT・加速多分割＋PCI・進展型/化学療法	不良・再発率90%

SBRT：定位体幹部放射線治療
PCI：予防的全脳照射

局所進行癌ではCRTを行う．高齢や低肺機能の場合には，有害事象を軽減するために画像上明らかな病巣に限局した照射野で照射する．他病死が多く，5年生存率は，放射線治療単独で，Ⅰ期Ⅱ期は20～40％である．SBRTで，Ⅰ期は50～80％に向上している．CRTで，切除不能Ⅲ期は20～25％である．

限局型の小細胞肺癌では，Ⅰ期の一部を除き，加速多分割照射法によるCRTが標準である．1回線量1.5 Gy，約6時間あけて1日2回，45 Gy/3週を照射する．脳転移には血液脳関門のため抗癌剤の効果が十分でない．小細胞肺癌では予防的全脳照射（PCI）は標準治療で，有意に脳転移の頻度を下げ，生存率を向上させる．CRTによる完全寛解後，可及的早期に予防的全脳照射25 Gy/10回を行う．1回線量2.5 Gy以下にして，認知症などの軽減を図る．限局型では中央生存期間20～23ヵ月，5年生存率22～26％である．進展型はシスプラチンを含む化学療法を行い，効果良好の場合には，残存腫瘍に照射する．

急性期有害事象について，縦隔照射では放射線食道炎が起きる．放射線肺炎は治療終了後1～3ヵ月の亜急性期に出現するが，自覚症状のないことが多い．画像上陰影は照射野に一致するが，照射野外に広がった場合，重症化し，死に至ることがある．晩期には脊髄症，肺線維症，心外膜炎などがある．放射線脊髄症は半年～数年の経過で，下肢脱力で始まり対麻痺に至る．放射線治療単独での脊髄の耐容線量（$TD_{5/5}$）は通常分割で50 Gyであるが，CRTでは40 Gy以下とするのが安全である．また，1回線量は2 Gyを超えない．

4. 乳がん（表13-24）

罹患数は女性第1位で，増加している．30歳から増加し，40歳後半～50歳前半が最も多い．乳管癌が約90％で，その5％が非浸潤癌（DCIS）である．内分泌療法，分子標的薬剤を含めた集学的治療を行う．放射線治療の絶対的禁忌は，妊娠中，患側の乳房や胸壁への照射歴で，相対的禁忌は背臥位にて患側上肢の挙上困難，活動性の膠原病の合併，色素性乾皮症である．

A. 乳房保存手術後の全乳房照射（乳房温存療法 Breast Conserving Therapy；BCT）

BCTは機能的・美容的・心理的影響を少なくして，QOLを保つ治療である．非浸潤癌および3 cm以下の初期の浸潤癌で，乳房保存手術例のすべてが対象である．術前療法が奏効し，局所進行癌でもBCTが可能となる場合もある．治療成績は乳房切除術をした場合とほぼ同等で，非浸潤癌では有意に局所制御が向上する．浸潤癌では有意に局所制御と生存率が向上する．センチネルリンパ節生検により，転移陰性の場合，腋窩郭清を省略する．患側の全乳房を4～6 MV X線で接線照射をする．仰臥位で，固定具で上肢を挙上する．頭側は胸骨切痕，尾側は乳房下縁の1 cm尾側，内側は正中，外側は中腋窩線である．ビーム軸を5°程度振った非対向二門あるいはハーフフィールド法にて，線束の背側面を直線化する．15°のウェッジフィルタで線量分布を改善する．Field in Field法は，三次元治療計画装置とMLCを用いて，線量分布を作成し，高線量域が残れば消去する．この操作を繰り返して，PTV線量を95～107％の範囲に収める方法である．線量は通常分割で2 Gy/25回/5週が標準である．腫瘍床のブースト照射は乳房内再発を減少する．寡分割照射では，42.5 Gy/16回/22日全乳房照射後，10.64 Gy/4回/4日ブースト照射する．通常分割照射と同等の治療成績で，治療期間が短縮し，遠隔地など通院が困難な場合は有利である．

B. 乳房切除術後の胸壁と同側鎖骨上リンパ節への照射（Postmastectomy Radiation Therapy；PMRT）

局所進行癌では，乳房切除術を行う．遠隔転移のリスクが高い場合は，化学療法を先行し，続いて，放射線治療をする．内分泌療法や分子標的療法は放射線治療と同時併用するが，化学療法とは有害事象が増強されるため同時には行わない．PMRTは，腋窩リンパ節転移陽性の場合に行う．有意に局所制御と生存率を向上する．胸壁照射は全乳房照射と同じ方法で行うが，術後の薄い胸壁でのビルドアップによる線量不足をボーラスにて補償する．鎖骨上リンパ節照射は，ハーフフィールド法を用いて，鎖骨胸骨端下縁で胸壁照射と繋ぐ．頸髄は10°～15°斜入前方一門で避ける．腋窩照射は郭清後には行わない．

C. 照射内再発に対する再照射と姑息照射

照射部の再発に対する再照射は困難である．姑息照射は，骨転移や脳転移に行う．骨転移は30 Gy/10回が標準であるが，良好な予後が見込まれる場合は通常分割法で

表13-24 乳癌の放射線治療

腫瘍	サブタイプ分類での全身療法	手術タイプ	治療方針	治療成績
乳癌（腺癌）	ホルモン受容体（ER, PR）陽性： ・ホルモン治療 HER2受容体陽性： ・分子標的治療	乳房温存療法（腫瘍切除術）	全乳房照射/接線照射 4～6 MV・ウェッジ ・断端陽性：電子線ブースト ・リンパ節陽性：予防的領域LN照射（腋窩，鎖骨上）	良好：5生率90％以上 再発半減
		乳房切除術	胸壁＋LN領域LN照射	良好

行う．1回線量 8 Gy で済ます場合もある．骨転移の疼痛には約 80％に効果がある．

乳癌は予後良好で，5年生存率 92.9％，10年生存率 80.4％である．しかし，生存率曲線は5年経っても平坦にならず下降し続ける．有害事象は，急性期には，皮膚炎，亜急性期には放射線性肺炎（1〜4％），晩期には皮膚の色素沈着・色素脱失，毛細血管拡張，皮下組織の線維化，肋骨骨折，左側乳癌では心膜炎，鎖骨上照射では上腕神経叢障害がある．

5．食道がん（表13-25）

約 90％が扁平上皮癌である．飲酒，喫煙が危険因子で，中高年男性に多い．食道には漿膜がないため，隣接臓器に浸潤しやすく，リンパ節転移も高頻度である．胃癌・頭頸部癌の合併が多い．浸潤軽微な粘膜癌では，リンパ節転移はほとんどない．内視鏡的切除を行うが，放射線治療単独でも良好な成績である．粘膜癌や局所再発では腔内照射単独で治療することもある．粘膜下層癌ではリンパ節転移が 30〜50％で，進行癌と同様に扱う．鎖骨上リンパ節転移陽性を含め局所進行癌では CRT を行う．6〜10 MV X線で，頭尾方向 3 cm 程度を含めて，前後対向二門照射で開始する．脊髄や心臓，肺などのリスク臓器の線量を可能な限り低減する．放射線治療単独では 44〜46 Gy，CRT では 40 Gy の時点で，胸部・腹部は斜入対向二門，頸部では斜入前方一門にて，脊髄を避ける．通常分割にて，放射線治療単独では 60〜70 Gy，CRT では 60 Gy 照射する．頸部食道癌では IMRT により線量分布が改善する．術前 CRT は予後改善の可能性がある．術後残存腫瘍には CRT を行う．5年生存率は放射線療法単独で，粘膜癌 62％，浸潤軽微な粘膜下層癌 42％である．切除可能進行癌での CRT は 37％で，手術に伴うリスクや食道温存の利点を考えると，有望な治療法である．有害事象では，食道炎は照射中に必発である．放射線肺炎は亜急性期にみられ，肺野の V20 に注意する．晩期では食道狭窄，穿孔，瘻孔などがある．放射線脊髄炎は重篤な有害事象で，40 Gy 程度で必ず脊髄を遮蔽する．予後の改善に伴い，心筋障害や甲状腺機能低下症が問題となっている．

6．直腸がん（表13-25）

大部分が腺癌である．家族性大腸腺腫症の遺伝疾患や潰瘍性大腸炎などの炎症性疾患との関連がある．直腸癌は食道と同様に堅固な漿膜がなく疎性結合織の外膜で包まれているので，周囲へ浸潤しやすく再発率が高い．そのため放射線治療は切除可能例での術前あるいは術後の補助療法・切除境界例にて術前照射により切除を可能にするなどの役割を担っている．治療の第1選択は切除術であり，早期例では内視鏡的治療が行われ，局所進行例では術前に CRT を行う．また切除術後に術後再発抑制のために放射線治療を加えることもある．

7．前立腺がん（表13-26）

臨床病期，PSA 値，グリソンスコア（病理組織学的悪性度分類）により，リスク分類する．高齢者に多く，治療の選択肢が多彩であり，患者の状態や希望，リスクに応じて適切な治療法を選択する．高分化腺癌は進行が遅く，低リスクに分類され，経過観察（待機療法）がしばしば選択される．前立腺癌は α/β 値が 1.5 前後で，限局

表 13-25 消化管悪性腫瘍の放射線治療

腫瘍	関連要因	治療方針	治療成績	リスク臓器
食道癌（扁平上皮癌）	喫煙，飲酒	表在型：内視鏡的切除術 深い壁浸潤：手術，CRT 進行癌：術前 CRT＋手術，CCRT（IMRT）	5生率： Ⅰ 90％，Ⅱ〜Ⅲ 60％，Ⅳ 10％	肺，脊髄，心臓
直腸がん（腺癌）	遺伝性疾患 ・家族性大腸腺腫症 潰瘍性大腸炎	早期：内視鏡的治療 進行癌：術前 CRT＋手術，切除術±術後 RT	良好 5年局所再発率 10％以下 5生率：70％	膀胱，小腸，大腿骨頭

CCRT：同時化学放射線療法

表 13-26 前立腺癌の放射線治療

腫瘍	リスク分類	治療方針	根治的放射線治療	リスク臓器	治療成績
前立腺癌（腺癌）	臨床病期＋PSA＋GS 低/中/高リスク群	選択肢：監視療法・手術・放射線治療・ホルモン療法 低リスク：監視/手術/放治 中高リスク：手術，放治，ホルモン＋放治	IMRT・SBRT・陽子線・小線源（I-125，Ir-192）	直腸	良好

GS：グリソンスコア

性前立腺癌の体幹部定位放射線治療（SBRT）や，高線量率RALS治療，粒子線治療などの短期寡分割照射が行われる．

局所限局癌（T1〜2）では根治療法として，強度変調放射線治療（IMRT），小線源療法，粒子線治療などの最新技術が普及し，前立腺全摘術と同等の選択肢となっている．平成28年4月から，体幹部定位放射線治療が保険収載された．非再発率には線量依存性がある．IMRTでは直腸を避けながら，通常分割にて70〜74Gy，高リスクでは78Gy照射する．^{125}I-ヨード針永久刺入は，T1〜2，PSA値10ng/mL以下，グリソンスコア6以下の低リスク群で行う（図13-51）．この治療は，手術，IMRTと同等の治療成績で，短時間で終了すること，合併症が少なく，QOLが良好などの利点がある．経直腸超音波ガイド下にアプリケーターを用いてシード線源を前立腺内に刺入する．前立腺容積40mL以下が適応となる．局所進行癌（T3〜4）では内分泌療法併用外照射を行う．高リスク群での骨盤リンパ節照射の意義は不明であり，線量増加を優先して，局所照射が多く行われる．骨盤リンパ節転移陽性例では内分泌療法＋全骨盤照射を行う．RI内用療法として，^{89}Sr-ストロンチウムβ線や^{223}Ra-塩化ラジウムα線の治療がある．後者は，除痛だけではなく生存期間の延長が示されている（☞p.409）．

5年PSA非再発率は局所限局癌では外照射，小線源治療とも80％前後で，局所進行癌で30〜50％である．近年，線量増加や内分泌療法併用により，5年PSA非再発率は改善している．有害事象には，下痢，皮膚炎，直腸出血，血尿などで，Grade3以上は数％程度である．

8. 精上皮腫（セミノーマ）

青壮年期に好発する睾丸腫瘍である．高位精巣摘除術後に，ピュアセミノーマであれば放射線治療を行う．6〜10MV X線で前後対向二門照射する．リンパ節転移陰性（I期）では予防照射を傍大動脈領域に通常分割で20Gy/10回行う．横隔膜を越えないリンパ節転移陽性（II期）はドッグレッグ照射野（患側腸骨リンパ節＋傍大動脈リンパ節）で20Gy/10回照射する．その後，リンパ節転移5cm未満（IIA期）では10Gy，5cm以上（IIB期）は16Gy追加する．精巣を遮蔽し，不妊を避ける．5年生存率はI期95％以上，II期90％である．

9. 子宮頸がん（表13-27）

90％が扁平上皮癌である．腺癌では手術を行うが，扁平上皮癌では手術と放射線治療は同程度の有効性を示す．4cm未満のI〜II期では，放射線治療単独と広汎子宮全摘術が並列した選択肢である．4cm以上のI〜II期とIII

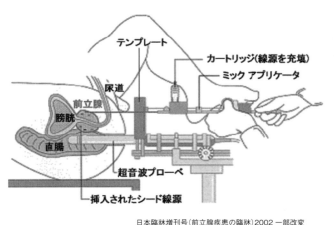
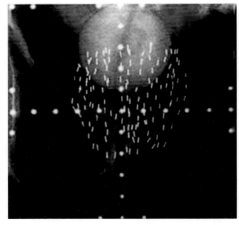

日本臨牀増刊号（前立腺疾患の臨牀）2002 一部改変

図 13-51　^{125}I-ヨード針永久刺入の手技と刺入後のX線写真

表 13-27　子宮頸癌の放射線治療

腫瘍	関連要因	治療方針	根治的放射線治療	治療成績
子宮頸癌（扁平上皮癌）	パピローマウイルス（HPV）	I・II期：放治単独/CCRT/手術 III・IVA：CCRT	・外照射＋腔内照射RALS：外照射30Gy15回に続き〜腔内24Gy4回（4週）＋中央遮蔽外照射20Gy10回 ・腔内照射タンデム/オボイドの線源配置（マンチェスター法） ・基準点はA点（外子宮口から上方2cmの高さを通る垂線上で側方に左右2cmの点）	良好 5年生率： I期80〜90％， II期60〜80％， III期40〜60％， IV期10〜40％

CCRT：同時化学放射線療法
RALS：遠隔操作密封小線源治療（Ir-192）

〜ⅣA期はシスプラチンによるCRTを行う．根治的放射線治療では，まず全骨盤照射にて腫瘍縮小を図る．途中で中央遮蔽（幅3〜4cm）を行い，所属リンパ節領域と子宮傍結合織への照射を継続する．引き続き，Ir-192線源を用いたRALSにて腔内照射を行う．タンデム・オボイドの線源配置はマンチェスター法にて行う．腔内照射の総線量は24Gyを1回6Gy4回の分割で行う．線量基準点はA点で外子宮口から上方2cmの高さを通る垂線上で側方に左右2cmの点に設定する．手術例では切除材料を検討して，予後不良因子がある場合には，術後照射を行う．

根治的放射線治療単独の5年生存率はⅠ期80〜90%，Ⅱ期60〜80%，Ⅲ期40〜60%，ⅣA期10〜40%である．CRTにてⅠB〜ⅡA期10%，ⅡB期7%，ⅣA期3%程度，治療成績が改善する．有害事象は，早期では下痢，膀胱炎，皮膚炎，白血球減少など，晩期は直腸出血，膀胱萎縮・出血，腸閉塞，皮下組織の線維化，下肢浮腫，卵巣機能低下，瘻孔形成，骨折などである．

10．血液・リンパ系腫瘍
A．悪性リンパ腫

リンパ細胞の悪性腫瘍で，ホジキンリンパ腫（HL）と非ホジキンリンパ腫（NHL）に大別する．わが国では大半が非ホジキンリンパ腫である．放射線や抗癌剤感受性が高い．

ホジキンリンパ腫では，広範囲にマントル照射や逆Y字照射が行われたが，最近は，有害事象を考慮し，照射範囲は縮小している．放射線治療単独は低リスク群や化学療法が不可の場合に行う．標準的には，化学療法に続いて，病変部を含むリンパ節領域に30〜40Gy照射する（Involved Field Radiotherapy；IFRT）．予後良好で，5年生存率は低リスク群90〜95%，中リスク群80〜90%である．

非ホジキンリンパ腫では，病理分類と悪性度により放射線治療の役割，その予後も異なる．濾胞性リンパ腫や胃に好発するMALTリンパ腫などの低悪性度では放射線治療単独で寛解が得られる．中高悪性度のびまん性大細胞型B細胞リンパ腫（DLBCL）では，代表的な化学療法であるCHOP療法±抗CD20抗体（リツキシマブ）で寛解を目指し，その後，30〜36Gy IFRTを行う．びまん性大細胞型B細胞リンパ腫は非ホジキンリンパ腫で

は最も高頻度で，消化管や脳などリンパ節外からも発生する．中高悪性度や高悪性度では化学療法を行う．化学療法後の残存病巣に照射する．血液幹細胞移植の前処置として全身照射を行うことがある．5年生存率は，限局期では低悪性度70〜90%，中高悪性度65〜85%である．限局期でも高悪性度の場合や進行期は25〜60%である．

B．白血病

化学療法を行う．小児急性リンパ性白血病（ALL）では初発時中枢神経系浸潤陽性例や超高リスク群の場合，予防治療としてメトトレキセート（MTX）髄注と全脳照射1.5〜1.8Gy/日，12〜18Gyを行う．知能低下，内分泌障害などの危惧があり，12Gyにまで減量する努力がされている．これまでは全脳照射が標準的治療とされてきたが，現在では効果的な化学療法が発達し，予防的全脳照射はあまり行われなくなった．

現在は，白血病の標準治療の一環として行われる骨髄移植の前処置照射として全身照射が行われる（表13-26）．これは白血病細胞の根絶とGVHDを抑制するための免疫制御の2つを目的としている．全身に均一に照射するので，long SSD法・ムービングビーム法・寝台移動法のいずれかを用いて，総線量12Gyを1回2Gy/1日2回/3日間（計6回）の分割照射を行う．10cGy/分以下の低線量率照射を行うので照射時間は20〜60分を要する．皮膚線量の低下を防ぐためにアクリル板を設置する．また肺と水晶体を防護する．

11．小児の腫瘍；腎芽腫（ウィルムス腫瘍）

3歳前後に多く，5%が両側性である．WT1遺伝子に変異がある．放射線高感受性で，肺や肝に転移しやすい．組織型や病期に応じて，術後照射を行う．予後良好群Ⅰ期・Ⅱ期では術後照射は行わない．術後照射は，術後9〜14日以内に開始し，遅れると局所制御が下がる．患側腹部に10.8Gy/6回照射する．残存腫瘍が3cm以上では，10.8Gy/6回追加照射する．術中腫瘍破裂や腹膜播種では全腹部照射10.5Gy/7回を行う．健側腎は14.4Gy以下にする．多発性肺転移には全肺照射12Gy/8回を行う．全腹部と全肺を照射する場合は同時に開始する．照射中化学療法を減量する．5年生存率は予後良好群91.1%，そのうち遠隔転移のあるⅣ期86.7%であった．全肺照射例でも4年生存率78.4%と良好である．予後不良の組織型，特に腎ラブドイド腫瘍の5年生存率

表13-28　白血病の放射線治療：全身照射

腫瘍	治療目的	全身照射法	実際	補助
白血病：骨髄移植の前処置照射	腫瘍細胞の根絶免疫制御（GVHD制御）	long SSD法 ムービングビーム法 寝台移動法	総線量12Gy（2Gy6回） 1回2Gy1日2回3日間，1回の治療20〜60分．低線量率照射：10cGy/分以下	・アクリル板：皮膚線量の低下を防ぐ ・肺・水晶体を防護

は22.2％で，非常に悪い．有害事象には脊椎側弯症など筋骨格系の発達異常があるが，高エネルギーX線，椎体骨全体を照射野に含める，線量低減などが徹底し，発生は少なくなった．白血病などの2次発がんのリスクがある．

12. 良性疾患（表13-29）

放射線療法の対象のほとんどは悪性腫瘍である．しかし，甲状腺眼症（バセドウ眼症），ケロイド，血管腫，脳動静脈奇形，翼状片など一部の良性疾患でも放射線療法が行われることがある．生命予後が長く，確率的影響である発がんリスクについて情報提供した上で，同意を得なければならない．

A. 甲状腺眼症（バセドウ眼症）

甲状腺機能亢進症による自己免疫反応で起こる．複視や眼球突出などがある．放射線治療は，眼窩内のリンパ球浸潤を抑え，急性期症状の改善と再燃を予防する．中等症～重症例に行う．ステロイドの同時併用にて，奏効率が上がる．頭部をシェル固定し，4～6 MV X線，左右対向二門で，肥厚外眼筋と球後部軟部組織を，20 Gy/10回/2週照射する．水晶体に配慮し，ハーフビーム法または後方に2°～5°線束を傾けて，前縁を直線化する．症状改善は60～80％にみられる．照射終了後1～2ヵ月で効果があり，安定するまでに6ヵ月以上かかる．晩期有害事象に白内障があるが，等線量曲線を低線量域まで描出して水晶体線量を確認するなど，適切な三次元治療計画にて回避できる．

B. ケロイド

美容的な問題と疼痛や掻痒の改善を目的とする．保存的治療に抵抗する難治性ケロイドが適応で，切除後に，再発予防に照射する．術後早期に開始する．鉛板をくり抜いて，縫合部を含む手術創全体に，幅5～10 mm，深部方向5 mm程度のマージンを加えて，照射野を作成する．2～6 MeVの電子線照射を行う．表面線量の低下の補正にボーラスを使用する．照射野が細長いと両端で線量が減少する．20 Gy/4回/4日照射する．耳介は16 Gyで殆ど再発例はない．術後照射20 Gyの非再発率は88％程度である．切除不能な場合には放射線治療単独で24～30 Gy/4～5回/2～5週の照射により，90％以上で症状が寛解する．急性反応では，色素沈着はほぼ必発である．晩期反応では，皮膚萎縮と毛細血管拡張がある．

C. 脳動静脈奇形（Intracranial arteriovenous malformation；AVM）

ナイダスによる盗血流，静脈圧亢進に伴う浮腫，AVMの増大による圧排で頭痛や痙攣発作が生じる．また，静脈側での破綻で出血する．手術治療が基本であるが，リスクに応じ保存的観察や塞栓術，放射線治療を行う．機能領域の局在病変や，手術リスクが高い場合，深部の小さなAVMでは，特に定位放射線照射（SRI）の利点が大きい．定位手術的照射（SRS）は，ガンマナイフまたは6 MV X線にて，辺縁線量20 Gy照射する．視神経は8～10 Gy以下にする．ナイダスの完全閉塞率は，分割照射40～50 Gyで20％，SRSで65～80％である．閉塞まで1～5年，平均3年かかり，5～6年で70～80％が閉塞する．有害事象には，広範な浮腫，囊胞形成，放射線壊死がある．40％程度で，2～3年後にナイダス周囲に一時的な浮腫が生じ，症状を伴うことがある．

表13-29 良性疾患・良性腫瘍の放射線治療

良性疾患の放射線治療
1. 甲状腺眼症：4～6 MV 2門，水晶体防護
2. ケロイド：手術後早期，電子線 15-20 Gy/3～4回
3. 翼状片：Sr-90密封小線源（Y-90のβ線）
4. 血管腫（カサバッハメリット症候群）：4-10 MV X線，電子線
5. 脳動静脈奇形：SRI（SRS，SRT）
良性腫瘍の放射線治療
1. 聴神経腫瘍：SRI（SRS，SRT）
2. 下垂体腺腫：SRI，左右対向2門
3. 髄膜腫：手術1st，SRI（SRS，SRT），術後残存や再発にも適応

放射線療法のまとめ（がんと照射法）

1. 脳腫瘍：可及的切除後照射する．
   - 低悪性は多門照射や原体照射で 45〜54 Gy
   - 中〜高悪性は IMRT で拡大局所照射野にて 60 Gy＋テモダールの化学放射線療法，BNCT が検討中
   - 良性腫瘍（下垂体腺腫，頭蓋咽頭腫）では再発防止に 50 Gy 程度の術後限局照射
   - ラジオサージェリー（一回で照射する 3 cm 以下の転移性脳腫瘍 聴神経腫瘍 脳 AVM など）
   - 全脳照射：側方対向二門 脳転移 30 Gy/10 回
   - 予防的全脳照射：白血病寛解 18 Gy 小細胞肺癌寛解 25 Gy/10 回
   - 全脳全脊髄腔照射：髄芽腫 脳室上衣腫 胚芽腫
2. 咽頭がん：側方対向二門・IMRT（化学放射線療法）60〜74 Gy 脊髄遮蔽 40〜50 Gy の時点で
3. 上顎がん：45°ウェッジフィルタ直交二門・IMRT
   三者併用療法（手術，放射線治療，抗がん剤動注）
4. 早期喉頭声門がん：側方対向二門（15°ウェッジフィルタ），頸部リンパ節は含めず放射線治療単独 66〜70 Gy，
5. 食道がん：前後対向二門＋脊髄遮蔽斜入二門，頸部は IMRT 化学放射線療法
6. 肺がん：前後対向二門＋脊髄遮蔽斜入二門
   小細胞がんは CRT（化学療法＋加速多分割照射 45 Gy/1.5 Gy 朝夕/3 週）
   非小細胞がん Ⅰ〜Ⅱ期は SBRT48 Gy/4 回，Ⅲ期 CRT60〜66 Gy，高齢者では GTV のみ照射
7. 乳がん：4〜6 MV X線で，非対向二門接線照射（15°ウェッジフィルタ）
   - 乳房温存療法では通常分割照射（全乳房 2 Gy×25 回＋boost 電子線照射 10 Gy）または寡分割照射（全乳房 42.5 Gy/16 回＋boost 電子線照射 10.64 Gy/4 回）
   - 乳房切除術後照射（PMRT）は腋窩リンパ節転移陽性の場合，胸壁照射と鎖骨上リンパ節照射を行う．腋窩照射は郭清後には行わない．傍胸骨照射は通常行わない．
8. 子宮頸がん：前後対向二門 1.8 Gy×22 回＋中央遮蔽 1.8 Gy×6 回→腔内照射（マンチェスター法 A点 6 Gy×4〜5 回）
9. 前立腺がん：IMRT 2 Gy×27〜29 回 ^{125}I 永久挿入小線源治療 PTV 線量 144〜160 Gy
10. 膀胱がん：前後左右四門照射 45〜50 Gy →原発巣＋腫大リンパ節 15〜20 Gy
11. 悪性リンパ腫：化学療法→2 Gy にて 36〜40 Gy
12. 精上皮腫（セミノーマ）：ドッグレッグ照射野（患側腸骨リンパ節＋傍大動脈リンパ節）20 Gy/10 回
13. 白血病：化学療法→予防的全脳照射 18 Gy 全身照射（骨髄移植）線量率 5〜10 cGy/分，12 Gy/6 回/朝夕
14. 骨転移：頸椎（左右対向二門） 胸椎・腰椎（後方一門・前後対向二門）30 Gy/10 回
15. リンパ節転移：頸部・鎖骨上リンパ節）前方一門（10°〜15°斜入にて頸髄を避ける）電子線照射前後対向二門（胸部・腹部リンパ節）2 Gy×20〜30 回（適宜，斜入にて脊髄を避ける）

18 陽子線治療・重粒子線治療

　陽子線や炭素線を用いた放射線治療は粒子線治療と総称され，特に炭素線を用いた治療は重粒子線治療と呼ばれる．2021年の時点で粒子線治療の公的保険の対象疾患は，小児腫瘍（陽子線治療のみ，限局性の固形悪性腫瘍に限る）・切除非適応の骨軟部腫瘍，頭頸部悪性腫瘍（口腔・咽喉頭の扁平上皮癌を除く），限局性および局所進行性前立腺がん，の4種類である．一方先進医療として様々な部位の治療が行われており，今後保険適応の可否が判断されていくものとみられる．

1. 陽子線と炭素線の特性

　粒子線の大きな特徴は，深部に鋭高線量領域（ブラッグピーク：Bragg Peak）を形成する点である．光子線や電子線に見られないこの特徴は，陽子や炭素イオンが非常に大きな質量（電子と比べ，陽子は約1840倍・炭素は約22000倍）を有することに起因している．ブラッグピークの位置は入射エネルギーに依存するため，ピーク位置を調整し重ね合わせて広い高線量領域（拡大ブラッグピーク：SOBP；Spread out Bragg Peak）を形成する（図13-52）．粒子線の停止位置は飛程（R）と呼ばれ，エネルギーが高いほど深部まで粒子が到達し，また核子あたりのエネルギーが等しい陽子線と炭素線では，炭素線の飛程は1/3程度になる．飛程の終端では，粒子はエネルギーを失って速度が遅くなっており，阻止能が大きくなる．このとき物質に与えるエネルギーが急激に増加してブラッグピークを形成する．一般的に粒子線治療に用いるためには，陽子線では約200 MeV，炭素線では核子あたり300～400 MeVのエネルギーが必要となる．また粒子線はRBEが1とは異なるため，物理線量（Gy）と生物線量（GyEまたはGyRBE）が用いられ，投与線量は生物線量を基準に決定される．

A. 陽子線の特徴

　体内では，陽子線は主に電子と相互作用を起こす．電子と比べると質量が大きいため，体内を直線的に進みブラッグピークを形成する．このとき陽子線の飛程は確率的な散乱によるゆらぎが発生するため，ブラッグピークは幅を持つ（レンジストラグリング）．高いエネルギーは深部へ到達するため確率的な飛程のゆらぎが大きく，ブラッグピークの幅が大きい．また陽子線の線質は残余飛程（R_{res}：Residual Range）で表され，残余飛程は測定深（d）からR_p（Practical Range；10%線量深）までの距離，すなわち$R_{res}=R_p-d$で計算される．水吸収線量の標準計測法では，陽子線の線質変換係数（k_Q）を測定位置のR_{res}によって定義している．陽子線は低LET放射線に分類され，生物学的効果比（RBE）も1.1であり，SOBP内の物理線量と生物線量は共に平坦となる．

B. 炭素線の特徴

　炭素は陽子の約12倍の質量を有するため，より強く直線的な挙動を示し，飛程のゆらぎも少ない．そのためブラッグピークや横方向の半影領域（ペナンブラ）が鋭い．また炭素線では，核破砕反応が深部線量分布に影響を与える．核破砕反応により生じる核破砕片は炭素よりも軽く同じエネルギーを有するため，飛程の終端よりも深部にテールを引く（フラグメンテーションテール）．炭素線については現状の水吸収線量の標準計測法では線質の基準が定義されておらず，k_Qは電離箱の種類ごとに一定の値が与えられている．陽子線と炭素線の最も大きな違いは炭素線が高LET放射線であり，深部ほどRBEが増加するということである．RBEはおよそ3とされる

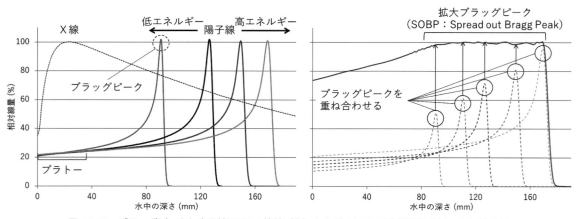

図13-52　ブラッグピークと光子線PDDの比較（左）およびSOBPの形成原理（右）：陽子線の例
（図解　診療放射線技術実践ガイド　第4版 p.791［安井啓祐著］より引用）

ことが多いが，生物線量を一定にするために物理線量は深部ほど小さく勾配を有している．また生物線量に一定の重み係数が導入されており，およそ1.5倍した線量が臨床線量（GyE）として用いられる（図13-53）．炭素線はOERが低いため，低酸素状態の腫瘍細胞に対しても効果があり，亜致死損傷の修復（SLDR）が小さく，寡分割照射が有効であることも特徴である．

2. 医療用粒子線加速器

加速器は粒子線の発生・加速の機序に大きく関係している．粒子線治療に用いられる加速器は，歴史的にサイクロトロンからシンクロトロンへと発展してきた．シンクロトロンは質量の大きい粒子の加速が可能であり，2021年現在の技術では炭素線治療にはシンクロトロンのみが用いられる．円形加速器の共通する特徴は，磁場によるローレンツ力と遠心力が均衡して円運動を成立させていることである．円運動が成立している条件下では，電荷（q），粒子の速度（v），磁場強度（B），質量（m），周回軌道半径（r）の間には以下の関係が成り立つ．

$$qvB = \frac{mv^2}{r} \quad \cdots\cdots （式-1）$$

（式-1）の左辺はローレンツ力，右辺は遠心力である．（式-1）より，粒子のエネルギーの増加，すなわち速度（v）の増加に対し，周回軌道半径（r）または磁場強度（B）の増加により対応する必要があることが分かる．また円運動の周期（T）は周長（$2\pi r$）を時間で除した値となるため，（式-1）を変形すると以下のように表される．

$$T = \frac{2\pi r}{v} = \frac{2\pi m}{qB} \quad \cdots\cdots （式-2）$$

（式-2）から，円運動が成立している条件下において周期は粒子の電荷と磁場強度から導くことができる．周回軌道半径と磁場強度，円運動の回転周期の違いがサイクロトロンとシンクロトロンの加速原理の違いに大きく関わっている．機械的に両加速器に共通の特徴はイオン源を有することであり，イオン発生後の加速原理が大きく異なる．以下にそれぞれの特徴をまとめる．

A. サイクロトロン

図13-54にサイクロトロン加速器の概要を示す．サイクロトロンは陽子線加速器として用いられる．サイクロトロンは中心にイオン源があり，イオン源から放出された陽子はDee電極の間隙で固定周期の高周波電場によって加速される．陽子はエネルギーの増加に伴い螺旋形の円運動をするが，回転周期は一定（同じ時間にDee電極の間隙に戻ってくる）であるため，回転周期に同調する固定周期の高周波を電源から与えることで繰り返し加速が可能となる．エネルギーの上限はDee電極の大きさで制限され，加速エネルギーは固定となる．低いエネルギー（短い飛程）の陽子線が必要な場合，エネルギー選別システム（ESS：Energy Selection System）を利用する．サイクロトロンはESSによるビーム損失が大きく，放射化物が多くなる欠点があるが，高い線量率を得られる利点がある．

古典的なサイクロトロンの原理では，加速に伴って見かけの質量が増加し回転周期にずれが生じるため，陽子を20 MeV程度までしか加速できない．陽子線治療用のサイクロトロンとして，見かけの質量の増加に合わせて

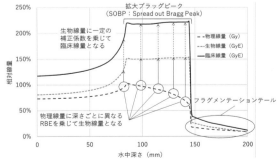

図13-53 炭素線のSOBP：物理線量と生物線量，臨床線量の関係

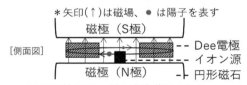

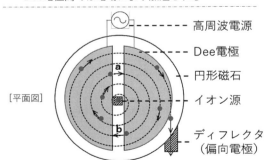

図13-54 サイクロトロンの加速原理図
（図解 診療放射線技術実践ガイド 第4版 p.793［安井啓祐著］より引用）

磁場を増大させ周波数を一定にする AVF サイクロトロン（Azimuthally Varying Field サイクロトロン）や磁場と質量比に合わせて周波数を変化させるシンクロサイクロトロンが用いられている．サイクロトロンは弱収束の原理により，AVF サイクロトロンでは強集束の原理により陽子の発散を防いでいる．

B. シンクロトロン

図 13-55 にシンクロトロン加速器の概要を示す．シンクロトロンは陽子線，炭素線双方に用いられる．粒子はリング状の一定軌道を周回し，加速は高周波加速空洞で行われる．加速に合わせて偏向電磁石の磁場を増加させ，粒子の軌道半径を一定に保つ．一定の周回軌道中で粒子の速度が増加するため，回転周期は短くなり，回転周期に同期して高周波電圧の周波数を増加させることで一か所の加速空洞での加速が実現できる．四極電磁石の強収束により陽子を収束させており，四重極磁石はビーム輸送ラインでも用いられている．またシンクロトロンは入射する粒子を予備加速する必要があり，入射器（前段加速装置）として直線加速器（リニアック）が設置されている．このときイオン源はリニアックに接続した形で設置されている．シンクロトロンは粒子を任意のエネルギーで取り出せるため，ESS のような吸収体を必要としない．加速エネルギーが安定しビーム損失が少なく，放射化物が少なくなることや重粒子を加速できる利点はあるが，小型化や線量率ではサイクロトロンが有利である．

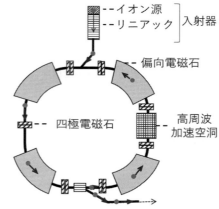

- リニアックは入射器として用いられる
- シンクロトロン内では、粒子は決まった軌道で円運動する
- 加速空洞で任意のエネルギーまで加速する
- 速度に合わせ偏向電磁石の磁場を変更し、粒子は一定軌道を維持できる

図 13-55　シンクロトロンの加速原理図
（図解　診療放射線技術実践ガイド　第 4 版 p.794［安井啓祐著］より引用）

3. 粒子線治療に用いられる照射機器

照射機器の構成は陽子線と炭素線でほぼ同一であり，静的照射法と動的照射法の 2 つに分類される．粒子線は SOBP と飛程を有するため，照射機器は① SOBP の形成，

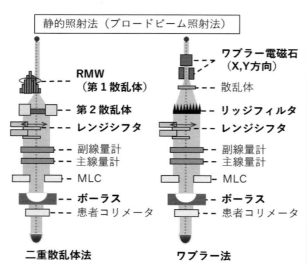

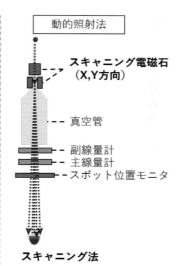

- RMW、リッジフィルタ(RF)：深さ方向に陽子線を拡大
- 第 2 散乱体、ワブラー電磁石：平面方向に陽子線を拡大
- *二重散乱体＋リッジフィルタの装置も存在する
- *RMW：細い陽子線、RF：拡大した陽子線を照射する

- スキャニング電磁石：陽子線を曲げる
- 加速器によるエネルギー変更、またはレンジシフタにより飛程を変化させる
- 塗り潰すように高線量域を作成する

図 13-56　粒子線照射装置の概要：二重散乱体法とワブラー法［静的照射法］，スキャニング法［動的照射法］
（図解　診療放射線技術実践ガイド　第 4 版 p.795［安井啓祐著］より引用）

②飛程の調整，③照射野の形成の3つがポイントとなる．図13-56に静的照射法，動的照射法の照射機器の一例を示し，以下にそれぞれの照射領域の形成について述べる．粒子線装置は施設により詳細な構造が大きく異なるため，基本的な構造，機器の役割や名称を理解することが重要である．

A. 静的照射法

照射中に機械的制御を行わない方法であり，パッシブ照射法（Passive 照射法），ブロードビーム照射法と称されることもある．静的照射法は三次元的に拡大した陽子線を腫瘍形状に整形して照射するが，平面方向の照射野の拡大方法でさらに2つに分類される．

① SOBP の形成：Range Modulation Wheel（RMW）やリッジフィルタ（RF）が用いられる．RMW や RF には細かな段差があり，粒子が通過する厚さが異なることで図13-52の右図に示したように飛程が調整され，様々な大きさの SOBP が形成される．

② 飛程の調整：大幅な飛程の調整は，加速器からのエネルギーを変更して行う．一方臨床的には，腫瘍の深さに応じて1mm程度の微調整が必要とされるため，細かな飛程を調整する吸収体（レンジシフタ）を用いる．また飛程終端の形状を腫瘍に合わせるため，患者ボーラスが使用される．患者ボーラスは治療する門ごと（ガントリ角度ごと）に作成する．

③ 照射野の形成：平面方向の照射野の拡大には，第1・第2散乱体やワブラー電磁石が利用される．2つの散乱体を用いる手法は二重散乱体法，ワブラー電磁石を用いる手法はワブラー法と呼ばれ，静的照射法はこの2種類に分類される．二重散乱体法では，第1散乱体によりビーム径を拡大し，さらに第2散乱体により均一に拡大する．第2散乱体は高原子番号の中央部と低原子番号の辺縁部で構成されており，粒子線の強度を中央と辺縁で変化させる．ワブラー法では，ワブラー電磁石の交流電流を用いて粒子線の軌道を円や螺旋に回転させ，続く散乱体によって散乱させることにより平面方向に均一に拡大する．拡大された粒子線を腫瘍の形状に整形するため，MLC や患者コリメータが用いられる．コリメータはボーラスと同様，照射門ごとに腫瘍の形状に合わせて異なる形状のものが用いられる．

B. 動的照射法

照射中にいくつかの機器を動的に制御する方法であり，アクティブ照射法と称されることもある．現在の主流はスキャニング法（Scanning 法）で，連続的にビームを出力させるラスタースキャニングとスポットごとにビームON/OFFを繰り返すスポットスキャニングが用いられている．スキャニング法は細い粒子線を動的に動かす手法であり，線量分布の自由度が非常に高く，複雑な形状の照射領域が作成可能である．

① SOBP の形成・② 飛程の調整：加速器を用いたエネルギー切り替えにより飛程を変化させ，様々なエネルギーのブラッグピークを利用して深さ方向の線量分布を形成する．

③ 照射野の形成：スキャニング電磁石による走査により粒子の平面上の照射位置を変更し，照射野を形成する．

スキャニング法では①～③のプロセスの結果として，点で腫瘍を塗り潰すように任意の線量分布を形成できる．原理的に線量を標的に強く集中させることができ，強度変調粒子線治療など高精度粒子線治療が可能となる．スキャニング法ではボーラスやコリメータ，散乱体などノズル内の構造物が少ないため，メンテナンスコストの低下や散乱線による被ばくの低減，放射化物の減少，ビーム利用効率が高い，などのメリットも挙げられる．

19 ホウ素中性子捕捉療法（BNCT）

BNCT（Boron Neutron Capture Therapy）は細胞レベルでの選択的照射が可能な新たな治療法として注目されており，2020年6月から「切除不能な局所進行又は局所再発の頭頸部癌」に対して保険診療を開始している．

1. BNCTの原理

BNCTとは，中性子とホウ素（^{10}B）との核反応を利用したもので，その際発生する荷電粒子を用いてがん細胞を死滅させる治療法であり，1936年にLocherらにより提唱された．

^{10}Bを含むがん細胞やがん組織に集積するホウ素化合物（BSH，BPA）をあらかじめ投与しておき，熱外中性子（10 keV–0.5 eV）が主体の低エネルギー中性子を照射する．ホウ素^{10}Bは，中性子と核反応を起こす確率（核反応断面積（単位 barn））が桁違いに大きく，窒素1.7 barnに対し，3,850 barnの核反応断面積を有する．^{10}Bは熱中性子（0.025 eV程度）を捕捉し核反応が起こり，α粒子とLi粒子が発生する．

α粒子，Li粒子の生体内での飛程はそれぞれ約9μm，約5μmと短く，腫瘍細胞経（10〜20μm程度）を超えない．したがって，^{10}Bが取り込まれている細胞ごとに治療を行うという高い選択性治療がBNCTの特長である．図13-57にBNCTの原理を模式的に示す．

2. 中性子源と中性子場

BNCTが行われた当初から，中性子源として原子炉が用いられてきた．当初は熱中性子による治療が行われていたが，熱中性子は深部にまで到達させることは難しく，脳腫瘍の治療では開頭手術を施行し治療を行っていた．その後熱中性子よりエネルギーの高い熱外中性子による治療の研究が行われ，日本においては2001年より熱外中性子による治療が開始された．これにより，脳腫瘍に対する開頭手術を伴わない非開頭でのBNCTを行うことが可能となった．しかし，BNCTを医療として発展させていくためには中性子源が原子炉のままでは難しく，加速器中性子源の開発が熱望された．京都大学において，住友重機械工業と共同で加速器中性子照射システムの開発が行われ，2008年にサイクロトロンベース熱外中性子源（Cyclotron Based Epithermal Neutron Source：C-BENS）システムが導入され，2012年に治験が開始された．

3. 加速器中性子照射システム

C-BENSの他にも日本や海外において加速器中性子照射システムの研究・開発が行われている．原理はいずれも，加速器で陽子を加速し，加速された陽子がターゲットに照射し中性子を発生させる．発生した中性子を減速機構によりBNCTに適したエネルギーとなるよう減速し，患者に照射する．ターゲットにはベリリウムやリチウムが用いられ，ターゲット物質の種類により陽子の加速エネルギー，および加速電流が選択・決定される．

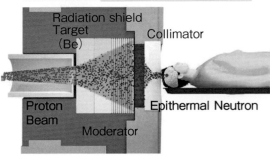

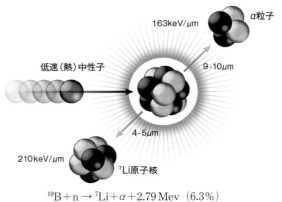

^{10}B+n → ^{7}Li+α+2.79 MeV （6.3%）
　　　　　^{7}Li+α+2.31 MeV （93.7%）

図13-57　ホウ素中性子捕獲反応
（BNCT研究会パンフレットより引用）

図13-58　BNCT治療システム NeuCure®
上段写真：大阪医科薬科大学サイクロトロン HM-30，
下段図：ターゲット・照射系（住友重機械工業資料より引用）

C-BENS は BNCT 治療システム NeuCure® として再発の手術不能頭頸部癌に対して 2020 年 3 月に医療機器販売承認を取得し，同年 6 月より保険診療を開始している．現在医療機器として承認され臨床で使用されている加速器中性子照射システムは上記機種のみである．図 13-58 は大阪医科薬科大学関西 BNCT 共同医療センターに設置されている NeuCure® で，陽子加速電圧 30 MeV，加速電流 1 mA，ターゲットにはベリリウムが使用されている．

4. ホウ素薬剤

現在多くのホウ素薬剤の開発研究が行われているが，現時点で実用化されているのは BPA（boronophenylalanine）のみで，BPA については 2020 年 6 月に薬価が設定され保険収載となった．

BPA はアミノ酸のフェニルアラニンにホウ酸を導入したものである（図 13-59）．

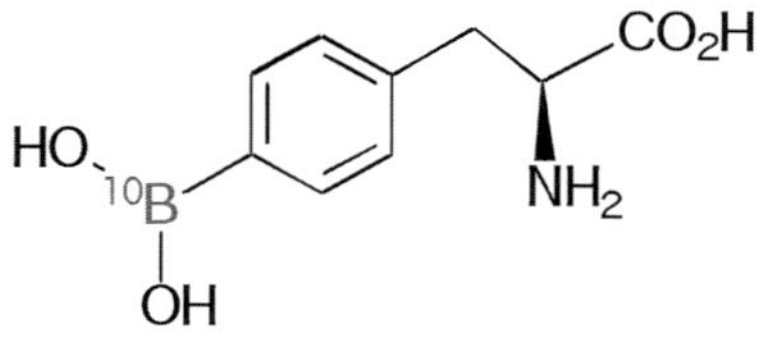

図 13-59 BPA 化学構造

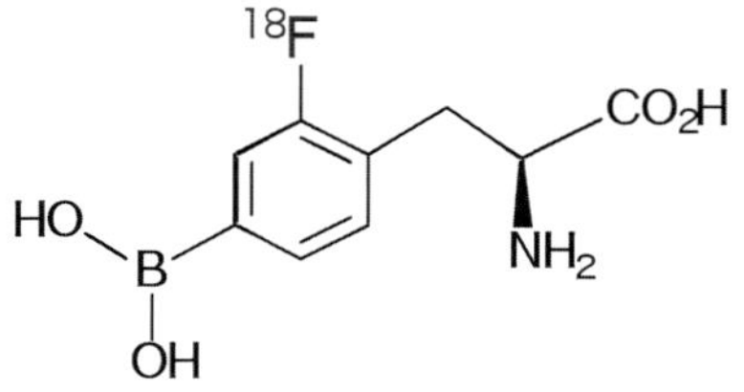

図 13-60 FBPA 化学構造
（BNCT 研究会パンフレットより引用）

5. FBPA-PET

BNCT において腫瘍細胞に取り込まれるホウ素量の推定が重要となる．FBPA-PET は，BPA を陽電子放出核種である ^{18}F で標識した薬剤（図 13-60）による PET 検査であり，BPA の挙動を可視化できる．組織内および腫瘍内ホウ素濃度を推定することにより，BNCT 適格患者の選択や，治療計画装置での線量計算，治療効果の予測に有効であると期待されており，現在特定臨床研究が行われている．

6. BNCT の特徴

BNCT の高い腫瘍選択性は浸潤性のがんや再発がんにも有用であり，発生する高 LET 粒子は高い生物学的効果を有し X 線抵抗性・難治性がんにも有効である．以下に BNCT の特徴について列挙する．

・がん細胞を選択的に破壊
・正常組織へのダメージが少ない
・放射線治療後に再発したがんも対象となる
・治療期間が短い（照射 1〜2 回）
・個別臓器全体に広がったがんや浸潤性のがん，難治性がんにも効果が期待できる
・FBPA-PET 検査による治療効果予測が可能

7. 今後の展望と課題

現在，次なる医療機器販売承認を目指し，国内外で活発に加速器開発が行われている．NeuCure® においても，単位時間あたりの中性子の個数を増やし，照射時間の短縮を図るなどの高度化のための開発が行われている．薬剤については，ステボロニン®（一般名ボロファラン ^{10}B）のみ製造販売承認を受け薬価収載されている．薬剤開発のための多くの研究が行われており，より多くのホウ素を腫瘍に輸送するためのドラッグデリバリシステムを応用した方法や，ホウ素以外の薬剤についても研究が行われている．また適応症例の拡大のための取り組みも行われており，より多くの症例に対してエビデンスに基づいた BNCT を行えるよう，治験や臨床研究が進められている．

20 放射線治療における有害事象

放射線治療では腫瘍制御効果だけでなく，治療中および治療後に発生する正常組織の障害の観点からも処方線量や線量分布を適切に設定する必要がある．正常組織が急性反応を生じるのは放射線治療を行う上で避けられない障害であるが，可逆性で回復可能である．一方，正常組織の晩期反応については，耐容線量は大きいが，ひとたび発症すればその障害は不可逆性であり，日常生活の質を低下させる要因となる．重要なことは重篤な晩期障害をきたさないように処方線量が耐容線量を超えないように計画することである．

1. 細胞・組織の放射線感受性と障害の機序

正常組織の障害はその組織を構成する組織固有の実質細胞と血管結合織の間質の変化によって生じる．実質細胞の放射線感受性は恒常的細胞再生系（粘膜・皮膚・骨髄・消化管上皮・生殖腺など）が高く，次いで緊急的細胞再生系（肝臓，腎上皮，唾液腺，甲状腺上皮など）で，低感受性なのは非細胞再生系（筋肉，脳・脊髄など）である（表13-30）．間質組織は緊急的再生系や非細胞再生系にくらべ高感受性である．このため，緊急的細胞再生系や非細胞再生系組織では実質細胞が放射線によって直接障害を受けるよりも前に間質の血管・結合織が障害されて組織全体として障害を生じることになる．組織としての放射線感受性は，実質細胞と間質の両者の感受性を考慮する必要がある．すなわち，実質細胞の放射線感受性と組織としての放射線感受性は同じではなく，間質の反応が放射線障害を予測するのに重要である．

表 13-30　実質細胞と間質組織の放射線感受性

放射線感受性	分類	細胞の種類とその特徴
高い ↓ 低い	恒常的細胞再生系	常に分裂を繰り返している細胞：粘膜・皮膚・骨髄・消化管上皮・生殖腺など
	血管・結合織	組織内・臓器内の血管や結合組織
	緊急的細胞再成系	通常は分裂停止し，緊急時に分裂増殖する細胞：肝，腎，唾液腺，甲状腺など
	非細胞再成系	分裂停止していて再生しない細胞：筋肉，脳，脊髄など

2. 血管結合織の経時的な反応

間質の血管結合織では照射数時間後から初期の血管透過性亢進を生じる．照射回数と線量が増加するにつれて血管透過性亢進は増進する．これによる変化が局所の浮腫や腫脹であり，部位によって脳浮腫・声門水腫・気管狭窄（浮腫性）・尿管狭窄（浮腫性）・食道狭窄（浮腫性）・唾液腺腫脹などの症状をきたす．

さらに照射開始後2〜4ヵ月では，血管透過性亢進の持続とサイトカインの影響により炎症・腫脹を生じ，放射線肺臓炎・放射線腎炎・膀胱炎・一過性放射線脊髄症・一過性皮下浮腫などをきたす．

照射後4ヵ月を過ぎると，急性反応が軽快し，血管の内膜肥厚や結合織に線維増生をきたす．血管の内膜肥厚は血管内腔の狭窄を生じ，血流不全を引き起こし，直腸潰瘍や下肢浮腫の症状を生じる．線維増成は，組織の線維化・硬化をきたし，肺線維症・腎硬化症・食道狭窄・皮下硬結などの症状を生じる．

さらに1年以上経過すると，血管閉塞や瘢痕収縮をきたし，それぞれ脳壊死・放射線脊髄症，膀胱萎縮・関節拘縮などを生じる．

3. 急性障害と晩発性障害

放射線治療時による急性障害は照射後2〜3ヵ月以内に生じる．この急性反応は本質的には恒常的細胞再生系（粘膜・皮膚・骨髄・消化管上皮・生殖腺など）の実質細胞の細胞死による組織障害や血管結合織の血管透過性亢進による組織の変化である．照射部位の非特異的炎症や浮腫・腫脹がおこる（表13-31）．粘膜炎，皮膚紅斑，脱毛，白血球数減少，嘔吐・下痢，脳浮腫などの症状で，これらの発症時期や重症度は照射開始からの時期と照射線量に依存している．しかし照射が終了すれば一定期間ののち軽快消失する．

晩期反応は急性反応が軽快し，照射後4ヵ月を過ぎてから出現する．上記の血管結合織の反応に引き続き起こる障害で，不可逆的な変化である．線維増生や瘢痕萎縮による肺線維症，腎硬化症，萎縮膀胱，関節拘縮などがあり，血管閉塞による血流不全は，直腸潰瘍，脳壊死，放射線脊髄症などを生じる（表13-31）．

4. 障害の観点からの正常組織の分類：直列臓器と並列臓器

放射線障害の観点から臓器は直列臓器と並列臓器に分類される．放射線治療における有害事象は，直列臓器と並列臓器で機能に関する影響の度合いが異なる．直列臓器には脊髄や腸管が分類され，これらでは臓器の一部が障害を受けると障害を受けていない部位までも大きな影響を受ける．脊髄では障害を受けた末梢側では麻痺をき

表 13-31 放射線治療に関連した臓器・組織の有害事象

照射部位	組織・臓器	急性障害（__炎，__浮腫などの病名）	晩発性障害（__壊死・不全，__萎縮・拘縮，__症，__潰瘍などの病名）
頭部・脊椎	脳・脊髄	脳浮腫，脳圧亢進（頭痛，嘔気，嘔吐），傾眠，一過性放射線脊髄症，意識混濁	脳壊死，白質脳症，痴呆，放射線脊髄症
頭頸部	骨髄	骨髄障害，汎血球減少	再生不良性貧血，骨髄線維症，脂肪髄，白血病
	咽喉頭粘膜	粘膜炎，充血，声帯浮腫，びらん，口腔乾燥感，味覚障害	口内乾燥症，味覚異常，慢性中耳炎
	皮膚	紅斑，発赤，乾性皮膚炎，湿性皮膚炎，脱毛	潰瘍形成，色素沈着，皮膚萎縮，毛細血管拡張
	唾液腺	口腔乾燥感，粘稠唾液，アミラーゼ上昇	口内乾燥症，味覚異常，口内感染症，う歯
	甲状腺	なし	甲状腺機能低下症
	眼球	結膜炎，角膜炎，流涙，涙分泌減少	白内障，網膜症，視神経萎縮，角膜潰瘍，涙腺萎縮
胸部	肺	放射線肺臓炎	肺線維症，気管支狭窄
	心臓	まれ	心外膜炎，心嚢液貯留，心電図異常
腹部	消化管	悪心・嘔吐，食欲不振，下痢，腹痛，嚥下痛，食道炎，穿孔，潰瘍	排便異常，出血，潰瘍，疼痛，線維性狭窄，腸閉塞，直腸膀胱瘻
	肝臓	肝酵素の上昇，うっ血，浮腫，腹水貯留	うっ血，出血，肝線維症，容積縮小
	腎臓	腎炎，浮腫	腎硬化症（萎縮腎），腎不全，貧血，悪性高血圧
	生殖腺	まれ	不妊，月経の一次停止，性ホルモン低下
	膀胱	膀胱炎，頻尿，排尿痛	萎縮膀胱，血尿
四肢，脊椎	骨軟部	軟部浮腫，骨壊死，成長停止	成長障害，側湾，硬結，リンパ浮腫，四肢短縮，関節拘縮，骨壊死

たし，腸管では腸閉塞をきたし腸としての機能を果たせなくなる．一方，並列臓器には肺・肝臓・腎臓などが分類され，これらでは臓器の一部が障害を受けても残存する正常部で機能を果たすことができる．なお，肺は並列臓器にもかかわらず，肺門部は肺への血管や気管支が束ねられている特殊部位なので直列臓器として扱う．同様に肝門部も直列臓器として取り扱う．

5. 耐容線量（直列臓器）と線量体積ヒストグラム（並列臓器）

放射線治療の根治的照射では，腫瘍周囲の正常組織の晩期障害が発症しないように投与線量を計画する（表13-32）．放射線治療を計画する上で，直列臓器の晩期有害事象は臓器の一部分にでも起こることは許容できない．並列臓器では残存部分が臓器の機能を保持できる範囲であれば部分的な晩期有害事象を許容できる．すなわち投

表 13-32 放射線治療の種類と有害事象への対応

治療法	急性障害	晩発性障害
根治的照射	・発症は不可避 ・対症的に加療 ・放射線治療はできる限り中断しない	・発症しないように計画 ・耐容線量，DVHを用いて線量制御
緩和照射	・緩和照射に要する期間は短いので照射後に症状出現すること多い ・対症的に加療 ・放射線治療は中断しない	・予後が短いので，晩期障害への配慮は要しない

与線量の決定には，直列臓器の場合には晩期有害事象に対する耐容線量が制約し，並列臓器の場合にはその臓器に投与する照射線量（Gy）と照射体積（%）との関係（線量体積ヒストグラム DVH）が線量制約に重要である．

6. 線量体積ヒストグラム DVH

線量体積ヒストグラム DVH の表示方法には積分型と微分型があり，積分型表示が一般的である．縦軸に体積（%），横軸に線量（Gy）を設定し，がんの計画的標的体積（PTV）とリスク臓器のそれぞれの線量体積ヒストグラムを同時に表示する．積分型 DVH のグラフの読み方は，グラフを高線量側から低線量側に向かいグラフをなぞる．グラフ上のある点が意味するのは，該当線量（以上）の照射をうけるリスク臓器の体積（%）である．たとえば肺がんの照射では正常肺がリスク臓器である．一般的に V_{20}（20 Gy 以上照射される体積%のこと）が37%以下になるように線量に制約を設定する（図13-61）．心臓も並列臓器で，40 Gy 以上照射をうけると組織学的に異常がみられるので，心臓全体の照射の場合は 40 Gy 以下に設定し，V45 では 67% 以下，V60 では 33% 以下になるように線量制約を設ける．

7. 組織の耐容量と放射線障害

各臓器・組織に対する放射線障害の発生率は，その耐容量（線量）と照射される容積に関係する．耐容線量として最小耐容線量 $TD_{5/5}$ と最大耐容線量 $TD_{50/5}$ が用いられる．$TD_{5/5}$ とは 5% 以内の症例に治療後 5 年以内に

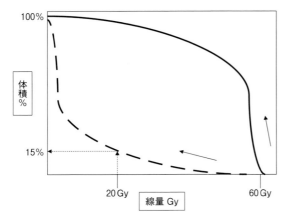

図 13-61　線量体積ヒストグラム DVH の読み方
　実線は腫瘍 PTV, 破線はリスク臓器 OAR（肺）の DVH である．→方向に沿ってグラフをなぞる．肺では線量 20 Gy のポイントは体積 15% なので, $V_{20}=15\%$ となり, 肺がんの線量制約の範囲内の設定である．

　重篤な障害が発生する線量, $TD_{50/5}$ とは 50% 以内の症例（25～50%）に治療後 5 年以内に重篤な障害が発生する線量である（表 13-33）．
　$TD_{5/5}$ の小さい代表的な臓器は生殖腺・骨髄・水晶体, 大きい代表的な臓器は膀胱・尿道・子宮・筋肉などである．照射体積の大きさによって耐容線量に大きな差がある臓器は, 肺・腎・心臓・肝である．
　1）脊髄：脊髄に対する耐容量を超える照射は, 絶対に行ってはならない．放射線脊髄炎の発症により, 回復不能な放射線障害を与えることとなる．このため, 頭頸部がんでは, 頸部リンパ節を含む照射野では, 40～45 Gy を照射し, 頸髄をはずして, 原発巣に限局して, 治療する．また肺がんの通常分割照射による放射線単独治療では, 脊髄の耐容線量は 50 Gy 以下, 化学療法の同時併用 CCRT では 40 Gy 以下である．
　2）直腸：直腸に耐容量を超える線量を与えると, 潰瘍形成・直腸出血などが起こる．子宮頸がん・膀胱がん・前立腺がんなどの照射時には, 直腸出血や腟穿孔・膀胱穿孔などの放射線障害を考慮する．直腸には, できるだけ 55 Gy 以上照射しないようにする．
　3）水晶体：眼の水晶体は, 比較的低線量で, 白内障などの晩発性障害が起こる．上顎がん・全脳照射・バセドウ眼症の治療時には, 水晶体には, できるだけ 5 Gy 以上照射しないように心がける．
　4）口腔粘膜・唾液腺：上中咽頭がんの治療時に, 耳下腺と顎下腺の両方に 55 Gy 以上照射すると, 長期間にわたり, 唾液の分泌障害により, 口内乾燥に苦しむこととなる．最近では, 唾液腺・頸髄をさけて, 腫瘍に高線量を投与できる IMRT 照射法が, 頭頸部がんに用いられつつある．

8. 患者の管理

　放射線治療患者の大多数は悪性腫瘍であり, 腫瘍による身体的障害のほか, 精神的にも極めて不安定な状態にあることが多い．したがって, 患者に接するときには慎重な考慮が必要で, 不用意な発言を避け, 診療記録などの取扱いにも留意する．あわせて患者が治療を終了するよう絶えず励ますことが必要である．
　治療終了後も定期的に経過を観察し, 再発を早期に発見処理することが重要で, 数年間は, フォローアップする．治療による晩発障害についても, 同様に長期の観察と局所の保護が必要である．

表 13-33　補足　耐容線量のポイント

耐容線量のポイント
1. $TD_{5/5}$ の小さい臓器：生殖腺・骨髄・水晶体
2. $TD_{5/5}$ の大きい臓器：膀胱・尿道・子宮・筋肉
3. 照射体積の大きさによって耐容線量に大きな差がある臓器：肺・腎・心臓・肝

重要項目
- 一般的に晩発反応系組織のほうが急性反応系組織よりも線量-生存率曲線の肩が大きい．
- 急性反応系組織（皮膚・粘膜など）の α/β 値は大きくほぼ 10 Gy 程度である．腫瘍もほぼ同じ程度の値をもつ．
- 晩発反応系組織（脊髄・肺・脳・腎など）の α/β 値は小さくほぼ 3 Gy 程度である．
- 晩発性障害は 1 回線量の大きさに関係し, 1 回線量が多いと晩発性障害の原因となりやすい．

重要項目
急性反応と晩発性反応
1）急性反応（治療中に現れる症状）一時的で回復可
　　口腔・頸部の照射——粘膜炎など
　　照射部の皮膚——発赤・紅斑
　　胸部の照射——食道炎・嚥下困難・肺炎
　　上腹部の照射——吐き気・嘔吐・食欲不振
　　下腹部の照射——下痢・便秘・腹痛
　　全身的な反応——白血球減少・宿酔
2）晩発性反応（治療後数ヵ月～数年に現れる障害）
　　非可逆的な症状で回復困難（障害）
　　胸部——肺線維症
　　水晶体——白内障
　　脊髄——放射線脊髄炎
　　消化管——潰瘍・出血・穿孔・狭窄
　　心臓——冠動脈の狭窄

14章 医療安全管理学

● 大野和子・柴田登志也・遠藤啓吾（1, 3）
● 大野和子・井戸靖司（2）

　医療事故による死亡者数は交通事故よりも多いとされ，医療人ならば誰もが遭遇する可能性があるといえよう．診療放射線技師も例外ではない．さらに診療放射線技師の業務拡大に伴って始まった，エックス線CTやMRI検査の際の造影剤注入，検査終了後の抜針，下部消化管検査の際の直腸へのカテーテル挿入など，これまで以上に医療事故に結びつく可能性が増えた．また自分自身が針刺し事故（血清肝炎など）や患者からの感染症（ウイルス性疾患や結核など）に罹患することもありうるなど，自分の身を守ることも必要である．そこで診療放射線技師教育に新たに医療安全管理学が追加された．

　検査の際の患者の取り違え，患者の転倒・骨折あるいは手術前・検査前の患者からのインフォームドコンセント（説明と同意）の取得などは，全ての医療に共通する事項である．医療行為により患者にどのような危険が生じることがありうるか，あらかじめ知っておく危険予知能力は，万一事故が起こった際の速やかな処置，リスクの低減に結びつく．

　診療放射線技師は放射線を取り扱う特殊な仕事であり，患者が受ける放射線量とその健康影響についての知識が不可欠である．本章では診療放射線技師に特化したリスクマネジメント，造影剤とその副作用によるアナフィラキシーショックとその処置を中心に書かれている．造影剤は副作用の最も多い代表的な薬剤である．したがって，患者への造影剤の投与に際しては，医学的に造影剤投与がどうしても必要かどうか，患者が同意したかどうかの文書の確認，さらにショックへの職員の対応・処置が適切だったか，など医療事故が起きることを念頭におくとともに，常日頃から医療事故が起きた際の訓練が欠かせない．

　日常の仕事でも常に医療事故の可能性を考えておく．例えば床の配線・コードに引っかかり，患者が転倒する可能性，検査機器への接触の可能性を考慮しなければならないし，室内の整理整頓と室内を清潔に保つことは，医療安全の基本である．また診療放射線技師は始業前後の装置の安全点検も定期的にしておかなければならない．

　放射線医療機器特有の医療事故も多い．MRI検査の際の金属片の持ち込み，エックス線検査・CT検査の際の過剰照射，さらには放射線治療の際の照射線量の計算間違いなど，最悪の場合には死に至る可能性を秘めている．

　手術，あるいは治療薬（特に抗がん剤）の服用に際しては，患者とその家族は，前もって万一の事態，重篤な有害事象の発生をある程度納得している．それに対し，診療放射線技師の行う業務は外来患者を対象とすることが多く，患者と家族は，重篤な有害事象が起こることを想定していないことがほとんどである．「元気に家を出たのに，なぜ」と思うだろう．それだけに重篤な有害事象が発生した場合には，患者と家族の心配と怒りは大きく，その対応には細心の注意が必要となる．

　これら医療安全の概念は，時代とともに変わる．造影剤投与の際，患者からインフォームドコンセントを文書で取得するようになったのも，造影剤投与前に腎機能を調べるようになったのも，ごく最近のことである．「昔はこんなことはしていなかったはずだ」という先輩の言葉は過去のことであるし，これからも変わることだろう．したがって安全講習会への毎年2回の参加が義務付けられている．

　個人情報保護の取り扱いについては，他に記載されている（☞ p.477）．MRI，CT，核医学，放射線治療など個々の診療を行う際の医療安全や線量測定法については，それぞれの章を参照されたい．放射線利用に伴う医療被ばくは，診療放射線技師にとって生命線ともいえる重要な項目であり，本書では多くの章に記載されている．

1 医療におけるリスクマネジメント

　診療放射線技師もチーム医療の一員として患者が安心して安全に検査・治療を受けることができるよう，医療の質を担保し，患者が満足する医療を提供しなければならない．また自分自身も感染症に感染しない，患者からの暴力を受けないなど，仕事中に危険にさらされないようにしなければならない．医療におけるリスクマネジメントにおいては，事故防止に重点をおいて組織的な取り組みがなされる．また医療を受ける患者の協力を得ることも有効である．

1. 医療安全における用語について

　医療事故とは医療行為や管理面において発生する人身事故の事例をいう．医療行為ばかりでなく医療従事者が被害者の場合も，また病院廊下での転倒など医療行為と直接関係のないものも含む．

①インシデント（ヒヤリ・ハット）；誤った医療行為などが患者に障害を及ぼすことはなかったが，医療有害事象に発展する可能性を有していた潜在的事例をいう．医療事故レベルでは0～3aが対象となる（表14-1）．

②アクシデント（医療事故）；医療行為の中で患者に障害が及び，既に損害が発生しているもの．不可抗力によるものや自傷行為なども含む．なお医療従事者の過誤の有無は問わない．医療事故レベルでは3b～5が対象となる（表14-1）．

2. リスクの要因とその対策

　インシデントレポートや事故報告書は，個々の事故やインシデントの実態を把握し，その防止策を考える上で重要な情報となる．これは始末書ではなく，当事者の責任追及のためではない．全職員で情報を共有し，事故の要因を分析，再発を防ぐための重要な情報であるとの認識を深めて，職場環境を整備し，再発防止策を検討するためである．事故を起こした当事者ばかりでなく，事故やインシデントの発見者など，全職員が気付いた時点で自発的に記録し報告する（図14-1）．

A. 人的要因

　リスクの要因として最も多いのは，医療人の人的要因（ヒューマンエラー）である．常に事故は起こる可能性があるものとして注意していなければならない．

　「判断の誤り」，「技術・手技の未熟」，「知識不足」については，個々に経験年数や技術レベルに応じた適当なプログラムによる教育・研修体制をつくる．

　患者間違いをなくすために，医療者側がフルネームを尋ね，患者自身にもフルネームで名前を名乗ってもらい確認する．患者参加は医療事故の減少に有効である．転倒転落防止について患者にできる防止策を知ってもらう．CT・MRI検査の造影剤投与に際しては前もって患者からインフォームドコンセント（説明と同意）を文書で得るなどは，医療を受ける側と提供する側の思いの差を少なくすることにもつながる．

B. 物的要因

　医療機器本体の安全性，使い方/使われ方による安全性（MRI検査室への金属製品の持ち込みなど）それぞれの検査，医療機器毎に特有の要因がある．抜針の際の針刺し事故を防止するため，抜針後の注射針の再キャップをしない．血液の付着した注射針は感染性廃棄物なので，黄色のバイオハザード付き容器に廃棄する．もし，針刺し事故が発生した場合には，ガイドラインに沿って感染症の発生を予防する．

表14-1　医療事故等の影響度分類

区分	患者への影響度	内容
インシデント	レベル0	間違った行為が発生した，あるいは医療機器の不具合が見られたが，患者には実施されなかった
インシデント	レベル1	実害なし．間違ったことを実施したが，患者には影響を及ぼさなかった
インシデント	レベル2	一過性軽度．患者に影響を与えた，または何らかの影響を与えた可能性がある ＊処置や治療は行わなかった
インシデント	レベル3a	一過性中等度．簡単な処置や治療を要した ＊消毒，湿布，皮膚の縫合，鎮痛剤の投与，単純X線撮影
アクシデント	レベル3b	一過性高度．濃厚な処置や治療を要した ＊バイタルサインの高度変化，人工呼吸器の装着，手術，入院日数の延長，骨折
アクシデント	レベル4	永続的　軽度～高度．永続的な障害や後遺症が残存
アクシデント	レベル5	死亡．現疾患の自然経過によるものを除く

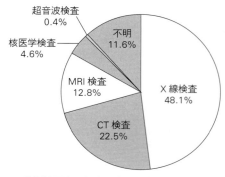

図14-1　放射線医療におけるインシデント，アクシデント報告

C. 体制の要因

病院組織全体として事故防止に取り組む．チーム医療を推進するためには，全職員で情報の共有化をはかり，事故防止に役立てる．

病院内に医療安全管理責任者，医療安全管理者の配置が義務付けられている．また放射線部門を含む各部門に医療安全推進担当者を置くとともに，医療安全管理室，医療安全管理委員会を設置する．医療安全管理のための講習会を定期的に年2回以上開催しなければならない．

令和2年度の医療法施行規則の改正により，放射線を利用する全医療機関に対して，医療放射線安全管理責任者の選定と医療放射線の安全利用のための指針作成も義務化されている（☞ p.494）．

3. リスク評価とリスク管理

医療安全を推進するためには，医療事故が発生する前に，潜在的リスクを評価し，前もって組織的に対策する．対策を講じた後，関連する医療事故が減少したか否か，適切に評価し，さらなるリスクを洗い出し，分析，対策立案につなげる．

放射線関連事故時には応急措置として，①通報，②安全保持，③拡大防止，④過大評価を原則として対応する．

4. 放射線診断における事故防止ための一般的な手順

放射線診断の検査にあたっては主治医，放射線科医などと協力し，安全に正確に診断するように努める．個別の検査にあたっては固有の安全手順が必要となる．

A. 一般的安全手順
① 放射線検査の正当化：適応のない検査の排除
② 患者の同意の確認
③ 署名等の確認：指示などに医師の署名または同等のものがあること
④ 患者の確認：人違いは事故の大きな原因のひとつ
⑤ 検査施行中の患者看視：患者が検査室内にいる間は他の業務を行わず，監視の目を離さない．
⑥ 診療録への記載：照射線量，造影剤投与などを記載する．事故が発生した際には特に詳細に事実・処置などを継時的に記載する．
⑦ 撮影室・検査室などの整理整頓，安全設計と清掃

B. 撮影機器等の整備
① 日常点検
② 品質管理
③ 緊急時の対応：停電の際の対応，緊急停止スイッチの位置と使用法など．また機器の安全装置を確認する．

C. 造影剤使用の注意
① 造影剤使用の正当化；造影適応のない症例には投与しない．
② インフォームド・コンセントの書面による取得
③ 重篤な副作用を想定した緊急体制を整備し，維持する．

D. 読影診断レポートの作成
放射線科医は原則として遅くとも撮影日の翌日までに主治医に報告する．

関連事項

薬理学

薬剤と生体との相互作用を研究する学問である．薬剤の作用，作用機序，治療，処方，毒性，生物学的検定法などを取り扱う．放射線検査・治療を受けるほとんどの患者は何らかの薬剤を服用しており，日常診療にあたっては薬理学の基礎的な知識も必要である．

診療放射線技師においては胃透視，注腸透視の際のバリウム造影剤，CT・血管撮影でのヨード造影剤，MRI造影剤などのほか，核医学で使用する診断用・治療用放射性薬剤を取り扱う．特に近年，診療放射線技師が造影剤を注入するようになり，その薬理作用，副作用についての知識が不可欠となった．ヨード造影剤，MRI造影剤は重篤な副作用が多い代表的な薬剤であり，使用にあたっては患者からのインフォームド・コンセントの取得，副作用が起きた際の対処の方法を知らなければならない．

消化管造影検査の際には副交感神経遮断薬を使用し，胃・腸の蠕動運動を抑えるし，冠動脈CTの際には交感神経遮断薬（βブロッカー）を使って心臓の脈拍数を減らし，冠動脈をより美しく描き出す．

放射線治療の際には抗がん剤と放射線治療を併用する化学放射線治療（Chemoradiation Therapy）が一般的になりつつある．核医学検査の際には放射性薬剤を使用するなど，診療放射線技師にとっても薬理学は重要な学問となっている．

表 14-2 診療放射線技師と関係の深い薬剤

- 造影剤（胃透視，注腸透視，ヨード造影剤，MRI造影剤）（☞ p.468）
- 放射性薬剤（診断用，RI内用療法）（☞ p.408）
- 交感神経遮断剤（冠動脈CT）（☞ p.11）
- 副交感神経遮断剤（消化管X線検査）（☞ p.11）
- 抗がん剤（化学放射線療法）（☞ p.419）
- ホルモン（内分泌治療）（☞ p.49）

2 造影剤と医療安全

造影剤とは

X線検査や超音波検査，MRIでコントラストが十分でなく必要な情報が得られない場合に使用し，検査の目的を達するために利用される．X線造影検査ではX線吸収が大きくX線透過度が少ない状態をつくる陽性造影剤（ヨード系・バリウム）や，X線透過性を多くする陰性造影剤（空気や炭酸ガス）がある．ヨウ素は生体内に存在し，原子番号が53でK吸収端が約33 keVと診断領域で利用されるX線のコントラストが得やすい利点がある．ヨード系造影剤は水溶性と油性があり，水溶性は血管内を含め広く利用されている．油性は子宮卵管造影など限られた分野で使われている．水溶性ヨード造影剤にはイオン性と非イオン性があるが，現在はほとんどが非イオン性造影剤である．理由は造影剤による副作用が非イオン性造影剤のほうが少ないからである．また化学結合状態でモノマー型とダイマー型があるが，モノマー型はダイマー型に比べ分子量が小さく粘調が低く投与しやすい．ダイマー型は浸透圧がモノマーより低く副作用が少ない可能性がある．血管内に投与し腎排泄されるものを尿路血管系造影剤といわれ広く利用されている．尿路血管系造影剤の利用法としてボーラス投与して継時的撮影し血管や目的臓器を造影する方法と血管内全体に行き渡らせる平衡時撮影がある．ボーラス法は血管造影，CT（ダイナミック造影）で利用されている．平衡時法はCTやDIP（点滴静注腎盂造影）に利用される．

1．ヨード造影剤の作用

A．高浸透圧による作用

高浸透圧の造影剤が血管内に投与されると，赤血球の変形・溶血が発生する．また，血管拡張が起こり，血管痛や熱感を感じる原因となる．心筋の収縮力低下も高浸透圧の影響である．

B．化学毒性

造影剤自体による毒性で不整脈・腎機能障害・肺水腫などを引き起こす．化学毒性はヨード造影剤使用量に依存するため，投与量をできるだけ少なくした検査が望まれる．

C．アレルギー反応

蕁麻疹のような皮膚反応，くしゃみのような粘膜反応から，ショック症状を呈するアナフィラキシーまで多種な副作用が発現する．アレルギー反応は投与量に関係なく，少量のヨード造影剤でも重篤な状態になることがあるので注意を要する．

2．即時性副作用について

投与中または投与終了直後に発生する副作用を即時性有害反応とよぶ．症状は熱感，血管痛，悪心・嘔吐，アレルギー症状，アナフィラキシーショックなどが挙げられる（☞ p.57）．多くの場合は検査室内で発症するため診療放射線技師だけでなく医師・看護師と協力して対応することになる．くしゃみなどの軽度なアレルギー症状から重篤なアレルギー症状である気道閉塞・呼吸停止に変化することがあるので注意深く観察する必要がある．アナフィラキシーショックは全身の血管が拡張し血圧低下をまねき循環不全となった状態である．ショック状態が続くと死亡することがあるので緊急の救命処置が必要になる．

アナフィラキシーショック時の対応

造影剤の投与を中止して以下の手順をとる．
BLS（1次救命処置）の手順にのっとり対応する．
1）患者および反応を確認する．
2）周囲の安全を確保する．
3）意識・呼吸・脈拍を確認する．
4）院内緊急コールで応援を依頼する．
5）呼吸・脈拍がないと判断した場合は心肺蘇生を開始する．
6）AEDなどの除細動器を使用する．
7）緊急コールで医師が到着するまで心肺蘇生とAEDを繰り返す．

ショックの状態では血管確保が困難となる場合がある．造影剤を投与したルートを利用して，アドレナリンやステロイド剤を投与することがある．抜針せず造影剤注入した静脈ルートは確保しておいたほうがよい．

3．遅発性副作用について

造影剤投与60分から数日間に起きる有害反応を遅発性副作用という．重篤な症状は少ないが悪心や蕁麻疹などの皮膚症状が多い．外来患者の場合は帰宅してから発症するため，造影剤による副作用と気づかないことがあるので，検査終了時によく説明し，異常があったら来院するよう指導する必要がある．

4．血管外漏出について

造影剤を自動注入装置で血管内に投与することが多くなってきた．注入速度も速く血管外漏出も時々発生する．漏出部に腫脹，熱感，疼痛がみられる．血管外漏出によって疼痛などがみられたら，漏出部を冷やして組織の障害を広がらないようにする．大量に漏出した場合は，皮膚，筋膜の切開などの処置が必要な場合も発生する．

5. ヨード造影剤の禁忌等

ヨード過敏症の既往のある患者は禁忌である．
（投与してはいけない）
　気管支喘息は原則禁忌である．
（基本的には投与しないが，必要な場合は慎重に投与する）
　気管支喘息などアレルギーの起こしやすい患者は副作用の発症確率が高くなるので注意が必要である．
　腎機能が低下した患者に利用すると，さらに腎機能の低下を生じる危険性がある．検査の前には血清クレアチニン値を利用して，推計糸球体ろ過量（estimated GFR eGFR）を求めて安全性を判断している．

6. 投与時の手順

　令和3年度の診療放射線技師法改正により，診療放射線技師に造影剤を使用した検査のために，静脈路を確保することが認められた．医師や看護師と協力して安全に業務を担当する．
　1）事前に体調，アレルギーやヨード過敏症に関する問診をおこなう．
　2）副作用が発症したとき対応できるよう救急処置の準備をおこなう．
　3）投与にあたっては，開始時より患者の状態を観察し，異常が認められたら投与を中止し，適切な処置をおこなう．
　4）遅発性副作用が現れることがあるので，終了後十分な説明をおこなう．

7. 脊髄腔造影における留意事項

　ミエログラフィーは腰部椎間より穿刺し，脊髄腔内に造影剤を投与して行われる．投与された造影剤は脳脊髄液と混和され，脳室やくも膜下腔に拡散する．高浸透圧の物質が脊髄腔内に流入すると死亡することがある．このため，使用される造影剤の浸透圧が生理食塩水の2倍以内が使用される．薬剤を間違えると重篤な副作用となるので造影剤の品名，濃度を十分確認する必要がある．

8. 硫酸バリウム製剤

　バリウムは原子番号56と高くX線吸収が大きい原子である．バリウム自体は人体に有害であるが，硫酸バリウムは非常に安定した粒子である．強酸である胃酸やアルカリの腸内でも安定し溶解されず，消化管を通過後糞便として排泄される．大腸内で水分が吸収され排便困難となることがあるので，検査後は水分の摂取を指示するとともに，下剤を使用する．

A. バリウム製剤の留意事項
　急性消化管出血やイレウス・消化管穿孔を疑う場合は禁忌である．

9. MRI用造影剤

　MRIは磁化ベクトルの緩和現象の差を画像としている．緩和時間を変化させる薬剤を投与し，コントラストをつけるのがMRI造影剤である．常磁性体であるGdやFeイオン，超常磁性体である酸化鉄が利用される．

A. ガドリニウム製剤の留意事項
　ヨード造影剤に比較して頻度は少ないがアレルギー反応があるので，ヨード造影剤に準じて慎重に投与する必要がある．

B. 腎性全身性線維症（NSF；nephrogenic systemic fibrosis）
　腎機能の低下した患者にガドリニウム製剤を投与するとガドリニウムが長期間体内に残る．この残存したガドリニウムがNSFを発症させるといわれている．NSFは皮膚の肥厚，硬化，発赤，疼痛が現れ，症状が進行すると様々な臓器に線維化が起こり死に至ることのある重篤な疾患である．腎機能障害のある患者にガドリニウム製剤は禁忌である．

3 医療における健康被害 患者側（～サイド）

患者の取り違え，患者の転倒・骨折，個人情報の保護等はあらゆる医療行為で起きるリスクである（表14-3）．放射線診療におけるリスクとして，MRI装置では火傷，装置への金属製品の吸着，さらに造影剤使用による副作用と放射線利用に伴った放射線被ばくがある．

1. ヨード造影剤による副作用

X線を用いた放射線検査において造影剤の使用は不可欠で，ヨード造影剤（ヨードとヨウ素は同じ）はCTを中心に血管造影検査，尿路検査などで有用な情報を提供する．非イオン性造影剤が開発される以前の1970年代まではイオン性造影剤を使用しており，ヨード造影剤は特に副作用の多い薬剤であった．非イオン性ヨード造影剤が開発されると，副作用は著しく少なくなったが，それでも悪心（おしん；吐き気）・嘔吐（おうと）・頭痛・発疹などの軽い副作用から，呼吸困難・意識障害・顔面蒼白・血圧低下（アナフィラキシー反応），さらに最悪の場合には検査中に死に至ることもある．死亡例は造影検査10万件から20万件に1例とされている（0.001～0.002％）．浸透圧が高いためともいわれているが，重篤な副作用の原因は不明である．昔は検査前にごく少量のヨード造影剤を注入するヨードテストを行っていたが，テストでは副作用の発現予測ができないこと，少量のヨード造影剤によるテストでも重篤な副作用を生じることがあり，現在では検査前のヨードテストは行わなくなった．過去に造影検査を受け異常がなかった患者でも，何回目かの造影剤投与の際，初めて重篤な副作用を生じることもある．

副作用の発生は前もって予測できず，常日頃からショックの症状を学び，ショックへの緊急対応の訓練をしていなければならない．またショックは造影剤投与中，投与直後に起こすことが多いが，検査1～2時間後あるいは数日経過してから紅斑や発疹を生じる遅延性副作用を引き起こすこともある．造影剤による副作用は，発生するタイミングによって即時性副作用と遅延性副作用の2つに分類される．さらにこれらの過敏反応に加えて，造影剤腎症を発症することもある．

患者家族にとっては元気に外来通院していたのに「なぜ？」と思うことが多く，あらかじめ副作用の発現を覚悟している治療薬による副作用に比し，造影剤による副作用には，患者・家族への対応に細心の注意が必要となる．次にアナフィラキシー反応によるショックについて述べる．

A. アナフィラキシーショック

1) ショックの診断

診療放射線技師にとって遭遇する機会の多い重篤な医療事故は，血管内造影剤投与によるアナフィラキシーショックである．ショックとは全身性の循環不全に伴い組織への酸素供給が減少し，重要臓器の機能不全が引き起こされた状態をいう．「顔面蒼白（pallor）」「虚脱（prostration）」「冷や汗（perspiration）」「脈拍触知不能（pulseless）」「呼吸不全（pulmonary insufficiency）」が挙げられ，英語の頭文字をとって「ショックの5P徴候」といわれる．患者は顔面蒼白となり，手足の冷感，徐脈，血圧低下（収縮期血圧90 mmHg以下あるいは通常の血圧より30 mmHg以上低下）し，脈が触れにくくなり，意識消失などの症状を伴う．

2) 救急疾患の治療

重篤な患者の救命処置は，一次救命処置と二次救命処置に大きく分ける．一次救命処置は診療放射線技師・一般の人が行う救命処置で，AEDを使う場合も，医師を

表 14-3 想定される事故の種類

		撮り違い			転倒落下		火傷	吸着	被ばく	薬剤反応	過剰照射
		患者	部位	左右	患者	機器					
一般撮影	胸部単純撮影	○	○	○	○	○			○		○
	四肢撮影	○	○	○	○	○			○		○
	体軀撮影	○	○	○	○	○			○		○
	骨塩定量	○			○	○			○		○
透視	上部消化管撮影	○	○	○	○	○			○		○
	下部消化管撮影	○	○	○	○	○			○		○
CT検査	単純CT	○	○	○	○	○			○		○
	造影CT	○	○	○	○	○			○	○	○
MRI検査	単純MRI	○	○	○	○	○	○	○			
	造影MRI	○	○	○	○	○	○	○		○	
核医学		○	○	○	○	○			○	○	○

必要としない．二次救命処置とは病院などで行われる医師による治療をいう．

3) 一次救命処置

一次救命処置とは，呼吸が止まり，心臓も動いていないと見られる人の救命へのチャンスを維持するため，特殊な器具や医薬品を用いずに行う救命処置．その場に居合わせた人が，医師や救急隊員に引き継ぐまでの間に行う応急手当で，胸骨圧迫と人工呼吸からなる心肺蘇生法（CPR），そしてAEDの使用が主な内容である．

① 周囲の状況を確認する．二次災害を防ぐためであり救助者の安全が最優先である．
② 反応の確認．
③ 応援をよぶ．一人で何もかも処置しようとしてはならない．極力周囲の者を巻き込んで複数で対処する．
④ 呼吸の確認．
⑤ 胸骨圧迫（心臓マッサージ）
⑥ 気道確保と人工呼吸
⑦ AEDによる除細動

心臓マッサージのテンポは1分間に100回，30回連続を目標に胸骨の下半分を圧迫する．「胸骨圧迫30回＋人工呼吸2回」を組み合わせた心肺蘇生を，AEDを装着するまでか，医師・救急隊に引き継ぐまで，または傷病者に回復の変化が見られるまで，絶え間なく続ける．

4) 二次救命処置

二次救命処置は医師の指示のもと，より高度で侵襲的な処置を行う．ABCDがよく知られている．①気道確保⇒気管挿管，口頭浮腫による気道閉塞に対して．②酸素投与，人工呼吸⇒気管支けいれんに対して．③血圧の確保⇒下肢挙上．④輸液⇒循環血液量の確保．⑤エピネフリン筋注（血圧上昇），抗ヒスタミン剤の投与，ステロイドホルモン剤の投与．⑥ショックの原因を検索する．

A：airway 器具を用いて気道確保
B：breathing 人工呼吸
C：circulation 胸骨圧迫と薬剤投与
D：defibrillation and diagnosis 除細動と診断・原因検索

初期救命措置の遅れによって患者の容態が重症化する．常日頃から緊急事態が発生した際の各自の役割と責任，緊急連絡体制，報告ルートを明確にしておく．患者の安全確保をまず優先する．

B. 遅発性副作用

検査終了後1～2時間から数日後に発疹や紅斑が遅れて出現する場合があり，遅発性副作用という．したがって，造影剤投与の説明書には「帰宅後に何か症状が現れた場合の連絡先」を記入しておく．

2. MRI用ガドリニウム製剤による副作用

MRI用ガドリニウム製剤はヨード造影剤より少ないが，重篤な副作用があり，ごく稀に死に至ることがある．気管支喘息の死亡例および腎機能低下患者における腎性全身性線維症の発症は，ガドリニウム製剤発売当初は予測されていなかった重篤な副作用である．

造影剤投与の禁忌，原則禁忌など，添付文書による投与基準を遵守する（表14-4，14-5）．近年は造影剤投与前に患者からのインフォームドコンセントの取得は欠かせない．

表14-4 ヨード造影剤（非イオン性尿路・血管・CT用造影剤）の投与（添付文書により）

禁忌（投与しないこと） 　ヨード造影剤に過敏症の既往歴のある患者 　重篤な甲状腺疾患のある患者 原則禁忌（原則として投与しないが，特に必要とする場合は慎重に投与すること） 　一般状態の極度に悪い患者，気管支喘息，重篤な心障害，重篤な腎障害，マクログロブリン血症，多発性骨髄腫，テタニー，褐色細胞腫

表14-5 ガドリニウム造影剤（非イオン性MRI用造影剤Gd-DTPA）の投与（添付文書より）

禁忌（投与しないこと） 　ガドリニウム造影剤に対し過敏症の既往歴のある患者 　重篤な腎障害のある患者 原則禁忌（投与しないことを原則とするが，特に必要とする場合には慎重に投与すること） 　一般状態の極度に悪い患者，気管支喘息，重篤な肝障害のある患者

3. ガドリニウム造影剤と腎性全身性線維症

腎機能の低下した患者が，ガドリニウム造影剤投与後数日から数カ月，時に数年後に皮膚の腫脹や硬化，疼痛などにて発症する腎性全身性線維症（Nephrogenic Systemic Fibrosis：NSF）が報告された．発売当初まったく予想されなかった副作用で，わが国よりも欧米の方が患者数は多い．ガドリニウム造影剤を大量に投与した症例が多かったためと考えられるが，発症機序，治療法もわかっていない．進行すると四肢関節の拘縮（こうしゅく）を生じて活動は著しく制限され，死亡率は20～30％と推測される．重篤な腎障害のある患者へのガドリニウム造影剤投与は禁忌となっている．

4. その他

1) 消化管造影剤による副作用

ヨード造影剤に比べ，消化管造影剤（バリウム製剤）による重篤な副作用は極めて少ない．多いのは便秘である．胃透視の後，多めの水分摂取を指示し，下剤を投与

することが多い．

2）放射性医薬品による副作用

核医学で使用する放射性医薬品はごく微量なので，原理的には RI 投与による放射線被ばく以外には薬剤による副作用はほとんどない．小児の場合には学会の定めたガイドラインに沿った投与量を守らなければならない．

3）放射線検査と医療被ばく

医療被ばく（放射線医療に伴った放射線被ばく）は，福島原発事故以降，国民の関心を集めることとなった．IVR，放射線治療などの際の被ばく線量は多く，確定的影響である皮膚の発赤（紅斑），潰瘍あるいは脱毛を生じることがある．治療に比べて，放射線診断では放射線量は低いが，米国において頭部 CT 検査の際，診療放射線技師の誤操作により 200 名ほどの患者に頭部脱毛を生じ社会問題となった．皮膚線量は 3 Gy 以上に達したと考えられる．

国民の医療被ばくの最大の原因は，わが国を含め先進国はいずれも CT による．CT 検査においては，主治医にとっては検査の正当化が，診療放射線技師にとっては検査の最適化が重要である．放射線照射線量を増やせば CT の画質は良くなるが，患者の被ばく線量は増えることになる．CT の撮影範囲，撮影回数，撮影条件といった検査方法により被ばく線量が異なるため，放射線科医と協力して行う．適切な検査法を選択する最適化の意義が大きい．2017 年 6 月関連学会・団体からわが国で初めて診断参考レベル（DRL：Diagnostic Reference Level）が公表された（☞ p.507）．

CT の診断参考レベルは，あくまで標準体重（50〜60 kg）の患者の標準線量を示したもので，体重の重い患者では線量は高くなる．もし自施設の線量が診断参考レベルを超えていたら，全国の 75％以上の施設ではもっと低い線量で CT 検査を行っているのであり，もっと低い線量で撮影できないか検討すべきである．ただ照射する放射線量を減らせば被ばくは低減できるが，線量を下げると得られる情報の量や質が低下するため，過度に線量を減らして診療に必要な情報が得られなくなっては本末転倒になる．

┌─ 関連事項 ─

意識障害の程度：JCS（ジャパンコーマスケール）

刺激による開眼状態で大きく I，II，III の 3 段階に分類し，さらにそれぞれを 3 段階に細分化して合計 9 段階で評価する．点数が大きいほど重い意識障害と判断する．例えば普通の呼びかけで容易に開眼する患者は，「JCS II -10」と評価する．

■ I　刺激しないでも覚醒している状態
- 1 点：だいたい意識清明だが，今ひとつはっきりしない
- 2 点：見当識障害（自分がなぜここにいるのか，ここはどこなのか，といった状況が理解されていない状態）がある
- 3 点：自分の名前，生年月日が言えない

■ II　刺激すると覚醒するが刺激をやめると眠り込む状態
- 10 点：普通の呼びかけで容易に開眼する
- 20 点：大きな声または体をゆさぶることにより開眼する
- 30 点：痛み刺激を加えつつ呼びかけを繰り返すと，かろうじて開眼する

■ III　刺激をしても覚醒しない状態
- 100 点：痛み刺激に対し，払いのけるような動作をする
- 200 点：痛み刺激で少し手足を動かしたり，顔をしかめる
- 300 点：痛み刺激に反応しない

15章 放射線安全管理学

● 松尾　悟・佐藤芳文（1）
● 西谷源展（2-23）

　放射線安全管理学は現在10問が出題され，放射線の取扱いおよび関係法令が出題されている．

　放射線の取扱いは放射線安全管理学（狭義の保健物理学）ともよばれ，放射線の遮へいや施設，個人モニタリングなどの分野がある．放射性同位元素の使用では，施設管理，汚染管理が考えられる．

　放射線安全管理学は，放射線に関連した物理，化学，生物，計測を基礎とし，関係法令と強く結びついた総合的学科目である．そのため，基礎的事項や数値などは理解しておかねばならない．例えば，診療で使用される放射性同位元素の壊変方式，半減期，放出放射線エネルギーは必ず暗記する必要がある．

　放射線安全管理学において関係する法律には次のものがある．

1．診療放射線技師法（厚生労働省）
2．医療法施行規則（厚生労働省）
3．電離放射線障害防止規則（厚生労働省）
4．放射性同位元素等の規制に関する法律（本書では「RI等規制法」と略称する）（原子力規制委員会）

この中でも，1．診療放射線技師法，2．医療法施行規則は特に重要である．

　放射線関係の法律は，ICRP 1990年勧告の取り入れによって平成13年に改正・施行され，一部は平成14年4月より施行されている．

　診療放射線技師法は，令和3年に改正されている．

　平成28年にIAEAによるIRRS（総合的規制評価サービス）の結果及び「放射性物質及び関連施設に関する核セキュリティ勧告」により，原子力規制委員会で法令への取り入れが検討された．平成29年4月に「放射性同位元素等による放射線障害の防止に関する法律」が改正された．これによって名称も「放射性同位元素等の規制に関する法律」に変更され，放射線源のセキュリティ対策や放射線事故対策等が変更された．

　各法律間の整合が行われ，数値はすべて統一されている．令和元年以後に改正された．医療法や診療放射線技師法についても改正された点をこの章で新しい法令により解説されている．

1 ICRPの放射線防護の基本概念

国際放射線防護委員会（ICRP）は1990年の勧告で，放射線防護の目的は，便益をもたらす行為を不当に制限することなく，人を防護するための適切な基準を与えることとしている．2007年勧告でも，被ばくを伴う活動を過度に制限することなく，放射線被ばくの有害な影響から人と環境を適切なレベルで防護することとして基本的には1990年勧告の考え方が引き継がれている．ここでは，2007年勧告に沿ってその考え方を説明していくことにする．

1. 放射線防護に用いられる線量（1990年，2007年勧告）

A. 吸収線量 D （単位 J/kg　特別名称 Gy）

吸収線量は，組織・臓器を最小単位として，単位質量当たりに吸収されるエネルギーとして定義されている．

B. 等価線量 H_T （単位 J/kg　特別名称 Sv）

防護量は確率的影響の発生を容認できないレベル未満に維持し，また組織の有害な反応の回避を確実にするため，被ばくの限度を指定する目的で使用される．臓器・組織中の防護量である等価線量は線質による人体への影響の違いを表現する線量であり，次式で定義されている．

$$H_T = \sum w_R \cdot D_{T,R}$$

w_R：放射線加重係数（表15-1）

表 15-1　放射線加重係数の勧告値

放射線のタイプ	放射線加重係数, w_R
光子	1
電子とミュー粒子	1
陽子と荷電パイ中間子	2
アルファ粒子，核分裂片，重イオン	20
中性子	中性子エネルギーの連続関数（図15-1）

すべての数値は，人体へ入射する放射線，または内部放射線源に関しては取り込まれた放射性核種から放出される放射線に関係する．　　　（ICRP Publ. 103 より）

表 15-2　組織加重係数の ICRP 2007年勧告値

組織	w_T	$\sum w_T$
骨髄（赤色），結腸，肺，胃，乳房，残りの組織*	0.12	0.72
生殖腺	0.08	0.08
膀胱，食道，肝臓，甲状腺	0.04	0.16
骨表面，脳，唾液腺，皮膚	0.01	0.04
合計		1.00

*残りの組織：副腎，胸郭外（ET）領域，胆嚢，心臓，腎臓，リンパ節，筋肉，口腔粘膜，膵臓，前立腺（♂），小腸，脾臓，胸腺，子宮／頚部（♀）．（ICRP Publ. 103 より）

$D_{T,R}$：組織Tにおける放射線Rによる平均吸収線量

C. 実効線量 E （単位 J/kg　特別名称 Sv）

組織・臓器によって確率的影響に対する感受性は異なる．実効線量はその違いを表現するためのもので，次式で定義されている．

$$E = \sum w_T \cdot H_T$$

w_T：組織加重係数（表15-2）
H_T：組織Tの等価線量

組織加重係数は，全身均等に被ばくしたとき，全身の臓器で問題となる確率的影響について，各組織・臓器の寄与分を表している．したがって，全身の組織についての和は1.00となっている．

D. 預託等価（実効）線量（単位 J/kg　特別名称 Sv）

放射性核種が体内からなくなるまでの総被ばく線量を体内摂取時点において被ばくしたものとみなす線量である．成人では摂取してから50年間の積分（幼児と小児の場合は摂取してから70歳までの積分）で表す．

2. 人の放射線防護体系

放射線防護の目標は，個人の確定的影響の発生を防止し，確率的影響の誘発を容認できるレベルまで減らすことである．この目標を達成するために，1990年勧告では，被ばくに伴う人間活動を，被ばくを増加させる「行為」と低減させる「介入」に分類している．この分類を基に，放射線防護の3原則として，行為の正当化，防護の最適化，線量限度が示された．ただし，「介入」には線量限度は適用されない．

2007年勧告では，「行為と介入」に分類した体系は，被ばくの状況に基づく「計画被ばく，緊急時被ばく，現存被ばく」の3つの被ばく状況体系に変更された．「行為」が「計画被ばく状況」に，「介入」が「緊急時被ばく状況，

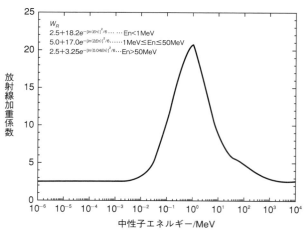

図 15-1　中性子に対する放射線加重係数 w_R と中性子エネルギーの関係
　　　　　　　　　　（ICRP Publ. 103 より）

現存被ばく状況」に対応している．放射線防護の3原則については維持されている．

A. 線源の定義

線源は，人に対して潜在的に定量可能な放射線被ばくをもたらす物理的な実体あるいは手法としている．物理的な線源，施設，手法（例：核医学検査手法）または類似の特性をもつもの（例：バックグラウンドもしくは環境放射線）を含む．

B. 被ばく状況のタイプ（2007年勧告）

勧告が放射線に被ばくする個人に適用されるべき状況を次の3つに分類している．

1) 計画被ばく状況

被ばくが生じる前に放射線防護を前もって計画することができる状況である．線源の意図的な導入，その運用を伴う（例：通常の業務を遂行している状態での被ばくの状況）．この状況下では，職業被ばく，医療被ばく，公衆被ばくが起こりえる．

2) 緊急時被ばく状況

急を要する防護対策や長期的な防護対策の履行も要求されるかもしれない不測の状況である．悪意のある行動や予測しない状況から発生する好ましくない結果を回避または減少するための緊急の対策を必要とする（例：事故が発生した状態での被ばくの状況）．この状況下では，職業被ばく，公衆被ばくが起こりえる．

3) 現存被ばく状況

自然バックグラウンド放射線による被ばくなど，管理についての決定をする時点ですでに存在している状況である（例：事故収束後の状態での被ばくの状況，事故前よりバックグラウンドが高くなっている）．この状況下では，職業被ばく，公衆被ばくが起こりえる．

C. 被ばくのカテゴリー（1990年，2007年勧告）

職業被ばく，患者の医療被ばく，公衆被ばくの3つに区別される．

1) 職業被ばく

作業者がその自らの仕事の結果被るすべての放射線被ばくである．作業者とは，雇用されている人で，放射線防護に関連する権利および義務を認識している人と定義されている．

ジェット機の運航および宇宙飛行により受ける宇宙線被ばくや医療従事者の被ばくも，職業被ばくに含まれる．

ただし，頻繁に海外旅行に同行する旅行会社添乗員の被ばくは現在のところ職業被ばくに含まれない．

2) 患者の医療被ばく

患者が診断，IVR，治療により受ける個人被ばくであり，家族など職業人でない介助者や介護者の被ばく，および研究における志願者の被ばくも含まれる．また，妊娠中の母親の医療被ばくによる胎児の被ばくも医療被ばくに含まれる．

3) 公衆被ばく

職業被ばく，患者の医療被ばく以外のすべての被ばくであり，妊娠している作業者の胚と胎児の被ばくも含む．

D. 放射線防護のレベル（2007年勧告）

個人を被ばくから防護するためには，線源に対する措置が重要である．計画被ばく状況における線源関連の制限は，線量拘束値である．緊急時被ばく状況および現存被ばく状況における線源関連の制限は，参考レベルである．これらの概念は，後の項目で述べる防護の最適化とともに用いられる．

線量拘束値は，（患者の医療被ばくを除く）計画被ばく状況において，1つの線源から受ける個人の被ばく線量に対するもので，その線源に対する防護の最適化における予測される線量の上限値であり，線量限度よりもつねに低い値である．

参考レベルは，緊急時または現存の制御可能な被ばく状況において，これを上回る被ばくの発生を許す計画の策定は不適切と判断され，それゆえに計画が最適化されるべきレベルを示すものである．

なお，診断参考レベルは医療被ばくに適用されるが，放射線治療には適用されない．

E. 放射線防護の諸原則（1990年，2007年勧告）

放射線防護は，以下の3つの原則に基づいて行われる．

1) 正当化の原則

放射線被ばくの状況を変化させるようなあらゆる決定は，害よりも便益が大となるべきである．計画，緊急時，現存被ばく状況下で適用される．

2) 防護の最適化の原則

被ばくの生じる可能性，被ばくする人の数および彼らの個人線量の大きさは，すべての経済的および社会的要因を考慮に入れながら，合理的に達成できる限り低く保つべきである．ALARAの原則（as low as reasonably achievable）．計画，緊急時，現存被ばく状況下で適用される．

3) 線量限度の適用の原則

患者の医療被ばく以外の，計画被ばく状況において規制されている線源からの個人の被ばく線量は，委員会が特定する適切な限度を超えるべきではない．計画被ばく状況下で適用される．

2 診療放射線技師法

昭和26年に制定された診療X線技師法は昭和43年に改正され，診療放射線技師法が追加された．この法律は第1章から第5章に分けられ，第37条から構成されている．

1. 目的

「診療放射線技師の資格を定めるとともに，その業務が適正に運用されるように規律し，もって医療及び公衆衛生の普及及び向上に寄与することを目的とする」としており，技師の身分を定め，業務内容を明示し，これにより医療の向上を目的としている．

2. 定義

A. 放射線

①α線，β線，②γ線，③100万電子ボルト以上のエネルギーを有する電子線，④X線，⑤その他政令で定める電磁波または粒子線．

以上の電磁波，粒子線を放射線と定めている．⑤項で政令で定めた電磁波，粒子線は陽子線及び重イオン線，中性子線を政令で指定している．100万電子ボルト（1 MeV）未満の電子線はこの法律でいう放射線に該当しない．

B. 診療放射線技師

厚生労働大臣の免許を受け，医師または歯科医師の指示の下に，人体に放射線を照射することを業とする者である．従来は人体内に放射性同位元素を挿入して行う放射線照射は認められていなかった．令和3年法律改正によって核医学検査のために静脈路へ放射性医薬品を投与する行為が認められている．この場合，医師または歯科医師の具体的な指示の下に行い，合併症等が生じた場合に医師，歯科医師が適切に対応できるなどの安全の確保が必要である．但し，密封小線源等の患者への刺入等による内部照射は認められていない．

3. 免許

診療放射線技師になろうとする者は診療放射線技師試験に合格し，厚生労働大臣の免許を受けなければならない．

4. 免許の登録

免許の登録は診療放射線技師籍への登録によって行われる．したがって，診療放射線技師試験に合格しても，技師籍への登録がされなければ，診療放射線技師としての資格はない．また，次の欠格事由に該当する場合は免許を与えないことがある．

1) 心身の障害により診療放射線技師の業務を適性に行うことができない者として施行規則に以下のように定めている．「視覚，聴覚，音声機能若しくは言語機能又は精神の機能障害により診療放射線技師の業務を適正に行うにあたって必要な認知，判断及び意志の疎通を適切に行うことができない者」としている．しかし，これらの障害者が現に利用している障害を補う手段又は当該者が現に受けている治療等により障害が補われ，又は障害の程度が軽減している状況を考慮して免許を与えるかどうかの判断をしなければならないとしている．

2) 診療放射線技師の業務に関して犯罪又は不正の行為があった者．

5. 免許証の交付および返納（提出）

厚生労働大臣は免許を与えたときは，診療放射線技師免許証を交付する．また紛失，破損した者には再交付することができる．

紛失によって再交付を受けた者が旧免許証を発見したときは，旧免許証を10日以内に厚生労働大臣に返納しなければならない．

免許を取消された者についても10日以内に厚生労働大臣に返納しなければならない．

この法律において，10日以内に手続きを必要とするものは，上記2項目である．

6. 業務

医師，歯科医師，診療放射線技師でなければ，放射線を人体に対して照射することを業としてはならない．放射線以外の画像診断装置の中で，診療の補助として，1) 磁気共鳴画像診断装置（MRI），2) 超音波診断装置，3) 眼底写真撮影装置（散瞳薬を投与した者の眼底を撮影するためのものを除く），核医学診断装置を用いた検査を行うことを業とすることができる．

また，診療の補助行為として下記の業務を行うことができる．施行規則第15条の2に6項目を規定している．

1) 静脈路に造影剤注入装置を接続する際に静脈路を確保する行為．造影剤を投与するために当該造影剤注入装置を操作する行為並びに当該造影剤の投与が終了した後に抜針及び止血を行う行為．

2) 動脈路に造影剤注入装置を接続する行為（動脈路確保のためのものを除く）及び造影剤を投与するために当該造影剤注入装置を操作する行為並びに当該造影剤の投与が終了した後に抜針及び止血を行う行為．

3) 核医学検査のために静脈路に放射性医薬品を投与

するための装置を接続する行為，当該放射性医薬品を投与するために当該装置を操作する行為並びに当該放射性医薬品の投与が終了した後に抜針及び止血を行う行為．

4) 下部消化管検査の為に肛門にカテーテルを挿入する行為，当該カテーテルから造影剤及び空気を注入する行為並びに当該カテーテルから造影剤及び空気を吸引する行為．

5) 上部消化管検査の為に鼻腔に挿入されたカテーテルから造影剤を注入する行為及び当該造影剤の注入が終了した後に当該カテーテルを抜去する行為．

6) 画像誘導放射線治療のために肛門にカテーテルを挿入する行為及び当該カテーテルから空気を吸引する行為．

1)～6) の行為を行う場合は，医師，歯科医師の具体的な指示の下に行い，アナフィラキシーショック等が生じた場合は医師又は歯科医師が適切に対応できる体制の下で安全を十分に確保することが規定されている．

名称に関しても診療放射線技師でなければ，この名称を使うことが禁止されており，またこれらと混同しやすいような名称の使用も禁止している．

7. 業務上の制限

診療放射線技師は，医師または歯科医師の具体的な指示がなければ，放射線を照射してはならない．これは診療放射線技師が単独の判断で照射できず，必ず医師，歯科医師の指示を必要としている．前述の放射線以外の画像診断装置の使用についても医師，歯科医師の指示を必要とする．

診療放射線技師は病院または診療所以外の場所でその業務を行なってはならない．ただし，医師，歯科医師が診察した患者に，医師の指示を受けて出張して照射する場合や医師，歯科医師の立会いのもとに多数の者の健康診断を一時に行う場合及び在宅医療において，100万電子ボルト未満のエネルギーを有するX線のみの使用について認められている．病院，診療所以外では，放射線については100万電子ボルト未満のエネルギーを有するX線以外の照射は認められていない．その他，出張して超音波診断装置による検査を行うことができる．

医師，歯科医師の立会いについて，胸部X線撮影（CT装置によるものを除く），マンモグラフィの集団検診については医師，歯科医師の立会いがなくても実施できる．しかし，下記の項目について遵守しなければならない．

1) 事前に責任医師の明確な指示を受けること
2) 緊急時や必要時に医師に確認できる連絡体制の整備
3) 必要な機器・設備，撮影時や緊急時のマニュアルの整備
4) 機器の日常点検等の管理体制，従事者の教育，研修体制の整備

8. 他の医療関係者との連携

診療放射線技師はチーム医療を支える立場から，その業務を行うに当たって，医師やその他の医療関係者との緊密な連携を図り，適正な医療に努めなければならない．

9. 照射録

診療放射線技師は，放射線を照射したときは，遅滞なく次の事項を記載した照射録を作成し，その照射について指示した，医師または歯科医師の署名を受けなければならない．

1) 照射を受けた者の氏名，性別および年齢
2) 照射の年月日
3) 照射の方法（具体的にかつ詳細に記載すること）
4) 指示を受けた医師または歯科医師の氏名および指示の内容

照射録の作成は義務づけられており，たとえ集団検診などで多人数であっても必ず作成しなければならない．また照射録の内容は上記4項目が必要であり，施行規則第16条に規定している．

10. 秘密を守る義務

診療放射線技師は，正当な理由がなく，その業務上知り得た人の秘密を漏らしてはならない．また診療放射線技師でなくなった後においても同様である．

11. 診療放射線技師法施行令

診療放射線技師法を実施するため施行令が定められている．

〔電磁波又は粒子線〕

診療放射線技師法第2条第1項第5号の政令で定める放射線として1) 陽子線及び重イオン線，2) 中性子線を指定している．

〔免　許〕

免許について，1) 免許の申請，2) 籍の登録事項，3) 登録事項の変更，4) 登録の消除，5) 免許証の書換え交付，再交付等について定めている．

〔免許申請〕

住所地の都道府県知事を経由して，厚生労働大臣に申請書類を提出する．提出する書類は1)～3) である．

1) 診療放射線技師の免許申請書（第1号書式）
2) 戸籍謄本又は戸籍抄本
3) 視覚，聴覚，音声機能若しくは言語機能，若しくは精神の機能の障害に関する医師の診断書

〔籍の登録事項〕

診療放射線技師籍には次の事項を登録している．

1) 登録番号及び登録年月日
2) 本籍地都道府県名（日本の国籍を有しない者については，その国籍），氏名，生年月日及び性別
3) 診療放射線技師試験合格の年月
4) 免許の取消し又は業務の停止の処分に関する事項
5) 前各号に掲げるもののほか，厚生労働大臣の定める事項

〔登録事項の変更〕

　診療放射線技師籍の登録事項に変更が生じたときは，30日以内に住所地の都道府県知事を経由して訂正申請をしなければならない．例えば，婚姻等により姓名を変更したり，本籍地都道府県名を変更したときなどが該当する．

〔登録の消除〕

　診療放射線技師籍から登録をまっ消するには，免許証を添えて都道府県知事を経由して厚生労働大臣に申請する．又診療放射線技師が死亡又は失そうの宣告を受けた場合はその届出義務者は，30日以内に登録の消除を申請しなければならない．

〔免許証の書換え交付，再交付〕

　免許証の記載事項を変更した場合や，免許証の再交付を受けようとする場合も住所地の都道府県知事を経由して厚生労働大臣に申請書を提出しなければならない．

〔画像診断装置〕

　診療放射線技師は，放射線を人体に照射するほかに，次の画像診断装置を用いた検査を業とすることができる．

1) 磁気共鳴画像診断装置
2) 超音波診断装置
3) 眼底写真撮影装置（散瞳薬を投与した者の眼底を撮影するためのものを除く）
4) 核医学診断装置

関連事項

業務範囲に追加された行為に関する研修

　令和3年7月9日付　医政発0709号による診療放射線技師法の法律施行令の改正によって業務範囲が追加された．これによる新たな業務を行うには研修を受けることが必要となった．

　令和6年4月1日前に診療放射線技師の免許を受けた者及び同日前に診療放射線技師国家試験に合格した者であって同日以後に診療放射線技師の免許を受けた者は，新たに業務範囲に追加された行為を行おうとするときは，あらかじめ厚生労働大臣が指定する研修を受けなければならない．令和6年度の診療放射線技師国家試験を受験する者は，診療放射線技師国家試験の願書を出願するに当たり，あらかじめ厚生労働大臣が指定する研修を受けること．

　告示第273号により，厚生労働大臣が指定する研修については，公益社団法人日本放射線技師会が実施する研修と定められている．

　法律改正による経過措置として，病院又は診療所の管理者は，当該病院又は診療所に勤務する診療放射線技師のうち第1項（前述のすでに診療放射線技師免許取得者）に規定するものがいる場合は，施行日までの間に当該者に対し同項に規定する研修の受講の機会を与えるように努めなければならない．

3 届　出
（医療法施行規則）

表 15-3(1)　届　出

	X線装置	診療用高エネルギー放射線発生装置・診療用粒子線照射装置	診療用放射線照射装置
対象	10 kV 以上の定格出力の管電圧を有する診療用X線装置 ◦ 診療用X線装置 ◦ X線CT ◦ 深部治療用X線装置 ◦ 輸血用血液照射X線装置 ◦ 乳房撮影装置 ◦ その他	診療用高エネルギー放射線発生装置は1メガ電子ボルト以上のエネルギーを有するX線，電子線の発生装置 ◦ ベータートロン ◦ 直線加速器（リニアック） ◦ マイクロトロン 診療用粒子線照射装置は，陽子線，重イオン線を照射する装置 ◦ サイクロトロン ◦ シンクロトロン ◦ その他	密封された放射性同位元素で，別表2に定める下限数量に1000倍を乗じた数量を超えるものを装備した装置 ◦ コバルト-60遠隔照射装置 ◦ ガンマナイフ ◦ Ir-192高線量率腔内照射装置 ◦ 血管内照射装置 ◦ 核医学撮像装置吸収補正線源 ◦ その他
届出事項	(1) 病院または診療所の名称および所在地 (2) X線装置の製作者名，型式および台数 (3) X線高電圧発生装置の定格出力 (4) X線装置およびX線診療室のX線障害の防止に関する構造設備および予防措置の概要 (5) X線診療に従事する医師，歯科医師または診療放射線技師または診療X線技師の氏名およびX線診療に関する経歴	(1) 病院または診療所の名称および所在地 (2) 装置の製作者名，型式および台数 (3) 装置の定格出力 (4) 装置および装置使用室の放射線障害の防止に関する構造設備および予防措置の概要 (5) 装置を使用する医師，歯科医師または診療放射線技師の氏名および放射線診療に関する経歴 (6) 予定使用開始時期	(1) 病院または診療所の名称および所在地 (2) 装置の製作者名，型式および個数ならびに装備する放射性同位元素の種類およびベクレル単位をもって表した数量 (3) 装置，貯蔵施設及び運搬容器並びに照射装置により治療を受けている患者を収容する病室，装置使用室の放射線障害の防止に関する構造設備および予防措置の概要 (4) 装置を使用する医師，歯科医師または診療放射線技師の氏名および放射線診療に関する経歴 (5) 予定使用開始時期
届出期間	備えてから10日以内に都道府県知事に届け出る	あらかじめ都道府県知事に届け出る	あらかじめ都道府県知事に届け出る
変更の届出	◦ 届出事項(2)～(5)を変更する場合，10日以内に都道府県知事に届け出る ◦ X線装置を備えなくなった場合は，10日以内に都道府県知事に届け出る	◦ 届出事項(2)～(5)を変更する場合，あらかじめ都道府県知事に届け出る ◦ 装置を備えなくなった場合は，10日以内に都道府県知事に届け出る	◦ 届出事項(2)～(4)を変更する場合，あらかじめ都道府県知事に届け出る ◦ 装置を備えなくなった場合は，10日以内に都道府県知事に届け出る

表 15-3(2) 届 出

	診療用放射線照射器具	診療用放射性同位元素 陽電子断層撮影診療用放射性同位元素	放射性同位元素装備診療機器
対象	密封された放射性同位元素で，別表2に定める下限数量に1000倍を乗じた数量以下の照射器具 。コバルト針，管 。I-125，Au-198密封小線源 。血管内照射装置 。核医学撮像装置吸収補正線源 。その他	医薬品である放射性同位元素で密封されていないもの 。テクネシウム-99m化合物 。ヨード-123化合物 。タリウム201化合物 。フッ素18-FDG 。その他	密封された放射性同位元素を装備した機器で，厚生労働大臣が定めるもの 。骨塩定量分析装置のうち I-125，Am-241，Gd-153 を 0.11 TBq 以下を装備したもの 。ECD ガスクロマトグラフ装置で Ni-63 を 740 MBq 以下を装備したもの 。輸血用血液照射装置で Cs-137 を 200 TBq 以下を装備したもの
届出事項	(1) 病院または診療所の名称および所在地 (2) 照射器具の型式および個数ならびに装備する放射性同位元素の種類およびベクレル単位をもって表した数量 (3) 照射器具の使用室，貯蔵施設および運搬容器ならびに照射器具により治療を受けている患者を入院させる病室の放射線障害の防止に関する構造設備および予防措置の概要 (4) 照射器具を使用する医師，歯科医師又は診療放射線技師の氏名および放射線診療に関する経歴 (5) 予定使用開始時期	(1) 病院または診療所の名称および所在地 (2) その年に使用を予定する同位元素の種類，形状および数量（Bq単位） (3) ベクレル単位をもって表した同位元素の種類ごとに最大貯蔵予定数量，1日の最大使用予定数量及び3月間の最大使用予定数量 (4) 同位元素の使用室，貯蔵施設，運搬容器および廃棄施設ならびに同位元素により治療を受けている患者を入院させる病室の放射線障害の防止に関する構造設備および予防措置の概要 (5) 同位元素を使用する医師または歯科医師の氏名および放射線診療に関する経歴	(1) 病院または診療所の名称および所在地 (2) 装置の製作者名，型式および台数ならびに装備する放射性同位元素の種類およびベクレル単位をもって表した数量 (3) 装置使用室の放射線障害防止に関する構造設備および予防措置の概要 (4) 放射線を人体に対して照射する機器にあっては当該機器を使用する医師，歯科医師または診療放射線技師の氏名および放射線診療に関する経歴 (5) 予定使用開始時期
届出期間	あらかじめ都道府県知事に届け出る	あらかじめ都道府県知事に届け出る	あらかじめ都道府県知事に届け出る
変更の届出	。届出事項(2)〜(4)，その他届出事項(2)を変更する場合，あらかじめ届け出る 。照射器具を備えなくなった場合は，10日以内に都道府県知事に届け出る	。届出事項(3)〜(5)を変更する場合，あらかじめ届け出る 。同位元素を備えなくなった場合は，10日以内に都道府県知事に届け出る 。同位元素を備えなくなった場合は，30日以内に廃止後の措置を都道府県知事に届け出る	。届出事項(2)〜(4)を変更する場合は，あらかじめ都道府県知事に届け出る 。装置を備えなくなった場合は10日以内に都道府県知事に届け出る

※その他の届出事項
　診療用放射線照射器具：半減期が30日以下のものを備えるときは次の事項を届け出る
　　(1) その年に使用を予定する照射器具の型式個数ならびに装備する同位元素の種類および数量（Bq単位）
　　(2) ベクレル単位をもって表した放射性同位元素の種類ごとの最大貯蔵予定数量および1日の最大使用予定数量
　　(3) (1)について，毎年12月20日までに翌年において使用する照射器具を届け出る
　診療用放射性同位元素：翌年に使用を予定する診療用放射性同位元素の種類，形状およびベクレル単位をもって表した数量を毎年12月20日までに届け出る

4 X線装置の防護及びX線の遮へい計算（医療法施行規則）

　X線装置は，次に掲げる障害防止の方法を講じたものでなければならない．
(1) X線管の容器及び照射筒は，利用線錐以外のX線量が次に掲げる自由空気中の空気カーマ率になるようにしゃへいすること．
　イ．定格管電圧が50kV以下の治療用X線装置にあっては，X線装置の接触可能表面から5cmの距離において，1.0mGy毎時以下
　ロ．定格管電圧が50kVを超える治療用X線装置にあっては，X線管焦点から1mの距離において10mGy毎時以下かつX線装置の接触可能表面から5cmの距離において300mGy毎時以下
　ハ．定格管電圧が125kV以下の口内法撮影用X線装置にあっては，X線管焦点から1mの距離において，0.25mGy毎時以下
　ニ．イからハまでに掲げるX線装置以外のX線装置にあっては，X線管焦点から1mの距離において，1.0mGy毎時以下
　ホ．コンデンサ式X線高電圧装置にあっては，充電状態であって，照射時以外のとき，接触可能表面から5cmの距離において，20μGy毎時以下
(2) X線装置には，次に掲げる利用線錐の総濾過となるような附加濾過板を付すること．
　イ．定格管電圧が70kV以下の口内法撮影用X線装置にあっては，アルミニウム当量1.5mm以上
　ロ．定格管電圧が50kV以下の乳房撮影用X線装置にあっては，アルミニウム当量0.5mm以上又はモリブデン当量0.03mm以上
　ハ．輸血用血液照射X線装置，治療用X線装置及びイ及びロに掲げるX線装置以外のX線装置にあっては，アルミニウム当量2.5mm以上

解説：(1)ではX線管容器，照射筒（多重絞り）からの漏洩線量を定めており，X線装置で治療用X線装置，口内法撮影用X線装置（歯科用X線装置），一般撮影用，間接撮影用などの装置について，それぞれ漏洩線量を空気カーマで定めている．線量は治療用や透視では連続定格で1時間当たりの線量としている．(2)ではX線管装置の総沪過を定めている．X線管球はガラス容器であり，X線管容器に冷却油とともに封入されている．ガラスおよび油をX線管球の固有沪過といい，一般撮影用で1.5～2.0mmAl当量程度であり，これにさらに付加沪過を加えたものを総沪過という．乳房撮影用では使用されるX線管電圧が25kV～35kVと低く，モリブデン陽極をもったものがあり，特性X線を利用するためにMoフィルターを使用する．そのほかのX線装置では，フィルターによって皮膚などに吸収されフィルム，IP，FPD等に到達しないようなエネルギーの低いX線を除去するのに用いられ，被ばく線量を減少させる．

　透視用X線装置は，前項に規定するもののほか，次に掲げる障害防止の方法を講じたものでなければならない．
(1) 透視中の患者への入射線量率は，患者の入射面の利用線錐の中心における空気カーマ率が，50mGy毎分以下になるようにすること．ただし，操作者の連続した手動操作のみで作動し，作動中連続した警告音等を発するようにした高線量率透視制御を備えた装置にあっては，125mGy毎分以下になるようにすること．
(2) 透視時間を積算することができ，かつ，透視中において一定時間が経過した場合に警告音等を発することができるタイマーを設けること．
(3) X線管焦点皮膚間距離が30cm以上になるような装置又は当該皮膚焦点間距離未満で照射することを防止するインターロックを設けること．ただし，手術中に使用するX線装置のX線管焦点皮膚間距離については，20cm以上にすることができる．
(4) 利用するX線管焦点受像器間距離において，受像面を超えないようにX線照射野を絞る装置を備えること．ただし，次に掲げるときは，受像面を超えるエックス線照射野を許容するものとする．
　イ．受像面が円形でエックス線照射野が矩形の場合において，エックス線照射野が受像面に外接する大きさを超えないとき．
　ロ．照射方向に対し垂直な受像面上で直交する2本の直線を想定した場合において，それぞれの直線におけるエックス線照射野の縁との交点及び受像面の縁との交点の間の距離（以下この条件において「交点間距離」という．）の和がそれぞれ焦点受像器間距離の3パーセントを超えず，かつ，これらの交点間距離の総和が焦点受像器距離の4パーセントを超えないとき．
(5) 利用線錐中の蛍光板，イメージインテンシファイア等の受像器を通過したX線の空気カーマ率が，利用線錐中の蛍光板，イメージインテンシファイア等の受像器の接触可能表面から10cmの距離において，150μGy毎時以下になるようにすること．
(6) 透視時の最大受像面を3.0cm超える部分を通過したX線の空気カーマ率が，当該部分の接触可能表面から10cmの距離において，150μGy毎時以下になるようにすること．
(7) 利用線錐以外のX線を有効にしゃへいするための適切な手段を講じること．

解説：(1)では透視用X線装置の出力を患者の皮膚面における入射線量で規制しており，一般に消化管などの造影検査に使用するX線装置は50mGy/分，IVRなどに使用する場合には高線量率となるため，125mGy/分としている．(2)では透視時間が長時間になるのを防止するためにタイマーを設け，操作者に警告するようにしている．(3)ではX線管焦点皮膚間距離が近接することによって皮膚線量が過大になることを防止するインターロックを設けることとしている．(4)ではI.I.の入力面より大きな照射野は不必要な部分への被ばくを増大させるだけであるために，必要最小限に限るようにしている．(5)(6)ではI.I.などの接触可能表面から10cm離れた位置での線量を150μGy毎時以下になるようにしている．(7)では患者からの散乱X線を遮へいし，術者の被ばくの防止を目的としている．

撮影用X線装置（胸部集検用間接撮影X線装置を除く）は，第1項に規定するもののほか，次に掲げる障害防止の方法（CTエックス線装置にあっては第1号に掲げるものを，骨塩定量分析エックス線装置にあっては第2号に掲げるものを除く．）を講じたものでなければならない．
(1) 利用するX線管焦点受像器間距離において，受像面を超えないようにX線照射野を絞る装置を備えること．ただし，次に掲げるときは受像面を超えるエックス線照射野を許容するものとし，又は口内法撮影用エックス線装置にあっては照射筒の端におけるエックス線照射野の直径が6.0センチメートル以下になるようにするものとし，乳房撮影用エックス線装置にあってはエックス線照射野について患者の胸壁に近い患者支持器の縁を超える広がりが5ミリメートルを超えず，かつ，受像面の縁を超えるエックス線照射野の広がりが焦点受像器間距離の2パーセントを超えないようにするものとする．
　イ．受像面が円形でエックス線照射野が矩形の場合において，エックス線照射野が受像面に外接する大きさを超えないとき．
　ロ．照射方向に対し垂直な受像面上で直交する2本の直線を想定した場合において，それぞれの直線における交点間距離の和がそれぞれ焦点受像器間距離の3パーセントを超えず，かつ，これらの交点間距離の総和が焦点受像器間距離の4パーセントを超えないとき．
(2) X線管焦点皮膚間距離は，次に掲げるものとすること．ただし，拡大撮影を行う場合（ヘに掲げる場合を除く．）にあっては，この限りでない．
　イ．定格管電圧が70kV以下の口内法撮影用X線装置にあっては，15cm以上
　ロ．定格管電圧が70kVを超える口内法撮影用X線装置にあっては，20cm以上
　ハ．歯科用パノラマ断層撮影装置にあっては，15cm以上
　ニ．移動型及び携帯型X線装置にあっては，20cm以上
　ホ．CTエックス線装置にあっては，15センチメートル以上
　ヘ．乳房撮影用エックス線装置（拡大撮影を行う場合に限る．）にあっては，20センチメートル以上
　ト．イからニまでに掲げるX線装置以外のX線装置にあっては，45cm以上
(3) 移動型及び携帯型X線装置及び手術中に使用するX線装置にあっては，X線管焦点及び患者から2m以上離れた位置において操作できる構造とすること．

解説：(1)では撮影用X線装置の照射野が受像面（カセッテなど）の大きさに絞れるようにするもので，多重絞り等を設けることとし，歯科用では直径6cm以下としている．(2)では拡大撮影以外では，過度に撮影距離が短くなり，被ばく線量が増大するのを防止している．(3)移動型X線装置，携帯型X線装置を使用した病室や在宅医療における撮影ではX線装置より2m以上離れることにより漏洩線量，散乱線量をほとんど無視できる程度まで減少でき，この規定を設けている．これについては，「在宅医療におけるX線撮影の指針」などにも示されている（☞ p.531）．

間接撮影用X線装置は，第1項に規定するもののほか，次に掲げる障害防止の方法を講じたものでなければならない．
(1) 利用線錐が角錐型となり，かつ，利用するX線管焦点受像器間距離において，受像面を超えないようにX線照射野を絞る装置を備えること．ただし，照射方向に対し垂直な受像面上で直交する2本の直線を想定した場合において，それぞれの直線における交点間距離の和がそれぞれ焦点受像器間距離の3パーセントを超えず，かつ，これらの交点間距離の総和が焦点受像器間距離の4パーセントを超えないときは，受像面を超えるエックス線照射野を許容するものとする．
(2) 受像器の一次防護しゃへい体は，装置の接触可能表面から10cmの距離における自由空気中の空気カーマが，一ばく射につき1.0μGy以下になるようにすること．
(3) 被照射体の周囲には，箱状のしゃへい物を設けることとし，そのしゃへい物から10cmの距離における空気カーマが，一ばく射につき1.0μGy以下になるようにすること．ただし，X線装置の操作その他の業務に従事する者が照射時に室外へ容易に退避することができる場合にあっては，この限りでない．

解説：(1)では被検者が不必要に大きな照射野で被ばくを受けることを防止している．(2)(3)は間接撮影用装置からの漏洩線量を規定しており，一ばく射当たりで規制している．また，X線撮影室以外では防護箱を設けることとしている．

治療用X線装置（近接照射治療装置を除く）は，第1項に規定する障害防止の方法を講ずるほか，濾過板が引き抜かれたときに，X線の発生を遮断するインターロックを設けたものでなければならない．

解説：治療用X線装置は，沪過板の挿入を義務づけ，軟X線成分による皮膚線量の増加を防止している．

X線診療室の遮へい計算

X線診療室の遮へいについては，厚生労働省医薬局長通知（医薬発第188号および医政発0331第16号）によって指針が示されている．計算項目は次の3点について行う．
① 一次X線の遮へい
② 散乱X線の遮へい
③ X線管容器からの漏洩X線の遮へい

(1) **一次X線による漏洩X線量の計算**
計算式

$$E_P = \frac{X \times D_t \times W \times (E/K_a) \times U \times T}{d_1^2}$$

E_P：漏洩実効線量（μSv／3月）
X　：X線管焦点から利用線錐方向の1mの距離における空気カーマ（μGy/mA秒）
D_t：遮へい体の厚さt（mm）における空気カーマ透過率

W：3月間におけるX線装置の実効稼働負荷（mA 秒/3月）

(E/K_a)：空気カーマから実効線量への換算計数（Sv/Gy）

U：使用係数

T：居住係数

d_1：X線管焦点から遮へい壁の外側までの距離（m）

なお，X，D_t，E/K_aについては与えられた表より求められる．U及びTについては1を採用する．

(2) 散乱X線の漏洩X線量の計算

計算式

$$E_s = \frac{X \times D_t \times W \times (E/K_a) \times U \times T}{d_2^2 \times d_3^2} \times \frac{a \times F}{400}$$

E_s：漏洩実効線量（μSv/3月）

X：X線管焦点から利用線錐方向の1mの距離における空気カーマ（μGy/mA・秒）

D_t：遮へい体の厚さにおける空気カーマ透過率

W：3月間におけるX線装置の実効稼働負荷（mA・秒/3月）

(E/K_a)：空気カーマから実効線量への換算係数（Sv/Gy）

U：使用係数

T：居住係数

d_2：撮影天板面での利用線錐中心から遮へい壁の外側までの距離（m）

d_3：X線管焦点から撮影天板面までの距離（m）

a：照射野400 cm²の組織類似ファントムから1mの距離における空気カーマ率のXに対する百分率（X線管焦点がファントムから1mの距離の場合）

F：受像面における照射野の大きさ（cm²）

なお，X，D_t，a，(E/K_a)については与えられた表から求められる．

(3) X線管容器からの漏洩X線量の計算

X線管容器からの漏洩X線は，X線管容器で十分遮へいされた後であるので，画壁等での遮へい効果の計算に当たっては，大幅に減衰したX線の広いビームに対する半価層又は1/10価層を用いて計算する．

計算式

半価層（HVL）を用いた場合

$$E_L = (1/2)^{t/HVL} \times \frac{X_L \times t_w \times (E/K_a) \times U \times T}{d_4^2}$$

1/10価層（TVL）を用いた場合

$$E_L = (1/10)^{t/TVL} \times \frac{X_L \times t_w \times (E/K_a) \times U \times T}{d_4^2}$$

E_L：漏洩実効線量（μSv/3月）

X_L：X線管容器からの漏洩線量で，X線管容器から1mの距離における空気カーマ率（μGy/時）で施行規則30条第1項に規定

t_w：3月間における稼働時間．3月間におけるX線装置の実効稼働負荷（mA・秒/3月）÷使用管電流（mA）÷3600（秒/時間）

(E/K_a)：空気カーマから実効線量への換算係数（Sv/Gy）

U：使用係数

T：居住係数

d_4：X線管焦点から遮へい壁の外側の評価点までの距離（m）

HVL：遮へい体の大幅に減衰したX線の広いビームに対する半価層（mm）

TVL：遮へい体の大幅に減衰したX線の広いビームに対する1/10価層（mm）

t：遮へい体の厚さ（mm）半価層又は1/10価層，(E/K_a)は与えられた表より求める

(4) 複合した遮へい体からの漏洩X線量の計算

一次X線による利用線錐方向の遮へいは対向板に鉛が用いられ，その後コンクリートで遮へいされるような複合遮へいの場合は，一次遮へいで大幅に減衰したX線の広いビームに対するX線量と半価層又は1/10価層を乗じて計算することができる．

計算式

$$E_p = \frac{X \times D_t \times W \times (E/K_a) \times U \times T}{d_1^2} \times (1/2)^{t/HVL}$$

E_p：漏洩実効線量（μSv/3月）

X：X線管焦点から利用線錐方向に1mの距離における空気カーマ（μGy/mA 秒）で表より求める．

D_t：厚さt（mm）の最初の遮へい体による透過率

W：3月間におけるX線装置の実効稼働負荷（mA 秒/3月）

(E/K_a)：空気カーマから実効線量への換算係数（Sv/Gy）で表より求める．

U：使用係数

T：居住係数

d_1^2：X線管焦点から画壁外側の利用線錐方向の評価点までの距離（m）

HVL：2番目の遮へい体の大幅に減衰したX線の広いビームに対する半価層（mm）

t：2番目の遮へい体の厚さ（mm）

5 診療用高エネルギー放射線発生装置等の防護及び使用室の遮へい計算（医療法施行規則）

診療用高エネルギー放射線発生装置は，次に掲げる障害防止の方法を講じたものでなければならない．
(1) 発生管の容器は，利用線錐以外の放射線量が利用線錐の放射線量の1,000分の1以下になるようにしゃへいすること．
(2) 照射終了直後の不必要な放射線からの被ばくを低減するための適切な防護措置を講ずること．
(3) 放射線発生時にその旨を自動的に表示する装置を付すること．
(4) 診療用高エネルギー放射線発生装置使用室の出入口が開放されているときは，放射線の発生を遮断するインターロックを設けること．
診療用粒子線照射装置についても上記(1)～(4)が準用され，「発生」を「照射」に読み替える．

解説：(1)は発生管よりの漏洩線量を利用線錐の1/1000としている．この場合の線量には中性子線は含まれていない．

(2)では患者の不必要な被ばくを防止するためのもので，電路を開放した後に発生する放射線や電路閉鎖した後に発生する不必要な放射線を遮へいする．

(4)はインターロックシステムを設けることであり，照射中に出入口が開放されると，電路は開放位になる．また出入口が閉鎖されていないと，高エネルギー発生装置の電路は閉鎖されず，放射線の発生ができない．

診療用放射線照射装置は，次に掲げる障害防止の方法を講じたものでなければならない．
(1) 放射線源の収納容器は，照射口が閉鎖されているときにおいて，1mの距離における空気カーマ率が70μGy毎時以下になるようにしゃへいすること．
(2) 放射線障害の防止に必要な場合にあっては，照射口に適当な二次電子過板を設けること．
(3) 照射口は，診療用放射線照射装置使用室の室外から遠隔操作によって開閉できる構造のものとすること．
ただし，診療用放射線照射装置の操作その他の業務に従事する者を防護するための適当な装置を設けた場合にあっては，この限りでない．

解説：(1)は線源収納容器の遮へい能力を定めている．

(2)はコンプトン電子，光電子などの2次電子を吸収するために沪過板を用いる．高線量率腔内照射装置（アフターローディング装置）についてはこの規定は適用されない．

(3)では照射口の開閉は室外からの遠隔操作とし，インターロックを設けることが望ましい．

診療用高エネルギー放射線発生装置使用室の遮へい計算

医療用加速器として最も多く使用されているリニアックについて，その遮へい計算法は，「放射線施設のしゃへい計算実務マニュアル」（財団法人原子力安全技術センター発行）が参考になる．

リニアックは使用する機種の加速エネルギーにより計算項目が変わってくる．特に加速エネルギー6 MeVまでは，光核反応による中性子の発生には考慮しなくてもよいが，10 MeVを超えるとターゲット材料やコリメータによっても中性子が発生しこれらを考慮しなければならない．

電子線を照射する場合には，電子線と物質との相互作用による制動X線の発生も考慮しなければならない．特に照射ヘッドから付随的に発生する制動X線の寄与は大きい．

1. 計算に必要な条件
(1) X線エネルギー（MeV）
(2) 使用時間（時間）
(3) 漏洩線量率（利用線錐の1/1000）
(4) 装置の方向利用率
(5) 遮へい材の透過率
(6) 対向板の有無

2. 計算項目
X線の場合
(1) 利用線錐（一次線，直接線）に対する遮へい計算
(2) 照射ヘッドからの漏洩線に対する遮へい計算
(3) 迷路散乱X線の遮へい計算
(4) 迷路散乱中性子線の遮へい計算
電子線の場合（制動X線の遮へい）
(1) 利用線錐方向に対する計算
(2) 照射ヘッドからの漏洩線に対する計算

3. 計算式
X線に対する遮へい
(1) 利用線錘に対する遮へい計算式

$$E_p = \frac{I_0 \times 10^6}{L^2} \times D_t \times U \times 1.0$$

ただし，

E_p ：計算点での実効線量（μSv/3月 or 週）

I_0 ：ターゲットから1mの位置でのX線の使用線量（Gy/3月 or 週）

10^6 ：GyをμGyに換算する係数

L ：ターゲットから計算点までの距離（m）

D_t ：厚さt（cm）での遮へい材の透過率
　　$F_0 \times 10^{-t/X}$
　　t：遮へい材の有効厚さ（cm）
　　X：遮へい材の1/10価層（cm）
　　F_0, X の値は与えられた表より求める

U ：方向利用率……1.0

1.0：GyをSvに換算する係数

(2) 照射ヘッドからの漏洩線に対する遮へい計算式

$$E_L = \frac{i_0 \times 10^6}{L^2} \times D_t \times W \times 1.0$$

ただし,

- E_L：計算点での実効線量（μSv/3月 or 週）
- i_0：照射ヘッドからの漏洩線量率（医療法施行規則により，利用線錐の 1/1000）
- 10^6：Gy を μGy に換算する係数
- L：ターゲットから計算点までの距離（m）
   なおターゲットの位置は，下向き照射時におけるターゲットの位置を示す
- D_t：厚さ t（cm）での遮へい材の透過率
   $F_0 \times 10^{-t/X}$（F_0，X は表より求める）
   t：遮へい材の有効厚さ（cm）
   X：遮へい材の 1/10 価層（cm）
- W（又は U）：1.0 又は下向き使用率（1 − U）……U は方向利用率

方向利用率を用いて評価した場合は，評価点の方向利用率はトータル 1.0 を満たすこと．

- 1.0：Gy を Sv に換算する係数

(3) 迷路散乱X線の入口等の鉛扉による遮へい計算式

$$E_s = \frac{S \times I_0 + s \times i_0}{a^2 \times b^2} \times 10^6 \times 0.01 \times d_t \times W \times 1.1 \times 2 \quad \cdots\cdots(3)$$

ただし,

- E_s：計算点での実効線量（μSv/3月 or 週）
- S, s：それぞれ利用線錐及び照射ヘッドからの漏洩X線のコンクリート壁面への入射面のうち入口の計算点から見た面積（m²）
- I_0：ターゲットから 1 m の位置での X 線の線量（Gy/3月 or 週）
- i_0：照射ヘッドからの漏洩 X 線量率（利用線錐の 1/1000）
- a：ターゲットから散乱壁面までの距離（m）
- b：入口の計算点から，散乱壁面中心までの距離（m）
- 10^6：Gy を μGy に換算する係数
- 0.01：壁面等の散乱比
- d_t：厚さ t mm の鉛の透過率（与えられた図より求める）
- W（又は U）：1.0 又は下向き使用率……U は方向利用率
- 1.1：Gy を Sv に換算する係数（ダクト貫通部等で遮へいがない場合は 1.43 を使用する）
- 2：安全率

そのほか中性子の発生が予想される場合には迷路散乱中性子線の遮へいについても考慮しなければならない．

関連事項

放射性同位元素の定義

医療法施行規則では，放射性同位元素を別表に定める数量及び濃度（下限数量）を超えるものとして定義している．別表は 765 核種，787 の数値を示している．

ここでは，密封，非密封の区別はない．数量は 1 kBq ～ 1 TBq の 10 群に，濃度も 0.1 Bq/g ～ 100 MBq/g の 10 群に分類している．密封線源は 1 セット又は 1 個毎に下限数量を超えるものとしている．非密封の場合，1 種類の場合は，下限数量を超えるもので，2 種類以上では，それぞれの数量及び濃度が別表に掲げる数値に対する割合の和が 1 を超えるものを放射性同位元素と定義している．

RI 等規制法では，定義は同じであるが，放射性医薬品，陽電子断層撮影診療用放射性同位元素，治験用の放射性同位元素及び原子力基本法に定める核燃料物質，核原料物質は，この法律でいう放射性同位元素からは除外されている．医療で使用される放射性同位元素の下限数量を右に示す．

表 15-4 医療で使用される主な核種の下限数量

核種	化学形等	数量〔Bq〕	濃度〔Bq/g〕
¹¹C	一酸化物および二酸化物	1×10⁹	1×10¹
¹³N		1×10⁹	1×10²
¹⁵O		1×10⁹	1×10²
¹⁸F		1×10⁶	1×10¹
⁴⁷Ca		1×10⁶	1×10¹
⁵¹Cr		1×10⁷	1×10³
⁵⁹Fe		1×10⁶	1×10¹
⁵⁷Co		1×10⁶	1×10²
⁶⁰Co		1×10⁵	1×10¹
⁶⁷Ga		1×10⁶	1×10²
⁶⁸Ga		1×10⁵	1×10¹
⁶⁸Ge	放射平衡中の子孫核種を含む	1×10⁵	1×10¹
⁸⁹Sr		1×10⁶	1×10³
⁹⁰Sr	放射平衡中の子孫核種を含む	1×10⁴	1×10²
⁹⁹ᵐTc		1×10⁷	1×10²
¹²³I		1×10⁷	1×10²
¹²⁵I		1×10⁶	1×10³
¹³¹I		1×10⁶	1×10²
¹³⁷Cs	放射平衡中の子孫核種を含む	1×10⁴	1×10¹
¹⁹²Ir		1×10⁴	1×10¹
¹⁹⁸Au		1×10⁶	1×10²
²⁰¹Tl		1×10⁶	1×10²
²²⁶Ra	放射平衡中の子孫核種を含む	1×10⁴	1×10¹

装置，器具の使用室
（医療法施行規則）

表 15-5　装置，器具の使用室

	X線装置	診療用高エネルギー放射線発生装置※	診療用放射線照射装置	診療用放射線照射器具	放射性同位元素装備診療機器
壁のしゃへい能力の画一週間当たりの	実効線量が1mSv以下	実効線量が1mSv以下	実効線量が1mSv以下	実効線量が1mSv以下	実効線量が1mSv以下
使用室の構造など	(1) X線診療室の室内には，X線装置を操作する場所を設けないこと (2) X線診療室である旨を示す標識を付すること	(1) 人が常時出入する出入口は，1箇所とし，当該出入口には，放射線発生時に自動的にその旨を表示する装置を設けること (2) 診療用高エネルギー放射線発生装置使用室である旨を示す標識を付すること	(1) 主要構造部などは，耐火構造または不燃材料を用いた構造とすること (2) 人が常時出入する出入口は，1箇所とし，当該出入口には，放射線発生時に自動的にその旨を表示する装置を設けること (3) 診療用放射線照射装置使用室である旨を示す標識を付すること	(1) 人が常時出入する出入口は，1箇所とすること (2) 診療用放射線照射器具使用室である旨を示す標識を付すること	(1) 主要構造部などは，耐火構造または不燃材料を用いた構造とすること (2) 扉等外部に通ずる部分には，かぎ等の閉鎖のための設備又は器具を設けること (3) 放射性同位元素装備診療機器使用室である旨の標識を付すること (4) 間仕切りを設けることその他の適切な放射線障害の防止に関する予防措置を講ずること

※診療用粒子線照射装置についても準用し，「発生時」を「照射時」に読み替える．

解説：各装置の使用室の画壁の遮へい能力は，すべて1週間当たり実効線量が1mSv以下にしなければならない．ただし書きに規定している「その外側が，人が通行し，又停在することのない場所は，この限りでない」とは，使用室の床下がすぐに地盤である場合，壁の外面が地盤やがけになっている場合等をいう．

〔X線装置使用室〕

X線診療室内には，X線装置を操作する場所を設けてはならないが，医師が操作をして透視，体腔管治療，超軟線治療を行う場合，近接透視撮影や乳房撮影を行うとき又は1週間に2,000mAs以下で操作する歯科用X線装置による撮影を行う場合，骨塩定量分析X線装置及び輸血用血液照射X線装置で機器から1mの距離で6μSv毎時以下としたものに例外として認めている．

〔診療用高エネルギー放射線発生装置使用室〕

人が常時出入する出入口は，放射線発生時には自動的に放射線発生中であることを表示することが必要で，その他にも装置自身もインターロックシステムが必要である．人が常時出入しない機械搬入口等は常時閉鎖されているので自動表示は必要でない．

〔粒子線照射装置使用室〕

診療用高エネルギー放射線発生装置を準用している．

〔診療用放射線照射装置使用室〕

主要構造部などを耐火構造または不燃材料で作ることが規定されている．

〔診療用放射線照射器具使用室〕

遮へいにおける放射線量率の測定は，通常，患者に対して使用する最大量を使用した場合の線量率である．

〔放射性同位元素装備診療機器使用室〕

これに該当する機器は従来の照射装置や照射器具に比較して安全な機器で，骨塩定量分析装置やECD線源を有するガスクロマトグラフ装置，^{137}Csを用いた血液照射装置が該当している．

閉鎖のための器具は盗難防止のために必要としており，骨塩定量分析装置は管理区域の設定が必要で，使用時に6μSv毎時以上となる場所では，使用の際に間仕切りなどを設け放射線障害の防止措置をしなければならない．

7 診療用放射性同位元素使用施設及び遮へい計算等（医療法施行規則）

1. 使用室

診療用放射性同位元素を使用する施設においては，放射性同位元素を用いて診療を行う室（診療室），調剤などを行う室（準備室），汚染の検査および除去を行う室（汚染検査室）があり，それぞれ次の事項が必要である．

1) 主要構造部などは耐火構造または不燃材料を用いた構造とする．
2) 画壁などの遮へい能力は，その外側における放射線量を1週間につき実効線量で1mSv以下になるようにする．
3) 内部の壁，床その他放射性同位元素によって汚染されるおそれのある部分は，突起物，くぼみおよび仕上材の目地などのすきまの少ないものとする．
4) 内部の壁，床その他放射性同位元素によって汚染されるおそれのある部分の表面は，平滑であり，気体または液体が浸透しにくく，腐食しにくい材料で仕上げる．
5) 放射性同位元素使用室である旨の標識を付する．
6) その他，放射性同位元素使用施設へ人が常時出入する出入口は1箇所としなければならない．

A. 準備室

1) 準備室は診療室と区画された構造とする．
2) 洗浄設備を設け，排水設備に連結する．
3) 気体状の放射性同位元素または放射性同位元素によって汚染された空気のひろがりを防止するフード，グローブボックスなどは排気設備に連結する．

B. 汚染検査室

出入口の付近に設け，汚染検査に必要な放射線測定器，汚染除去に必要な器材，洗浄設備ならびに更衣設備を設ける．

C. 陽電子断層撮影診療用放射性同位元素使用室

基本的には，前述までの診療用放射性同位元素使用室と同じであるが，一部が追加して規制を受ける．

1) 前述でも調剤を行う部屋と診療を行う部屋に区画することになっているが，さらに患者が待機する部屋に区画することとなっている．これは，当該患者に放射性同位元素を投与した後に体内に分布するのに十分な時間待機したり，安静を保つ目的のために設けられている．
2) 陽電子断層撮影診療用放射性同位元素使用室内には，装置を操作する場所を設けてはならない．これは，使用する放射性同位元素は陽電子放射体で0.511 MeVの消滅放射線を利用しており，エネルギーが高いことや，短半減期のため投与量が多く，放射線診療従事者の被ばく線量軽減のために設けられている．

2. 貯蔵施設

診療用放射線照射装置，診療用放射線照射器具または診療用放射性同位元素を貯蔵する場合は貯蔵施設（貯蔵室または貯蔵箱）において行う．貯蔵施設においては次の事項が必要である．

1) 外部と区画されていること．
2) 施設の外側における実効線量が1週間につき1mSv以下になるように遮へいを行う．
3) 貯蔵室はその主要構造部を耐火構造とし，開口部には特定防火設備に該当する防火戸を設ける．診療用放射線照射器具を耐火性の容器に入れて貯蔵する場合は除外されている．
4) 貯蔵箱においても耐火構造としなければならないが，診療用放射線照射器具を耐火性の容器に貯蔵する場合は除外されている．
5) 貯蔵容器を貯蔵施設に設けなければならない．この容器は次の事項が必要である．㋑貯蔵時に1mの距離で実効線量が100μSv毎時以下に遮へいする能力を有すること．㋺空気を汚染するおそれのある診療用放射性同位元素を入れる容器は気密な構造とすること．㋩液体状の診療用放射性同位元素を入れる容器は液体がこぼれにくい構造で，液体が浸透しにくい材料を用いること．㊁容器には標識を付け，貯蔵している放射性同位元素の種類およびベクレル単位で表した数量を表示すること．
6) 受皿，吸収材その他放射性同位元素による汚染のひろがりを防止する設備，器具を設けること．
7) 貯蔵施設の人が常時出入する出入口は1箇所とする．
8) 扉，ふた等外部に通ずる部分には，かぎその他閉鎖のための設備または器具を設けること．
9) 貯蔵施設である旨の標識を付すること．

3. 廃棄施設

廃棄施設は，液体状，気体状の放射性同位元素または汚染されたものを排水または排気する設備，焼却設備および保管廃棄する設備とに分けられる．これらの施設の画壁は1週間あたり実効線量が1mSv以下の遮へい能力を必要とする．

A. 排水設備

排水設備とは，排水管，排液処理槽などの一連の設備で，液体状の放射性同位元素や汚染された液を浄化，排水する能力を有する設備で次の事項が必要である．

1) 排水口における排液中の放射性同位元素の濃度を3月間についての平均濃度が医療法施行規則別表第3の第3欄に定める濃度限度以下にする能力を有していること．

別表第3には，放射性同位元素の種類（化合物）毎に濃度限度が示されている．
- 一種類の場合→別表第3第3欄以下とする．
- 二種類以上の場合→別表第3第3欄に定める濃度に対する割合の和が1となるような濃度．

〔例〕^{14}C-標識有機化合物 $1.2\,\mathrm{Bq/cm^3}$（別表の値 $2\times10^0\,\mathrm{Bq/cm^3}$）
^{32}P-リン酸塩 $0.015\,\mathrm{Bq/cm^3}$（別表の値 $3\times10^{-1}\,\mathrm{Bq/cm^3}$）
^{60}Co-有機錯化合物 $0.01\,\mathrm{Bq/cm^3}$（別表の値 $2\times10^{-1}\,\mathrm{Bq/cm^3}$）

それぞれの濃度のものを含む廃液を排水するとき

$$\frac{1.2}{2}+\frac{0.015}{0.3}+\frac{0.01}{0.2}=0.6+0.05+0.05=0.7<1$$

割合の和が1までは濃度限度以下であるので，上記の3種類の放射性同位元素を含む排水は排水可能である．
- 種類が明らかでない場合→別表第3第3欄の中で最も低い濃度．
- 種類が明らかで別表第3にない場合→別表第4第1欄の濃度．

2) 排液がもれにくい構造とし，排液が浸透しにくく，腐食しにくい材料を用いる．
3) 排液処理槽は，排液が採取できるかまたは排液の放射性同位元素の濃度を測定できる構造とし，かつ排液の流出を調節する装置を設ける．
4) 排液処理槽の上部の開口部は，ふたのできる構造とし，周囲に人がみだりに立ち入らないような設備を設ける．
5) 排水管，排液処理槽には標識を付する．

B. 排気設備

排気設備とは，排風機，排気浄化装置，排気管などの一連の設備で，気体状の放射性同位元素やそれによって汚染された空気を浄化する能力を有する設備で次の事項が必要である．

1) 排気口における排気中の放射性同位元素の濃度を3月間についての平均濃度が医療法施行規則別表第3の第4欄に定める濃度限度以下とする．

排気中の濃度限度も排水と同様に放射性同位元素の種類（化合物）ごとに定められている．排気に含まれる放射性同位元素により
- 放射性同位元素の種類が明らかで一種類の場合
- 放射性同位元素の種類が明らかで二種類以上の場合
- 放射性同位元素の種類が明らかでない場合
- 放射性同位元素の種類が明らかで別表にない場合

以上のそれぞれについて排水と同様に濃度限度を定めている．

2) 人が常時立ち入る場所における空気中の放射性同位元素の濃度は，1週間についての平均濃度が別表第3の第2欄に定める濃度限度以下とする．

放射線診療従事者が呼吸する空気の濃度限度で，排水排気と同様に，一種類の場合，二種類の場合，種類が明らかでない場合，別表第3にない場合について定められている．

3) 気体のもれにくい構造とし，腐食しにくい材料を用いること．
4) 故障が生じた場合は，放射性同位元素によって汚染された空気のひろがりを急速に防止することができる装置を設けること．
5) 排気浄化設備，排気管および排気口には，排気設備である旨を示す標識を付すること．
6) 以上の排気設備について，作業の性質上排気設備を設けることが著しく困難な場合であって，気体を発生せず，空気を汚染するおそれのないときは適用されない．

排水口及び排気口において前述の濃度限度以下にすることが著しく困難な場合は，病院又は診療所の境界の外における実効線量を1年間につき1mSv以下とすることを厚生労働大臣が承認した場合は，例外として認められている．この場合は，排水監視設備および排気監視設備にて排水又は排気中の放射性同位元素の数量，濃度を監視しなければならない．

C. 焼却設備

医療用放射性廃棄物を焼却する場合には，焼却炉，廃棄作業室，汚染検査室を設けることとしている．

1) 焼却炉は，気体が漏れにくく，灰が飛散しにくい構造であること．排気設備に連結されていること．焼却残渣の処理は廃棄作業室で行えるように連結していることを規定している．
2) 廃棄作業室は，診療用放射性同位元素使用室と同様に廃棄作業室内部の壁，床など汚染するおそれのある部分は，気体，液体が浸透しにくく腐食しにくい材料で仕上げ，平滑であり突起物，くぼみ，目地等の少ない構造を規定している．さらに汚染した気体状放射性同位元素の広がりを防止するフード，グローブボックスは排気設備に連結していることを規定している．
3) 汚染検査室は，廃棄作業室の出入口付近に設ける．内部の壁，床は2)と同様とし，洗浄設備，更衣設備，放射線測定器，汚染除去器材が必要となる．洗浄設備は排水設備に連結しなければならない．

D. 保管廃棄設備

密封されていない放射性同位元素の使用については，保管廃棄設備が必要であり，一種の貯蔵施設と見ることができ，次の事項が必要である．

1) 外部と区画された構造とすること．

2) 外部に通じる扉，ふたなどには，かぎその他閉鎖のための設備，器具を設けること．

3) 空気を汚染するおそれのあるものは気密な構造の容器に入れ，また液体状の場合はこぼれにくい構造で，液体が浸透しにくい材料で容器を造ること．

4) 保管廃棄設備，保管廃棄容器には標識を付すること．

E. 陽電子断層撮影診療用放射性同位元素の保管廃棄

当該放射性同位元素は半減期が短いために，これによって汚染された廃棄物に限って特例を設けている．陽電子断層撮影診療用放射性同位元素以外の汚染物が混入しないようにし，当該放射性同位元素の原子数が1を下回ることが確実な期間として7日間保管した場合には，管理区域から持ち出すことができる．ただし，これが適用されるのは，1日最大使用数量が，^{11}C, ^{13}N, ^{15}O の場合は，1 TBq，^{18}F の場合は 5 TBq 以下のときである．

これを適用して保管した場合は，放射性同位元素によって汚染されたものではないとして廃棄できる．

4. 放射線治療病室

診療用放射線照射器具または診療用放射性同位元素によって治療を受けている患者を入院させる病室に必要な事項は次のとおりである．

1) 画壁などの遮へい能力は，外側の実効線量が1週間につき1 mSv以下となる能力を有すること．

2) 放射線治療室である旨の標識を付すること．

3) 密封されていない放射性同位元素によって治療を受けている患者を入院させる病室の内部の壁，床などの汚染されるおそれのある部分は，突起物，くぼみおよび仕上材の目地などのすきまの少ないものとし，その表面は平滑であり，気体，液体が浸透しにくく，腐食しにくい材料で仕上げること．又，出入口付近には，洗浄設備，更衣設備，放射線測定器，汚染除去器材を必要とする．この規定は，診療用放射性同位元素により治療を受けている患者の排泄物等による汚染対策として定められている．

5. 診療用放射性同位元素使用室の遮へい計算

診療用放射性同位元素使用室では，放射性同位元素からのγ線などの遮へい計算や空気中濃度，水中濃度の計算が必要となってくる．

診療用放射性同位元素の遮へい計算

診療用放射性同位元素使用施設では，主にガンマカメラを用いて検査をする診療室，準備室，貯蔵施設，廃棄物貯蔵施設などからの漏洩線量の計算が必要である．

RI 診療室からの漏洩線量の計算例

RI 検査では，患者に投与される核種のなかで ^{99m}Tc が最大である．1人の患者に投与される ^{99m}Tc を 1000 MBq と仮定して計算する．

計算式
$$E = \Gamma \times A \times F_a \times (1/d^2) \times t$$

ここで，

E：実効線量率（μSv/3月）

Γ：ガンマ線源の場合は実効線量率定数（μSv・m^2・MBq^{-1}・h^{-1}）アイソトープ手帳などより求める．

A：放射性同位元素の放射能（MBq）

F_a：遮へい体に対する実効線量透過率，ただし複数の遮へい体がある場合は，各々の遮へい体に対する透過率を求め，その積をもって全体の透過率とする．

この値は与えられた表より求める．

d：評価点までの距離（m）

t：3月間の作業時間

計算例

核種：^{99m}Tc 1000 MBq

実効線量率定数：0.0181

遮へい体：コンクリート 20 cm（与えられた表より）
　　　　　透過率は 4.88×10^{-2}

評価点までの距離 3.2 m

作業時間：500 時間

$E = 0.0181 \times 1000 \times 4.88 \times 10^{-2} \times (1/3.2^2) \times 500$
$= 43.1 \ (\mu Sv/3月)$

以上の計算を使用する核種について計算し，その和を求めると評価点での線量となる．

6. 使用室内の空気中及び排気中の放射性同位元素濃度の計算

1) 使用室の空気中濃度の計算

診療用放射性同位元素使用室の人が常時立ち入る場所の空気中放射性同位元素濃度の計算は，次式によって核種毎に1週間の平均濃度を求め，当該平均濃度を規則別表第3の第1欄に掲げる放射性同位元素の区分に応じて第2欄に示す濃度限度で除して，核種毎の割合を求め，これらの割合の和を算出し，この割合の和が1以下でなければならない．

1週間の平均濃度の計算式
$$I_w = \frac{A_d \times D_w \times 飛散率 \times 従事係数}{1週間の総排気量}$$

ここで，

I_w：1週間の平均濃度（Bq/cm^3）

A_d：1日最大使用予定数量（Bq）

D_w：1週間当たりの使用日数

飛散率：液体，固体では 1/1000

従事係数：診療の場合は1とする

1週間の総排気量：1時間の排気量×8時間×5日
　　　　　　　　（cm³）

2）排気中の濃度計算

排気に係る放射性同位元素の濃度計算は，次式によって行い，3月間の平均濃度を求め，当該平均濃度を規則別表第3の第1欄に掲げる放射性同位元素の区分に応じて第4欄に示す濃度限度で除して，核種毎の割合を求め，これらの割合の和を算出し，この割合の和が1以下でなければならない．

3月間の平均濃度

$$I_m = \frac{A_m \times 飛散率 \times 透過率}{3月間の総排気量}$$

ここで，

I_m：3月間の平均濃度（Bq/cm³）
A_m：3月間の最大使用予定数量（Bq）
飛散率：液体，固体では 1/1000
透過率：フィルターの透過率は液体，固体ではHEPAフィルター使用で 1/100
3月間の総排気量：1時間の排気量×8時間×5日×13週（cm³）

7. 排水設備の排水口における水中濃度の計算

排水口からの放射性同位元素の濃度限度は規則別表第3の第3欄に示されており，限度値以下で排水しなければならない．排水口における水中濃度は排水設備を構成する貯留槽の容量や診療用放射性同位元素の使用量によって決定される．特に近年は，使用する核種の半減期が短いものが多く，2月間程度貯留した場合には排水口における濃度はかなり低い値となっている．

排水に係る放射性同位元素の濃度の計算に当たっては，次式により3月間の平均濃度を求め，次に当該濃度を規則別表第3の第3欄に示す濃度限度で除して，各核種毎の割合を求め，この割合の和が1以下の場合はそのまま放流できるが，1を超える場合は，1以下になるように希釈しなければならない．この希釈は，10倍希釈まで認められている．

$$3月間の平均濃度 = \frac{貯留時の放射能}{貯留槽1基の貯留量} = \frac{A_d \times 混入率 \times [(1-\exp(-\lambda t_1))/\lambda] \times \exp(-\lambda t_2)}{貯留槽1基の貯留量}$$

ここで，

A_d：1日最大使用予定数量（Bq）
λ：核種の壊変定数（day⁻¹）＝0.693/T
T：核種の物理的半減期（日）
t_1：貯留槽1基の満水期間当たりの1日最大使用予定数量の使用日数（日）

なお，t_1は次式により求め，小数点以下を切り上げた値とする

$$t_1 = \frac{A_m \div A_d}{91（日）\div（貯留槽1基の満水日数）}$$

ここで，

A_m：3月間の最大使用予定数量
A_d：1日の最大使用予定数量
t_2：放置期間（日）

関連事項

以上，以下，未満，超える

これらの言葉はよく法律文などに表現されている．例えば「100万電子ボルト以上のエネルギーを有するX線」，「100万電子ボルト未満のエネルギーを有するX線」というような例で，100万電子ボルトは含むのか，含まないのかという疑問がでてくる．
・「以下」，「以上」ではその値を含む．
・「未満」，「超える」ではその値を含まない．
・上の値を強調する場合，「超える」を使用している．
・下の値を強調する場合，「以下」を使用している．

8 管理者の義務（医療法施行規則）

15章 放射線安全管理学

1. 使用の場所などの制限

X線装置，診療用高エネルギー放射線発生装置，診療用放射性同位元素などのそれぞれの使用施設や貯蔵施設，廃棄施設における使用は，一部の例外を除いて，それぞれ該当する施設で行わなければならない．

例外としては，次の項目が定められている．

〔X線装置〕

移動型又は携帯型X線装置を移動困難な患者に使用する場合で，手術室・ICU・CCUでの使用，移動できない患者を病室で撮影する場合や在宅医療において，出張して撮影する場合が該当する．手術室においては，移動型X線CT装置の使用も認めている．歯科用X線装置を臨時に移動して撮影する場合も特別な理由としている．診療用高エネルギー放射線発生装置使用室，診療用粒子線照射装置使用室や診療用放射線照射装置使用室では照射部位の位置決めや確認のために用いる．診療用放射線照射器具使用室や診療用放射性同位元素使用室，陽電子断層撮影診療用放射性同位元素使用室でも使用が認められており，X線CT画像とSPECT装置やPET装置との画像を重ね合わせることなどにより，より高度な診断情報を得るようにしている．

〔診療用高エネルギー放射線発生装置〕

特別な理由により手術室での使用が認められている．これは手術室において手術中に照射する術中照射（開創照射）を行う場合で，電子リニアックにより電子線の照射などが認められている．

〔診療用放射線照射装置〕

特別な場合にX線診療室や診療用放射性同位元素使用室，陽電子断層撮影診療用放射性同位元素使用室で認めている．X線室では，IVRを実施する場合で，治療部位の血管の再狭窄防止のために密封放射性同位元素で血管内照射を行う時などに認められている．診療用放射性同位元素使用室での使用は，SPECT装置・PET装置での吸収補正用線源を使用する場合などで認められる．

〔診療用放射線照射器具〕

放射線治療病室で使用する場合，手術室，集中強化治療室（ICU），心疾患強化治療室（CCU），陽電子断層撮影診療用放射性同位元素使用室で一時的に使用する場合に認められている．但し，患者への防護措置，紛失の防止などの適切な防護措置及び汚染防止措置が必要である．又，特別な理由により，診療用放射線照射装置使用室で使用する場合は適切な防護措置を行うことにより使用可

である．これは ^{125}I 線源等の永久刺入などの場合をさしている．

〔診療用放射性同位元素〕

放射線治療病室で使用する場合，手術室，集中強化治療室，心疾患強化治療室，陽電子断層撮影診療用放射性同位元素使用室で一時的に使用する場合に認められている．但し，汚染検査に必要な測定器，汚染除去器材を備えること．汚染されるおそれのある室の床，壁面は，液体が浸透しにくく，平滑で腐食しにくい構造であることなど適切な防護措置および汚染防止措置が必要である．

2. 患者の入院制限

診療用放射線照射装置，診療用放射線照射器具を装着している患者または診療用放射性同位元素により治療を受けている患者は必ず放射線治療病室に入院させなければならず，この放射線治療病室には，放射線治療を受けていない患者を入院させてはならない．しかし，例外として適切な防護措置および汚染防止措置を講じた集中強化治療室や心疾患強化治療室に一時的に入院させることができる．この場合も移動可能な状態になれば放射線治療病室に入院させなければならない．

3. 管理区域

A. 病院又は診療所内の場所で以下の1）〜4）に該当する場所は管理区域として標識を付し，みだりに人が立ち入らないようにしなければならない．

1) 外部放射線の実効線量が1.3 mSv/3月を超えるおそれのある場所．

2) 空気中の放射性同位元素の濃度が，放射線診療従事者が常時立ち入る場所の濃度限度（別表第3第2欄）の1/10を超えるおそれのある場所．

3) 放射性同位元素により汚染される物の表面の密度限度が，医療法施行規則別表第5（α放射体4 Bq/cm^2，α放射体以外40 Bq/cm^2）の1/10を超えるおそれのある場所．

4) 1)と2)が同時にあるときは，それぞれに規定した線量当量および濃度に対する割合の和が1となるような値とする．放射性同位元素を経口摂取するおそれのある場所では，飲食が禁止されているので，管理区域を設定する場合に水に含まれる放射性同位元素は考慮しなくてもよい．

B. 管理区域内には，放射線診療従事者以外の人がみだりに立ち入らないように，標識を付し，また注意事項を掲示し，必要に応じて柵等を設けるなどの措置を講じなければならない．

※放射線診療従事者とは，放射線診療に従事若しくは放射性医薬品を取り扱う医師，歯科医師，診療放射線技

師，看護師，准看護師，歯科衛生士，臨床検査技師，薬剤師等をいい，営繕職員，事務職員，上記以外の看護師は含まない．

4. 敷地の境界などにおける防護

　放射線取扱施設またはその周辺に適当な遮へい物を設けるなどの措置を講ずることにより，病院または診療所内の人が居住する区域および病院または診療所の敷地の境界における線量当量限度が3月間につき実効線量で250μSvを超えないようにしなければならない．

5. 放射線診療従事者の被ばく防止

　A. 線量限度

　放射線診療従事者の被ばく線量を1)〜6)に掲げる措置によりイ)〜ロ)以下にしなければならない．

　　イ) 実効線量限度は平成13年4月1日以後5年毎に区分した各期間について100 mSv（年平均20 mSv）で4月1日を始期とする1年間につき50 mSv以下，緊急作業について男子のみ100 mSv以下．女子については，4月1日から3月間毎に5 mSvとしている．妊娠中の女子は内部被ばくは，病院の管理者が妊娠の事実を知った日から出産まで1 mSv以下としている．

　　ロ) 等価線量限度は4月1日を始期とする1年間で眼の水晶体は50 mSv かつ5年間で100 mSv以下（緊急作業では男子のみ300 mSv），皮膚は500 mSv（緊急作業では男子のみ1 Sv）．妊娠中である女子の腹部表面では，管理者が妊娠の事実を知った日から出産まで2 mSv以下である．

　放射線診療従事者の被ばく防止方法

　1) 遮へい壁その他遮へい物を用いることにより放射線の遮へいを行うこと．

　2) 遠隔操作装置，鉗子などを用いることにより，放射線源と人体との間に適当な距離を設けること．

　3) 人体が放射線に被ばくする時間を短くすること．

　4) 診療用放射性同位元素使用室，貯蔵施設，廃棄施設において放射線診療従事者などが呼吸する空気中に含まれる放射性同位元素の濃度が別表第3第2欄の濃度限度を超えないこと．

　5) 診療用放射性同位元素使用室，貯蔵施設，廃棄施設又は放射線治療病室内の人が触れるものの放射性同位元素の表面密度が別表第5の値を超えないこと．

　6) 放射性同位元素を経口摂取するおそれのある場所では飲食又は喫煙を禁止すること．

　B. 線量の算定

　実効線量及び等価線量は，外部被ばくと内部被ばくを測定し，厚生労働大臣の定める方法により算定する．

　　1) 外部被ばくによる線量は，1 cm線量当量，3 mm線量当量，70 μm線量当量を放射線測定器で測定する．放射線測定器で測定が困難な場合は，計算により算定する．

　　2) 1)の測定は放射線の種類に応じて厚生労働大臣の定める方法により計算する．

　　3) 測定部位は，胸部（妊娠可能な女子は腹部）で測定する．ただし，人体を頭部及び頸部，胸部及び上腕部，腹部及び大腿部に3区分したとき，被ばくする線量の最大値が胸部及び上腕部以外のときは，その部位についても測定する．前記3区分以外の部位が最大値となる場合もその部位について70 μm線量当量を測定する．

　　4) 外部被ばくによる線量当量の測定は，管理区域に立ち入っている間継続して行うこと．

　　5) 内部被ばくによる線量の測定は，放射性同位元素を誤って吸入摂取又は経口摂取した場合に測定し，放射性同位元素を吸入摂取又は経口摂取するおそれのある場所に立ち入る場合は，3月を超えない期間ごとに1回（妊娠中の女子では，1月に1回）厚生労働大臣の定める方法で行うこと．

6. 患者の被ばく防止

　病院または診療所に入院している患者（放射線治療患者は除く）が被ばくする放射線の実効線量が3月間につき1.3 mSvを超えて被ばくしないように遮へいしなければならない．

7. 取扱者の遵守事項

　診療用放射性同位元素を取扱う者は1)〜3)を遵守しなければならない．

　1) 診療用放射性同位元素使用室または廃棄施設においては作業衣などを着用し，また，これらを着用してみだりにこれらの室または施設の外に出ないこと．

　2) 放射性同位元素によって汚染された物で，その表面の放射性同位元素の密度が別表第5に定める表面密度限度を超えているものは，みだりに診療用放射性同位元素使用室，廃棄施設または放射線治療病室から持ち出さないこと．

　3) 放射性同位元素によって汚染された物で，その表面の放射性同位元素の密度が別表第5に定める表面密度限度の10分の1を超えているものは，みだりに管理区域から持ち出さないこと．

8. 測　定

　測定は，1) 治療用X線装置等の出力測定，2) 放射線の量及び放射性同位元素による汚染状況の測定に分けることができる．1)及び2)の結果は記録し，5年間保存しなければならない．

表 15-6 測定場所

項目	場所等
出力の測定	イ．治療用X線装置 ロ．診療用高エネルギー放射線発生装置 ハ．診療用粒子線照射装置 ニ．診療用放射線照射装置
放射線の量	イ．X線診療室，診療用高エネルギー放射線発生装置使用室，診療用粒子線照射装置使用室，診療用放射線照射装置使用室，診療用放射線照射器具使用室，放射性同位元素装備診療機器使用室，放射性同位元素使用室および陽電子断層撮影診療用放射性同位元素使用室 ロ．深部治療用X線装置使用室 ハ．貯蔵施設 ニ．廃棄施設 ホ．放射線治療病室 ヘ．管理区域の境界 ト．病院または診療所内の人が居住する区域 チ．病院または診療所の敷地の境界
放射性同位元素による汚染の状況	イ．診療用放射性同位元素使用室および陽電子断層撮影診療用放射性同位元素使用室 ロ．診療用放射性同位元素により治療をうけている患者を入院させる放射線治療病室 ハ．排気設備の排気口 ニ．排水設備の排水口 ホ．排水監視設備のある場所 ヘ．排気監視設備のある場所 ト．管理区域の境界

表 15-7 測定回数

測定場所および項目	回数
治療用X線装置，診療用高エネルギー放射線発生装置，診療用粒子線照射装置使用室，診療用放射線照射装置の出力の測定	6ヵ月を超えない期間に1回以上
放射線量率および放射性同位元素による汚染状況の測定	1ヵ月を超えない期間に1回以上
X線装置，診療用高エネルギー発生装置使用室，診療用粒子線照射装置使用室，診療用放射線照射装置使用室，放射性同位元素装備診療機器使用室，管理区域境界，居住区域または敷地の境界で固定して使用し，照射方向等が一定している場合の測定	6ヵ月を超えない期間に1回
排気設備の排気口，排水設備の排水口，排気監視設備のある場所，排水監視設備のある場所	排気，排水のつど

表 15-6 に測定項目，場所等を，表 15-7 に測定回数を示した．放射線の量及び汚染状況の測定は，放射線測定器を用いて行うが，測定が著しく困難な場合は計算により算出できる．

放射線の量の測定は，原則として 1 cm 線量当量（率）H_{1cm} について行う．ただし，70 μm 線量当量率 $H_{70\mu m}$ が $H_{70\mu m} > 10 H_{1cm}$ となるおそれのある場所では $H_{70\mu m}$ について測定しなければならない．

9. 記 帳

A．装置，器具の使用については，それらの1週間当たりの延べ使用時間を記載し，2年間保存しなければならない．ただし，表 15-8 の放射線量率以下に遮へいされている場合は除外される．X線装置の延べ使用時間は撮影時間が明らかである場合はその累積とする．又管理区域の線量限度が 1.3 mSv／3 月であることから，3 月間当たりの使用時間又は実効稼動負荷（mAs）も併せて記載しなければならない．なお，使用時間等が明らかでない場合には，撮影手技毎に実効稼動負荷を厚生労働省医薬局長通知（医薬発第 188 号）に示している．

表 15-8 記帳を要しない装置，器具と放射線量率

治療用X線装置以外のX線装置	40 μSv／時
治療用X線装置	20 μSv／時
診療用高エネルギー放射線発生装置	20 μSv／時
診療用粒子線照射装置使用室	20 μSv／時
診療用放射線照射装置	20 μSv／時
診療用放射線照射器具	60 μSv／時

B．診療用放射線照射装置又は診療用放射線照射器具，診療用放射性同位元素および陽電子断層撮影診療用放射性同位元素使用室の入手，使用および廃棄ならびに放射性同位元素によって汚染された物の廃棄に関し，次に掲げる 1）〜3）の事項を記載し，これを1年ごとに閉鎖し，閉鎖後5年間保存しなければならない．

1) 入手，使用または廃棄の年月日
2) 入手，使用または廃棄にかかる診療用放射線照射装置又は診療用放射線照射器具の型式および個数ならびに診療用放射線照射装置又は診療用放射線照射器具に装備する放射性同位元素，診療用放射性同位元素または放射性同位元素によって汚染された物の種類およびベクレル単位をもって表した数量
3) 使用した者の氏名または廃棄に従事した者の氏名ならびに廃棄の方法および場所

10. 廃止後の措置

診療用放射性同位元素又は陽電子断層撮影診療用放射性同位元素を備えなくなった場合は，30日以内に放射性同位元素による汚染を除去し，汚染されたものを譲渡または廃棄しなければならない．

11. 事故の場合の措置

地震，火災その他の災害または盗難，紛失が発生し，または発生したおそれのあるときは，保健所，警察署，消防署などの通報し，放射線障害の防止につとめる．

9 医療法に定める放射線利用の管理体制

1. 医療機器安全管理責任者の選任

医療法施行規則第1条の11第2項3号において，医療機器安全管理責任者を選任することを義務付けている．

医療機器安全管理責任者の資格として診療放射線技師も該当し，放射線機器の適切な保守・管理業務を行う．

医療機器安全管理責任者の業務
① 医療機器の安全使用のための研修の実施
② 保守点検計画の策定及び適切な実施
③ 安全使用のための情報の収集，安全使用を目的とした改善のための方策の実施

医療機器の安全使用のための研修事項
① 有効性・安全性に関する事項
② 使用方法に関する事項
③ 保守点検に関する事項
④ 不具合が発生した場合の対応に関する事項
⑤ 使用に関して特に法令上遵守すべき事項

保守点検計画の策定が必要な放射線機器
保守点検が必要な医療機器については，10種類の医療機器の中で次の5機種が指定されている．
① 医療用CT装置
② 診療用粒子線照射装置（サイクロトロン等）
③ 診療用高エネルギー放射線発生装置（リニアック等）
④ 診療用放射線照射装置（ガンマナイフ等）
⑤ 磁気共鳴画像診断装置（MRI装置）

保守点検計画には，医療機器名，製造販売業者名，形式，保守点検を実施する時期，間隔，条件を記載する．

保守点検の記録項目
① 医療機器名
② 製造販売業者名
③ 形式，型番，購入年
④ 保守点検の記録（年月日，保守点検の概要，保守点検者名）
⑤ 修理の記録（年月日，修理の概要，修理者名）

医療機器管理責任者は保守点検の実施状況の評価について，実施状況，使用状況，修理状況等を評価する．医療の面から必要に応じて操作方法の標準化や医療機器の採用に関する助言や保守点検計画の見直しをする．保守点検は外部に委託出来るが医療機器管理責任者は保守点検の実施状況等の記録を保存し，管理状況を把握が必要である．

2. 医療放射線安全管理責任者の選任

医療法施行規則第1条の11第2項第3号の2には医療放射線安全管理責任者の選任を義務付けている．これには医療放射線の安全管理に十分な知識を有する常勤職員で原則として医師又は歯科医師の資格を必要としている．ただし，医師又は歯科医師が放射線診療において正当化を，常勤の診療放射線技師が最適化を担保し，当該の医師，歯科医師が診療放射線技師に対して適切な指示を行う体制を担保している場合は診療放射線技師を責任者として選任できる．

診療用放射線の安全利用のための研修

医療放射線安全管理責任者は規定に基づき，放射線診療に従事する医師，歯科医師，診療放射線技師等の放射線診療の正当化又は患者の医療被ばくの防護の最適化に付随する業務に従事する者に対し研修を行う．研修は1年度につき1回以上とし，研修内容（開催日時又は受講日，出席者，研修項目）を記録する．研修は病院等が主催する研修の他に当該病院以外の場所での研修，学会等が主催するものが含まれ，次の項目研修を実施する．
① 患者の医療被ばくの基本的な考え方に関する事項
② 放射線診療の正当化に関する事項
③ 患者の医療被ばくの防護の最適化に関する事項
④ 放射線の過剰被ばくその他放射線診療に関する事例発生時の対応等に関する事項
⑤ 患者への情報提供に関する事項

診療用放射線による被ばく線量の管理及び記録等

被ばく線量の管理について，次に掲げる放射線機器は患者の受ける被ばく線量が他の放射線診療と比較して多いことから管理・記録し被ばく線量を適正に管理する．
① 移動型循環器用X線透視診断装置
② 据置型循環器用X線透視診断装置
③ X線CT組み合わせ型循環器用X線診断装置
④ 全身用X線CT診断装置
⑤ X線CT組み合わせ型ポジトロンCT装置
⑥ X線CT組み合わせ型SPECT装置
⑦ 陽電子断層撮影診療用放射性同位元素
⑧ 診療用放射性同位元素

放射線診療を受ける者の医療被ばく線量管理は，関係学会等が策定したガイドライン等を参考にして，被ばく線量の評価及び最適化を行う．被ばく線量の管理方法は，関係学会の策定したガイドライン等の変更時，管理・記録対象機器の新規導入時，機種交換時，検査手順の変更時等に応じて見直すことが必要である．学会の策定したガイドラインとしては，J-RIME（Japan Network for Research and Information on Medical Exposure）があり，2020年にはJapan DRLsとして最新のデータを提供している（☞ p.508）．

10 放射性同位元素等の規制に関する法律

放射線又は放射性同位元素の利用では，これを医療に使用する場合は，医療法（厚生労働省）によって規制を受ける．しかし，医療行為以外の研究実験などを行う場合は，放射性同位元素等の規制に関する法令：略称「RI等規制法」による規制も受ける．

1. 目 的

この法律は原子力基本法の精神にのっとり，放射性同位元素の使用，販売，賃貸，廃棄その他の取扱い，放射線発生装置の使用及び放射性同位元素によって汚染された物の廃棄その他の取扱いを規制することにより，これらによる放射線障害を防止し，及び特定放射性同位元素を防護して，公共の安全を確保することを目的としている．この場合の防護は線源のセキュリティ対策を意味する．

2. 定 義

A. 放射線

放射線障害防止法による「放射線」の定義とは，次の1)～4)に示したものである．

1) α線，β線，重陽子線，陽子線，その他重荷電粒子線
2) 中性子線
3) γ線，軌道電子捕獲に伴う特性X線
4) 1MeV以上のエネルギーの電子線，X線

B. 放射性同位元素

医療法による定義とほぼ一致している．核燃料及び核原料物質，放射性医薬品，工業標準化法などで定めるものは除外される．

C. 放射線発生装置

放射線発生装置といえば，物理的に考えれば発生する放射線のエネルギーに無関係で，診療用X線装置も放射線発生装置といえる．しかし，RI等規制法では，以下の8つを放射線発生装置と規定している．①サイクロトロン，②シンクロトロン，③シンクロサイクロトロン，④直線加速器，⑤ベータトロン，⑥ファン・デ・グラーフ形加速器，⑦コッククロフト・ワルトン形加速器，⑧その他政令で定めるもの（現在「変圧器型加速器」，「マイクロトロン」，「プラズマ発生装置」）．

ただし，装置の表面から10cm位置での1cm線量率が600nSv/毎時以下のものは除かれる．

D. 使用者

1) 許可使用者：放射線発生装置，非密封放射性同位元素及び密封放射性同位元素であって，告示別表1に示す下限数量の1000倍を超えるものを使用するものとしている．また，10TBq以上の密封線源，非密封線源で下限数量の10万倍以上の貯蔵能力及び放射線発生装置を使用する場合は，特定許可使用者となる．許可使用者は，あらかじめ許可が必要である．

2) 届出使用者：密封放射性同位元素であって，下限数量の1000倍以下のものを使用する場合は，あらかじめ届け出が必要である．また，表示付認証機器（^{63}Ni-ECD線源など）は30日以内に届け出が必要である．

E. 放射線業務従事者

医療法において「放射線診療従事者」がこれと同じ意味として取扱う．

F. 管理区域

医療法と同じ数値をもって管理区域としている．
　イ）外部放射線実効線量 1.3 mSv/3月
　ロ）空気中濃度限度3月間平均濃度の1/10
　ハ）表面密度限度の1/10

G. 実効線量限度，等価線量限度

医療法と同じ値をもって規制されている．

その他，空気中濃度限度，排気または排水中の濃度限度，表面密度限度については，医療法と同様である．

3. 測 定

A. 場所の測定

1) 測定回数（表15-9）
2) 測定場所（表15-10）
3) 測定結果は記録し，5年間保存する．

B. 被ばく線量等の測定

被ばく線量の測定は，医療法施行規則と同じである．「外部被ばく」と「内部被ばく」の測定がある．

1) 外部被ばくは，医療法施行規則と同じ測定方法で実施する．測定は，放射線測定器を用いる．なお測定が困難な場合は計算により算出する．

測定は管理区域に立ち入っている間継続して行う．一時的立入者で，100μSvを超えることがない場合は，測

表 15-9　場所の測定回数

測定の種類	回数
イ）作業開始前	1回
ロ）密封されていない放射性同位元素など	1ヵ月に1回以上
ハ）密封された放射性同位元素，放射線発生装置を移動させて使用	1ヵ月に1回以上
ニ）ハの場合で固定して取扱い，その他一定のときの使用施設，貯蔵施設，管理区域の境界，事業所の境界	6ヵ月に1回以上
ホ）下限数量の1000倍以下の密封された放射性同位元素	6ヵ月に1回以上
ヘ）排気，排水中の汚染の状況	そのつど行う

表 15-10 測定場所

項目	場所
放射線の量	使用施設 廃棄物詰替施設 貯蔵施設 廃棄物貯蔵施設 廃棄施設 管理区域の境界 事業所内の人が居住する区域 事業所の境界
放射性同位元素による汚染の状況の測定	作業室 廃棄作業室 汚染検査室 排気設備の排気口 排水設備の排水口 排気監視設備のある場所 排水監視設備のある場所 管理区域の境界

定しなくてもよい．

2) 放射性同位元素を吸入摂取することによる内部被ばく線量の測定も医療法施行規則と同じ測定方法で実施する．

測定は，3月を超えない期間ごとに1回（妊娠中の女子にあっては，1月を超えない期間ごとに1回）行う．一時的立入者については，内部被ばくによる線量当量が100μSvを超えることがない場合は，測定しなくてもよい．

C．汚染の状況の測定

放射線業務従事者の放射性同位元素による汚染の状況の測定は，人体の表面及び作業衣等人体に着用している物の表面で汚染されるおそれのある部分で行う．

密封されていない放射性同位元素を取り扱う施設に立ち入る者については，当該施設から退出するときに測定する．

D．測定結果

1) 場所の測定結果は，測定のつど記録し，5年間保存しなければならない．

2) 外部被ばく線量の測定結果は，4月1日，7月1日，10月1日，1月1日を始期とする3月間，4月1日を始期とする1年間ごとに集計（妊娠中の女子にあっては，毎月1日に始期とする1月間ごとに当該期間中集計）し，記録する．結果は永久保存する．

3) 内部被ばく線量の測定結果は，測定のつど記録し，永久保存する．

4) 汚染の状況の測定結果は，その汚染が除去できないときに記録する．

5) 2)～4)の結果より，実効線量，等価線量を算定する．

2)～5)の結果は測定対象者に記録の写しを交付するとともに保存する（永久保存であるが，5年経過した後は，指定した機関に引渡すことができる）．

4．健康診断

A．放射線業務従事者に対して，初めて管理区域に立ち入る前及び管理区域に立ち入った後にあっては，1年を超えない期間ごとに健康診断を実施しなければならない．

ただし，管理区域に立ち入った後の健康診断は，医師が必要でないと認めたときには実施しなくてもよいが，問診は必ず実施しなければならない．

B．健康診断の方法は，問診及び検査又は検診とする．

C．管理区域に初めて立ち入る者に対する問診は，次の事項について行うものとする．

1) 放射線（1 MeV 未満のエネルギーを有する電子線及びX線を含む）による被ばく歴の有無

2) 被ばく歴を有する者については，作業の場所，内容，期間，線量当量，放射線障害の有無その他放射線による被ばくの状況．

D．検査又は検診は，次の部位及び項目について行うものとする．ただし，初めて管理区域に立入る前には，イ及びロは必ず実施しハは医師が必要と認めるときに実施する．1年以後はイ～ハの項目は医師が必要と認めるとき実施すればよく，問診のみ実施が必要となる．ニは現在定めていない．

イ．末梢血液中の血色素量又はヘマトクリット値，赤血球数，白血球数及び白血球百分率

ロ．皮膚

ハ．眼

ニ．その他原子力規制委員会が定める部位及び項目

定期的な健康診断のほか，次の場合には，遅滞なく，その者について健康診断を実施する．

1) 放射性同位元素を誤って飲みこみ，又は吸いこんだとき．

2) 放射性同位元素により表面密度限度を超えて皮膚が汚染され，その汚染を容易に除去することができないとき．

3) 放射性同位元素により皮膚の創傷面が汚染され，又は汚染されたおそれのあるとき．

4) 実効線量限度又は等価線量限度を超えて放射線に被ばくし，又は被ばくしたおそれのあるとき．

E．健康診断の結果は，記録し保存しなければならない．また結果は，健康診断のつどその結果を交付する．記録の保存は，被ばく線量の測定結果と同様に永久保存する．

5．放射線障害を受けた者又は受けたおそれのある者に対する措置

A．放射線業務従事者が放射線障害を受け，又は受けたおそれのある場合には，放射線障害又は放射線障害を受けたおそれの程度に応じ，管理区域への立入時間の短

縮，立ち入りの禁止，放射線に被ばくするおそれの少ない業務への配置転換などの措置を講じ，必要な保健指導を行うこと．

B．放射線業務従事者以外の者が放射線障害を受け，又は受けたおそれのある場合には前述のように，遅滞なく，医師による診断，必要な保健指導などの適切な措置を講ずること．

6．危険時の措置

放射線取扱施設に地震，火災などの災害が発生し，放射線障害が発生し，又は発生するおそれのあるときは，次の措置をとる．

1) 火災が発生した場合は，初期消火に務めるとともに消防署に通報する．
2) 放射線取扱施設内及びその付近にいるものを避難させる．
3) 放射線障害を受けた者はすみやかに救出する．
4) 放射性同位元素によって汚染のおそれがある場合はそれを防止し，汚染した場合はすみやかに除染を行う．
5) 放射性同位元素は，できれば安全な他の場所に移し，なわ張り及び標識を付し，見張人をつける．
6) 危険事態が発生した場合は，後日遅滞なく発生日時，場所，原因，放射線障害の有無，講じた措置を原子力規制委員会に届け出なければならない．

平成29年の法律改正では，数量の極めて大きいRIの許可届出使用者又は大規模研究用加速器施設の許可使用者に対して，危険時の措置の事前対策や危険時の情報提供を放射線障害予防規定（☞ p.517）に入れることを要求している．

7．施設検査及び定期検査，定期確認

施設検査は，特定許可使用者（密封線源10 TBq以上，非密封線源で下限数量の10万倍の貯蔵施設を有する使用者，放射線発生装置の使用者）について，当該施設を新設したり，増改築等の変更をした場合には，これらの施設は原子力規制委員会の検査を受け，これに合格した後でなければ使用してはならない．

表 15-11 施設検査，定期検査・定期確認対象となる数量等

施設検査	定期検査・定期確認
1. 貯蔵能力が密封放射性同位元素では，10 TBq以上 2. 貯蔵能力が非密封放射性同位元素では，下限数量の10万倍以上 3. 放射線発生装置	1. 貯蔵能力が密封放射性同位元素では，10 TBq以上，5年毎に行う 2. 貯蔵能力が非密封放射性同位元素では，下限数量の10万倍以上，3年毎に行う 3. 放射線発生装置．5年毎に行う

定期検査及び定期確認は，特定許可使用者については，当該使用施設等が法律に定める「許可の基準」に適合しているかどうか及び適切な使用がなされているかを3年（非密封放射性同位元素）又は5年（密封放射性同位元素，放射線発生装置）毎に原子力規制委員会の検査及び確認を受けなければならない（表15-11）．

8．放射線取扱主任者

RI等規制法では，放射性同位元素，放射線発生装置を使用する場合は放射線障害の防止について監督を行わせるために放射線取扱主任者の選任，届出を義務づけている．医療行為のみに限っては，医師又は歯科医師を選任することができ，医薬品や医療用用具などの製造所では薬剤師を放射線取扱主任者として選任できる．しかし，医療行為や医薬品製造など以外の研究，分析その他では，原子力規制委員会の行う試験に合格し，放射線取扱主任者免状を有した者を選任しなければならない．放射線取扱主任者は取扱区分に応じて表15-12のような資格の主任者を選任しなければならない．

放射線取扱主任者の選任，解任については，選任又は解任の日から30日以内に原子力規制委員会に届け出なければならない．

9．代理者

放射線取扱主任者が不在である場合に，放射性同位元素及び放射線発生装置を使用するときは必ず放射線取扱主任者の代理者を選任しなければならない．代理者の資格は放射線取扱主任者と同じ資格の区分で選任しなければならず，又不在期間が30日以上の場合は原子力規制委員会への届出の義務がある．

10．教育訓練

放射線取り扱いに従事する放射線業務従事者は管理区域に初めて立ち入る前と立ち入った後は翌年度の開始日から1年以内に教育訓練を実施しなければならない．ただし，初めて管理区域に立ち入る前には定められた項目，時間数について行う．立ち入り後も項目，時間数を定めており，実施した教育訓練の時間数を各項目ごとに記帳する．

表 15-12 放射線取扱主任者の選任区分

使用者等	主任者の選任
特定許可使用者	第一種免状
許可使用者（非密封）	第一種免状
許可廃棄業者	第一種免状
許可使用者（密封）	第一種，第二種免状
届出使用者	第一種，第二種，第三種免状
販売業者，賃貸業者	第一種，第二種，第三種免状

11 電離放射線障害防止規則（電離則）

労働安全衛生法及び労働安全衛生法施行令の規定に基づき，同法を実施するために電離放射線障害防止規則が定められている．医療施設においても電離放射線障害防止規則が適用されることが多く，これに基づく放射線管理が必要となる．しかし，X線作業主任者の選任等は除外されている．この法律は理工学や工業関係における放射線利用では重要な法令となっている．

医療法施行規則とほぼ同様の規制がされているが，大きく異なる部分について解説する．

1. 放射線業務従事者の被ばく

線量限度値は同じであるが，妊娠可能な女子が妊娠しない旨を申し出による除外規定はない．被ばく線量の測定では，内部被ばくにおいて，妊娠可能な女性が1ヵ月に1.7 mSvを超えるおそれがあるときは1ヵ月以内毎の測定が必要である．

2. 被ばく線量の測定結果の確認，記録

1日における外部被ばくが1 mSvを超えるおそれがある労働者は測定結果の確認が毎日必要である．記録の方法は，男性は年間の実効線量が20 mSvを超える場合は，3ヵ月，1年，5年毎の合計を（20 mSvを超えなければ，3ヵ月，1年毎）記録する．女性（妊娠する可能性のない者を除く）は1ヵ月，3ヵ月，1年毎の合計を（1ヵ月に1.7 mSvを超えなければ，3ヵ月と1年毎）記録する．記録の保存は30年間となっている．

3. 標識の掲示

荷電粒子加速装置については，装置の種類，放射線の種類及び最大エネルギーを，放射性同位元素を装備した機器については，機器の種類，核種名，数量，装備した年月日，所有者の氏名・名称を明記した標識を掲げなければならない．

4. 警報装置等

放射線機器を使用する場合には，その旨を自動的に周知させるための警報機の設置を規定している．X線装置や荷電粒子加速装置は，装置に電力が供給されているときには警告の表示をしなければならない．管電圧150 kVを超える場合は自動警報装置とする．

5. 立入禁止

X線装置等を使用室以外で使用する場合は（外部放射線が1週間に1 mSv以下になる場所を除く），焦点または被照射体から5 m以内（医療用では2 m）の場所に労働者を立ち入らせてはならない．

6. 放射性物質がこぼれたとき等の措置

放射性物質がこぼれるなどにより汚染が生じたときは，直ちに汚染の広がりを防止し，汚染区域を明示して，表面密度限度になるまで汚染を除去しなければならない（その汚染が作業室以外の管理区域であれば表面密度限度の1/10以下にしなければならない）．

7. 退去者の汚染検査

放射性物質取扱作業室から退室するときは，汚染検査を実施し，表面密度限度の1/10を超えて汚染されているときは，洗身などにより除去し，また装具が汚染されているときは，脱がせる等の措置により除去しなければならない．

8. 避難

事故等の発生により，事故によって受ける実効線量が15 mSvを超えるおそれのある区域から労働者を退避させなければならない（ただし，緊急作業に従事する作業者は除外される）．

9. 事故等

事故が発生した場合には，速やかに所在地を管轄する労働基準監督署長に報告しなければならない．事故によって汚染や被ばく線量限度を超える場合は診察等を行い，報告の義務がある．記録については，①発生した日時，場所，②原因，状況，③障害の発生状況，④応急の措置，⑤緊急作業等による被ばく線量などを5年間保存する必要がある．

10. X線作業主任者

X線作業については，X線作業主任者免許を受けた者のうちから，管理区域毎にX線作業主任者を選任し，作業における管理・監督に従事させなければならない．ただし，病院・診療所においては選任は免除されている．X線作業主任者免許は，診療放射線技師では所轄労働基準監督署に申請することで取得できる．

11. γ線透過写真撮影作業主任者

γ線を用いたラジオグラフィでは，γ線透過写真撮影作業主任者免許を受けた者のうちから，管理区域毎にγ線透過写真撮影作業主任者を選任し，作業における管

理・監督に従事させなければならない．X線作業主任者免許と同様に診療放射線技師は申請により免許を取得できる．

12. 健康診断

医療法施行規則にはない規定で，電離則が適用される医療施設ではこれに基づいて健康診断を実施しなければならない．

放射線業務に従事する労働者で管理区域に立ち入るものに対して実施しなければならない．

はじめて管理区域に立ち入る場合の健康診断
(1) 被ばく歴の有無，自覚症状の有無，(被曝歴を有する者については，作業の場所，内容及び期間，放射線障害の有無その他放射線による被ばくに関する事項)の調査及び評価（以下この項目を問診とする）
(2) 白血球数及び白血球百分率の検査
(3) 赤血球数の検査及び血色素量またはヘマトクリット値の検査
(4) 白内障に関する眼の検査
(5) 皮膚の検査

このうち(4)については，使用する線源等によっては省略できる．

6ヵ月ごとの定期健康診断

管理区域に立ち入ったのちは6ヵ月ごとに健康診断を実施しなければならないが，(1)の問診を除いた項目については医師が必要でないと認めるときは省略できる．この場合，健康診断を行う前年の被ばく線量が5mSvを超えず，健康診断を行う日から1年間も5mSvを超えない場合に省略が認められる．

健康診断においては被ばく歴等の問診は必ず必要で省略はできない．

健康診断の結果は，当該労働者に遅滞なく通知しなければならない．また，電離放射線健康診断結果報告書を遅滞なく所轄労働基準監督署長に提出しなければならない．健康診断結果の保存は30年保存しなければならない．

13. その他

作業環境の測定について，作業場の放射性物質の空気中濃度を1ヵ月に1回測定しなければならない．これには，作業環境測定法に定める作業環境測定士によって行われなければならない．

関連事項

表15-13　各法令の「放射線」の定義

診療放射線技師法，RI等規制法，電離放射線障害防止規則では「放射線」をそれぞれ定義している．しかし，法律によって若干異なっている．

診療放射線技師法	電離放射線障害防止規則	RI等規制法
1) α線，β線 2) γ線 3) 1MeV以上の電子線 4) X線 5) その他政令で定める電磁波又は粒子線（陽子線，重イオン線，中性子線）	1) α線，重陽子線，陽子線 2) β線，電子線 3) 中性子線 4) γ線，X線	1) α線，重陽子線，陽子線その他重荷電粒子線，β線 2) 中性子線 3) γ線，特性X線（ECに伴って発生する特性X線に限る） 4) 1MeV以上のX線，電子線

関連事項

放射性同位元素から除かれているもの

放射性同位元素は，医療法およびRI等規制法でそれぞれ定義されているが，特にRI等規制法では次のものが除外されている．
1) 原子力基本法（昭和30年法律第186号）第3条第2号に規定する核燃料物質および同条第3号に規定する核燃料物質……ウラン，トリウム類
2) 薬事法（昭和35年法律第145号）第2条第1項に規定する医薬品およびその原料または材料で許可を受けた製造所に存するもの．
3) 病院等において行われる薬事法に規定する治験の対象とされる薬物
4) 陽電子放射断層撮影装置による画像診断に用いる薬物で，文部科学大臣が厚生労働大臣または農林水産大臣と協議して指定するものに装備されているもの
5) 薬事法第2条第4項に規定する医療機器で，文部科学大臣が厚生労働大臣または農林水産大臣と協議して指定するものに装備されているもの

12 防護量と実用量

1. 防護量

放射線防護の基本概念で等価線量は組織・臓器吸収線量に放射線加重係数を掛け合わせることによって求めた．

$$H_T = \Sigma w_R \cdot D_{TR}$$

また，実効線量は等価線量に組織加重係数を掛け合わせることで求められた．

$$E = \Sigma w_T \cdot H_T$$

これらの考え方は防護量として捉えられ，実測はできない．実際にこれを求めようとすると組織・臓器の吸収線量を実測しなければならないが，現実には測定が不可能な場合が多い．すなわち防護量は実測可能な物理量ではない．

2. 実用量

実際に放射線測定器により物理量として測定するにはこれとは異なった方法によって測定される．

1) 周辺線量当量

放射線作業環境の場の線量を定義するのに使用される．管理区域の線量や事業所境界の線量を設定するときにこれらの指標を用いる．

これには，放射線の場をある1点に同じ方向から放射線が来ると仮定して，そこにICRU球（直径が30cmで元素組成，O；76.2％，C；11.1％，H；10.1％，N；2.6％，密度1で実際には存在していない計算上の球をさす）をおいたとき，深さdcmでの線量として求められる．

深さ1cmを1cm線量当量，70μmを70μm線量当量としている．

実際には，図15-2において中心軸上の深さdcmの点pの空気カーマを測定する．ICRU球は仮想の球体であるので，実際にはなく自由空間で空気カーマ（Gy）を測定することになる．

この測定値に入射X線のエネルギーに応じた換算係数Sv/Gyを表15-12から求めて乗じると1cm線量当量および70μm線量当量が求められる．

2) 方向性線量当量

周辺線量当量は一方向からのX線入射を仮定したが，ICRU球にある角度をもって入射してくるものを想定している．しかし，これは防護で使用されることはなくサーベイメータ等の角度依存性を表すときに使用される．

3) 個人線量当量

放射線業務従事者の被ばく線量を求めるときに使用される．この場合は，周辺線量当量のときに使用したICRU球の代わりにスラブファントムを使用する．このファントムは30cm×30cm×15cmの立方体で元素組成は同じで，表面より深さdcmの線量としている．この場合も，計算上の仮想のファントムであるために自由空間での空気カーマを測定して，測定値に表15-14から求めた換算係数を乗じて1cm線量当量および70μm線量当量が求められる．

このとき，実効線量は1cm線量当量で表し，皮膚の等価線量は70μm線量当量で表す．眼の水晶体の等価線量は3mm深さで測定した値が使用される．

最近，作業環境の測定に積算線量が測定できる蛍光ガラス線量計やOSL線量計が使用されている．これらは個人被ばく線量に主に利用されている線量計と同じであるが，換算係数が周辺線量当量と個人線量当量で若干異なるために個人被ばく線量測定用を環境測定用にそのまま利用できない．環境測定用として換算係数を周辺線量当量を用いなければならない．

3. 周辺線量当量及び個人線量当量の求め方

1) 周辺線量当量

図15-2　ICRU球の点Pで，実効エネルギー40keV

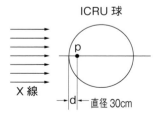

d=1cm　1cm線量当量
d=3mm　3mm線量当量
d=70μm　70μm線量当量
周辺線量当量

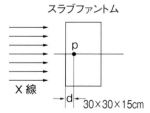

d=1cm　1cm線量当量
d=3mm　3mm線量当量
d=70μm　70μm線量当量
個人線量当量

図 15-2　周辺線量当量と個人線量当量の概念図

X線の照射により空気カーマで50 mGyを得たときの1 cm線量当量を求める．

$$50 \text{ mGy} \times 1.47 = 73.5 \text{ mSv}$$
（換算係数）

2) 個人線量当量

図15-2 スラブファントムの点Pで，実効エネルギー30 keV X線を空気カーマで1.3 mGyを被ばくしたときの1 cm線量当量を求める．

$$1.3 \text{ mGy} \times 1.112 = 1.45 \text{ mSv}$$
（換算係数）

表 15-14 空気カーマから線量当量への換算係数

X，γ線エネルギー (keV)	周辺線量当量 空気カーマから1 cm 線量当量換算係数	周辺線量当量 空気カーマから70 μm 線量当量換算係数	個人線量当量 空気カーマから1 cm 線量当量換算係数	個人線量当量 空気カーマから70 μm 線量当量換算係数
10	0.008	0.95	0.009	0.947
20	0.61	1.05	0.611	1.045
30	1.1	1.22	1.112	1.23
40	1.47	1.41	1.49	1.444
50	1.67	1.53	1.766	1.632
60	1.74	1.59	1.892	1.716
80	1.72	1.61	1.903	1.732
100	1.65	1.55	1.811	1.699
200	1.4	1.34	1.492	1.432
300	1.31	1.31	1.369	1.336
400	1.26	1.26	1.3	1.28
500	1.23	1.23	1.256	1.244
1000	1.17	1.17	1.167	1.173

―関連事項―

電離箱式サーベイメータの校正

医療法施行規則などでは放射線施設の漏えい線量などの測定をすることが1カ月ごとまたは6カ月ごとに義務付けられている．

これには主に電離箱式サーベイメータが使用されている．測定に使用されるサーベイメータは，その測定値に対するトレーサビリティを確保するために校正を行わなければならない．医療法施行規則を施行するために通達が出されているが，これによるとサーベイメータの校正は1年ごとに校正することを求めている．

サーベイメータは1 cm線量当量によって目盛られており，これに対応した校正方法はJIS Z-4511に規定している．

一般には線源として^{137}Csなどの放射性同位元素によって行われている．^{137}Csの1 cm線量当量率定数から求めることができる．

これには，γ放射体ごとに1 cm線量当量率定数が与えられており，この値より求められる．1 cm線量当量率定数は1 MBqの線源から1 mの距離における1時間当たりの線量当量率（μSv/h）として与えられる．

^{137}Cs

1 GBq（1000 MBq）　　　　　指示値　103 μSv/h

1000 MBq×0.0927＝92.7 μSv/h

92.7/103＝0.9（校正係数）

図 15-3

この値は^{137}Csでは0.0927として与えられている．図15-3のように1 GBq（1000 MBq）の線源から1 m位置での1 cm線量当量率は1000×0.0927＝92.7 μSv/hとなる．このときにサーベイメータの指示値が103 μSv/hであったとすると，校正定数は92.7/103＝0.9となり，校正定数は0.9となる．すなわちこのサーベイメータの指示値に0.9を乗ずると正しい値となる．

13 環境の管理

放射線取扱い施設内外の空間線量の測定や，放射性同位元素による空気，水，物の表面の汚染などの測定は，RI 等規制法や医療法によって，その測定場所や測定回数が規定されている．測定方法は ICRP 勧告に基づいて，Sv 単位の 1 cm 線量当量（率）などの表示方法に変更された．これらの環境の管理は後述（☞ p.504）の個人被ばく線量の減少に大きく寄与する．

1. 外部放射線の線量率の測定

作業空間での線量率の測定は，法令に定めた線量限度値の確認，管理区域の設定，遮へいにおける測定などがある．

これらの測定には各種サーベイメータが使用される．特に作業空間では X，γ 線や中性子線が測定対象となる．X，γ 線の測定では次の 4 種類が使用されている．サーベイメータについては p.366 も参照されたい．

1) 電離箱式サーベイメータ
2) GM 計数管式サーベイメータ
3) NaI（Tl）シンチレーション式サーベイメータ
4) 半導体式サーベイメータ

これらのサーベイメータの中で，1 cm 線量を測定できるのは，原理的には電離箱式である．電離箱式や GM 管式では，μSv/h で目盛られているものがあるが，NaI（Tl）シンチレーション式では cpm の単位のものが多い．近年 ^{125}I などの低エネルギー用に市販されているものは，エネルギー補償型で良好なエネルギー特性をもち μSv/h で目盛られている．以下にサーベイメータとしての特性について重要な項目について示す．

エネルギー依存性：エネルギー依存性は JIS によって規定されており，電離箱式が最も良好な特性を示している．表 15-13 は JIS に示されたエネルギー依存性の許容範囲で，^{137}Cs のエネルギーに対するレスポンスとして表しており，1.0 に近い値ほど良好な特性をもつことを意味する．したがって電離箱式，半導体式，GM 式，シンチレーション式となる．感度はエネルギー特性とは逆になり，シンチレーション式が最も高感度であり，電離箱式が最も低感度である．

時定数：サーベイメータはレートメータ（計数率計）であり，時定数をもっている．短い時定数の場合は計数値に対して早い応答を示すが，指針の振れが大きく，定まった計数値として読み取りにくい．長い時定数では，応答が遅いが指針の振れは小さく，指示値は読み取りやすい．

表 15-15　エネルギー依存性の許容範囲

種題	エネルギー範囲	レスポンス比の許容範囲
電離箱式	30 keV ～1.5 MeV	0.8～1.2
GM 計数管式	60 keV ～1.5 MeV	0.5～2.5
シンチレーション式	60 keV ～1.5 MeV	0.2～5.0
半導体式	80 keV ～1.5 MeV	0.7～1.3

^{137}Cs の γ 線のレスポンスに対する比

一般に電離箱式では 10 数秒のものが多く，GM 式では 3，10，30 秒の切り替えができるものがある．測定に際して注意することは，時定数（CR）が 10 秒の場合，測定時間が 1 CR=10 秒では，最終指示値の 63％しか示さない．2 CR=20 秒で 86％，3 CR で 95％，4 CR で 98％を示し，正確に測定するには時定数の 3～4 倍の測定時間が必要となる．

校正定数：サーベイメータで指示した線量率（μSv/h）は必ずしも正確な値は示していない．正確な値とするには校正定数を求めておかねばならない．校正は線量に対する国家標準とのトレーサビリティがとれていることを示すものであり，校正機関に依頼することにより求める．特に施設の遮へい等の測定をする場合には，1 年以内に校正された測定器によって行うことが法令の通達等で求められている．校正機関によって求められた校正定数 K は，測定値に乗ずることで真値となる．

校正定数 K＝真値/測定器の指示値

その他，サーベイメータによって特有の特性をもっているものがあり，これらについては，その特性を十分に理解して使用しなければならない．

GM 管式では，X 線，γ 線，β 線を電気パルスとして測定する．分解時間が数 100 μSec あり，そのため高計数率では数え落としが生じて見かけの計数は真値より少なくなる．さらに高計数率になると窒息現象を起こし，指示値はゼロを示すこともある．また，直線加速器では，パルス状に加速するため，このパルス値を誤って計測することもあるため注意が必要である．

NaI（Tl）シンチレーション式では，計測するエネルギーに対してディスクリミネータによるカットオフがあり，50 keV（100 keV もある）以下に設定されたものは，それ以下のエネルギーは雑音としてカットされ測定できない．近年は ^{125}I（特性 X 線 27.5 keV）に対応した低エネルギー X 線用としているものも市販されている．

現在市販されているサーベイメータは，1 cm 線量当量率（μSv/h）で目盛られているが，照射線量や吸収線量で目盛られた測定器については，Sv 単位に変換するための変換係数を乗ずる必要があり，RI 等規制法の告示にその値が示されている．

中性子についても各エネルギー毎に「自由空間中の中

性子粒子フルエンスから線量への換算値」が係数として法令に示されている．中性子線は熱中性子線（～0.025 eV）から20 MeV 程度の速中性子線までエネルギー分布が広い．中性子の粒子フルエンスから線量への換算値はエネルギーにより大きく変化する．これらの要因を考慮して作られたのがレムカウンターで，H_{1cm} に比較的近い値を得ることができる．

BF$_3$ 熱中性子サーベイメータも得られた指示値に校正係数を乗じて算出された熱中性子フルエンス率に H_{1cm} の換算係数をさらに乗じて H_{1cm} が得られる．

線量の評価では，X線やγ線の場合は測定するエネルギーが 30 keV 以上の場合は 1 cm 線量当量（H_{1cm}）で評価し，サーベイメータの値に校正定数を乗じたものとする．エネルギーが 10～30 keV の場合 70 μm 線量当量（$H_{70\mu m}$）で評価するのがよい場合があり，1 cm 線量当量の 10 倍を超える場合は，70 μm 線量当量で評価しなければならない．この測定には，10 keV 程度まで測定できる電離箱型線量計で正確に照射線量を測定し，$H_{70\mu m}$ への換算係数を乗じて求めるのがよい．

サーベイメータは，線量率で求められることが多いが，X線装置や使用機器の使用頻度によって線量率が大きく変化する場合は，積算型の線量計で評価するのがよい．これには 1～3ヵ月の長期にわたる測定が必要で，TLD や蛍光ガラス線量計，OSL 線量計が適当である．この場合には，周辺線量当量に対して校正されていることが大切であり，個人線量当量の測定に使用するものをそのまま使用すると過小評価となる．これは，周辺線量当量への変換係数と個人線量当量への変換係数が若干異なることに起因する．

2. 空気中の放射性同位元素の濃度測定

空気中の放射性同位元素は吸入摂取により内部被ばくの原因となる．放射線作業室の空気中の放射性同位元素の濃度限度は法令によって定められており，告示の値によれば 1 週間の平均濃度は，一般に医療で使用されている放射性同位元素で 10^1～10^{-4} Bq/cm^3 であり，さらに排気に係る濃度限度は 3ヵ月平均濃度がさらにもう 2 桁低い値であり，非常に低い計数率となり，バックグラウンドとの区別が難しく，集塵器（ダストサンプラ）により放射性同位元素を集めて測定しなければならない．

集塵器には，①沪紙式集塵器，②電気集塵器，③インピンジャ，④インパクタなどがあり，これらによって集めた放射性塵埃を適当な放射線測定器で測定する．

沪紙式集塵器と放射線測定器を一緒にしたのが，沪紙移動式ダストモニタで，感度はγ線，β線放射体で 10^{-6} Bq/cm^3，α放射体で 10^{-9} Bq/cm^3 を有している．

放射性の気体は，直接気体中に計数管を挿入して測定するガスモニタや，気体試料封入型電離箱によって測定する．その他，化学的な捕集方法としては，^{3}H をコールドトラップ法で捕集したり，^{14}CO$_2$ をエタノールアミンに吸着させる方法，^{35}SO$_2$ を過酸化水素水に吸収させ，Ba^{35}SO$_4$ として後に沈殿させる方法，^{14}CO$_2$ をアルカリ溶液に吸収させ，Ba^{14}CO$_3$ として後に沈殿させる方法などがある．また放射性沃素などは活性炭含浸沪紙に吸着させて後に測定する方法もある．

3. 水中放射性同位元素の濃度測定

水中においても法令によって排水に係る濃度限度が定められており，3ヵ月間の平均濃度が告示に定められている．その濃度は医療に使用されている放射性同位元素で 10^{-2}～10^2 Bq/cm^3 であり，これらの濃度も比較的に計数率は低い．10^{-2} Bq/cm^3 程度以下では，採水して，蒸発によって濃縮し，さらに赤外線ランプで蒸発乾燥して測定を行う．

直接に測定する水モニタは，一般に 10^{-1} Bq/cm^3 程度の検出感度で，排水基準より低い場合があり，前述の蒸発による濃縮が必要となる．

4. 表面汚染の測定

表面汚染は遊離性汚染と固着性汚染に分けられる．遊離性汚染は空気汚染をひき起こし内部被ばくの原因となる．

表面汚染は法令により表面密度限度が定められている．α放射体が 4 Bq/cm^2，α線を放出しない放射性同位元素が 40 Bq/cm^2 となっている．

表面汚染の測定にはサーベイメータ法かスミヤ法（ふきとり法）が利用される．

サーベイメータ法による測定では GM 管式サーベイメータや比例計数管式サーベイメータがよく利用される．サーベイメータにより汚染密度 Bq/cm^2 を評価する場合には，サーベイメータの時定数（CR）を長くし，少なくとも 4CR 秒後に指示値を読むことが必要である．

その他，汚染検査の目的には専用のモニタが使用され，床面の汚染にはフロアモニタがあり，人体および作業衣にはハンド・フット・クロスモニタが使用されている．核種を限定したものとしては ^{14}C 用，^{125}I 用などのサーベイメータも市販されている．

スミヤ法は直径 2.5 cm の専用沪紙で汚染面積 100 cm^2 をふきとり，沪紙を測定するもので，JIS Z-4504 にもその方法が規定されている．サーベイメータ法では検出の不可能な低エネルギーβ線を放出する ^{3}H（β線エネルギー 18.6 keV）は，スミヤ法による測定が用いられる．スミヤ法は，ふきとり効率が正確にわかれば，測定時間は任意に長くでき測定誤差も少なくできる．

14　個人の管理

個人の管理は被ばく線量（体外被ばく，体内被ばく）の管理と健康管理に大別することができる．両者とも環境の管理が十分であれば，ある程度容易に達成される．

1. 被ばく線量の測定

被ばく線量の測定目的は，各個人の短期または長期間の被ばく線量を評価し，被ばく線量の有効な管理を行うこと．個人被ばく線量より，作業環境をチェックして，施設や作業方法の改善を行うこと．事故の際に的確な情報を得ることができるなどがあげられる．

被ばく線量の評価については，ICRP 1990 年勧告の法令化によって実効線量および等価線量を測定しなければならない．実効線量を体外被ばくより直接測定することは困難であるため，吸収線量（Gy）を測定し，換算係数を乗じて 1 cm 線量当量（H_{1cm}）を算定する．等価線量としては 1 cm 線量当量（H_{1cm}），3 mm 線量当量（H_{3mm}），70 μm 線量当量（$H_{70\mu m}$）を測定する．眼の水晶体に対しては H_{3mm} 又は H_{1cm} および $H_{70\mu m}$ の適切な値を適用する．皮膚に対しては，$H_{70\mu m}$ を適用する．

被ばく線量は外部被ばくに加えて，非密封放射性同位元素を使用する施設での内部被ばくによる等価線量も測定し，評価しなければならない．

2. 個人被ばく線量計

個人被ばく線量計の測定原理については p.363 を参照するとよい．現在個人被ばく線量計は多様なものが使用されている．使用期間によって短時間での被ばく線量を得るもの，1ヵ月程度の長期間での被ばく線量を得るものに分けられる．また，線量がその場において直読できるものと，読み取りに時間がかかるものに分けられる．また，両者の機能を持った線量計も近年現れている．

長期間の線量評価を目的とした線量計
　（1）フィルムバッジ
　（2）蛍光ガラス線量計
　（3）熱蛍光線量計（TLD）
　（4）OSL 線量計
短期間の線量評価を目的とした線量計
　（1）電離箱式線量計（ポケット電離箱）
　（2）電子式線量計（半導体式ポケット線量計）

長期間の線量測定を目的としたものは，直読できずフィルムバッジでは現像処理が必要となり，その他のものはリーダによる読み取りが必要となる．個人被ばく線量測定にはこれまでフィルムバッジが長い間使用されてきた．近年になって，フィルムや処理液などの廃棄物が生じることや，測定できる最低線量が 0.1 mSv（100 μSv）で，他のものは 0.01 mSv となっており使用が少なくなっている．これに替わって現在は，蛍光ガラス線量計や OSL（Optically Stimulated Luminescence）線量計が使用され，測定サービス機関によって供給されている．これらは，フィルムバッジに比較して，高感度で線量測定範囲が広くフェーディング（フィルムバッジの潜像退行）も少ない．中性子線の測定には固体飛跡検出器（エッチピット法）が実用化されている．これは，アリル・ジグリコール・カーボネートとよばれるプラスチック板である．γ線と中性子線が混在している場合には，蛍光ガラス線量計と併用したものも供給されている．

短期間の線量測定には従来，ポケット線量計（PD 型）やポケット電離箱（PC 型）が使用されていたが，耐衝撃性や電荷のリークなどの問題があり，電子式線量計の出現によってこれに置き換わっている．近年，電荷蓄積型の不揮発メモリー（MOSFET トランジスタ）を電離箱として使用した DIS 線量計が市販されており，測定範囲も広く，PD 型，PC 型の欠点を改良している．電子式のものはシリコン半導体検出器を使用したもので，デジタル表示による直読式で日常の被ばく管理に用いられている．測定範囲も広く，警報機能を付加することでアラームメータとしての機能をもつものもある．電池式であるために他の線量計に比較して少し大きくなるのが短所としてあげられる．

3. 体外被ばくでの実効線量と等価線量

実効線量を評価するのに H_{1cm} を求めることになる．X，γ 線による H_{1cm} は，身体位置での自由空間における空気カーマに照射した X，γ 線のエネルギーに応じた個人線量当量への換算係数（Sv/Gy）を乗じて得られる．直読式の個人被ばく線量計からは直接 H_{1cm} が得られる．蛍光ガラス線量計や OSL 線量計などは H_{1cm}，$H_{70\mu m}$ が得られ，H_{3mm} は TLD により得られる．

1) 個人被ばく線量計の装着

個人被ばく線量計は人体の体幹部が均等に被ばくするときは胸部（妊娠可能な女子は腹部）に装着する．体幹部が不均等に被ばくし，胸部（妊娠可能な女子は腹部）より多く被ばくする場合には，さらにその部位についても装着し，複数の部位で測定しなければならない．

2) 体幹部均等被ばくでの評価

○実効線量
　　胸部に装着した線量計より得られる H_{1cm}．
○等価線量
　　水晶体は胸部に装着した線量計より得られる

H$_{3mm}$ 又は H$_{1cm}$, H$_{70μm}$ 適切なものを H$_{3mm}$ とする．皮膚は胸部に装着した線量計より得られる H$_{70μm}$．その他の組織は胸に装着した線量計より得られる H$_{1cm}$．

妊娠可能な女子については，腹部に装着した線量計より得られる H$_{1cm}$, H$_{3mm}$, H$_{70μm}$ を用いる．

3） 体幹部不均等被ばくでの評価

体幹部が不均等に被ばくする場合には，各臓器，組織のリスク係数が全身のリスク係数に占める割合Fを乗じたものの総和を実効線量とする（表 15-16）．

表 15-16 体幹部不均等被ばくの値表

体幹部の区分	頭部および頸部	胸部および上腕部	腹部および大腿部	残りの組織
	H$_a$	H$_b$	H$_c$	H$_m$
Fの値	0.08	0.44	0.45	0.03

白衣形防護衣を着用したとき，防護衣の内側に線量計を装着するが，この場合には胸部より頭頸部の方が被ばく線量が多い不均等被ばくとなる．

この例の実効線量を求める．

実効線量 $= 0.08\,H_a + 0.44\,H_b + 0.45\,H_c + 0.03\,H_m$

ただし，H$_a$ は頭頸部に装着した線量計より，H$_b$, H$_c$, H$_m$ は胸部に装着した線量計より得られる H$_{1cm}$ を代入する．

等価線量

水晶体に対して頭頸部に装着した線量計より得る H$_{3mm}$ 又は H$_{1cm}$ 及び H$_{70}$μm のうち適切な方とする．

皮膚に対して頭頸部に装着した線量計より得る．H$_{70}$μm．

その他の組織に対して頭頸部又は末端部に装着した線量計より得る H$_{1cm}$ 又は H$_{70}$μm．

4. 体内被ばくでの実効線量と等価線量

体内被ばくによる線量も外部被ばくに合算して評価しなければならない．法令によって内部被ばくによる線量の評価方法が定められている．

内部被ばくでは体内に吸入摂取または経口摂取した放射性同位元素量を計算で算出し，さらに摂取した放射性同位元素の実効線量係数（mSv/Bq）より実効線量を算出する．実効線量係数は放射線関連法令の告示に示されている．

摂取した放射性同位元素量の推定方法
○ 体外計測法
○ バイオアッセイ法
○ 空気中放射能濃度からの計算による方法

1） 体外計測法

体内に摂取された放射性同位元素からの X, γ 線を直接体外で検出し測定する方法で，これには全身カウンタ（ホールボディカウンタまたはヒューマンカウンタ）が使用されるほか，肺中の沈着量を測定する肺モニタがある．

この方法は体内量を直接測定でき，評価精度も高く，測定に際し測定時間も短く被検者の協力も得やすい．

一方，α, β 放射体の検出は不可能または難しく，検出能力を向上させるのに低バックグラウンドとするための遮へいが必要で装置は高価である．

〈体外計測法による評価例〉

酸化コバルト（^{60}Co）の吸収摂取

ホールボディカウンタによる全身計測により，10,000 Bq を検出した．吸入摂取日が測定日の 3 日前であった．このとき酸化コバルトの 3 日後の全身残留率を 0.14 とする．^{60}Co の実効線量係数を 1.7×10^{-5} (mSv/Bq) とする．

摂取量 $I(Bq) = 10,000 \div 0.14$
$= 7.14 \times 10^4 (Bq)$

実効線量 $H(mSv) = 7.14 \times 10^4 \times 1.7 \times 10^{-5}$
$= 1.21 (mSv)$

2） バイオアッセイ法

この方法では一般に尿中に排泄される放射性同位元素を測定したり，尿中への排泄が少ない場合には糞分析や鼻腔のスミヤ法による摂取量の推定が行われる．

この方法は，α, β, γ 放射体のいずれの放射性同位元素に対しても適用でき，微量の放射性同位元素検出が可能である．さらに測定装置は一般の放射性同位元素実験室で使用するような簡単な装置が使用できる利点を有している．一方，尿や糞などの試料採取には被検者の協力を必要とする．また，排泄には放射性同位元素の生理学的代謝の知識を必要とする．

摂取量の精度評価は中程度である．

その他，この方法では痰，鼻汁，血液，呼気なども試料となり得る場合がある．

〈バイオアッセイ法による評価例〉

水蒸気状トリチウム（^{3}H）の吸入摂取

液体シンチレーション法で尿を測定し，トリチウム濃度 1×10^6 (Bq/L 尿) を検出した．吸入摂取日が尿採取日の 2 日前であった．2 日後の ^{3}H の尿中排泄率を 0.021 とする．^{3}H の実効線量係数を 1.8×10^{-8} (mSv/Bq) とする．

摂取量 $I(Bq) = 1 \times 10^6 \div 0.021$
$= 4.76 \times 10^7 (Bq)$

実効線量 $H(mSv) = 4.76 \times 10^7 \times 1.8 \times 10^{-8}$
$= 0.857 (mSv)$

3） 空気中放射能濃度からの計算法

空気中の放射性同位元素濃度をダストモニタやガスモ

ニタなどから求め，さらに作業者の呼吸量などから摂取量を推定する方法である．推定方法としては最も簡単であり，すべての放射性同位元素に対して適用できる．しかし，推定には不確定要素も多く精度評価は低い．

一般的な施設においては，経済性や現実的な対応という面から1)や2)の方法をとれる施設は少なく，精度は低いが，この方法による評価をする施設が多い．空気中の放射性同位元素濃度からの摂取量は次式により求める．

$I = C \times B \times t \times F \div P$

- I：放射性同位元素の摂取量（Bq）
- C：空気中の放射性同位元素濃度（Bq/m³）
- B：放射線業務従事者の呼吸量（1.2×10^6 cm³/h）
- t：作業時間（h）
- F：放射線業務従事者の呼吸する地域の空気中放射性同位元素濃度と作業室のモニタの指示する空気中放射性同位元素濃度との比で，実測されている場合はその値を使用し，不明のときは10の値を用いる．
- P：防護マスクの防護係数
  防護係数がわかっている場合はその値を，不明のときは表15-17の値を用いる．

〈空気中濃度からの評価例〉

^{131}I を吸収摂取した．次の作業環境および作業状況より内部被ばくを評価する．

空気中放射性同位元素濃度：^{131}I 1×10^{-4} Bq/cm³
作業時間：1時間
防護マスク：なし
^{131}I の実効線量係数：1.1×10^{-5}（mSv/Bq）とする

$I = 1 \times 10^{-4} \times 1.2 \times 10^6 \times 1 \times 10 \div 1 = 1,200$（Bq）

実効線量 H（mSv）
$= 1,200 \times 1.1 \times 10^{-5} = 0.013$（mSv）

表 15-17 防護マスクの防護係数

	塵埃	ヨウ素
半面マスク（塵埃フィルタ）	10	1
全面マスク（塵埃フィルタ）	50	1
（ヨウ素用吸収缶）	50	20

5. 健康診断

放射線業務従事者の健康診断は電離放射線障害防止規則及びRI等規制法に項目，回数が規定してあり，定期的に行わなければならない．

健康診断の種類：①配置前の健康診断，②定期健康診断，③事故時の健康診断，④離職時の健康診断（法的な規定はない）．

A. 配置前の健康診断

初めて放射線作業に従事する者については，次の項目についても問診および検査又は検診を行う．

(1) 問診
①職歴…放射線作業歴の有無，有りの場合はその作業内容など，被ばく歴，②家族歴…遺伝的な見地より行う，③既往症歴および一般的な検査

(2) 検査又は検診項目
①末梢血液中の血色素量又はヘマトクリット値，赤血球数，白血球数及び白血球百分率
②皮膚　　③眼
④その他，原子力規制委員会が定める部位および項目
ただし，①及び②は必ず行い，③については医師が必要と認める場合に実施しなければならない．④については現在定められていない．

B. 定期健康診断

管理区域に立ち入った後には，1年を超えない作業期間毎に行う．ただし，検査又は検診項目のうち①～③は医師が必要と認めた場合に行えばよい．しかし，問診については必ず実施が必要である．RI等規制法の適用される他に電離放射線障害防止規則も適用される場合は，6ヵ月毎に健康診断が必要となる．

特に血液については，大まかな正常値は知っておかねばならない．正常人の数値は次のとおりである．

	正常値	限界値
白血球数	6,000～7,000 個/mm³	4,000 個/mm³
赤血球数 男	500×10⁴ 個/mm³	400×10⁴ 個/mm³
女	450×10⁴ 個/mm³	350×10⁴ 個/mm³
血色素量	100%	男 80%
（ザーリ値）	（17 mg/dL）	女 70%

C. 事故時の健康診断

事故によって，放射性同位元素を誤って飲み込み，または吸い込んだとき，皮膚面，創傷面が汚染され，また除去できないとき，実効線量限度または等価線量限度を超えて被ばくまたは被ばくしたおそれのあるときには遅滞なく健康診断を受けなければならないが，一般には250 mSv未満の被ばく線量では身体にすぐに現れる影響はほとんどない．被ばく線量の測定値（推定値）によって，放射線作業を行わない他の作業場への配置転換などを行い，適切な措置をしなければならない．

D. 離職時の健康診断

定期健康診断と同様にし，在職中の被ばく線量や健康診断などの記録の写しを交付するのがよい．

E. 健康診断の結果の記録

健康診断の結果はそのつど記録し，健康診断を受けた者に対して写しを交付しなければならない．

記録の保存については，永久保存（電離放射線障害防止規のみ適用される場合は30年間）しなければならないが，5年間保存した後に国の指定する機関（財団法人放射線影響協会）に引き渡すことができる．

15 医療被ばく

医療における放射線の利用は新しい放射線機器の開発や利用の増大によって増加している．それに伴って医療被ばくも増加している．ICRP の放射線防護の基本概念は「行為の正当化」「防護の最適化」「個人の線量限度」である．この中で「個人の線量限度」は放射線作業者に対する線量限度として適用され，医療被ばくには適用されない．

1. X線診断において被ばく線量を左右する因子

1）管電圧（kV），2）管電流（mA），3）撮影時間（sec），4）増感紙感度（CR では IP の感度），5）フィルム感度，6）グリッドの有無，グリッド比，7）撮影距離，8）照射野，9）被写体厚さ

近年では医療施設においてフィルム／増感紙を使用したアナログの X 線写真が減少し，現在 95％ 以上が CR（コンピューテッドラジオグラフィ）化されている．CR も IP を使用したもの，FPD によるものに大別できる．FPD も直接変換方式，間接変換方式によるものに分けられ，それぞれ被ばく線量も異なる．

その他，X線装置の制御方式や，付加フィルター選択によって被ばく線量も異なってくる．

2. DRL（Diagnostic Reference Level）の設定

国際放射線防護委員会（ICRP），国際原子力機関（IAEA），国連科学委員会（UNSCEAR）などの国際機関は医療被ばくにおける「防護の最適化」のために国による診断参考レベル（DRL）の設定を必要としている．わが国では医療被ばくの防護体系を確立するために 2010 年に「医療被ばく研究情報ネットワーク」（Japan Network for Research and Information on Medical Eposures：J-RIME）が発足した．2015 年 6 月わが国で初めて DRL が公表された．その後，日本の診断参考レベル（2020 年版）として改訂されている（☞ p. 508）．

ICRP は DRL について「調査のためのレベルの一種であり，容易に測定される量，通常は空気中の吸収線量，あるいは単純な標準ファントムや代表的な患者表面の組織等価物質における吸収線量に適用される」と定義している．

DRL の意義
(1) 線量限度ではない
(2) 優れた診療と劣った診療の境界ではない
(3) 臨床的に必要であれば超えてもよい
(4) 個々の患者の被ばくを制限するものではない
(5) 異常に高い線量を用いている施設を特定し，最適化する

DRL の設定は検査項目ごとに，標準化された方法により線量測定が実施される．患者やファントム測定で得た典型的な線量分布の 75％ の施設が達成できる線量としている．この値より多い 25％ には見直しを求め，非常に少ない場合は診断的価値の画質が得られているかを検討しなければならない．

3. 各検査での DRL

(1) CT 検査：$CTDI_{vol}$ と DLP によって評価されている．$CTDI_{vol}$ は図 15-4 に示すアクリルファントムによって測定される．ファントム中心部の $CTDI_{100,c}$ と深さ 1 cm の辺縁部の $CTDI_{100,p}$ を測定する．

$$1/3\,CTDI_{100,c} + 2/3\,CTDI_{100,p} = CTDI_w$$
($CTDI_{100,p}$ は 4 点の平均値)
$$CTDI_w / ピッチファクタ = CTDI_{vol}\ (Gy)$$

照射された範囲の長さを L（cm）とすると DLP は次式で求められる．

$$CTDI_{vol} \times L = DLP\ (Gy \cdot cm)$$

これらの値は実測で求められるが，CT 装置のコンソール上に表示されており，この $CTDI_{vol}$ と DLP（dose length product）はこの表示値を使用している（表 15-18）．

(2) 一般撮影の DRL（表 15-19）：デジタル装置の使用が近年 96％ になっており，デジタル装置について求められている．線量の指標としては皮膚面の入射表面線量を用い mGy 単位で求められた．

算出には次式を用いている．

入射表面線量（mGy）＝$(K_{air}/mAs) \times mAs \times BSF \times (SCD/SSD)^2$

(K_{air}/mAs)：mAs 値当たりの空気カーマ
mAs：アンケートに記載の mAs 値
BSF：後方散乱係数
SCD：線源-線量計間距離
SSD：線源-皮膚間距離

(3) マンモグラフィの DRL（表 15-20）：マンモグラフィの線量測定方法は EUREF（European Reference Organization for Quality Assured Breast Screening and

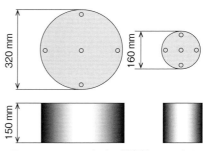

図 15-4　CT 用アクリル樹脂製ファントム

表 15-18　成人 CT の DRL（2020 年）

	$CTDI_{vol}$ (mGy)	DLP (mGy·cm)
頭部単純ルーチン	77	1350
胸部 1 相	13	510
胸部〜骨盤 1 相	16	1200
上腹部〜骨盤 1 相	18	880
肝臓ダイナミック	17	2100
冠動脈	66	1300
急性肺血栓症, 深部静脈血栓症	14	2600
外傷全身 CT	n/a	5800

注 1）　標準体格は体重 50〜60 kg
注 2）　肝臓ダイナミックは，胸部や骨盤を含まない．CTDI は全相の平均，DLP は検査全体
注 3）　冠動脈の CTDI は CTA 本スキャン，DLP は検査全体
注 4）　急性肺血栓症，深部静脈血栓症の CTDI は造影第 1 相，DLP は検査全体

表 15-19　一般撮影の DRL（2020 年）

撮影部位・条件	入射表面線量 (mGy)	撮影部位・条件	入射表面線量 (mGy)
胸部正面（100 kV 未満）	0.4	頸椎正面	0.8
胸部正面（100 kV 以上）	0.3	胸椎正面	3.0
胸部健診（100 kV 以上）	0.2	胸椎側面	5.0
腹部正面（臥位）	2.5	腰椎正面	3.5
乳児股関節・胸部	0.2	腰椎側面	9.0
小児胸部（5 歳）	0.2	骨盤正面	2.5
頭部正面	2.5		

表 15-20　マンモグラフィの DRL（2020 年）

PMMA 40 mm における平均乳腺線量	2.4 mGy
臨床データに基づく 2D 平均乳腺線量	1.4 mGy
臨床データに基づく DBT 平均乳腺線量	1.5 mGy

Diagnostic Services）のプロトコールが使用されている．測定点は胸壁より 6 cm で乳房支持台より 4 cm 上方で，ファントムは PMMA（アクリル樹脂）40 mm を使用している．この方法では平均乳腺線量（mGy）として求められている．

2020 年版では，40 mmPMMA ファントムによる値と X 線装置に DICOM データとして表示される値を臨床データ値としている．

（4）IVR の DRL（表 15-21）：血管造影領域では手技中の X 線管-被写体間距離や入射部位が変化するために絶えず X 線出力が変化する．そのために皮膚面入射線量も変化するために臨床的にこれを測定することが困難である．ここでは出力線量の管理という面から設定している．測定点は IVR 基準点（患者照射基準点）で線量として装置に表示しており，患者照射基準点線量 $K_{a,r}$（mGy）

表 15-21　頭部領域 IVR の DRL（2020 年）

部位・術式等	$K_{a,r}$ (mGy)	P_{ka} (Gy·cm^2)
脳動静脈奇形（術前診断血管撮影）	770	160
脳動静脈奇形（血管内治療 IVR）	4100	410
脳動静脈奇形（術後診断血管撮影）	470	77
脳硬膜動静脈瘻（術前診断血管撮影）	1100	190
脳硬膜動静脈瘻（血管内治療 IVR）	4700	430
脳硬膜動静脈瘻（術後診断血管撮影）	820	150
頸部頸動脈狭窄/閉塞（術前診断血管撮影）	560	120
頸部頸動脈狭窄/閉塞（血管内治療 IVR）	820	150
頸部頸動脈狭窄/閉塞（術後診断血管撮影）	390	72
急性脳動脈狭窄/閉塞（術前診断血管撮影）	480	83
急性脳動脈狭窄/閉塞（血管内治療 IVR）	1400	230
急性脳動脈狭窄/閉塞（術後診断血管撮影）	500	83

注 1）　$K_{a,r}$ は装置に表示される患者照射基準点線量（mGy）
注 2）　P_{KA} は装置に表示される面積空気カーマ積算値（Gy·cm^2）
注 3）　頭部頸動脈狭窄/閉塞は待機的症例

と面積空気カーマ積算値 P_{KA}（mGy·cm^2）が得られる．

（5）核医学検査の DRL（表 15-22）：核医学では患者への投与量が被ばく線量に大きく影響するために実投与量（MBq）によって求められた．表は成人に対する投与量で，報告された DRL のうち比較的に使用頻度が多いものを抜粋した．

表 15-22　核医学検査の DRL（2020 年）

検査及び製剤	成人投与量 (MBq)
骨：^{99m}Tc-MDP，^{99m}Tc-HMDP	950
脳血流：^{99m}Tc-HMPAO	800
脳血流：^{99m}Tc-ECD	800
脳血流：^{123}I-IMP	200
甲状腺摂取率：Na^{123}I	10
甲状腺：^{99m}TcO$_4^-$	240
副甲状腺：^{99m}Tc-MIBI	800
肺換気：^{81m}Kr	200
肺血流：^{99m}Tc-MAA	260
心血流：^{201}Tl-chloride	120
心筋血流：^{99m}Tc-tetrofosmin（安静又は負荷 1 回）	840
心筋血流：^{99m}Tc-tetrofosmin（安静＋負荷）	1200
心筋血流：^{99m}Tc-MIBI（安静又は負荷 1 回）	880
心筋血流：^{99m}Tc-MIBI（安静＋負荷）	1200
心筋脂肪酸代謝：^{123}I-BMIPP	130
心交感神経機能：^{123}I-MIBG	130
腎動態：^{99m}Tc-MAG$_3$	380
副腎皮質：^{131}I-adosterol	40
副腎髄質：^{123}I-MIBG	130
腫瘍・炎症：^{67}Ga-citrate	120
センチネルリンパ節：^{99m}Tc-フチン酸	120
腫瘍ブドウ糖代謝：^{18}F-FDG（PET 製剤）	240

16 表面汚染の管理（汚染除去法）

密封されていない放射性同位元素の取扱いにおいては，使用する器具や施設の床，机などの表面汚染は避けることはできない．また取扱い方の誤りなどから作業衣や取扱い者の皮膚を汚染することもある．これらの汚染は，前述（☞ p.503）のように遊離性汚染は作業室内の空気を汚染して作業者の体内被ばくの原因となる．固着性汚染は作業室内のバックグラウンドを上昇させ実験等の測定精度に影響する．

作業時に汚染したときや，作業終了後の検査で汚染を発見したときは，ただちに汚染除去をしなければならない．

1. 汚染除去法

汚染の除去効果については，①汚染された物の材質，表面状態，②汚染核種の化学形，量，③汚染してからの経過時間，④汚染された物の構造などによって異なり，すべてのものに万能な除染剤はない．

除染剤は始めは比較的に温和な除染剤を用いるが，それで除染できない時は，順次に化学的活性度の大きい除染剤を用いる．一般に化学的に活性な除染剤はその効果は大きいが，侵食によって表面状態が悪くなる．

除染に際し ^{14}C や ^{131}I などは酸によって気体となるので注意しなければならない．

2. 除染作業の原則

実験器具などの除染に際しては，まず除染に要する費用および除染により発生する放射性廃棄物の処理費用と当該汚染物の原価とのバランスを考慮することが必要であり，除染が必要な場合は以下の点に注意する．

1) 早期に除染する．時間が経過するほど除染効果は悪くなってくる．

2) 汚染の拡大を防止する．汚染部分を明確にして汚染箇所を狭い範囲に限局する．

3) 放射線の防護を考慮する．大量の γ 放射体による汚染は，防護具などを着用し外部被ばくを少なくする．

4) 湿式作業で行い，粉塵の吸入による内部被ばくを防止する．

5) 適切な除染剤の選択．前述のようにすべてのものに万能な除染剤はなく，除染効果の高いものを選択する．

6) 放射性廃棄物を考慮する．除染作業によって発生する放射性廃棄物も考慮して，できるだけ廃棄物を少なくする．

3. 除染の実際

1) 皮膚

顔の除染にあっては眼，唇に除染された液が入らぬように注意する．一般にはa)〜d)の順で除染する．a)で除染が不完全なとき，次にb)により除染をする．

 a) 粉末中性洗剤を用い，ぬるま湯でネイルブラシなどを用いて洗う．

 b) 酸化チタンペーストを塗布し，2〜3分後にふきとり，水で洗う．

 c) 粉末中性洗剤とキレート形成剤（Na-EDTAなど）を用いる．

 d) 過マンガン酸カリの飽和液と0.2 N硫酸の混合液で洗い，水洗後，10% $NaHSO_3$ にて脱色を行う．

皮膚の除染では，アルコールなど有機溶剤を用いてはならない．

2) 傷口

多量の温流水で洗い流し，傷口で出血があれば周辺部を圧迫して，出血をうながす．

3) 繊維類

①水または中性洗剤を用いて洗浄する．②キレート形成剤またはキレート形成剤と中性洗剤を併用して洗浄する．

4) 金属類

①水または中性洗剤を用いて洗浄する．②クエン酸，クエン酸アンモンなどを用いる．③金属の種類に応じて，硝酸や塩酸を用いる．

5) ガラス

①水または中性洗剤を用いて洗浄する．② Na-EDTAを用いる．③ 2％フッ化水素アンモンで浸漬する．

6) ペイント塗装面

①水または中性洗剤を用いて洗浄する．② Na-EDTA＋中性洗剤を用いる．③ 5％クエン酸アンモンを用いる．この方法は，床材料に使用する塩化ビニールシートにも適用できる．

7) コンクリート

①酸化チタンペーストとNa-EDTAの混合物を塗布し，布でふきとる．② 30％塩酸でぬらし，水洗する．③タガネではつり取る．

8) 木材

表面より1 cmぐらいけずり取る．

17 廃棄物処理法

放射性廃棄物は汚染物によって多くのものがあり，次のように分類できる．

放射性廃棄物の分類

放射性廃棄物 ┤ 液体廃棄物
固体廃棄物（可燃物，不燃物）
気体廃棄物
その他（動物死体，スラッジ）

除染効果を表す指標として，除染係数と除染指数があり，次のように定義する．

除染係数（DF値）decontamination factor

$$DF = \frac{処理前の放射性同位元素濃度}{処理後の放射性同位元素濃度}$$

除染指数（DI値）decontamination index

$$DI = \log DF$$

1. 液体廃棄物処理法

1) 希釈法：10^{-2} Bq/cm^3 以下の低レベル廃液に適用する．
2) 貯留法：短半減期の核種に対して適用するが，希釈法と併用する場合も多い．
3) 凝集沈澱法（フロキュレーション）：大量の低レベル廃液に適用し，$DF=3～10^2$ 凝集剤として，リン酸塩凝集剤，高分子凝集剤などを使用する．
4) イオン交換法：$DF=10^3$ と良好である．イオン交換体として，天然の無機イオン交換体，イオン交換樹脂，イオン交換膜などが使用される．イオン交換樹脂は使い捨てとすると高レベルの廃棄物となる．また再生使用するとき，再生時に高レベルの廃液を生じる．
5) 蒸発法：$DF=10^2～10^6$ で最も高いが費用が高く，加熱により気体となるものには適用できない．

液体廃棄物は一般には 1），2）の方法で処理することが多く，高レベル廃液は専用ポリびんに貯留して，廃棄物処理業者（国内では日本アイソトープ協会）に集荷を依頼し，処理を委託している．

液体廃棄物の中でも液体シンチレーションカウンターの廃液で，有機物が多い．有機廃液は有機溶剤として引火性があり消防法に定める危険物となることがある．有機廃液は各施設で専用の焼却炉により焼却するか，再蒸留などの処理をしている．又，液体シンチレータ廃液に限定して（社）日本アイソトープ協会によって集荷されている．

2. 固体廃棄物処理法

固体廃棄物は，大きく分類すると可燃物と不燃物に分けることができるが，後の廃棄処理上，次のように分類している．

1) 可燃物（紙類，木片類，布類など）
2) 難燃物（ポリびん，注射筒，ゴム手袋，ポリ手袋など）
3) 不燃物（ガラス器具，塩ビ手袋，ピンセットなど）
4) 非圧縮性不燃物（コンクリート，レンガ，土砂など）
5) フィルタ（ヘパフィルタ，プレフィルタ，チャコールフィルタ）

これらの廃棄物の中で，可燃物は専用の焼却炉で焼却して灰化減容して固形化する．不燃物は圧縮減容して固形化する．固形化されたものは保管廃棄される．

3. 気体廃棄物処理法

放射性気体の処理は排気浄化装置（☞ p.516）にて行われるが，一般にはフィルタによる処理が多く用いられている．フィルタは不織布やガラスウールで作られたプレフィルタで放射性廃棄物中の大きな粒子のものを除き，後に高性能フィルタ（AECフィルタ，HEPAフィルタ）を通し，さらに放射性気体を活性炭フィルタ（チャコールフィルタ）を通して浄化している．

4. 動物死体，スラッジの処理法

実験動物死体の廃棄物は真空凍結乾燥など脱水処理を専用の装置で行い，保管後，廃棄業者に処理を依頼する．スラッジは脱水減容し，前述と同様に処理する．

5. 医療廃棄物

診療用放射性同位元素によって汚染されたものは放射性廃棄物として取り扱われる．しかし，核医学検査を受けた患者からの排泄物で汚染されたオムツについては，関係学会で取扱いマニュアルが作成されている．①可能な限り ^{99m}Tc 製剤への変更，②バックグランドレベルになるまで保管する，③適切な放射能測定器を使用する，④放射能測定に当たっては測定器の測定時間は時定数の3倍程度必要であること，⑤医療廃棄物の測定，管理状況を記録し，2年間の保存を求めている．

6. 放射性廃棄物の分類と集荷

放射性廃棄物の処理は液体や気体については，病院などの各取扱施設で一部については実施可能であるが，すべての廃棄物についての処理は困難である．

わが国では（社）日本アイソトープ協会によって廃棄物の集荷，処理を実施しているが，それぞれの分類に従って廃棄物容器，放射能および線量率の制限値などを定めている（図15-5AB）．

15章 放射線安全管理学

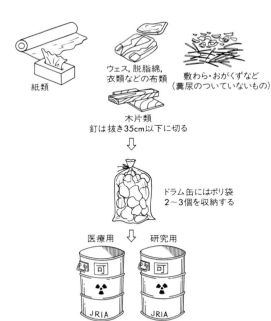

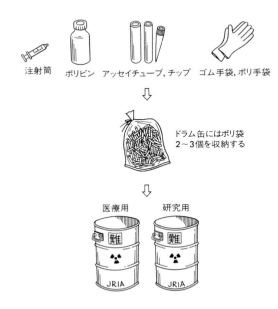

図 15-5A　放射性廃棄物の分類（日本アイソトープ協会資料による）

フィルタ

- フィルタは，焼却型と通常型があります．
- ヘパフィルタとプレフィルタは区別し，梱包してください．
- フィルタはポリシートで包み，段ボール箱に収納し，更にポリシートで梱包してください．
- 通常型チャコールフィルタは，更に12mm以上の板材（ベニヤ板など）で木箱梱包し，梱包表面に重量を表示してください．
- 医療用19核種のフィルタには医のラベルを，焼却型フィルタには可のラベルを貼り表示してください．
- ラベルとフィルタ番号シール（バーコードシール）は，集荷日のご案内と共に発送します．

無機液体

- 指定のポリびんを使用してください．
- 高粘度の液体，可燃性液体は収納しないでください．
- pH値は2以上にしてください．
- pH調整にはなるべく塩酸を使用しないでください．
- 液量はポリびんの肩口までにしてください．

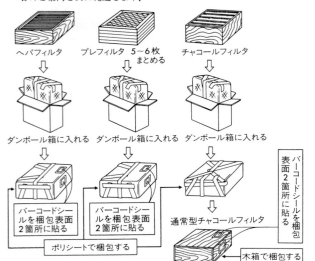

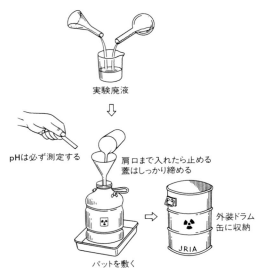

動 物

- 指定の内容器を使用してください．
- 十分乾燥してください．
- 敷わら・おがくずなどで糞尿を分離できないものは動物に分類してください．

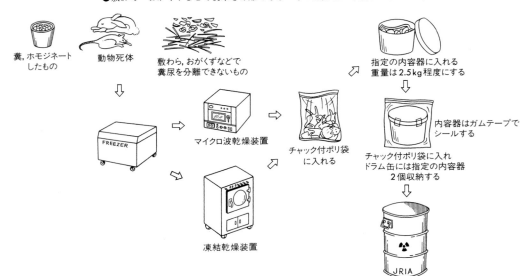

図 15-5B　放射性廃棄物の分類（日本アイソトープ協会資料による）

18 放射性同位元素の安全取扱い

放射性同位元素を安全に取扱い，作業者の被ばく線量を減少させるため種々の方法が行われている．

1. 体外被ばく線量の軽減

体外被ばく防護の3原則：①距離，②遮へい，③時間

A. 距離

α線は空気中での飛程が数 cm で外部被ばくは問題とならない．β線も低いエネルギーではα線と同様であるが，エネルギーが高くなると空気中の飛程も数 m あり注意しなければならない．β線源を大量に取扱う場合は制動放射線も考慮しなければならない．γ線は外部被ばくでは一番問題になり，距離の2乗に逆比例して減少するため，密封小線源を取扱う際には，距離をあけて取扱う場合が多い．距離をとるための用具には次のようなものがある．

1) ピンセット：比較的弱い線源でβ放射体や ^{125}I, ^{60}Co の密封小線源に適用する．
2) トング：長さは 10 cm〜1.5 m ぐらいまであり，使用目的に応じ先端の部分が交換できるようになっている．
3) マニピュレータ：数 10 GBq 程度以上の線源に対して用いられ，鉛などで防護したホットセル（ホットケープともいう）に付属してつけられており，機械式や電動式がある．

B. 遮へい

アルファ線

α線の遮へいは簡単であり，厚手の紙1枚でも十分遮へいできる．α線エネルギー 4〜7 MeV における空気中の飛程は次式で示される．ただし，E：α線エネルギー〔MeV〕R：空気中の飛程（cm）

$$R = 0.318 E^{3/2}$$

^{210}Po のα線エネルギーは 5.3 MeV であり，空気中で 3.88 cm の飛程となる．水中や組織中では空気中の約 1/500 といわれており，0.08 mm 程度であるためにその取扱いはゴム手袋（厚さ 0.25 mm）を使用すれば十分に遮へいできる．

ベータ線

β線はアルミニウムやプラスチックで遮へいが可能であるが制動放射線も考慮しなければならない．β線のアルミニウム中での飛程は次式で近似できる．

$$R(\text{mg/cm}^2) = 542E - 133 \quad E > 0.8\,\text{MeV}$$
$$R(\text{mg/cm}^2) = 407E^{1.38} \quad 0.8\,\text{MeV} > E > 0.15\,\text{MeV}$$

この式はアルミニウム以外でもほぼ近似できる．式の R 以上の厚さで遮へいすればよい．

制動放射線の発生効率 η は次式で表される．

$$\eta = 1.1 \times 10^{-3} EZ \quad E：\beta 線エネルギー$$
$$Z：遮へい体原子番号$$

したがって，^{32}P（最大エネルギー 1.7 MeV）を鉛（$Z=82$）で遮へいする場合は

$$\eta = 1.1 \times 10^{-2} \times 1.7 \times 82 ≒ 0.15$$

となり約 15%（最大エネルギーで計算したが実際は平均エネルギーを代入した方がよい）程度が制動放射線として発生する．プラスチックは原子番号も低く，制動放射線も発生が少なく，約 1 cm 程度厚さのアクリル樹脂板が使用されている．

ガンマ線

γ線の吸収は光電効果，コンプトン効果，電子対創生によって吸収し，それぞれのエネルギーによって吸収係数は違ってくる．

比較的低いエネルギー（約 0.5 MeV 程度）範囲では光電効果による吸収が主であり，質量吸収係数は原子番号の 3〜4 乗に比例して増加し，したがって，原子番号 Z の大きな物質ほど遮へい効果も大きく，特に鉛（$Z=82$）はよく利用される．

中エネルギー（0.5 MeV〜数 MeV）範囲はコンプトン効果による吸収が主であり，この効果は自由電子とみなされる束縛のゆるい外殻軌道電子との作用で，質量吸収係数は物質によって大きくは変化しない．したがって，遮へい材料は場合によっては水やコンクリートが使用される場合がある．

高エネルギー（数 MeV 以上）範囲では，電子対創生による吸収が主で，原子番号 Z の2乗に比例する．したがって，高原子番号の物質を遮へい材料として用いる．

γ線，X線の吸収に関する計算は，3章放射線物理学の 12・13（☞ p.114〜116）を参照のこと．

一般にこれらを総合して，遮へい材料としては，鉛，コンクリート，水が使用されている．

中性子線

中性子線のエネルギーを大きく分けると，熱中性子，中速中性子，速中性子に分けられる．

熱中性子は物質と相互作用し，吸収（熱中性捕獲，共鳴吸収）を起こす．熱中性子に対しカドミウムは最も大きな核反応断面積を有するが，(n, γ) 反応によるγ線を考慮しなければならない．

速中性子は物質と作用し，散乱を起こしやすく，その際のエネルギー吸収は低原子番号ほど吸収しやすく，水素を多く含むパラフィンなどが有効である．

中性子線はほとんどγ線を伴うことが多いため，これらの遮へいも考慮に入れ，コンクリート（重コンクリー

ト，含水コンクリート），鉛，鉄などを使用する．

C. 時 間
最も消極的であるが，事故などで被ばくが避けられない場合には，A，Bを併用して，作業時間の短縮を行う．

2. 体内被ばく線量の軽減
A. 放射性同位元素による体内被ばくは，体外被ばくと比較して大きく異なり，その特徴は次のようなものがある．

1) 体外被ばくではあまり問題とされなかった，α放射体やβ放射体が問題となる．
2) ある特定の元素は，特定の臓器組織に集まりやすく，また排泄されにくい性質を有している．

〔例〕骨……^{90}Sr, ^{226}Raなど，甲状腺……^{131}I，
筋肉……^{137}Cs, 腎……^{197}Hg, ^{198}Hg

3) 特定の臓器組織に集まった放射性同位元素を積極的に外部より排泄する方法がない．すなわち生物学的半減期を短くすることは困難である．
4) エネルギーが比較的高く，半減期が長く，数日ないし数十年程度の核種は危険である．

これらを総合的に評価して，現在は，IAEAなどによる国際的な安全基準に合わせ下限数量，下限濃度として，数量及び濃度によって10群に分類している．
体内への放射性同位元素の侵入経路は次の3つが考えられる．
①口（呼吸器，消化器），②皮膚，③傷口

B. 体内被ばくの防止
1) 取扱う放射性同位元素の種類，形態，数量に応じて設備（フード（図15-6），グローブボックス（図15-7）などの排気設備，排水設備，その他施設の構造，仕上げ材料）を備えること．
2) 専用の実験衣を着用し，実験器具も専用のものを整える．また取扱いに際しては，ゴム手袋やポリエチレン手袋を使用する．
3) 放射性同位元素を用いた作業室では，飲食，喫煙，化粧などを行わない．
4) 放射性物質によって汚染された器具と汚染されていない器具は常に区別し，液体状の放射性同位元素の取扱いには安全ピペッタやマイクロピペッタなどを使用する．
5) コールドラン（空実験）によって取扱い方に習熟する．
6) その他適切な放射線管理を行う．

C. 特殊な体内被ばく源
医療においては大量（数10 MBq～数GBq）の放射性同位元素を体内に投与するため，投与患者の使用した衣服などの汚染や患者の排泄物なども体内被ばく源となるので適切に管理されなければならない．
また動物実験においても，放射性同位元素を投与した動物の排泄物が汚染の原因となる．
密封線源はRI等規制法にて次のように定義されている．
1) 正常な使用状態においては，開封または破壊されるおそれのないこと．
2) 密封された放射性同位元素が漏えい，浸透などにより散逸して汚染するおそれのないこと．

このように定義された密封線源においても，^{226}Raでは古くなってくると娘核種である^{222}Rnの漏えいが生じてくる．この^{222}Rnは気体で吸入によって内部被ばくの原因となりうる．そのため密封線源の漏えい試験なども定期的に行わなければならない．

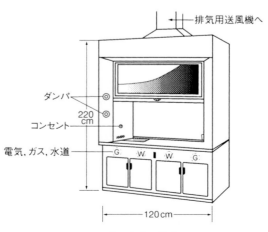

図 15-6 オークリッジ型フード

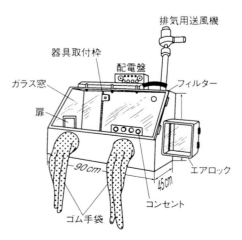

図 15-7 グローブボックス

19 放射性同位元素取扱い施設

1. 密封線源取扱い施設（放射線発生装置使用施設）

施設は取扱う核種や数量によって異なり，医療においても数10 MBqオーダーの密封小線源である ^{125}I シード程度より，200 TBq程度のガンマナイフまである．

これらの施設は法的にも構造，材料が規定されている．

A. 施設の画壁における遮へい能力

1) 放射線業務従事者が常時立ち入る場所：線量限度は1 mSv/週であることが規定されており，1週間当たりの作業時間を40時間とすれば，25 μSv/時以下としなければならない．

2) 管理区域：線量限度は1.3 mSv/3月以上となる場所および以上となるおそれのある場所で，3月間当たりの作業時間を500時間とすれば，2.6 μSv/時以下としなければならない．

3) 事業場との境界：線量限度は250 μSv/3月以下にしなければならない．この場合，3月を13週（作業の有無にかかわらず放射性同位元素より放射線は放出しているため24時×7日×13＝2,184時間）として，0.11 μSv/時以下としなければならない．ただし，事業場内に人が居住する場所があれば，その境界において250 μSv/3月以下にしなければならない（図15-8）．

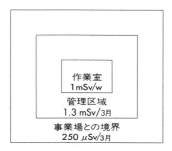

図15-8 施設の線量当量限度

B. 施設の構造および材料

1) 施設の構造は法令によって下限数量の1000倍を超える密封線源を使用する施設は耐火構造または不燃材料で造らねばならない（貯蔵施設については耐火構造）．

2) 遮へい材料は「放射性同位元素の安全取扱い」（☞ p.513）で述べたように，線質，エネルギーによって若干は異なるが，大量のγ線源，例えば ^{60}Co 遠隔照射装置などを取扱う施設や放射線発生装置使用施設は，ほとんどコンクリートで造っている．

3) その他，400 GBq以上の密封放射性同位元素（放射線発生装置も同様）を使用する施設には，照射中にその旨を示す自動表示灯を設けなければならない．

100 TBq以上の密封放射性同位元素（放射線発生装置も同様）を使用する施設は，照射中に人がみだりに立ち入らないようにインターロックを設けなければならない．

2. 非密封放射性物質の取扱い施設

A. 一般計画

放射性物質の使用目的（例えば研究用，工業用，医療用など）や使用方法などによって汚染が比較的にコントロールしやすいものから動物実験のように困難なものまであり，目的に応じて設計する．

汚染区域と非汚染区域を分離し，空気汚染や水汚染および表面の汚染も考慮しなければならない．

その他，放射性同位元素の危険度や使用量によって，施設内をレベル区分し，空気の流れも低レベル区域より高レベル区域へ流れるように設計し，室の配置を行うのが望ましい．

B. 室の配置計画

放射性物質によって汚染のおそれのある施設は独立した建物がよい．換気設備，排水設備などを考慮した配置が必要である．図15-9に放射線取扱い施設の配置の一例を示す．

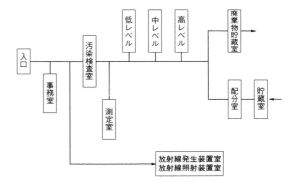

図15-9 放射線取扱い施設の一例

C. 構造および仕上げ材料

主要構造（壁，柱，床，はり，屋根，階段など）は耐火構造とするため，コンクリート造りまたはコンクリートブロックなどがよい．床，壁などの表面は直接コンクリートでは除染性が悪く避けなければならない．一般に床面は長尺ビニールシートを用い，目地を溶接する．その他エポキシ樹脂による仕上げもされる．壁面は，ビニール系塗料で仕上げる．

20 給気・排気（換気）・排水設備

密封されていない放射性同位元素を使用する作業室には排気設備を設けなければならない．

1. 給気，排気設備設計についての要点

1) 各室の使用目的や空気汚染の可能性によって，レベル区分をし，低レベル区域から高レベル区域に空気が流れるように換気系統を設計する．

2) 換気は新鮮な空気を用い，原則として再循環はしない．室内の換気量は使用レベルによって次のような換気回数が望ましい．

　　一般室 7〜10 回/時
　　低レベル室 10 回/時
　　中レベル室 10〜20 回/時
　　高レベル室 20 回/時以上

これらの換気には，フードを用いる．フードについては，図 15-6 を参照のこと．

3) 給気口と排気口は離しておき，給気口は地上より 3 m 以上とし，排気口はそれよりさらに 5 m 以上高く，建物の最高部より 3 m 以上高くする．

4) 給気系統と排気系統は常に給排気量をバランスさせ，排風機が始動した後，送風機が動く，また排風機が停止すれば，すべて停止するようなインターロックシステムとするのが望ましい．

5) 排気の際は排気浄化装置を通して，濃度限度以下にして排出できる能力を有すること．

2. 排気浄化装置

排気浄化装置としては種々のものが利用されており，排気の性状（放射性塵埃，放射性煙霧体，放射性気体）によって，使用方法が異なる．

1) **湿式集塵器**：エアウォッシャー，湿り充填塔，ベンチュリースクラバー，湿式エアフィルタとよばれるものがあり，いずれも水と接触面積を大きくしたり，圧力水によって，可溶性ガス体や放射性煙霧体，放射性塵埃を除去する．

2) **電気集塵器**：コロナ放電によって塵埃に帯電させて集塵するものでユニット形，コットレル形とよばれる形式がある．

3) **活性炭エアフィルタ**：ガスの吸着に用いられ，放射性沃素の除去などにも使用される．

4) **高性能フィルタ**：一般には 1 μm 以下の粒子を効率よく除去できる能力のフィルタが必要であるが，このフィルタでは 0.3 μm の DOP 煙霧体に対して 99.95 % 以上の除去効率を有している．比較的に高価であるために，粉塵濃度の高い施設では前段にガラスウールフィルタや不織布などのプレフィルタを入れ，寿命を長くする方式をとっている．このフィルタは AEC フィルタ，HEPA フィルタ，アブソリュートフィルタともよばれる．

3. 排水設備

放射性同位元素によって汚染された水は，濃度や半減期などによってレベル区分する．排水系統は一般の排水と独立して造り，さらにレベル区分によって排水系統も分ける方がよい．

濃度によるレベル区分
　　極高レベル $3.7\,\text{GBq/cm}^3$ 以上
　　高レベル $3.7\,\text{GBq} \sim 37\,\text{MBq/cm}^3$
　　中レベル $37\,\text{MBq} \sim 37\,\text{Bq/cm}^3$
　　低レベル $37\,\text{Bq} \sim 3.7\times 10^{-2}\,\text{Bq/cm}^3$
　　極低レベル $3.7\times 10^{-2}\,\text{Bq/cm}^3$ 以下

極高レベル，高レベルの廃液は一般に処理せず，保管廃棄を行う．

A. 排水設備の設計の要点

1) 放射性廃液が漏えい，浸透しないように設計，施工を行う．

2) 放射性同位元素によって汚染されにくい構造，材料で造ること．

3) 貯留槽以外の場所には停滞せず，多量に放出した時に逆流を起こさないこと．

4) 高レベルの廃液については，その遮へいについても考慮する．

B. 排水管

1) 材質はステンレス，鉛，塩化ビニール，ポリエチレン，塩ビライニング鋼管などが用いられ，土管，ヒューム管は避ける．

2) 管径は一般の排水管より大きくし，トラップやバルブを少なくして，停滞する場所を少なくする．

3) 露出して配管し，事故などで排水管が破損してもその場所がわかりやすくすること．

C. 貯留槽

貯留槽はステンレス鋼がよく，続いて FRP 製がよく利用されている．貯留槽は地上に露出し全面点検できる構造がよい．その他，貯留槽は採水が可能な構造とし，満水時の警報器，廃水モニタなどを設置する．

一般に排水は実験に用いた試験管などの 1 次または 2 次洗浄水であり，原液は排水設備に流さず，他に容器を準備して保管廃棄を行っている．1 次，2 次の洗浄水は貯留槽で半減期の短い放射性同位元素の減衰を待って放流する．比較的に半減期の長いものは希釈槽で希釈しているが，ほとんど併用している場合が多い．

21 事故対策

放射線および放射性同位元素による事故としては，主として次のようなものがあげられる．
1) 施設の火災
2) 放射線による被ばく
3) 放射性同位元素による汚染
4) 放射性同位元素の紛失または盗難

これらの事故を防止するための1つとして，RI等規制法では，「放射線障害予防規定」の作成が義務づけられており，使用を開始する前に作成し，届出しなければならない．

平成29年に改正されたRI等規制法では放射線障害予防規定が今までより詳細に規定されている．数量の極めて大きい放射性同位元素の許可届出使用者や大規模研究用加速器施設の許可使用者に対して危険時の措置の事前対策を求めている．放射線障害予防規定では以下の18項目について規定しなければならない．

1. 放線取扱主任者その他，放射性同位元素又は放射線発生装置の取扱いの安全管理に従事する者の職務及び組織に関すること．
2. 放射線取扱主任者の代理者に関すること．
3. 放射線施設の維持及び管理並びに放射線施設の点検に関すること．
4. 放射性同位元素又は放射線発生装置の使用に関すること．
5. 放射性同位元素等の受入れ，払出し，保管，運搬又は廃棄に関すること．
6. 放射線の量及び放射性同位元素による汚染の状況の測定並びにその測定の結果についての措置に関すること．
7. 放射線障害を防止するために必要な教育及び訓練に関すること．
8. 健康診断に関すること．
9. 放射線障害を受けた者又は受けたおそれのある者に対する保健上必要な措置に関すること．
10. 記帳及び保存に関すること．
11. 地震，火災その他の災害が起こった時の措置に関すること．次の項目の措置を除く．
12. 危険時の措置に関すること．
13. 放射線障害のおそれがある場合又は放射線障害が発生した場合の情報提供に関すること．
14. 応急の措置を講ずるために必要な事項．(原子力規制委員会が定める放射性同位元素等を使用する場合に限る．)
    イ．応急の措置を講ずる者の職務及び組織に関すること．
    ロ．応急の措置を講ずるために必要な設備又は資材の整備に関すること．
    ハ．応急の措置の実施手順に関すること．
    ニ．応急の措置に係る訓練の実施に関すること．
    ホ．都道府県警察，消防機関及び医療機関その他の関係機関との連携に関すること．
15. 放射線障害の防止に関する業務の改善に関すること．
16. 放射線管理状況の報告に関すること．
17. 廃棄物埋設施設に埋設した埋設廃棄物に含まれる放射能の減衰に応じて放射線障害の防止のために講ずる措置に関すること．
18. その他放射線障害の防止に関し必要な事項．

1. 施設の火災などの場合

火災などによって，放射線障害の発生するおそれのある場合は，RI等規制法によって次のように規定されており，要点を列挙する．
1) 初期消火および通報を行う．
2) 施設内の者を避難させる．
3) 障害を受けた者および受けたおそれのある者を救出，避難させる．
4) 放射性同位元素による汚染を防止する．
5) 放射性同位元素は，できれば安全な他の場所へ移し，なわ張り，標識，見張人をつける．

放射線障害予防規定では，事前対策として①災害発見者等の対応の手順及び施設内の連絡体制を定める．②施設又は設備等の点検，事故への対応や設備の点検などを実施する責任者を定める等求めている．

また事故については，生じた日時，場所，原因，障害の状況，講じた措置などを届出なければならない．

2. 放射線による被ばくの場合

放射線取扱中に誤って，過剰の被ばくを起こした場合や，事故における緊急作業によって，過剰の被ばくを起こした場合が考えられる．この場合は「個人の管理」(☞ p.506)の健康診断の項で述べる措置を取るのが最初で，それら行う事項をあげる．
1) 医師による健康診断を実施する．
2) できれば，事故を再現するなどで被ばく線量の推定を行う．また，内部被ばくについては，ホールボディカウンタや，間接的な方法によって推定する．
3) 推定値および医師の診断などを総合し，放射線作業の継続の可否を決定し，放射線作業をしない他の職場への配置転換などを行う．

3. 放射性同位元素による汚染の場合

汚染が人体に及ぶ場合は，2.の措置を行う．施設内の場合は，汚染の状況によってかなり異なってくる．

放射性同位元素の水溶液をこぼしたりした場合では，この核種が α 放射体，β 放射体である場合は除染作業における外部被ばく線量は少ない．しかし，除染作業中に吸入などの内部被ばくを生じさせないように注意しなければならない．γ 放射体では，その数量が数 10 MBq オーダになれば特に注意しなければならない．それらの除染作業の留意点をあげる．

1) 汚染箇所をチョークなどで明示し，付近に立ち入らないように，なわ張り，標識などを行う．
2) サーベイメータを携帯しながら，鉗子やピンセットなどで距離をとりながら除染作業を行う．
3) これらの作業は必ず湿式作業で行う．
4) サーベイメータのほかにポケット線量計またはアラームメータを用いて除染作業者の被ばく線量を常に監視する．
5) 終了後，除染の程度をサーベイメータで確認する．

以上であるが，短半減期の核種であれば減衰を待って行うこともできる．

気体状の放射性同位元素は，換気設備の運転を停止し，外部にもれないようにしなければならない．設備内の人は避難し，高性能フィルタや活性炭フィルタなどにより，浄化を行う．

4. 放射性同位元素の紛失または盗難の場合

警察官または海上保安官に届け出る．また紛失については，サーベイメータによって探索を行い，発見に務める．

5. 事故に対する情報の提供

放射線障害予防規定では事故等の情報提供について次のように規定している．

事故等の報告を要する放射線障害のおそれのある場合又は放射線障害が発生した場合に，公衆及び報道機関等にも正確な情報を提供し，また外部からの問い合わせに対応するための方法を定めることを規定している．情報提供の方法は問い合わせ窓口の設置やホームページの活用などである．放射線施設で発生した事故の状況及び被害の程度等外部へ提供する情報の内容について次のような例を挙げている．

- 事故の発生した日時及び発生した場所
- 汚染の状況等による事業所等外への影響
- 事故の発生した場所において取り扱っている放射性同位元素等の性状及び数量
- 応急措置の内容
- 放射線測定器による放射線の量の測定結果
- 事故の原因及び再発防止策

6. 放射性同位元素のセキュリティ対策

RI 等規制法では特定放射性同位元素の許可届出使用者を対象として防護措置（セキュリティ対策）が強化されている．これは有害な放射線影響を引き起こすことを意図とした又は起こし得る悪意のある行為を防止するために特定放射性同位元素についてセキュリティ対策を法律で規定している．

1) 区分設定を行い危険性に応じた防護措置
2) 事業所ごとに特定放射性同位元素防護管理者を選任
3) 事業所ごとに特定放射性同位元素防護規定の作成

これらの項目について使用者に義務として要求している．

22 医療法施行規則（抄）

第4章　診療用放射線の防護

第1節　届出

（法第15条第3項の厚生労働省令で定める場合）

第24条　法第15条第3項の厚生労働省令で定める場合は，次に掲げる場合とする．

(1) 病院又は診療所に，診察の用に供する1メガ電子ボルト以上のエネルギーを有する電子線又はエックス線の発生装置（以下「診療用高エネルギー放射線発生装置」という．）を備えようとする場合

(2) 病院又は診療所に，診療の用に供する陽子線又は重イオン線を照射する装置（以下「診療用粒子線照射装置」という．）を備えようとする場合

(3) 病院又は診療所に，放射線を放出する同位元素若しくはその化合物又はこれらの含有物であって放射線を放出する同位元素の数量及び濃度が別表2に定める数量（以下「下限数量」という．）及び濃度を超えるもの（以下「放射性同位元素」という．）で密封されたものを装備している診療の用に供する照射機器で，その装備する放射性同位元素の数量が下限数量に1000を乗じて得た数量を超えるもの（第6号に定める機器を除く．以下「診療用放射線照射装置」という．）を備えようとする場合

(4) 病院又は診療所に，密封された放射性同位元素を装備している診療の用に供する照射機器でその装備する放射性同位元素の数量が下限数量に1000を乗じて得た数量以下のもの（第6号に定める機器を除く．以下「診療用放射線照射器具」という．）を備えようとする場合

(5) 病院又は診療所に，診療用放射線照射器具であってその装備する放射性同位元素の物理的半減期が30日以下のものを備えようとする場合

(6) 病院又は診療所に，前号に規定する診療用放射線照射器具を備えている場合

(7) 病院又は診療所に，密封された放射性同位元素を装備している診療の用に供する機器のうち，厚生労働大臣が定めるもの（以下「放射性同位元素装備診療機器」という．）を備えようとする場合

(8) 病院又は診療所に，医薬品又は薬事法第2条第15項に規定する治験の対象とされる薬物（以下この号において「治験薬」という．）である放射性同位元素で密封されていないもの（放射性同位元素であって，陽電子放射断層撮影装置による画像診断（以下「陽電子断層撮影診療」という．）に用いるもの（以下「陽電子断層撮影診療用放射性同位元素」という．）のうち，医薬品又は治験薬であるものを除く．以下「診療用放射性同位元素」という．）を備えようとする場合又は陽電子断層撮影診療用放射性同位元素を備えようとする場合

(9) 病院又は診療所に，診療用放射性同位元素又は陽電子断層撮影診療用放射性同位元素を備えている場合

(10) 第24条の2第2号から第5号までに掲げる事項を変更した場合

(11) 第25条第2号から第5号まで（第25条の2の規定により準用する場合を含む．）に掲げる事項，第26条第2から第4号までに掲げる事項，第27条第1項第2号から第4号までに掲げる事項，第4号に該当する場合における第27条第1項第3号及び第4号並びに同条第2項第2号に掲げる事項，第27条の2第2号から第4号に掲げる事項又は第28条第1項第3号から第5号までに掲げる事項を変更しようとする場合

(12) 病院又は診療所に，エックス線装置，診療用高エネルギー放射線発生装置，診療用粒子線照射装置，診療用放射線照射装置，診療用放射線照射器具又は放射性同位元素装備診療機器を備えなくなった場合

(13) 病院又は診療所に，診療用放射性同位元素又は陽電子断層撮影診療用放射性同位元素を備えなくなった場合

（エックス線装置の届出）

第24条の2　病院又は診療所に診療の用に供するエックス線装置（定格出力の管電圧（波高値とする．以下同じ．）が10キロボルト以上であり，かつ，その有するエネルギーが1メガ電子ボルト未満のものに限る．以下「エックス線装置」という．）を備えたときの法第15条第3項の規定による届出は，10日以内に，次に掲げる事項を記載した届出書を提出することによって行うものとする．

(1) 病院又は診療所の名称及び所在地

(2) エックス線装置の製作者名，型式及び台数

(3) エックス線高電圧発生装置の定格出力

(4) エックス線装置及びエックス線診療室のエックス線障害の防止に関する構造設備及び予防措置の概要

(5) エックス線診療に従事する医師，歯科医師，診療放射線技師又は診療エックス線技師の氏名及びエックス線診療に関する経歴

（診療用高エネルギー放射線発生装置の届出）

第25条　第24条第1号に該当する場合の法第13条第3項の規定による届出は，あらかじめ，次に掲げる事項を記載した届出書を提出することによって行うものとする．

(1) 病院又は診療所の名称及び所在地

(2) 診療用高エネルギー放射線発生装置の製作者名，型式及び台数

(3) 診療用高エネルギー放射線発生装置の定格出力

(4) 診療用高エネルギー放射線発生装置及び診療用高エネルギー放射線発生装置使用室の放射線障害の防止に関する構造設備及び予防措置の概要

(5) 診療用高エネルギー放射線発生装置を使用する医師，歯科医師又は診療放射線技師の氏名及び放射線診療に関する経歴

(6) 予定使用開始時期

（診療用粒子線照射装置の届出）

第25条の2　前条の規程は，診療用粒子線照射装置について準用する．

（診療用放射線照射装置の届出）

第26条　第24条第3号に該当する場合の法第15条第3項の規定による届出は，あらかじめ，次に掲げる事項を記載した届出書を提出することによって行うものとする．

(1) 病院又は診療所の名称及び所在地

(2) 診療用放射線照射装置の製作者名，型式及び個数並びに装備する放射性同位元素の種類及びベクレル単位をもって表した数量

(3) 診療用放射線照射装置，診療用放射線照射装置使用室，貯蔵施設及び運搬容器並びに診療用放射線照射装置により治療を受けている患者を入院する病室の放射線障害の防止に関する構造設備及び予防措置の概要

(4) 診療用放射線照射装置を使用する医師, 歯科医師又は診療放射線技師の氏名及び放射線診療に関する経歴
(5) 予定使用開始時期

(診療用放射線照射器具の届出)
第27条　第24条第4号に該当する場合の法第15条第3項の規定による届出は, あらかじめ, 次に掲げる事項を記載した届出書を提出することによって行うものとする.
(1) 病院又は診療所の名称及び所在地
(2) 診療用放射線照射器具の型式及び個数並びに装備する放射性同位元素の種類及びベクレル単位をもって表した数量
(3) 診療用放射線照射器具使用室, 貯蔵施設及び運搬容器並びに診療用放射線照射器具により治療を受けている患者を入院させる病室の放射線障害の防止に関する構造設備及び予防措置の概要
(4) 診療用放射線照射器具を使用する医師, 歯科医師又は診療放射線技師の氏名及び放射線診療に関する経歴
(5) 予定使用開始時期
2　前項の規定にかかわらず, 第24条第5号に該当する場合の法第15条第3項の規定による届出は, あらかじめ, 前項第1号, 第3号及び第4号に掲げる事項のほか, 次に掲げる事項を記載した届出書を提出することによって行うものとする.
(1) その年に使用を予定する診療用放射線照射器具の型式及び箇数並びに装備する放射性同位元素の種類及びベクレル単位をもって表した数量
(2) ベクレル単位をもって表した放射性同位元素の種類ごとの最大貯蔵予定数量及び1日の最大使用予定数量
(3) 第24条第6号に該当する場合の法第15条第3項の規定による届出は, 毎年12月20日までに, 翌年において使用を予定する当該診療用放射線照射器具について第1項第1号及び前項第1号に掲げる事項を記載した届出書を提出することによって行うものとする.

(放射性同位元素装備診療機器の届出)
第27条の2　第24条第7号に該当する場合の法第15条第3項の規定による届出は, あらかじめ, 次に掲げる事項を記載した届出書を提出することによって行うものとする.
(1) 病院又は診療所の名称及び所在地
(2) 放射性同位元素装備診療機器の製作者名, 型式及び台数並びに装備する放射性同位元素の種類及びベクレル単位をもって表した数量
(3) 放射性同位元素装備診療機器使用室の放射線障害の防止に関する構造設備及び予防措置の概要
(4) 放射線を人体に対して照射する放射性同位元素装備診療機器にあっては当該機器を使用する医師, 歯科医師又は診療放射線技師の氏名及び放射線診療に関する経歴
(5) 予定使用開始時期

(診療用放射性同位元素又は陽電子断層撮影診療用放射性同位元素の届出)
第28条　第8号に該当する場合の法第15条第3項の規定による届出は, あらかじめ, 次に掲げる事項を記載した届出書を提出することによって行うものとする.
(1) 病院又は診療所の名称及び所在地
(2) その年に使用を予定する診療用放射性同位元素又は陽電子断層撮影診療用放射性同位元素の種類, 形状及びベクレル単位をもって表した数量
(3) ベクレル単位をもって表した診療用放射性同位元素又は陽電子断層撮影診療用放射性同位元素の種類ごとの最大貯蔵予定数量, 1日の最大使用予定数量及び3月間の最大使用予定数量
(4) 診療用放射性同位元素使用室, 陽電子断層撮影診療用放射性同位元素使用室, 貯蔵施設, 運搬容器及び廃棄施設並びに診療用放射性同位元素又は陽電子断層撮影診療用放射性同位元素により治療を受けている患者を入院させる病室の放射線障害の防止に関する構造設備及び予防措置
(5) 診療用放射性同位元素を使用する医師又は歯科医師の氏名及び放射線診療に関する経歴
2　第24条第9号に該当する場合の法第15条第3項の規定による届出は, 毎年12月20日までに, 翌年において使用を予定する診療用放射性同位元素又は陽電子断層撮影診療用放射性同位元素について前項第1号及び第2号に掲げる事項を記載した届出書を提出することによって行うものとする.

(変更等の届出)
第29条　第24条第10号又は第12号に該当する場合の法第15条第3項の規定による届出は, 10日以内に, その旨を記載した届出書を提出することによって行うものとする.
2　第24条第11号に該当する場合の法第15条第3項の規定による届出は, あらかじめ, その旨を記載した届出書を提出することによって行うものとする.
3　第24条第13号に該当する場合の法第15条第3項の規定による届出は, 10日以内にその旨を記載した届出書を, 30日以内に第30条の24各号に掲げる措置の概要を記載した届出書を提出することによって行うものとする.

第2節　エックス線装置等の防護

(エックス線装置の防護)
第30条　エックス線装置は, 次に掲げる障害防止の方法を講じたものでなければならない.
(1) エックス線管の容器及び照射筒は, 利用線錐以外のエックス線量が次に掲げる自由空気中の空気カーマ率(以下「空気カーマ率」という.)になるようにしゃへいすること.
　イ　定格管電圧が50キロボルト以下の治療用エックス線装置にあっては, エックス線装置の接触可能表面から5センチメートルの距離において, 1.0ミリグレイ毎時以下
　ロ　定格管電圧が50キロボルトを超える治療用エックス線装置にあっては, エックス線管焦点から1メートルの距離において10ミリグレイ毎時以下かつエックス線装置の接触可能表面から5センチメートルの距離において300ミリグレイ毎時以下
　ハ　定格管電圧が125キロボルト以下の口内法撮影用エックス線装置にあっては, エックス線管焦点から1メートルの距離において, 0.25ミリグレイ毎時以下
　ニ　イからハまでに掲げるエックス線装置以外のエックス線装置にあっては, エックス線管焦点から1メートルの距離において, 1.0ミリグレイ毎時以下
　ホ　コンデンサ式エックス線高電圧装置にあっては, 充電状態であって, 照射時以外のとき, 接触可能表面から5センチメートルの距離において, 20マイクログレイ毎時以下
(2) エックス線装置には, 次に掲げる利用線錐の総濾過となるような附加濾過板を付すること.
　イ　定格管電圧が70キロボルト以下の口内法撮影用エックス線装置にあっては, アルミニウム当量1.5ミリメートル以上

ロ 定格管電圧が 50 キロボルト以下の乳房撮影用エックス線装置にあっては，アルミニウム当量 0.5 ミリメートル以上又はモリブデン当量 0.03 ミリメートル以上
ハ 輸血用血液照射エックス線装置，治療用エックス線装置及びイ及びロに掲げるエックス線装置以外のエックス線装置にあっては，アルミニウム当量 2.5 ミリメートル以上

2 透視用エックス線装置は，前項に規定するもののほか，次に掲げる障害防止の方法を講じたものでなければならない．

(1) 透視中の患者への入射線量率は，患者の入射面の利用線錐の中心における空気カーマ率が，50 ミリグレイ毎分以下になるようにすること．ただし，操作者の連続した手動操作のみで作動し，作動中連続した警告音等を発するようにした高線量率透視制御を備えた装置にあっては，125 ミリグレイ毎分以下になるようにすること．

(2) 透視時間を積算することができ，かつ，透視中において一定時間が経過した場合に警告音等を発することができるタイマーを設けること．

(3) エックス線管焦点皮膚間距離が 30 センチメートル以上になるような装置又は当該皮膚焦点間距離未満で照射することを防止するインターロックを設けること．ただし，手術中に使用するエックス線装置のエックス線管焦点皮膚間距離については，20 センチメートル以上にすることができる．

(4) 利用するエックス線管焦点受像器間距離において，受像面を超えないようにエックス線照射野を絞る装置を備えること．ただし，次に掲げるときは，受像面を超えるエックス線照射野を許容するものとする．
　イ 受像面が円形でエックス線照射野が矩形の場合において，エックス線照射野が受像面に外接する大きさを超えないとき．
　ロ 照射方向に対して垂直な受像面上で直交する 2 本の直線を想定した場合において，それぞれの直線におけるエックス線照射野の縁との交点及び受像面の縁との交点の間の距離（以下この条において「交点間距離」という．）の和がそれぞれ焦点受像器間距離の 3 パーセントを超えず，かつ，これらの交点間距離の総和が焦点受像器間距離の 4 パーセントを超えないとき．

(5) 利用線錐中の蛍光板，イメージインテンシファイア等の受像器を通過したエックス線の空気カーマ率が，利用線錐中の蛍光板，イメージインテンシファイア等の受像器の接触可能表面から 10 センチメートルの距離において，150 マイクログレイ毎時以下になるようにすること．

(6) 透視時の最大受像面を 3.0 センチメートル超える部分を通過したエックス線の空気カーマ率が，当該部分の接触可能表面から 10 センチメートルの距離において，150 マイクログレイ毎時以下になるようにすること．

(7) 利用線錐以外のエックス線を有効にしゃへいするための適切な手段を講じること．

3 撮影用エックス線装置（胸部集検用間接撮影エックス線装置を除く．）は，第 1 項に規定するもののほか，次に掲げる障害防止の方法（CT エックス線装置にあっては第 1 号に掲げるものを，骨塩定量分析エックス線装置にあっては第 2 号に掲げるものを除く．）を講じたものでなければならない．

(1) 利用するエックス線管焦点受像器間距離において，受像面を超えないようにエックス線照射野を絞る装置を備えること．ただし，次に掲げるときは受像面を超えるエックス線照射野を許容するものとし，又は口内法撮影用エックス線装置にあっては照射筒の端におけるエックス線照射野の直径が 6.0 センチメートル以下になるようにするものとし，乳房撮影用エックス線装置にあってはエックス線照射野について患者の胸壁に近い患者支持器の縁を超える広がりが 5 ミリメートルを超えず，かつ，受像面の縁を超えるエックス線照射野の広がりが焦点受像器間距離の 2 パーセントを超えないようにするものとすること．
　イ 受像面が円形でエックス線照射野が矩形の場合において，エックス線照射野が受像面に外接する大きさを超えないとき．
　ロ 照射方向に対し垂直な受像面上で直交する 2 本の直線を想定した場合において，それぞれの直線における交点間距離の和がそれぞれ焦点受像器間距離の 3 パーセントを超えず，かつ，これらの交点間距離の総和が焦点受像器間距離の 4 パーセントを超えないとき．

(2) エックス線管焦点皮膚間距離は，次に掲げるものとすること．ただし，拡大撮影を行う場合（へに掲げる場合を除く．）にあっては，この限りでない．
　イ 定格管電圧が 70 キロボルト以下の口内法撮影用エックス線装置にあっては，15 センチメートル以上
　ロ 定格管電圧が 70 キロボルトを超える口内法撮影用エックス線装置にあっては，20 センチメートル以上
　ハ 歯科用パノラマ断層撮影装置にあっては，15 センチメートル以上
　ニ 移動型及び携帯型エックス線装置にあっては，20 センチメートル以上
　ホ CT エックス線装置にあっては，15 センチメートル以上
　へ 乳房撮影用エックス線装置（拡大撮影を行う場合に限る．）にあっては，20 センチメートル以上とイからへまでに掲げるエックス線装置以外のエックス線装置にあっては，45 センチメートル以上

(3) 移動型及び携帯型エックス線装置及び手術中に使用するエックス線装置にあっては，エックス線管焦点及び患者から 2 メートル以上離れた位置において操作できる構造とすること．

4 胸部集検用間接撮影エックス線装置は，第 1 項に規定するもののほか，次に掲げる障害防止の方法を講じたものでなければならない．

(1) 利用線錐が角錐型となり，かつ，利用するエックス線管焦点受像器間距離において，受像面を超えないようにエックス線照射野を絞る装置を備えること．ただし，照射方向に対し垂直な受像面上で直交する 2 本の直線を想定した場合において，それぞれの直線における交点間距離の和がそれぞれ焦点受像器間距離の 3 パーセントを超えず，かつ，これらの交点間距離の総和が焦点受像器間距離の 4 パーセントを超えないときは，受像面を超えるエックス線照射野を許容するものとすること．

(2) 受像器の一次防護しゃへい体は，装置の接触可能表面から 10 センチメートルの距離における自由空気中の空気カーマ（以下「空気カーマ」という．）が，1 ばく射につき 1.0 マイクログレイ以下になるようにすること．

(3) 被照射体の周囲には，箱状のしゃへい物を設けることとし，そのしゃへい物から 10 センチメートルの距離における空気カーマが，1 ばく射につき 1.0 マイクログレイ以下になるようにすること．ただし，エックス線装置の操作その他の業務に従事する者が照射時に室外へ容易に

退避することができる場合にあっては，この限りでない．
5 治療用エックス線装置（近接照射治療装置を除く．）は，第1項に規定する障害防止の方法を講ずるほか，濾過板が引き抜かれたときは，エックス線の発生を遮断するインターロックを設けたものでなければならない．

（診療用高エネルギー放射線発生装置の防護）
第32条の2 診療用高エネルギー放射線発生装置は，次に掲げる障害防止の方法を講じたものでなければならない．
(1) 発生管の容器は，利用線錐以外の放射線量が利用線錐の放射線量の1000分の1以下になるようにしゃへいすること．
(2) 照射終了直後の不必要な放射線からの被ばくを低減するための適切な防護措置を講ずること．
(3) 放射線発生時にその旨を自動的に表示する装置を付すること．
(4) 診療用高エネルギー放射線発生装置使用室の出入口が開放されているときは，放射線の発生を遮断するインターロックを設けること．

（診療用粒子線照射装置の防護）
第30条の2の2 前条の規定は，診療用粒子線照射装置について準用する．この場合において，同条第1号中「発生管」とあるのは「照射管」と，同条第3号中「発生時」とあるのは「照射時」と，同条第4号中「診療用高エネルギー放射線発生装置使用室」とあるのは「診療用粒子線照射装置使用室」と，「発生を」とあるのは「照射を」と読み替えるものとする．

（診療用放射線照射装置の防護）
第30条の3 診療用放射線照射装置は，次に掲げる障害防止の方法を講じたものでなければならない．
(1) 放射線源の収納容器は，照射口が閉鎖されているときにおいて，1メートルの距離における空気カーマ率が70マイクログレイ毎時以下になるようにしゃへいすること．
(2) 放射線障害の防止に必要な場合にあっては，照射口に適当な二次電子濾過板を設けること．
(3) 照射口は，診療用放射線照射装置使用室の室外から遠隔操作によって開閉できる構造のものとすること．ただし，診療用放射線照射装置の操作その他の業務に従事する者を防護するための適当な装置を設けた場合にあっては，この限りでない．

第3節 エックス線診療室等の構造設備

（エックス線診療室）
第30条の4 エックス線診療室の構造設備の基準は，次のとおりとする．
(1) 天井，床及び周囲の画壁（以下「画壁等」という．）は，その外側における実効線量が1週間につき1ミリシーベルト以下になるようにしゃへいすることができるものとすること．ただし，その外側が，人が通行し，又は停在することのない場所である画壁等については，この限りでない．
(2) エックス線診療室の室内には，エックス線装置を操作する場所を設けないこと．ただし，第30条第4項第3号に規定する箱状のしゃへい物を設けたとき，又は近接透視撮影を行うとき，若しくは乳房撮影を行う等の場合であって必要な防護物を設けたときは，この限りでない．
(3) エックス線診療室である旨を示す標識を付すること．

（診療用高エネルギー放射線発生装置使用室）
第30条の5 診療用高エネルギー放射線発生装置使用室の構造設備の基準は，次のとおりとする．
(1) 画壁等は，その外側における実効線量が1週間につき1ミリシーベルト以下になるようにしゃへいすることができるものとすること．ただし，その外側が，人が通行し，又は停在することのない場所である画壁等については，この限りでない．
(2) 人が常時出入する出入口は，1箇所とし，当該出入口には，放射線発生時に自動的にその旨を表示する装置を設けること．
(3) 診療用高エネルギー放射線発生装置使用室である旨を示す標識を付すること．

（診療用粒子線照射装置使用室）
第30条の5の2 前条の規定は，診療用粒子線照射装置使用室について準用する．この場合において，同条第2号中「発生時」とあるのは，「照射時」と読み替えるものとする．

（診療用放射線照射装置使用室）
第30条の6 診療用放射線照射装置使用室の構造設備の基準は，次のとおりとする．
(1) 主要構造部等（主要構造部並びにその場所を区画する壁及び柱をいう．以下同じ．）は，耐火構造又は不燃材料を用いた構造とすること．
(2) 画壁等は，その外側における実効線量が1週間につき1ミリシーベルト以下になるようにしゃへいすることができるものとすること．ただし，その外側が，人が通行し，又は停在することのない場所である画壁等については，この限りでない．
(3) 人が常時出入する出入口は，1箇所とし，当該出入口には，放射線発生時に自動的にその旨を表示する装置を設けること．
(4) 診療用放射線照射装置使用室である旨を示す標識を付すること．

（診療用放射線照射器具使用室）
第30条の7 診療用放射線照射器具使用室の構造設備の基準は，次のとおりとする．
(1) 画壁等は，その外側における実効線量が1週間につき1ミリシーベルト以下になるようにしゃへいすることができるものとすること．ただし，その外側が，人が通行し，又は停在することのない場所である画壁等については，この限りでない．
(2) 人が常時出入する出入口は，1箇所とすること．
(3) 診療用放射線照射器具使用室である旨を示す標識を付すること．

（放射性同位元素装備診療機器使用室）
第30条の7の2 放射性同位元素装備診療機器使用室の構造設備の基準は，次のとおりとする．
(1) 主要構造部等は，耐火構造又は不燃材料を用いた構造とすること．
(2) 扉等外部に通ずる部分には，かぎその他閉鎖のための設備又は器具を設けること．
(3) 放射性同位元素装備診療機器使用室である旨を示す標識を付すること．
(4) 間仕切りを設けることその他の適切な放射線障害の防止に関する予防措置を講ずること．

（診療用放射性同位元素使用室）
第30条の8 診療用放射性同位元素使用室の構造設備の基準は，次のとおりとする．
(1) 主要構造部等は，耐火構造又は不燃材料を用いた構造とすること．
(2) 診療用放射性同位元素の調剤等を行う室（以下「準備室」という．）とこれを用いて診療を行う室とに区画する

(3) 画壁等は，その外側における実効線量が1週間につき1ミリシーベルト以下になるようにしゃへいすることができるものとすること．ただし，その外側が，人が通行し，又は停在することのない場所である画壁等については，この限りではない．
(4) 人が常時出入する出入口は，1箇所とすること．
(5) 診療用放射性同位元素使用室である旨を示す標識を付すること．
(6) 内部の壁，床その他放射性同位元素によって汚染されるおそれのある部分は，突起物，くぼみ及び仕上材の目地等のすきまの少ないものとすること．
(7) 内部の壁，床その他放射性同位元素によって汚染されるおそれのある部分の表面は，平滑であり，気体又は液体が浸透しにくく，かつ，腐食しにくい材料で仕上げること．
(8) 出入口の付近に放射性同位元素による汚染の検査に必要な放射線測定器，放射性同位元素による汚染の除去に必要な器材及び洗浄設備並びに更衣設備を設けること．
(9) 準備室には，洗浄設備を設けること．
(10) 前2号に規定する洗浄設備は，第30条の11第2号の規定により設ける排水設備に連結すること．
(11) 準備室に気体状の放射性同位元素又は放射性同位元素によって汚染された空気のひろがりを防止するフード，グローブボックス等の装置が設けられているときは，その装置は，第30条の11第3号の規定により設ける排気設備に連結すること．

(陽電子断層撮影診療用放射性同位元素使用室)
第30条の8の2 陽電子断層撮影診療用放射性同位元素使用室の構造設備の基準は，次のとおりとする．
(1) 主要構造部等は，耐火構造又は不燃材料を用いた構造とすること．
(2) 陽電子断層撮影診療用放射性同位元素の調剤等を行う室（以下「陽電子準備室」という．），これを用いて診療を行う室及び陽電子断層撮影診療用放射性同位元素が投与された患者等が待機する室に区画すること．
(3) 画壁等は，その外側における実効線量が1週間につき1ミリシーベルト以下になるようにしゃへいすることができるものとすること．ただし，その外側が，人が通行し，又は停在することのない場所である画壁等については，この限りでない．
(4) 人が常時出入する出入口は，1箇所とすること．
(5) 陽電子断層撮影診療用放射性同位元素使用室である旨の標識を付すること．
(6) 陽電子断層撮影診療用放射性同位元素使用室の室内には，陽電子放射断層撮影装置を操作する場所を設けないこと．
(7) 内部の壁，床その他放射性同位元素によって汚染されるおそれのある部分は，突起物，くぼみ及び仕上材の目地等のすきまの少ないものとすること．
(8) 内部の壁，床その他放射性同位元素によって汚染されるおそれのある部分の表面は，平滑であり，気体又は液体が浸透しにくく，かつ，腐食しにくい材料で仕上げること．
(9) 出入口の付近に放射性同位元素による汚染の検査に必要な放射線測定器，放射性同位元素による汚染の除去に必要な器材及び洗浄設備並びに更衣設備を設けること．
(10) 陽電子準備室には，洗浄設備を設けること．
(11) 前2号に規定する洗浄設備は，第30条の11第1項第2号の規定によって設ける排水設備に連結すること．
(12) 陽電子準備室に気体状の放射性同位元素または放射性同位元素によって汚染された物のひろがりを防止するフード，グローブボックス等の装置が設けられているときは，その装置は，第30条の11第1項第3号の規定により設ける排気設備に連結すること．

(貯蔵施設)
第30条の9 診療用放射線照射装置，診療用放射線照射器具，診療用放射性同位元素又は陽電子断層撮影診療用放射性同位元素を貯蔵する施設（以下「貯蔵施設」という．）の構造設備の基準は，次のとおりとする．
(1) 貯蔵室，貯蔵箱等外部と区画された構造のものとすること．
(2) 貯蔵施設の外側における実効線量が1週間につき1ミリシーベルト以下になるようにしゃへいすることができるものとすること．ただし，貯蔵施設の外側が，人が通行し，又は停在することのない場所である場合は，この限りでない．
(3) 貯蔵室は，その主要構造部等を耐火構造とし，その開口部には，建築基準法施行令第112条第1項に規定する特定防火設備に該当する防火戸を設けること．ただし，診療用放射線照射装置又は診療用放射線照射器具を耐火性の構造の容器に入れて貯蔵する場合は，この限りでない．
(4) 貯蔵箱等は，耐火性の構造とすること．ただし，診療用放射線照射装置又は診療用放射線照射器具を耐火性の構造の容器に入れて貯蔵する場合は，この限りでない．
(5) 人が常時出入する出入口は，1箇所とすること．
(6) 扉，ふた等外部に通ずる部分には，かぎその他閉鎖のための設備又は器具を設けること．
(7) 貯蔵施設である旨を示す標識を付すること．
(8) 貯蔵施設には，次に定めるところに適合する貯蔵容器を備えること．ただし，扉，ふた等を開放した場合において1メートルの距離における実効線量率が100マイクロシーベルト毎時以下になるようにしゃへいされている貯蔵箱等に診療用放射線照射装置又は診療用放射線照射器具を貯蔵する場合は，この限りでない．
　イ 貯蔵時において1メートルの距離における実効線量率が100マイクロシーベルト毎時以下になるようにしゃへいすることができるものとすること．
　ロ 容器の外における空気を汚染するおそれのある診療用放射性同位元素又は陽電子断層撮影診療用放射性同位元素を入れる貯蔵容器は，気密な構造とすること．
　ハ 液体状の診療用放射性同位元素又は陽電子断層撮影診療用放射性同位元素を入れる貯蔵容器は，こぼれにくい構造であり，かつ，液体が浸透しにくい材料を用いること．
　ニ 貯蔵容器である旨を示す標識を付し，かつ，貯蔵する診療用放射線照射装置若しくは診療用放射線照射器具に装備する放射性同位元素又は貯蔵する診療用放射性同位元素若しくは陽電子断層撮影診療用放射性同位元素の種類及びベクレル単位をもって表した数量を表示すること．
(9) 受皿，吸収材その他放射性同位元素による汚染のひろがりを防止するための設備又は器具を設けること．

(運搬容器)
第30条の10 診療用放射線照射装置，診療用放射線照射器具，診療用放射性同位元素又は陽電子断層撮影診療用放射性同位元素を運搬する容器（以下「運搬容器」という．）の構造

の基準については，前条第8号イからニまでの規定を準用する．

(廃棄施設)
第30条の11 診療用放射性同位元素，陽電子断層撮影診療用放射性同位元素又は放射性同位元素によって汚染された物（以下「医療用放射性汚染物」という．）を廃棄する施設（以下「廃棄施設」という．）の構造設備の基準は，次のとおりとする．
(1) 廃棄施設の外側における実効線量が1週間につき1ミリシーベルト以下になるようにしゃへいすることができるものとすること．ただし，廃棄施設の外側が，人が通行し，又は停在することのない場所である場合は，この限りでない．
(2) 液体状の医療用放射性汚染物を排水し，又は浄化する場合には，次に定めるところにより，排水設備（排水管，排液処理槽その他液体状の医療用放射性汚染物を排水し，又は浄化する一連の設備をいう．以下同じ．）を設けること．
　イ 排水口における排液中の放射性同位元素の濃度を第30条の26第1項に定める濃度限度以下とする能力又は排水監視設備を設けて排水中の放射性同位元素の濃度を監視することにより，病院又は診療所の境界（病院又は診療所の境界に隣接する区域に人がみだりに立ち入らないような措置を講じた場合には，その区域の境界とする．以下同じ．）における排水中の放射性同位元素の濃度を第30条の26第1項に定める濃度限度以下とする能力を有するものであること．
　ロ 排液の漏れにくい構造とし，排液が浸透しにくく，かつ，腐食しにくい材料を用いること．
　ハ 排液処理槽は，排液を採取することができる構造又は排液中における放射性同位元素の濃度が測定できる構造とし，かつ，排液の流出を調節する装置を設けること．
　ニ 排液処理槽の上部の開口部は，ふたのできる構造とするか，又はその周囲に人がみだりに立ち入らないようにするための施設（以下「さく等」という．）を設けること．
　ホ 排水管及び排液処理槽には，排水設備である旨を示す標識を付すること．
(3) 気体状の医療用放射性汚染物を排気し，又は浄化する場合には，次に定めるところにより，排気設備（排風機，排気浄化装置，排気管，排気口等気体状の医療用放射性汚染物を排気し，又は浄化する一連の設備をいう．以下同じ．）を設けること．ただし，作業の性質上排気設備を設けることが著しく困難な場合であって，気体状の放射性同位元素を発生し，又は放射性同位元素によって空気を汚染するおそれのないときは，この限りでない．
　イ 排気口における排気中の放射性同位元素の濃度を第30条の26第1項に定める濃度限度以下とする能力又は排気監視設備を設けて排気中の放射性同位元素の濃度を監視することにより，病院又は診療所の境界の外の空気中の放射性同位元素の濃度を第30条の26第1項に定める濃度限度以下とする能力を有するものであること．
　ロ 人が常時立ち入る場所における空気中の放射性同位元素の濃度を第30条の26第2項に定める濃度限度以下とする能力を有するものとすること．
　ハ 気体の漏れにくい構造とし，腐食しにくい材料を用いること．
　ニ 故障が生じた場合において放射性同位元素によって汚染された物の広がりを急速に防止することができる装置を設けること．
　ホ 排気浄化装置，排気管及び排気口には，排気設備である旨を示す標識を付すること．
(4) 医療用放射性汚染物を焼却する場合には，次に掲げる設備を設けること．
　イ 次に掲げる要件を満たす焼却炉
　　1) 気体が漏れにくく，かつ，灰が飛散しにくい構造であること．
　　2) 排気設備に連結された構造であること．
　　3) 当該焼却炉の焼却残さの搬出口が廃棄作業室（医療用放射性汚染物を焼却したのちその残りを焼却炉から搬出し，又はコンクリートその他の固型化材料により固型化（固型化するための処理を含む．）する作業を行う室をいう．以下この号において同じ．）に連結していること．
　ロ 次に掲げる要件を満たす廃棄作業室
　　1) 当該廃棄作業室の内部の壁，床その他放射性同位元素によって汚染されるおそれのある部分が突起物，くぼみ及び仕上材の目地等のすきまの少ない構造であること．
　　2) 当該廃棄作業室の内部の壁，床その他放射性同位元素によって汚染されるおそれのある部分の表面が平滑であり，気体又は液体が浸透しにくく，かつ，腐食しにくい材料で仕上げられていること．
　　3) 当該廃棄作業室に気体状の医療用放射性汚染物の広がりを防止するフード，グローブボックス等の装置が設けられているときは，その装置が排気設備に連結していること．
　　4) 廃棄作業室である旨を示す標識が付されていること．
　ハ 次に掲げる要件を満たす汚染検査室（人体又は作業衣，履物，保護具等人体に着用している物の表面の放射性同位元素による汚染の検査を行う室をいう．）．
　　1) 人が通常出入りする廃棄施設の出入口の付近等放射性同位元素による汚染の検査を行うのに最も適した場所に設けられていること．
　　2) 当該汚染検査室の内部の壁，床その他放射性同位元素によって汚染されるおそれのある部分がロの1)及び2)に掲げる要件を満たしたものであること．
　　3) 洗浄設備及び更衣設備が設けられ，汚染の検査のための放射線測定器及び汚染の除去に必要な器材が備えられていること．
　　4) 3)の洗浄設備の排水管が排水設備に連結していること．
　　5) 汚染検査室である旨を示す標識が付されていること．
(5) 医療用放射性汚染物を保管廃棄する場合（次号に規定する場合を除く．）には，次に定めるところにより，保管廃棄設備を設けること．
　イ 外部と区画された構造とすること．
　ロ 保管廃棄設備の扉，ふた等外部に通ずる部分には，かぎその他閉鎖のための設備又は器具を設けること．
　ハ 保管廃棄設備には，第30条の9第8号ロ及びハに定めるところに適合する耐火性の構造である容器を備え，当該容器の表面に保管廃棄容器である旨を示す標識を付すること
　ニ 保管廃棄設備である旨を示す標識を付すること．

(6) 陽電子断層撮影診療用放射性同位元素（厚生労働大臣の定める種類ごとにその1日最大使用数量が厚生労働大臣の定める数量以下であるものに限る．以下この号において同じ．）又は陽電子断層撮影診療用放射性同位元素によって汚染された物を保管廃棄する場合には，陽電子断層撮影診療用放射性同位元素又は陽電子断層撮影診療用放射性同位元素によって汚染された物以外の物が混入し，又は付着しないように封及び表示をし，当該陽電子断層撮影診療用放射性同位元素の原子の数が1を下回ることが確実な期間として厚生労働大臣が定める期間を超えて管理区域内において行うこと．

2 前項第2号イ又は同項第3号イに規定する能力を有する排水設備又は排気設備を設けることが著しく困難な場合において，病院又は診療所の境界の外における実効線量を1年間につき1ミリシーベルト以下とする能力を排水設備又は排気設備が有することにつき厚生労働大臣の承認を受けた場合においては，前項第2号イ又は同項第3号イの規定は適用しない．この場合において，排水口若しくは排水監視設備のある場所において排水中の放射性同位元素の数量及び濃度を監視し，又は排気口若しくは排気監視設備のある場所において排気中の放射性同位元素の数量及び濃度を監視することにより，病院又は診療所の境界の外における実効線量を1年間につき1ミリシーベルト以下としなくてはならない．

3 前項の承認を受けた排水設備又は排気設備がその能力を有すると認められなくなったときは，厚生労働大臣は当該承認を取り消すことができる．

4 第1項6号の規定により保管廃棄する陽電子断層撮影診療用放射性同位元素又は陽電子断層撮影診療用放射性同位元素によって汚染された物については，同号の厚生労働大臣が定める期間を経過した後は，陽電子断層撮影診療用放射性同位元素又は放射性同位元素によって汚染された物ではないものとする．

（放射線治療病室）
第30条の12 診療用放射線照射装置，診療用放射線照射器具，診療用放射性同位元素又は陽電子断層撮影診療用放射性同位元素により治療を受けている患者を入院させる病室（以下「放射線治療病室」という．）の構造設備の基準は，次のとおりとする．
(1) 画壁等の外側の実効線量が1週間につき1ミリシーベルト以下になるように画壁等その他必要なしゃへい物を設けること．ただし，その外側が，人が通行し，若しくは停在することのない場所であるか又は放射線治療病室である画壁等については，この限りでない．
(2) 放射線治療病室である旨を示す標識を付すること．
(3) 第30条の8第6号から第8号までに定めるところに適合すること．ただし，第30条の8第8号の規定は，診療用放射線照射装置又は診療用放射線照射器具により治療を受けている患者のみを入院させる放射線治療病室については，適用しない．

第4節　管理者の義務

（注意事項の掲示）
第30条の13 病院又は診療所の管理者は，エックス線診療室，診療用高エネルギー放射線発生装置使用室，診療用粒子線照射装置使用室，診療用放射線照射装置使用室，診療用放射線照射器具使用室，放射性同位元素装備診療機器使用室，診療用放射性同位元素使用室，陽電子断層撮影診療用放射性同位元素使用室，貯蔵施設，廃棄施設及び放射線治療病室（以下「放射線取扱施設」という．）の目につきやすい場所に，放射線障害の防止に必要な注意事項を掲示しなければならない．

（使用の場所等の制限）
第30条の14 病院又は診療所の管理者は，次の表の左欄に掲げる業務を，それぞれ同表の中欄に掲げる室若しくは施設において行い，又は同欄に掲げる器具を用いて行わなければならない．ただし，次の表の右欄に掲げる場合に該当する場合は，この限りでない．

エックス線装置の使用	エックス線診療室	特別の理由により移動して使用する場合又は特別の理由により診療用高エネルギー放射線発生装置使用室，診療用粒子線照射装置使用室，診療用放射線照射装置使用室，診療用放射線照射器具使用室，診療用放射性同位元素使用室若しくは陽電子断層撮影診療用放射性同位元素使用室において使用する場合（適切な防護措置を講じた場合に限る．）
診療用高エネルギー放射線発生装置の使用	診療用高エネルギー放射線発生装置使用室	特別の理由により移動して手術室で使用する場合（適切な防護措置を講じた場合に限る．）
診療用粒子線照射装置の使用	診療用粒子線照射装置使用室	
診療用放射線照射装置の使用	診療用放射線照射装置使用室	特別の理由によりエックス線診療室，診療用放射性同位元素使用室又は陽電子断層撮影診療用放射性同位元素使用室で使用する場合（適切な防護措置を講じた場合に限る．）
診療用放射線照射器具の使用	診療用放射線照射器具使用室	特別の理由によりエックス線診療室，診療用放射線照射装置使用室，診療用放射性同位元素使用室若しくは陽電子断層撮影診療用放射性同位元素使用室で使用する場合（適切な防護措置を講じた場合に限る．），手術室において一時的に使用する場合，移動させることが困難な患者に対して放射線治療病室において使用する場合又は適切な防護措置及び汚染防止措置を講じた上で集中強化治療室若しくは心疾患強化治療室において一時的に使用する場合
放射性同位元素装備診療機器の使用	放射性同位元素装備診療機器使用室	第30条の7の2に定める構造設備の基準に適合する室において使用する場合
診療用放射性同位元素の使用	診療用放射性同位元素使用室	手術室において一時的に使用する場合，移動させることが困難な患者に対して放射線治療病室において使用する場合，適切な防護措置及び汚染防止措置を講じた上で集中強化治療室若しくは心疾患強化治療室において一時的に使用する場合又は特別の理由により陽電子断層撮影診療用放

		射性同位元素使用室で使用する場合（適切な防護措置を講じた場合に限る．）
陽電子断層撮影診療用放射性同位元素の使用	陽電子断層撮影診療用放射性同位元素使用室	
診療用放射線照射装置，診療用放射線照射器具，診療用放射性同位元素又は陽電子断層撮影診療用放射性同位元素の貯蔵	貯蔵施設	
診療用放射線照射装置，診療用放射線照射器具，診療用放射性同位元素又は陽電子断層撮影診療用放射性同位元素の運搬	運搬容器	
医療用放射性汚染物の廃棄	廃棄施設	

（診療用放射性同位元素等の廃棄の委託）
第30条の14の2 病院又は診療所の管理者は，前条の規定にかかわらず，医療用放射性汚染物の廃棄を，次条に定める位置，構造及び設備に係る技術上の基準に適合する医療用放射性汚染物の詰替えをする施設（以下「廃棄物詰替施設」という．），医療用放射性汚染物を貯蔵する施設（以下「廃棄物貯蔵施設」という．）又は廃棄施設を有する者であって別に厚生労働大臣の指定するものに委託することができる．
2 前項の指定を受けようとする者は，次の事項を記載した申請書を厚生労働大臣に提出しなければならない．
(1) 氏名又は名称及び住所並びに法人にあっては，その代表者の氏名
(2) 廃棄事業所の所在地
(3) 廃棄の方法
(4) 廃棄物詰替施設の位置，構造及び設備
(5) 廃棄物貯蔵施設の位置，構造，設備及び貯蔵能力
(6) 廃棄施設の位置，構造及び設備
3 第1項の指定には，条件を付することができる．
4 前項の条件は，放射線障害を防止するため必要最小限度のものに限り，かつ，指定を受ける者に不当な義務を課すこととならないものでなければならない．
5 厚生労働大臣は，第1項の指定を受けた者が第3項の指定の条件に違反した場合又はその者の有する廃棄物詰替施設，廃棄物貯蔵施設若しくは廃棄施設が第1項の技術上の基準に適合しなくなったときは，その指定を取り消すことができる．
第30条の14の3 廃棄物詰替施設の位置，構造及び設備に係る技術上の基準は，次のとおりとする．
(1) 地崩れ及び浸水のおそれの少ない場所に設けること．
(2) 建築基準法第2条第1号に規定する建築物又は同条第4号に規定する居室がある場合には，その主要構造部等は，耐火構造又は不燃材料を用いた構造とすること．
(3) 次の表の左欄に掲げる実効線量をそれぞれ同表の右欄に掲げる実効線量限度以下とするために必要なしゃへい壁その他のしゃへい物を設けること．

施設内の人が常時立ち入る場所において人が被ばくするおそれのある実効線量	1週間につき1ミリシーベルト
廃棄事業所の境界（廃棄事業所の境界に隣接する区域に人がみだりに立ち入らないような措置を講じた場合には，その区域の境界）及び廃棄事業所内の人が居住する区域における実効線量	3月間につき250マイクロシーベルト

(4) 医療用放射性汚染物で密封されていないものの詰替をする場合には，第30条の11第1項第4号ロに掲げる要件を満たす詰替作業室及び同号ハに掲げる要件を満たす汚染検査室を設けること．
(5) 管理区域（外部放射線の線量，空気中の放射性同位元素の濃度又は放射性同位元素によって汚染される物の表面の放射性同位元素の密度が第30条の26第3項に定める線量，濃度又は密度を超えるおそれのある場所をいう．以下同じ．）の境界には，さく等を設け，管理区域である旨を示す標識を付すること．
(6) 放射性同位元素を経口摂取するおそれのある場所での飲食又は喫煙を禁止する旨の標識を付すること．
2 廃棄物貯蔵施設の位置，構造及び設備に係る技術上の基準は，次のとおりとする．
(1) 地崩れ及び浸水のおそれの少ない場所に設けること．
(2) 第30条の9第3項本文に掲げる要件を満たす貯蔵室又は同条第4項本文に掲げる要件を満たす貯蔵箱を設け，それぞれ貯蔵室又は貯蔵箱である旨を示す標識を付すること．
(3) 前項第3号に掲げる要件を満たすしゃへい壁その他のしゃへい物を設けること．
(4) 次に掲げる要件を満たす医療用放射性汚染物を入れる貯蔵容器を備えること．
　イ 容器の外における空気を汚染するおそれのある医療用放射性汚染物を入れる貯蔵容器は，気密な構造とすること．
　ロ 液体状の医療用放射性汚染物を入れる貯蔵容器は，液体がこぼれにくい構造とし，かつ，液体が浸透しにくい材料を用いること．
　ハ 液体状又は固体状の医療用放射性汚染物を入れる貯蔵容器で，き裂，破損等の事故の生ずるおそれのあるものには，受皿，吸収材その他医療用放射性汚染物による汚染の広がりを防止するための設備又は器具を設けること．
　ニ 貯蔵容器である旨を示す標識を付すること．
(5) 貯蔵室又は貯蔵箱の扉，ふた等外部に通ずる部分には，かぎその他の閉鎖のための設備又は器具を設けること．
(6) 管理区域の境界には，さく等を設け，管理区域である旨を示す標識を付すること．
(7) 放射性同位元素を経口摂取するおそれのある場所での飲食又は喫煙を禁止する旨の標識を付すること．
3 前条第1項に掲げる廃棄施設の位置，構造及び設備に係る技術上の基準は，次のとおりとする．

(1) 地崩れ及び浸水のおそれの少ない場所に設けること．
(2) 主要構造部等は，耐火構造又は不燃材料を用いた構造とすること．
(3) 第1項第3号に掲げる要件を満たすしゃへい壁その他のしゃへい物を設けること．
(4) 液体状又は気体状の医療用放射性汚染物を廃棄する場合には，第30条の11第1項第2号に掲げる要件を満たす排水設備又は同項第3号に掲げる要件を満たす排気設備を設けること．
(5) 医療用放射性汚染物を焼却する場合には，第30条の11第1項第3号に掲げる要件を満たす排気設備，同項第4号イに掲げる要件を満たす焼却炉，同号ロに掲げる要件を満たす廃棄作業室及び同号ハに掲げる要件を満たす汚染検査室を設けること．
(6) 医療用放射性汚染物をコンクリートその他の固型化材料により固型化する場合には，次に掲げる要件を満たす固型化処理設備（粉砕装置，圧縮装置，混合装置，詰込装置等医療用放射性汚染物をコンクリートその他の固型化材料により固型化する設備をいう．）を設けるほか，第30条の11第1項第3号に掲げる要件を満たす排気設備，同項第4号ロに掲げる要件を満たす廃棄作業室及び同号ハに掲げる要件を満たす汚染検査室を設けること．
　イ 医療用放射性汚染物が漏れ又はこぼれにくく，かつ，粉じんが飛散しにくい構造とすること．
　ロ 液体が浸透しにくく，かつ，腐食しにくい材料を用いること．
(7) 医療用放射性汚染物を保管廃棄する場合には，次に掲げる要件を満たす保管廃棄設備を設けること．
　イ 外部と区画された構造とすること．
　ロ 扉，ふた等外部に通ずる部分には，かぎその他の閉鎖のための設備又は器具を設けること．
　ハ 耐火性の構造で，かつ，前項第4号に掲げる要件を満たす保管廃棄容器を備えること．ただし，放射性同位元素によって汚染された物が大型機械等であってこれを容器に封入することが著しく困難な場合において，汚染の広がりを防止するための特別の措置を講ずるときは，この限りでない．
　ニ 保管廃棄設備である旨を示す標識を付すること．
(8) 管理区域の境界には，さく等を設け，管理区域である旨を示す標識を付すること．
(9) 放射性同位元素を経口摂取するおそれのある場所での飲食又は喫煙を禁止する旨の標識を付すること．
　4 第30条の11第2項及び第3項の規定は，前項第4号から第6号までの排水設備又は排気設備について準用する．この場合において，同条第2項中「前項第2号イ」とあるのは「前項第4号から第6号までに掲げる排水設備又は排気設備について，第30条の11第1項第2号イ」と，「病院又は診療所」とあるのは「廃棄施設」と読み替えるものとする．

（患者の入院制限）
第30条の15　病院又は診療所の管理者は，診療用放射線照射装置若しくは診療用放射線照射器具を持続的に体内に挿入して治療を受けている患者又は診療用放射性同位元素若しくは陽電子断層撮影診療用放射性同位元素により治療を受けている患者を放射線治療病室以外の病室に入院させてはならない．ただし，適切な防護措置及び汚染防止措置を講じた場合にあっては，この限りでない．
　2 病院又は診療所の管理者は，放射線治療病室に，前項に規定する患者以外の患者を入院させてはならない．

（管理区域）
第30条の16　病院又は診療所の管理者は，病院又は診療所内における管理区域に，管理区域である旨を示す標識を付さなければならない．
　2 病院又は診療所の管理者は，前項の管理区域内に人がみだりに立ち入らないような措置を講じなければならない．

（敷地の境界等における防護）
第30条の17　病院又は診療所の管理者は，放射線取扱施設又はその周辺に適当なしゃへい物を設ける等の措置を講ずることにより，病院又は診療所内の人が居住する区域及び病院又は診療所の敷地の境界における線量を第30条の26第4項に定める線量限度以下としなければならない．

（放射線診療従事者等の被ばく防止）
第30条の18　病院又は診療所の管理者は，第1号から第3号までに掲げる措置のいずれか及び第4号から第6号までに掲げる措置を講ずるとともに，放射線診療従事者等（エックス線装置，診療用高エネルギー放射線発生装置，診療用粒子線照射装置，診療用放射線照射装置，診療用放射線照射器具，放射性同位元素装備診療機器，診療用放射性同位元素又は陽電子断層撮影診療用放射性同位元素（以下この項において「エックス線装置等」という．）の取扱い，管理又はこれに付随する業務に従事する者であって管理区域に立ち入るものをいう．以下同じ．）が被ばくする線量が第30条の27に定める実効線量限度及び等価線量限度を超えないようにしなければならない．
(1) しゃへい壁その他のしゃへい物を用いることにより放射線のしゃへいを行うこと．
(2) 遠隔操作装置又は鉗子を用いることその他の方法により，エックス線装置等と人体との間に適当な距離を設けること．
(3) 人体が放射線に被ばくする時間を短くすること．
(4) 診療用放射性同位元素使用室，陽電子断層撮影診療用放射性同位元素使用室，貯蔵施設，廃棄施設又は放射線治療病室において放射線診療従事者等が呼吸する空気に含まれる放射性同位元素の濃度が第30条の26第2項に定める濃度限度を超えないようにすること．
(5) 診療用放射性同位元素使用室，陽電子断層撮影診療用放射性同位元素使用室，貯蔵施設，廃棄施設又は放射線治療病室内の人が触れるものの放射性同位元素の表面密度が第30条の26第6項に定める表面密度限度を超えないようにすること．
(6) 放射性同位元素を経口摂取するおそれのある場所での飲食又は喫煙を禁止すること．
　2 前項の実効線量及び等価線量は，外部放射線に被ばくすること（以下「外部被ばく」という．）による線量及び人体内部に摂取した放射性同位元素からの放射線に被ばくすること（以下「内部被ばく」という．）による線量について次に定めるところにより測定した結果に基づき厚生労働大臣の定めるところにより算定しなければならない．
(1) 外部被ばくによる線量の測定は，1センチメートル線量当量，3ミリメートル線量当量及び70マイクロメートル線量当量（中性子線については，1センチメートル線量当量）を放射線測定器を用いて測定することにより行うこと．ただし，放射線測定器を用いて測定することが，著しく困難である場合には，計算によってこれらの値を算出することができる．
(2) 外部被ばくによる線量は，胸部（女子（妊娠する可能性がないと診断された者及び妊娠する意思がない旨を病院又は診療所の管理者に書面で申し出た者を除く．以下

この号において同じ.）にあっては腹部）について測定すること．ただし，体幹部（人体部位のうち，頭部，けい部，胸部，上腕部，腹部及び大たい部をいう．以下同じ．）を頭部及びけい部，胸部及び上腕部並びに腹部及び大たい部に3区分した場合において，被ばくする線量が最大となるおそれのある区分が胸部及び上腕部（女子にあっては腹部及び大たい部）以外であるときは，当該区分についても測定し，また，被ばくする線量が最大となるおそれのある人体部位が体幹部以外の部位であるときは，当該部位についても測定すること．
(3) 第1号の規定にかかわらず，前号ただし書により体幹部以外の部位について測定する場合は，70マイクロメートル線量当量（中性子線については，1センチメートル線量当量）を測定すれば足りること．
(4) 外部被ばくによる線量の測定は，管理区域に立ち入っている間継続して行うこと．
(5) 内部被ばくによる線量の測定は，放射性同位元素を誤って吸入摂取し，又は経口摂取した場合にはその都度，診療用放射性同位元素使用室，陽電子断層撮影診療用放射性同位元素使用室その他放射性同位元素を吸入摂取し，又は経口摂取するおそれのある場所に立ち入る場合には，3月を超えない期間ごとに1回（妊娠中である女子にあっては，本人の申出等により病院又は診療所の管理者が妊娠の事実を知った時から出産までの間の1月を超えない期間ごとに1回），厚生労働大臣の定めるところにより行うこと．

（患者の被ばく防止）
第30条の19　病院又は診療所の管理者は，しゃへい壁その他のしゃへい物を用いる等の措置を講ずることにより，病院又は診療所内の病室に入院している患者の被ばくする放射線（診療により被ばくする放射線を除く.）の実効線量が3月間につき1.3ミリシーベルトを超えないようにしなければならない．

（取扱者の遵守事項）
第30条の20　病院又は診療所の管理者は，医療用放射性汚染物を取り扱う者に次に掲げる事項を遵守させなければならない．
(1) 診療用放射性同位元素使用室，陽電子断層撮影診療用放射性同位元素使用室又は廃棄施設においては作業衣等を着用し，また，これらを着用してみだりにこれらの室又は施設の外に出ないこと．
(2) 放射性同位元素によって汚染された物で，その表面の放射性同位元素の密度が第30条の26第6項に定める表面密度限度を超えているものは，みだりに診療用放射性同位元素使用室，陽電子断層撮影診療用放射性同位元素使用室，廃棄施設又は放射線治療病室から持ち出さないこと．
(3) 放射性同位元素によって汚染された物で，その表面の放射性同位元素の密度が第30条の26第6項に定める表面密度限度の10分の1を超えているものは，みだりに管理区域からもち出さないこと．
2　病院又は診療所の管理者は，放射線診療を行う医師又は歯科医師に次に掲げる事項を遵守させなければならない．
(1) エックス線装置を使用しているときは，エックス線診療室の出入口にその旨を表示すること．
(2) 診療用放射線照射装置，診療用放射線照射器具，診療用放射性同位元素又は陽電子断層撮影診療用放射性同位元素により治療を受けている患者には適当な標示を付すること．

（エックス線装置等の測定）
第30条の21　病院又は診療所の管理者は，治療用エックス線装置，診療用高エネルギー放射線発生装置，診療用粒子線照射装置及び診療用放射線照射装置について，その放射線量を6月を超えない期間ごとに1回以上線量計で測定し，その結果に関する記録を5年間保存しなければならない．

（放射線障害が発生するおそれのある場所の測定）
第30条の22　病院又は診療所の管理者は，放射線障害の発生するおそれのある場所について，診療を開始する前に1回及び診療を開始した後にあっては1月を超えない期間ごとに1回（第1号に掲げる測定にあっては6月を超えない期間ごとに1回，第2号に掲げる測定にあっては排水し，又は排気する都度（連続して排水し，又は排気する場合は，連続して）放射線の量及び放射性同位元素による汚染の状況を測定し，その結果に関する記録を5年間保存しなければならない．
(1) エックス線装置，診療用高エネルギー放射線発生装置，診療用粒子線照射装置，診療用放射線照射装置又は放射性同位元素装備診療機器を固定して取り扱う場合であって，取扱いの方法及びしゃへい壁その他しゃへい物の位置が一定している場合におけるエックス線診療室，診療用高エネルギー放射線発生装置使用室，診療用粒子線照射装置使用室，診療用放射線照射装置使用室，放射性同位元素装備診療機器使用室，管理区域の境界，病院又は診療所内の人が居住する区域及び病院又は診療所の敷地の境界における放射線の量の測定
(2) 排水設備の排水口，排気設備の排気口，排水監視設備のある場所及び排気監視設備のある場所における放射性同位元素による汚染の状況の測定
2　前項の規定による放射線の量及び放射性同位元素による汚染の状況の測定は，次の各号に定めるところにより行う．
(1) 放射線の量の測定は，1センチメートル線量当量率又は1センチメートル線量当量について行うこと．ただし，70マイクロメートル線量当量率が1センチメートル線量当量率の10倍を超えるおそれのある場所においては，70マイクロメートル線量当量率について行うこと．
(2) 放射線の量及び放射性同位元素による汚染の状況の測定は，これらを測定するために最も適した位置において，放射線測定器を用いて行うこと．ただし，放射線測定器を用いて測定することが著しく困難である場合には，計算によってこれらの値を算出することができる．
(3) 前2号の測定は，次の表の左欄に掲げる項目に応じてそれぞれ同表の右欄に掲げる場所について行うこと．

項　目	場　所
放射線の量	イ　エックス線診療室，診療用高エネルギー放射線発生装置使用室，診療用粒子線照射装置使用室，診療用放射線照射装置使用室，診療用放射線照射器具使用室，放射性同位元素装備診療機器使用室，診療用放射性同位元素使用室及び陽電子断層撮影診療用放射性同位元素使用室 ロ　貯蔵施設 ハ　廃棄施設 ニ　放射線治療病室 ホ　管理区域の境界 ヘ　病院又は診療所内の人が居住する区域 ト　病院又は診療所の敷地の境界

放射性同位元素による汚染の状況	イ　診療用放射性同位元素使用室及び陽電子断層撮影診療用放射性同位元素使用室 ロ　診療用放射性同位元素又は陽電子断層撮影診療用放射性同位元素により治療を受けている患者を入院させる放射線治療病室 ハ　排水設備の排水口 ニ　排気設備の排気口 ホ　排水監視設備のある場所 ヘ　排気監視設備のある場所 ト　管理区域の境界

(記帳)
第30条の23　病院又は診療所の管理者は，帳簿を備え，次の表の左欄に掲げる室ごとにそれぞれ同表の中欄に掲げる装置又は器具の1週間当たりの延べ使用時間を記載し，これを1年ごとに閉鎖し，閉鎖後2年間保存しなければならない．ただし，その室の画壁等の外側における実効線量率がそれぞれ次の表の右欄に掲げる線量率以下になるようにしゃへいされている室については，この限りでない．

治療用エックス線装置を使用しないエックス線診療室	治療用エックス線装置以外のエックス線装置	40マイクロシーベルト毎時
治療用エックス線装置を使用するエックス線診療室	エックス線装置	20マイクロシーベルト毎時
診療用高エネルギー放射線発生装置使用室	診療用高エネルギー放射線発生装置	20マイクロシーベルト毎時
診療用粒子線照射装置使用室	診療用粒子線照射装置	20マイクロシーベルト毎時
診療用放射線照射装置使用室	診療用放射線照射装置	20マイクロシーベルト毎時
診療用放射線照射器具使用室	診療用放射線照射器具	60マイクロシーベルト毎時

2　病院又は診療所の管理者は，帳簿を備え，診療用放射線照射装置，診療用放射線照射器具，診療用放射性同位元素又は陽電子断層撮影診療用放射性同位元素の入手，使用及び廃棄並びに放射性同位元素によって汚染された物の廃棄に関し，次に掲げる事項を記載し，これを1年ごとに閉鎖し，閉鎖後5年間保存しなければならない．
(1)　入手，使用又は廃棄の年月日
(2)　入手，使用又は廃棄に係る診療用放射線照射装置又は診療用放射線照射器具の型式及び個数
(3)　入手，使用又は廃棄に係る診療用放射線照射装置又は診療用放射線照射器具に装備する放射性同位元素の種類及びベクレル単位をもって表した数量
(4)　入手，使用若しくは廃棄に係る医療用放射性汚染物の種類及びベクレル単位をもって表した数量
(5)　使用した者の氏名又は廃棄に従事した者の氏名並びに廃棄の方法及び場所

(廃止後の措置)
第30条の24　病院又は診療所の管理者は，その病院又は診療所に診療用放射性同位元素又は陽電子断層撮影診療用放射性同位元素を備えなくなったときは，30日以内に次に掲げる措置を講じなければならない．
(1)　放射性同位元素による汚染を除去すること．
(2)　放射性同位元素によって汚染された物を譲渡し，又は廃棄すること．

(事故の場合の措置)
第30条の25　病院又は診療所の管理者は，地震，火災その他の災害又は盗難，紛失その他の事故により放射線障害が発生し，又は発生するおそれがある場合は，ただちにその旨を病院又は診療所の所在地を管轄する保健所，警察署，消防署その他関係機関に通報するとともに放射線障害の防止につとめなければならない．

第5節　限　度

(濃度限度等)
第30条の26　第30条の11第1項第2号イ及び同項第3号イに規定する濃度限度は，排液中若しくは排水中又は排気中若しくは空気中の放射性同位元素の3月間についての平均濃度が次に掲げる濃度とする．
(1)　放射性同位元素の種類（別表第3に掲げるものをいう．次号及び第3号において同じ．）が明らかで，かつ，1種類である場合にあっては，別表第3の第1欄に掲げる放射性同位元素の種類に応じて，排液中又は排水中の濃度については第3欄，排気中又は空気中の濃度については第4欄に掲げる濃度
(2)　放射性同位元素の種類が明らかで，かつ，排液中若しくは排水中又は排気中若しくは空気中にそれぞれ2種類以上の放射性同位元素がある場合にあっては，それらの放射性同位元素の濃度のそれぞれの放射性同位元素についての前号の濃度に対する割合の和が1となるようなそれらの放射性同位元素の濃度
(3)　放射性同位元素の種類が明らかでない場合にあっては，別表第3の第3欄又は第4欄に掲げる排液中若しくは排水中の濃度又は排気中若しくは空気中の濃度（それぞれ当該排液中若しくは排水中又は排気中若しくは空気中に含まれていないことが明らかである放射性物質の種類に係るものを除く．）のうち，最も低いもの
(4)　放射性同位元素の種類が明らかで，かつ，当該放射性同位元素の種類が別表第3に掲げられていない場合にあっては，別表第4の第1欄に掲げる放射性同位元素の区分に応じて排液中又は排水中の濃度については第3欄，排気中又は空気中の濃度については第4欄に掲げる濃度

2　第30条の11第1項第3号ロ及び第30条の18第1項第4号に規定する空気中の放射性同位元素の濃度限度は，1週間についての平均濃度が次に掲げる濃度とする．
(1)　放射性同位元素の種類（別表第3に掲げるものをいう．次号及び第3号において同じ．）が明らかで，かつ，1種類である場合にあっては，別表第3の第1欄に掲げる放射性同位元素の種類に応じて，第2欄に掲げる濃度
(2)　放射性同位元素の種類が明らかで，かつ，空気中に2種類以上の放射性同位元素がある場合にあっては，それらの放射性同位元素の濃度のそれぞれの放射性同位元素についての前号の濃度に対する割合の和が1となるようなそれらの放射性同位元素の濃度
(3)　放射性同位元素の種類が明らかでない場合にあっては，別表第3の第2欄に掲げる濃度（当該空気中に含まれていないことが明らかである放射性物質の種類に係るものを除く．）のうち，最も低いもの
(4)　放射性同位元素の種類が明らかで，かつ，当該放射性同位元素の種類が別表第3に掲げられていない場合にあっては，別表第4の第1欄に掲げる放射性同位元素の区分に応じてそれぞれ第2欄に掲げる濃度

3　管理区域に係る外部放射線の線量，空気中の放射性同位元素の濃度及び放射性同位元素によって汚染される物の

表面の放射性同位元素の密度は，次のとおりとする．
(1) 外部放射線の線量については，実効線量が3月間につき1.3ミリシーベルト
(2) 空気中の放射性同位元素の濃度については，3月間についての平均濃度が前項に規定する濃度の10の1
(3) 放射性同位元素によって汚染される物の表面の放射性同位元素の密度については，第6項に規定する密度の10分の1
(4) 第1号及び第2号の規定にかかわらず，外部放射線に被ばくするおそれがあり，かつ，空気中の放射性同位元素を吸入摂取するおそれがあるときは，実効線量の第1号に規定する線量に対する割合と空気中の放射性同位元素の濃度の第2号に規定する濃度に対する割合の和が1となるような実効線量及び空気中の放射性同位元素の濃度

4 第30条の17に規定する線量限度は，実効線量が3月間につき250マイクロシーベルトとする．

5 第1項及び前項の規定については，同時に外部放射線に被ばくするおそれがあり，又は空気中の放射性同位元素を吸入摂取し若しくは水中の放射性同位元素を経口摂取するおそれがあるときは，それぞれの濃度限度又は線量限度に対する割合の和が1となるようなその空気中若しくは水中の濃度又は線量をもって，その濃度限度又は線量限度とする．

6 第30条の18第1項第5号並びに第30条の20第1項第2号及び第3号に規定する表面密度限度は，別表第5の左欄に掲げる区分に応じてそれぞれ同表の右欄に掲げる密度とする．

(線量限度)
第30条の27 第30条の18第1項に規定する放射線診療従事者に係る実効線量限度は，次のとおりとする．ただし，放射線障害を防止するための緊急を要する作業に従事した放射線診療従事者等(女子については，妊娠する可能性がないと診断された者及び妊娠する意思がない旨を病院又は診療所の管理者に書面で申し出た者に限る．次項において「緊急放射線診療従事者等」という．)に係る実効線量限度は，100ミリシーベルトとする．
(1) 平成13年4月1日以後5年ごとに区分した各期間につき100ミリシーベルト
(2) 4月1日を始期とする1年間につき50ミリシーベルト
(3) 女子(妊娠する可能性がないと診断された者，妊娠する意思がない旨を病院又は診療所の管理者に書面で申し出た者及び次号に規定する者を除く．)については，前2号に規定するほか，4月1日，7月1日，10月1日及び1月1日を始期とする各3月間につき5ミリシーベルト
(4) 妊娠中である女子については，第1号及び第2号に規定するほか，本人の申出等により病院又は診療所の管理者が妊娠の事実を知った時から出産までの間につき，内部被ばくについて1ミリシーベルト

2 第30条の18第1項に規定する放射線診療従事者等に係る等価線量限度は，次のとおりとする．
(1) 眼の水晶体については，令和3年4月1日以後5年ごとに区分した各期間につき100ミリシーベルト，4月1日を始期とする1年間につき50ミリシーベルト(緊急放射線診療従事者等に係る眼の水晶体の等価線量限度は，300ミリシーベルト)
(2) 皮膚については，4月1日を始期とする1年間につき500ミリシーベルト(緊急放射線診療従事者等に係る皮膚の等価線量限度は，1シーベルト)
(3) 妊娠中である女子の腹部表面については，前項第4号に規定する期間につき2ミリシーベルト

附 則

(施行期日)
1 この省令は，平成13年4月1日から施行する．
(経過措置)
別表第1
―省略―
2 この省令による改正後の医療法施行規則第28条第1項第3号及び第30条の26第1項から第3項まで並びに別表第3及び別表第4の規定の適用については，これらの規定にかかわらず，平成15年3月31日までの間は，なお従前の例によることができる．
3 この省令の施行の際現に病院又は診療所に備えられているエックス線装置に対するこの省令による改正後の医療法施行規則第30条の規定の適用については，なお従前の例によることができる．

別表第2 (抜粋) 主な医療用核種の例

核種	化学形等	数量(Bq)	濃度(Bq/g)
^{3}H		1×10^9	1×10^6
^{11}C	一酸化物及び二酸化物	1×10^9	1×10^1
^{14}C	一酸化物及び二酸化物以外のもの	1×10^7	1×10^4
^{13}N		1×10^9	1×10^2
^{15}O		1×10^9	1×10^2
^{18}F		1×10^6	1×10^1
^{24}Na		1×10^5	1×10^1
^{32}P		1×10^5	1×10^3
^{35}S	蒸気以外のもの	1×10^8	1×10^5
^{47}Ca		1×10^6	1×10^1
^{51}Cr		1×10^7	1×10^3
^{59}Fe		1×10^6	1×10^1
^{57}Co		1×10^6	1×10^2
^{60}Co		1×10^5	1×10^1
^{67}Ga		1×10^6	1×10^2
^{68}Ga		1×10^5	1×10^1
^{68}Ge	放射平衡中の子孫核種を含む	1×10^5	1×10^1
^{81}Rb		1×10^6	1×10^1
^{89}Sr		1×10^6	1×10^3
^{90}Sr	放射平衡中の子孫核種を含む	1×10^4	1×10^2
^{90}Y		1×10^5	1×10^3
^{99}Mo		1×10^6	1×10^2
^{99m}Tc		1×10^7	1×10^2
^{111}In		1×10^6	1×10^2
^{123}I		1×10^7	1×10^2
^{125}I		1×10^6	1×10^3
^{131}I		1×10^6	1×10^2
^{133}Xe		1×10^4	1×10^3
^{137}Cs	放射平衡中の子孫核種を含む	1×10^4	1×10^1
^{192}Ir		1×10^4	1×10^1
^{198}Au		1×10^6	1×10^2
^{201}Tl		1×10^6	1×10^2
^{226}Ra	放射平衡中の子孫核種を含む	1×10^4	1×10^1

別表第3
―省略―
　空気中濃度限度，排液中又は排水中の濃度限度，排気中又は空気中の濃度限度を核種及び化学形毎に示しており各限度値は，RI等規制法告示別表第1と同じ

別表第4
―省略―
　放射性同位元素の種類が明らかで，かつ，当該放射性同位元素の種類が別表第3に掲げられていない場合の空気中濃度限度等を示しており，RI等規制法告示別表第2と同じ

別表第5　表面密度限度

区　　　　　分	密度（Bq/cm^2）
α線を放出する放射性同位元素	4
α線を放出しない放射性同位元素	40

関連事項

診療用放射線照射器具，診療用放射線同位元素をICU，CCUで使用する場合の防護措置，汚染防止措置

1　診療用放射線照射器具
（1）一時的に使用する間は，一時的な管理区域を設け，施行規則第30条の16に定める管理区域の基準を満たすこと．なお，使用に際しては医療法上の届出は不要であるが，RI等規制法の適用を受けることに留意すること．
（2）使用後の当該器具の紛失及び放置の有無の確認は，GMサーベイメータ等を用いて行い，結果をそのつど記録すること．
（3）集中強化治療室等における管理体制は，組織図を作成し責任体制を明確にすること．なお，責任者を選任する場合は，放射線科の医師や放射線取扱主任者免状を有する者等放射線の防護に対して相当の知識又は経験を有する者を充てること．

2　診療用放射性同位元素
（1）使用時に備えるべき測定器は，GMサーベイメータ等の放射線測定器及びスミア試験用濾紙である．使用後の汚染の有無の確認は，これらの測定器を用いて行い，結果をそのつど記録すること．
（2）汚染除去に必要な器材は，防護衣・ゴム又はポリエチレン製の手袋・ポリエチレンシート・ポリ袋・洗剤・ペーパータオル又はウエス等である．
（3）一時的に使用する間は，一時的な管理区域を設け，施行規則第30条の16に定める管理区域の基準を満たすこと．なお，このための届出は不要である．
（4）あくまで一時的に使用を認めるのであるから，ガンマカメラを恒常的に集中強化治療室等に装置することは認められない．
（5）集中強化治療室等における管理体制は，組織図を作成し責任体制を明確にすること．なお，責任者を選任する場合は，放射線科の医師や放射線取扱主任者免状を有する者等放射線の防護に対して相当の知識又は経験を有する者を充てること．

在宅医療におけるX線撮影の指針（抜すい）
在宅医療におけるエックス線撮影の適用
（1）対象患者
　適切な診療を行うためにエックス線撮影が必要であると医師（歯科医師を含む．以下同様）が認めた場合（エックス線診療室における撮影の方が，撮影から得られる情報の質の面，また，安全性の面からも望ましいことに留意すること）
（2）撮影の部位
　適切な診療を行うために，必要であると医師が認めた部位
（3）撮影方法
　エックス線撮影のみとし，透視は行わないこと．

在宅医療におけるエックス線撮影時の防護
（1）エックス線撮影に関する説明
　エックス線撮影を行う際には，患者，家族及び介助者に対し，個々のエックス線撮影状況に応じて，以下の内容について，分かりやすく説明を行う必要がある．
　ア　臨床上の判断から居宅におけるエックス線撮影が必要であること
　イ　放射線防護と安全に十分に配慮がなされていること
　ウ　また，安全確保のため，医師又は診療放射線技師の指示に従うべきこと
（2）エックス線撮影時の防護
　① 医療従事者の防護
　　ア　エックス線撮影装置を直接操作する医師又は診療放射線技師は，放射線診療従事者として登録し，個人被ばく線量計を着用すること．
　　イ　医療従事者が頻繁に患者の撮影時に身体を支える場合には，放射線診療従事者として登録し，個人被ばく線量計を着用すること
　　ウ　操作者は0.25ミリメートル鉛当量以上の防護衣を着用する等，防護に配慮すること
　　エ　操作者は，介助する医療従事者がエックス線撮影時に，患者の身体を支える場合には，0.25ミリメートル鉛当量以上の防護衣・防護手袋を着用させること
　　オ　エックス線撮影に必要な医療従事者以外は，エックス線管容器及び患者から2メートル以上離れて，エックス線撮影が終了するまで待機すること．また，2メートル以上離れることが出来ない場合には，防護衣（0.25ミリメートル鉛当量以上）等で，防護措置を講ずること
　② 家族・介助者及び公衆の防護
　　ア　患者の家族，介助者及び訪問者は，エックス線管容器及び患者から2メートル以上離れて，エックス線撮影が終了するまで待機させること．特に，子供及び妊婦は2メートル以上の距離のある場所に移動すること．
　　また，2メートル以上離れることが出来ない場合には，防護衣（0.25ミリメートル鉛当量以上）等で，防護措置を講ずること．
　　イ　患者の家族及び介助者がエックス線撮影時に患者の身体を支える場合には，0.25ミリメートル鉛当量以上の防護衣・防護手袋を着用させること．

23 診療放射線技師法（抄）

第1章 総則

（この法律の目的）
第1条　この法律は，診療放射線技師の資格を定めるとともに，その業務が適正に運用されるように規律し，もって医療及び公衆衛生の普及及び向上に寄与することを目的とする．

（定　義）
第2条　この法律で「放射線」とは，次に掲げる電磁波又は粒子線をいう．
1) アルファ線及びベータ線
2) ガンマ線
3) 100万電子ボルト以上のエネルギーを有する電子線
4) エックス線
5) その他政令で定める電磁波又は粒子線

2．この法律で「診療放射線技師」とは，厚生労働大臣の免許を受けて，医師又は歯科医師の指示の下に，放射線の人体に対する照射（撮影を含み，照射機器を人体内に挿入して行うものを除く．以下同じ．）をすることを業とする者をいう．

第2章 免許

（免　許）
第3条　診療放射線技師になろうとする者は，診療放射線技師試験（以下「試験」という．）に合格し，厚生労働大臣の免許を受けなければならない．

（欠格事由）
第4条　次に掲げる者には，前条の規定による免許（第20条第2号を除く，以下「免許」という．）を与えないことがある．
1) 心身の障害により診療放射線技師の業務（第24条の2各号に掲げる業務を含む．同条及び第26条第2項を除く，以下同じ．）を適正に行うことができない者として厚生労働省令で定めるもの
2) 診療放射線技師の業務に関して犯罪又は不正の行為があった者

（登　録）
第5条　免許は，試験に合格した者の申請により診療放射線技師籍に登録することによって行う．

（意見の聴取）
第6条　厚生労働大臣は，免許を申請した者について，第4条第1号に掲げる者に該当すると認め，同条の規定により免許を与えないこととするときは，あらかじめ，当該申請者にその旨を通知し，その求めがあったときは，厚生労働大臣の指定する職員にその意見を聴取させなければならない．

（診療放射線技師籍）
第7条　厚生労働省に診療放射線技師籍を備え，診療放射線技師の免許に関する事項を登録する．

（免許証）
第8条　厚生労働大臣は，免許を与えたときは，診療放射線技師免許証（以下「免許証」という）を交付する．

2．厚生労働大臣は，免許証を失い，又は破損した者に対して，その申請により免許証の再交付をすることができる．

3．前項の規定により，免許証の再交付を受けた後，失った免許証を発見したときは，旧免許証を10日以内に，厚生労働大臣に返納しなければならない．

（免許の取消し及び業務の停止）
第9条　診療放射線技師が第4条各号のいずれかに該当するに至ったときは，厚生労働大臣は，その免許を取り消し，又は期間を定めてその業務の停止を命ずることができる．

2．都道府県知事は，診療放射線技師について前項の処分が行われる必要があると認めるときは，その旨を厚生労働大臣に具申しなければならない．

3．第1項の規定により取消処分を受けた者であっても，その者がその取消しの理由となった事項に該当しなくなったとき，その他その後の事情により再び免許を与えるのが適当であると認められるに至ったとき，再免許を与えることができる．

（聴聞等の方法の特例）
第10条　前条第1項の規定による処分に係る行政手続法（平成5年法律第88号）第15条第1項又は第30条の通知は，聴聞の期日又は弁明を記載した書面の提出期限（口頭による弁明の機会の付与を行う場合には，その日時）2週間前までにしなければならない．

（免許証の返納）
第11条　免許を取り消された者は，10日以内に，免許証を厚生労働大臣に返納しなければならない．

第12条　から第15条まで　削除

（政令への委任）
第16条　この章に規定するもののほか，免許の申請，免許証の交付，書換え交付，再交付及び返納並びに診療放射線技師籍の登録，訂正及び削除に関して必要な事項は，政令で定める．

第3章 試験

（試験の目的）
第17条　試験は，診療放射線技師として必要な知識及び技能について行う．

（試験の実施）
第18条　試験は厚生労働大臣が行う．

（試験委員）
第19条　試験の問題の作成，採点その他試験の実施に関して必要な事項をつかさどらせるため，厚生労働省に診療放射線技師試験委員（以下「試験委員」という．）を置く．

2．試験委員は，診療放射線技師の業務に関し学識経験のある者のうちから，厚生労働大臣が任命する．

3．前2項に定めるもののほか，試験委員に関し必要な事項は，政令で定める．

（受験資格）
第20条　試験は，次の各号のいずれかに該当する者でなければ受けることができない．
1) 学校教育法（昭和22年法律第26号）第56条第1項の規定により大学に入学することができる者（この号の規定により文部科学大臣の指定した学校が大学である場合において，当該大学が同条第2項の規定により当該大学に入学させた者を含む．）で，文部科学大臣が指定した学校又は厚生労働大臣が指定した診療放射線技師養成所において，3年以上診療放射線技師として必要な知識及び技能の修習を終えたもの
2) 外国の診療放射線技術に関する学校若しくは養成所を卒業し，又は外国で第3条の規定による免許に相当する免許を受けた者で，厚生労働大臣が前号に掲げる者と同等以上の学力及び技能を有するものと認めたもの

(不正行為の禁止)
第21条　試験委員その他試験に関する事務をつかさどる者は，その事務の施行に当たって厳正を保持し，不正の行為がないようにしなければならない．
　2．試験に関して不正行為があった場合には，その不正行為に関係のある者についてその受験を停止させ，又はその試験を無効とすることができる．この場合においては，なお，その者について期間を定めて，試験を受けることを許さないことができる．

(試験手数料)
第22条　試験を受けようとする者は，省令の定めるところにより，試験手数料を納めなければならない．

(政令及び厚生労働省令への委任)
第23条　この章に規定するもののほか，第20条第1号の学校又は診療放射線技師養成所の指定に関し必要な事項は政令で，試験の科目，受験手続その他試験に関し必要な事項は厚生労働省令で定める．

第4章　業務等

(禁止行為)
第24条　医師，歯科医師又は診療放射線技師でなければ，第2条第2項に規定する業をしてはならない．

(画像診断装置を用いた検査の業務)
第24条の2　診療放射線技師は，第2条第2項の規定する業務のほか，保健婦助産婦看護婦法(昭和23年法律第203号)第31条第1項及び第32条の規定にかかわらず，診療の補助として，次に掲げる行為を行うことを業とすることができる．
　1)　磁気共鳴画像診断装置，超音波診断装置その他の画像による診断を行うための装置であって政令で定めるものを用いた検査(医師又は歯科医師の指示の下に行うものに限る)を行うこと．
　2)　第2条第2項に規定する業務又は前号に規定する検査に関連する行為として厚生労働省令で定めるもの(医師又は歯科医師の具体的な指示を受けて行うものに限る.)を行うこと．

(名称の禁止)
第25条　診療放射線技師でなければ，診療放射線技師という名称又はこれに紛らわしい名称を用いてはならない．

(業務上の制限)
第26条　診療放射線技師は，医師又は歯科医師の具体的な指示を受けなければ，放射線の人体に対する照射してはならない．
　2．診療放射線技師は，病院又は診療所以外の場所においてその業務を行ってはならない．ただし，次に掲げる場合は，この限りでない．
　1)　医師又は歯科医師が診察した患者について，その医師又は歯科医師の指示を受け，出張して100万電子ボルト未満のエネルギーを有するエックス線を照射する場合
　2)　多数の者の健康診断を一時に行う場合において，胸部エックス線検査(コンピュータ断層撮影装置を用いた検査を除く.)その他の厚生労働省令で定める検査のため百万電子ボルト未満のエネルギーを有するエックス線を照射するとき．
　3)　多数の者の健康診断を一時に行う場合において，医師又は歯科医師の立会いの下に百万電子ボルト未満のエネルギーを有するエックス線を照射するとき(前号に掲げる場合を除く)．
　4)　医師又は歯科医師が診察した患者について，その医師又は歯科医師の指示を受け，出張して超音波診断装置その他の画像により診断を行うための装置であって厚生労働省令で定めるものを用いた検査を行うとき．

(他の医療関係者との連携)
第27条　診療放射線技師は，その業務を行うに当たっては，医師その他の医療関係者との緊密な連携を図り，適正な医療の確保に努めなければならない．

(照射録)
第28条　診療放射線技師は放射線の人体に対する照射したときは，遅滞なく厚生労働省令で定める事項を記載した照射録を作成し，その照射について指示をした医師又は歯科医師の署名を受けなければならない．
　2．厚生労働大臣又は都道府県知事は，必要があると認めるときは，前項の照射録を提出させ，又は当該職員に照射録を検査させることができる．
　3．前項の規定によって検査に従事する職員は，その身分を証明する証票を携帯し，かつ関係人の請求があるときは，これを呈示しなければならない．

(秘密を守る義務)
第29条　診療放射線技師は，正当な理由がなく，その業務上知り得た人の秘密を漏らしてはならない．診療放射線技師でなくなった後においても，同様とする．

(権限の委任)
第29条の2　この法律に規定する厚生労働大臣の権限は，厚生労働省令で定めるところにより，地方厚生局長に委任することができる．
　2．前項の規定により地方厚生局長に委任された権限は，厚生労働省令で定めるところにより，地方厚生支局長に委任することができる．

(経過措置)
第30条　この法律の規定に基づき命令を制定し，又は改廃する場合においては，その命令でその制定又は改廃に伴い合理的に必要と判断される範囲内において，所要の経過措置(罰則に関する経過措置を含む)を定めることができる．

第5章　罰則

第31条　次の各号のいずれかに該当する者は，1年以下の懲役若しくは500,000円以下の罰金に処し，又はこれを併科する．
　1)　第24条の規定に違反した者
　2)　虚偽又は不正の事実に基づいて免許を受けた者

第32条　第21条第1項の規定に違反して，故意若しくは重大な過失により事前に試験問題を漏らし，又は故意に不正の採点をした者は，1年以下の懲役又は500,000円以下の罰金に処する．

第33条　第9条第1項の規定により業務の停止を命じられた者で，当該停止を命ぜられた期間中に，業務を行ったものは，6月以下の懲役若しくは300,000円以下の罰金に処し，又はこれを併科する．

第34条　第26条第1項又は第2項の規定に違反した者は，6月以下の懲役若しくは300,000円以下の罰金に処し，又はこれを併科する．

第35条　第29条の規定に違反して，業務上知り得た人の秘密を漏らした者は，500,000円以下の罰金に処する．
　2．前項の罪は，告訴がなければ公訴を提起することができない．

第36条　第25条の規定に違反した者は，300,000円以下の罰金に処する．

第37条　次の各号のいずれかに該当する者は，200,000円以

下の過料に処する．
1) 第11条の規定に違反した者
2) 第28条第1項の規定に違反した者

●診療放射線技師法施行令（抜すい）

(電磁波又は粒子線)
第1条　診療放射線技師法（以下「法」という）第2条第1項第5号の政令で定める電磁波又は粒子線は，次のとおりとする．
(1)　陽子線及び重イオン線
(2)　中性子線

(免許の申請)
第1条の2　診療放射線技師の免許を受けようとする者は，申請書に厚生労働省令で定める書類を添え，住所地の都道府県知事を経由して，これを厚生労働大臣に提出しなければならない．

(籍の登録事項)
第1条の3　診療放射線技師籍には，次に掲げる事項を登録する．
(1)　登録番号及び登録年月日
(2)　本籍地都道府県名（日本の国籍を有しない者については，その国籍），氏名，生年月日及び性別
(3)　診療放射線技師国家試験合格の年月
(4)　免許の取消し又は業務の停止の処分に関する事項
(5)　前各号に掲げるもののほか，厚生労働大臣の定める事項

(登録事項の変更)
第1条の4　診療放射線技師は，前条第2号の登録事項に変更を生じたときは，30日以内に，診療放射線技師籍の訂正を申請しなければならない．
2　前項の申請をするには，申請書に申請の原因たる事実を証する書類を添え，住所地の都道府県知事を経由して，これを厚生労働大臣に提出しなければならない．

(登録の消除)
第2条　診療放射線技師籍の登録の消除を申請するには，申請書に診療放射線技師免許証（以下「免許証」という．）を添え，住所地の都道府県知事を経由して，これを厚生労働大臣に提出しなければならない．
2　診療放射線技師が死亡し，又は失そうの宣告を受けたときは，戸籍法（昭和22年法律第224号）による死亡又は失そうの届出義務者は，30日以内に，診療放射線技師籍の登録の消除を申請しなければならない．

(免許証の書換え交付)
第3条　診療放射線技師は，免許証の記載事項に変更を生じたときは，免許証の書換え交付を申請することができる．
2　前項の申請をするには，申請書に免許証を添え，住所地の都道府県知事を経由して，これを厚生労働大臣に提出しなければならない．

(免許証の再交付の申請)
第4条　免許証の再交付を受けようとする者は，住所地の都道府県知事を経由して，申請書を厚生労働大臣に提出しなければならない．
2　前項の申請をする場合には，厚生労働大臣の定める額の手数料を納めなければならない．
3　免許証を破り，又は汚した診療放射線技師が第1項の申請をする場合には，申請書にその免許証を添えなければならない．

(画像診断装置)
第17条　法24条の2第1号の政令で定める装置は，次に掲げる装置とする

1　磁気共鳴画像診断装置
2　超音波診断装置
3　眼底写真撮影装置（散瞳薬を投与した者の眼底を撮影するためのものを除く）
4　核医学診断装置

●診療放射線技師法施行規則（抜すい）

第1章　免　許

(法第4条第1号の厚生労働省令で定める者)
第1条　診療放射線技師法（昭和26年法律第226号以下「法」という．）第4条第1号の厚生労働省令で定める者は，視覚，聴覚，音声機能若しくは言語機能又は精神の機能の障害により診療放射線技師の業務を適正に行うにあたって必要な認知，判断及び意思疎通を適切に行うことができない者とする．

(障害を補う手段等の考慮)
第1条の2　厚生労働大臣は，診療放射線技師の免許の申請を行った者が前条に規定する者に該当すると認める場合において，当該者に免許を与えるかどうかを決定するときは，当該者が現に利用している障害を補う手段又は当該者が現に受けている治療等により障害が補われ，又は障害の程度が軽減している状況を考慮しなければならない．

(免許の申請手続)
第1条の3　診療放射線技師法施行令（昭和28年政令第385号．以下「令」という．）第1条の診療放射線技師の免許の申請書は，第1号書式によるものとする．
2　令第1条の規定により，前項の申請書に添えなければならない書類は，次のとおりとする．
(1)　戸籍謄本又は戸籍抄本
(2)　視覚，聴覚，音声機能若しくは言語機能若しくは精神の機能の障害に関する医師の診断書

(籍の登録事項)
第2条　令第1条の2第5号の規定により，同条第1号から第4号までに掲げる事項以外で診療放射線技師籍に登録する事項は，次のとおりとする．
(1)　再免許の場合には，その旨
(2)　免許証を書換え交付し又は再交付した場合には，その旨並びにその理由及び年月日
(3)　登録の消除をした場合には，その旨並びにその理由及び年月日

(診療放射線技師籍の訂正の申請手続)
第3条　令第1条の4第2項の診療放射線技師籍の訂正申請書は，第1号書式の2によるものとする．
2　前項の申請には，戸籍の謄本又は抄本を添えなければならない．

(試験の公告)
第9条　診療放射線技師試験（以下「試験」という．）を施行する期日及び場所並びに受験願書の提出期限は，あらかじめ官報で公告する．

(試験科目)
第10条　試験科目は次のとおりとする．
1　基礎医学大要
2　放射線生物学（放射線衛生学を含む）
3　放射線物理学
4　放射化学
5　医用工学
6　診療画像機器学
7　エックス線撮影技術学
8　診療画像検査学

9　画像工学
　10　医用画像情報学
　11　放射線計測学
　12　核医学検査技術学
　13　放射線治療技術学
　14　放射線安全管理学
(受験の手続)
第11条　試験を受けようとする者は，受験願書（第3号書式）に次の書類を添えて，これを厚生労働大臣に提出しなければならない．
　1　法第20条第1号に該当するものである，修業証明書又は卒業証明書．
　2　法第20条2号に該当するものであるときは，外国の診療放射線技術に関する学校若しくは養成所を卒業し，又は外国で診療放射線技師免許に相当する免許を受けたことを証する書面
　3　写真（出願前6か月以内に脱帽して正面から撮影した縦6cm 横4cmのもので，その裏面には撮影年月日及び氏名を記載すること．
(法24条の2第2号の厚生労働省で定める行為)
第15条の2　法24条の2第2号の厚生労働省で定める行為は，次に掲げるものとする．
　1　静脈路に造影剤注入装置を接続する行為，造影剤を投与するために当該造影剤注入装置を操作する行為並びに当該造影剤の投与が終了した後に抜針及び止血を行う行為．
　2　動脈路に造影剤注入装置を接続する行為（動脈路確保のためのものを除く）及び造影剤を投与するために当該造影剤注入装置を操作する行為．

　3　核医学検査の為に静脈路に放射性医薬品を投与するための装置を接続する行為，当該放射性医薬品を投与するために当該装置を操作する行為並びに当該放射性医薬品の投与が終了した後に抜針及び止血を行う行為．
　4　下部消化管検査の為に肛門からカテーテルを挿入する行為，当該カテーテルから造影剤及び空気を注入する行為並びに当該カテーテルから造影剤及び空気を吸引する行為．
　5．画像誘導放射線治療のために肛門にカテーテルを挿入する行為及び当該カテーテルから空気を吸引する行為．
　6　上部消化管検査のために鼻腔に挿入されたカテーテルから造影剤を注入する行為及び当該造影剤の注入が終了した後に当該カテーテルを抜去する行為．
(法26条第2項第2号の厚生労働省令で定める検査)
第15条の3　法26条第2項第2号の厚生労働省令で定める検査は，胸部X線検査とする（コンピュータ断層撮影装置を用いたものを除く）マンモグラフィ検査とする．
(法第26条第2項第4号の厚生労働省令で定める装置)
第15条の4　法第26条第2項第4号の厚生労働省令で定める装置は，超音波診断装置とする．
(照射録)
第16条　法第28条第1項に規定する厚生労働省令で定める事項は，次のとおりとする．
　1　照射を受けた者の氏名，性別及び年齢
　2　照射の年月日
　3　照射の方法（具体的にかつ精細に記載すること）
　4　指示を受けた医師または歯科医師の氏名及びその指示の内容

日本語索引

あ

アーチファクト	205, 280, 298
アイソトープ誘導体法	139
アイソトロピックボクセル	202
アウトレット撮影	231
アキシャルスキャン	205
亜急性甲状腺炎	53
アキレス腱	16
アクシデント	466
悪性腫瘍の治療法	413
悪性貧血	33, 56
悪性リンパ腫	56, 453
悪玉コレステロール	61
アクチニウム系列	107
アクチノウラン	124
アクチバブルトレーサー	140
アクチン	14
アクティブ磁気シールド	269
アコースティックウインドウ	299
亜酸化窒素	349
アスタチン	124
アスベスト	26, 60
アセチルコリン	33
亜致死損傷回復	81, 82, 91
圧電気	149
圧電素子	165
圧力効果	311
アドミタンス	157
アドレナリン	50
アナフィラキシーショック	57, 59, 468, 470
アナログ-デジタル変換回路	171
アナログ画像信号	312
アニマルカウンタ	385
アブミ骨	10
アブレーション	53
アボガドロの法則	99
アポトーシス	79
アラームメータ	365
アラゴの円板	154
アリルジグリコールカーボネイト	364
アルツハイマー病	2, 7
アルドステロン	50
アルドステロン症	49
アルバート効果	311
アルファ線	513
アルファ粒子	126
アルベド線量計	361
アレルギー	57
アレルギー反応	468
アンガー形カメラ	377
アンシャープマスキング	325
アンペア	142
暗流X線	181

い

胃	33
イオン交換樹脂	131
イオン交換法	131
イオン再結合補正係数	344
胃潰瘍	34, 251
胃癌	34, 62, 251
肉眼分類	250
医事会計システム	333
意識障害の程度	472
異所性胃粘膜シンチグラフィ	35
異所性妊娠	48
位相	155
位相エンコード傾斜磁場	268, 271
位相エンコードステップ	272
位相差法	278
1アンペアの定義	142
位置決め	284
位置決め画像	283
一次救命処置	471
1秒率	23
1秒量	23
位置不変性	319
1門照射法	446
遺伝子突然変異	77
移動グリッド	216
胃透視斜位像	251
移動平均フィルタ	324
胃の解剖	248
イメージングプレート	140, 195, 216, 314
医用X線装置	176
医用画像保存・通信システム	333
医用工学	141
医用電気機器	172
医療安全	466
医療安全管理学	465
医療機器安全管理責任者	494
医療事故	466
医療情報学	327
医療ソーシャルワーカー	63
医療廃棄物	510
医療被ばく	472, 507
医療被ばく研究情報ネットワーク	507
医療法施行規則	519
医療用放射性同位元素	129
医療用粒子線加速器	457
医療倫理	210, 412
イレウス	35, 36
印加電圧	351
陰極	178
陰茎海綿体	45
インジウム	361
インジウムペンテトレオチド	403
インジェクタ	270
インシデント	466
インスリン	50
陰性造影剤	282
インターベンショナルラジオロジー	210, 256
インダクタンス	142
インタフェース	331
咽頭	32
咽頭がん	449
院内感染	58
インバージョンリカバリー	276
インバータ	171
インバータ式	184, 187
インバータ式X線装置	186
インバータ式X線高電圧装置	176
インフォームド・コンセント	210
インレット撮影	231

う

ウィナースペクトル	321, 322
ウィラール効果	311
ウィリス動脈輪	5
ウイルキンソン方式	353
ウイルツバッハ法	140
ウィルヒョー転移	34
ウィルムス腫瘍	453
ウインド幅	203, 353
ウェーバ	142
ウェッジ・フィルタ	432
ウェルカウンタ	385
ウェル型シンチレーションカウンタ	385
ウェル形電離箱	359
ウェルニッケ言語中枢	2
右心室	27
右心房	27
渦電流	154, 270, 271
ウラン系列	107
運動エネルギー	109
運動グリッド	216
運動照射法	447

え

永久磁石	269
永久挿入用線源	435
エイズ	59
衛生学	64
映像分配器	194
永続平衡	130
疫学	64
液晶ディスプレイ	331
液晶ディスプレイ装置	317
液体シンチレーションカウンタ	354, 385
液体シンチレーション計数法	359
液体シンチレータ	353, 387
液体廃棄物処理法	510
液体抑制反転回復法	276
エコー時間	274
エコー信号の形成	272
エコー信号の検出	268
エコートレインレングス	275
エコープラナーイメージング法	276
エコノミークラス症候群	26, 31
エサキダイオード	162
エスケープピーク	357
エストロゲン	45, 50
エッジ応答関数	318
エッジ強調フィルタ	325
エッジ法	319
エッジレスポンス	318
エッチピット法	364
エネルギー依存性	502
エネルギー依存性補正係数	344
エネルギースペクトルの測定	358
エネルギーフルエンス	338
エネルギー分解能	357, 379
エピネフリン注射	11
エミッション特性	181
エミッタ接地回路	164
エラストグラフィ	296
エリアシング	312
エリアシングエラー	320
エリスロポエチン	50
遠隔画像診断	333
塩化タリウム	403
塩化マンガン四水和物	282
円形加速器	426
演算増幅器	166
炎症	58
炎症性腸疾患	36
延髄	4

お

黄色肉芽腫性胆囊炎	40
黄色ブドウ球菌	66
黄体形成ホルモン	50
黄疸	38, 39
横断面	214
応答（時間）特性	192
オージェ効果	111
オージェ収率	111
オージェ電子	111
オーダエントリシステム	333
オートウェルガンマカウンタ	385
オートウェルシンチレーションカウンタ	385
オートラジオグラフィ	140, 385
オーバーオール特性曲線	316
オーバースキャニング	202
オーム	142
オームの法則	143
オキシトシン	50
オシロスコープ	173
汚染	509
汚染除去法	509
折り返しアーチファクト	280
オルソパントモグラフィー装置	197
音響インピーダンス	98, 293
音速	98
温度気圧補正係数	344
温度係数	142
温熱療法	93, 421

か

カー効果	174
カーマ	338
カーマ因子	338
臥位	213
ガイガー・ヌッタルの法則	103
外眼角耳孔線	214
外旋	213
外挿形電離箱	345
解像度	194
外挿飛程	118
外側溝	2
外鼠径ヘルニア	35
階調処理	324
外転	213
回転 IMRT	427
回転照射法	447
外転神経	10
回転中心のズレ	381
回転陽極	189
海馬	2
回復	91
外部照射術式と線量分布	446
外部放射線測定器	366
外部放射線の線量率の測定	502
壊変系列	107
壊変定数	106, 340
下咽頭がん	449
カウアンドミルクシステム	130
ガウシャンフィルタ	324
ガウス分布	362
下顎骨斜位撮影	223
化学シフト	276, 280
化学線量計	346, 349

化学的合成法	136	画像処理表示装置	270	眼窩撮影	226
化学毒性	468	画像の伝送保存	334	眼窩耳孔線	214
化学放射線療法	419, 448	画像歪	379	眼窩正面撮影	226
化学療法併用放射線治療	417	画像表示モード	296	眼窩吹き抜け骨折	13
蝸牛	10	画像誘導支援システム	429	眼球運動	10
核	74	画像誘導放射線治療	428	環境の管理	502
核医学検査	371, 388	加速器中性子照射システム	460	肝血管腫	39
核医学検査技術学	371	加速多分割照射法	92, 422	間欠効果	311
核医学検査従事者	372	加速分割照射法	92	癌検診	62
核医学検査の DRL	508	架台	200	肝硬変	39
核医学測定装置	377, 380	下腿骨正面撮影	239	寛骨臼	19
核医学治療	408	下腿骨側面撮影	239	肝細胞癌	39, 257
核医学データ解析	388	滑液	19	間質性肺炎	25
核異性体	104	喀血	26	患者位置決め制度	205
核異性体転移	104	滑車神経	10	患者の医療被ばく	475
顎下腺	32	褐色細胞腫	402	患者の管理	464
顎関節側面撮影	224	活性化物質	352	患者の入院制限	491
拡散強調 MRI	284	活性炭エアフィルタ	516	患者の被ばく防止	492
拡散強調画像	278, 285	滑膜	19	患者への照射	445
拡散光濃度計	316	カテコールアミン	50	患者への説明と同意	444
拡散性薬剤	390	荷電粒子	128	患者保護	210
拡散テンソル画像	279	荷電粒子放出	120	患者用寝台	270
核磁気共鳴現象	266	可動コイル形計器	173	肝受容体シンチグラフィ	398
核種	102	可動絞り	217	干渉性散乱	113
拡大撮影	212	可動鉄片形計器	173	冠状面	214
拡張型心筋症	29	ガドキセト酸ナトリウム	282	肝腎コントラスト	39
確定的影響	87	過渡現象	160	肝シンチグラフィ	398
角度計	216	過渡平衡	130	関心領域	388
核反応断面積	127	カドミウム	361	肝性昏睡	39
核反応微分断面積	120	ガドリニウム製剤	469	肝性脳症	39
核分裂	120, 121, 126	ガドリニウム造影剤	471	間接撮影	212
核分裂計数管	361	可搬型媒体	334	間接撮影用 X 線装置	482
核分裂片	108	可搬メディア	334	間接作用	72
核崩壊のランダム現象	362	ガフクロミックフィルム	346	関節シンチグラフィ	401
核融合	121	下部消化管検査	252	間接電離放射線	70
確率的影響	87	寡分割照射法	92, 422	関節の構造	19
重ね合わせ積分	319	過分割照射法	92	関節包	19
加算回数	283	可変容量ダイオード	162	関節リウマチ	21
下肢静脈瘤	31	カメレオンサイン	39	感染	58
加重平均フィルタ	324	可用性	335	感染症	65
ガスクロマトグラフィー	133	ガラスバルブ	178	完全性	335
ガス増幅	351	カルシトニン	50	感染予防	372
ガス増幅率	351	カロリメータ	346	乾燥	308
ガストリン	33, 50	川崎病	59	肝臓	37
ガスフローカウンタ	385	癌	60	肝胆道シンチグラフィ	399
画素	203, 312	統計	414	環椎，軸椎正面撮影	228
画像間演算	325	癌遺伝子	60, 94	眼底カメラ	302
画像工学	303	眼窩	12	眼底検査法	301
画像再構成法	203, 381	眼窩下縁線	214	眼底撮影	301

管電圧	211	基節骨	15	強制選択肢法	323
調整	187	基数変換	328	胸腺	23, 54
管電圧制御	187	気体電離	341	強調係数	326
管電圧調整法	184	気体廃棄物処理法	510	強直性脊椎炎	14
管電圧特性	192	起電力の方向	153	共沈剤	131
管電圧波形	185, 189	軌道電子	99, 101	共沈法	131
管電圧リプル百分率	189	軌道電子捕獲	104	胸椎	9, 13
管電流	211	キヌタ骨	10	胸椎正面撮影	228
調整	187	機密性	335	胸椎側面撮影	228
管電流遮断特性	181	逆希釈分析法	139	強度スケール法	317
管電流特性	181	逆行性腎盂造影	254	頬粘膜がん	449
冠動脈	28	逆行性尿道造影	254	胸部CT	261
肝動脈造影下CT	262	逆電流	183	胸部正面撮影	218
感度の測定	379	逆同時計数回路	353	胸部側臥位正面撮影	219
ガントリ	200	逆流性食道炎	33	胸部側面撮影	218
カンピロバクター	66	キャリアガス	133	胸部第1斜位撮影	219
肝不全	39	キャリブレーション	196	胸部第2斜位撮影	219
ガンマカウンタ	385	救急疾患の治療	470	共鳴周波数	266
ガンマカメラ	377	吸収線量	71, 338, 369, 474	鏡面現象	298
ガンマカメラ回転型SPECT装置	380	測定	345	局所脳血流量の測定	390
ガンマ線	513	吸収線量測定器	346	極性効果補正係数	344
ガンマナイフ	428	吸収線量とカーマの関係	339	虚血性心疾患	28
ガンマプローブ	386	嗅神経	10	虚血性腸炎	36
ガンマユニット	428	急性炎症	58	距離の逆二乗則	116
顔面神経	10	急性肝炎	39	ギランバレー症候群	8
顔面頭蓋	12	急性硬膜外血腫	6	キルヒホッフの法則	144
がん抑制遺伝子	60, 94	急性硬膜下血腫	6	筋萎縮性側索硬化症	9
管理区域	491	急性骨髄性白血病	56	均一標識化合物	137
管理区域内の測定	372	急性障害	462	緊急時被ばく状況	475
灌流MRI	284	急性腎炎	44	均等度	356
灌流強調画像	279	急性膵炎	41	筋肉	14
緩和現象	267	急性胆嚢炎	39		
緩和照射	418	急性虫垂炎	36	**く**	
		急性反応	464		
き		急性腹症	40	クアドラチャコイル	270
		吸熱反応	120	空間周波数	312
記憶装置	331	キュリーメータ	359	空間周波数フィルタリング	324, 325
気管	22	橋	4, 5		
帰還	167	教育訓練	497	空間前飽和パルス	286
器官形成期	48	境界領域	341	空間的プレサチュレーション	277
気管支喘息	26	胸郭単純撮影	232	空間フィルタ	324, 325
気胸	25	胸骨	14	空間フィルタリング	324
希釈効果	72	胸骨角	14	空間分解能	204, 379
偽写真効果	311	頬骨弓軸位撮影	224	空間分解能補正	381
気腫性囊胞	25	頬骨正面撮影	224	空気カーマ	338
基準線	284	胸骨側面撮影	232	空気カーマ率定数	340
起磁力	151	共振形インバータ	185	空気感染	58
輝尽性蛍光板	195	共振周波数	157	空気中濃度測定器	367
		狭心症	28	空気等価物質	342

空洞電離箱	341			血栓溶解療法	6
空乏層	355	**け**		血尿	43
クーロン	142			血友病	56
法則	148, 150	計画被ばく状況	475	解毒作用	38
クーロン障壁	128	計画標的体積	431	ケミカルシフト	280
クーロン定数	99	経カテーテル塞栓術	256	ケルビン・ダブルブリッジ	146
クエン酸ガリウム	403	経カテーテル動脈化学塞栓術	257	ケロイド	454
クエン酸鉄アンモニウム	282	蛍光ガラス線量計	347, 363	肩関節	19
クエンチング	271, 354	経口感染	58	肩関節軸位撮影	234
クエンチングガス	350	経口消化管造影剤	282	肩関節正面撮影	234
クエンチングへの対応	292	脛骨	16, 20	肩関節スカプラY撮影	235
矩形波チャート法	318, 320	憩室炎	36	肩関節造影	255
矩形波発生回路	168	傾斜磁場	271	肩甲骨軸位撮影	233
くさび係数	442	傾斜磁場コイル	270, 271	肩甲骨正面撮影	233
屈曲	214	計数回路	353	健康診断	496, 499, 506
クッシング症候群	49	計数の統計処理	362	言語聴覚士	63
クノー分類	37	計数の標準偏差	362	肩鎖関節撮影	233
くも膜	4	計数率	370	原子	99
くも膜下出血	4, 6	計数率特性	351, 379	原子核	99, 102
クライデン効果	311	計数率の標準偏差	362	原子核壊変	105
グライナッヘル回路	186	計測時間	370	原子核反応	126
グラジェント	316	頸椎	9, 13	原子質量単位	102
グラディエントエコーの形成	273	頸椎斜位撮影	227	原子衝突断面積	115
グラディエントエコー法	276	頸椎正面撮影	227	原子断面積	127
クリアランス法	389	頸椎側面撮影	227	原子番号	99, 126
繰り返し時間	274	経動脈性門脈造影下CT	262	減弱曲線	356
グリッド	216	経皮経肝胆管ドレナージ	259	減弱補正	381
種類	211	経皮胆道造影	253	剣状突起	14
グリッド付パルス電離箱	358	経皮的冠動脈インターベンション		原子炉	119
クリッパ回路	168		258, 259	元素	124
クリニカルパス	63	脛腓方向	214	現像液	307, 308
グリニャール試薬	136	警報計	365	検像システム	335
グルカゴン	50	警報装置	498	現像主薬	307
クルッケンベルグ腫瘍	34, 47	ゲイン	298	現像処理	307
グレースケール標準表示関数	317	ゲート	164	現像促進剤	307
グレースケールモニタ表示状態		血液	54	元素の周期表	125
	334	血液凝固	55	現存被ばく状況	475
グレーティングローブ	299	血液脳関門	5	原体照射法	427, 447
クレチン症	52, 53	血管外漏出	468	原発性骨腫瘍	18
グレッツ結線	183	血管形成術	256	原発性脳腫瘍	7
クロイツフェルト・ヤコブ病	59	血管性認知症	7	顕微鏡的血尿	43
グロー曲線	348	血管造影	256		
グローの発生	181	血管内投与造影剤	282	**こ**	
クロスグリッド	216	結合エネルギー	102		
クロストーク	280	結合係数	154	コイル	286
クロマトグラフィー	133	月状骨	15	コイルチャンネル	278
クロラミンT法	137	血小板	54	コイルに働く電磁力	152
クロロホルム-BCP	349	結節性甲状腺中毒症	53	高LET放射線	424
		血栓シンチグラフィ	402	高圧テトロード管	184

541

高エネルギーX線	424, 438	校正点吸収線量	345	骨シンチグラフィ	401
出力線量	439	高精度照射法	447	骨髄	54, 84
治療	426	高精度放射線治療	427	骨髄炎	18
高エネルギー光子線	345	高性能フィルタ	516	骨髄シンチグラフィ	401
高エネルギー電子線	346, 438	高線量率腔内照射装置	435	骨折	17
出力線量	440	高線量率小線源治療	440	骨粗鬆症	12, 18
治療	426	高速スピンエコー法	275	骨肉腫	18
治療装置	424	光速度	148	骨盤	19
光学伝達関数	318	後大脳動脈	5	骨盤計測	244
光学濃度	316	高電圧回路	183	骨盤斜位撮影	230
睾丸	45	高電圧整流器	182	骨盤正面撮影	230
抗がん剤	94	高電圧発生装置	182, 199	骨盤の骨	15
種類	419	高電圧変圧器	182	骨密度測定装置	206
交感神経	11	光電効果	112	固定具	216
口腔	32	光電子増倍管	353, 378	固定照射法	446
口腔底がん	449	後天性免疫不全症候群	59	古典散乱	113
口腔内がん	448	光電ピーク	357	コバルト管	435
口腔粘膜	464	喉頭癌	32, 449	コバルト針	435
高血圧	61	後頭葉	2	コヒーレント散乱	113
膠原病	57	後腹膜臓器	35	固有空間直線性	379
高コントラスト分解能	204	後方散乱ピーク	357	コリメータ	217
好酸球	54	硬膜	4	種類と性能	377
光子吸収法	206	硬膜外出血	4	コリンエステラーゼ阻害薬	11
高脂血症	61	硬膜下出血	4	ゴルジ体	74
高磁場の特徴	269	硬膜剤	308	コルチゾール	50
公衆衛生学	64	抗利尿ホルモン	50	コレクタ接地回路	164
後縦隔	23	交流電力	158	コレステロール	61
高周波回路	270	コールラウシュブリッジ	146	コロニー法	80
高周波磁場	267	コーレス骨折	17	コンカレント法	419
高周波遮断回路	169	股関節	15, 19	コンダクタンス	142
公衆被ばく	475	股関節軸位撮影	242	根治的放射線治療	416
高純度形半導体検出器	355	股関節正面撮影	242	コンデンサ	149
甲状腺	52	股関節脱臼の判定基準	243	コンデンサ式X線高電圧装置	177
甲状腺 $^{99m}TcO_4^-$ 摂取率検査	392	呼吸機能	23	コンデンサ電離箱	343
甲状腺眼症	52, 454	呼吸性アルカローシス	23	コンデンサ方式	186
甲状腺癌の ^{131}I 治療	408	国際単位系	96	コントラスト・ディテールダイア
甲状腺機能亢進症	52	国際放射線防護委員会	474	フラム	323
甲状腺機能低下症	52, 53	個人線量当量	500	コントラストスケール	204
甲状腺結節	53	個人被ばく線量計	504	コントラスト比	194
甲状腺刺激ホルモン	50, 52	固体検出器	200	コントラスト分解能	204
甲状腺刺激ホルモン放出ホルモン		固体線量計	347	コントラスト法	318
	50	固体廃棄物処理法	510	コンバージングコリメータ	378
甲状腺シンチグラフィ	392	個体飛跡検出器	364	コンバータ	171
甲状腺ブロック	392	固体ファントム	434	コンパートメントモデル解析	389
甲状腺ホルモン	50, 52	骨の構造と働き	12	コンピュータ	331
甲状腺ヨード摂取率検査	392	骨塩密度	206	コンピュータ支援診断	315
校正係数	344, 369	骨塩量	206	コンピュータ制御装置	270
校正深	345	骨格筋	14	コンピュータネットワーク	332
校正定数	502	骨腫瘍	18	コンピューテッド・ラジオグラフィ

	195	撮像シーケンス	278, 284	磁気回路	151
コンピューテッド・ラジオグラフィ		撮像時間	278	磁気共鳴画像	266
システム	314	撮像パラメータの設定	283	子宮	46
コンプトンエッジ	113, 357	撮像部位の設定	283	子宮外妊娠	48
コンプトン効果	112, 115	差動増幅器	167	子宮癌	47
コンプトン散乱	115	サバチェ効果	311	子宮筋腫	46
コンプトン散乱線	112	サブストイキオメトリ	138	子宮頸癌	62, 452
コンプトン電子	112	サムピーク	357	放射線治療	452
		サルコイドーシス	26	糸球体濾過率	400
さ		サルモネラ属菌	66	糸球体濾過量	43
		三角結線	159	子宮内膜症	47
サーフェイスコイル	270	三角骨	15	子宮卵管造影	48, 212, 254
サーフェスバリヤ形半導体検出器		酸化防止剤	307	自己インダクタンス	153, 154, 156
	355	三叉神経	10	自己整流方式	183
サーベイ法	368	酸性剤	307	事故対策	517
サーベイメータ	366, 502	三相X線発生装置	159	仕事率	142
サーマルヘッド方式	309	三相交流電圧	159	自己免疫疾患	57
坐位	213	三相全波整流方式	183	自己誘導	153
サイクロトロン	457	酸素効果	72	脂質異常症	61
サイクロトロンベース熱外中性子		酸素増感比	90	脂質代謝	38
源	460	三対子生成	113	視床	2
再結合領域	341	三半規管	10	視神経	10
歳差運動	266	サンプリング・アパチャ	312	耳垂直線	214
再生係数	116	サンプリング方式	367, 368	指数関数法則	116
最大飛程	118	3門照射法	447	磁性体	150
最適測定時間	362	散乱X線	317	磁性体によるアーチファクト	280
サイドローブ	299	散乱X線除去格子	216	施設間連携システム	333
サイノグラム	205	散乱線補正	381	指節骨	16
サイバーナイフ	428	残留磁化	151	施設の火災	517
細胞	74			自然放射性元素	107
生存率曲線	80	**し**		磁束	142, 151
細胞外液性造影剤	282			持続放電	350
細胞死	79	シーベルト	71	磁束密度	142, 151
細胞周期	75, 79	シーマ	338	市中感染	58
細胞周期チェックポイント	79	ジーメンス	142	膝蓋骨	16, 20
細胞性免疫	57	シェーグレン症候群	32	膝関節	20
細胞内小器官	59	ジェネレータ	130	膝関節正面撮影	238
細胞分裂	75	シェル	433	膝関節造影	255
サイリスタ	163	磁界	150	膝関節側面撮影	238
作業療法士	63	磁界エネルギー	154	実験動物死体の廃棄物	510
坐骨	15	磁化移動効果	278	実効エネルギーの算出	356
鎖骨正面撮影	233	磁化移動パルス	278	実効原子番号	343
左心室	27	磁化曲線	151	実効減弱係数	116
左心房	27	耳下腺	32	実効焦点	179
撮影距離	211	歯科用X線断層撮影装置	197	実効線量	71, 474, 504
撮影時間	211	磁化率によるアーチファクト	280	実効値	155
撮影用X線装置	482	時間的線量配分	422	湿式集塵器	516
雑音	204, 321, 323	時間放射能曲線	388, 399, 400	実焦点	179
雑音等価量子数	322	しきい値	128, 356	荒れまたは溶融	181

543

実焦点面積	189	集積回路	166	障害心筋シンチグラフィ	397
膝内障	21	集束グリッド	216	消化管	85
実用量	500	十二指腸	35	消化管出血シンチグラフィ	399
質量エネルギー吸収係数	114, 339	周波数	98, 155	消化管穿孔	36
質量エネルギー転移係数		周波数エンコード傾斜磁場	268, 271	消化管造影	212
	114, 115, 339	周波数帯域幅	271	消化管造影検査	248
質量吸収係数	113, 114	修復	91	消化管造影剤	471
質量欠損	102	周辺線量当量	500	上顎がん	449
質量減弱係数	114, 339	充満法	248	上顎骨・下顎骨正面撮影	223
質量数	126	絨毛性ゴナドトロピン	50	消化酵素	33
時定数	502	自由誘導減衰	268	松果体	2
自動輝度制御装置	192	重陽子	126	焼却設備	488
自動現像機	308	重粒子	100	上肢の骨	15
自動体外式除細動器	27	重粒子線治療	456	照射線量	71, 338
自動露出制御機構	246	ジュール	144	測定	341
自動露出制御装置	192	ジュールの法則	144	照射体積	431
歯肉がん	449	手関節	19	照射の準備と確認	445
死の3徴候	8	手関節正面撮影	236	照射野係数	441
視能訓練士	63	手関節側面撮影	236	照射野の形成	459
磁場強度	269	宿主因子	416	照準装置	437
自発核分裂	105, 119	手根管症候群	15	照準治療計画	430
脂肪肝	38, 39	手根骨	15	照準用X線装置	430
死亡時画像診断	18	手根骨正面撮影	236	常染色体	75
脂肪抑制法	278	手根骨側面撮影	237	上大静脈症候群	31
死亡率	64	手指骨斜位撮影	237	小腸	35, 85
縞状アーチファクト	280	手指骨正面撮影	237	焦点	179, 189
シミュレータ	437	手指骨側面撮影	237	焦点外X線	179
シミング	269	樹状細胞	56	常電導磁石	269
斜位	213	出血性貧血	56	衝突損失	109, 117
社会福祉士	63	術後照射	421	小児がん	60
写真濃度	316	術前照射	421	小児の骨折	17
遮断周波数	169	術中照射	421	小脳	4
尺骨	15	出力係数	441	小脳失調症	8
尺骨神経溝撮影	235	出力線量の測定法	439	蒸発過程	120
シャドートレイ	432	出力装置	331	上部消化管検査	248
ジャパンコーマスケール	472	シュニッツラー転移	34, 47	少分割照射法	92
斜裂	22	主変圧器	182	小胞体	74
シャロー形	343	腫瘍	60	正味計数率	370
縦隔	23	発育環境	416	静脈造影	402
重核子	100	発育形式	415	蒸留・昇華法	135
集学的治療	419	放射線感受性	414	小菱形骨	15
重荷電粒子	118	腫瘍因子	414	上腕骨正面撮影	235
周期	155	腫瘍シンチグラフィ	403	上腕骨側面撮影	235
周期表	124	腫瘍性描出核種	404	上腕支持固定具	433
自由空気電離箱	341	腫瘍ブドウ糖代謝測定	405	職業被ばく	475
収集イオン対数	341	腫瘍マーカー	42	食中毒	65, 66
舟状骨	15	巡回型フィルタ	326	食道	33
舟状骨骨折	17	循環器系造影	212	食道アカラシア	33
重畳積分	319	上咽頭がん	449	食道癌	33, 251, 451

食道静脈瘤	33	心臓サルコイドーシス	29	水晶体	84, 464
食道二重造影立位第1斜位	249	心臓の解剖	27	水腎症	44
食道裂孔ヘルニア	35, 251	腎臓の腫瘍	44	水洗	308
女性ホルモン	45, 50, 51	心臓弁膜症	29	膵臓	41
除染作業の原則	509	寝台	200	膵臓癌	42
ショックの診断	470	身体的影響	86	水素原子	100
ショパール関節	20	人体ファントム	434	錐体外路	3
シリコン制御整流素子	163	診断参考レベル	472	錐体路	3
自律神経	2	シンチカメラ	377	水中濃度測定器	368
自律神経系	11	シンチグラフィ	377	水頭症	4
試料測定装置	385	シンチレーションカメラ	377, 386	水平面	214
磁力線	150	シンチレーション検出器		髄膜	4
シルビウス裂	2		352, 358, 361	髄膜炎	8
腎盂腎炎	44	シンチレーション式	367	スカイライン撮影	238
腎芽腫	44, 453	シンチレータの種類と特性	352	スカプラY撮影	234
新型コロナウイルス	59	伸展	214	スキャニング法	458
腎機能低下	44	振動容量増幅器	167	スタチックマーク	311
心筋血流シンチグラフィ	395	腎尿路造影	254	ステイショナリー／ローテート方式	
心筋梗塞	28, 259	心拍同期心プールシンチグラフィ			201
心筋脂肪酸代謝・交感神経シンチ			395	ステージ分類	416
グラフィ	397	心プールシンチグラフィ	395	ステム効果	343
シングルショットEPI	277	心不全	28	スパイラルCT	201
シングルチャネル波高分析器	353	腎不全	44	スピンエコーの形成	273
シングルフォトン放射性医薬品		深部量百分率	441	スピンエコー法	274
	373, 388	心房性利尿ペプチド	50	スピン量子数	267
シンクロトロン	458	診療X線技師法	476	スミヤ法	368
シンクロトロン放射	98	診療画像検査学	265	スライサ回路	168
神経芽細胞腫	402	診療放射線技師	210	スライス厚	204, 283
神経膠芽腫	8	役割	210, 372, 412	スライス選択傾斜磁場	268, 271
神経膠腫	8	診療放射線技師法	532	スラントホールコリメータ	377
神経根造影	255	診療放射線技師法施行令	477	スリット法	319, 320
神経性間歇性跛行	14	診療用高エネルギー放射線発生装置		スリップリング機構	200, 201
神経組織	85		479, 484, 486, 491	スルーレート	270
神経内分泌腫瘍	42	診療用放射性同位元素			
腎血管性高血圧	44		480, 487, 491	**せ**	
心原性脳梗塞	27	使用室の遮へい計算	489		
信号	323	診療用放射線照射器具		生活習慣病	61
信号処理	378		480, 486, 491	正規分布	362
信号対雑音比	274, 322	診療用放射線照射装置		正弦波交流	155
人工放射性核種	126		479, 484, 486, 491	正弦波式	155
人工放射性元素	108	診療用放射線の防護	519	生合成法	136
心室中隔欠損症	29	診療用粒子線照射装置	479	静止グリッド	216
腎小体	43	人類学的基準線	214	静磁場強度	269
腎シンチグラフィ	400			静磁場均一性	269
新生児胆道閉鎖症	40	**す**		静磁場用磁石	269
腎性全身性線維症	469, 471			正常圧水頭症	4
真性半導体	162	髄液シャント術	4	正焦点	179
腎臓	43	膵癌	259	精上皮腫	452
腎臓結石	44	髄鞘	8	生殖器	45

545

生殖腺	84	接合型トランジスタ	164	全波整流回路	169
生成核種	121	摂取率測定	388	全般標識化合物	137
性腺刺激ホルモン放出ホルモン		接触感染	58	線広がり関数	318
	45, 50	接線照射法	446	線溶	55
性染色体	75	絶対測定	359	前立腺	46
精巣	45	セミノーマ	452	前立腺癌	46, 451
精巣癌	46	セラノスティクス	409	前立腺肥大症	46
生存率曲線	80	セリウム線量計	349	線量計	437
静態シンチグラフィ	400	鮮鋭化フィルタ	325	校正と補正	344
正中矢状面	214	鮮鋭度	318	線量限度	492
成長ホルモン	50	線エネルギー付与	71, 118, 339	線量効果関係と治療比	414
静的照射法	459	全壊変定数	106	線量測定	204
静電形計器	173	前額面	214	線量体積ヒストグラム	463
静電気	148	線吸収係数	114	線量単位	71
静電気放電マーク	311	線形性	319	線量当量	338
静電容量	142, 148	線源の定義	475	線量率効果	90
静電容量回路	156	仙骨・尾骨側面撮影	230	前腕骨正面撮影	236
制動X線の発生	109	仙骨正面撮影	230	前腕骨側面撮影	236
制動放射	117	潜在癌	53		
性能評価	378, 381	潜在的致死損傷回復	81, 82	**そ**	
生物学的等価線量	92, 422	線質硬化	206		
性ホルモン	51	線質硬化現象	200	双安定マルチバイブレータ	
生理学的機能画像	384	全質量阻止能	339		168, 354
整流回路	169	センシトメトリ	316	造影CT	260, 261
整流器形計器	173	前縦隔	23	造影MRI	284, 286
整流方式	183, 189	前十字靱帯損傷	21	造影検査	212
ゼーベック効果	174	線条体	3	造影剤	248, 468
積算線量	342	染色体	75	造影剤自動注入装置	270
脊髄	464	構造	76	造影剤モニタリング機構	205
構造	9	染色体異常	48, 77	増感紙	305
脊髄腔造影	14, 212, 254, 469	全身計測装置	386, 387	増感紙—フィルム系	304
脊髄神経	9	全身撮像法	388	双極傾斜磁場	278
脊髄損傷	9	潜像	311	相互インダクタンス	153, 154
脊柱管	13	形成	307	相互作用係数	115
脊柱管狭窄症	13	線像強度分布	318	相互誘導	153
脊椎圧迫骨折	14	潜像退行	311	双焦点X線管	180
脊椎単純撮影	227	線阻止能	117	相対誤差	370
脊椎の構造	9, 13	前大脳動脈	5	相対測定	359
積分回路	161	選択係数	132	相対的生物学的効果比	90
積分計測法	354	善玉コレステロール	61	相同染色体	75
石綿	60	センチネルリンパ節シンチグラフィ		相反則	311
セシウム管	435		404	相反則不軌	311, 317
セシウム針	435	仙腸関節斜位撮影	231	像ひずみ	194
舌咽神経	10	仙椎	9, 13	増幅回路	167
絶縁体	142	先天性甲状腺機能低下症	52	増幅器の利得	167
舌下神経	10	先天性股関節脱臼	21	ソース	164
舌下腺	32	先天性心疾患	29	ソーベルフィルタ	325
舌癌	448	前頭葉	2	側臥位	213
赤血球	54	全乳房照射	450	足関節	20

足関節回内斜位撮影	240	大腿骨側面撮影	238	単関節	19
足関節正面撮影	239	大腿骨頭壊死	21	タングステン原子	111
足関節側面撮影	239	大腿膝蓋関節	238	タングステン厚	189
足趾骨斜位撮影	240	大腸	35	短時間定格	189
足趾骨正面撮影	240	大腸癌	36, 62, 252	胆汁	37
即時性副作用	468	大腸憩室	252	単純CT	260
速中性子	119	大腸ポリープ	252	単純撮影	212
側頭葉	2	大動脈解離	30	単純分割法	422
速度エンコーディング	278	大動脈弓	27	弾性イメージング法	296
側脳室	4	大動脈瘤	30	弾性散乱	113, 117
即発中性子	121	大動脈輪	5	弾性衝突	119
側副靱帯損傷	21	胎内被ばく	89	男性生殖器	45
組織空中線量比	441	体内被ばく線量の軽減	514	男性ホルモン	45, 50, 51
組織最大線量比	441	ダイナミック・ウェッジ	433	胆石症	39
組織選択的抑制法	278	ダイナミック造影CT	262	端窓形GM計数管による方法	359
組織特異性造影剤	282	ダイナミックレンジ	298	断層撮影	212
阻止能	117, 118	ダイナミックレンジ圧縮	326	単相全波整流方式	183
素子の種類	348	第二次性徴	45, 51	炭素線	456
足根骨	16	第2斜位	213	タンデムレンズ	194
足根骨横倉側面撮影	241	大脳	2	胆道系造影	253
ソフトウェア	331	大脳基底核	3	胆道膵管MR画像	287
ソフトスイッチング	185	大脳基底核変性症	3	胆嚢	37
ソマトスタチン	50	ダイノード	352, 353	胆嚢結石	253
ソマトスタチン受容体シンチグラフィ	403	第4斜位	213	胆嚢腺筋腫症	40
ソラリゼーション	311	ダイバージングコリメータ	377	胆嚢胆管造影	212
素粒子	100	タイムスケール法	317	胆嚢ポリープ	40
		大葉間裂	22	タンパク質代謝	38
		耐容線量	463	タンパク尿	43
た		大菱形骨	15	蛋白漏出胃腸症の診断	399
		大量照射法	422		
ターゲット	181	唾液腺	32, 464	**ち**	
体厚計	216	唾液腺シンチグラフィ	399		
体位	213	唾液腺造影	212	チアノーゼ	29
第1斜位	213	高安動脈炎	31	地域医療連携システム	333
体液性免疫	57	ダグラス窩	47	チーム医療	63, 210, 412
ダイオード	162	多重絞り	217	チェレンコフ効果	117
体外計測検査法	388	多重範囲計器	147	チェレンコフ放射	117
体外計測法	505	多重分割コリメータ	432	蓄積リンク	98
体外被ばく線量の軽減	513	多断面変換再構成	205	恥骨	15
体幹コイル	286	脱腸	35	恥骨軸位撮影	231
大気補正係数	344	縦緩和時間	267	恥・坐骨正面撮影	231
対向2門照射法	446	多発性硬化症	8	窒息現象	350
第3斜位	213	多発性骨髄腫	56	遅発性副作用	468, 471
第三脳室	2, 4	多分割照射法	92, 422	チャネル幅	353
退出基準	408	短TI反転回復法	276	中咽頭がん	449
胎児の放射線影響	89	単安定マルチバイブレータ	168	中央処理装置	331
大腿骨	15, 19, 20	単核種元素	124	肘関節	19
大腿骨頸部骨折	16	胆肝癌	253	肘関節正面撮影	235
大腿骨正面撮影	238	胆管細胞癌	39	肘関節側面撮影	235

中縦隔	23	直腸癌	451	低線量率連続照射	92
中手骨	15	直腸子宮窩	47	低タンパク血症	38
抽出率	131	直流増幅	167	定着液	307, 308
中心溝	2	直流定電圧電源	170	定着主薬	307
中心周波数の調整	270	直列共振	157	定電圧形	187
中心体	75	直列接続	149	定電圧形X線高電圧装置	177
中枢神経	2	直列臓器	463	定電圧ダイオード	162
中性子	99, 119, 126, 360	直列ピーククリッパ回路	168	定電圧方式	184
測定	360	直列ベースクリッパ回路	168	低融点合金	432
中性子過剰核種	103	貯蔵施設	487	停留睾丸	45
中性子源	460	貯留槽	516	テース	258
中性子照射	121	治療可能比	91	データ打ち切り	280
中性子線	513	治療計画装置	437	データ収集システム	200
減弱	120	治療体積	431	データ処理	203
中性子場	460	治療の記録と保存	445	適応的放射線治療	429
中性子捕獲療法	8	治療目的の決定	444	テクネチウム	124
中節骨	15	治療用X線装置	482	デジタル-アナログ変換回路	171
中足骨	16	チルト機構	200	デジタルX線画像の利点	315
中大脳動脈	5	沈殿法	131	デジタル画像処理	324
注腸	252			デジタル画像のデータ量	313
中脳	4	**つ**		デジタル計器	173
中皮腫	26, 60	椎間板造影	255	デジタル特性曲線	316
超ウラン元素	99, 107, 124	椎間板ヘルニア	14	テストステロン	45, 50
腸炎ビブリオ	66	椎弓	13	テスラ	142
超音波	98	椎骨動脈	5	鉄欠乏性貧血	56
超音波画像診断装置	293	追跡子	373	鉄線量計の原理	349
構成	294	椎体	13	鉄損	151
長管骨	12	通常分割照射法	92	テトロード管制御	184
腸管出血性大腸菌	66	痛風	61	デュアルエネルギーCT	202
腸骨	15	ツェナーダイオード	162	デュアルソースCT	205
長時間定格	189	ツチ骨	10	デルタ線	118
超常磁性酸化鉄粒子	282			テレラジオロジー	333
聴神経	10	**て**		電圧	142
超伝(電)導状態	271	低圧電線の抵抗	190	電圧共振	157
超伝導現象	142	定位的集光照射法	447	電位	142, 148
超電導磁石	269	定位放射線手術	427	電位差計	146
重複撮影	432	定位放射線治療	427	転移性骨腫瘍	18
腸閉塞	35, 36	定位放射線治療装置	427	転移性脳腫瘍	8
超ミクロオートラジオグラフィー	140	定位立体測定法	359	電荷	142
直交2門照射	447	抵抗測定	146	電界	148
直接感熱発色方式	309	抵抗の直列接続	143	電界効果トランジスタ	164, 348
直接希釈分析法	138	抵抗の並列接続	143	てんかん	7
直接結合増幅器	167	抵抗率	142	電気集塵器	516
直接作用	72	低コントラスト分解能	204	電気抵抗	142
直接電離放射線	70	低酸素血症	29	電気力線	148
直線形加速装置	425	低周波遮断回路	169	電気量	142
直線二次曲線モデル	81	ディスプレイ	217	電源インピーダンス	190
直腸	464			電源回路	169
				電源設備	190

電子カルテシステム	333	頭蓋骨側面撮影	222	努力性肺活量	23
電子吸収係数	113	等価線量	71, 474, 504	トレイ係数	442
電子工学	141	動眼神経	10	ドレイン	164
電子衝突断面積	115	同期撮影法	388	トレーサー	140, 373
電子線の水中飛程	358	統計的機能解析	389	トレーサビリティー	341
電子速度	109	頭頸部	32	トレーサー量	140
電子対生成	113	頭頸部腫瘍	32, 448	トンネル効果	174
電子対生成ピーク	357	橈骨	15	トンネルダイオード	162
電子なだれ	351	同時計数回路	354		
電子に働く電磁力	152	透視撮影システム	193	**な**	
電磁波	97, 172	橈尺方向	214		
分類	97	同重元素	102	内外斜位方向	245
電子保存	335	同重体	102	ナイキスト周波数	312
電磁誘導	153	透視用X線装置	481	内頸動脈	5
電磁力	152	豆状骨	15	内視鏡的逆向性膵胆管造影	253
大きさ	152	透磁率	148	内耳神経	10
点像強度分布	318	等線量曲線	443	内照射療法	408
点像広がり関数	318	動態シンチグラフィ	400	内旋	213
点滴静注胆道造影	253	動態測定法	388	内転	213
点滴静注尿路造影	254	同中性子体	102	内部転換	104
天然放射性壊変系列	124	頭頂葉	2	内部転換係数	104
天然放射性核種	126	動的照射法	459	内部転換電子	104
電波シールド	271	導電率	142	内部転換比	104
伝播速度	98	糖尿病	51	長岡係数	153
電離電流	342, 369	頭尾方向	246	長さ線量積	205
電離箱検出器	200	頭部CT	260	ナトリウム	28
電離箱式サーベイメータ	501	頭部外傷	6	ナトリウム・カリウムポンプ	28
電離箱の構成	341	動脈炎症候群	31	鉛ブロック	432
電離箱領域	341	動脈硬化	61	軟骨肉腫	18
電離放射線	70, 172	動脈造影	402	難治性β細胞悪性リンパ腫	404
電離放射線障害防止規則	498	投与線量の空間分布	443	軟膜	4
電流	142	ドーズキャリブレータ	387		
電流共振	157	特殊相対性理論	101	**に**	
電力	142	特性X線	111, 356		
		特性曲線の測定法	316	2核種同時収集法	388
と		特定位標識化合物	137	肉眼的血尿	43
		吐血	26, 39	肉眼的腫瘍体積	431
ドイツ水平線	214	戸塚法撮影	226	二項パルス法	278
ドイツ水平面	214	ドパミン	50	二次救命処置	471
同位元素	102	ドプラ法	296	二重希釈分析法	139
同位体	102	ド・ブロイ波	110	二重散乱体法	458
同位体希釈分析法	138	トムソン散乱	113, 115	二重造影法	248
同位体効果	140	トモセラピー	429	2線源法	350
同位体交換反応	140	トライアック	163	2値画像	324
同位体交換法による合成例	136	トランケーション	280	乳癌	62, 450
同位体存在比	124	トランケーションエラー	320	放射線治療	450
同位体断面積	127	トランジスタ	164	入出力変換特性	316
頭蓋骨	12	トランスミッタ	270	乳腺腫瘍画像ガイド下吸引術	247
頭蓋骨正面撮影	222	トリウム系列	107	乳房X線撮影	245

乳房温存療法	450	脳死	2	肺活量	23
乳房撮影	212	脳室	4	肺癌	25, 62, 261, 449
乳房撮影用X線管	180	脳死と臓器移植	8	肺換気（吸入）シンチグラフィ	
乳房用X線装置	197	脳出血	6		394
乳幼児股関節伸展位撮影	243	脳腫瘍	7, 8, 448	廃棄施設	487
乳幼児股関節単純撮影	243	脳腫瘍アミノ酸輸送測定	407	肺気腫	25
入力関数	384	脳循環代謝測定	406	排気浄化装置	516
入力装置	331	脳神経	10	排気設備	488
尿管結石	44, 61	脳神経受容体シンチグラフィ	391	廃棄物処理法	510
尿道	43	脳神経シンチグラフィ	390	肺結核	25
尿道海綿体	45	脳脊髄液	4	敗血症	59
尿毒症	44	脳脊髄液減少症	8	肺血流	23
尿路造影	212	脳槽・脊髄腔シンチグラフィ	391	肺血流シンチグラフィ	394
人間ドック	62	脳塞栓症	6	肺高血圧症	26
妊娠	48	脳底動脈	5	背掌方向	214
妊娠期間	48	脳頭蓋	12	肺シンチグラフィ	394
認知症	2, 7	脳動静脈奇形	7, 454	排水管	516
		脳動脈瘤	261	排水設備	487, 516
ね		脳ドパミン系神経伝達シンチグラフィ	391	肺線維症	25
		脳内血腫	6	肺尖撮影	220
ネクローシス	79	脳内出血	6	排他的論理和回路	329
熱外中性子	119	脳の血管	5	排他的論理和否定回路	330
熱現像	310	脳の構造	2	背底方向	214
熱中性子	119, 127	脳賦活化強調画像	279	肺動脈血栓塞栓症	26
熱的作用	172	膿瘍	58	肺の解剖	22
熱電形計器	173	ノバリス・システム	429	肺の血流	22
熱転写方式	309	ノルアドレナリン	50	肺の働き	22
ネットワークの規模	332	ノロウイルス	66	ハイパスフィルタ	169
熱剝離方式	309			ハイブリッドIC	166
熱量計	346	**は**		ハイペロン	100
熱ルミネセンス	347			倍率器	145
熱ルミネセンス線量計		パーキンソン病	3, 7	パウリの排他原理	101
	347, 363, 433	ハーシェル効果	311	薄層クロマトグラフィー	133
ネプツニウム系列	107	バージャー病	31	薄層法	248
ネフローゼ症候群	44	パーシャルボリュームアーチファクト	203	薄膜トランジスタ	165
粘膜法	248	パーシャルボリューム効果	200	波形成形回路	168
		バースト波	293	波形率	155
の		ハードウェア	331	波高分析器	353
		ハードスイッチング	185	波高率	155
ノイズ	204, 321	ハーモニックイメージング法	296	播種性血管内凝固症候群	59
脳アミロイドβ沈着測定	407	ハーレイ法	118, 358	バセドウ眼症	454
脳下垂体	49	バーン	115	バセドウ病	13, 52, 409
脳幹	4	肺炎	25	^{131}I 治療	408
脳機能MRI	284	バイオアッセイ法	505	バソプレシン	50
脳血栓症	6	背臥位二重造影正面位	249	波長シフタ	354
脳血流	5	背臥位二重造影第1斜位	249	発育性股関節形成不全	21
脳血流シンチグラフィ	390	背臥位二重造影第2斜位	249, 250	白血球	54
脳梗塞	6, 261			白血病	56
脳挫傷	6			発光ダイオード	163

パッシェン系列	100
パッシブ磁気シール	269
パッシブ照射法	459
発熱反応	120
パトラックプロット法	391
バラクタダイオード	162
パラソルモン	50
パラレルイメージング	278
パラレルイメージングファクタ	278
バリウム製剤	469
バリオン	100
パルスエコー法	293, 296
パルスオキシメーター	23
パルス回路	168
パルスシーケンス	274, 276, 283
パルス波	293
パルスハイトアナライザ	353
パルス幅	293
バルマー系列	100
半臥位二重造影第2斜位	249
半価層	356
半月板損傷	21
ハンスフィールドユニット	199
半値幅	357
反中性微子	103
反跳原子	134
反跳合成法	136
反跳電子	112
反跳陽子計数管	360
反転回復法	276
反転時間	276
半導体	142, 162
半導体カメラ	386
半導体検出器	355, 358, 361
半導体式線量計	348
半導体式ポケット線量計	363
半導体素子の記号	165
バンド幅	271
反ニュートリノ	103
半波整流回路	169
半波整流方式	183
晩発性障害	462
晩発性反応	464

ひ

非安定マルチバイブレータ	168
ピーク強度	270
ヒートユニット	189
ビームハードニング効果	200
ビオ・サバールの法則	150
被殻	2
光核反応	105
光刺激ルミネセンス線量計	348, 363
光センシトメトリ	316, 317
非干渉性散乱	113
比吸収率	172, 292
非共振形インバータ	184
ピクセル	203, 312
ピクセル値	324
腓骨	16, 20
尾骨	9, 13
鼻骨軸位撮影	224
尾骨正面撮影	230
鼻骨側面撮影	224
皮質骨厚比	206
皮質脊髄路	3
被写体厚特性	192
被写体コントラスト	211
脾腫	41
尾状核	2
脾シンチグラフィ	398
ヒステリシス現象	151
ヒステリシス損	151
ヒストグラム	324
飛跡オートラジオグラフィー	140
飛跡検出器	358
非鮮鋭マスク処理	325
脾臓	41
非対向2門照射	446
ビタミン欠乏症	51
左decubitus撮影	221
左鎖骨下動脈	27
左総頸動脈	27
非弾性衝突	119
飛程	117
調整	459
否定回路	329
比電離	118
非電離放射線	172
脾動脈瘤	256
非熱的作用	172
被ばく	86
カテゴリー	475
被ばく軽減	210
被ばく状況	475
被ばく線量	373
測定	495, 504
測定結果	498
被ばく線量測定器	363
被ばく低減対策	372
皮膚	84
比負荷	189
被覆特性	192
微分回路	161
微分計測法	354
比放射能	106
非ホジキンリンパ腫	56
飛沫感染	58
肥満	61
非密封放射性物質の取扱い施設	515
ヒヤリ・ハット	466
ヒューマンカウンタ	386
病院情報システム	333
病期分類	415, 416
病原微生物	58
表在治療X線装置	424
標識	136
標識化合物自動合成装置	137
標識化合物の合成	136
標識化合物の保存	137
標識化合物の命名法	137
標準化	333
標準偏差	370
定義と意味	362
和差積商公式	362
標的容積	444
皮様嚢腫	47
標本化	312
表面汚染の測定	503
表面汚染密度測定器	368
表面コイル	270
表面障壁形半導体検出器	355
日和見感染症	59
ビルドアップキャップ	342
ビルドアップファクタ	116
比例計数管	351, 358
比例計数領域	341
疲労骨折	17
広がり関数	318
ピロリ菌	34
貧血	56
ピンホールコリメータ	377

ふ

ファーマ形電離箱	342
ファラデーシールド	271
ファラデーの電磁誘導に関する法則	153
ファラデーの法則	174
ファラド	142
ファロー四徴症	29
ファンクショナル MRI	5
ファントム	434
ファンビームコリメータ	377
ファンビーム方式	201
フィードバック	167
フィールド線量計	341, 433, 437
フィラメント加熱変圧器	182
フィラメント特性	181
フィラメントの断線	181
フィルタ	217
フィルタ回路	169
フィルタ処理	389
フィルファクタ	196
フィルムコントラスト	211, 306
フィルム乳剤	304
フィルムの分光感度	304
フィルムの保管	310
フィルムバッジ	364
フィルム法	434
風疹と胎児への影響	48
ブートストラップ法	317
ブール代数	328
フェーズドアレイコイル	270, 278, 286
フェザー法	118, 358
フォーカス	298
フォトダイオード	165
フォトトランジスタ	165
フォトマルチプライヤ	353
負荷電流	190
負帰還	167, 342
腹臥位	213
腹臥位二重造影正面位	249
腹臥位二重造影第1斜位	249
腹臥位二重造影第2斜位	249
複関節	19
副交感神経	11
副甲状腺	53
副甲状腺機能亢進症	53
副甲状腺機能低下症	53
副甲状腺シンチグラフィ	393
副甲状腺ホルモン	50, 53
副焦点	179
副腎	49
副腎アンドロゲン	50
副神経	10
副腎シンチグラフィ	402
副腎髄質	50
副腎髄質シンチグラフィ	402
副腎皮質	49
副腎皮質刺激ホルモン	49, 50
副腎皮質刺激ホルモン放出ホルモン	50
副腎皮質シンチグラフィ	402
腹水	39
腹部臥位正面撮影	220
腹部大動脈瘤	262
腹部左側臥位正面撮影	221
腹部立位正面撮影	221
腹部立位側面撮影	221
腹膜播種	47
浮腫	38
不純物半導体	162
不整形照射野	432
不足当量法	138
物質消滅	113, 104
物質波	110
フッ素イオン法	137
フッ素ガス法	137
物理定数	96
ブドウ糖代謝	38
部分壊変定数	106
部分体積効果	200
ブラ	25
プラスチックシンチレータ	353, 387
プラスチックフィルム	349
ブラッグ・グレイの空洞原理	345
ブラッグ曲線	118
ブラッグの反射式	110
ブラッグピーク	456
フラット形	343
フラットパネルディテクタ	196, 315
プラトー	350
プラトー領域	341
プランク定数	99
フランシウム	124
プランマー病	53
振子照射法	447
プリサンプリング MTF	319, 320
プリサンプルド MTF	319, 320
フリッケ線量計	349
フリッシュ電離箱	358
フリップフロップ回路	354
ブルーミング効果	179
フルエンス	338
フルオート撮影	246
フルデジタルカメラ	378
フレームレート	298
プレサチュレーションパルス	281
フレミング左手の法則	152
フレミング右手の法則	153
ブローカー言語中枢	2
ブロードビーム照射法	459
プローブ	294
フローボイド	281
プロゲステロン	50
プロトコル	332
プロトン MRS	290
プロトン密度強調像	276
プロメチウム	124
プロラクチン	50
分解時間	350
分割照射	422
種類	422
分割板	217
分岐壊変	106
分子標的治療薬	60, 94, 420
分配比	131
分布係数	132
分離照射法	422
分流器	145

へ

平滑回路	170
平滑化フィルタ	324
平均寿命	106
平均値	155
平均通過時間	389
平行グリッド	216
平行光濃度計	316
平行多孔型コリメータ	377
平行平板形電離箱	343
平行平板形線量	433
閉塞性黄疸	40

閉塞性血栓血管炎	31
閉塞性動脈硬化症	31
閉塞性肺疾患	25
平面X線検出器	314
平面検出器	315
並列接続	149
並列臓器	463
並列ピーククリッパ回路	168
並列ベースクリッパ回路	168
ベース接地回路	164
ベータ線	513
ペーパークロマトグラフィー	133
ベーリンググレア指数	194
ベクレル効果	311
ヘパトグラムの解析	399
ヘモグロビン	54
ヘリカルCT	201, 261
ヘリカルスキャン	205
ヘリコバクター	34
ベルゴニエ・トリボンドウの法則	83
ペルティエ効果	174
ヘルニア	35
変圧器	154
原理	154
変圧器式	187
変圧器式X線高電圧装置	176
変換係数	194
変形性関節症	21
変形性脊椎症	21
ペンシルビーム方式	201
ベンゼン-水線量計	349
変調伝達関数	194
ヘンリー	142, 153

ほ

ポアソン分布	362
ホイートストン・ブリッジ	146
ポインタ	433
崩壊定数	340
方形波形インバータ	184
防護衣	217
膀胱	43
方向依存性補正係数	344
膀胱炎	44
膀胱癌	44
方向性線量当量	500
膀胱造影	254

防護形X線管容器	179
防護マスクの防護係数	506
防護量	500
放射化学	123
放射化学的純度	137
放射化学分析法	138
放射化断面積	127
放射化による検出器	361
放射化分析法	138, 385
放射合成法	136
放射性医薬品	373, 472
集積	374
特性と用途	375
特徴	373
副作用	374
保管	372
放射性核種	126
製造	127
純度	137
分離法	131
放射性同位元素	495
安全取扱い	513
セキュリティ対策	518
定義	485
濃度測定	503
濃度の計算	489, 490
紛失または盗難	518
放射性同位元素装備診療機器	480, 486
放射性同位元素等の規制に関する法律	495
放射性同位元素取扱い施設	515
放射性同位元素内用療法	408
放射性同位元素による汚染	518
放射性同位体純度	137
放射性廃棄物	510
管理	372
分類	510, 511
放射性標識化合物	136
放射性不活性ガス	394
放射性薬剤の特徴	374
放射性ヨウ素標識法	136
放射線	495
種類	70
単位と用語	338
放射線安全管理	372, 412
放射線安全管理学	473
放射線環境測定器	366
放射線感受性	79, 83, 462

放射線業務従事者の被ばく	498
放射線計測学	337
放射線障害防止法	495
放射線情報システム	333
放射線診療従事者の被ばく防止	492
放射線生物学	69
放射線単位の関連	340
放射線治療	444
種類	416
治療計画	444
特徴	418
保守管理	437
目的・治療方針	418
放射線治療学総論	413
放射線治療計画システム	430
放射線治療装置	437
放射線治療単独	416
放射線治療と手術の併用	417
放射線治療病室	489
放射線取扱主任者	497
放射線取扱主任者の代理者	497
放射線による被ばく	517
放射線肺炎	25
放射線発がん	88
放射線発生装置	437, 495
放射線発生装置使用施設	515
放射線物理学	95
放射線防護の諸原則	475
放射線防護のレベル	475
放射線療法	448, 455
放射損失	109, 117
放射滴定法	138
放射能	106, 340
放射能濃度	106
放射分析法	138
放射平衡	130
硼素内張り形計数管	360
ホウ素中性子捕捉療法	93, 460
ホウ素薬剤	461
飽和係数	121, 127
飽和電圧	341
飽和特性	341
ボーアの原子模型	99
ポータル・イメージング装置	432
ボーラストラッキング機構	205
ホール効果	174
ホール素子	165
ホールボディカウンタ	386

ボールマン分類	34	マルチスライス法	281	メッケル憩室シンチグラフィ	399
捕獲型薬剤	390	マルチチャネル波高分析器	353	メディアンフィルタ	324
捕獲反応	119	マルチバイブレータ	168	メニエール病	10
保管廃棄設備	488	マルチリーフコリメータ	432	メモリ	331
ボクセル	312	慢性炎症	58	メモリ回路	166
ぼけ	276	慢性肝炎	39	免疫	57
ポケット照射線量計	363	慢性硬膜下血腫	7	免疫反応	54
ボケマスク処理	325	慢性膵炎	41	メンデレーエフ	124
保恒剤	307	慢性閉塞性肺疾患	25		
保護効果	72	マンモグラフィ	62, 245	**も**	
星形結線	159	マンモグラフィ撮影	245		
ホジキンリンパ腫	56	マンモグラフィのDRL	507	モーションアーチファクト	281
保持装置	177	マンモトーム生検	247	モーズレイの法則	111, 124
ポジトロン放射性薬剤	374			モニタ単位	442
捕集剤	131	**み**		モニタ方式	367, 368
保磁力	151			モノリシックIC	166
ポッケルス効果	174	ミエログラフィ	14, 469	もやもや病	7
ホットアトム	134, 136	ミオシン	14	門脈圧亢進症	39
ボツリヌス菌	66	右側臥位二重造影	249		
ボディコイル	286	右ネジの法則	150	**や**	
ホトタイマ	192	ミクロオートラジオグラフィ			
ホニャックボタン	361, 367		140, 385	薬物動態解析	389
ホメオスターシス	52	ミクロショック	172	薬理学	467
ボリュームコイル	270	水ファントム	434	ヤコビー線	214
ボルト	142	密封小線源	435		
ボルトンハンター法	137	密封小線源治療装置	435	**ゆ**	
ホルモン	50	密封線源取扱い施設	515		
ホルモン療法	420	ミトコンドリア	75	ユーイング肉腫	18
ポンピング	97	脈無し病	31	有機シンチレータ	352
		脈絡叢	4	有限長コイル	153
ま		ミラーイメージ	298	有鉤骨	15
		ミルキング	130, 132	有効腎血漿流量	400
マーカー	216			有効半減期	376
マイクロセレクトロン	436	**む**		誘電率	148
マイクロ波	97			誘導核分裂	126
マイスナー効果	174	無機シンチレータ	352	誘導起電力	153
巻線抵抗	154	無気肺	25	有頭骨	15
マクロオートラジオグラフィー		無限長コイル	150, 153	誘導電流	153
	140	無痛性甲状腺炎	53	誘導リアクタンス	156
マクロショック	172			幽門狭窄症	33
マクロファージ	56	**め**		遊離基	349
マジックアングル	281			ユニポーラトランジスタ	164
末梢神経	2	迷走神経	10		
末節骨	15	名目標識化合物	137	**よ**	
マニピュレータ	513	メインメモリ	331		
魔法角	281	メインローブ	299	陽極	178
マルチエコー法	273, 276, 281	メスバウアー効果	101	陽極入力	189
マルチショットEPI	277	メタボリックシンドローム	61	陽子	99, 126
マルチスライスCT	202	メチレンブルー水溶液	349	陽子線	456

特徴	456
陽子線治療	456
陽性造影剤	282
腰椎	9, 13
腰椎斜位撮影	229
腰椎正面撮影	228
腰椎すべり症	14
腰椎側面撮影	229
腰椎分離症	14
陽電子	118
陽電子断層撮影診療用放射性同位元素	480
保管廃棄	489
溶媒抽出法	131
容量リアクタンス	156
ヨードゲン法	137
ヨード制限	392
ヨード造影剤	468, 469, 471
副作用	470
抑制剤	307
横緩和時間	267
予防照射	418
予防接種	65
読み取り傾斜磁場	271
4門照射法	447

ら

ラーモア周波数	266
ラーモアの歳差運動	266
ライマン系列	100
ラクトペルオキシダーゼ法	137
ラジオガスクロマトグラフィー	133
ラジオクロマトスキャナ	385
ラジオクロミックフィルム	346
ラジオ高速液体クロマトグラフィー	133
ラジオコロイド法	134
ラジオ波	267
ら旋型CT	201
ラッセル効果	311
ラプラシアンフィルタ	325
卵巣	45, 47
卵巣腫瘍	47
卵胞刺激ホルモン	50

り

リカーシブフィルタ	326
理学療法士	63
リサージュ図形	173
リスク管理	467
リスク評価	467
リストモード収集	384
リスフラン関節	20
リソソーム	74
リチウムドリフト形半導体検出器	355
立位	213
立位圧迫	250
立位二重造影第1斜位	250
立体撮影	212
立体撮影用X線管	180
リニアック	425, 437
構成	425
リニアックグラフィー	432, 445
リファレンス線量計	341, 433
リボソーム	74
リモート・アフター・ローディング・システム	435
硫酸バリウム製剤	469
粒子加速装置	119
粒子線	93
粒子線治療	458
粒状	321
粒状度	321
リュードベリ定数	100
量子化	312
量子検出効率	194, 322
量子散乱	113
輪形コイル	151, 153
臨床検査技師	63
臨床工学技士	63
臨床標的体積	431
リンジングアーチファクト	280
隣接効果	311
リンパ管	55
リンパ球	54
リンパ節	55

れ

零位法	147
励起関数	129
励起現象	267
冷却	355
励磁電流	154
レイリー散乱	113, 115
レーザー	97
レーザヒートモード方式	309
レーザ露光銀塩熱現像方式	309
レスポンス関数	318, 319
レニン	50
レノグラムの解析	400
レビー小体型認知症	7
レムカウンタ	367
連続放電領域	341
レンツの法則	153

ろ

漏洩磁束	154
漏洩磁場	269
老人の骨折	18
ローパスフィルタ	169
ローレンツ力	152
露光	310, 311
ロジック回路	166
ろ紙電気泳動装置	134
ろ紙電気泳動法	135
ロタウイルス	66
肋骨斜位撮影	232
肋骨正面後前方向撮影	232
肋骨正面前後方向撮影	232
肋骨接線撮影	232
ロングカウンタ	360
論理回路	329
論理代数	328
論理積回路	329
論理和回路	329

わ

ワット	142
ワブラー法	458
腕頭動脈	27

外国語索引

A

α 壊変	103
α 線	513
α 線エネルギーの測定	358
A（アンペア）	142
A モード法	296
A/D コンバータ	171
A/D 変換	312
ABL	214
absorbed dose	338
accelerated fractionation	92
accelerated hyperfractionation	92
ACTH	49, 50
adaptive radiation therapy	429
ADC（allyl diglycol carbonate）	312, 364
ADH	50
adjacency effect	311
AEC	246
AED	27
AFC 法（alternative forced choice）	323
Ai（autopsy imaging）	18
AIDS	59
air kerma	338
Albert effect	311
aliasing	312
allyl diglycol carbonate（ADC）	364
ALS	9
alternative forced choice（AFC 法）	323
AML	56
analog-to-digital 変換	312
AND 回路	329
annihilation	113
anode	178
Anthonsen I 撮影	240
Anthonsen II 撮影	240
application service provider（ASP）	333
Arcelin 法	225
ARL	214
arteriosclerosis obliterans（ASO）	31
ASO（arteriosclerosis obliterans）	31
ASP（application service provider）	333
At	124
atomic mass unit	102
Auger effect	111
Autopsy imaging（Ai）	18
availability	335
AVM（intracranial arteriovenous malformation）	454

B

β 壊変	103
β 線	513
β 線エネルギーの測定	358
β 線吸収測定法	358
β 線源	435
β 線の吸収線量測定	368
β-γ 同時計数法	359
^{10}B 半導体検出器	360
B モード法	296, 298
b-factor	278
B-H 曲線	151
b-value	278
back scattering peak	357
barn	115
BBB（blood brain barrier）	5
BCT（breast conserving therapy）	450
beam hardening	206
Becquerel effect	311
BED（biological effective dose）	92, 422, 423
BF$_3$ 計数管	360
binominal pulse 法	278
biological effective dose（BED）	92, 422
bipolar gradient	278
blood brain barrier（BBB）	5
blood oxygenation level dependent（BOLD）	5
blurring	276
BMC（bone mineral content）	206
BMD（bone mineral density）	206
BMI（body mass index）	61
BNCT	8, 460
BNCT 治療システム	460
BNCT の特徴	461
body mass index（BMI）	61
BOLD（blood oxygenation level dependent）	5
bone mineral content（BMC）	206
bone mineral density（BMD）	206
bootstrap 法	317
Bragg-Gray の空洞原理	345
breast conserving therapy（BCT）	450
broad beam	356
Bunsen-Roscoe の相反則	311
Butterworth フィルタ	389
BW	271

C

C（クーロン）	142
CAD	315
Caldwell 法撮影	223
cathode	178
cathode ray tube（CRT）	173, 317
cavity chamber	341
CBB（chemical black box）	137
CC	246
CCD（charge coupled device）	194, 314
CCRT	419
Cd	361
CD ダイアフラム	323
cema	338
central processing unit（CPU）	331
charge coupled device（CCD）	194, 314
chemical black box（CBB）	137

chemo-radiation therapy（CRT） 448
chemoradiation therapy 419
CHESS 法 278
CHI（contrast harmonic imaging） 296
clinical target volume（CTV） 431
clipper 回路 168
Clyden effect 311
Compton edge 357
computer X-ray densitometry 法（CXD） 206
condenser chamber 343
confidentiality 335
conformal radiotherapy（CRT） 427
contrast enhancement 260
contrast harmonic imaging（CHI） 296
contrast transfer function（CTF） 319
converter 171
COPD 25
COVID-19 59
CPU（central processing unit） 331
CR 195, 314
CR 回路の過渡現象 160
CR システム 314
CR 直列回路 169
CRH 50
CRT（cathode ray tube） 173, 317
CRT（chemo-radiation therapy） 448
CRT（conformal radiotherapy） 427
CS 204
CT 199
CT during arterioportography（CTAP） 40
CT during hepatic arteriography（CTHA） 40
CT ガイド下生検 262
CT 画像と性能評価法 204
CT 画像の表示 203
CT コロノグラフィ 202
CT シミュレータ 430, 437
CT 線量指数 100 204
CT 装置 201

CT の画像再構成 203
CT ピッチ係数 202
CT 用自動露出機構 205
CTAP（CT during arterioportography） 40, 262
CTDIvol 262
CTF（contrast transfer function） 319
CTHA（CT during hepatic arteriography） 40, 262
CTV（clinical target volume） 431
CUG 254
CXD 法（computer X-ray densitometry） 206
cyber-knife 428

D

D（ドレイン） 164
3D イメージング 296
4D イメージング 296
3D-CT angiography 261, 262
D/A コンバータ 171
DAS（data acquisition system） 200
data acquisition system（DAS） 200
DBT（digital breast tomosynthesis） 246
DC/DC コンバータ 170
decubitus 撮影 219, 220
dermoid cyst 47
detective quantum efficiency（DQE） 322
DF（digital fluorography） 314
diagnostic reference level（DRL） 472, 507
DIC 59, 253
DICOM（digital Imaging and communications in medicine） 334
diffusion MRI 278
diffusion tensor imaging（DTI） 3
digital breast tomosynthesis（DBT） 246
digital fluorography（DF） 314
digital image processing 法（DIP） 206

digital imaging and communications in medicine（DICOM） 334
digital subtraction angiography（DSA） 256, 314
DIP（digital image processing） 206, 254
DIS 線量計 363
discography 255
distribution coefficient 132
Dixon 法 278, 286
DLP（dose-length product） 205, 262
DNA 75
　構造 76
　損傷と修復 76
dose equivalent 338
dose-length product（DLP） 262
DQE（detective quantum efficiency） 322
DR 圧縮 326
DRF 73
DRL（diagnostic reference level） 472, 507
DSA（digital subtraction angiography） 256, 314
DTI（diffusion tensor imaging） 3, 279
dual energy XA（DXA） 206
DVH 463
DWI 278, 284, 285
DXA 法 207
DXA（dual energy XA） 206
dynamic wedge 433

E

EC（electron capture） 104
eddy current 154, 270, 271
edge response 関数 318
effectiverenal plasma flow（ERPF） 400
eGFR 43
electron capture（EC） 104
electronic medical record（EMR） 333
EMR（electronic medical record） 333
energy fluence 338

EPI 法	276	
ERCP	253	
ERPF (effectiverenal plasma flow)	400	
escape peak	357	
ESWL (extracorporeal shock wave lithotripsy)	300	
ETL	275	
Ex-NOR 回路	330	
Ex-OR 回路	329	
exposure	338	
extracorporeal shock wave lithotripsy (ESWL)	300	

F

F (ファラド)	142
^{18}F-FDG	405
^{18}F-FDG の合成法	137
f-MRI	284
false positive fraction (FPF)	323
FBPA-PET	461
Feather 法	118, 358
FET (field effect transistor)	164, 348
FEV	23
FID	268
field effect transistor (FET)	164
fission	121
fission product	108
FLAIR	276, 284
flat panel detector (FPD)	165, 216
Flaxman 法	220
flow compensation	286
fluence	338
fMRI	5
FORE (fourier rebinning) 法	384
fourier rebinning (FORE) 法	384
FOV	283
FPD (flat panel detector)	165, 193, 196, 216, 314, 315
FPF (false positive fraction)	323
Fr	124
free radical	349
free-air chamber	341
Fricke dosimeter	349

FROC	323
FSH	50
functional MRI	279
fusion	121
FWHM	357

G

γ 線	513
γ 線エネルギー	357
γ 線源	435
γ 線透過写真撮影作業主任者	498
γ 線補償形電離箱	360
[g/cm^2] 単位	358
G (ゲート)	164
G 標識化合物	137
^{67}Ga-citrate	403
GC	133
Gd-EOB DTPA	282
Ge	355
Geiger-Nuttal の法則	103
GFR (glomerular filtration rate)	400
GH	50
Gibbs アーチファクト	280
glomerular filtration rate (GFR)	400
glow curve	348
GM 計数管	350
GM 計数管式放射能測定装置	385
GM 計数領域	341
GnRH	50
Granger 法	225
grating lobe	299
gray scale display function (GSDF)	334
grayscale standard display function (GSDF)	317
GRE 法	276
gross tumor volume (GTV)	431
GSDF (gray scale display function)	334
GSDF (grayscale standard display function)	317
GTV (gross tumor volume)	431
Guthmann 撮影	244
Guthmann 像における計測点	244

H

H (ヘンリー)	142, 153
halation	311
hANP	50
Harley 法	118, 358
HbA1c	51
hCG	50
HDL コレステロール	61
^{3}He 計数管	361
heavy T$_2$WI	287
Herschel effect	311
HIS (hospital information system)	333
HL7 規格	335
Hornyak button	361
hospital information system (HIS)	333
hot atom	134
HP 形半導体検出器	355
HPLC	134
HSG (hysterosalpingography)	48, 254
HU	199
human counter	386
Hurst 形比例計数管	366
hyperfractionation	92
hyperthermia	421
hypofractionation	92
hysterosalpingography (HSG)	48

I

^{123}I-BMIPP	397
^{123}I-IMP	390
^{123}I-MIBG	397
^{125}I 前立腺シード小線源治療	436
I. I. (image intensifier)	193
I. I.-TV システム (image intensifier-television system)	314
IBD	36
IC (internal conversion)	104
ICD コード	335
ICRP	474
IEC	379
IGRT (image guided radiotherapy)	428, 429

558

IHE 統合プロファイル	335	JIS 電気用図記号の新旧対比	174	MDCT（multi detector-row CT）	
image guided radiotherapy（IGRT）		JPEG 圧縮	313		202
	429			metacarpal index（MCI）	206
image intensifier（I.I.）	193	**K**		metal oxide semiconductor field	
image intensifier-television system				effect transistor（MOSFET）	
（I.I.-TV システム）	314	K軌道電子	104		348
IMRT（intensity modulated		k-space	272	metal oxide semiconductor 形	
radiotherapy）	427, 447	k-空間軌跡	272	（MOS）FET	165
In	361	kerma	338	micro auto radiography	385
¹¹¹In-pentetoreotide	403	knee joint arthrography	255	micro densitometry	206
integrity	335			Microhematuria	43
intensity modulated radiotherapy		**L**		MLO	245
（IMRT）	427	LAN（local area network）	332	modality performed procedure step	
interchange media storage	334	Lauenstein I 撮影	242	（MPPS）	334
intermittency effect	311	Lauenstein II 撮影	242	modality worklist（MW）	334
internal conversion（IC）	104	LCD（liquid crystal display）		modulation transfer function	
interventional radiology（IVR）			317, 331	（MTF）	318
	256	LDL コレステロール	61	mononuclidic element	124
intracranial arteriovenous		LED	163	MOS 形（metal oxide	
malformation（AVM）	454	LET	71	semiconductor）FET	165
intravascular ultrasound（IVUS）		LH	50	Moseley の法則	111
	300	LH-RH	45, 50	MOSFET（metal oxide	
inverter	171	LiI シンチレータ	361	semiconductor field effect	
IOL	214	line spread function（LSF）	318	transistor）	348
IP	195, 314	liquid crystal display（LCD）		MOSFET 線量計	348
IP アドレス	332		317, 331	MPPS（modality performed	
IR	276	LNT 仮説	87	procedure step）	334
IR 法	276	local area network（LAN）	332	MPR	205
¹⁹²Ir 線源	435	Lorenz（開排位）撮影	243	MR アンギオグラフィ（MRA）	
irradiated volume（IV）	431	LQ モデル	81		277
irradiation	311	LR 回路の過渡現象	160	MR 画像	284
isobar	102	LROC	323	MR スペクトロスコピー（MRS）	
isodose curve	443	LSF（line spread function）	318		289
isomer	104	¹⁷⁷Lt 治療	409	MR ミエログラフィ	288
isomeric transition（IT）	104			MRA（MR アンギオグラフィ）	
isotone	102	**M**			284, 277, 285
IT（isomeric transition）	104	Mモード法	296	MRCP	287
IV（irradiated volume）	431	macro auto radiography	385	MRI（magnetic resonance	
IVR（interventional radiology）		macrohematuria	43	imaging）	5, 266, 383
	210, 256	magnetic resonance imaging		安全性	291
IVR の DRL	508	（MRI）	266, 383	原理	266
IVUS（intravascular ultrasound）		main lobe	299	撮像原理	271
	300	Martius 撮影	244	撮像シーケンス	274
		Martius 像における計測点	244	MRI 検査の実際	284
J		Mayer 法撮影	225	MRI 検査の準備	283
J（ジュール）	144	MCI（metacarpal index）	206	MRI 検査の特徴	266
JCS	472	MD 法	206	MRI 造影剤	282
JESRA	379			MRI 装置	269
				構成	268

559

MRI用ガドリニウム製剤	471	nuclear fission	126	PET (positron emission	
MRI用造影剤	469	nuclear magnetic resonance		tomography)	5, 380
MRI用造影剤と安全性	282	(NMR)	266	装置	382
MRS (MRスペクトロスコピー)		Nyquist周波数	312	撮像	382
	289			検査	405
MS	8	**O**		PET/CT装置	382
MSRB (multi slice rebinning)法				PET/MR装置	383
	384	O157	66	pH緩衝剤	308
MT効果	278	OD (optical density)	316	pH調整剤	308
MTパルス	278	OER	73, 90	PHA (pulse height analizer)	353
MTF (modulation transfer		OMBL	214	phase contrast (PC)法	277
function)	318	one shot法	325	phase transfer function (PTF)	
MUGA (multi gated acquisition)法		OPアンプ	166		318
	395	opposed phase像	278	photo peak	357
multi detector-row CT (MDCT)		optical density (OD)	316	photo-disintegration	105
	202	optical transfer function (OTF)		photoluminescence dosimeter	
multi gated acquisition (MUGA)法			318	(PLD)	347
	395	optically stimulated luminescence		photomultiplier (PMT)	353
multi slice rebinning (MSRB)法		dosimeter (OSLD)	348	photon absorptiometry法 (PA)	
	384	OR回路	329		206
MW (modality worklist)	334	OSI参照モデル	332	picture archiving and	
myelography	254	OSLD (optically stimulated		communication system (PACS)	
		luminescence dosimeter)			333
N			363, 348	PIN形半導体検出器	355
		OTF (optical transfer function)		PIXE (particle induced X-ray	
Nハーフゴースト	276		318	emission)法	139
N標識化合物	137	out-of phase像	278	PIXEの原理	139
NaI (Tl) シンチレーション検出器				planning target volume (PTV)	
	357	**P**			431
NaI (Tl) シンチレータ	378, 387			plateau	350
NAND回路	329, 330	PA法 (photon absorptiometry)		PLD (photoluminescence	
narrow beam	356		206	dosimeter)	347, 363
NEMA	379	PACS (picture archiving and		PLDR	81, 82
nephrogenic systemic fibrosis		communication system)	333	Pm	124
(NSF)	469, 471	pair production peak	357	PMRT (postmastectomy radiation	
NEQ (noise equivalent quanta)		parallel plate chamber	343	therapy)	450
	322	particle induced X-ray emission		PMT (photomultiplier)	353
NMR (nuclear magnetic		(PIXE)法	139	PN接合形半導体検出器	355
resonance)	266	Passive照射法	459	pn接合ダイオード	162
NMR現象	266	PC	133	point spread function (PSF)	318
noβ核種	376	PC (phase contrast)法	277	positron emission tomography	
noise equivalent quanta (NEQ)		PCI (percutaneous coronary		(PET)	380
	322	intervention)	258, 259	postmastectomy radiation therapy	
non-vascular IVR	256	percutaneous coronary		(PMRT)	450
NOR回路	329, 330	intervention (PCI)	258	pQCT (peripheral QCT)	208
NOT回路	329, 330	percutaneous transluminal		PRL	50
NPH	4	angioplasty (PTA)	256	prompt OSL法	348
NSF (nephrogenic systemic		perfusion MRI	279	pseudo photographic effect	311
fibrosis)	469, 471	peripheral QCT (pQCT)	208	PSF (point spread function)	318

PTA（percutaneous transluminal angioplasty）	256	
PTBD	259	
PTC	253	
PTE	26	
PTF（phase transfer function）	318	
PTH	50, 53	
PTV（planning target volume）	431	
pulse height analizer（PHA）	353	
pulsed OSL 法	348	
pure β 核種	376	
PWI	279, 284	

Q

Q 値	120
QCT 法（quantitative CT）	208
quantitative CT 法（QCT）	208
quantitative US 法（QUS）	208
quantization	312
quenching	354
QUS 法（quantitative US）	208

R

^{223}Ra 治療	409
radiculography	255
radio photoluminescence（RPL）	347
radiology information system（RIS）	333
RALS	435
RBE	90
RC 並列回路	158
rCBF（regional cerebral blood flow）	384
RCL 並列回路	158
reassortment	91
receiver operating characteristic（ROC）	323
recoil atom	134
recovery	91
recursive filter	326
redistribution	91
reduction factor	278
regeneration	91
region of interest（ROI）	388

regional cerebral blood flow（rCBF）	384	
reoxygenation	91	
repair	91	
repopulation	91	
RF コイル	270, 283	
RF システム	270	
Rf 値（rate of flow）	133	
RF レシーバ	270	
Rhese-Goalwin 法撮影	226	
RI アンギオグラフィ	402	
RI 遠隔照射装置	426	
RI 内用療法	393, 408	
RI ベノグラフィ	402	
Rippstein 撮影	243	
RIS（radiology information system）	333	
RL 並列回路	157	
RLC 直列回路	156	
RMS（root mean square）	155, 321	
ROC（receiver operating characteristic）	323	
ROC 解析	323	
ROC 曲線	323	
ROI（region of interest）	388	
root mean square（RMS）	155, 321	
Roth 斑	301	
RP	254	
RPL（radio photoluminescence）	347	
RUG	254	
Russel effect	311	

S

S（ジーメンス）	142
S（ソース）	164
S 標識化合物	137
SaaS（software as a service）	333
Sabattier effect	311
sampling	312
SAR（specific absorption rate）	172, 292
Schuller 法撮影	224, 225
Schwarzschild の法則	311
SCP（service class provider）	334
SCR（silicon controled rectifier）	163
SCU（service class user）	334

SE 法	274
selectivity coefficient	132
SENSE factor	278
sensitivity time control（STC）	298
service class provider（SCP）	334
service class user（SCU）	334
SF（spontaneous fission）	105
shear wave elastgraphy	296
SHELL モデル	412
shimming	269
shoulder joint arthrography	255
Si	355
SI 単位	96, 346
side lobe	299
signal-to-noise ratio（SNR）	322
silicon controled rectifier（SCR）	163
single energy X ray absorptiometry（SXA）	206
single photon emission tomography（SPECT）	380
single slice rebinning（SSRB）法	384
SLDR	81, 82
slicer 回路	168
SMASH 系	278
SN 比	274
SNR（signal-to-noise ratio）	322
SOBP の形成	459
software as a service（SaaS）	333
solarization	311
Sonnenkalb 法撮影	225
specific absorption rate（SAR）	172
SPECT（single photon emission tomography）	5, 380, 381
撮像	396
装置	380, 381
SPECT/CT 装置	380
SPIO	282
split course irradiation	422
spontaneous fission（SF）	105
^{89}Sr 治療	409
SRS（stereotactic radiation surgery）	427
SRT（stereotactic radiation therapy）	427
SSD 法	439

SSRB（single slice rebinning）法	384	thin film transistor（TFT）	165	（VMAT）	427
Static マーク	311	thymus	54	von Rosen 撮影	243
STC（sensitivity time control）	298	^{201}TlCl	396, 403		
STD 法	439	^{201}TlCl/^{99m}TcO$_4^-$ 法	393	**W**	
Stenvers 法撮影	225	^{201}TlCl/Na^{123}I 法	393		
stereotactic radiation surgery（SRS）	427	time activity curve（TAC）	388	W（ワット）	142
stereotactic radiation therapy（SRT）	427	time gain compensation（TGC）	298	Waters 法撮影	223
		time of flight（TOF）-PET	382	wavelet 圧縮	313
STIR	276, 278	time of flight（TOF）法	277	Wb（ウェーバ）	142
storage	334	tissue harmonic imaging（THI）	296	wedge filter	432
strain elastgraphy	296	TLC	133	whole body counter	387
sum peak	357	TLD	347, 363, 433	Wiener フィルタ	389
Sv	71	TNM 分類	415, 418	Wilzbach 法	140
SXA（single energy X ray absorptiometry）	206	TOF（time of flight）法	277, 284	**X**	
synchrotron radiation	98	TOF-PET	382	X 線 CT	260
		Towne 法撮影	222	X 線 CT 用 X 線管	180
T		TPF（true positive fraction）	323	X 線 TV システム	193, 314
		TR	274	X 線イメージインテンシファイア	193
T（テスラ）	142	tracerbility	341		
t-PA 静注療法	6	transcather arterial chemoembolization（TACE）	258	X 線映像装置	177, 193
T$_1$ 強調像	276, 284, 288			X 線映像増倍管	193
T$_2$ filtering 効果	276	transcatheter arterial embolization（TAE）	256	X 線エネルギーの測定	356
T$_2$ 強調像	276, 284, 288			X 線画像コントラスト	211
T$_2$* 減衰	267	treated volume（TV）	431	X 線画像処理装置	177
T$_3$ 抑制試験	392	TRH	50	X 線画像の画質	211
TAC（time activity curve）	388	triplet formation	113	X 線管球	200
TACE（transcather arterial chemoembolization）	257, 258	true positive fraction（TPF）	323	X 線管装置	176
		TSH	50, 52	X 線管装置付属器具	176
TAE（transcatheter arterial embolization）	256	TV（treated volume）	431	X 線管入力	189
		two shot 法	325	X 線管の構造	178
TAO	31	T リンパ球	54	X 線管の故障	181
target volume	444			X 線管の動作特性	181
Tc	124	**U**		X 線管の冷却	180
^{99m}Tc 製剤	396			X 線管負荷	185
^{99m}Tc の標識化合物	136	U 標識化合物	137	X 線機械装置	177
^{99m}Tc-ピロリン酸	397			X 線検出器	200
^{99m}Tc-MIBI 法	393	**V**		X 線高電圧ケーブル	182
TCP/IP	332			X 線高電圧装置	176
TE	274	V（ボルト）	142	X 線高電圧装置通則	191
TFT（thin film transistor）	165	vascular IVR	256	X 線作業主任者	498
TGC（time gain compensation）	298	velocity encoding（VENC）	278	X 線撮影技術学	209
		VENC（velocity encoding）	278	X 線撮影条件	211
Theranostics	409	Villard effect	311	X 線撮影台	177
thermoluminescence	347	VMAT（volumetric modurated arc therapy）	427	X 線撮影の目的	211
THI（tissue harmonic imaging）	296			X 線シミュレータ	430, 437, 445
		volumetric modurated arc therapy		X 線診療室の遮へい計算	482
				X 線スペクトルの測定	356

562

X線スペクトルの変化	110	X線の波動性	110
X線制御装置	187	X線の量子性	110
X線センシトメトリ	316, 317	X線発生装置	176
X線装置	479, 481, 486, 491	X線フィルム	304
X線装置通則	191	取り扱いと保存	304
X線装置の防護	481	X線平面検出器	193, 196, 216
X線断層撮影装置	197	X線量率	369
X線透視撮影台	177	Xeガス高圧封入電離箱	200
X線の遮へい計算	481	^{133}Xeによるクリアランス法	390

Y

^{90}Y標識抗体による悪性リンパ腫治療　　408

Z

z軸補正　　202

診療放射線技師 国家試験対策全科

1978 年 3 月 10 日　第 1 版第 1 刷	2004 年 8 月 10 日　第 8 版第 1 刷
1979 年 7 月 1 日　第 1 版第 3 刷	2006 年 2 月 20 日　第 8 版第 2 刷
1981 年 2 月 10 日　第 2 版第 1 刷	2008 年 3 月 31 日　第 9 版第 1 刷
1984 年 6 月 1 日　第 2 版第 4 刷	2009 年 5 月 15 日　第 9 版第 2 刷
1985 年 8 月 20 日　第 3 版第 1 刷	2011 年 4 月 15 日　第 10 版第 1 刷
1988 年 4 月 15 日　第 3 版第 5 刷	2012 年 5 月 1 日　第 10 版第 2 刷
1989 年 10 月 25 日　第 4 版第 1 刷	2014 年 3 月 31 日　第 11 版第 1 刷
1992 年 5 月 20 日　第 4 版第 4 刷	2015 年 3 月 30 日　第 11 版第 2 刷
1993 年 7 月 10 日　第 5 版第 1 刷	2017 年 4 月 15 日　第 12 版第 1 刷
1996 年 7 月 10 日　第 5 版第 4 刷	2019 年 3 月 10 日　第 13 版第 1 刷
1997 年 8 月 1 日　第 6 版第 1 刷	2020 年 3 月 31 日　第 13 版第 2 刷
2000 年 7 月 20 日　第 6 版第 4 刷	
2001 年 8 月 1 日　第 7 版第 1 刷	2022 年 3 月 1 日　第 14 版第 1 刷 ⓒ
2004 年 1 月 10 日　第 7 版第 3 刷	

編 著 者　西谷源展
　　　　　NISHITANI, Motohiro

　　　　　遠藤啓吾
　　　　　ENDO, Keigo

　　　　　赤澤博之
　　　　　AKAZAWA, Hiroyuki

発 行 者　宇山閑文

発 行 所　株式会社金芳堂
　　　　　〒606-8425　京都市左京区鹿ケ谷西寺ノ前町 34 番地
　　　　　振替　01030-1-15605　電話　(075)751-1111(代)
　　　　　https://www.kinpodo-pub.co.jp/

印刷・製本　創栄図書印刷株式会社

落丁・乱丁本は直接小社へお送りください．お取替え致します．
Printed in Japan
ISBN978-4-7653-1894-5

JCOPY <(社)出版者著作権管理機構 委託出版物>

本書の無断複写は著作権法上での例外を除き禁じられています．複写される場合は，その都度事前に，(社)出版者著作権管理機構(電話 03-5244-5088, FAX 03-5244-5089, e-mail: info@jcopy.or.jp)の許諾を得てください．

●本書のコピー，スキャン，デジタル化等の無断複製は著作権法上での例外を除き禁じられています．本書を代行業者等の第三者に依頼してスキャンやデジタル化することは，たとえ個人や家庭内の利用でも著作権法違反です．